MINI
DICTIONARY

**SPANISH
ENGLISH**

**ENGLISH
SPANISH**

LAROUSSE

LAROUSSE

ÍNDICE

CONTENTS

LAROUSSE

MINI DICCIONARIO

ESPAÑOL
INGLÉS

INGLÉS
ESPAÑOL

LAROUSSE

Para esta edición/For this edition

JOAQUÍN BLASCO   JOSÉ A. GÁLVEZ

SHARON J. HUNTER   JANICE MCNEILLIE

Para las ediciones anteriores/For previous editions

JOAQUÍN BLASCO   JOSÉ A. GÁLVEZ   DILERI BORUNDA JOHNSTON

CALLUM BRINES   ISABEL BROSA SÁBADA   ANA CARBALLO VARELA

MALIHE FORGHANI-NOWBARI   LESLEY KINGSLEY   WENDY LEE

ANA CRISTINA LLOMPART LUCAS   SINDA LÓPEZ

ZOË PETERSEN   ELENA PARSONS   CARMEN ZAMANILLO

© Larousse, 2008

ISBN 978-84-8332-771-5
Depósito legal: B. 6.026-2008
LAROUSSE EDITORIAL, S.L., Mallorca, 45, 08029 Barcelona

Imprime: ARTS GRÀFIQUES HUROPE, S.L.

La colección Mini se ha desarrollado para hacer frente tanto a las necesidades del viajero como a las del principiante.

Con sus más de 30.000 palabras y más de 40.000 traducciones, este diccionario incluye no sólo vocabulario general sino también lenguaje utilizado en situaciones de todos los días.

El diccionario utiliza indicadores de sentido claros para guiar al lector hacia la traducción correcta. Se ha puesto especial hincapié en muchas palabras básicas, ofreciendo ejemplos de uso útiles, presentados de una forma especialmente accesible.

A lo largo de todo el diccionario se facilitan notas culturales e información práctica que ofrecen una interesante visión de la vida en otro país.

EL EDITOR

The Mini series was developed to meet the needs of both the traveller and the beginner.

With over 30,000 words and phrases and 40,000 translations, this dictionary provides not only general vocabulary but also the language used in everyday life.

Clear sense markers are provided to guide the reader to the correct translation, while special emphasis has been placed on many basic words, with helpful examples of usage and a particularly user-friendly layout.

Cultural notes and practical information can be found throughout which allow an interesting insight into life in another country.

THE PUBLISHER

Abreviaturas/Abbreviations

abreviatura	abrev/abbr	abbreviation
adjetivo	adj	adjective
adverbio	adv	adverb
español de América	Amér	Latin American Spanish
anatomía	ANAT	anatomy
español de los Andes	Andes	Andean Spanish
español de Argentina	Arg	Argentinian Spanish
artículo	art	article
automóviles	AUT(OM)	automobile, cars
auxiliar	aux	ausiliary
español de Bolivia	Bol	Bolivian Spanish
español de Centroamérica	CAm	Central American Spanish
español del Caribe	Carib	Caribbean Spanish
español de Chile	Chile	Chilean Spanish
español de Colombia	Col	Colombian Spanish
comercio	COM(M)	commerce, business
comparativo	compar	comparative
informática	COMPUT	computing, IT
conjunción	conj	conjunction
continuo	cont	continuous
español de Costa Rica	CRica	Costa Rican Spanish
español del Cono Sur	CSur	Cono Sur Spanish
español de Cuba	Cuba	Cuban Spanish
cocina	CULIN	culinary, cooking
deportes	DEP	sport
derecho	DER	juridical, legal
despectivo	despec	pejorative
economía	ECON	economics
educación	EDUC	school, education

Abreviaturas/Abbreviations

exclamación	excl	exclamation
sustantivo femenino	f	feminine noun
familiar	fam	informal
figurado	fig	figurative
finanzas	FIN	finance
formal, culto	fml	formal
generalmente	gen	generally
gramática	GRAM(M)	grammar
español de Guatemala	Guat	Guatemalan Spanish
familiar	inf	informal
informática	INFORM	computing, IT
inseparable	insep	inseparable
interjección	interj	exclamation
invariable	inv	invariable
derecho, jurídico	JUR	juridical, legal
sustantivo masculino	m	masculine noun
matemáticas	MAT(H)	mathematics
medicina	MED	medicine
español de México	Méx	Mexican Spanish
militar	MIL	military
música	MÚS/MUS	music
náutica, marítimo	NÁUT/NAUT	nautical
español de Nicaragua	Nic	Nicaraguan Spanish
número	núm/num	numeral
	o.s.	oneself
español de Panamá	Pan	Panaman Spanish
español de Perú	Perú	Peruvian Spanish
plural	pl	plural
política	POL(IT)	politics
participio pasado	pp	past participle

VII

ABREVIATURAS

Abreviaturas/Abbreviations

preposición	prep	preposition
español de Puerto Rico	PRico	Porto Rican Spanish
pronombre	pron	pronoun
pasado, pretérito	pt	past tense
marca registrada	®	registered trademark
religión	RELIG	religion
español del Río de la Plata	RP	Rio de la Plata Spanish
sustantivo	s	noun
	sb	somebody
educación	SCH	school, education
separable	sep	separable
singular	sg	singular
	sthg	something
sujeto	suj/subj	subject
superlativo	superl	superlative
tecnología	TECN/TECH	technology
televisión	TV	television
transportes	TRANS(P)	transport
inglés británico	UK	British English
español de Uruguay	Urug	Uruguayan Spanish
inglés americano	US	American English
verbo	v/vb	verb
español de Venezuela	Ven	Venezuelan Spanish
verbo intransitivo	vi	intransitive verb
verbo impersonal	v impers	impersonal verb
verbo pronominal	vpr	pronominal verb
verbo transitivo	vt	transitive verb
vulgar	vulg	vulgar
equivalente cultural	≃	cultural equivalent

	inglés	español	explicación
æ	pat/bag/mad		*a* con posición bucal para *e*
ɑː	barn/car/laugh		*a* muy alargada
ai	buy/light/aisle	aire	
au	now/shout/town	aula	
b	bottle/bib	vaca/bomba	
d	dog/did	dar	
ʤ	jig/fridge		sonido entre la *y* inicial y la *ch*
e	pet		como la *e* de *elefante* pero más corta
ə	mother/suppose		*e* con posición bucal para *o*
ɜː	burn/learn/bird		*e* larga con posición bucal entre *o* y *e*
ei	bay/late/great	reina	
eə	pair/bear/share		*ea* pronunciado muy brevemente
f	fib/physical	fui/fama	
g	gag/great	gato	
h	how/perhaps		*h* aspirada
ɪ	pit/big/rid		*i* breve, a medio camino entre *e* e *i*
iː	bean/weed		*i* muy alargada
ɪə	peer/fierce/idea	hielo	

PRONUNCIACIÓN INGLESA

	inglés	español	explicación
j	you/spaniel	yo/lluvia	
k	come/kitchen	casa/que	
l	little/help	ala/luz	
m	metal/comb	madre/cama	
n	night/dinner	no/pena	
ŋ	song/finger	banca	
ɒ	dog/sorry		*o* abierto
ɔː	lawn		*o* cerrada y alargada
ɔi	boy/foil	soy	
əʊ	no/road/blow		*ou* como en *COU*
p	pop/people	campo/papá	
r	right/carry		sonido entre *r* y *rr*
s	seal/peace	solo/paso	
ʃ	sheep/machine	show	
ʒ	usual/measure		como *y* o *ll* en el Río de la Plata
t	train/tip	toro/pato	
tʃ	chain/wretched	chico/ocho	
θ	think/fifth	zapato	
ð	this/with	cada/pardo	
ʊ	put/full		*u* breve
uː	loop/moon		*u* muy alargada
ʌ	cut/sun		*a* breve y cerrada
ʊə	poor/sure/tour		

X

	inglés	español	explicación
v	vine/livid		como *v* de *vida* en el pasado
w	wet/why/twin	agua/hueso	
z	zip/his	andinismo	

	Spanish	English	comment
a	pata		similar to the *a* sound in *father*, but more central
ai	aire/caiga	buy/light	
au	causa/aula	now/shout	
b	boca	bib	
β	cabo		*b* pronounced without quite closing the lips
θ	cera/paz	think/fifth	
tʃ	ocho/chispa	chain/wretched	
d	donde/caldo	dog/did	
ð	cada	this/with	
e	leche		similar to the *e* sound in *met*
ei	ley/peine	bay/late	
eu	Europa/deuda		the sound *e* in *met* followed by *oo* in *fool*
f	fácil	fib/physical	
g	grande/guerra	gag/great	
γ	águila		like a *w* pronounced trying to say *g*
i	silla		like the *ea* sound in *meat*, but much shorter
j	hierba/miedo	you/spaniel	
k	que/cosa	come/kitchen	
l	ala/luz	little/help	
m	madre/cama	metal/comb	
n	no/pena	night/dinner	

	Spanish	English	comment
ñ	caña	onion	
ŋ	banco	sung	
oi	soy	boy	
o	solo	off/on	
p	papá/campo	pop/people	
rʹ	caro		a rolled *r* sound
r	carro		a much longer rolled *r* sound
s	solo/paso	seal/peace	
t	toro/pato	train/tip	
u	luto		like the *oo* sound in *soon*, but much shorter
w	agua/hueso	wet/twin	
x	gemir/jamón		like an *h*, pronounced at the back of the throat
λ	llave/collar	yellow	
z	resguardar	zip/his	

La ordenación alfabética en español

En este diccionario se ha seguido la ordenación alfabética internacional. Esto significa que las entradas con *ch* aparecerán después de *cg* y no al final de *c*; del mismo modo las entradas con *ll* vendrán después de *lk* y no al final de *l*. Adviértase, sin embargo, que la letra *ñ* sí se considera letra aparte y sigue a la *n*.

Spanish alphabetical order

The dictionary follows international alphabetical order. Thus entries with *ch* appear after *cg* and not at the end of *c*. Similarly, entries with *ll* appear after *lk* and not at the end of *l*. Note however that *ñ* is treated as a separate letter and follows *n*.

Los compuestos en inglés

En inglés se llama compuesto a una locución sustantiva de significado único pero formada por más de una palabra; p. ej. *point of view, kiss of life, virtual reality*. Uno de los rangos distintivos de este diccionario es la inclusión de estos compuestos con entrada propria y en riguroso orden alfabético. De esta forma *blood test* vendrá después de *blood shot*, el cual sigue a *blood pressure*.

English compounds

A compound is a word or expression which has a single meaning but is made up of more than one word, e.g. *point of view, kiss of life, virtual reality*. It is a feature of this dictionary that English compounds appear in the A–Z list in strict alphabetical order. The compound *blood test* will therefore come after *blood shot* which itself follows *blood pressure*.

Nombres de marcas

Los nombres de marca aparecen señalados en este diccionario con el símbolo ®. Sin embargo, ni este símbolo ni su ausencia son representativos de la situación legal de la marca.

Registered trademarks

Words considered to be trademarks have been designated in this dictionary by the symbol ®. However, neither the presence nor the absence of such designation should be regarded as affecting the legal status of any trademark.

ESPAÑOL-INGLÉS
_____
SPANISH-ENGLISH

a A

a [a] *prep* **1.** *(tiempo)* ● **a las pocas semanas** a few weeks later ● **al mes de casados** a month after marrying ● **las siete** at seven o'clock ● **a los once años** at the age of eleven ● **dos veces al año** twice a year ● **al oír la noticia se desmayó** on hearing the news, she fainted **2.** *(frecuencia)* per, every ● **cuarenta horas a la semana** forty hours a week **3.** *(dirección)* ● **voy a Sevilla** I'm going to Seville ● **llegó a Barcelona/a la fiesta** he arrived in Barcelona/at the party **4.** *(posición, lugar, distancia)* ● **a la salida del cine** outside the cinema ● **está a cien kilómetros** it's a hundred kilometres away ● **a la derecha/izquierda** on the right/left **5.** *(con complemento indirecto)* to ● **dáselo a Juan** give it to Juan ● **dile a Juan que venga** tell Juan to come **6.** *(con complemento directo)* ● **quiere a su hijo** she loves her son **7.** *(cantidad, medida, precio)* ● **a cientos/docenas** by the hundred/dozen ● **¿a cuánto están las peras?** how much are the pears? ● **vende las peras a 1 euro** he's selling pears for 1 euro ● **ganaron por tres a cero** they won three nil **8.** *(modo, manera)* ● **a la gallega** Galician-style ● **escribir a máquina** to type ● **a mano** by hand **9.** *(finalidad)* to ● **entró a pagar** he came in to pay ● **aprender a nadar** to learn to swim

abad, desa [a'βað, ðesa] *m,f* abbot *(f abbess)*

abadía [aβa'ðia] *f* abbey

abajo [a'βaxo] *adv* **1.** *(posición)* below **2.** *(en edificio)* downstairs **3.** *(dirección)* down ● **allí abajo** down there ● **abajo** down here ● **más abajo** further down ● **para abajo** downwards ● **de abajo** *(piso)* downstairs

abalear [aβale'ar] *vt (Andes, CAm & Ven)* to shoot

abandonado, da [aβando'naðo, ða] *adj* **1.** abandoned **2.** *(lugar)* deserted

abandonar [aβando'nar] *vt* **1.** *(persona, animal, proyecto)* to abandon **2.** *(coche, lugar, examen)* to leave **3.** *(prueba)* to drop out of ● **abandonarse** *vp* to let o.s. go

abandono [aβan'dono] *m (dejadez)* neglect

abanicarse [aβani'karse] *vp* to fan o.s.

abanico [aβa'niko] *m* fan

abarcar [aβar'kar] *vt* **1.** *(incluir)* to include **2.** *(ver)* to have a view of

abarrotado, da [aβaro'taðo, ða] *adj* packed

abarrotero, ra [aβaro'tero, ra] *m,f (Amér)* grocer

abarrotes [aβa'rotes] *mpl (Andes, CAm & Méx)* groceries

abastecer [aβaste'θer] *vt* to supply ● **abastecerse de** *v + prep* to get, to buy

abatible [aβa'tiβle] *adj* folding

abatido, da [aβa'tiðo, ða] *adj (desanimado)* dejected

abatir [aβa'tir] *vt* **1.** *(muro)* to knock down **2.** *(avión)* to shoot down

abdicar [aβði'kar] *vi* to abdicate

abdomen [aβ'ðomen] *m* abdomen

abdominales [aβðomi'nales] *mpl* sit-ups

abecedario [aβeθe'ðarjo] *m* (*alfabeto*) alphabet

abeja [a'βexa] *f* bee

abejorro [aβe'xoro] *m* bumblebee

aberración [aβera'θjon] *f* (*disparate*) stupid thing

abertura [aβer'tura] *f* (*agujero*) opening

abeto [a'βeto] *m* fir

abierto, ta [a'βjerto, ta] *adj* **1.** open **2.** (*de ideas*) open-minded **3.** (*camisa, cremallera*) undone ● **estar abierto a** to be open to

abismo [a'βizmo] *m* abyss

ablandar [aβlan'dar] *vt* **1.** (*materia*) to soften **2.** (*persona*) to mollify

abofetear [aβofete'ar] *vt* to slap

abogado, da [aβo'γaðo, ða] *m,f* lawyer

abolición [aβoli'θjon] *f* abolition

abolir [aβo'lir] *vt* to abolish

abollar [aβo'ʎar] *vt* to dent

abonado, da [aβo'naðo, ða] *adj* (*tierra*) fertilized

abonar [aβo'nar] *vt* **1.** (*tierra*) to fertilize **2.** (*cantidad, precio*) to pay ● **abonarse a** *v* + *prep* **1.** (*revista*) to subscribe to **2.** (*teatro, fútbol*) to have a season ticket for

abono [a'βono] *m* **1.** (*del metro, autobús*) season ticket **2.** (*para tierra*) fertilizer

abordar [aβor'ðar] *vt* to tackle

aborrecer [aβore'θer] *vt* to loathe

abortar [aβor'tar] *vi* **1.** (*espontáneamente*) to have a miscarriage **2.** (*intencionadamente*) to have an abortion

aborto [a'βorto] *m* **1.** (*espontáneo*) miscarriage **2.** (*intencionado*) abortion **3.** (*fam*) (*persona fea*) freak

abrasador, ra [aβrasa'ðor, ra] *adj* burning

abrasar [aβra'sar] *vt* **1.** (*suj: incendio*) to burn down **2.** (*suj: sol*) to burn

abrazar [aβra'θar] *vt* to hug ● **abrazarse** *vp* to hug

abrazo [a'βraðo] *m* hug

abrebotellas [,aβreβo'teʎas] *m inv* bottle opener

abrecartas [aβre'kartas] *m inv* paper knife

abrelatas [aβre'latas] *m inv* tin opener (*UK*), can opener (*US*)

abreviar [aβre'βjar] *vt* **1.** (*texto*) to abridge **2.** (*discurso*) to cut

abreviatura [aβreβja'tura] *f* abbreviation

abridor [aβri'ðor] *m* opener

abrigar [aβri'γar] *vt* (*del frío*) to keep warm ● **abrigarse** *vp* to wrap up

abrigo [a'βriγo] *m* (*prenda*) coat ● **al abrigo de** (*roca, árbol*) under the shelter of

abril [a'βril] *m* April ● **a principios/mediados/finales de abril** at the beginning/in the middle/at the end of April ● **el nueve de abril** the ninth of April ● **el pasado/próximo (mes de) abril** last/next April ● **en abril** in April ● **este (mes de) abril** (*pasado*) last April; (*próximo*) this (coming) April ● **para abril** by April

abrillantador [aβriʎanta'ðor] *m* polish

abrillantar [aβriʎan'tar] *vt* to polish

abrir [a'βrir] ◇ *vt* **1.** to open **2.** (*grifo, gas*) to turn on **3.** (*curso*) to start **4.** (*agujero*) to make **5.** *(cremallera)* to undo **6.** *(persiana)* to raise **7.** *(ir delante de)* to lead ◇ *vi (comercio)* to open ● **abrirse** *vp* ● **abrirse a alguien** to open up to sb

abrochar [aβro'tʃar] *vt* to do up ● **abrocharse** *vp* ● **abrocharse el pantalón** to do up one's trousers ● **abróchense los cinturones** please fasten your seatbelts

abrumador, ra [aβruma'ðor, ra] *adj* overwhelming

abrumarse [aβru'marse] *vp (agobiarse)* to be overwhelmed

abrupto, ta [a'βrupto, ta] *adj* **1.** *(accidentado)* rough **2.** *(empinado)* steep

ABS [aβe'ese] *m (abr de* anti-lock braking system*)* ABS *(anti-lock braking system)*

ábside ['aβsiðe] *m* apse

absolución [aβsolu'θjon] *f* **1.** DER acquittal **2.** RELIG absolution

absolutamente [aβso,luta'mente] *adv* absolutely

absoluto, ta [aβso'luto, ta] *adj* absolute ● **en absoluto** *(de ninguna manera)* not at all ● **nada en absoluto** nothing at all

absolver [aβsol'βer] *vt* ● **absolver a alguien (de)** DER to acquit sb (of)

absorbente [aβsor'βente] *adj* **1.** *(material)* absorbent **2.** *(actividad)* absorbing **3.** *(persona)* domineering

absorber [aβsor'βer] *vt* **1.** *(líquido)* to absorb **2.** *(tiempo)* to take up

absorto, ta [aβ'sorto, ta] *adj* ● **absorto (en)** engrossed (in)

abstemio, mia [aβs'temjo, mja] *m,f* teetotaller

abstención [aβsten'θjon] *f* abstention

abstenerse [aβste'nerse] ● **abstenerse**

de *v + prep* to abstain from

abstinencia [aβsti'nenθja] *f* abstinence ● **hacer abstinencia** to fast

abstracto, ta [aβs'trakto] *adj* abstract

absurdo, da [aβ'surðo, ða] *adj* absurd

abuelo, la [a'βwelo, la] *m,f* **1.** *(familiar)* grandfather *(f* grandmother) **2.** *(fam) (anciano)* old man *(f* old woman) ● **abuelos** *mpl* grandparents

abultado, da [aβul'taðo, ða] *adj* bulky

abultar [aβul'tar] *vi* to be bulky

abundancia [aβun'danθja] *f* abundance

abundante [aβun'dante] *adj* abundant

aburrido, da [aβu'riðo, ða] *adj* **1.** *(que aburre)* boring **2.** *(harto)* bored

aburrimiento [aβuri'mjento] *m* boredom

aburrir [aβu'rir] *vt* to bore ● **aburrirse** *vp* **1.** *(hastiarse)* to get bored

abusar [aβu'sar] ● **abusar de** *v + prep* **1.** *(excederse)* to abuse **2.** *(aprovecharse)* to take advantage of

abusivo, va [aβu'siβo, βa] *adj* **1.** *(precio)* extortionate **2.** *(Amér) (que abusa)* who takes advantage **3.** *(Amér) (descarado)* cheeky

abuso [a'βuso] *m* abuse

acá [a'ka] ◇ *adv (aquí)* here ◇ *pron (Amér)* ● **acá es mi hermana** this is my sister

acabar [aka'βar] ◇ *vt* **1.** *(concluir)* to finish **2.** *(provisiones, dinero, gasolina)* to use up; *(comida)* to finish ◇ *vi* **1.** *(concluir)* to finish ● **acabar de hacer algo** to finish doing sthg ● **acabar bien/mal** to end well/badly ● **acaba en punta** it ends in a point **2.**

(haber ocurrido recientemente) ● **acabar de hacer algo** to have just done sthg **3.** ● **acabar con** *(violencia, etc)* to put an end to; *(salud)* to ruin; *(paciencia)* to exhaust **4.** *(volverse)* to end up ● **acabar loco** to end up mad
◆ **acabarse** *vp (agotarse)* to run out
academia [aka'ðemja] *f* **1.** *(escuela)* school **2.** *(de ciencias, arte)* academy

Real Academia Española

Founded in 1713, the *Real Academia Española* sets lexical and syntactical standards for Spanish. In addition to a Spanish grammar and a periodical including the new words accepted into the language, it publishes the *Diccionario de la Real Academia Española (DRAE)*, the standard reference dictionary for the whole of the Spanish-speaking world.

académico, ca [aka'ðemiko, ka] ◇ *adj* academic ◇ *m,f* academician
acalorado, da [akalo'raðo, ða] *adj* **1.** *(por el calor)* hot **2.** *(enfadado)* worked-up **3.** *(apasionado)* heated
acalorarse [akalo'rarse] *vp* **1.** *(por un esfuerzo)* to get hot **2.** *(enfadarse)* to get worked-up
acampada [akam'paða] *f* camping ● **ir de acampada** to go camping
acampanado, da [akampa'naðo, ða] *adj* flared
acampar [akam'par] *vi* to camp
acantilado [akanti'laðo] *m* cliff

acaparar [akapa'rar] *vt* **1.** *(mercado)* to monopolize **2.** *(comida)* to hoard
acápite [a'kapite] *m (Amér)* paragraph
acariciar [akari'θjar] *vt* to stroke
acaso [a'kaso] *adv* perhaps ● **por si acaso** just in case
acatarrarse [akata'rarse] *vp* to catch a cold
acaudalado, da [akauða'laðo, ða] *adj* well-off
acceder [akθe'ðer] *vi* ● **acceder a un lugar** to enter a place ◆ **acceder a** *v* + *prep (petición)* to agree to
accesible [akθe'siβle] *adj* **1.** *(lugar)* accessible **2.** *(persona)* approachable
acceso [ak'θeso] *m* **1.** *(a un lugar)* entrance **2.** *(a poder, universidad)* access
accesorio [akθe'sorjo] *m* accessory
accidentado, da [akθiðen'taðo, ða] *adj* **1.** *(viaje)* bumpy **2.** *(carrera)* eventful **3.** *(terreno)* rough
accidental [akθiðen'tal] *adj (encuentro)* chance *(antes de s)*
accidente [akθi'ðente] *m* **1.** accident **2.** *(de avión, coche)* crash ● **por accidente** by accident ● **accidente geográfico** geographical feature ● **accidente laboral** industrial accident
acción [ak'θjon] *f (acto, hecho)* deed, act ● **acciones** *fpl (en bolsa)* shares
acechar [aθe'tʒar] *vt* to observe secretly
aceite [a'θeite] *m* oil ● **aceite de girasol** sunflower oil ● **aceite de oliva** olive oil
aceitoso, sa [aθei'toso, sa] *adj* oily
aceituna [aθei'tuna] *f* olive ● **aceitunas rellenas** stuffed olives

acelerador [aθelera'ðor] *m* accelerator

acelerar [aθele'rar] ◇ *vt* to speed up ◇ *vi* to accelerate

acelga [a'θelɣa] *f* chard

acento [a'θento] *m* **1.** (ortográfico) accent **2.** (al hablar) stress

acentuación [aθentwa'θjon] *f* accentuation

acentuar [aθentu'ar] *vt* **1.** (vocal) to put an accent on **2.** (destacar) to stress

aceptable [aθep'taβle] *adj* acceptable

aceptación [aθepta'θjon] *f* acceptance

aceptar [aθep'tar] *vt* to accept

acequia [a'θekja] *f* irrigation channel

acera [a'θera] *f* pavement (UK), sidewalk (US)

acerca [a'θerka] ◆ **acerca de** *prep* about

acercamiento [aθerka'mjento] *m* approach

acercar [aθer'kar] *vt* ● ¿me podrías acercar la sal? could you pass me the salt? ● acerca la silla a la mesa move the chair closer to the table ◆ **acercarse** *vp* **1.** (suj: tiempo) to be near **2.** (suj: persona, animal) to come closer ◆ acercarse a (lugar) to be near ◆ **acercarse a** *v + prep* (solución, idea) to be close to

acero [a'θero] *m* steel ● acero inoxidable stainless steel

acertado, da [aθer'taðo, ða] *adj* right

acertar [aθer'tar] *vt* (respuesta, solución) to get right ◆ **acertar con** *v + prep* **1.** (hallar) to get right **2.** (elegir bien) to choose well ◆ **acertar en** *v + prep* **1.** (dar en) to hit **2.** (elegir bien) to choose well

acertijo [aθer'tixo] *m* riddle

achinado, da [atʃi'naðo, ða] *adj* (Amér) low-class (used of Indians)

ácido, da ['aθiðo, ða] ◇ *adj* (sabor) sour ◇ *m* acid

acierto [a'θjerto] *m* **1.** (respuesta, solución) right answer **2.** (habilidad) skill

aclamar [akla'mar] *vt* to acclaim

aclarar [akla'rar] ◇ *vt* **1.** (ropa, cabello, platos) to rinse **2.** (dudas, problemas) to clear up **3.** (situación) to clarify ◇ *vi* (tiempo) to clear up ◆ **aclararse** *vp* (entender) to understand

aclimatación [aklimata'θjon] *f* acclimatization

aclimatar [aklima'tar] *vt* to acclimatize ◆ **aclimatarse** *vp* to become acclimatized

acogedor, ra [akoxe'ðor, ra] *adj* (lugar) cosy

acoger [ako'xer] *vt* **1.** (suj: persona) to welcome **2.** (suj: lugar) to shelter ◆ **acogerse a** *v + prep* **1.** (ley) to have recourse to **2.** (excusa) to resort to

acogida [ako'xiða] *f* welcome

acomodado, da [akomo'ðaðo, ða] *adj* (rico) well-off

acomodador, ra [akomoða'ðor, ra] *m,f* usher (f usherette)

acomodarse [akomo'ðarse] *vp* (aposentarse) to make o.s. comfortable ◆ **acomodarse a** *v + prep* (adaptarse a) to adapt to

acompañamiento [akompaɲa'mjento] *m* (en música) accompaniment

acompañante [akompa'ɲante] *mf* companion

acompañar [akompa'ɲar] *vt* **1.** (hacer compañía) to accompany **2.** (adjuntar) to enclose ● le acompaño en el sentimiento my condolences

acomplejado, da [akompleˈxaðo, ða] *adj* with a complex

acondicionado, da [akondiθjoˈnaðo, ða] *adj (establo, desván)* converted

acondicionador [akondiθjonaˈðor] *m (en peluquería)* conditioner

acondicionar [akondiθjoˈnar] *vt* **1.** *(establo, desván)* to convert **2.** *(local)* to fit out

aconsejable [akonseˈxaβle] *adj* advisable

aconsejar [akonseˈxar] *vt* to advise

acontecer [akonteˈθer] *vi* to happen

acontecimiento [akonteθiˈmjento] *m* event

acoplar [akoˈplar] *vt* **1.** *(encajar)* to fit together **2.** *(adaptar)* to adapt

acordado, da [akorˈðaðo, ða] *adj* agreed

acordar [akorˈðar] *vt* to agree on • acordar hacer algo to agree to do sthg • **acordarse** *vp* to remember • acordarse de hacer algo to remember to do sthg

acorde [aˈkorðe] ◇ *adj (conforme)* in agreement ◇ *m* chord • acorde con in keeping with

acordeón [akorðeˈon] *m* accordion

acortar [akorˈtar] *vt* to shorten

acosar [akoˈsar] *vt* **1.** *(perseguir)* to hound **2.** *(molestar)* to harass

acoso [aˈkoso] *m* harassment

acostar [akosˈtar] *vt* to put to bed • **acostarse** *vp (irse a dormir)* to go to bed • acostarse con alguien *(fam)* to sleep with sb

acostumbrar [akostumˈbrar] *vt* • lo acostumbraron a levantarse pronto they got him used to getting up early • no acostumbro a hacerlo I don't usually do it • **acostumbrarse** *vp* • acostumbrarse a to get used to

acreditado, da [akreðiˈtaðo, ða] *adj (con buena reputación)* reputable

acreditar [akreðiˈtar] *vt (con documentos)* to authorize

acrílico, ca [aˈkriliko, ka] *adj* acrylic

acrobacia [akroˈβaθja] *f* acrobatics *pl*

acróbata [aˈkroβata] *mf* acrobat

acta [ˈakta] *f (de reunión)* minutes *pl*

actitud [aktiˈtuð] *f* **1.** *(del ánimo)* attitude **2.** *(postura)* posture

activar [aktiˈβar] *vt* to activate

actividad [aktiβiˈðað] *f* activity • **actividades** *fpl* activities

activo, va [akˈtiβo, βa] *adj* active

acto [ˈakto] *m* act • acto seguido straight after

actor, triz [akˈtor, ˈtriθ] *m,f* actor *(f* actress)

actuación [aktwaˈθjon] *f* **1.** *(conducta)* behaviour **2.** *(en el cine, teatro)* performance

actual [aktuˈal] *adj* current, present

actualidad [aktualiˈðað] *f (momento presente)* present time • de actualidad topical • en la actualidad nowadays

actualizar [aktualiˈθar] *vt* to bring up to date

actualmente [aktuˈalmente] *adv* **1.** *(en este momento)* at the moment **2.** *(hoy en día)* nowadays

actuar [aktuˈar] *vi* to act

acuarela [akwaˈrela] *f* watercolour

acuario [aˈkwarjo] *m* aquarium • **Acuario** *m* Aquarius

acuático, ca [aˈku̯atiko, ka] *adj* **1.** *(animal, planta)* aquatic **2.** *(deporte)* water *(antes de s)*

acudir [akuˈðir] *vi* **1.** *(ir)* to go **2.** *(venir)* to come ● **acudir a alguien** to turn to sb

acueducto [akueˈðukto] *m* aqueduct

acuerdo [aˈku̯erðo] *m* agreement ● **de acuerdo** all right ● **estar de acuerdo** to agree ● **ponerse de acuerdo** to agree

acumulación [akumulaˈθi̯on] *f* accumulation

acumular [akumuˈlar] *vt* to accumulate

acupuntura [akupunˈtura] *f* acupuncture

acusación [akusaˈθi̯on] *f* **1.** *(increpación)* accusation **2.** *DER* charge

acusado, da [akuˈsaðo, ða] *m,f* ● **el/la acusado** the accused

acusar [akuˈsar] *vt* ● **acusar a alguien (de)** to accuse sb (of)

acústica [aˈkustika] *f (de un local)* acoustics *pl*

adaptación [aðaptaˈθi̯on] *f* adaptation

adaptador [aðaptaˈðor] *m* adapter

adaptarse [aðapˈtarse] ● **adaptarse a** *v + prep* **1.** *(medio, situación)* to adapt to **2.** *(persona)* to learn to get on with

adecuado, da [aðeˈku̯aðo, ða] *adj* suitable, appropriate

adecuar [aðeˈku̯ar] *vt* to adapt ● **adecuarse** *vp (acostumbrarse)* to adjust

a. de J.C. *(abr de antes de Jesucristo)* BC

adelantado, da [aðelanˈtaðo, ða] *adj* **1.** advanced **2.** *(pago)* advance ● **ir adelantado** *(reloj)* to be fast ● **por adelantado** in advance

adelantamiento [aðelantaˈmi̯ento] *m* overtaking

adelantar [aðelanˈtar] ◇ *vt* **1.** *(sobrepasar)* to overtake **2.** *(trabajo, cita, reunión)* to bring forward **3.** *(reloj)* to put forward ◇ *vi (reloj)* to be fast ● **adelantarse** *vp (anticiparse)* to be early

adelante [aðeˈlante] ◇ *adv* ahead ◇ *interj (pase)* come in! ● **más adelante** later ● **en adelante** from now on

adelanto [aðeˈlanto] *m* **1.** advance **2.** *(en carretera)* overtaking

adelgazante [aðelɣaˈθante] *adj* slimming

adelgazar [aðelɣaˈθar] ◇ *vt* to lose ◇ *vi* to lose weight

además [aðeˈmas] *adv* **1.** *(también)* also **2.** *(encima)* moreover ● **además de** as well as

adentro [aˈðentro] *adv* inside

adherente [aðeˈrente] *adj* adhesive

adherir [aðeˈrir] *vt* to stick ● **adherirse a** *v + prep* **1.** *(propuesta, idea, opinión, etc)* to support **2.** *(asociación, partido)* to join

adhesión [aðeˈsi̯on] *f* **1.** *(unión)* sticking **2.** *(apoyo)* support **3.** *(afiliación)* joining

adhesivo, va [aðeˈsiβo, βa] ◇ *adj* adhesive ◇ *m (pegatina)* sticker

adicción [aðikˈθi̯on] *f* addiction

adición [aðiˈθi̯on] *f* addition

adicional [aðiθi̯oˈnal] *adj* additional

adicto, ta [aˈðikto, ta] *adj* ● **adicto a** addicted to

adiós [aˈði̯os] ◇ *m* goodbye ◇ *interj* goodbye!

adivinanza [aðiβiˈnanθa] *f* riddle

adivinar [aðiβiˈnar] *vt* **1.** *(solución, respuesta)* to guess **2.** *(futuro)* to foretell

adivino, na [aði'βino, na] *m,f* fortune-teller

adjetivo [aðxe'tiβo] *m* adjective

adjuntar [aðxun'tar] *vt* to enclose

administración [aðministra'θjon] *f* **1.** (de productos) supply **2.** (de oficina) administration ◆ **Administración** *f* • **la Administración** the Government (UK), the Administration (US)

administrar [aðminis'trar] *vt* **1.** (organizar, gobernar) to run **2.** (medicamento) to give

administrativo, va [aðministra'tiβo, βa] ◇ *adj* administrative ◇ *m,f* office worker

admiración [aðmira'θjon] *f* **1.** (estimación) admiration **2.** (sorpresa) amazement

admirar [aðmi'rar] *vt* **1.** (estimar) to admire **2.** (provocar sorpresa) to amaze

admisible [aðmi'siβle] *adj* acceptable

admitir [aðmi'tir] *vt* to admit

admón. (abr de administración) admin

ADN [aðe'ene] *m* (abr de ácido desoxirribonucleico) DNA (deoxyribonucleic acid)

adobe [a'ðoβe] *m* adobe

adolescencia [aðoles'θenθja] *f* adolescence

adolescente [aðoles'θente] *adj & mf* adolescent

adonde [a'ðonde] *adv* where

adónde [a'ðonde] *adv* where

adopción [aðop'θjon] *f* (de un hijo) adoption

adoptar [aðop'tar] *vt* to adopt

adoptivo, va [aðop'tiβo, βa] *adj* **1.** (padre) adoptive **2.** (hijo) adopted

adoquín [aðo'kin] *m* cobblestone

adorable [aðo'raβle] *adj* adorable

adoración [aðora'θjon] *f* **1.** (culto) worship **2.** (amor, pasión) adoration

adorar [aðo'rar] *vt* **1.** (divinidad) to worship **2.** (persona, animal, cosa) to adore

adornar [aðor'nar] *vt* to decorate

adorno [a'ðorno] *m* ornament

adosado, da [aðo'saðo, ða] *adj*

adquirir [aðki'rir] *vt* **1.** (comprar) to purchase **2.** (conseguir) to acquire

adquisición [aðkisi'θjon] *f* purchase

adquisitivo, va [aðkisi'tiβo, βa] *adj* purchasing (antes de s)

adrede [a'ðreðe] *adv* deliberately

aduana [a'ðwana] *f* customs *sg* • pasar por la aduana to go through customs

aduanero, ra [aðwa'nero, ra] ◇ *adj* customs (antes de s) ◇ *m,f* customs officer

adulterio [aðul'terjo] *m* adultery

adúltero, ra [a'ðultero, ra] *adj* adulterous

adulto, ta [a'ðulto, ta] *adj & m,f* adult

adverbio [að'βerβjo] *m* adverb

adversario, ria [aðβer'sarjo, rja] *m,f* adversary

adverso, sa [að'βerso, sa] *adj* adverse

advertencia [aðβer'tenθja] *f* warning

advertir [aðβer'tir] *vt* **1.** (avisar) to warn **2.** (notar) to notice

aéreo, a [a'ereo, a] *adj* air (antes de s)

aerobic [ae'roβik] *m* aerobics *sg*

aeromodelismo [aeromoðe'lizmo] *m* airplane modelling

aeromoza [aero'moθa] *f* (Amér) air hostess (UK), flight attendant (US)

aeronave [aero'naβe] *f* aircraft

aeropuerto [aero'pwerto] *m* airport

aerosol [aero'sol] *m* aerosol

afán [a'fan] *m* (*deseo*) urge

afear [afe'ar] *vt* to make ugly

afección [afek'θjon] *f* (*formal*) (*enfermedad*) complaint

afectado, da [afek'taðo, ða] *adj* 1. (*afligido*) upset 2. (*amanerado*) affected ● **afectado de** o **por** (*enfermedad*) suffering from

afectar [afek'tar] *vt* to affect ◆ **afectar a** *v + prep* to affect

afectivo, va [afek'tiβo, βa] *adj* (*sensible*) sensitive

afecto [a'fekto] *m* affection

afectuoso, sa [afek'twoso, sa] *adj* affectionate

afeitado, da [afei'taðo, ða] ◇ *adj* 1. (*barba*) shaven 2. (*persona*) clean-shaven ◇ *m* shave

afeitarse [afei'tarse] *vp* to shave

afeminado, da [afemi'naðo, ða] *adj* effeminate

afiche [a'fitʃe] *m* (*Amér*) poster

afición [afi'θjon] *f* 1. (*inclinación*) fondness 2. (*seguidores*) fans *pl*

aficionado, da [afiθjo'naðo, ða] *adj* (*amateur*) amateur ● **aficionado a** (*interesado por*) fond of

aficionarse [afiθjo'narse] ◆ **aficionarse a** *v + prep* 1. (*interesarse por*) to become keen on 2. (*habituarse a*) to become fond of

afilado, da [afi'laðo, ða] *adj* sharp

afilar [afi'lar] *vt* to sharpen

afiliado, da [afi'ljaðo, ða] *adj* ● **estar afiliado a un partido** to be a member of a party

afiliarse [afi'ljarse] ◆ **afiliarse a** *v + prep* to join

afín [a'fin] *adj* similar

afinar [afi'nar] ◇ *vt* 1. (*instrumento*) to tune 2. (*puntería*) to perfect ◇ *vi* to be in tune

afinidad [afini'ðað] *f* affinity

afirmación [afirma'θjon] *f* statement

afirmar [afir'mar] *vt* (*decir*) to say ◆ **afirmarse en** *v + prep* (*postura, idea*) to reaffirm

afirmativo, va [afirma'tiβo, βa] *adj* affirmative

afligido, da [afli'xiðo, ða] *adj* upset

afligir [afli'xir] *vt* (*apenar*) to upset ◆ **afligirse** *vp* to get upset

aflojar [aflo'xar] ◇ *vt* 1. (*cuerda*) to slacken 2. (*nudo*) to loosen ◇ *vi* 1. (*en esfuerzo*) to ease off 2. (*ceder*) to die down

afluencia [a'flwenθja] *f* (*de gente*) crowds *pl*

afluente [a'flwente] *m* tributary

afónico, ca [a'foniko, ka] *adj* ● **quedar afónico** to lose one's voice

aforo [a'foro] *m* seating capacity

afortunadamente [afortu'naða'mente] *adv* fortunately

afortunado, da [afortu'naðo, ða] *adj* 1. (*con suerte*) lucky, fortunate 2. (*oportuno*) happy

África ['afrika] *s* Africa

africano, na [afri'kano, na] *adj* & *m,f* African

afrodisíaco [afroði'siako] *m* aphrodisiac

afrutado, da [afru'taðo, ða] *adj* fruity

afuera [a'fwera] *adv* outside ◆ **afueras** *fpl* ● **las afueras** the outskirts

agachar [aɣa'tʃar] *vt* to lower, to bend ◆ **agacharse** *vp* **1.** (en cuclillas) to crouch down **2.** (encorvarse) to bend down **3.** (para esconderse) to duck

agarrar [aɣa'rar] *vt* **1.** (con las manos) to grab **2.** (fam) (enfermedad) to catch ◆ **agarrarse** *vp* (pelearse) to fight ◆ **agarrarse** a *v + prep* (oportunidad) to seize

agencia [a'xenθja] *f* agency ● **agencia de viajes** travel agency

agenda [a'xenda] *f* **1.** (de direcciones, teléfono) address book **2.** (personal) diary (UK), appointment book (US) **3.** (actividades) agenda

agente [a'xente] *mf* agent ● **agente de policía** police officer

ágil ['axil] *adj* **1.** (movimiento) agile **2.** (pensamiento) quick

agilidad [axili'ðað] *f* **1.** (del cuerpo) agility **2.** (de la mente) sharpness

agitación [axita'θjon] *f* restlessness

agitado, da [axi'taðo, ða] *adj* **1.** (líquido) shaken **2.** (persona) restless

agitar [axi'tar] *vt* **1.** (líquido) to shake **2.** (multitud) to stir up ◆ **agitarse** *vp* **1.** (aguas) to get choppy **2.** (persona) to get restless

agnóstico, ca [aɣ'nostiko, ka] *adj* agnostic

agobiado, da [aɣo'βjaðo, ða] *adj* overwhelmed

agobiar [aɣo'βjar] *vt* to overwhelm ◆ **agobiarse** *vp* to be weighed down

agosto [a'ɣosto] *m* August ● **a principios/mediados/finales de agosto** at the beginning/in the middle/at the end of August ● **el nueve de agosto** the ninth of August ● **el pasado/próximo (mes de) agosto** last/next August ● **en agosto** in August ● **este (mes de) agosto** (pasado) last August; (próximo) this (coming) August ● **para agosto** by August

agotado, da [aɣo'taðo, ða] *adj* **1.** (cansado) exhausted **2.** (edición, existencias) sold-out

agotador, ra [aɣota'ðor, ra] *adj* exhausting

agotamiento [aɣota'mjento] *m* (cansancio) exhaustion

agotar [aɣo'tar] *vt* **1.** (cansar) to exhaust **2.** (dinero, reservas) to use up **3.** (edición, existencias) to sell out of ◆ **agotarse** *vp* **1.** (cansarse) to tire o.s. out **2.** (acabarse) to run out

agradable [aɣra'ðaβle] *adj* pleasant

agradar [aɣra'ðar] *vi* to be pleasant

agradecer [aɣraðe'θer] *vt* (ayuda, favor) to be grateful for ● **agradecí su invitación** I thanked her for her invitation

agradecido, da [aɣraðe'θiðo, ða] *adj* grateful

agradecimiento [aɣraðeθi'mjento] *m* gratitude

agredir [aɣre'ðir] *vt* to attack

agregado, da [aɣre'ɣaðo, ða] ◇ *adj* added ◇ *m,f* (en embajada) attaché (*f* attachée)

agregar [aɣre'ɣar] *vt* to add

agresión [aɣre'sjon] *f* attack

agresivo, va [aɣre'siβo, βa] *adj* aggressive

agresor, ra [aɣre'sor, ra] *m,f* attacker

agreste [a'ɣreste] *adj* (paisaje) wild

agrícola [a'ɣrikola] *adj* agricultural

agricultor, ra [aɣrikul'tor, ra] *m,f* farmer

agricultura [aɣrikul'tura] *f* agriculture, farming

agridulce [aɣri'ðulθe] *adj* sweet-and-sour

agrio, agria ['aɣrio, ɣria] *adj* sour

agrupación [aɣrupa'θion] *f* group

agrupar [aɣru'par] *vt* to group

agua ['aɣua] *f* 1. *(líquido)* water 2. *(lluvia)* rain ● **agua de colonia** eau de cologne ● **agua corriente** running water ● **agua mineral** mineral water ● **agua mineral con gas** sparkling mineral water ● **agua mineral sin gas** still mineral water ● **agua oxigenada** hydrogen peroxide ● **agua potable** drinking water ● **agua tónica** tonic water ◆ **aguas** *fpl (mar)* waters

aguacate [aɣua'kate] *m* avocado

aguacero [aɣua'θero] *m* shower

aguafiestas [aɣua'fiestas] *mf inv* wet blanket, party pooper *(US)*

aguamiel [aɣua'miel] *f (Amér)* drink of water and cane sugar

aguanieve [aɣua'nieβe] *f* sleet

aguantar [aɣuan'tar] *vt* 1. *(sostener)* to support 2. *(soportar)* to bear 3. *(suj: ropa, zapatos)* to last for ● **no lo aguanto** I can't stand it ◆ **aguantarse** *vp* 1. *(risa, llanto)* to hold back 2. *(resignarse)* to put up with it

aguardar [aɣuar'ðar] ◇ *vt* to wait for ◇ *vi* to wait

aguardiente [aɣuar'ðiente] *m* liquor

aguarrás [aɣua'ras] *m* turpentine

agudeza [aɣu'ðeθa] *f (de ingenio)* sharpness

agudo, da [a'ɣuðo, ða] *adj* 1. *(persona, dolor)* sharp 2. *(sonido)* high 3. *(ángulo)* acute 4. *(palabra)* stressed on the last syllable, oxytone 5. *(ingenioso)* witty

águila ['aɣila] *f* eagle

aguinaldo [aɣi'naldo] *m* Christmas bonus

aguja [a'ɣuxa] *f* 1. *(de coser)* needle 2. *(de reloj)* hand 3. *(de pelo)* hairpin ●

aguja hipodérmica hypodermic needle

agujerear [aɣuxere'ar] *vt* to make holes in

agujero [aɣu'xero] *m* hole

agujetas [aɣu'xetas] *fpl* ● **tener agujetas** to feel stiff *(after running)*

ahí [a'i] *adv* there ● **por ahí** *(en un lugar indeterminado)* somewhere or other; *(fuera)* out; *(aproximadamente)* something like that ● **de ahí que** that's why

ahijado, da [ai'xaðo, ða] *m,f* 1. *(de un padrino)* godson *(f* goddaughter*)* 2. *(en adopción)* adopted son *(f* adopted daughter*)*

ahogado, da [ao'ɣaðo, ða] ◇ *adj (en el agua)* drowned ◇ *m,f* drowned man *(f* drowned woman*)*

ahogarse [ao'ɣarse] *vp* 1. *(en el agua)* to drown 2. *(jadear)* to be short of breath 3. *(por calor, gas, presión)* to suffocate

ahora [a'ora] *adv* now ● **por ahora** for the time being ● **ahora bien** however ● **ahora mismo** right now ● **ahora o nunca** it's now or never

ahorcar [aor'kar] *vt* to hang ◆ **ahorcarse** *vp* to hang o.s.

ahorita [ao'rita] *adv (Andes, CAm, Carib & Méx)* right now

ahorrar [aoˈɾaɾ] vt to save

ahorro [aoˈro] m saving ◆ **ahorros** mpl (dinero) savings

ahuecar [aweˈkaɾ] vt 1. (vaciar) to hollow out 2. (pelo, colchón, almohada) to fluff up

ahumado, da [auˈmaðo, ða] adj smoked

airbag ® [ˈaiɾβaɣ] m airbag ®

aire [ˈaiɾe] m 1. air 2. (viento) wind 3. (gracia, garbo) grace 4. (parecido) resemblance ◆ **al aire** (descubierto) exposed ◆ **al aire libre** in the open air ◆ **se da aires de artista** (despec) he fancies himself a bit of an artist ◆ **estar/quedar en el aire** to be in the air ◆ **hace aire** it's windy ◆ **aire acondicionado** air conditioning ◆ **aire puro** fresh air

airear [aiɾeˈaɾ] vt to air

airoso, sa [aiˈɾoso, sa] adj 1. (gracioso) graceful 2. (con éxito) successful

aislado, da [aizˈlaðo, ða] adj isolated

aislamiento [aizlaˈmiento] m isolation

aislante [aizˈlante] adj insulating

aislar [aizˈlaɾ] vt 1. (persona, animal) to isolate 2. (local) to insulate ◆ **aislarse** vp to cut o.s. off

ajedrez [axeˈðɾeθ] m chess

ajeno, na [aˈxeno, na] adj ◆ **eso es ajeno a mi trabajo** that's not part of my job ◆ **ajeno a** (sin saber) unaware of; (sin intervenir) not involved in

ajetreo [axeˈtɾeo] m bustle

ají [aˈxi] m (Andes, RP & Ven) (pimiento picante) chilli ◆ **ponerse como un ají** (fam) (ruborizarse) to go red

ajiaco [aˈxiako] m (Amér) chilli, meat and vegetable stew

ajillo [aˈxiʎo] m ◆ **al ajillo** in a garlic and chilli sauce

ajo [ˈaxo] m garlic ◆ **estar en el ajo** (fam) to be in on it

ajuar [aˈxuaɾ] m trousseau

ajustado, da [axusˈtaðo, ða] adj 1. (cantidad, precio) reasonable 2. (ropa) tight-fitting

ajustar [axusˈtaɾ] vt 1. (adaptar) to adjust 2. (puerta, ventana) to push to 3. (precios, condiciones, etc) to agree ◆ **ajustarse a** v + prep 1. (condiciones) to comply with 2. (circunstancias) to adjust to

al [al] ▷ **a, el**

ala [ˈala] f 1. wing 2. (de sombrero) brim

alabanza [alaˈβanθa] f praise

alabar [alaˈβaɾ] vt to praise

alabastro [alaˈβastɾo] m alabaster

alacena [alaˈθena] f recess for storing food

alambrar [alamˈbɾaɾ] vt to fence with wire

alambre [aˈlambɾe] m 1. (de metal) wire 2. (Amér) (brocheta) shish kebab

alameda [alaˈmeða] f (paseo) tree-lined avenue

álamo [ˈalamo] m poplar

alardear [alaɾðeˈaɾ] ◆ **alardear de** v + prep to show off about

alargar [alaɾˈɣaɾ] vt 1. (falda, pantalón, etc) to lengthen 2. (situación) to extend 3. (acercar) to pass ◆ **alargarse** vp (en una explicación) to speak at length

alarma [aˈlaɾma] f alarm ◆ **dar la (voz de) alarma** to raise the alarm

alarmante [alaɾˈmante] adj alarming

alarmar [alaɾˈmaɾ] vt to alarm ◆ **alarmarse** vp to be alarmed

alba [ˈalβa] f dawn

albañil [alβaˈɲil] m bricklayer (UK), construction worker (US)

albarán [alβaˈran] m delivery note

albaricoque [alβariˈkoke] m apricot

albatros [alˈβatros] m inv albatross

albedrío [alβeˈðrio] m ● **elija el postre a su albedrío** choose a dessert of your choice

alberca [alˈβerka] f (Méx) swimming pool

albergar [alβerˈɣar] vt 1. (personas) to put up 2. (odio) to harbour 3. (esperanza) to cherish ◆ **albergarse** vp to stay

albergue [alˈβerɣe] m (refugio) shelter ● **albergue juvenil** youth hostel

albóndiga [alˈβondiɣa] f meatball ● **albóndigas a la jardinera** meatballs in a tomato sauce with peas and carrots

albornoz [alβorˈnoθ, θes] m (pl **-ces**) bathrobe

alborotado, da [alβoroˈtaðo, ða] adj 1. (persona) rash 2. (cabello) ruffled

alborotar [alβoroˈtar] ◇ vt to stir up ◇ vi to be rowdy ◆ **alborotarse** vp to get worked up

alboroto [alβoˈroto] m (jaleo) fuss

albufera [alβuˈfera] f lagoon

álbum [ˈalβum] m album ● **álbum familiar** family album

alcachofa [alkaˈtʃofa] f 1. (planta) artichoke 2. (de ducha) shower head ● **alcachofas con jamón** artichokes cooked over a low heat with chopped "jamón serrano"

alcalde, desa [alˈkalde, sa] m,f mayor

alcaldía [alkalˈdia] f (cargo) mayoralty

alcance [alˈkanθe] m 1. (de misil) range 2. (repercusión) extent ● **a su alcance** within your reach ● **dar alcance a** to catch up ● **fuera del alcance de** out of reach of

alcanfor [alkanˈfor] m camphor

alcantarilla [alkantaˈriʎa] f 1. (cloaca) sewer 2. (boca) drain

alcanzar [alkanˈθar] vt 1. (autobús, tren) to manage to catch 2. (persona) to catch up with 3. (meta, cima, dimensiones) to reach 4. (suj: disparo) to hit ● **alcanzar a** (lograr) to be able to ● **¿me alcanzas el pan, por favor?** could you pass me the bread, please? ◆ **alcanzar para** v + prep (ser suficiente para) to be enough for

alcaparra [alkaˈpara] f caper

alcayata [alkaˈjata] f hook

alcázar [alˈkaθar] m fortress

alcoba [alˈkoβa] f bedroom

alcohol [alkoˈol] m alcohol ● **sin alcohol** alcohol-free

alcohólico, ca [alkoˈoliko, ka] adj & m,f alcoholic

alcoholismo [alkooˈlizmo] m alcoholism

alcoholizado, da [alkooliˈθaðo, ða] adj alcoholic

alcoholizarse [alkooliˈθarse] vp to become an alcoholic

alcornoque [alkorˈnoke] m cork oak

aldea [alˈdea] f small village

aldeano, na [aldeˈano, na] m,f villager

alebrestarse [aleβresˈtarse] vp 1. (Col, Méx & Ven) (ponerse nervioso) to get worked up

alegrar [aleˈɣrar] vt 1. (persona) to cheer up 2. (fiesta) to liven up ◆ **alegrarse** vp to be pleased ● **alegrarse de** to be

pleased about ● **alegrarse por** to be pleased for

alegre [a'leɣɾe] *adj* **1.** happy **2.** *(local)* lively **3.** *(color)* bright **4.** *(fam) (borracho)* tipsy **5.** *(decisión, actitud)* reckless

alegremente [a,leɣɾe'mente] *adv* **1.** *(con alegría)* happily **2.** *(sin pensar)* recklessly

alegría [ale'ɣɾia] *f* happiness

alejar [ale'xar] *vt* to move away ● **alejarse** *vp* ● **alejarse de** to move away from

alemán, ana [ale'man, ana] *adj, m & f* German

Alemania [ale'manja] *s* Germany

alergia [a'lerxja] *f* allergy ● **tener alergia a** to be allergic to

alérgico, ca [a'lerxiko, ka] *adj* allergic ● **ser alérgico a** to be allergic to

alero [a'lero] *m (de tejado)* eaves *pl*

alerta [a'lerta] ◇ *adv* & *f* alert ◇ *interj* watch out! ● **estar alerta** to be on the lookout ● **alerta roja** red alert

aleta [a'leta] *f* **1.** *(de pez)* fin **2.** *(de automóvil)* wing *(UK)*, fender *(US)* **3.** *(de nariz)* flared part ◆ **aletas** *fpl (para nadar)* flippers

alevín [ale'βin] *m* **1.** *(de pez)* fry **2.** *(en deportes)* beginner

alfabético, ca [alfa'βetiko, ka] *adj* alphabetical

alfabetización [alfaβetiθa'θjon] *f (de personas)* literacy

alfabetizar [alfaβeti'θar] *vt* **1.** *(personas)* to teach to read and write **2.** *(palabras, letras)* to put into alphabetical order

alfabeto [alfa'βeto] *m* alphabet

alfarero, ra [alfa'rero, ra] *m,f* potter

alférez [al'fereθ, θes] *(pl* **-ces)** *m* ≃ second lieutenant

alfil [al'fil] *m* bishop *(in chess)*

alfiler [alfi'ler] *m* **1.** *(aguja)* pin **2.** *(joya)* brooch ● **alfiler de gancho** *(Andes, RP & Ven)* safety pin

alfombra [al'fombra] *f* **1.** *(grande)* carpet **2.** *(pequeña)* rug

alfombrilla [alfom'briʎa] *f* **1.** *(de coche)* mat **2.** *(felpudo)* doormat **3.** *(de baño)* bathmat **4.** *(para el ratón)* mouse mat *(UK)*, mouse pad *(US)*

alga ['alɣa] *f* seaweed

álgebra ['alxeβra] *f* algebra

algo ['alɣo] ◇ *pron* **1.** *(alguna cosa)* something **2.** *(en interrogativas)* anything ◇ *adv (un poco)* rather ● **algo de** a little ● **¿algo más?** is that everything? ● **por algo** for some reason

algodón [alɣo'ðon] *m* cotton ● **de algodón** cotton ● **algodón hidrófilo** cotton wool

alguien ['alɣjen] *pron* **1.** *(alguna persona)* someone, somebody **2.** *(en interrogativas)* anyone, anybody

algún [al'ɣun] ➢ **alguno**

alguno, na [al'ɣuno, na] ◇ *adj* **1.** *(indeterminado)* some **2.** *(en interrogativas, negativas)* any ◇ *pron* **1.** *(alguien)* somebody, some people *pl* **2.** *(en interrogativas)* anyone, anybody ● **no hay mejora alguna** there's no improvement

alhaja [a'laxa] *f* **1.** *(joya)* jewel **2.** *(objeto)* treasure

aliado, da [ali'aðo, ða] *adj* allied

alianza [a'ljanθa] *f* **1.** *(pacto)* alliance **2.** *(anillo de boda)* wedding ring ● **alianza matrimonial** marriage

aliarse [ali'arse] ◆ **aliarse con** *v + prep* to ally o.s. with

alicates [ali'kates] *mpl* pliers

aliciente [ali'θjente] *m* incentive

aliento [a'ljento] *m* (respiración) breath
● **quedarse sin aliento** to be out of breath ● **tener mal aliento** to have bad breath

aligerar [alixe'rar] *vt* **1.** (peso) to lighten **2.** (paso) to quicken

alijo [a'lixo] *m* contraband

alimentación [alimenta'θjon] *f* **1.** (acción) feeding **2.** (régimen alimenticio) diet

alimentar [alimen'tar] ◇ *vt* **1.** (persona, animal) to feed **2.** (máquina, motor) to fuel ◇ *vi* (nutrir) to be nourishing ● **alimentarse de** *v + prep* to live on

alimenticio, cia [alimen'tiθjo, θja] *adj* nourishing

alimento [ali'mento] *m* food

alinear [aline'ar] *vt* to line up ● **alinearse** *vp* to line up

aliñar [ali'nar] *vt* **1.** (carne) to season **2.** (ensalada) to dress

aliño [a'lino] *m* **1.** (para carne) seasoning **2.** (para ensalada) dressing

alioli [ali'oli] *m* garlic mayonnaise

aliviar [ali'βjar] *vt* **1.** (dolor, enfermedad) to alleviate **2.** (trabajo, carga, peso) to lighten

alivio [a'liβjo] *m* relief

allá [a'ʎa] *adv* **1.** (de espacio) over there **2.** (de tiempo) back (then) ● **allá él** that's his problem ● **más allá** further on ● **más allá de** beyond

allí [a'ʎi] *adv* (de lugar) there

alma ['alma] *f* soul

almacén [alma'θen] *m* **1.** (para guardar) warehouse **2.** (por mayor) wholesaler ● **almacenes** *mpl* (comercio grande) department store *sg*

almacenar [almaθe'nar] *vt* **1.** (guardar) to store **2.** (acumular) to collect

almanaque [alma'nake] *m* almanac

almejas [al'mexas] *fpl* clams ● **almejas a la marinera** clams cooked in a sauce of onion, garlic and white wine

almendra [al'mendra] *f* almond

almendrado [almen'draðo] *m* round almond paste sweet

almendro [al'mendro] *m* almond tree

almíbar [al'miβar] *m* syrup ● **en almíbar** in syrup

almidón [almi'ðon] *m* starch

almidonado, da [almiðo'naðo, ða] *adj* starched

almidonar [almiðo'nar] *vt* to starch

almirante [almi'rante] *m* admiral

almohada [almo'aða] *f* **1.** (para dormir) pillow **2.** (para sentarse) cushion

almohadilla [almoa'ðiʎa] *f* small cushion

almorranas [almo'ranas] *fpl* piles

almorzar [almor'θar] ◇ *vt* **1.** (al mediodía) to have for lunch **2.** (a media mañana) to have as a mid-morning snack ◇ *vi* **1.** (al mediodía) to have lunch **2.** (a media mañana) to have a mid-morning snack

almuerzo [al'mwerθo] *m* **1.** (al mediodía) lunch **2.** (a media mañana) mid-morning snack

aló [a'lo] *interj* (Andes, CAm & Carib) hello! (on the telephone)

alocado, da [alo'kaðo, ða] *adj* crazy

alojamiento [aloxa'mjento] *m* accommodation

alojar [alo'xar] *vt* to put up ● **alojarse** *vp* (hospedarse) to stay

alondra [a'londra] *f* lark

alpargata [alpar'yata] *f* espadrille

Alpes ['alpes] *mpl* ● **los Alpes** the Alps

alpinismo [alpi'nizmo] *m* mountaineering (*UK*), mountain climbing (*US*)

alpinista [alpi'nista] *mf* mountaineer (*UK*), mountain climber (*US*)

alpino, na [al'pino, na] *adj* Alpine

alpiste [al'piste] *m* birdseed

alquilar [alki'lar] *vt* **1.** (*casa, apartamento, oficina*) to rent **2.** (*coche, TV, bicicleta*) to hire (*UK*), to rent (*US*) ▼ **se alquila** to let

alquiler [alki'ler] *m* **1.** (*de casa, apartamento, oficina*) renting (*UK*), rental (*US*) **2.** (*de coche, TV, bicicleta*) hiring (*UK*), rental (*US*) **3.** (*precio de casa, etc*) rent **4.** (*precio de TV*) rental **5.** (*precio de coche, etc*) hire charge (*UK*), rental rate (*US*) ● **de alquiler** (*coche*) hire (*antes de s*); (*casa, apartamento*) rented ● **alquiler de coches** car hire

alquitrán [alki'tran] *m* tar

alrededor [alreðe'ðor] *adv* ● **alrededor (de)** (*en torno a*) around ● **alrededor de** (*aproximadamente*) about ● **alrededores** *mpl* ● **los alrededores** the surrounding area *sg*

alta ['alta] *f* **1.** (*de enfermedad*) (certificate of) discharge **2.** (*en una asociación*) admission ● **dar de alta** to discharge

altar [al'tar] *m* altar

altavoz [alta'βoθ, θes] (*pl* **-ces**) *m* **1.** (*para anuncios*) loudspeaker **2.** (*de estéreo, ordenador*) speaker

alteración [altera'θjon] *f* **1.** (*cambio*) alteration **2.** (*trastorno*) agitation

alterado, da [alte'raðo, ða] *adj* (*trastornado*) agitated

alterar [alte'rar] *vt* **1.** (*cambiar*) to alter **2.** (*trastornar, excitar*) to agitate ● **alterarse** *vp* (*excitarse*) to get agitated

altercado [alter'kaðo] *m* argument

alternar [alter'nar] *vt* ● **alterna la comedia con la tragedia** it alternates comedy with tragedy ● **alternar con** *v* + *prep* (*relacionarse con*) to mix with

alternativa [alterna'tiβa] *f* alternative

alterno, na [al'terno, na] *adj* alternate

Alteza [al'teθa] *f* ● **su Alteza** His/Her Highness

altibajos [alti'βaxos] *mpl* **1.** (*de comportamiento, humor*) ups and downs **2.** (*de terreno*) unevenness *sg*

altillo [al'tiʎo] *m* **1.** (*de vivienda*) mezzanine **2.** (*de armario*) small cupboard to use up the space near the ceiling

altitud [alti'tuð] *f* **1.** (*altura*) height **2.** (*sobre el nivel del mar*) altitude

altivo, va [al'tiβo, βa] *adj* haughty

alto, ta ['alto, ta] ◇ *adj* **1.** high **2.** (*persona, edificio, árbol*) tall **3.** (*voz, sonido*) loud ◇ *m* **1.** (*interrupción*) stop **2.** (*lugar elevado*) height ◇ *adv* **1.** (*hablar*) loud **2.** (*encontrarse, volar*) high ◇ *interj* halt! ● **a altas horas de la noche** in the small hours ● **en lo alto de** at the top of ● **mide dos metros de alto** (*cosa*) it's two metres high; (*persona*) he's two metres tall

altoparlante [altopar'lante] *m* (*Amér*) loudspeaker

altruismo [altru'izmo] *m* altruism

altruista [altru'ista] *adj* altruistic

altura [al'tura] *f* **1.** (*medida*) height **2.** (*elevación*) altitude ● **tiene dos metros de altura** (*cosa*) it's two metres high;

(persona) he's two metres tall • **estar a la altura de** to match up to ◆ **alturas** *fpl* • **me dan miedo las alturas** I'm scared of heights • **a estas alturas** by now

alubias [a'luβjas] *fpl* beans

alucinación [aluθina'θjon] *f* hallucination

alucinar [aluθi'nar] *vi* to hallucinate

alud [a'luð] *m* avalanche

aludido, da [alu'ðiðo, ða] *adj* • **darse por aludido** *(ofenderse)* to take it personally

aludir [alu'ðir] ◆ **aludir a** *v + prep* to refer to

alumbrado [alum'braðo] *m* lighting

alumbrar [alum'brar] ◇ *vt (iluminar)* to light up ◇ *vi (parir)* to give birth

aluminio [alu'minjo] *m* aluminium

alumno, na [a'lumno, na] *m,f* **1.** *(de escuela)* pupil *(UK)*, student *(US)* **2.** *(de universidad)* student

alusión [alu'sjon] *f* reference • **hacer alusión a** to refer to

alza ['alθa] *f* rise • **en alza** *(que sube)* rising

alzar [al'θar] *vt* to raise ◆ **alzarse** *vp* **1.** *(levantarse)* to rise **2.** *(sublevarse)* to rise up

a.m. [a'eme] *(abr de ante meridiem)* a.m.

amabilidad [amaβili'ðað] *f* kindness

amable [a'maβle] *adj* kind

amablemente [a,maβle'mente] *adv* kindly

amaestrado, da [amaes'traðo, ða] *adj* performing

amaestrar [amaes'trar] *vt* to train

amamantar [amaman'tar] *vt* **1.** *(animal)* to suckle **2.** *(bebé)* to breastfeed, to nurse *(US)*

amanecer [amane'θer] ◇ *m* dawn ◇ *vi (en un lugar)* to wake up ◇ *vi* **amaneció a las siete** dawn broke at seven

amanerado, da [amane'raðo, ða] *adj* affected

amansar [aman'sar] *vt* **1.** *(animal)* to tame **2.** *(persona)* to calm down

amante [a'mante] *mf (querido)* lover • **ser amante de** *(aficionado)* to be keen on

amapola [ama'pola] *f* poppy

amar [a'mar] *vt* to love

amargado, da [amar'γaðo, ða] *adj* bitter

amargar [amar'γar] ◇ *vt* to make bitter ◇ *vi* to taste bitter ◆ **amargarse** *vp* **1.** *(alimento, bebida)* to go sour **2.** *(persona)* to become embittered

amargo, ga [a'marγo, γa] *adj* bitter

amarillear [amariλe'ar] *vi* to turn yellow

amarillo, lla [ama'riλo, λa] *adj & m* yellow

amarilloso, sa [amari'λoso, sa] *adj (Col, Méx & Ven)* yellowish

amarrar [ama'rar] *vt* **1.** *(embarcación)* to moor **2.** *(Amér) (zapatos)* to tie, to lace

amarre [a'mare] *m* mooring

amasar [ama'sar] *vt* **1.** *(pan)* to knead **2.** *(fortuna)* to amass

amateur [ama'ter] *adj & mf* amateur

amazona [ama'θona] *f* horsewoman

Amazonas [ama'θonas] *m* • **el Amazonas** the Amazon

amazónico, ca [ama'θoniko, ka] *adj* Amazonian

ámbar ['ambar] *m* amber

ambición [ambi'θjon] *f* ambition

ambicioso, sa [ambi'θjoso, sa] *adj* ambitious

ambientador [ambjenta'ðor] *m* air freshener

ambiental [ambjen'tal] *adj (ecológico)* environmental

ambiente [am'bjente] *m* **1.** *(aire)* air **2.** *(medio social, personal)* circles *pl* **3.** *(animación)* atmosphere **4.** *(CSur) (habitación)* room

ambigüedad [ambiɣue'ðað] *f* ambiguity

ambiguo, gua [am'biɣuo, ɣua] *adj* ambiguous

ámbito ['ambito] *m* confines *pl*

ambos, bas ['ambos, bas] ◇ *adj pl* both ◇ *pron pl* both (of them)

ambulancia [ambu'lanθja] *f* ambulance

ambulante [ambu'lante] *adj* travelling

ambulatorio [ambula'torjo] *m* ≃ outpatient clinic

amén [a'men] *adv* amen ● **decir amén (a todo)** to agree (with everything) unquestioningly

amenaza [ame'naθa] *f* threat ● **amenaza de bomba** bomb scare

amenazar [amena'θar] ◇ *vt* to threaten ◇ *vi* ● **amenaza lluvia** it's threatening to rain ● **amenazaron con despedirlo** they threatened to sack him

amenizar [ameni'θar] *vt* to liven up

ameno, na [a'meno, na] *adj* entertaining

América [a'merika] *s* America

americana [ameri'kana] *f* jacket

americanismo [amerika'nizmo] *m* Latin Americanism

americano, na [ameri'kano, na] ◇ *adj* & *m,f* American

ametralladora [ametraʎa'ðora] *f* machine gun

ametrallar [ametra'ʎar] *vt* to machine-gun

amígdalas [a'miɣðalas] *fpl* tonsils

amigo, ga [a'miɣo, ɣa] *m,f* friend ● **ser amigos** to be friends

amistad [amis'tað] *f* friendship ● **amistades** *fpl* friends

amnesia [am'nesja] *f* amnesia

amnistía [amnis'tia] *f* amnesty

amo, ama ['amo, ama] *m,f (dueño)* owner ● **ama de casa** housewife ● **ama de llaves** housekeeper

amodorrado, da [amoðo'raðo, ða] *adj* drowsy

amoniaco [amo'njako] *m* ammonia

amontonar [amonto'nar] *vt* to pile up ● **amontonarse** *vp (problemas, deudas)* to pile up

amor [a'mor] *m* love ● **hacer el amor** to make love ● **amor propio** pride

amordazar [amorða'θar] *vt* **1.** *(persona)* to gag **2.** *(animal)* to muzzle

amoroso, sa [amo'roso, sa] *adj* loving

amortiguador [amortiɣua'ðor] *m* shock absorber

amortiguar [amorti'ɣuar] *vt* **1.** *(golpe)* to cushion **2.** *(ruido)* to muffle

amparar [ampa'rar] *vt* to protect ● **ampararse en** *v + prep* to have recourse to

amparo [am'paro] *m* protection ● **al amparo de** under the protection of

ampliación [amplja'θjon] *f* **1.** *(de local)* extension **2.** *(de capital, negocio)* expansion **3.** (de fotografía) enlargement

ampliar [ampli'ar] vt **1.** (estudios, conocimientos) to broaden **2.** (local) to add an extension to **3.** (capital, negocio) to expand **4.** (fotografía) to enlarge

amplificador [amplifika'ðor] m amplifier

amplio, plia ['amplio, plja] adj **1.** (avenida, calle) wide **2.** (habitación, coche) spacious **3.** (extenso, vasto) extensive

amplitud [ampli'tuð] f **1.** (de avenida, calle) width **2.** (de habitación, coche) spaciousness **3.** (extensión) extent

ampolla [am'poʎa] f **1.** (en la piel) blister **2.** (botella) phial (UK), vial (US)

amueblado, da [amue'βlaðo, ða] adj furnished

amueblar [amue'βlar] vt to furnish

amuermarse [amuer'marse] vp (fam) to get bored

amuleto [amu'leto] m amulet

amurallar [amura'ʎar] vt to build a wall around

analfabetismo [analfaβe'tizmo] m illiteracy

analfabeto, ta [analfa'βeto, ta] adj & m.f illiterate

analgésico [anal'xesiko] m analgesic

análisis [a'nalisis] m inv **1.** analysis ● análisis de sangre blood test

analítico, ca [ana'litiko, ka] adj analytical

analizar [anali'θar] vt **1.** (problema, situación) to analyse **2.** (frase) to parse

analogía [analo'xia] f similarity

análogo, ga [a'naloɣo, ɣa] adj similar

ananás [ana'nas] m inv (RP) pineapple

anaranjado, da [anaraŋ'xaðo, ða] adj orange

anarquía [anar'kia] f **1.** (en política) anarchism **2.** (desorden) anarchy

anárquico, ca [a'narkiko, ka] adj anarchic

anarquista [anar'kista] adj anarchist

anatomía [anato'mia] f anatomy

anatómico, ca [ana'tomiko, ka] adj anatomical

anca ['anka] f haunch

ancho, cha ['antʃo, tʃa] ◇ adj wide ◇ m width ● tener dos metros de ancho to be two metres wide ● a sus anchas at ease ● quedarse tan ancho not to bat an eyelid ● venir ancho (prenda de vestir) to be too big

anchoa [an'tʃoa] f anchovy

anchura [an'tʃura] f width

anciano, na [an'θjano, na] ◇ adj old ◇ m.f old man (f old woman)

ancla ['ankla] f anchor

anda ['anda] interj gosh!

Andalucía [andalu'θia] s Andalusia

andaluz, za [anda'luθ, θa] adj & m.f Andalusian

andamio [an'damjo] m scaffold

andar [an'dar]
◇ vi **1.** (caminar) to walk **2.** (moverse) to move **3.** (funcionar) to work ● el reloj no anda the clock has stopped ● las cosas andan mal things are going badly **4.** (estar) to be ● anda atareado he is busy ● creo que anda por ahí I think she's around somewhere ● andar haciendo algo to be doing sthg
◇ vt (recorrer) to travel
◇ m (de animal, persona) gait

◆ **andar en** v + prep *(ocuparse)* to be involved in

◆ **andar por** v + prep ● **anda por los cuarenta** he's about forty

◆ **andarse con** v + prep ● **andarse con cuidado** to be careful

◆ **andares** *mpl (actitud)* gait *sg*

ándele ['andele] *interj* **1.** *(Amér) (vale)* all right **2.** *(venga)* come on!

andén [an'den] *m* platform *(UK)*, track *(US)*

Andes ['andes] *mpl* ● **los Andes** the Andes

andinismo [andi'nizmo] *m (Amér)* mountaineering *(UK)*, mountain climbing *(US)*

andinista [andi'nista] *mf (Amér)* mountaineer *(UK)*, mountain climber *(US)*

andino, na [an'dino, na] *adj* Andean

anécdota [a'neɣðota] *f* anecdote

anecdótico, ca [aneɣ'ðotiko, ka] *adj* incidental

anemia [a'nemja] *f* anaemia

anémico, ca [a'nemiko, ka] *adj* anaemic

anémona [a'nemona] *f* anemone

anestesia [anes'tesja] *f* anaesthesia

anestesista [aneste'sista] *mf* anaesthetist

anexo, xa [a'nekso, sa] ◇ *adj (accesorio)* attached ◇ *m* annexe

anfetamina [anfeta'mina] *f* amphetamine

anfibios [an'fiβjos] *mpl* amphibians

anfiteatro [anfite'atro] *m* **1.** *(de teatro)* circle **2.** *(edificio)* amphitheatre

anfitrión, ona [anfi'trjon, ona] *m,f* host *(f* hostess*)*

ángel ['anxel] *m* angel

angelical [anxeli'kal] *adj* angelic

angina [an'xina] *f* ● **tener anginas** to have a sore throat ● **angina de pecho** angina *(pectoris)*

anglosajón, ona [ˌanglosa'xon, ona] *adj* & *m,f* Anglo-Saxon

anguila [an'gila] *f* eel

angula [an'gula] *f* elver

angular [angu'lar] *adj* angular

ángulo ['angulo] *m* angle

angustia [an'gustja] *f* anxiety

angustiado, da [angus'tjaðo, ða] *adj* distressed

angustiarse [angus'tjarse] *vp* to get worried

angustioso, sa [angus'tjoso, sa] *adj* **1.** *(momentos)* anxious **2.** *(noticia)* distressing

anhelar [ane'lar] *vt (ambicionar)* to long for

anhelo [a'nelo] *m* longing

anidar [ani'ðar] *vi* to nest

anilla [a'niʎa] *f* ring ◆ **anillas** *fpl (en gimnasia)* rings

anillo [a'niʎo] *m* ring

ánima ['anima] *m* o *f* soul

animación [anima'θjon] *f (alegría)* liveliness

animado, da [ani'maðo, ða] *adj (divertido)* lively ● **animado a** *(predispuesto)* in the mood for

animal [ani'mal] ◇ *m* animal ◇ *adj* **1.** *(bruto, grosero)* rough **2.** *(exagerado)* gross ● **animal de compañía** pet ● **animal doméstico** *(de granja)* domestic animal; *(de compañía)* pet

animar [ani'mar] *vt* **1.** *(alegrar)* to cheer up **2.** *(alentar)* to encourage ◆ **animarse**

vp (alegrarse a) to cheer up ● **animarse a** *(decidirse a)* to finally decide to

ánimo ['animo] ◇ *m* **1.** *(humor)* mood **2.** *(valor)* courage ◇ *interj* come on!

aniñado, da [ani'ɲaðo, ða] *adj* childish

aniquilar [aniki'lar] *vt* to annihilate

anís [a'nis] *m* **1.** *(grano)* aniseed **2.** *(licor)* anisette

aniversario [aniβer'sarjo] *m* **1.** *(de acontecimiento)* anniversary **2.** *(cumpleaños)* birthday

ano ['ano] *m* anus

anoche [a'notʃe] *adv* last night

anochecer [anotʃe'θer] ◇ *m* dusk ◇ *vi* to get dark ● **al anochecer** at dusk

anomalía [anoma'lia] *f* anomaly

anómalo, la [a'nomalo, la] *adj* anomalous

anonimato [anoni'mato] *m* anonimity

anónimo, ma [a'nonimo, ma] ◇ *adj* anonymous ◇ *m* anonymous letter

anorak [ano'rak] *m* anorak *(UK)*, parka *(US)*

anorexia [ano'reksja] *f* anorexia

anotar [ano'tar] *vt* to note down

ansia ['ansja] *f* **1.** *(deseo, anhelo)* yearning **2.** *(inquietud)* anxiousness

ansiedad [ansje'ðað] *f* *(inquietud)* anxiety

ansioso, sa [an'sjoso, sa] *adj* ● **ansioso por** impatient for

Antártico [an'tartiko] *m* ● **el Antártico** the Antarctic

ante ['ante] ◇ *prep* **1.** *(en presencia de)* before **2.** *(frente a)* in the face of ◇ *m* *(piel)* suede

anteanoche [antea'notʃe] *adv* the night before last

anteayer [antea'jer] *adv* the day before yesterday

antebrazo [ante'βraθo] *m* forearm

antecedentes [anteθe'ðentes] *mpl* ● **tener antecedentes (penales)** to have a criminal record

anteceder [anteθe'ðer] *vt* to precede

antecesor, ra [anteθe'sor, ra] *m,f* predecessor

antelación [antela'θjon] *f* ● **con antelación** in advance

antemano [ante'mano] ● **de antemano** *adv* beforehand

antena [an'tena] *f* **1.** *(de radio, TV)* aerial *(UK)*, antenna *(US)* **2.** *(de animal)* antenna ● **antena parabólica** satellite dish

anteojos [ante'oxos] *mpl* *(Amér)* glasses

antepasados [ˌantepa'saðos] *mpl* ancestors

antepenúltimo, ma [ˌantepe'nultimo, ma] *adj* second to last

anterior [ante'rjor] *adj* **1.** *(en espacio)* front **2.** *(en tiempo)* previous

antes ['antes]
◇ *adv* **1.** *(en el tiempo)* before ● **antes se vivía mejor** life used to be better ● **¿quién llamó antes?** who rang earlier? ● **mucho/poco antes** much/a bit earlier ● **lo antes posible** as soon as possible ● **antes de hacerlo** before doing it ● **llegó antes de las nueve** she arrived before nine o'clock **2.** *(en el espacio)* in front ● **la farmacia está antes** the chemist's is in front ● **antes de** o **que** in front of ● **la zapatería está antes del cruce** the shoe shop is before the crossroads **3.** *(primero)* first ● **yo la vi antes** I saw her first **4.** *(en locuciones)*

• iría a la cárcel antes que mentir I'd rather go to prison than lie • **antes (de) que** *(prioridad en el tiempo)* before • antes de nada first of all
◇ *adj* previous • llegó el día antes she arrived on the previous day

antesala [ante'sala] *f* waiting room

antiabortista [ˌantiaβor'tista] *mf* anti-abortionist

antiarrugas [antia'ruɣas] *m inv* anti-wrinkle cream

antibiótico [anti'βjotiko] *m* antibiotic

anticaspa [anti'kaspa] *adj* anti-dandruff

anticiclón [antiθi'klon] *m* anticyclone

anticipado, da [antiθi'paðo, ða] *adj* **1.** *(prematuro)* early **2.** *(pago)* advance

anticipar [antiθi'par] *vt* **1.** *(noticias)* to tell in advance **2.** *(pagos)* to pay in advance ◆ **anticiparse** *vp* • **anticiparse a alguien** to beat sb to it

anticipo [anti'θipo] *m (de dinero)* advance

anticoncepción [ˌantikonθep'θjon] *f* contraception

anticonceptivo [ˌantikonθep'tiβo] *m* contraceptive

anticuado, da [anti'kwaðo, ðo] *adj* old-fashioned

anticuario [anti'kwarjo] *m* antique dealer

anticuerpo [anti'kwerpo] *m* antibody

antidepresivo [ˌantiðepre'siβo] *m* anti-depressant

antier [an'tjer] *adv (Amér) (fam)* the day before yesterday

antifaz [anti'faθ, θes] *(pl* -ces) *m* mask

antigrasa [anti'ɣrasa] *adj (producto)* grease-removing, degreasing • un champú antigrasa a shampoo for greasy hair

antiguamente [anˌtiɣwa'mente] *adv* formerly

antigüedad [antiɣue'ðað] *f* **1.** *(en el trabajo)* seniority **2.** *(época)* • en la antigüedad in the past ◆ **antigüedades** *fpl (muebles, objetos)* antiques

antiguo, gua [an'tiɣwo, ɣwa] *adj* **1.** *(viejo)* old **2.** *(inmemorial)* ancient **3.** *(pasado de moda)* old-fashioned **4.** *(anterior)* former

antihistamínico [ˌantiista'miniko] *m* antihistamine

antiinflamatorio [ˌantiinflama'torjo] *m* anti-inflammatory drug

Antillas [an'tiʎas] *sf* • las Antillas the West Indies

antílope [an'tilope] *m* antelope

antipatía [antipa'tia] *f* dislike

antipático, ca [anti'patiko, ka] *adj* unpleasant

antirrobo [anti'roβo] ◇ *adj* antitheft ◇ *m* **1.** *(en coche)* antitheft device **2.** *(en edificio)* burglar alarm

antiséptico [anti'septiko] *m* antiseptic

antitérmico [anti'termiko] *m* antipyretic

antojitos [anto'xitos] *mpl (Méx) Mexican dishes such as tacos served as snacks*

antojo [an'toxo] *m (capricho)* whim • tener el antojo de to have a craving for

antología [antolo'xia] *f* anthology

antorcha [an'tortʃa] *f* torch

antro ['antro] *m (despec)* dump

anual [anu'al] *adj* annual

anuario [anu'arjo] *m* yearbook

anulado, da [anu'laðo, ða] *adj* **1.** *(espec-*

táculo) cancelled **2.** (tarjeta, billete, etc) void **3.** (gol) disallowed

anular [anu'lar] ◇ *m* ring finger ◇ *vt* **1.** (espectáculo) to cancel **2.** (partido) to call off **3.** (tarjeta, billete) to validate **4.** (gol) to disallow **5.** (personalidad) to repress

anunciar [anun'θjar] *vt* **1.** to announce **2.** (en publicidad) to advertise

anuncio [a'nunθjo] *m* **1.** (notificación) announcement **2.** (en publicidad) advert (UK), commercial (US) **3.** (presagio, señal) sign

anzuelo [an'θwelo] *m* (fish) hook

añadidura [aɲaði'ðura] *f* addition ● por añadidura in addition

añadir [aɲa'ðir] *vt* to add

añicos [a'ɲikos] *mpl* ● hacerse añicos to shatter

año ['aɲo] *m* year ● hace años years ago ● ¿cuántos años tienes? how old are you? ● tengo 17 años I'm 17 (years old) ● año nuevo New Year ● los años 50 the fifties

añoranza [aɲo'ranθa] *f* **1.** (del pasado) nostalgia **2.** (del hogar) homesickness

añorar [aɲo'rar] *vt* to miss

aorta [a'orta] *f* aorta

apachurrar [apa'tʃurar] *vt* (Amér) (fam) (achatar) to squash

apacible [apa'θiβle] *adj* **1.** (persona, carácter) gentle **2.** (lugar) pleasant **3.** (tiempo) mild

apadrinar [apaðri'nar] *vt* **1.** (en bautizo) to act as godparent to **2.** (proteger, ayudar) to sponsor

apagado, da [apa'ɣaðo, ða] *adj* **1.** (luz, fuego) out **2.** (aparato) off **3.** (persona, color) subdued **4.** (sonido) muffled

apagar [apa'ɣar] *vt* **1.** (luz, lámpara, televisión, etc) to turn off **2.** (fuego, cigarrillo) to put out ● **apagarse** *vp* (la luz) to go out

apagón [apa'ɣon] *m* power cut

apaisado, da [apai'saðo, ða] *adj* oblong

apalabrar [apala'βrar] *vt* to make a verbal agreement regarding

apalancado, da [apalaŋ'kaðo, ða] *adj* comfortably installed

apañado, da [apa'ɲaðo, ða] *adj* clever

apañarse [apa'ɲarse] *vp* to manage ● apañárselas to manage

apapachado, da [apapa'tʃaðo, ða] *adj* (Amér) pampered

apapachar [apapa'tʃar] *vt* (Méx) to stroke fawningly

aparador [apara'ðor] *m* sideboard

aparato [apa'rato] *m* **1.** (máquina) machine **2.** (de radio, televisión) set **3.** (dispositivo) device **4.** (electrodoméstico) appliance **5.** (avión) plane **6.** (digestivo, circulatorio, etc) system **7.** (ostentación) ostentation

aparcamiento [aparka'mjento] *m* **1.** (lugar) car park (UK), parking lot (US) **2.** (hueco) parking place **3.** (acción) parking ▼ aparcamiento público car park

aparcar [apar'kar] *vt* **1.** (vehículo) to park **2.** (problema, decisión, etc) to leave to one side ▼ aparcar en batería sign indicating that cars must park at right angles to the pavement

aparecer [apare'θer] *vi* **1.** (de forma repentina) to appear **2.** (lo perdido) to turn up **3.** (publicación) to come out

aparejador, ra [aparexa'ðor, ra] *m.f* quantity surveyor

aparejar [apare'xar] *vt (embarcación)* to rig

aparejo [apa'rexo] *m (de embarcación)* rigging

aparentar [aparen'tar] *vt* **1.** *(fingir)* to feign **2.** *(edad)* to look

aparente [apa'rente] *adj* **1.** *(fingido)* apparent **2.** *(vistoso)* showy

aparición [apari'θjon] *f* **1.** appearance **2.** *(de lo sobrenatural)* apparition

apariencia [apa'rjenθja] *f* appearance ● **en apariencia** outwardly ● **guardar las apariencias** to keep up appearances

apartado, da [apar'taðo, ða] ◇ *adj.* **1.** *(lejano)* remote **2.** *(separado)* separated ◇ *m* paragraph ● **apartado de correos** P.O. Box

apartamento [aparta'mento] *m* apartment ▼ **apartamentos de alquiler** apartments (to let)

apartar [apar'tar] *vt* **1.** *(separar)* to separate **2.** *(quitar)* to remove **3.** *(quitar de en medio)* to move out of the way **4.** *(disuadir)* to dissuade ● **apartarse** *vp (retirarse)* to move out of the way ● **apartarse de** *(alejarse de)* to move away from

aparte [a'parte] ◇ *adv* **1.** *(en otro lugar)* to one side **2.** *(separadamente)* separately **3.** *(además)* besides ◇ *adj* **1.** *(privado)* private **2.** *(diferente)* separate ● **aparte de** *(además de)* besides; *(excepto)* apart from

aparthotel [aparto'tel] *m* holiday *(UK)* o vacation *(US)* apartments *pl*

apasionado, da [apasjo'naðo, ða] *adj* passionate ● **apasionado por** *(aficionado)* mad about

apasionante [apasjo'nante] *adj* fascinating

apasionar [apasjo'nar] *vi* ● **le apasiona el teatro** he loves the theatre ● **apasionarse** *vp (excitarse)* to get excited ● **apasionarse por** *v + prep (ser aficionado a)* to love

apdo. *(abr de apartado)* P.O. Box

apechugar [apetʃu'ɣar] *vi* ● **apechugar con** *(fam)* to put up with

apego [a'peɣo] *m* ● **tener apego a** to be fond of

apellidarse [apeʎi'ðarse] *vp* ● **se apellida Gómez** her surname is Gómez

apellido [ape'ʎiðo] *m* surname

apellido

Spanish people's surnames comprise two parts: the surname of their father, followed by the surname of their mother. The full surname must be used for official purposes, but in everyday situations most people just use the first part. Thus, Antonio García Blanco is normally shortened to Antonio García.

apenado, da [ape'naðo, ða] *adj (Andes, CAm, Carib, Col & Méx)* embarrassed

apenar [ape'nar] *vt* to sadden ● **apenarse** *vp (Andes, CAm, Carib, Col & Méx) (sentir vergüenza)* to be embarrassed

apenas [a'penas] *adv* **1.** hardly **2.** *(escasamente)* only **3.** *(tan pronto como)* as soon as

apéndice [a'pendiθe] *m* appendix
apendicitis [apendi'θitis] *f inv* appendicitis
aperitivo [aperi'tiβo] *m* **1.** *(bebida)* aperitif **2.** *(comida)* appetizer
apertura [aper'tura] *f (inauguración)* opening
apestar [apes'tar] *vi* to stink
apetecer [apete'θer] *vi* ● ¿te apetece un café? do you fancy a coffee?
apetecible [apete'θiβle] *adj* appetizing
apetito [ape'tito] *m* appetite ● abrir el apetito to whet one's appetite ● tener apetito to feel hungry
apetitoso, sa [apeti'toso, sa] *adj* appetizing
apicultura [apikul'tura] *f* beekeeping
apiñado, da [api'ɲaðo, ða] *adj* packed
apiñarse [api'ɲarse] *vp* to crowd together
apio ['apjo] *m* celery
apisonadora [apisona'ðora] *f* steamroller
aplanadora [apla'nar] *f (Amér)* steamroller
aplanar [apla'nar] *vt* to level
aplastar [aplas'tar] *vt (chafar)* to flatten
aplaudir [aplau̯'ðir] *vt & vi* to applaud
aplauso [a'plau̯so] *m* round of applause ● aplausos applause *sg*
aplazar [apla'θar] *vt* to postpone
aplicación [aplika'θjon] *f* application
aplicado, da [apli'kaðo, ða] *adj* **1.** *(alumno, estudiante)* diligent **2.** *(ciencia, estudio)* applied
aplicar [apli'kar] *vt* to apply ● aplicarse *vp* I ● aplicarse en to apply o.s. to
aplique [a'plike] *m* wall lamp

aplomo [a'plomo] *m* composure
apoderarse [apoðe'rarse] ● apoderarse de *v + prep* to seize
apodo [a'poðo] *m* nickname
apogeo [apo'xeo] *m* height ● estar en su apogeo to be at its height
aportación [aporta'θjon] *f* contribution
aportar [apor'tar] *vt* to contribute
aposta [a'posta] *adv* on purpose
apostar [apos'tar] *vt & vi* to bet ● apostar por *v + prep* to bet on
apóstol [a'postol] *m* apostle
apóstrofo [a'postrofo] *m* apostrophe
apoyar [apo'jar] *vt* **1.** *(animar)* to support **2.** *(fundamentar)* to base **3.** *(respaldar)* to lean ● apoyarse *vp (arrimarse)* to lean ● apoyarse (en) to lean (on)
apoyo [a'pojo] *m* support
apreciable [apre'θjaβle] *adj* **1.** *(perceptible)* appreciable **2.** *(estimable)* worthy
apreciación [apreθja'θjon] *f* appreciation
apreciado, da [apre'θjaðo, ða] *adj (estimado)* esteemed
apreciar [apre'θjar] *vt* **1.** *(sentir afecto por)* to think highly of **2.** *(valorar)* to appreciate **3.** *(percibir)* to make out
aprecio [a'preθjo] *m* esteem
apremiar [apre'mjar] ◇ *vt (dar prisa)* to urge ◇ *vi (tiempo)* to be short
aprender [apren'der] ◇ *vt* to learn ◇ *vi* ● aprender a to learn to
aprendiz [apren'diθ, θes] *(pl -ces) m* apprentice
aprendizaje [aprendi'θaxe] *m (proceso)* learning
aprensión [apren'sjon] *f* **1.** *(miedo)* apprehension **2.** *(escrúpulo)* squeamishness

aprensivo, **va** [apren'siβo, βa] *adj* **1.** *(miedoso)* apprehensive **2.** *(escrupuloso)* squeamish **3.** *(hipocondríaco)* hypochondriac

apresurado, **da** [apresu'raðo, ða] *adj* hurried

apresurarse [apresu'rarse] *vp* to hurry • **apresurarse a** to hurry to

apretado, **da** [apre'taðo, ða] *adj* **1.** *(cinturón, ropa, etc)* tight **2.** *(victoria, triunfo)* narrow **3.** *(agenda)* full

apretar [apre'tar] ◇ *vt* **1.** *(presionar)* to press **2.** *(gatillo)* to pull **3.** *(ajustar)* to tighten **4.** *(ceñir)* to be too tight for **5.** *(con los brazos)* to squeeze ◇ *vi* *(calor, hambre)* to intensify • **apretarse** *vp* *(apiñarse)* to crowd together • **apretarse el cinturón** to tighten one's belt

apretujar [apretu'xar] *vt* to squash • **apretujarse** *vp* to squeeze together

aprisa [a'prisa] *adv* quickly

aprobado [apro'βaðo] *m* pass

aprobar [apro'βar] *vt* **1.** *(asignatura, examen, ley)* to pass **2.** *(actitud, comportamiento)* to approve of

apropiado, **da** [apro'piaðo, ða] *adj* suitable

apropiarse [apro'piarse] • **apropiarse de** *v* + *prep* *(adueñarse de)* to appropriate

aprovechado, **da** [aproβe'tʃaðo, ða] *adj* **1.** *(tiempo)* well-spent **2.** *(espacio)* well-planned

aprovechar [aproβe'tʃar] ◇ *vt* **1.** *(ocasión, oferta)* to take advantage of **2.** *(tiempo, espacio)* to make use of **3.** *(lo inservible)* to put to good use ◇ *vi* **¡que aproveche!** enjoy your meal! • **aprovecharse de** *v* + *prep* to take

advantage of

aproximación [aproksima'θion] *f* **1.** *(acercamiento)* approach **2.** *(en cálculo)* approximation

aproximadamente [aproksi,maða'mente] *adv* approximately

aproximar [aproksi'mar] *vt* to move closer • **aproximarse** *vp* • **aproximarse a** to come closer to

apto, **ta** ['apto, ta] *adj* • **apto para menores** suitable for children • **no apto para menores** unsuitable for children

apuesta [a'puesta] *f* bet

apuesto, **ta** [a'puesto, ta] *adj* dashing

apunarse [apu'narse] *vp* (*Andes*) to get altitude sickness

apuntador, **ra** [apunta'ðor, ra] *m,f* prompter

apuntar [apun'tar] *vt* **1.** *(escribir)* to note down **2.** *(inscribir)* to put down **3.** *(arma)* to aim **4.** *(con el dedo)* to point at • **apuntarse** *vp* *(inscribirse)* to put one's name down • **apuntarse a** *v* + *prep* *(participar en)* to join in with

apunte [a'punte] *m* **1.** *(nota)* note **2.** *(boceto)* sketch • **apuntes** *mpl* notes • **tomar apuntes** to take notes

apuñalar [apuɲa'lar] *vt* to stab

apurar [apu'rar] *vt* **1.** *(agotar)* to finish off **2.** *(preocupar)* to trouble • **apurarse** *vp* *(darse prisa)* to hurry • **apurarse por** *(preocuparse por)* to worry about

apuro [a'puro] *m* **1.** *(dificultad)* fix **2.** *(escasez económica)* hardship • **me da apuro (hacerlo)** I'm embarrassed (to do it) • **estar en apuros** to be in a tight spot

aquel, la [a'kel, ʎa] *adj* that

aquél, la [a'kel, ʎa] *pron* **1.** (en el espacio) that one **2.** (en el tiempo) that ● **aquél que** anyone who

aquello [a'keʎo] *pron neutro* that ● **aquello de su mujer es mentira** all that about his wife is a lie

aquellos, llas [a'keʎos, ʎas] *adj pl* those

aquéllos, llas [a'keʎos, ʎas] *pron pl* those

aquí [a'ki] *adv* **1.** (en este lugar) here **2.** (ahora) now ● **aquí arriba** up here ● **aquí dentro** in here

árabe ['araβe] ◇ *adj & mf* Arab ◇ *m* (lengua) Arabic

Arabia Saudí [a'raβjasau'ði] *s* Saudi Arabia

arado [a'raðo] *m* plough

arandela [aran'dela] *f* washer

araña [a'raɲa] *f* spider

arañar [ara'ɲar] *vt* to scratch

arañazo [ara'naθo] *m* scratch

arar [a'rar] *vt* to plough

arbitrar [arβi'trar] *vt* **1.** (partido) to referee **2.** (discusión) to arbitrate

árbitro ['arβitro, tra] *m* referee

árbol ['arβol] *m* tree ● **árbol de Navidad** Christmas tree

arbusto [ar'βusto] *m* bush

arca ['arka] *f* (cofre) chest

arcada [ar'kaða] *f* arcade ◆ **arcadas** *fpl* (náuseas) retching pl

arcaico, ca [ar'kaiko, ka] *adj* archaic

arcángel [ar'kanxel] *m* archangel

arcén [ar'θen] *m* **1.** (en carretera) verge **2.** (en autopista) hard shoulder (UK), shoulder (US)

archipiélago [artʃi'pjelaɣo] *m* archipelago

archivador [artʃiβa'ðor] *m* filing cabinet

archivar [artʃi'βar] *vt* to file

archivo [ar'tʃiβo] *m* **1.** (lugar) archive **2.** (documentos) archives pl

arcilla [ar'θiʎa] *f* clay

arcilloso, sa [arθi'ʎoso, sa] *adj* clayey

arco ['arko] *m* **1.** (de flechas) bow **2.** (en arquitectura) arch **3.** (en geometría) arc **4.** (Amér) (en deporte) goal ● **arco iris** rainbow ● **arco de triunfo** triumphal arch

arder [ar'ðer] *vi* to burn ● **está que arde** (fam) he's fuming

ardiente [ar'ðjente] *adj* **1.** (que arde) burning **2.** (líquido) scalding **3.** (apasionado) ardent

ardilla [ar'ðiʎa] *f* squirrel

área ['area] *f* area ▼ **área de descanso** rest area ▼ **área de servicio** service area

arena [a'rena] *f* sand ● **arenas movedizas** quicksand

arenoso, sa [aren'oso, sa] *adj* sandy

arenque [a'renke] *m* herring

aretes [a'retes] *mpl* (Col & Méx) earrings

Argelia [ar'xelja] *s* Algeria

Argentina [arxen'tina] *f* ● **(la) Argentina** Argentina

argentino, na [arxen'tino, na] *adj & m,f* Argentinian

argot [ar'ɣot] *m* **1.** (popular) slang **2.** (técnico) jargon

argumentar [arɣumen'tar] *vt* (alegar) to allege

argumento [arɣu'mento] *m* **1.** (razón) reason **2.** (de novela, película, etc) plot

aria ['arja] *f* aria

árido, da ['ariðo, ða] *adj* dry

Aries ['arjes] *m* Aries

arista [a'rista] *f* edge

aristocracia [aristo'kraθja] *f* aristocracy

aristócrata [aris'tokrata] *mf* aristocrat

aritmética [ariθ'metika] *f* arithmetic

arlequín [arle'kin] *m* harlequin

arma ['arma] *f* weapon ● **ser de armas tomar** *(tener mal carácter)* to be a nasty piece of work

armada [ar'maða] *f (fuerzas navales)* navy

armadillo [arma'ðiʎo] *m* armadillo

armadura [arma'ðura] *f (coraza)* armour

armamento [arma'mento] *m (armas)* arms *pl*

armar [ar'mar] *vt* 1. *(ejército)* to arm 2. *(pistola, fusil)* to load 3. *(mueble)* to assemble 4. *(tienda)* to pitch 5. *(alboroto, ruido)* to make ● **armarse** *vp* to arm o.s. ◆ **armarse de** *v* + *prep (valor, paciencia)* to summon up

armario [ar'marjo] *m* 1. *(de cajones)* cupboard *(UK)*, dresser *(US)* 2. *(ropero)* wardrobe ● **armario empotrado** fitted cupboard/wardrobe

armazón [arma'θon] *f* 1. *(de cama, tienda de campaña)* frame 2. *(de coche)* chassis

armisticio [armis'tiθjo] *m* armistice

armonía [armo'nia] *f* harmony

armónica [ar'monika] *f* harmonica

armonizar [armoni'θar] *vt* to match

aro ['aro] *m* 1. *(anilla)* ring 2. *(juguete)* hoop

aroma [a'roma] *m* 1. *(olor)* aroma 2. *(de vino)* bouquet ● **aroma artificial** artificial flavouring

arpa ['arpa] *f* harp

arqueología [arkeolo'xia] *f* archeology

arqueólogo, ga [arke'oloγo, γa] *m,f* archeologist

arquero [ar'kero] *m (Amér)* goalkeeper

arquitecto, ta [arki'tekto, ta] *m,f* architect

arquitectónico, ca [arkitek'toniko, ka] *adj* architectural

arquitectura [arkitek'tura] *f* architecture

arraigar [arraj'γar] *vi* to take root

arrancar [arran'kar] ◇ *vt* 1. *(del suelo)* to pull up 2. *(motor)* to start 3. *(de las manos)* to snatch ◇ *vi* 1. *(iniciar la marcha)* to set off 2. *(vehículo)* to start up ● **arrancar de** to stem from

arranque [a'ranke] *m* 1. *(ímpetu)* drive 2. *(de ira, pasión)* fit

arrasador, ra *adj* 1. *(ciclón, terremoto, incendio)* devastating 2. *(éxito)* phenomenal

arrastrar [aras'trar] *vt* 1. *(por el suelo)* to drag 2. *(convencer)* to win over ● **arrastrarse** *vp* 1. *(reptar)* to crawl 2. *(humillarse)* to grovel

arrastre [a'rastre] *m* dragging ● **estar para el arrastre** to have had it

arrebatar [areβa'tar] *vt* to snatch

arrebato [are'βato] *m (de ira, pasión)* outburst

arreglar [are'γlar] *vt* 1. *(ordenar)* to tidy up *(UK)*, to clean up *(US)* 2. *(reparar)* to repair 3. *(casa)* to do up *(UK)*, to decorate ◆ **arreglarse** *vp* 1. *(embellecerse)* to smarten up 2. *(solucionarse)* to sort itself out ● **arreglárselas** to manage

arreglo [aˈreɣlo] *m* **1.** *(reparación)* repair **2.** *(de ropa)* mending **3.** *(acuerdo)* agreement

arrendatario, ria [arendaˈtarjo, rja] *m,f* tenant

arreos [aˈreos] *mpl* harness *sg*

arrepentirse [arepenˈtirse] ● **arrepentirse de** *v + prep* to regret

arrestar [aresˈtar] *vt* to arrest

arriba [aˈriβa] *adv* **1.** *(de situación)* above **2.** *(de dirección)* up **3.** *(en edificio)* upstairs ● **allí arriba** up there ● **aquí arriba** up here ● **más arriba** further up ● **para arriba** upwards ● **de arriba** *(piso)* upstairs ● **de arriba abajo** *(detenidamente)* from top to bottom; *(con desdén)* up and down

arriesgado, da [arjesˈɣaðo, ða] *adj* risky

arriesgar [arjesˈɣar] *vt* to risk ● **arriesgarse** *vp* ● **arriesgarse a** to dare to

arrimar [ariˈmar] *vt* to move closer ● **arrimar el hombro** to lend a hand ● **arrimarse** *vp* ● **arrimarse a** to move closer to

arrodillarse [aroðiˈʎarse] *vp* to kneel down

arrogancia [aroˈɣanθja] *f* arrogance

arrogante [aroˈɣante] *adj* arrogant

arrojar [aroˈxar] *vt* **1.** *(lanzar)* to hurl **2.** *(vomitar)* to throw up ● **arrojar a alguien de** *(echar)* to throw sb out of ● **arrojarse** *vp* **1.** *(al vacío)* to hurl o.s. **2.** *(sobre una persona)* to leap

arroyo [aˈroyo] *m* stream

arroz [aˈroθ] *m* rice ● **arroz blanco** boiled rice ● **arroz a la cubana** *boiled*

rice with fried egg, tomatoes and fried banana ● **arroz con leche** rice pudding ● **arroz negro** *rice cooked with squid ink*

arruga [aˈruɣa] *f* **1.** *(en piel)* wrinkle **2.** *(en tejido)* crease

arrugado, da [aruˈɣaðo, ða] *adj* **1.** *(piel)* wrinkled **2.** *(tejido, papel)* creased

arrugar [aruˈɣar] *vt* to crease ● **arrugarse** *vp* to get creased

arruinar [aruiˈnar] *vt* to ruin ● **arruinarse** *vp* to be ruined

arsénico [arˈseniko] *m* arsenic

arte [ˈarte] *m o f* art ● **tener arte para** to be good at ● **con malas artes** using trickery ● **por arte de magia** as if by magic ● **artes** *fpl* arts

artefacto [arteˈfakto] *m* device

arteria [arˈterja] *f* artery

artesanal [artesaˈnal] *adj* handmade

artesanía [artesaˈnia] *f* craftsmanship ● **de artesanía** handmade

artesano, na [arteˈsano, na] *m,f* craftsman *(f* craftswoman*)*

ártico, ca [ˈartiko] *adj* arctic ● **Ártico** *m* ● **el Ártico** the Arctic

articulación [artikulaˈθjon] *f* **1.** joint **2.** *(de sonidos)* articulation

articulado, da [artikuˈlaðo, ða] *adj* articulated

articular [artikuˈlar] *vt* to articulate

articulista [artikuˈlista] *mf* journalist

artículo [arˈtikulo] *m* **1.** article **2.** *(producto)* product ● **artículos de lujo** luxury goods ● **artículos regalo** gift items

artificial [artifiˈθjal] *adj* artificial

artificio [artiˈfiθjo] *m* **1.** *(dispositivo)*

device **2.** *(habilidades)* trick

artista [ar'tista] *mf* **1.** artist **2.** *(de circo, teatro)* artiste

artístico, ca [ar'tistiko, ka] *adj* artistic

arveja [ar'βexa] *f (Andes, CAm, Carib, Col & RP)* pea

arzobispo [arθo'βispo] *m* archbishop

as ['as] *m* ace

asa ['asa] *f* handle

asado, da [a'saðo, ða] *adj & m* roast ● **carne asada** *(al horno)* roast meat; *(a la parrilla)* grilled meat ● **pimientos asados** roast peppers

asador [asa'ðor] *m* spit *(UK)*, rotisserie *(US)*

asalariado, da [asala'rjaðo, ða] ◇ *adj* salaried ◇ *m,f* wage earner

asaltar [asal'tar] *vt* **1.** *(robar)* to rob **2.** *(agredir)* to attack

asalto [a'salto] *m* **1.** *(a banco, tienda, persona)* robbery **2.** *(en boxeo, judo, etc)* round

asamblea [asam'blea] *f* **1.** *(de una asociación)* assembly **2.** *(en política)* meeting

asar [a'sar] *vt* **1.** *(al horno)* to roast **2.** *(a la parrilla)* to grill ● **asarse** *vp* to be boiling hot

ascendencia [asθen'denθja] *f (antepasados)* ancestors *pl*

ascendente [asθen'dente] *adj* ascending

ascender [asθen'der] ◇ *vt (empleado)* to promote ◇ *vi (subir)* to rise ● **ascender a** *v + prep (suj: cantidad)* to come to

ascendiente [asθen'djente] *mf* ancestor

ascenso [as'θenso] *m* **1.** *(de sueldo)* rise *(UK)*, raise *(US)* **2.** *(de posición)* promotion

ascensor [asθen'sor] *m* lift *(UK)*, elevator *(US)*

asco ['asko] *m* revulsion ● **ser un asco** to be awful ● **me da asco** I find it disgusting ● **¡qué asco!** how disgusting! ● **estar hecho un asco** *(fam)* to be filthy

ascua ['askwa] *f* ember ● **estar en ascuas** to be on tenterhooks

aseado, da [ase'aðo, ða] *adj* clean

asear [ase'ar] *vt* to clean ● **asearse** *vp* to get washed and dressed

asegurado, da [aseɣu'raðo, ða] ◇ *adj* insured ◇ *m,f* policy-holder

asegurar [aseɣu'rar] *vt* **1.** *(coche, vivienda)* to insure **2.** *(cuerda, nudo)* to secure **3.** *(prometer)* to assure ● **asegurarse de** *v + prep* to make sure that

asentir [asen'tir] *vi* to agree

aseo [a'seo] *m* **1.** *(limpieza)* cleaning **2.** *(habitación)* bathroom ▼ **aseos** toilets *(UK)*, restroom *(US)*

aséptico, ca [a'septiko, ka] *adj* aseptic

asequible [ase'kiβle] *adj (precio, producto)* affordable

asesinar [asesi'nar] *vt* to murder

asesinato [asesi'nato] *m* murder

asesino, na [ase'sino, na] *adj* murderer

asesor, ra [ase'sor, ra] ◇ *adj* advisory ◇ *m,f* consultant

asesorar [aseso'rar] *vt* to advise ● **asesorarse** *vp* to seek advice

asesoría [aseso'ria] *f* consultant's office

asfaltado, da [asfal'taðo, ða] ◇ *adj* tarmacked, packed *(US)* ◇ *m* road surface

asfaltar [asfal'tar] *vt* to surface *(UK)*, to pave *(US)*

asfalto [as'falto] *m* asphalt

asfixia [as'fiksja] *f* suffocation

asfixiante [asfik'sjante] *adj* **1.** *(olor)* overpowering **2.** *(calor)* suffocating

asfixiar [asfik'sjar] *vt* to suffocate ◆ **asfixiarse** *vp* to suffocate

así [as'i] *adv* & *adj inv* like this ● **así de grande** this big ● **así como** just as ● **así es** that's right ● **así es como** that is how ● **así no más** (*Amér*) (*fam*) (*regular*) just like that ● **así y todo** even so ● **y así sucedió** and that is exactly what happened

Asia ['asja] *s* Asia

asiático, ca [a'sjatiko, ka] *adj* & *m.f* Asian

asiento [a'sjento] *m* seat

asignatura [asiɣna'tura] *f* subject

asilo [a'silo] *m* (*para ancianos*) old people's home (*UK*), retirement home (*US*) ● **asilo político** political asylum

asimilación [asimila'θjon] *f* assimilation

asimilar [asimi'lar] *vt* **1.** *(conocimientos)* to assimilate **2.** *(cambio, situación)* to take in one's stride

asistencia [asis'tenθja] *f* **1.** *(a clase, espectáculo)* attendance **2.** *(ayuda)* assistance **3.** *(público)* audience

asistir [asis'tir] *vt* (*suj: médico, enfermera*) to attend to ◆ **asistir a** *v + prep* (*clase, espectáculo*) to attend

asma ['azma] *f* asthma

asmático, ca [az'matiko, ka] *adj* asthmatic

asno, na ['azno, na] *m,f* ass

asociación [asoθja'θjon] *f* association

asociar [aso'θjar] *vt* to associate ◆ **asociarse a** *v + prep* to become a

member of ◆ **asociarse con** *v + prep* to form a partnership with

asolar [aso'lar] *vt* to devastate

asomar [aso'mar] ◇ *vi* to peep up ◇ *vt* to stick out ◆ **asomarse** *vp* ● **asomarse a** (*ventana*) to stick one's head out of; (*balcón*) to go out onto

asombrar [asom'brar] *vt* **1.** *(causar admiración)* to amaze **2.** *(sorprender)* to surprise ◆ **asombrarse de** *v + prep* **1.** *(sentir admiración)* to be amazed at **2.** *(sorprenderse)* to be surprised at

asombro [a'sombro] *m* **1.** *(admiración)* amazement **2.** *(sorpresa)* surprise

asorocharse [asoro'tʒarse] *vp* (*Chile & Perú*) to get altitude sickness

aspa ['aspa] *f* (*de molino de viento*) arm

aspecto [as'pekto] *m* (*apariencia*) appearance ● **tener buen/mal aspecto** (*persona*) to look well/awful; (*cosa*) to look nice/horrible

aspereza [aspe'reθa] *f* roughness

áspero, ra ['aspero, ra] *adj* **1.** *(al tacto)* rough **2.** *(voz)* harsh

aspiradora [aspira'ðora] *f* vacuum cleaner

aspirar [aspi'rar] *vt* (*aire*) to breathe in ◆ **aspirar a** *v + prep* to aspire to

aspirina [aspi'rina] *f* aspirin

asqueado, da [aske'aðo, ða] *adj* disgusted

asquerosidad [askerosi'ðað] *f* filthiness

asqueroso, sa [aske'roso, sa] *adj* filthy

asta ['asta] *f* **1.** *(de lanza)* shaft **2.** *(de bandera)* flagpole **3.** *(de toro)* horn **4.** *(de ciervo)* antler

asterisco [aste'risko] *m* asterisk

astillero [asti'ʎero] *m* shipyard

astro ['astro] *m* star

astrología [astroło'xia] *f* astrology

astrólogo, ga [as'troloγo, γa] *m,f* astrologer

astronauta [astro'nauta] *mf* astronaut

astronomía [astrono'mia] *f* astronomy

astronómico, ca [astro'nomiko, ka] *adj* astronomical

astrónomo, ma [as'tronomo, ma] *m,f* astronomer

astuto, ta [as'tuto, ta] *adj* 1. *(sagaz)* astute 2. *(ladino)* cunning

asumir [asu'mir] *vt* 1. *(problema)* to cope with 2. *(responsabilidad)* to assume

asunto [a'sunto] *m* 1. *(tema general)* subject 2. *(tema específico)* matter 3. *(problema)* issue 4. *(negocio)* affair

asustar [asus'tar] *vt* to frighten ◆ **asustarse** *vp* to be frightened

atacar [ata'kar] *vt* to attack

atajo [a'taxo] *m* 1. *(camino)* short cut 2. *(despec) (grupo de personas)* bunch ● **un atajo de disparates** a string of nonsense

ataque [a'take] *m* 1. *(agresión)* attack 2. *(de ira, risa, etc)* fit 3. *(de fiebre, tos, etc)* bout ● **ataque al corazón** heart attack

atar [a'tar] *vt* 1. *(con cuerda, cadena, etc)* to tie 2. *(ceñir)* to tie up

atardecer [atar'ðeθer] *m* ● **al atardecer** at dusk

atareado, da [atare'aðo, ða] *adj* busy

atasco [a'tasko] *m (de tráfico)* traffic jam

ataúd [ata'uð] *m* coffin

ate ['ate] *m (Amér)* quince jelly

ateísmo [ate'izmo] *m* atheism

atención [aten'θjon] *f* 1. *(interés)* attention 2. *(regalo, obsequio)* kind gesture ●

atención al cliente customer service ● **llamar la atención** to be noticeable ● **llamar la atención a alguien** to tell sb off ◆ **atenciones** *fpl (cuidados)* attentiveness *sg*

atender [aten'ðer] ◇ *vt* 1. *(solicitud, petición, negocio)* to attend to 2. *(clientes)* to serve 3. *(enfermo)* to look after ◇ *vi (escuchar)* to pay attention ● **¿le atienden?** are you being served?

atentado [aten'taðo] *m* terrorist attack

atentamente [a,tenta'mente] *adv (en cartas)* Yours sincerely

atento, ta [a'tento, ta] *adj* 1. *(con atención)* attentive 2. *(amable)* considerate

ateo, a [a'teo, a] *m,f* atheist

aterrizaje [ateri'θaxe] *m* landing ●

aterrizaje forzoso emergency landing

aterrizar [ateri'θar] *vi* to land

aterrorizar [aterori'θar] *vt* to terrify

atestado, da [ates'taðo, ða] *adj* packed

atestiguar [atesti'γuar] *vt* to testify to

ático ['atiko] *m* penthouse

atinar [ati'nar] *vi* to guess correctly

atípico, ca [a'tipiko, ka] *adj* atypical

Atlántico [að'lantiko] *m* ● **el Atlántico** the Atlantic

atlas ['aðlas] *m inv* atlas

atleta [að'leta] *mf* athlete

atlético, ca [að'letiko, ka] *adj* athletic

atletismo [aðle'tizmo] *m* athletics

atmósfera [að'mosfera] *f* atmosphere

atmosférico, ca [aðmos'feriko, ka] *adj* atmospheric

atole [a'tole] *m (Méx) thick drink of maize flour boiled in milk or water*

atolondrarse [atolon'drarse] *vp* to get flustered

atómico, ca [a'tomiko, ka] *adj* nuclear

átomo ['atomo] *m* atom

atónito, ta [a'tonito, ta] *adj* astonished

atontado, da [aton'taðo, ða] *adj* dazed

atorado, da [ato'raðo, ða] *adj* **1.** (*Amér*) (*atascado*) blocked **2.** (*agitado, nervioso*) nervous

atorar [ato'rar] *vt* (*Amér*) to block ◆ **atorarse** *vp* **1.** (*Amér*) (*atascarse*) to get blocked **2.** (*atragantarse*) to choke

atorrante [ato'rante] *adj* (*Andes & CSur*) (*despreocupado*) scruffy

atracador, ra [atraka'ðor, ra] *m,f* **1.** (*de banco, tienda*) armed robber **2.** (*de persona*) mugger

atracar [atra'kar] ◇ *vt* **1.** (*banco, tienda*) to rob **2.** (*persona*) to mug ◇ *vi* (*barco*) to dock ◆ **atracarse** *de v + prep* to eat one's fill of

atracción [atrak'θjon] *f* attraction ◆ **atracciones** *fpl* fairground attractions

atraco [a'trako] *m* robbery

atractivo, va [atrak'tiβo, βa] ◇ *adj* attractive ◇ *m* **1.** (*de trabajo, lugar*) attraction **2.** (*de persona*) attractiveness

atraer [atra'er] ◇ *vt* to attract ◇ *vi* to be attractive

atragantarse [atrayan'tarse] *vp* to choke

atrapar [atra'par] *vt* to catch

atrás [a'tras] *adv* **1.** (*de posición*) behind **2.** (*al moverse*) backwards **3.** (*de tiempo*) before

atrasado, da [atra'saðo, ða] *adj* **1.** (*trabajo, tarea, proyecto*) delayed **2.** (*pago*) overdue **3.** (*en estudios*) backward ● **ir atrasado** (*reloj*) to be slow

atrasar [atra'sar] ◇ *vt* **1.** (*llegada, salida*) to delay **2.** (*proyecto, cita, acontecimiento*) to postpone **3.** (*reloj*) to put back ◇ *vi* (*reloj*) to be slow ◆ **atrasarse** *vp* **1.** (*persona*) to be late **2.** (*tren, avión, etc*) to be delayed **3.** (*proyecto, acontecimiento*) to be postponed

atraso [a'traso] *m* (*de evolución*) backwardness ◆ **atrasos** *mpl* (*de dinero*) arrears

atravesar [atraβe'sar] *vt* **1.** (*calle, río, puente*) to cross **2.** (*situación difícil, crisis*) to go through **3.** (*objeto, madero, etc*) to penetrate ◆ **atravesarse** *vp* to be in the way

atreverse *vp* to dare to

atrevido, da [atre'βiðo, ða] *adj* **1.** (*osado*) daring **2.** (*insolente*) cheeky (*UK*), sassy (*US*) **3.** (*ropa, libro*) risqué **4.** (*propuesta*) forward

atribución [atriβu'θjon] *f* (*de poder, trabajo*) responsibility

atribuir [atriβu'ir] *vt* **1.** to attribute **2.** (*poder, cargo*) to give

atributo [atri'βuto] *m* attribute

atrio ['atrjo] *m* **1.** (*de palacio*) portico **2.** (*de convento*) cloister

atropellar [atrope'ʎar] *vt* **1.** (*suj: vehículo*) to run over **2.** (*con empujones*) to push out of the way ◆ **atropellarse** *vp* (*hablando*) to trip over one's words

atropello [atro'peʎo] *m* running over

ATS [ate'ese] *mf* (*abr de* Ayudante Técnico Sanitario) qualified nurse

atte *abrev* = atentamente

atún [a'tun] *m* tuna ● **atún en aceite** tuna in oil

audaz [au'ðaθ, θes] (*pl* **-ces**) *adj* daring

audiencia [au'ðjenθja] *f* audience

audiovisual [ˌau̯ðioβiˈsual] ◇ *adj* audiovisual ◇ *m* audiovisual display

auditivo, va [auði̯ˈtiβo, βa] *adj* ear *(antes de s)*

auditor [auði̯ˈtor] *m* auditor

auditoría [auði̯toˈria] *f* 1. *(trabajo)* auditing *(UK)*, audit *(US)* 2. *(lugar)* auditor's office

auditorio [auði̯ˈtorjo] *m* 1. *(público)* audience 2. *(local)* auditorium

auge [ˈau̯xe] *m* boom • **en auge** booming

aula [ˈau̯la] *f* 1. *(de universidad)* lecture room *(UK)*, class room *(US)* 2. *(de escuela)* classroom

aullar [au̯ˈʎar] *vi* to howl

aullido [au̯ˈʎiðo] *m* howl

aumentar [au̯menˈtar] *vt* 1. to increase 2. *(peso)* to put on

aumento [au̯ˈmento] *m* 1. increase 2. *(en óptica)* magnification

aun [au̯n] ◇ *adv* even ◇ *conj* • **aun estando enferma, vino** she came, even though she was ill • **aun así** even so

aún [aˈun] *adv* still • **aún no han venido** they haven't come yet

aunque [au̯nke] *conj* although

aureola [au̯reˈola] *f* 1. *(de santo)* halo 2. *(fama, éxito)* aura

auricular [au̯rikuˈlar] *m* *(de teléfono)* receiver • **auriculares** *mpl* *(de radio, casete)* headphones

ausencia [au̯ˈsenθja] *f* absence

ausente [au̯ˈsente] *adj* 1. *(de lugar)* absent 2. *(distraído)* absent-minded

austeridad [austeriˈðað] *f* austerity

austero, ra [au̯sˈtero, ra] *adj* austere

Australia [au̯sˈtralja] *s* Australia

australiano, na [au̯straˈljano, na] *adj* & *m,f* Australian

Austria [ˈau̯strja] *s* Austria

austríaco, ca [au̯sˈtriako, ka] *adj* & *m,f* Austrian

autenticidad [au̯tentiθiˈðað] *f* authenticity

auténtico, ca [au̯ˈtentiko, ka] *adj* 1. *(joya, piel)* genuine 2. *(verdadero, real)* real

auto [ˈau̯to] *m* *(automóvil)* car

autoayuda [au̯toaˈjuða] *f* self-help

autobiografía [au̯toβjoɣraˈfia] *f* autobiography

autobús [au̯toˈβus] *m* bus

autocar [au̯toˈkar] *m* coach, bus *(US)* • **autocar de línea** (long-distance) coach

autocaravana [au̯tokaraˈβana] *f* camper van

autocontrol [au̯tokonˈtrol] *m* self-control

autocorrección [au̯tokorekˈθjon] *f* auto-correction

autóctono, na [au̯ˈtoktono, na] *adj* indigenous

autoescuela [au̯toesˈkwela] *f* driving school

autógrafo [au̯ˈtoɣrafo] *m* autograph

automáticamente [au̯toˌmatikaˈmente] *adv* automatically

automático, ca [au̯toˈmatiko, ka] *adj* automatic

automóvil [au̯toˈmoβil] *m* car

automovilismo [au̯tomoβiˈlizmo] *m* motoring *(UK)*, driving *(US)*

automovilista [au̯tomoβiˈlista] *mf* motorist *(UK)*, driver *(US)*

autonomía [au̯tonoˈmia] *f* autonomy •

autonomía de vuelo range
autonómico, ca [autoˈnomiko, ka] *adj* **1.** *(región, gobierno)* autonomous
autónomo, ma [auˈtonomo, ma] ◇ *adj* **1.** *(independiente)* autonomous **2.** *(trabajador)* freelance ◇ *m,f* freelancer
autopista [autoˈpista] *f* motorway
autopista de peaje toll motorway (UK), turnpike (US)
autopsia [auˈtopsja] *f* autopsy
autor, ra [auˈtor, ra] *m,f* **1.** *(de libro)* author **2.** *(de cuadro, escultura)* artist **3.** *(de acción, hecho)* perpetrator
autoridad [autoriˈðað] *f* authority ● **la autoridad** the authorities *pl*
autoritario, ria [autoriˈtarjo, rja] *adj* authoritarian
autorización [autoriθaˈθjon] *f* authorization
autorizado, da [autoriˈθaðo, ða] *adj* authorized
autorizar [autoriˈθar] *vt* to authorize
autorretrato [autoreˈtrato] *m* self-portrait
autoservicio [autoserˈβiθjo] *m* self-service
autostop [autosˈtop] *m* hitch-hiking ● **hacer autostop** to hitch-hike
autostopista [autostoˈpista] *mf* hitch-hiker
autosuficiente [autosufiˈθjente] *adj* self-sufficient
autovía [autoˈβia] *f* dual carriageway (UK), divided road (US)
auxiliar [auksiˈljar] ◇ *adj* auxiliary ◇ *mf* assistant ◇ *vt* to assist ● **auxiliar administrativo** office clerk ● **auxiliar de vuelo** flight attendant

auxilio [aukˈsiljo] ◇ *m* help ◇ *interj* help! ● **primeros auxilios** first aid *sg*
aval [aˈβal] *m* **1.** *(persona)* guarantor **2.** *(documento)* guarantee
avalador, ra [aβalaˈðor, ra] *m,f* guarantor
avalancha [aβaˈlantʃa] *f* avalanche
avalar [aβaˈlar] *vt* **1.** *(crédito)* to guarantee **2.** *(propuesta, idea)* to endorse
avance [aˈβanθe] *m* **1.** *(de tecnología, ciencia, etc)* advance **2.** *(de noticia)* summary **3.** *(de película)* preview
avanzado, da [aβanˈθaðo, ða] *adj* advanced
avanzar [aβanˈθar] *vi* to advance
avaricioso, sa [aβariˈθjoso, sa] *adj* avaricious
avaro, ra [aˈβaro, ra] *adj* miserly
Avda *(abr de* avenida*)* Ave. *(avenue)*
AVE [ˈaβe] *m (abr de* Alta Velocidad Española*) Spanish high-speed train*
ave [ˈaβe] *f* bird
avellana [aβeˈʎana] *f* hazelnut
avellano [aβeˈʎano] *m* hazel tree
avena [aˈβena] *f* oats *pl*
avenida [aβeˈniða] *f* avenue
aventar [aβenˈtar] *vt* (Andes & Méx) to throw ● **aventarse** *vp* (Col & Méx) to throw oneself
aventón [aβenˈton] *m* (Amér) shove ● **dar un aventón a alguien** to give sb a lift
aventura [aβenˈtura] *f* **1.** adventure **2.** *(de amor)* affair
aventurarse [aβentuˈrarse] *vp* ● **aventurarse a hacer algo** to risk doing sthg
aventurero, ra [aβenˈturero, ra] ◇ *adj* adventurous ◇ *m,f* adventurer (*f* adventuress)

avergonzado, da [aβerɣon'θaðo, ða] *adj* **1.** *(abochornado)* embarrassed **2.** *(deshonrado)* ashamed

avergonzarse [aβerɣon'θarse] ◆ **avergonzarse de** *v + prep* **1.** *(por timidez)* to be embarrassed about **2.** *(por deshonra)* to be ashamed of

avería [aβe'ria] *f* **1.** *(de coche)* breakdown **2.** *(de máquina)* fault

averiado, da [aβeri'aðo, ða] *adj* **1.** *(coche)* broken-down **2.** *(máquina)* out of order

averiarse [aβeri'arse] *vp* to break down

averiguar [aβeri'ɣuar] *vt* to find out

aversión [aβer'sion] *f* aversion

avestruz [aβes'truθ, θes] *(pl* **-ces)** *m* ostrich

aviación [aβia'θion] *f* **1.** *(navegación)* aviation **2.** *(cuerpo militar)* airforce

aviador, ra [aβia'ðor, ra] *m,f* aviator

avión [aβi'on] *m* plane ● **en avión** by plane ● **por avión** *(carta)* airmail

avioneta [aβio'neta] *f* light aircraft

avisar [aβi'sar] *vt (llamar)* to call ◆ **avisar de** *v + prep* **1.** *(comunicar)* to inform of **2.** *(prevenir)* to warn of

aviso [a'βiso] *m* **1.** *(noticia)* notice **2.** *(advertencia)* warning **3.** *(en aeropuerto)* call **4.** *(Amér) (en periódico)* ad **5.** ● **hasta nuevo aviso** until further notice ● **sin previo aviso** without notice

avispa [a'βispa] *f* wasp

axila [ak'sila] *f* armpit

ay ['aj] *interj* **1.** *(expresa dolor)* ouch! **2.** *(expresa pena)* oh!

ayer [a'jer] *adv* yesterday ● **ayer (por la) noche** last night ● **ayer por la mañana** yesterday morning

ayuda [a'juða] *f* **1.** *(en trabajo, tarea, etc)* help **2.** *(a otros países, etc)* aid

ayudante [aju'ðante] *mf* assistant

ayudar [aju'ðar] *vt* ● **me ayudó a llevar la maleta** he helped me carry the suitcase ● **su hermano le ayuda en los estudios** his brother helps him with his studies

ayunar [aju'nar] *vi* to fast

ayuntamiento [ajunta'mjento] *m* **1.** *(edificio)* town hall *(UK)*, city hall *(US)* **2.** *(corporación)* town council

azada [a'θaða] *f* hoe

azafata [aθa'fata] *f* air hostess *(UK)*, flight attendant *(US)* ● **azafata de vuelo** air hostess

azafate [aθa'fate] *m (Andes & RP)* tray

azafrán [aθa'fran] *m (condimento)* saffron

azar [a'θar] *m* chance ● **al azar** at random

azotea [aθo'tea] *f* terraced roof

azúcar [a'θukar] *m o f* sugar ● **azúcar glass** icing sugar *(UK)*, confectioner's sugar *(US)* ● **azúcar moreno** brown sugar

azucarado, da [aθuka'raðo, ða] *adj* sweet

azucarera [aθuka'rera] *f* sugar bowl

azucena [aθu'θena] *f* white lily

azufre [a'θufre] *m* sulphur

azul [a'θul] *adj* & *m* blue

azulado, da [aθu'laðo, ða] *adj* bluish

azulejo [aθu'lexo] *m* (glazed) tile

azuloso, sa [aθu'loso, sa] *adj (Amér)* bluish

*b*B

baba ['baβa] *f* saliva

babero [ba'βero] *m* bib

babor [ba'βor] *m* port

babosa [ba'βosa] *f* slug

baboso, sa [ba'βoso, sa] *adj* **1.** (*caracol*) slimy **2.** (*bebé*) dribbling **4.** (*Amér*) (*tonto*) stupid

baca ['baka] *f* roof rack

bacalao [baka'lao] *m* cod • **bacalao a la vizcaína** *Basque dish of salt cod baked with a thick sauce of olive oil, garlic, paprika, onions, tomato and red peppers*

bacán [ba'kan] ◇ *adj* (*Amér*) elegant ◇ *m* (*Amér*) dandy

bachillerato [batʃiʎe'rato] *m* (*former*) *course of secondary studies for academically orientated 14 to 16-year-olds*

bacinica [baθi'nika] *f* (*Amér*) chamber pot

bacon ['beikon] *m* bacon

bádminton ['baðminton] *m* badminton

bafle ['bafle] *m* loudspeaker

bahía [ba'ia] *f* bay

bailar [bai'lar] *vt* & *vi* to dance • **el pie me baila en el zapato** my shoe is too big for me

bailarín, ina [baila'rin, ina] *m,f* **1.** (*de ballet*) ballet dancer **2.** (*de otras danzas*) dancer

baile ['baile] *m* **1.** (*danza*) dance **2.** (*fiesta*) ball

baja ['baxa] *f* (*por enfermedad*) sick leave • **dar de baja** (*en empresa*) to lay off; (*en asociación, club*) to expel • **darse de baja** to resign • **estar de baja** to be on sick leave

bajada [ba'xaða] *f* descent • **bajada de bandera** minimum fare

bajar [ba'xar] ◇ *vt* **1.** (*lámpara, cuadro, etc*) to take down **2.** (*cabeza, mano, voz, persiana*) to lower **3.** (*música, volumen*) to turn down **4.** (*escalera*) to go down **5.** (*precios*) to lower ◇ *vi* (*disminuir*) to go down • **bajar de** *v* + *prep* **1.** (*de avión, tren*) to get off **2.** (*de coche*) to get out of • **bajarse** *vp* **1.** (*de avión, tren*) to get off **2.** (*de coche*) to get out of

bajío [ba'xio] *m* (*Amér*) low-lying land

bajo, ja ['baxo, xa] ◇ *adj* **1.** (*persona*) short **2.** (*objeto, cifra, precio*) low **3.** (*sonido*) soft ◇ *m* (*instrumento*) bass ◇ *adv* (*hablar*) quietly ◇ *prep* **1.** (*físicamente*) under **2.** (*con temperaturas*) below • **bajos** *mpl* (*de un edificio*) ground floor *sg*

bakalao [baka'lao] *m* (*fam*) rave music

bala ['bala] *f* bullet

balacear [balaθe'ar] *vt* (*Amér*) to shoot

balacera [bala'θera] *f* (*Amér*) shootout

balada [ba'laða] *f* ballad

balance [ba'lanθe] *m* **1.** (*de asunto, situación*) outcome **2.** (*de un negocio*) balance • **hacer balance de** to take stock of

balancín [balan'θin] *m* **1.** (*mecedora*) rocking chair **2.** (*en el jardín*) swing hammock

balanza [ba'lanθa] *f (para pesar)* scales *pl*

balar [ba'lar] *vi* to bleat

balcón [bal'kon] *m* balcony

balde ['balde] *m* bucket ● **de balde** free (of charge) ● **en balde** in vain

baldosa [bal'dosa] *f* 1. *(en la calle)* paving stone 2. *(en interior)* floor tile

Baleares [bale'ares] *fpl* ● **las (islas) Baleares** the Balearic Islands

balido [ba'liðo] *m* bleat

ballena [ba'ʎena] *f* whale

ballet [ba'let] *m* ballet

balneario [balne'arjo] *m* 1. *(con baños termales)* spa 2. *(Méx) (con piscinas, etc)* ≃ lido

balón [ba'lon] *m* ball

baloncesto [balon'θesto] *m* basketball

balonmano [balom'mano] *m* handball

balonvolea [balombo'lea] *m* volleyball

balsa ['balsa] *f* 1. *(embarcación)* raft 2. *(de agua)* pond

bálsamo ['balsamo] *m* balsam

bambú [bam'bu] *m* bamboo

banana [ba'nana] *f (Perú & RP)* banana

banca ['banka] *f* 1. *(institución)* banks *pl* 2. *(profesión)* banking 3. *(en juegos)* bank 4. *(Col, Ven & Méx) (asiento)* bench 5.

(Andes & RP) (en parlamento) seat

banco ['banko] *m* 1. *(para dinero)* bank 2. *(para sentarse)* bench 3. *(de iglesia)* pew 4. *(de peces)* shoal ● **banco de arena** sandbank

banda ['banda] *f* 1. *(cinta)* ribbon 2. *(franja)* stripe 3. *(lado)* side 4. *(en fútbol)* touchline 5. *(de músicos)* band 6. *(de delincuentes)* gang ● **banda sonora** soundtrack

bandeja [ban'dexa] *f* tray

bandera [ban'dera] *f* flag

banderilla [bande'riʎa] *f* 1. *(en toros)* banderilla, *barbed dart thrust into bull's back* 2. *(para comer)* hors d'oeuvre on a stick

banderín [bande'rin] *m* pennant

bandido [ban'diðo] *m* 1. *(ladrón)* bandit 2. *(fam) (pillo)* rascal

bando ['bando] *m* 1. *(en partido)* side 2. *(de alcalde)* edict

banjo ['banxo] *m* banjo

banquero [ban'kero] *m* banker

banqueta [ban'keta] *f* 1. stool 2. *(Méx) (para pedestres)* pavement *(UK)*, sidewalk *(US)*

bañador [baɲa'ðor] *m* 1. *(para mujeres)* swimsuit 2. *(para hombres)* swimming trunks *pl (UK)*, swimsuit *(US)*

bañar [ba'ɲar] *vt* 1. *(persona)* to bath *(UK)*, to give a bath to *(US)* 2. *(cosa)* to soak 3. *(suj: luz)* to bathe 4. *(suj: mar)* to wash the coast of ● **bañarse** *vp* 1. *(en río, playa, piscina)* to go for a swim 2. *(en el baño)* to have a bath

bañera [ba'ɲera] *f* bath (tub)

bañista [ba'ɲista] *mf* bather *(UK)*, swimmer *(US)*

baño ['baɲo] *m* 1. (*en bañera, de vapor, espuma*) bath 2. (*en playa, piscina*) swim 3. (*espacio, habitación*) bathroom 4. (*de oro, pintura*) coat 5. (*de chocolate*) coating • **al baño maría** cooked in a bain-marie • **darse un baño** to have a bath • **baños** *mpl* (*balneario*) spa *sg*

bar ['bar] *m* bar • **ir de bares** to go out drinking

baraja [ba'raxa] *f* pack (of cards)

barajar [bara'xar] *vt* 1. (*naipes*) to shuffle 2. (*posibilidades*) to consider 3. (*datos, números*) to marshal

baranda [ba'randa] *f* handrail

barandilla [baran'diʎa] *f* handrail

baratija [bara'tixa] *f* trinket

barato, ta [ba'rato, ta] ◇ *adj* cheap ◇ *adv* cheaply

barba ['barβa] *f* beard • **por barba** per head

barbacoa [barβa'koa] *f* barbecue • **a la barbacoa** barbecued

barbaridad [barβari'ðað] *f* 1. (*crueldad*) cruelty 2. (*disparate*) stupid thing • **una barbaridad de** loads of • **¡qué barbaridad!** how terrible!

barbarie [bar'βarje] *f* 1. (*incultura*) barbarism 2. (*crueldad*) cruelty

bárbaro, ra ['barβaro, ra] *adj* 1. (*cruel*) cruel 2. (*fam*) (*estupendo*) brilliant

barbería [barβe'ria] *f* barber's (shop)

barbero [bar'βero] *m* barber

barbilla [bar'βiʎa] *f* chin

barbudo, da [bar'βuðo, ða] *adj* bearded

barca ['barka] *f* small boat • **barca de pesca** fishing boat

barcaza [bar'kaθa] *f* lighter

Barcelona [barθe'lona] *s* Barcelona

barco ['barko] *m* 1. (*más pequeño*) boat 2. (*más grande*) ship • **barco de vapor** steamboat • **barco de vela** sailing ship

bareto [ba'reto] *m* (*fam*) bar

barítono [ba'ritono] *m* baritone

barman ['barman] *m* barman (*UK*), bartender (*US*)

barniz [bar'niθ, θes] (*pl* **-ces**) *m* varnish

barnizado, da [barni'θaðo, ða] *adj* varnished

barnizar [barni'θar] *vt* 1. (*madera*) to varnish 2. (*loza, cerámica*) to glaze

barómetro [ba'rometro] *m* barometer

barquillo [bar'kiʎo] *m* cone

barra ['bara] *f* 1. bar 2. (*de turrón, helado, etc*) block • **barra de labios** lipstick • **barra de pan** baguette • **barra libre** *unlimited drink for a fixed price*

barraca [ba'raka] *f* 1. (*chabola*) shack 2. (*para feria*) stall (*UK*), stand (*US*)

barranco [ba'ranko] *m* (*precipicio*) precipice

barrendero, ra [baren'dero] *m,f* road sweeper

barreño [ba'reɲo] *m* washing-up bowl

barrer [ba'rer] *vt* to sweep

barrera [ba'rera] *f* 1. (*obstáculo*) barrier 2. (*de tren*) crossing gate 3. (*en toros*) *low wall encircling central part of bullring*

barriada [bari'aða] *f* area

barriga [ba'riya] *f* belly

barril [ba'ril] *m* barrel

barrio ['barjo] *m* 1. (*de población*) area 2. (*Méx*) (*suburbio*) poor area • **barrio chino** red light district • **barrio comercial** shopping district

barro ['baro] *m* 1. (*fango*) mud 2. (*en cerámica*) clay

barroco, ca [ba'roko, ka] *adj & m* baroque

bártulos ['bartulos] *mpl* things, stuff *sg*

barullo [ba'ruʎo] *m* (*fam*) racket

basarse [ba'sarse] ♦ **basarse en** *v + prep* to be based on

báscula ['baskula] *f* scales *pl*

base ['base] *f* 1. (*de cuerpo, objeto*) base 2. (*de edificio*) foundations *pl* 3. (*fundamento, origen*) basis ● **a base de** by (means of) ● **base de datos** database

básico, ca ['basiko, ka] *adj* basic

basta ['basta] *interj* that's enough!

bastante [bas'tante] ◇ *adv* 1. (*suficientemente*) enough 2. (*muy*) quite, pretty ◇ *adj* 1. (*suficiente*) enough 2. (*en cantidad*) quite a few

bastar [bas'tar] *vi* to be enough ● **basta con decírselo** it's enough to tell him ● **basta con estos dos** these two are enough ♦ **bastarse** *vp* ● **bastarse para hacer algo** to be able to do sthg o.s.

bastardo, da [bas'tarðo, ða] *adj* bastard

bastidores [basti'ðores] *mpl* ● **entre bastidores** behind the scenes

basto, ta ['basto, ta] *adj* coarse ♦ **bastos** *mpl* (*naipes*) suit in Spanish deck of cards bearing wooden clubs

bastón [bas'ton] *m* 1. (*para andar*) walking stick 2. (*de mando*) baton

basura [ba'sura] *f* rubbish (*UK*), garbage (*US*)

basurero, ra [basu'rero, ra] ◇ *m,f* dustman (*f* dustwoman) (*UK*), garbage collector (*US*) ◇ *m* rubbish dump (*UK*), dump (*UK*)

bata ['bata] *f* 1. (*de casa*) housecoat 2.

(*para baño, etc*) dressing gown (*UK*), bathrobe 3. (*de médico, científico*) coat

batalla [ba'taʎa] *f* battle ● **de batalla** everyday

batería [bate'ria] *f* 1. battery 2. (*en música*) drums *pl* ● **batería de cocina** pots and pans *pl*

batido [ba'tiðo] *m* milkshake

batidora [bati'ðora] *f* mixer

batín [ba'tin] *m* short dressing gown (*UK*), short robe (*US*)

batir [ba'tir] *vt* 1. (*nata*) to whip 2. (*marca, huevos*) to beat 3. (*récord*) to break

batuta [ba'tuta] *f* baton

baúl [ba'ul] *m* 1. (*caja*) trunk 2. (*Col & CSur*) (*maletero*) boot (*UK*), trunk (*US*)

bautismo [bau'tizmo] *m* baptism

bautizar [bauti'θar] *vt* 1. (*en religión*) to baptize 2. (*dar un nombre*) to christen

bautizo [bau'tiθo] *m* 1. (*ceremonia*) baptism 2. (*fiesta*) christening party

baya ['baja] *f* berry

bayeta [ba'jeta] *f* cloth

bayoneta [bajo'neta] *f* bayonet

bazar [ba'θar] *m* bazaar

beato, ta [be'ato, ta] *adj* 1. (*santo*) blessed 2. (*piadoso*) devout

beba ['beβa] *f* (*Amér*) (*fam*) little girl

bebé [be'βe] *m* baby

beber [be'βer] *vt & vi* to drink

bebida [be'βiða] *f* drink

bebido, da [be'βiðo, ða] *adj* drunk

bebito, ta [be'βito, ta] *m,f* (*Amér*) newborn baby

beca ['beka] *f* 1. (*del gobierno*) grant 2. (*de fundación privada*) scholarship

becario, ria [be'karjo, rja] *m,f* 1. (*del*

gobierno) grant holder **2.** *(de fundación privada)* scholarship holder

becerro, rra [be'θero, ra] *m,f* calf

bechamel [betʃa'mel] *f* béchamel sauce

bedel [be'ðel] *m* caretaker *(UK)*, janitor *(US)*

begonia [be'yonja] *f* begonia

beige ['beiʃ] *adj inv* beige

béisbol ['beizβol] *m* baseball

belén [be'len] *m* crib

belga ['belɣa] *adj & mf* Belgian

Bélgica ['belxika] *s* Belgium

bélico, ca [beliko, ka] *adj* war *(antes de s)*

belleza [be'ʎeθa] *f* beauty

bello, lla [be'ʎo, ʎa] *adj* **1.** *(hermoso)* beautiful **2.** *(bueno)* fine

bellota [be'ʎota] *f* acorn

bencina [ben'θina] *f (Andes)* petrol *(UK)*, gas *(US)*

bendecir [bende'θir] *vt* to bless

bendición [bendi'θjon] *f* blessing

bendito, ta [ben'dito, ta] ◇ *adj* holy ◇ *m,f (bobo)* simple soul

beneficencia [benefi'θenθja] *f* charity

beneficiar [benefi'θjar] *vt* to benefit ◆ **beneficiarse de** *v + prep* to do well out of

beneficio [bene'fiθjo] *m* **1.** *(bien)* benefit **2.** *(ganancia)* profit ● **a beneficio de** *(concierto, gala)* in aid of

benéfico, ca [be'nefiko, ka] *adj* **1.** *(gala, rifa)* charity *(antes de s)* **2.** *(institución)* charitable

benevolencia [beneβo'lenθja] *f* benevolence

benévolo, la [be'neβolo, la] *adj* benevolent

bengala [ben'gala] *f* flare

berberechos [berβe'retʃos] *mpl* cockles

berenjena [beren'xena] *f* aubergine *(UK)*, eggplant *(US)* ● **berenjenas rellenas** stuffed aubergines *(usually with mince or rice)*

bermudas [ber'muðas] *mpl* Bermuda shorts

berrinche [be'rintʃe] *m* tantrum

berza ['berθa] *f* cabbage

besar [be'sar] *vt* to kiss ◆ **besarse** *vp* to kiss

beso ['beso] *m* kiss ● **dar un beso a alguien** to give sb a kiss, to kiss sb

bestia ['bestja] ◇ *adj* **1.** *(bruto)* rude **2.** *(ignorante)* thick ◇ *mf* brute ◇ *f (animal)* beast

besugo [be'suɣo] *m* sea bream

betabel [beta'βel] *m (Méx)* beetroot *(UK)*, beet *(US)*

betarraga [beta'raɣa] *f (Andes)* beetroot *(UK)*, beet *(US)*

betún [be'tun] *m* **1.** *(para calzado)* shoe polish **2.** *(Chile & Méx) (para bolo)* icing *(UK)*, frosting *(US)*

biberón [biβe'ron] *m (baby's)* bottle

Biblia ['biβlja] *f* Bible

bibliografía [biβljoɣra'fia] *f* bibliography

biblioteca [biβljo'teka] *f* library

bibliotecario, ria [biβljote'karjo, rja] *m,f* librarian

bicarbonato [bikarβo'nato] *m* baking soda

bíceps ['biθeps] *m inv* biceps

bicho ['bitʃo] *m* **1.** *(animal pequeño)* creature, beast *(UK)* **2.** *(insecto)* bug **3.** *(pillo)* little terror

bici ['biθi] *f (fam)* bike

bicicleta [biθi'kleta] *f* bicycle

bicolor [biko'lor] *adj* two-coloured

bidé [bi'ðe] *m* bidet

bidón [bi'ðon] *m* can

bien ['bjen]
◇ *m* 1. *(lo que es bueno)* good 2. *(bienestar, provecho)* good ● hacer el bien to do good
◇ *adv* 1. *(como es debido, correcto)* well ● has actuado bien you did the right thing ● habla bien inglés she speaks English well 2. *(expresa opinión favorable)* well ● estar bien *(de salud)* to be well; *(de aspecto)* to be nice; *(de calidad)* to be good; *(de comodidad)* to be comfortable 3. *(suficiente)* ● estar bien to be enough 4. *(muy)* very ● quiero un vaso de agua bien fría I'd like a nice, cold glass of water 5. *(vale, de acuerdo)* all right
◇ *adj inv (adinerado)* well-to-do
◇ *conj* 1. ● bien ... bien either ... or ● entrega el vale bien a mi padre, bien a mi madre give the receipt to either my father or my mother 2. *(en locuciones)* más bien rather ● ¡está bien! *(vale)* all right then!; *(es suficiente)* that's enough ● ¡muy bien! very good!

● **bienes** *mpl (patrimonio)* property *sg*; *(productos)* goods ● bienes de consumo consumer goods ● bienes inmuebles o raíces real estate *sg*

bienal [bje'nal] *adj* biennial

bienestar [bjenes'tar] *m* wellbeing

bienvenida [bjembe'niða] *f* welcome

bienvenido, da [bjembe'niðo, ða] ◇ *adj* welcome ◇ *interj* welcome!

bife ['bife] *m (Andes & RP)* steak

bifocal [bifo'kal] *adj* bifocal

bigote [bi'ɣote] *m* moustache

bigotudo, da [biɣo'tuðo, ða] *adj* moustachioed

bilingüe [bi'linɣue] *adj* bilingual

billar [bi'ʎar] *m* 1. *(juego)* billiards 2. *(sala)* billiard hall, pool hall *(US)* ● billar americano pool

billete [bi'ʎete] *m* 1. *(de dinero)* note *(UK)*, bill *(US)* 2. *(de transporte)* ticket 3. *(de lotería)* lottery ticket ● billete de ida y vuelta return (ticket) *(UK)*, round-trip (ticket) *(US)* ● billete sencillo single (ticket) *(UK)*, one-way (ticket) *(US)*

billetero [biʎe'tero] *m* wallet

billón [bi'ʎon] *m* trillion

bingo ['bingo] *m* 1. *(juego)* bingo 2. *(sala)* bingo hall

biodegradable [bioðeɣra'ðaβle] *adj* biodegradable

biografía [bioɣra'fia] *f* biography

biográfico, ca [bio'ɣrafiko, ka] *adj* biographical

biología [biolo'xia] *f* biology

biopsia [bi'opsja] *f* biopsy

bioquímica [bio'kimika] *f* biochemistry

biquini [bi'kini] *m* bikini

birlar [bir'lar] *vt (fam)* to swipe

birra ['bira] *f (fam)* beer

birria ['birja] *f* 1. *(fam) (persona)* sight 2. *(fam) (cosa)* monstrosity 3. *(Amér) (carne)* barbecued meat

birrioso, sa [bi'rjoso, sa] *adj (fam)* crappy

bisabuelo, la [bisa'βwelo, la] *m,f* great-grandfather *(f* great-grandmother*)*

biscuit [bis'kuit] *m* sponge ● biscuit

glacé *ice cream made with eggs, milk, flour and sugar*

bisexual [bisek'sual] *adj* bisexual

bisnieto, ta [biz'nieto, ta] *m,f* great-grandson (*f* great-granddaughter)

bisonte [bi'sonte] *m* bison

bistec [bis'tek] *m* steak ● **bistec a la plancha** grilled steak ● **bistec de ternera** veal cutlet

bisturí [bistu'ri] *m* scalpel

bisutería [bisute'ria] *f* costume jewellery

bíter ['biter] *m* bitters

bizco, ca ['biθko, ka] *adj* cross-eyed

bizcocho [biθ'kotʃo] *m* sponge cake

blanca ['blanka] *f* ➢ estar sin blanca (*fam*) to be broke ➢ **blanco**

blanco, ca ['blanko, ka] ◇ *adj & m,f* white ◇ *m* 1. (*color*) white 2. (*diana, objetivo*) target ● **dar en el blanco** (*acertar*) to hit the nail on the head ● **en blanco** (*sin dormir*) sleepless; (*sin memoria*) blank

blando, da ['blando, da] *adj* 1. soft 2. (*carne*) tender 3. (*débil*) weak

blanquear [blanke'ar] *vt* 1. (*pared*) to whitewash 2. (*ropa*) to bleach

blindado, da [blin'daðo, ða] *adj* 1. (*puerta, edificio*) armour-plated 2. (*coche*) armoured

blindar [blin'dar] *vt* to armour-plate

bloc ['blok] *m* 1. (*de notas*) notepad 2. (*de dibujo*) sketchpad

bloque ['bloke] *m* block ● **bloque de pisos** block of flats (*UK*), apartment building (*US*)

bloquear [bloke'ar] *vt* 1. (*cuenta, crédito*) to freeze 2. (*por nieve, inundación*) to cut off 3. (*propuesta, reforma*) to block ● **bloquearse** *vp* 1. (*mecanismo*) to jam 2. (*dirección*) to lock 3. (*persona*) to have a mental block

bloqueo [blo'keo] *m* 1. (*mental*) mental block 2. (*económico, financiero*) blockade

blusa ['blusa] *f* blouse

bluyines [blu'jines] *mpl* (*Amér*) jeans

bobada [bo'βaða] *f* stupid thing ● **decir bobadas** to talk nonsense

bobina [bo'βina] *f* 1. (*de automóvil*) coil 2. (*de hilo*) reel

bobo, ba ['boβo, βa] *adj* 1. (*tonto*) stupid 2. (*ingenuo*) naïve

boca ['boka] *f* mouth ● **boca a boca** mouth-to-mouth resuscitation ● **boca de incendios** hydrant ● **boca de metro** tube entrance (*UK*), subway entrance (*US*) ● **boca abajo** face down ● **boca arriba** face up

bocacalle [boka'kaʎe] *f* 1. (*entrada*) entrance (*to a street*) 2. (*calle*) side street

bocadillería [bokaðiʎe'ria] *f* sandwich shop

bocadillo [boka'ðiʎo] *m* sandwich

bocado [bo'kaðo] *m* 1. (*comida*) mouthful 2. (*mordisco*) bite

bocata [bo'kata] *m* (*fam*) sarnie (*UK*), sandwich

boceto [bo'θeto] *m* 1. (*de cuadro, dibujo, edificio*) sketch 2. (*de texto*) rough outline

bochorno [bo'tʃorno] *m* 1. (*calor*) stifling heat 2. (*vergüenza*) embarrassment

bochornoso, sa [botʃor'noso, sa] *adj* 1. (*caluroso*) muggy 2. (*vergonzoso*) embarrassing

bocina [bo'θina] *f* **1.** *(de coche)* horn **2.** *(Amér) (de teléfono)* receiver

boda ['boða] *f* wedding ● **bodas de oro** golden wedding *sg* ● **bodas de plata** silver wedding *sg*

bodega [bo'ðeɣa] *f* **1.** *(para vinos)* wine cellar **2.** *(tienda)* wine shop **3.** *(bar)* bar **4.** *(de avión, barco)* hold **5.** *(Andes, Méx & Ven) (almacén)* warehouse

bodegón [boðe'ɣon] *m (pintura)* still life

bodrio ['boðrjo] *m* **1.** *(despec) (porquería)* rubbish *(UK)*, junk *(US)* **2.** *(comida)* pigswill

bofetada [bofe'taða] *f* slap (in the face)

bogavante [boɣa'βante] *m* lobster

bohemio, mia [bo'emjo, mja] *adj* bohemian

bohío [bo'io] *m (CAm, Col & Ven)* hut

boicot [boi'kot, boi'kots] *(pl boicots) m* boycott ● **hacer boicot a** to boycott

boicotear [boikote'ar] *vt* to boycott

boina ['boina] *f* beret

bola ['bola] *f* **1.** *(cuerpo esférico)* ball **2.** *(de helado)* scoop **3.** *(fam) (mentira)* fib **4.** *(Amér) (rumor)* racket **5.** *(Amér) (fam) (lío)* muddle ● **hacerse bolas** *(Amér) (fam)* to get into a muddle

bolera [bo'lera] *f* bowling alley

bolero [bo'lero] *m* bolero

boleta [bo'leta] *f* **1.** *(Amér) (comprobante)* ticket stub **2.** *(CSur) (multa)* ticket **3.** *(Méx & RP) (votación)* ballot

boletería [bolete'ria] *f (Amér)* box office

boletín [bole'tin] *m* **1.** *(informativo)* bulletin **2.** *(de suscripción)* subscription form

boleto [bo'leto] *m (Amér)* ticket

boli ['boli] *m (fam)* Biro ® *(UK)*, ball-point pen

bolígrafo [bo'liɣrafo] *m* Biro ® *(UK)*, ball-point pen

bolillo [bo'liʎo] *m (Méx)* bread roll

Bolivia [bo'liβja] *s* Bolivia

boliviano, na [boli'βjano, na] *adj & m,f* Bolivian

bollería [boʎe'ria] *f (tienda)* bakery

bollo ['boʎo] *m* **1.** *(dulce)* bun **2.** *(de pan)* roll

bolos ['bolos] *mpl (juego)* (tenpin) bowling

bolsa ['bolsa] *f* **1.** *(de plástico, papel, tela)* bag **2.** *(en economía)* stock market ● **bolsa de basura** bin liner ● **bolsa de viaje** travel bag

bolsillo [bol'siʎo] *m* pocket ● **de bolsillo** pocket *(antes de s)*

bolso ['bolso] *m (de mujer)* handbag *(UK)*, purse *(US)*

boludez [bolu'ðeθ] *f (Col, RP & Ven)* stupid thing

boludo, da [bo'luðo, ða] *m,f (Col, RP & Ven)* idiot

bomba ['bomba] *f* **1.** *(explosivo)* bomb **2.** *(máquina)* pump ● **bomba atómica** nuclear bomb ● **pasarlo bomba** to have a great time

bombardear [bombarðe'ar] *vt* to bombard

bombardeo [bombar'ðeo] *m* bombardment

bombero [bom'bero] *m* fireman

bombilla [bom'biʎa] *f* light bulb

bombillo [bom'biʎo] *m (CAm, Col & Ven)* light bulb

bombita [bom'bita] *f (RP)* light bulb

bombo ['bombo] *m* **1.** *(de lotería, rifa)* drum **2.** *(tambor)* bass drum ● **a bombo y platillo** with a lot of hype

bombón [bom'bon] *m* **1.** *(golosina)* chocolate **2.** *(fam) (persona)* stunner

bombona [bom'bona] *f* cylinder ● **bombona de butano** gas cylinder

bombonería [bombone'ria] *f* sweetshop *(UK)*, candy store *(US)*

bonanza [bo'nanθa] *f* **1.** *(de tiempo)* fair weather **2.** *(de mar)* calm at sea **3.** *(prosperidad)* prosperity

bondad [bon'daθ] *f* goodness

bondadoso, sa [bonda'θoso, sa] *adj* kind

bonificación [bonifika'θjon] *f* discount

bonificar [bonifi'kar] *vt* to give a discount of

bonito, ta [bo'nito, ta] ◇ *adj* **1.** *(persona, cosa)* pretty **2.** *(cantidad)* considerable ◇ *m (pescado)* tuna ● **bonito con tomate** tuna in a tomato sauce

bono ['bono] *m (vale)* voucher

bonobús [bono'βus] *m* multiple-journey ticket

bonoloto [bono'loto] *f* Spanish lottery

bonometro [bo'nometro] *m* ten-journey ticket valid on the underground and on buses

bonsai [bon'saj] *m* bonsai

boñiga [bo'niɣa] *f* cowpat

boquerones [boke'rones] *mpl* (fresh) anchovies

boquete [bo'kete] *m* hole

boquilla [bo'kiʎa] *f* **1.** *(del cigarrillo)* cigarette holder **2.** *(de flauta, trompeta, etc)* mouthpiece **3.** *(de tubo, aparato)* nozzle ● **de boquilla** insincere

borda ['borða] *f* gunwale

bordado, da [bor'ðaðo, ða] ◇ *adj* embroidered ◇ *m* embroidery ● **salir bordado** to turn out just right

bordar [bor'ðar] *vt* **1.** *(en costura)* to embroider **2.** *(ejecutar perfectamente)* to play to perfection

borde ['borðe] ◇ *m* **1.** *(extremo)* edge **2.** *(de carretera)* side **3.** *(de vaso, botella)* rim ◇ *adj (despec)* grouchy, miserable ● **al borde de** on the verge of

bordear [borðe'ar] *vt (rodear)* to border

bordillo [bor'ðiʎo] *m* kerb *(UK)*, curb *(US)*

bordo ['borðo] *m* ● **a bordo (de)** on board

borla ['borla] *f* **1.** *(adorno)* tassel **2.** *(para maquillaje)* powder puff

borra ['bora] *f* **1.** *(relleno)* stuffing **2.** *(de polvo)* fluff

borrachera [bora'tʃera] *f* drunkenness ● **coger una borrachera** to get drunk

borracho, cha [bo'ratʃo, tʃa] *adj & m,f* drunk

borrador [bora'ðor] *m* **1.** *(boceto)* rough draft **2.** *(goma)* rubber *(UK)*, eraser *(US)*

borrar [bo'rar] *vt* **1.** *(con goma)* to rub out *(UK)*, to erase *(US)* **2.** *(en ordenador)* to delete **3.** *(en casete)* to erase **4.** *(dar de baja)* to strike off *(UK)*, to expel from a professional organization

borrasca [bo'raska] *f* thunderstorm

borrón [bo'ron] *m* blot

borroso, sa [bo'roso, sa] *adj* blurred

bosque ['boske] *m* **1.** *(pequeño)* wood **2.** *(grande)* forest

bostezar [boste'θar] *vi* to yawn

bostezo [bos'teθo] *m* yawn

bota [bota] *f* **1.** *(calzado)* boot **2.** *(de vino) small leather container in which wine is kept* • **botas de agua** wellington boots • **ponerse las botas** to stuff o.s.

botana [bo'tana] *f (Méx)* snack, tapa

botánica [bo'tanika] *f* botany

botar [bo'tar] *vt (Amér)* to throw away

bote [bote] *m* **1.** *(de vidrio)* jar **2.** *(de metal)* can **3.** *(de plástico)* bottle **4.** *(embarcación)* boat **5.** *(salto)* jump • **bote salvavidas** lifeboat • **tener a alguien en el bote** to have sb eating out of one's hand

botella [bo'teʎa] *f* bottle

botellín [bote'ʎin] *m* small bottle

botijo [bo'tixo] *m* earthenware jug

botín [bo'tin] *m* **1.** *(calzado)* ankle boot **2.** *(tras un robo, atraco)* loot

botiquín [boti'kin] *m* **1.** *(maletín)* first-aid kit **2.** *(mueble)* medicine cabinet *(UK)* o chest *(US)*

botón [bo'ton] *m* button • **botones** *m inv* bellboy

bouquet [bu'ket] *m* bouquet

boutique [bu'tik] *f* boutique

bóveda [ˈboβeða] *f* vault

bovino, na [bo'βino, na] *adj (en carnicería)* beef *(antes de s)*

box [ˈboks] *m (CSur & Méx)* boxing

boxear [bokse'ar] *vi* to box

boxeo [bok'seo] *m* boxing

boya [ˈboja] *f (en el mar)* buoy

bragas [ˈbraɣas] *fpl* knickers *(UK)*, panties *(US)*

bragueta [bra'ɣeta] *f* flies *pl (UK)*, zipper *(US)*

bramar [bra'mar] *vi* to bellow

brandy [ˈbrandi] *m* brandy

brasa [ˈbrasa] *f* ember • **a la brasa** barbecued

brasero [bra'sero] *m* brazier

brasier [bra'sjer] *m (Carib, Col & Méx)* bra

Brasil [bra'sil] *m* • **(el) Brazil** Brazil

brasileño, ña [brasi'leɲo, ɲa] *adj & m,f* Brazilian

brasilero, ra [brasi'lero, ra] *adj & m,f (Amér)* Brazilian

bravo, va [ˈbraβo, βa] ◇ *adj* **1.** *(toro)* wild **2.** *(persona)* brave **3.** *(mar)* rough ◇ *interj* bravo!

braza [ˈbraθa] *f (en natación)* breaststroke

brazalete [braθa'lete] *m* bracelet

brazo [ˈbraθo] *m* **1.** arm **2.** *(de lámpara, candelabro)* branch • **con los brazos abiertos** with open arms • **de brazos cruzados** without lifting a finger • **brazo de gitano** ≃ swiss roll *(UK)*, ≃ jelly roll *(US)*

brebaje [bre'βaxe] *m* concoction

brecha [ˈbretʃa] *f* **1.** *(abertura)* hole **2.** *(herida)* gash

brécol [ˈbrekol] *m* broccoli

breve [ˈbreβe] *adj* brief • **en breve** shortly

brevedad [breβe'ðað] *f* shortness

brevemente [ˌbreβe'mente] *adv* briefly

brevet [bre'βet] *m (Ecuad & Perú)* driving licence *(UK)*, driver's license *(US)*

brezo [ˈbreθo] *m* heather

bricolaje [briko'laxe] *m* do-it-yourself

brida [ˈbriða] *f* bridle

brigada [bri'ɣaða] *f* **1.** *(de limpieza)* team

2. *(de la policía)* brigade
brillante [bri'ʎante] ◇ *adj* **1.** *(material)* shiny **2.** *(persona, trabajo, actuación)* brilliant ◇ *m* (cut) diamond
brillantina [briʎan'tina] *f* Brylcreem®, brillantine
brillar [bri'ʎar] *vi* to shine
brillo ['briʎo] *m* shine ● sacar brillo to polish
brilloso, sa [bri'ʎoso, sa] *adj* (Amér) shiny
brindar [brin'dar] ◇ *vi* to drink a toast ◇ *vt* to offer ● brindar por to drink to ◆
brindarse *vp* ● brindarse a to offer to
brindis ['brindis] *m inv* toast
brío ['brio] *m* spirit
brisa ['brisa] *f* breeze
británico, ca [bri'taniko, ka] ◇ *adj* British ◇ *m,f* British person ● los británicos the British
brizna ['briθna] *f* (de hierba) blade
broca ['broka] *f* (drill) bit
brocal [bro'kal] *m* parapet *(of well)*
brocha ['brotʃa] *f* **1.** *(para pintar)* brush **2.** *(para afeitarse)* shaving brush
broche ['brotʃe] *m* **1.** *(joya)* brooch, pin *(US)* **2.** *(de vestido)* fastener
brocheta [bro'tʃeta] *f* **1.** *(plato)* shish kebab **2.** *(aguja)* skewer
broma ['broma] *f* **1.** *(chiste)* joke **2.** *(travesura)* prank ● estar de broma to be joking ● gastar una broma a alguien to play a joke on sb ● tomar algo a broma not to take sthg seriously ● broma pesada bad joke
bromear [brome'ar] *vi* to joke
bromista [bro'mista] ◇ *adj* fond of playing jokes ◇ *mf* joker

bronca ['bronka] *f* (jaleo) row *(UK)*, quarrel ● echar una bronca a alguien to tell sb off
bronce ['bronθe] *m* bronze
bronceado [bronθe'aðo] *m* tan
bronceador [bronθea'ðor] *m* suntan lotion
broncearse [bronθe'arse] *vp* to get a tan
bronquios ['bronkjos] *mpl* bronchial tubes
bronquitis [bron'kitis] *f inv* bronchitis
brotar [bro'tar] *vi* **1.** *(plantas)* to sprout **2.** *(lágrimas, agua)* to well up
brote ['brote] *m* **1.** *(de planta)* bud **2.** *(de enfermedad)* outbreak
bruja ['bruxa] *f* *(fam)* (fea y vieja) old hag ➤ brujo
brujería [bruxe'ria] *f* witchcraft
brujo, ja ['bruxo, xa] *m,f* wizard *(f* witch)
brújula ['bruxula] *f* compass
brusco, ca ['brusko, ka] *adj* **1.** *(repentino)* sudden **2.** *(grosero)* brusque
brusquedad [bruske'ðað] *f* **1.** *(imprevisión)* suddenness **2.** *(grosería)* brusqueness
brutal [bru'tal] *adj* **1.** *(salvaje)* brutal **2.** *(enorme)* huge
brutalidad [brutali'ðað] *f* **1.** *(brusquedad)* brutishness **2.** *(salvajada)* brutal act
bruto, ta ['bruto, ta] *adj* **1.** *(ignorante)* stupid **2.** *(violento)* brutish **3.** *(rudo)* rude **4.** *(peso, precio, sueldo)* gross
bucear [buθe'ar] *vi* to dive
buche ['butʃe] *m* (de ave) crop
bucle ['bukle] *m* **1.** *(de cabello)* curl **2.** *(de cinta, cuerda)* loop

bucólico, ca [bu'koliko, ka] *adj* country (*antes de s*)

bueno, na, ['bueno, na] (*mejor es el comparativo y el superlativo de bueno*) ◇ *adj* good ◇ *adv* (*conforme*) all right ◆ *interj* (*Méx*) (*al teléfono*) hello! ● **¡buenas!** hello! ● **¡buen día!** (*Amér*) hello! **¡buenas noches!** (*despedida*) good night! ● **¡buenas tardes!** (*hasta las cinco*) good afternoon!; (*después de las cinco*) good evening! ● **¡buenos días!** (*hola*) hello!; (*por la mañana*) good morning! ● **hace buen día** it's a nice day

buey [buei] *m* ox ● **buey de mar** spider crab

búfalo ['bufalo] *m* buffalo

bufanda [bu'fanda] *f* scarf

bufete [bu'fete] *m* (*despacho*) lawyer's practice

buffet [bu'fet] *m* buffet

buhardilla [buar'ðiʎa] *f* 1. (*desván*) attic 2. (*ventana*) dormer (window)

búho ['buo] *m* owl

buitre ['buitre] *m* vulture

bujía [bu'xia] *f* 1. (*de coche*) spark plug 2. (*vela*) candle

bula ['bula] *f* (*papal*) bull

bulbo ['bulβo] *m* bulb

bulerías [bule'rias] *fpl* Andalusian song with lively rhythm accompanied by clapping

bulevar [bule'βar] *m* boulevard

Bulgaria [bul'ɣarja] *s* Bulgaria

búlgaro, ra ['bulgaro, ra] *adj* & *m,f* Bulgarian

bulla ['buʎa] *f* racket

bullicio [bu'ʎiθjo] *m* 1. (*actividad*) hustle and bustle 2. (*ruido*) hubbub

bullicioso, sa [buʎi'θjoso, sa] *adj* 1. (*persona*) rowdy 2. (*lugar*) busy

bulto ['bulto] *m* 1. (*volumen*) bulk 2. (*paquete*) package 3. (*en superficie*) bump 4. (*en piel, cabeza*) lump ▼ **un solo bulto de mano** one item of hand luggage only

bumerang [bume'ran] *m* boomerang

bungalow [bunga'lo] *m* bungalow

buñuelo [bu'ɲuelo] *m* ≃ doughnut ● **buñuelo de viento** ≃ doughnut

buque ['buke] *m* ship

burbuja [bur'βuxa] *f* 1. (*de gas, aire*) bubble 2. (*flotador*) rubber ring (*UK*), lifesaver (*US*)

burdel [bur'ðel] *m* brothel

burgués, esa [bur'ɣes, esa] ◇ *adj* middle-class ◇ *m,f* middle class person

burguesía [burɣe'sia] *f* middle class

burla ['burla] *f* taunt

burlar [bur'lar] *vt* 1. (*eludir*) to evade 2. (*ley*) to flout ◆ **burlarse de** *v* + *prep* to make fun of

buró [bu'ro] *m* 1. writing desk 2. (*Amér*) bedside table

burrada [bu'raða] *f* stupid thing

burro, rra ['buro, ra] *m,f* 1. (*animal*) donkey 2. (*persona tonta*) dimwit

buscador [buska'ðor] *m* INFORM search engine

buscar [bus'kar] *vt* to look for ● **ir a buscar** (*personas*) to pick up; (*cosas*) to go and get

busto ['busto] *m* 1. (*en escultura, pintura*) bust 2. (*parte del cuerpo*) chest

butaca [bu'taka] *f* 1. (*asiento*) armchair 2. (*en cine, teatro*) seat

butano [bu'tano] *m* butane (gas)

buzo ['buθo] *m* **1.** *(persona)* diver **2.** *(traje)* overalls *pl*

buzón [bu'θon] *m* letterbox (*UK*), mailbox (*US*)

cc

c/ (*abr de calle*) St (*street*); (*abr de cuenta*) a/c (*account (current*))

cabalgada [kaβal'yaða] *f* mounted expedition

cabalgar [kaβal'yar] *vi* to ride

cabalgata [kaβal'yata] *f* procession

caballa [ka'βaʎa] *f* mackerel

caballería [kaβaʎe'ria] *f* **1.** *(cuerpo militar)* cavalry **2.** *(animal)* mount

caballero [kaβa'ʎero] *m* **1.** *(persona, cortés)* gentleman **2.** *(formal)* (*señor*) Sir **3.** *(de Edad Media)* knight ▼ **caballeros** *(en aseos)* gents (*UK*), men; (*en probadores*) men; (*en tienda de ropa*) menswear

caballete [kaβa'ʎete] *m* **1.** *(para mesa, tabla)* trestle **2.** *(para cuadro, pizarra)* easel

caballito [kaβa'ʎito] *m* ● **caballito de totora** (*Amér*) *small fishing boat made of reeds used by Peruvian and Bolivian Indians* ◆ **caballitos** *mpl* (*tiovivo*) merry-go-round *sg*

caballo [ka'βaʎo] *m* **1.** *(animal)* horse **2.** *(en la baraja)* ≃ queen **3.** *(en ajedrez)* knight ● **caballos de vapor** horsepower

cabaña [ka'βaɲa] *f* cabin

cabaret [kaβa'ret] *m* cabaret

cabecear [kaβeθe'ar] *vi* **1.** *(negando)* to shake one's head **2.** *(afirmando)* to nod one's head **3.** *(durmiéndose)* to nod off **4.** *(barco)* to pitch **5.** *(coche)* to lurch

cabecera [kaβe'θera] *f* **1.** *(de la cama)* headboard **2.** *(en periódico)* headline **3.** *(en libro, lista)* heading **4.** *(parte principal)* head

cabecilla [kaβe'θiʎa] *mf* ringleader

cabellera [kaβe'ʎera] *f* long hair

cabello [ka'βeʎo] *m* hair ● **cabello de ángel** *sweet consisting of strands of pumpkin coated in syrup*

caber [ka'βer] *vi* **1.** to fit **2.** *(ser posible)* to be possible ● **no cabe duda** there is no doubt about it ● **no me caben los pantalones** my trousers are too small for me

cabestrillo [kaβes'triʎo] *m* sling

cabeza [ka'βeθa] *f* head ● **cabeza de ajos** head of garlic ● **cabeza de familia** head of the family ● **cabeza rapada** skinhead ● **por cabeza** per head ● **perder la cabeza** to lose one's head ● **sentar la cabeza** to settle down ● **traer de cabeza** to drive mad

cabezada [kaβe'θaða] *f* ● **dar una cabezada** to have a nap

cabida [ka'βiða] *f* ● **tener cabida** to have room

cabina [ka'βina] *f* booth ● **cabina telefónica** phone box (*UK*), phone booth

cable ['kaβle] *m* cable ● **por cable** by cable ● **cable eléctrico** electric cable

cabo ['kaβo] *m* **1.** *(en geografía)* cape **2.** *(cuerda)* rope **3.** *(militar, policía)* corporal

● **al cabo de** after ● **atar cabos** to put two and two together ● **cabo suelto** loose end ● **de cabo a rabo** from beginning to end ● **llevar algo a cabo** to carry sthg out

cabra ['kaβra] *f* goat ● **estar como una cabra** to be off one's head

cabrear [kaβre'ar] *vt* (*vulg*) to piss off ◆ **cabrearse** *vp* (*vulg*) to get pissed off

cabreo [ka'βreo] *m* (*vulg*) ● **coger un cabreo** to get pissed off

cabrito [ka'βrito] *m* kid (goat)

cabrón, brona [ka'βron] *m,f* (*vulg*) bastard (*f* bitch)

cabronada [kaβro'naða] *f* (*vulg*) dirty trick

caca ['kaka] *f* **1.** (*excremento*) pooh **2.** (*suciedad*) dirty thing

cacahuate [kaka'wate] *m* (*Méx*) peanut

cacahuete [kaka'wete] *m* peanut

cacao [ka'kao] *m* **1.** (*chocolate*) cocoa **2.** (*fam*) (*jaleo*) racket **3.** (*de labios*) lip salve

cacarear [kakare'ar] *vi* to cluck

cacería [kaθe'ria] *f* hunt

cacerola [kaθe'rola] *f* pot

cachalote [katʃa'lote] *m* sperm whale

cacharro [ka'tʃaro] *m* **1.** (*de cocina*) pot **2.** (*fam*) (*trasto*) junk **3.** (*fam*) (*coche*) banger (*UK*), rattle trap (*US*)

cachear [katʃe'ar] *vt* to frisk

cachemir [katʃe'mir] *m* cashmere

cachetada [katʃe'taða] *f* (*Amér*) (*fam*) slap

cachete [ka'tʃete] *m* slap

cachivache [katʃi'βatʃe] *m* knick-knack

cacho ['katʃo] *m* **1.** (*fam*) (*trozo*) piece **2.** (*Andes & Ven*) (*cuerno*) horn

cachondearse [katʃonde'arse] ◆ **cachondearse de** *v + prep* (*fam*) to take the mickey out of (*UK*), to make fun of

cachondeo [katʃon'deo] *m* (*fam*) ● **estar de cachondeo** to be joking ● **ir de cachondeo** to go out on the town

cachondo, da [ka'tʃondo, da] *adj* (*fam*) (*alegre*) funny

cachorro, rra [ka'tʃoro, ra] *m,f* puppy

cacique [ka'θike] *m* local political boss

cactus ['kaktus] *m* cactus

cada ['kaða] *adj* **1.** (*para distribuir*) each **2.** (*en frecuencia*) every ● **cada vez más** more and more ● **cada vez más corto** shorter and shorter ● **cada uno** each one

cadáver [ka'ðaβer] *m* corpse

cadena [ka'ðena] *f* **1.** chain **2.** (*de televisión*) channel, network (*UK*) **3.** (*de radio*) station **4.** (*de música*) sound system **5.** (*de montañas*) range ● **en cadena** (*accidente*) multiple

cadencia [ka'ðenθja] *f* rhythm

cadera [ka'ðera] *f* hip

cadete [ka'ðete] *m* cadet

caducar [kaðu'kar] *vi* **1.** (*alimento*) to pass its sell-by date (*UK*) ◆ best-before date (*US*) **2.** (*ley, documento, etc*) to expire

caducidad [kaðuθi'ðað] *f* expiry

caduco, ca [ka'ðuko, ka] *adj* (*persona*) very old-fashioned ● **de hoja caduca** deciduous

caer [ka'er] *vi* **1.** to fall **2.** (*día, tarde, verano*) to draw to a close ● **caer bien/mal** (*comentario, noticia*) to go down▸

well/badly ● me cae bien/mal *(persona)* I like/don't like him ● cae cerca de aquí It's not far from here ● dejar caer algo to drop sthg ◆ caer en *v + prep* **1.** *(respuesta, solución)* to hit on, to find **2.** *(día)* to be on **3.** *(mes)* to be in ◆ caer en la cuenta to realize ◆ caerse *vp (persona)* to fall down

café [ka'fe] *m* **1.** *(bebida, grano)* coffee **2.** *(establecimiento)* çafe ● café descafeinado decaffeinated coffee ● café irlandés Irish coffee ● café con leche white coffee ● café molido ground coffee ● café solo black coffee

café

Strong expresso coffee is the kind most commonly served in Spanish bars and restaurants. A small black expresso is called *un café solo* or just *un solo*. If a dash of milk is added it is called a *cortado*, and this is also served in some South American countries. A large, weak cup of coffee is called *un americano*, but this is mainly for foreign visitors and is rarely drunk by Spanish people. *Café con leche* is traditionally drunk at breakfast and consists of an expresso served with lots of hot milk in a big cup. After dinner, you can have a *carajillo*, which is a *solo* to which alcohol has been added, usually brandy, rum or anisette. Latin Americans also drink *café de olla*, a very sweet coffee made with cinnamon and other spices.

cafebrería [kafeβre'ria] *f (Amér)* cafe cum bookshop
cafeína [kafe'ina] *f* caffeine
cafetera [kafe'tera] *f* **1.** *(para servir)* coffee pot **2.** *(en bares)* espresso machine **3.** *(eléctrica)* coffee maker
cafetería [kafete'ria] *f* cafe
cagar [ka'ɣar] ◇ *vi (vulg)* to shit ◇ *vt (vulg)* to fuck up
caída [ka'iða] *f* fall
caído, da [ka'iðo, ða] *adj (abatido)* downhearted ● los caídos the fallen
caimán [kai'man] *m* alligator
caja ['kaxa] *f* **1.** *(recipiente)* box **2.** *(para transporte, embalaje)* crate **3.** *(de banco)* cashier's desk *(UK)*, (teller) window *(US)* **4.** *(de supermercado)* till *(UK)*, checkout *(US)* **5.** *(de instrumento musical)* body ● caja de ahorros savings bank ● caja de cambios gearbox ● caja registradora cash register ▼ caja rápida ≃ handbaskets only
cajero, ra [ka'xero, ra] *m,f* **1.** *(de banco)* teller **2.** *(de tienda)* cashier ● cajero automático cash point
cajetilla [kaxe'tiʎa] ◇ *f* packet *(UK)*, pack *(US)* ◇ *m (Amér) (despec)* city slicker
cajón [ka'xon] *m (de mueble)* drawer ● cajón de sastre muddle
cajonera [kaxo'nera] *f* chest of drawers
cajuela [ka'xuela] *f (Méx)* boot *(UK)*, trunk *(US)*
cal ['kal] *f* lime
cala ['kala] *f (ensenada)* cove
calabacín [kalaβa'θin] *m* courgette *(UK)*, zucchini *(US)*
calabaza [kala'βaθa] *f* pumpkin

calabozo [kala'βoθo] *m* cell

calada [ka'laða] *f* drag

calamar [kala'mar] *m* squid ● **calamares a la plancha** grilled squid ● **calamares en su tinta** squid cooked in its own ink

calambre [ka'lamβre] *m* **1.** *(de un músculo)* cramp **2.** *(descarga eléctrica)* shock

calamidad [kalami'ðað] *f* calamity ● **ser una calamidad** *(persona)* to be a dead loss

calar [ka'lar] *vt* **1.** *(suj: lluvia, humedad)* to soak **2.** *(suj: frío)* to penetrate ◆ **calar en** *v + prep* *(ideas, sentimiento)* to have an impact on ◆ **calarse** *vp* **1.** *(mojarse)* to get soaked **2.** *(suj: vehículo)* to stall **3.** *(sombrero)* to jam on

calato, ta [ka'lato, ta] *adj* *(Amér)* naked

calaveras [kala'βeras] *fpl* *(Amér)* rear lights *(UK)*, tail lights *(US)*

calcar [kal'kar] *vt* **1.** *(dibujo)* to trace **2.** *(imitar)* to copy

calcáreo, a [kal'kareo, a] *adj* lime

calcetín [kalθe'tin] *m* sock

calcio ['kalθjo] *m* calcium

calcomanía [kalkoma'nia] *f* transfer

calculador, ra [kalkula'ðor, ra] *adj* calculating

calculadora [kalkula'ðora] *f* calculator

calcular [kalku'lar] *vt* **1.** *(cantidad)* to calculate **2.** *(suponer)* to guess

cálculo ['kalkulo] *m* *(en matemáticas)* calculus

caldear [kalde'ar] *vt* **1.** *(local)* to heat **2.** *(ambiente)* to liven up

caldera [kal'dera] *f* boiler

calderilla [kalde'riʎa] *f* small change

caldo ['kaldo] *m* broth ● **caldo gallego**

thick soup with meat

calefacción [kalefak'θjon] *f* heating ● **calefacción central** central heating

calefactor [kalefak'tor] *m* heater

calendario [kalen'darjo] *m* **1.** calendar **2.** *(de actividades)* timetable

calentador [kalenta'ðor] *m* heater

calentamiento [kalenta'mjento] *m* *(en deporte)* warm-up

calentar [kalen'tar] *vt* **1.** *(agua, leche, comida)* to heat up **2.** *(fig) (pegar)* to hit **3.** *(fig) (incitar)* to incite ◆ **calentarse** *vp* **1.** *(en deporte)* to warm up **2.** *(excitarse)* to get turned on

calesitas [kale'sitas] *fpl* *(Amér)* merry-go-round *sg*

calibrar [kali'βrar] *vt* to gauge

calibre [ka'liβre] *m* *(importancia)* importance

calidad [kali'ðað] *f* **1.** quality **2.** *(clase)* class ● **de calidad** quality ● **en calidad de** in one's capacity as

cálido, da ['kaliðo, ða] *adj* **1.** warm **2.** *(agradable, acogedor)* friendly

caliente [ka'ljente] *adj* hot ● **en caliente** in the heat of the moment

calificación [kalifika'θjon] *f* **1.** *(en deportes)* score **2.** *(de un alumno)* mark, grade *(US)*

calificar [kalifi'kar] *vt* *(trabajo, examen)* to mark, to grade *(US)* ● **calificar a alguien de algo** to call sb sthg

caligrafía [kaliɣra'fia] *f* *(letra)* handwriting

cáliz ['kaliθ] *m* **1.** *(de flor)* calyx **2.** *(de misa)* chalice

callado, da [ka'ʎaðo, ða] *adj* quiet

callar [ka'ʎar] ◇ *vi* to be quiet ◇ *vt* **1.**

(secreto) to keep **2.** *(respuesta)* to keep to o.s. ◆ **callarse** *vp* **1.** *(no hablar)* to keep quiet **2.** *(dejar de hablar)* to be quiet

calle [ˈkaʎe] *f* **1.** *(de población)* street **2.** *(de carretera, en natación)* lane ● **dejar a alguien en la calle** to put sb out of a job ● **calle abajo/arriba** down/up the street

calleja [kaˈʎexa] *f* alley, small street

callejero, ra [kaʎeˈxero, ra] ◇ *adj* street *(antes de s)* ◇ *m* street map

callejón [kaʎeˈxon] *m* **1.** *(calle estrecha)* alley

callejuela [kaʎeˈxuela] *f* side street

callo [ˈkaʎo] *m* **1.** *(de pies)* corn **2.** *(de manos)* callus ◆ **callos** *mpl* tripe *sg* ● **callos a la madrileña** tripe cooked with black pudding, smoked pork sausage, onion and peppers

calloso, sa [kaˈʎoso, sa] *adj* calloused

calma [ˈkalma] *f* calm

calmado, da [kalˈmaðo, ða] *adj* calm

calmante [kalˈmante] *m* sedative

calmar [kalˈmar] *vt* to calm ◆ **calmarse** *vp* to calm down

calor [kaˈlor] *m o f* **1.** *(temperatura elevada, sensación)* heat **2.** *(tibieza, del hogar)* warmth ● **hace calor** it's hot ● **tener calor** to be hot

caloría [kaloˈria] *f* calorie

calumnia [kaˈlumnja] *f* **1.** *(oral)* slander **2.** *(escrita)* libel

calumniador, ra [kalumnjaˈðor, ra] *adj* slanderous

calumniar [kalumˈnjar] *vt* **1.** *(oralmente)* to slander **2.** *(por escrito)* to libel

calumnioso, sa [kalumˈnjoso, sa] *adj* slanderous

caluroso, sa [kaluˈroso, sa] *adj* **1.** *(caliente)* hot **2.** *(tibio, afectuoso, cariñoso)* warm

calva [ˈkalβa] *f* **1.** *(cabeza)* bald head **2.** *(area)* bald patch ➤ **calvo**

calvario [kalˈβarjo] *m* *(sufrimiento)* ordeal

calvicie [kalˈβiθje] *f* baldness

calvo, va [ˈkalβo, βa] ◇ *adj* bald ◇ *m* bald man

calzada [kalˈθaða] *f* road (surface) ▼ **calzada irregular** uneven road surface

calzado [kalˈθaðo] *m* footwear ▼ **reparación de calzados** shoe repairs

calzador [kalθaˈðor] *m* shoehorn

calzar [kalˈθar] *vt* *(zapato, bota)* to put on ● **¿qué número calza?** what size (shoe) do you take? ◆ **calzarse** *vp* to put on

calzoncillos [kalθonˈθiʎos] *mpl* underpants

calzones [kalˈθones] *mpl* *(Amér)* knickers *(UK)*, panties *(US)*

cama [ˈkama] *f* bed ● **guardar cama** to be confined to bed ● **cama individual** single bed ● **cama de matrimonio** double bed

camaleón [kamaleˈon] *m* chameleon

cámara¹ [ˈkamara] *f* **1.** *(para filmar)* camera **2.** *(de diputados, senadores)* chamber **3.** *(de neumático)* inner tube ● **cámara digital** digital camera ● **cámara fotográfica** camera ● **cámara de vídeo** video (camera)

cámara² [ˈkamara] *m* cameraman *(f* camerawoman*)*

camarada [kamaˈraða] *mf* *(en el trabajo)* colleague

camarero, ra [kamaˈrero, ra] *m,f* **1.** (de bar, restaurante) waiter (f waitress) **2.** (de hotel) steward (f chambermaid)

camarón [kamaˈron] *m* (Amér) shrimp

camarote [kamaˈrote] *m* cabin

camastro [kaˈmastro] *m* rickety bed

cambiar [kamˈbjar] ◇ *vt* **1.** to change **2.** (ideas, impresiones, etc) to exchange ◇ *vi* to change ● cambiar de (coche, vida) to change; (domicilio) to move ◆ **cambiarse** *vp* (de ropa) to change ● cambiarse de (casa) to move ● cambiarse de camisa to change one's shirt

cambio [ˈkambjo] *m* **1.** change **2.** (de ideas, propuestas, etc) exchange **3.** (valor de moneda) exchange rate ● en cambio on the other hand ● cambio de marchas gear change ▼ cambio de sentido sign indicating a sliproad allowing drivers to change direction on a motorway

camello [kaˈmeʎo] *m* camel

camembert [kamemˈβer] *m* camembert

camerino [kameˈrino] *m* dressing room

camilla [kaˈmiʎa] *f* (para enfermo, herido) stretcher

camillero, ra [kamiˈʎero, ra] *m,f* stretcher-bearer

caminante [kamiˈnante] *mf* walker

caminar [kamiˈnar] ◇ *vi* to walk ◇ *vt* to travel

caminata [kamiˈnata] *f* long walk

camino [kaˈmino] *m* **1.** (vía) road **2.** (recorrido) path **3.** (medio) way ● a medio camino halfway ● camino de on the way to ● ir por buen/mal camino (ruta) to be going the right/wrong way ● ponerse en camino to set off

Camino de Santiago

This is the name of the popular pilgrimage route to Santiago de Compostela in Galicia, where the remains of St James are reputed to lie in the cathedral. The full pilgrimage begins at either Somport or Roncesvalles in Navarre and comprises 31 stages. Pilgrims can stop off at various purpose-built monasteries, churches and hospitals along the way.

camión [kamiˈon] *m* **1.** (de mercancías) lorry (UK), truck (US) **2.** (CAm & Méx) (autobús) bus

camionero, ra [kaˈmjonero, ra] *m,f* lorry driver (UK), truck driver (US)

camioneta [kamjoˈneta] *f* van

camisa [kaˈmisa] *f* shirt

camisería [kamiseˈria] *f* outfitter's (shop)

camisero, ra [kamiˈsero, ra] *adj* with buttons down the front

camiseta [kamiˈseta] *f* **1.** (de verano) T-shirt **2.** (ropa interior) vest (UK), undershirt (US)

camisola [kamiˈsola] *f* (Amér) shirt

camisón [kamiˈson] *m* nightdress (UK), nightgown (US)

camomila [kamoˈmila] *f* camomile

camorra [kaˈmora] *f* trouble

camote [kaˈmote] *m* (Andes, CAm & Méx) sweet potato

campamento [kampaˈmento] *m* camp

campana [kamˈpana] *f* **1.** (de iglesia) bell **2.** (de chimenea) chimney breast **3.** (de cocina) hood

campanario [kampa'narjo] *m* belfry

campaña [kam'paɲa] *f* campaign

campechano, na [kampe'tʃano, na] *adj* good-natured

campeón, ona [kampe'on, ona] *m,f* champion

campeonato [kampeo'nato] *m* championship • **de campeonato** terrific

campera [kam'pera] *f* (*Amér*) jacket

campesino, na [kampe'sino, na] *m,f* **1.** (*agricultor*) farmer **2.** (*muy pobre*) peasant

campestre [kam'pestre] *adj* country

camping ['kampin] *m* **1.** (*lugar*) campsite **2.** (*actividad*) camping • **ir de camping** to go camping

campista [kam'pista] *mf* camper

campo ['kampo] *m* **1.** field **2.** (*campiña*) countryside **3.** (*de fútbol*) pitch (*UK*), field (*US*) **4.** (*de golf*) course • **campo de deportes** sports ground • **dejar el campo libre** to leave the field open

campus ['kampus] *m* campus

camuflar [kamu'flar] *vt* to camouflage

cana ['kana] *f* grey hair • **tener canas** to be going grey

Canadá [kana'ða] *m* • **(el) Canadá** Canada

canadiense [kana'ðjense] *adj & mf* Canadian

canal [ka'nal] *m* **1.** (*para regar*) canal **2.** (*en geografía*) strait **3.** (*de televisión*) channel **4.** (*de desagüe*) pipe

canalla [ka'naʎa] *mf* swine

canapé [kana'pe] *m* canapé

Canarias [ka'narjas] *fpl* • **las (islas) Canarias** the Canary Islands

canario, ria [ka'narjo, rja] ◇ *adj* of/ relating to the Canary Islands ◇ *m,f* Canary Islander ◇ *m* (*pájaro*) canary

canasta [ka'nasta] *f* **1.** basket **2.** (*en naipes*) canasta

canastilla [kanas'tiʎa] *f* (*de recién nacido*) layette

cancela [kan'θela] *f* wrought-iron gate

cancelación [kanθela'θjon] *f* cancellation

cancelar [kanθe'lar] *vt* **1.** to cancel **2.** (*cuenta, deuda*) to settle

cáncer ['kanθer] *m* cancer

cancerígeno, na [kanθe'rixeno, na] *adj* carcinogenic

cancha ['kantʃa] *f* court

canciller [kanθi'ʎer] *m* chancellor

cancillería [kanθiʎe'ria] *f* (*Amér*) (*ministerio*) ≃ Foreign Office

canción [kan'θjon] *f* song

cancionero [kanθjo'nero] *m* songbook

candado [kan'daðo] *m* padlock

candela [kan'dela] *f* (*Amér*) fire

candelabro [kande'laβro] *m* candelabra

candidato, ta [kandi'ðato, ta] *m,f* • **candidato (a)** candidate (for)

candidatura [kandiða'tura] *f* candidacy

candil [kan'dil] *m* **1.** (*lámpara*) oil lamp **2.** (*Amér*) (*araña*) chandelier

candilejas [kandi'lexas] *fpl* footlights

canela [ka'nela] *f* cinnamon

canelones [kane'lones] *mpl* cannelloni

cangrejo [kan'grexo] *m* crab

canguro [kan'guro] ◇ *m* **1.** (*animal*) kangaroo **2.** (*para llevar a un niño*) sling ◇ *mf* (*persona*) babysitter

caníbal [ka'niβal] *mf* cannibal

caneca [ka'neka] *f* (*Amér*) rubbish bin (*UK*), trash can (*US*)

canica [ka'nika] *f* marble ◆ **canicas** *fpl* (*juego*) marbles

canijo, ja [ka'nixo, xa] *adj* sickly

canilla [ka'niʎa] *f* **1.** (*CSur*) (*grifo*) tap (*UK*), faucet (*US*) **2.** (*espinilla*) shinbone

canjeable [kanxe'aβle] *adj* exchangeable

canjear [kanxe'ar] *vt* to exchange ● **canjear algo por** to exchange sthg for

canoa [ka'noa] *f* canoe

canoso, sa [ka'noso, sa] *adj* grey-haired

cansado, da [kan'saðo, ða] *adj* **1.** (*fatigado, aburrido*) tired **2.** (*pesado*) tiring ● **estar cansado (de)** to be tired (of)

cansador, ra [kan'saðor, ra] *adj* (*Andes & CSur*) tiring

cansancio [kan'sanθjo] *m* tiredness

cansar [kan'sar] *vt* to tire ◆ **cansarse** *vp* ● **se cansó de esperar** he got tired of waiting

cantábrico, ca [kan'taβriko, ka] *adj* Cantabrian ● **Cantábrico** *m* ● **el Cantábrico** the Cantabrian Sea

cantante [kan'tante] *mf* singer

cantaor, ra [kanta'or, ra] *m,f* flamenco singer

cantar [kan'tar] ◇ *vt* **1.** (*canción*) to sing **2.** (*premio*) to call (out) ◇ *vi* **1.** to sing **2.** (*fig*) (*confesar*) to talk

cántaro ['kantaro] *m* large pitcher ● **llover a cántaros** to rain cats and dogs

cantautor, ra [kantau̯'tor, ra] *m,f* singer-songwriter

cante ['kante] *m* ● **cante flamenco** o **jondo** flamenco singing

cantera [kan'tera] *f* **1.** (*de piedra*) quarry **2.** (*de profesionales*) source

cantidad [kanti'ðað] ◇ *f* **1.** (*medida*) quantity **2.** (*importe*) sum **3.** (*número*) number ◇ *adv* a lot ● **en cantidad** in abundance

cantimplora [kantim'plora] *f* water bottle

cantina [kan'tina] *f* **1.** (*en fábrica*) canteen (*UK*), cafeteria (*US*) **2.** (*en estación de tren*) buffet, station café

canto ['kanto] *m* **1.** (*arte*) singing **2.** (*canción*) song **3.** (*borde*) edge ● **de canto** edgeways ● **canto rodado** boulder

canturrear [kanture'ar] *vt & vi* to sing softly

caña ['kaɲa] *f* **1.** (*tallo*) cane **2.** (*de cerveza*) small glass of beer ● **caña de azúcar** sugarcane ● **caña de pescar** fishing rod

cáñamo ['kaɲamo] *m* hemp

cañaveral [kaɲaβe'ral] *m* sugar-cane plantation

cañería [kaɲe'ria] *f* pipe

caño ['kaɲo] *m* **1.** (*de fuente*) jet **2.** (*tubo*) pipe **3.** (*Amér*) (*grifo*) tap (*UK*), faucet (*US*)

cañón [ka'ɲon] *m* **1.** (*arma moderna*) gun **2.** (*arma antigua*) cannon **3.** (*de fusil*) barrel **4.** (*entre montañas*) canyon

cañonazo [kaɲo'naθo] *m* gunshot

caoba [ka'oβa] *f* mahogany

caos ['kaos] *m inv* chaos

caótico, ca [ka'otiko, ka] *adj* chaotic

capa ['kapa] *f* **1.** (*manto*) cloak **2.** (*de pintura, barniz, chocolate*) coat **3.** (*de la tierra, sociedad*) stratum **4.** (*de torero*) cape ● **capa de ozono** ozone layer ● **a capa y espada** (*defender*) tooth and nail ● **andar de capa caída** to be doing badly

capacidad [kapaθi'ðað] *f* **1.** *(de envase, aforo)* capacity **2.** *(habilidad)* ability

capacitado, da [kapaθi'taðo, ða] *adj* ● **estar capacitado para** to be qualified to

caparazón [kapara'θon] *m* shell

capataz [kapa'taθ, θes] *(pl* **-ces)** *mf* foreman *(f* forewoman)

capaz [ka'paθ, θes] *(pl* **-ces)** *adj* capable ● **ser capaz de** to be capable of

capazo [ka'paθo] *m* large wicker basket

capellán [kape'ʎan] *m* chaplain

capicúa [kapi'kua] *adj inv* reversible

capilar [kapi'lar] *adj* hair *(antes de s)*

capilla [ka'piʎa] *f* chapel

capital [kapi'tal] ⋄ *adj (importante)* supreme ⋄ *m & f* capital

capitalismo [kapita'lizmo] *m* capitalism

capitalista [kapita'lista] *adj & mf* capitalist

capitán, ana [kapi'tan, ana] *m.f* captain

capitanía [kapita'nia] *f (edificio)* ≃ field marshal's headquarters

capitel [kapi'tel] *m* capital *(in architecture)*

capítulo [ka'pitulo] *m* chapter

capó [ka'po] *m* bonnet *(UK)*, hood *(US)*

capón [ka'pon] *m* **1.** *(animal)* capon **2.** *(golpe)* rap

capota [ka'pota] *f* hood *(UK)*, top *(US)*

capote [ka'pote] *m (de torero)* cape

capricho [ka'pritʃo] *m* whim ● **darse un capricho** to treat o.s.

caprichoso, sa [kapri'tʃoso, sa] *adj* capricious

Capricornio [kapri'kornjo] *m* Capricorn

cápsula ['kapsula] *f* capsule

captar [kap'tar] *vt* **1.** *(sonido, rumor)* to hear **2.** *(persona)* to win over **3.** *(expli-*cación, idea)* to grasp **4.** *(señal de radio, TV)* to receive

capturar [kaptu'rar] *vt* to capture

capucha [ka'putʃa] *f* **1.** *(de prenda de vestir)* hood **2.** *(de pluma, bolígrafo)* cap

capuchino, na [kapu'tʃino, na] ⋄ *adj & m.f* Capuchin ⋄ *m* cappuccino

capullo [ka'puʎo] *m* **1.** *(de flor)* bud **2.** *(de gusano)* cocoon

cara ['kara] *f* **1.** *(rostro)* face **2.** *(de página, tela, luna, moneda)* side ● **cara a cara** face to face ● **de cara a** *(frente a)* facing ● **cara o cruz** heads or tails ● **echar algo a cara o cruz** to toss a coin for sthg ● **dar la cara** to face the consequences ● **echar en cara algo a alguien** to reproach sb for sthg ● **esta comida no tiene buena cara** this meal doesn't look very good ● **plantar cara a** to stand up to ● **tener (mucha) cara** to have a cheek

carabela [kara'βela] *f* caravel

carabina [kara'βina] *f* **1.** *(arma)* rifle **2.** *(fam) (persona)* chaperone

caracol [kara'kol] *m* snail ● **caracoles a la llauna** *snails cooked in a pan with oil, garlic and parsley*

caracola [kara'kola] *f* conch

caracolada [karako'laða] *f dish made with snails*

carácter [ka'rakter] *m* **1.** *(modo de ser)* character **2.** *(tipo)* nature ● **tener mal/buen carácter** to be bad-tempered/good-natured ● **tener mucho/poco carácter** to have a strong/weak personality

característica [karakte'ristika] *f* característica

característico, ca [karakte'ristiko, ka] *adj* characteristic

caracterizar [karakteri'θar] *vt* **1.** *(identificar)* to characterize **2.** *(representar)* to portray ◆ **caracterizarse por** *v + prep* to be characterized by

caradura [kara'ðura] *adj inv (fam)* cheeky *(UK)*, nervy *(US)*

carajillo [kara'xiʎo] *m coffee with a dash of liqueur*

caramba [ka'ramba] *interj* **1.** *(expresa sorpresa)* good heavens! **2.** *(expresa enfado)* for heaven's sake!

carambola [karam'bola] *f* cannon *(in billiards)* ● **de carambola** *(de casualidad)* by a fluke; *(de rebote)* indirectly

caramelo [kara'melo] *m* **1.** *(golosina)* sweet *(UK)*, candy *(US)* **2.** *(azúcar fundido)* caramel

carátula [ka'ratula] *f* **1.** *(de libro, revista)* front cover **2.** *(de disco)* sleeve **3.** *(de vídeo, CD)* cover

caravana [kara'βana] *f* **1.** *(atasco)* tailback *(UK)*, backup *(US)* **2.** *(remolque)* caravan ● **hacer caravana** to sit in a tailback

caravaning [kara'βanin] *m* caravanning

caray [ka'rai] *interj* **1.** *(expresa sorpresa)* good heavens! **2.** *(expresa enfado, daño)* damn it!

carbón [kar'βon] *m* coal

carboncillo [karβon'θiʎo] *m* charcoal

carbono [kar'βono] *m* carbon

carburador [karβura'ðor] *m* carburettor

carburante [karβu'rante] *m* fuel

carcajada [karka'xaða] *f* guffaw ● **reír**

a carcajadas to roar with laughter

cárcel ['karθel] *f* prison

carcoma [kar'koma] *f* woodworm

cardenal [karðe'nal] *m* **1.** *(en religión)* cardinal **2.** *(morado)* bruise

cardíaco, ca [kar'ðiako, ka] *adj* cardiac

cardinal [karði'nal] *adj* cardinal

cardiólogo, ga [kar'ðjoloɣo, ɣa] *m,f* cardiologist

cardo ['karðo] *m* **1.** *(planta)* thistle **2.** *(fam) (persona)* prickly customer

carecer [kare'θer] ◆ **carecer de** *v + prep* to lack

carencia [ka'renθja] *f* **1.** *(ausencia)* lack **2.** *(defecto)* deficiency

careta [ka'reta] *f* mask

carey [ka'rei] *m (de tortuga)* tortoiseshell

carga ['karɣa] *f* **1.** *(de barco, avión)* cargo **2.** *(de tren, camión)* freight **3.** *(peso)* load **4.** *(para bolígrafo, mechero, pluma)* refill **5.** *(de arma, explosivo, batería)* charge **6.** *(responsabilidad)* burden ▼ **carga y descarga** loading and unloading

cargado, da [kar'ɣaðo, ða] *adj* **1.** *(cielo)* overcast **2.** *(habitación, ambiente)* stuffy **3.** *(bebida, infusión)* strong ● **cargado de** *(lleno de)* loaded with

cargador, ra [karɣa'ðor, ra] ◇ *m,f* loader ◇ *m* **1.** *(de arma)* chamber **2.** *(de batería)* charger

cargar [kar'ɣar] ◇ *vt* **1.** *(mercancía, arma)* to load **2.** *(bolígrafo, pluma, mechero)* to refill **3.** *(tener capacidad para)* to hold **4.** *(factura, deudas, batería)* to charge ◇ *vi (molestar)* to be annoying ● **cargar algo de** *(llenar)* to fill sthg with ◆ **cargar con** *v + prep* **1.** *(paquete)* to carry **2.**

(responsabilidad) to bear **3.** *(consecuencia)* to accept ◆ **cargar contra** *v* + *prep* to charge ◆ **cargarse** *vp* **1.** *(fam)* *(estropear)* to break **2.** *(fam)* *(matar)* to bump off **3.** *(fam)* *(suspender)* to fail **4.** *(ambiente)* to get stuffy ◆ **cargarse de** *v* + *prep* *(llenarse de)* to fill up with

cargo ['karɣo] *m* **1.** charge **2.** *(empleo, función)* post ◆ **estar a cargo de** to be in charge of ◆ **yo me haré cargo de los niños** I will look after the children ◆ **se hizo cargo de la empresa** she took over the running of the company ◆ **me hago cargo de la situación** I understand the situation

cargoso, sa [kar'ɣoso, sa] *adj* *(CSur & Perú)* annoying

cariado, da [ka'rjaðo, ða] *adj* decayed

Caribe [ka'riβe] *m* ◆ **el Caribe** the Caribbean

caribeño, ña [kari'βeɲo, ɲa] *adj* Caribbean

caricatura [karika'tura] *f* caricature

caricia [ka'riθja] *f* **1.** *(a persona)* caress **2.** *(a animal)* stroke

caridad [kari'ðað] *f* charity

caries ['karjes] *f inv* tooth decay

cariño [ka'riɲo] *m* **1.** *(afecto)* affection **2.** *(cuidado)* loving care **3.** *(apelativo)* love

cariñoso, sa [kari'ɲoso, sa] *adj* affectionate

carisma [ka'risma] *m* charisma

caritativo, va [karita'tiβo, βa] *adj* charitable

cariz [ka'riθ] *m* appearance

carmín [kar'min] *m* *(para labios)* lipstick

carnal [kar'nal] *adj* *(pariente)* first

Carnaval [karna'βal] *m* *(fiesta)* carnival

Carnaval

In Spain and Latin America, the three days preceding Lent are given over to popular celebrations and festivities. People, especially children, dress up and take part in street processions. The carnival in Tenerife is particularly famous.

carne ['karne] *f* **1.** *(alimento)* meat **2.** *(de persona, fruta)* flesh ◆ **carne de cerdo** pork ◆ **carne de cordero** lamb ◆ **carne de gallina** goose pimples *pl* ◆ **carne picada** mince *(UK)*, ground beef *(US)* ◆ **carne de ternera** veal ◆ **carne de vaca** beef

carné [kar'ne] *m* *(de club, partido)* membership card ◆ **carné de conducir** driving licence *(UK)*, driver's license *(US)* ◆ **carné de identidad** identity card

carnero [kar'nero] *m* ram

carnicería [karniθe'ria] *f* **1.** *(tienda)* butcher's (shop) **2.** *(matanza)* carnage

carnicero, ra [karni'θero, ra] *m,f* butcher

carnitas [kar'nitas] *fpl* *(Méx)* snack of spicy, fried meat in taco or bread

caro, ra ['karo, ra] ◇ *adj* expensive ◇ *adv* at a high price ◆ **costar caro** to be expensive

carpa ['karpa] *f* **1.** *(de circo)* big top **2.** *(para fiestas)* marquee *(UK)*, tent *(US)* **3.** *(pez)* carp

carpeta [kar'peta] *f* file

carpintería [karpinte'ria] *f* **1.** *(oficio)* joinery **2.** *(arte)* carpentry **3.** *(taller)* joiner's workshop

carpintero [karpin'tero, ra] *m* **1.** *(profesional)* joiner **2.** *(artista)* carpenter

carrera [ka'rera] *f* **1.** *(competición)* race **2.** *(estudios)* degree course **3.** *(profesión)* career **4.** *(en medias, calcetines)* ladder *(UK)*, run *(US)* **5.** *(en taxi)* ride ● **a la carrera** at full speed

carrerilla [kare'riʎa] *f* *(carrera corta)* run-up ● **de carrerilla** *(fam)* by heart

carreta [ka'reta] *f* cart

carrete [ka'rete] *m* **1.** *(de fotografía)* roll **2.** *(de hilo)* reel *(UK)*, spool *(US)*

carretera [kare'tera] *f* road ● **carretera de circunvalación** ring road ● **carretera comarcal** minor road *(UK)*, state highway *(US)* ● **carretera de cuota** *(Amér)* toll road ● **carretera nacional** ≃ A road *(UK)*, interstate highway *(US)*

carretilla [kare'tiʎa] *f* wheelbarrow

carril [ka'ril] *m* **1.** *(de carretera, autopista)* lane **2.** *(de tren)* rail ● **carril de aceleración** fast lane ● **carril bici** cycle lane ● **carril bus** bus lane

carrito [ka'rito] *m* **1.** *(de la compra)* trolley *(UK)*, shopping cart *(US)* **2.** *(para bebés)* pushchair *(UK)*, stroller *(US)*

carro ['karo] *m* **1.** *(carruaje)* cart **2.** *(Andes, CAm, Carib & Méx)* *(automóvil)* *(coche)* car ● **carro comedor** *(Amér)* dining car ● **carro de la compra** trolley *(UK)*, shopping cart *(US)*

carrocería [karoθe'ria] *f* bodywork

carromato [karo'mato] *m* covered wagon

carroña [ka'roɲa] *f* carrion

carroza [ka'roθa] *f* coach, carriage

carruaje [karua'xe] *m* carriage

carrusel [karu'sel] *m* *(de feria)* carousel

carta ['karta] *f* **1.** *(escrito)* letter **2.** *(de restaurante, bar)* menu **3.** *(de la baraja)* card ● **carta de vinos** wine list

La carta

En la esquina superior derecha se coloca la dirección del remitente. Justo debajo se coloca la fecha. El nombre y la dirección del destinatario se coloca debajo de la fecha, pero en el lado izquierdo de la hoja. Cuando se escribe una carta formal, sin conocer el nombre del destinatario, se puede empezar colocando *Dear Sir* o *Dear Madam* (o *Dear Sir/Madam* si no sabemos si se trata de un hombre o de una mujer). Si se conoce el nombre del destinatario, se usa *Dear Mr X, Dear Mrs X, Dear Ms X*, etc. Si se escribe a alguien conocido, se pone *Dear* y el nombre de la persona. La carta continúa en la línea siguiente, comenzando con una mayúscula. Si comenzaste la carta por *Dear Sir, Dear Madam* o *Dear Sir/Madam*, la despedida debe ser *Yours faithfully* con la firma justo debajo. En una carta formal, la despedida puede ser *Yours sincerely* o *Yours truly*. En una carta menos formal puedes usar *Best wishes* o *Kind regards*. Si escribes a alguien que conoces bien puedes despedirte empleando *With love, Love and wishes* o *Looking forward to seeing you soon.* Para dirigirte a amigos o a la familia, puedes usar *Love, Lots of love, With love from* o *Much love.*

cartabón [karta'βon] *m* set square (UK), triangle (US)

cartearse [karte'arse] *vp* to correspond

cartel [kar'tel] *m* poster

cartelera [karte'lera] *f* 1. *(de espectáculos)* entertainments section 2. *(tablón)* hoarding (UK), billboard (US) • **estar en cartelera** *(película)* to be showing; *(obra de teatro)* to be running

cartera [kar'tera] *f* 1. *(para dinero)* wallet 2. *(de colegial)* satchel 3. *(para documentos)* briefcase 4. *(sin asa)* portfolio 5. *(de mujer)* clutch bag

carterista [karte'rista] *mf* pickpocket

cartero, ra [kar'tero, ra] *m,f* postman *(f* postwoman) (UK), mail carrier (US)

cartilla [kar'tiʎa] *f (para aprender a leer)* first reading book, primer (US) • **cartilla de ahorros** savings book • **cartilla de la Seguridad Social** ≃ National Insurance card, ≃ Social Security card (US)

cartón [kar'ton] *m* 1. *(material)* cardboard 2. *(de cigarrillos)* carton

cartucho [kar'tutʃo] *m* cartridge

cartulina [kartu'lina] *f* card (UK), stiff paper (US)

casa ['kasa] *f* 1. *(edificio)* house 2. *(vivienda, hogar)* home 3. *(familia)* family 4. *(empresa)* company • **en casa** at home • **ir a casa** to go home • **casa de campo** country house • **casa de huéspedes** guesthouse

Casa Rosada

The *Casa Rosada* is the official residence of the Argentinian president and the seat of the country's government. The building's name (literally Pink House) comes from the colour of its walls. It looks out onto the famous Plaza de Mayo, the scene of many of the most important events in Argentina's history.

casadero, ra [kasa'ðero, ra] *adj* marriageable

casado, da [ka'saðo, ða] *adj* married

casamiento [kasa'mjento] *m* wedding

casar [ka'sar] *vt* to marry • **casar con** *v + prep (colores, tejidos)* to go with • **casarse** *vp* • **casarse (con)** to get married (to)

cascabel [kaska'βel] *m* bell

cascada [kas'kaða] *f* waterfall

cascado, da [kas'kaðo, ða] *adj* 1. *(fam) (persona, ropa)* worn-out 2. *(voz)* hoarse

cascanueces [kaska'nweθes] *m inv* nutcracker

cascar [kas'kar] *vt* 1. *(romper)* to crack 2. *(fam) (golpear)* to thump (UK), to beat up (US)

cáscara ['kaskara] *f* 1. *(de huevo, frutos secos)* shell 2. *(de plátano, naranja)* peel

casco ['kasko] *m* 1. *(para la cabeza)* helmet 2. *(envase)* empty (bottle) 3. *(de caballo)* hoof 4. *(de barco)* hull • **casco antiguo** old (part of) town • **casco urbano** town centre • **cascos azules** Blue Berets

caserío [kase'rio] m (casa de campo) country house

caserita [kase'rita] f (Amér) housewife, homemaker (US)

casero, ra [ka'sero, ra] ◇ adj 1. (hecho en casa) home-made 2. (hogareño) home-loving ◇ m,f (propietario) landlord (f landlady)

caseta [ka'seta] f 1. (de feria) stall, stand (US) 2. (para perro) kennel (UK), dog-house (US) 3. (en la playa) bathing hut (UK), bath house (US) • **caseta de cobro** (Méx) toll booth • **caseta telefónica** (Méx) phone box (UK), phone booth (US)

casete [ka'sete] ◇ m (aparato) cassette player ◇ m o f (cinta) cassette, tape

casi ['kasi] adv nearly, almost • **casi nada** almost nothing, hardly anything • **casi nunca** hardly ever

casilla [ka'siʎa] f 1. (de impreso) box 2. (de tablero, juego) square 3. (de mueble, caja, armario) compartment • **casilla de correos** (Andes & RP) P.O. box

casillero [kasi'ʎero] m 1. (mueble) set of pigeonholes 2. (casilla) pigeonhole

casino [ka'sino] m casino

caso ['kaso] m case • **en caso de** in the event of • **en caso de que venga** if he comes • **en todo caso** in any case • **en cualquier caso** in any case • **hacer caso a alguien** to take notice of sb • **ser un caso** (fam) to be a case • **no venir al caso** to be irrelevant

caspa ['kaspa] f dandruff

casquete [kas'kete] m skullcap

casquillo [kas'kiʎo] m 1. (de bala) cartridge case 2. (de lámpara) socket

casta ['kasta] f 1. (linaje) stock 2. (en la India) caste

castaña [kas'taɲa] f 1. (fruto) chestnut 2. (fam) (golpe) bash

castaño, ña [kas'taɲo, ɲa] ◇ adj (color) chestnut ◇ m (árbol) chestnut tree

castañuelas [kasta'ɲuelas] fpl castanets

castellano, na [kaste'ʎano, na] ◇ adj & m,f Castilian ◇ m (lengua) Spanish

castellanohablante [kasteʎanoa'blante], **castellanoparlante** [kasteʎanopar'lante] ◇ adj Spanish-speaking ◇ mf Spanish speaker

castidad [kasti'ðað] f chastity

castigar [kasti'ɣar] vt to punish

castigo [kas'tiɣo] m punishment

castillo [kas'tiʎo] m castle

castizo, za [kas'tiθo, θa] adj pure

casto, ta ['kasto, ta] adj chaste

castor [kas'tor] m beaver

castrar [kas'trar] vt to castrate

casualidad [kasua'liðað] f coincidence • **por casualidad** by chance

catacumbas [kata'kumbas] fpl catacombs

catalán, ana [kata'lan, ana] adj, m & f Catalan

catalanohablante [katalanoa'blante], **catalanoparlante** [katalanopar'lante] ◇ adj Catalan-speaking ◇ mf Catalan speaker

catálogo [ka'taloɣo] m catalogue

Cataluña [kata'luɲa] s Catalonia

catamarán [katama'ran] m catamaran

catar [ka'tar] vt to taste

cataratas [kata'ratas] fpl 1. (de agua) waterfalls, falls 2. (en los ojos) cataracts

catarro [ka'taro] m cold

catástrofe [ka'tastrofe] *f* disaster

catastrófico, ca [katas'trofiko, ka] *adj* disastrous

catear [kate'ar] *vt (fam)* to flunk

catecismo [kate'θizmo] *m* catechism

cátedra ['kateðra] *f* **1.** *(en universidad)* chair **2.** *(en instituto)* post of head of department

catedral [kate'ðral] *f* cathedral

catedrático, ca [kate'ðratiko, ka] *m.f* head of department

categoría [kateɣo'ria] *f* category ● **de categoría** top-class

catequesis [kate'kesis] *f inv* catechesis

cateto, ta [ka'teto, ta] *m.f (despec)* dimwit

catire, ra [ka'tire, ra] *adj (Amér)* blond (*f* blonde)

catolicismo [katoli'θizmo] *m* Catholicism

católico, ca [ka'toliko, ka] *adj & m.f* Catholic

catorce [ka'torθe] *núm* fourteen ➤ **seis**

catre ['katre] *m* campbed *(UK)*, cot *(US)*

cauce ['kauθe] *m* **1.** *(de río)* riverbed **2.** *(acequia)* channel

caucho ['kautʃo] *m* rubber

caudal [kau'ðal] *m (de un río)* volume, flow ● **caudales** *(dinero)* wealth *sg*

caudaloso, sa [kauða'loso, sa] *adj* with a large flow

caudillo [kau'ðiʎo] *m* leader

causa ['kausa] *f* cause ● **a causa de** because of

causante [kau'sante] *m (Amér)* taxpayer

causar [kau'sar] *vt* to cause

cáustico, ca ['kaustiko, ka] *adj* caustic

cautela [kau'tela] *f* caution ● **con cautela** cautiously

cautivador, ra [kautiβa'ðor, ra] *adj* captivating

cautivar [kauti'βar] *vt (seducir)* to captivate

cautiverio [kauti'βerjo] *m* captivity

cautivo, va [kau'tiβo, βa] *adj & m.f* captive

cauto, ta ['kauto, ta] *adj* cautious

cava ['kaβa] ◇ *f (de bodega)* wine cellar ◇ *m Spanish champagne-type wine* ● **al cava** *in a sauce of single cream, shallots, "cava" and butter*

cavar [ka'βar] *vt* to dig

caverna [ka'βerna] *f* **1.** *(cueva)* cave **2.** *(más grande)* cavern

caviar [ka'βjar] *m* caviar

cavidad [kaβi'ðað] *f* cavity

cavilar [kaβi'lar] *vi* to ponder

caza ['kaθa] *f* **1.** *(actividad)* hunting **2.** *(presa)* game ● **andar** ○ **ir a la caza de** to chase ● **dar caza** to hunt down

cazador, ra [kaθa'ðor, ra] *m.f* hunter (*f* huntress)

cazadora [kaθa'ðora] *f (bomber)* jacket ➤ **cazador**

cazar [ka'θar] *vt* **1.** *(animales)* to hunt **2.** *(fam) (marido, esposa)* to get o.s. **3.** *(captar, entender)* to catch

cazo ['kaθo] *m* **1.** *(vasija)* saucepan **2.** *(cucharón)* ladle

cazuela [ka'θwela] *f* **1.** *(de barro)* earthenware pot **2.** *(guiso)* casserole ● **a la cazuela** casseroled

cazurro, rra [ka'θurro, ra] *adj (obstinado)* stubborn

c/c ['θe'θe] (abr de **cuenta corriente**) a/c (account (current))

CD [θe'ðe] m (abr de **compact disc**) CD (compact disc)

CDI [θeðe'i] m (abr de **compact disc interactive**) CDI (compact disc interactive)

CD-ROM [θeðe'rom] (abr de **Compact Disc Read-Only Memory**), **cederrón** [θeðe'ron] m **1.** (disco) CD-ROM **2.** (dispositivo) CD-ROM drive

CE [θe'e] f (abr de **Comunidad Europea**) EC (European Community)

cebar [θe'βar] vt (animales) to fatten up ◆ **cebarse** en v + prep to take it out on

cebo [θe'βo] m bait

cebolla [θe'βoʎa] f onion

cebolleta [θeβo'ʎeta] f spring onion

cebra ['θeβra] f zebra

cecear [θeθe'ar] vi to lisp

ceder [θe'ðer] ◇ vt (sitio, asiento, etc) to give up ◇ vi **1.** (puente) to give way **2.** (cuerda) to slacken **3.** (viento, lluvia, etc) to abate ▼ **ceda el paso** give way

cedro ['θeðro] m cedar

cédula ['θeðula] f document ● **cédula de identidad** (Amér) identity card

cegato, ta [θe'yato, ta] adj (fam) short-sighted

ceguera [θe'yera] f blindness

ceja ['θexa] f eyebrow

celda ['θelda] f cell

celebración [θeleβra'θjon] f celebration

celebrar [θele'βrar] vt **1.** (cumpleaños, acontecimiento, misa) to celebrate **2.** (asamblea, reunión) to hold

célebre ['θeleβre] adj famous

celebridad [θeleβri'ðað] f fame ● ser

una celebridad to be famous

celeste [θe'leste] adj (del cielo) heavenly ● **azul celeste** sky blue

celestial [θeles'tjal] adj celestial, heavenly

celo ['θelo] m **1.** (cinta adhesiva) Sellotape ® (UK), Scotch tape ® (US) **2.** (en el trabajo, etc) zeal ● **estar en celo** to be on heat ◆ **celos** mpl jealousy sg ● **tener celos** to be jealous

celofán ® [θelo'fan] m Cellophane ®

celoso, sa [θe'loso, sa] adj (en el amor) jealous

célula ['θelula] f cell

celulitis [θelu'litis] f inv cellulitis

cementerio [θemen'terjo] m cemetery ● **cementerio de coches** breaker's yard (UK), junk yard (US)

cemento [θe'mento] m cement ● **cemento armado** reinforced concrete

cena ['θena] f dinner

cenar [θe'nar] ◇ vt to have for dinner ◇ vi to have dinner

cencerro [θen'θero] m cowbell ● **estar como un cencerro** (fig) to be mad

cenefa [θe'nefa] f border

cenicero [θeni'θero] m ashtray

ceniza [θe'niθa] f ash ◆ **cenizas** fpl (restos mortales) ashes

censado, da [θen'saðo, ða] adj recorded

censar [θen'sar] vt to take a census of

censo ['θenso] m census ● **censo electoral** electoral roll

censor [θen'sor] m censor

censura [θen'sura] f (de película, libro, etc) censorship

censurar [θensu'rar] vt **1.** (película, libro, etc) to censor **2.** (conducta, etc) to censure

cent (*pl* **cents**) *m* (*del euro*) cent

centena [θen'tena] *f* hundred ● una centena de a hundred

centenar [θente'nar] *m* hundred ● un centenar de a hundred

centenario, ria [θente'narjo, rja] ◇ *adj* (*persona*) hundred-year-old ◇ *m* centenary

centeno [θen'teno] *m* rye

centésimo, ma [θen'tesimo, ma] *núm* hundredth ➤ **sexto**

centígrado, da [θen'tiɣraðo, ða] *adj* Centigrade

centímetro [θen'timetro] *m* centimetre

céntimo ['θentimo] *m* (*moneda*) cent ● no tener un céntimo not to have a penny

centinela [θenti'nela] *mf* sentry

centollo [θen'toʎo] *m* spider crab

centrado, da [θen'traðo, ða] *adj* **1.** (*en el centro*) in the centre **2.** (*persona*) well-balanced **3.** (*derecho*) straight ● **centrado en** (*trabajo, ocupación*) focussed on

central [θen'tral] ◇ *adj* central ◇ *f* (*oficina*) head office ● **central eléctrica** power station ● **central nuclear** nuclear power station

centralismo [θentra'lizmo] *m* centralism

centralita [θentra'lita] *f* switchboard

centrar [θen'trar] *vt* **1.** (*cuadro, mueble*) to centre **2.** (*miradas, atención*) to be the centre of ● **centrarse en** *v + prep* to focus on

céntrico, ca ['θentriko, ka] *adj* central

centrifugar [θentrifu'ɣar] *vt* (*suj: lavadora*) to spin

centro ['θentro] *m* **1.** centre **2.** (*de ciudad*) (*town*) centre, downtown (*US*) ● **en el centro de** in the middle of ● **ir al centro** to go to town ● **ser el centro de** to be the centre of ● **centro comercial** shopping centre ● **centro juvenil** youth club ● **centro social** community centre ● **centro turístico** tourist resort ● **centro urbano** town centre

Centroamérica [θentroa'merika] *s* Central America

ceñido, da [θe'niðo, ða] *adj* tight

ceñir [θe'nir] *vt* **1.** (*ajustar*) to tighten **2.** (*rodear*) to surround ● **ceñirse a** *v + prep* to stick to

ceño ['θeno] *m* frown

cepa ['θepa] *f* (*vid*) vine

cepillar [θepi'ʎar] *vt* **1.** (*pelo, traje, etc*) to brush **2.** (*fam*) (*elogiar*) to butter up ● **cepillarse** *vp* **1.** (*fam*) (*acabar*) to polish off **2.** (*matar*) to bump off

cepillo [θe'piʎo] *m* brush ● **cepillo de dientes** toothbrush

cepo ['θepo] *m* **1.** (*de animales*) trap **2.** (*de coches*) wheelclamp (*UK*), Denver boot (*US*)

cera ['θera] *f* wax

cerámica [θe'ramika] *f* **1.** (*objeto*) piece of pottery **2.** (*arte*) pottery ● **de cerámica** ceramic

ceramista [θera'mista] *mf* potter

cerca ['θerka] ◇ *f* (*valla*) fence ◇ *adv* near ● **cerca de** (*en espacio*) near; (*casi*) nearly ● **son cerca de las cuatro** it's nearly four o'clock ● **de cerca** from close up

cercanías [θerka'nias] *fpl* (*alrededores*) outskirts

cercano, na [θer'kano, na] *adj* **1.** *(en espacio)* nearby **2.** *(en tiempo)* near

cercar [θer'kar] *vt* **1.** *(vallar)* to fence off **2.** *(rodear)* to surround

cerco ['θerko] *m (de vallas)* fence

cerda ['θerða] *f* bristle ➤ **cerdo**

cerdo, da ['θerðo, ða] *m,f* **1.** *(animal)* pig *(f* sow*)* **2.** *(despec) (persona)* pig ◇ *adj (despec)* filthy ◇ *m (carne)* pork

cereal [θere'al] *m* cereal ● **cereales** *mpl (para desayuno)* breakfast cereal *sg*

cerebro [θe'reβro] *m* **1.** *(del cráneo)* brain **2.** *(persona inteligente)* brainy person **3.** *(organizador, responsable)* brains *pl* ● **cerebro electrónico** computer

ceremonia [θere'monja] *f* ceremony

ceremonioso, sa [θeremo'njoso, sa] *adj* ceremonious

cereza [θe'reθa] *f* cherry

cerezo [θe'reθo] *m (árbol)* cherry tree

cerilla [θe'riʎa] *f* match

cerillo [θe'riʎo] *m (CAm & Méx)* match

cero ['θero] *núm* **1.** *(número)* zero, nought *(UK)* **2.** *(en fútbol)* nil *(UK)*, zero ● **bajo cero** below zero ● **sobre cero** above zero ➤ **seis**

cerquillo [θer'kiʎo] *m (Amér)* fringe *(UK)*, bangs *(US)* pl

cerrado, da [θe'rraðo, ða] *adj* **1.** *(espacio, local, etc)* closed **2.** *(tiempo, cielo)* overcast **3.** *(introvertido)* introverted **4.** *(intransigente)* narrow-minded **5.** *(acento)* broad **6.** *(curva)* sharp ▼ **cerrado por vacaciones** closed for the holidays

cerradura [θera'ðura] *f* lock

cerrajería [θeraxe'ria] *f* locksmith's (shop)

cerrajero [θera'xero, ra] *m* locksmith

cerrar [θe'rrar] ◇ *vt* **1.** to close **2.** *(con llave)* to lock **3.** *(grifo, gas)* to turn off **4.** *(local, negocio, fábrica)* to close down **5.** *(ir detrás de)* to bring up the rear of **6.** *(impedir)* to block **7.** *(pacto, trato)* to strike ◇ *vi (comercio, museo)* to close ● **cerrarse** *vp (en uno mismo)* to close o.s. off ● **cerrarse a** *v + prep (propuestas, innovaciones)* to close one's mind to

cerro ['θero] *m* hill

cerrojo [θe'roxo] *m* bolt

certamen [θer'tamen] *m* **1.** *(concurso)* competition **2.** *(fiesta)* awards ceremony

certeza [θer'teθa] *f* certainty

certidumbre [θerti'ðumbre] *f* certainty

certificado, da [θertifi'kaðo, ða] ◇ *adj (carta, paquete)* registered ◇ *m* certificate

certificar [θertifi'kar] *vt* **1.** *(documento)* to certify **2.** *(carta, paquete)* to register

cervecería [θerβeθe'ria] *f (establecimiento)* bar

cerveza [θer'βeθa] *f* beer ● **cerveza con gaseosa** ≃ shandy ● **cerveza negra** stout ● **cerveza rubia** lager

cesar [θe'sar] ◇ *vi* to stop ◇ *vt* ● **cesar a alguien de** *(cargo, ocupación)* to sack sb from ● **no cesa de estudiar** he keeps studying ● **sin cesar** non-stop

cesárea [θe'sarea] *f* Caesarean (section)

cese ['θese] *m* **1.** *(de empleo, cargo)* sacking **2.** *(de actividad)* stopping

cesión [θe'sjon] *f* transfer

césped ['θespeð] *m* **1.** *(superficie)* lawn **2.** *(hierba)* grass

cesta ['θesta] *f* basket ● **cesta de la compra** shopping basket

cesto ['θesto] *m* large basket

cetro ['θetro] *m* sceptre

cg (*abr de centigramo*) cg (*centigram*)

chabacano, na [tʃaβa'kano, na] ◇ *adj* vulgar ◇ *m* **1.** (*Méx*) (*fruto*) apricot **2.** (*árbol*) apricot tree

chabola [tʃa'βola] *f* shack ● **barrio de chabolas** shanty town

chacha ['tʃatʃa] *f* **1.** (*fam*) (*criada*) maid **2.** (*niñera*) nanny

cháchara ['tʃatʃara] *f* chatter

chacra ['tʃakra] *f* (*Andes & RP*) small-holding

chafar [tʃa'far] *vt* **1.** (*aplastar*) to flatten **2.** (*plan, proyecto*) to ruin **3.** (*fam*) (*desmoralizar*) to depress

chal ['tʃal] *m* shawl

chalado, da [tʃa'laðo, ða] *adj* (*fam*) crazy ● **estar chalado por** (*estar enamorado*) to be crazy about

chalé [tʃa'le] *m* **1.** (*en ciudad*) detached house **2.** (*en el campo*) cottage **3.** (*en alta montaña*) chalet

chaleco [tʃa'leko] *m* waistcoat (*UK*), vest (*US*)

chamaco, ca [tʃa'mako, ka] *m,f* (*CAm & Méx*) kid

chamba ['tʃamba] *f* (*Méx, Perú & Ven*) (*fam*) job

chambear [tʃambe'ar] *vi* (*Méx, Perú & Ven*) (*fam*) to work

champán [tʃam'pan] *m* champagne

champiñón [tʃampi'ɲon] *m* mushroom ● **champiñones con jamón** mushrooms fried slowly with garlic and cured ham

champú [tʃam'pu] *m* shampoo

chamuscado, da [tʃamus'kaðo, ða] *adj* (*madera*) scorched

chamuscarse [tʃamus'karse] *vp* (*barba, pelo, tela*) to singe

chamusquina [tʃamus'kina] *f* ● **oler a chamusquina** (*fig*) to smell fishy

chance ['tʃanθe] *f* (*Amér*) chance

chanchada [tʃan'tʃaða] *f* **1.** (*Andes, CAm & RP*) (*grosería*) rude thing **2.** (*porquería*) filth

chancho ['tʃantʃo] *m* (*Andes, CAm & CSur*) pig

chancleta [tʃan'kleta] *f* **1.** (*de playa*) flip-flop **2.** (*de vestir*) low sandal

chanclo [tʃan'klo] *m* **1.** (*de madera*) clog **2.** (*de goma*) galosh

chándal ['tʃandal] *m* tracksuit (*UK*), sweatsuit (*US*)

changarro [tʃan'garro] *m* (*Amér*) small shop

chantaje [tʃan'taxe] *m* blackmail

chantajista [tʃanta'xista] *mf* blackmailer

chapa ['tʃapa] *f* **1.** (*de metal*) plate **2.** (*de botella*) top **3.** (*Amér*) (*cerradura*) lock ● **chapa de madera** veneer

chapado, da [tʃa'paðo, ða] *adj* **1.** (*con metal*) plated **2.** (*con madera*) veneered ● **chapado a la antigua** old-fashioned

chapapote *m* tar

chapar [tʃa'par] *vt* **1.** (*con metal*) to plate **2.** (*con madera*) to veneer

chaparrón [tʃapa'ron] *m* cloudburst

chapucería [tʃapuθe'ria] *f* botch (*job*)

chapucero, ra [tʃapu'θero, ra] *adj* **1.** (*trabajo, obra*) shoddy **2.** (*persona*) bungling

chapuza [tʃa'puθa] *f* botch (*job*)

chaqué [tʃa'ke] *m* morning coat

chaqueta [tʃa'keta] *f* jacket

chaquetilla [tʃake'tiʎa] *f* short jacket

chaquetón [tʃake'ton] *m* three-quarter length coat

charca [tʃarka] *f* pond

charco ['tʃarko] *m* puddle

charcutería [tʃarkute'ria] *f* 1. *(tienda)* ≃ delicatessen 2. *(productos)* cold cuts *pl* and cheese

charla ['tʃarla] *f* 1. *(conversación)* chat 2. *(conferencia)* talk

charlar [tʃar'lar] *vi* to chat

charlatán, ana [tʃarla'tan, ana] *adj* 1. *(hablador)* talkative 2. *(indiscreto)* gossipy

charola [tʃa'rola] *f* *(Méx)* tray

charro ['tʃaro] ◇ *adj* *(Méx)* typical of Mexican cowboys ◇ *m* *(Méx)* Mexican cowboy

charros

Charros are the stereotypical Mexican cowboys, famed for their great horsemanship. Their colourful dress comprises a broad-brimmed *sombrero*, tight-fitting trousers, a short, embroidered jacket and ankle boots. A *charro de agua dulce* is someone who styles himself as a *charro* without really being one.

chárter ['tʃarter] *adj inv* charter flight

chasco ['tʃasko] *m* 1. *(decepción)* disappointment

chasis ['tʃasis] *m inv* chassis

chat *(pl* chats*)* *m* chat group, discussion group • un chat de política/gastronomía a politics/cookery chat group

chatarra [tʃa'tara] *f* 1. *(metal)* scrap 2. *(objetos, piezas)* junk

chatarrero, ra [tʃata'rero, ra] *m,f* scrap dealer

chato, ta ['tʃato, ta] ◇ *adj* 1. *(nariz)* snub 2. *(persona)* snub-nosed ◇ *m,f* *(apelativo)* love ◇ *m* *(de vino)* small glass of wine

chau ['tʃau] *interj* *(Andes & RP)* bye!

chavo, va ['tʃaβo, βa] *m,f* *(Méx)* *(fam)* kid

che ['tʃe] *interj* *(RP)* pah!

chef ['tʃef] *m* chef

cheque ['tʃeke] *m* cheque • cheque de viaje traveller's cheque

chequeo [tʃe'keo] *m* *(médico)* check-up

chequera [tʃe'kera] *f* *(Amér)* cheque book

chévere ['tʃeβere] *adj* *(Andes & Carib)* great

chic ['tʃik] *adj inv* chic

chica ['tʃika] *f* 1. *(muchacha)* girl 2. *(novia)* girlfriend 3. *(criada)* maid

chicha ['tʃitʃa] *f* 1. *(fam)* meat 2. *(Andes)* *(bebida)* fermented maize liquor

chícharo ['tʃitʃaro] *m* *(CAm & Méx)* pea

chicharrones [tʃitʃa'rones] *mpl* pork crackling *sg*

chichón [tʃi'tʃon] *m* bump

chicle ['tʃikle] *m* chewing gum

chico, ca ['tʃiko, ka] ◇ *adj* small ◇ *m* 1. *(muchacho)* boy 2. *(novio)* boyfriend

chifa ['tʃifa] *m* *(Amér)* Chinese restaurant

chiflado, da [tʃi'flaðo, ða] *adj* *(fam)* crazy

chiflar [tʃiˈflar] *vi* (*Amér*) (*aves*) to sing ● **me chifla** (*fam*) I love it ◆ **chiflarse** *vp* (*fam*) to go crazy

chiflido [tʃiˈfliðo] *m* (*Amér*) whistle

Chile [ˈtʃile] *s* Chile

chileno, na [tʃiˈleno, na] *adj & m,f* Chilean

chillar [tʃiˈʎar] *vi* (*gritar*) to scream

chillido [tʃiˈʎiðo] *m* scream

chillón, ona [tʃiˈʎon, ona] *adj* **1.** (*voz, sonido*) piercing **2.** (*color*) loud

chimenea [tʃimeˈnea] *f* **1.** (*de casa*) chimney **2.** (*de barco*) funnel **3.** (*hogar*) hearth

chimpancé [tʃimpanˈθe] *m* chimpanzee

china [ˈtʃina] *f* **1.** (*piedra*) pebble **2.** (*Amér*) (*criada*) Indian maid ● **le tocó la china** he drew the short straw

chinche [ˈtʃintʃe] ◇ *f* (*insecto*) bedbug ◇ *adj* (*pesado*) annoying

chincheta [tʃinˈtʃeta] *f* drawing pin (*UK*), thumbtack (*US*)

chinchín [tʃinˈtʃin] ◇ *m* **1.** (*en brindis*) toast **2.** (*sonido*) clash (*of a brass band*) ◇ *interj* cheers!

chingado, da [tʃinˈgaðo, ða] *adj* (*Amér*) (*vulg*) (*estropeado*) fucked

chingar [tʃinˈgar] *vt* (*Amér*) (*vulg*) (*estropear*) to fuck up

chino, na [ˈtʃino, na] *adj, m & f* Chinese

chip [ˈtʃip] *m* chip

chipirón [tʃipiˈron] *m* baby squid ● **chipirones en su tinta** baby squid served in its own ink

chirimoya [tʃiriˈmoja] *f* custard apple

chirucas [tʃiˈrukas] *fpl* canvas boots

chisme [ˈtʃizme] *m* **1.** (*habladuría*) piece of gossip **2.** (*fam*) (*objeto, aparato*) thingy

chismoso, sa [tʃizˈmoso, sa] *adj* gossipy

chispa [ˈtʃispa] *f* **1.** spark **2.** (*pizca*) bit **3.** (*de lluvia*) spot

chiste [ˈtʃiste] *m* joke

chistorra [tʃisˈtora] *f* cured pork and beef sausage typical of Aragon and Navarre

chistoso, sa [tʃisˈtoso, sa] *adj* funny

chivarse [tʃiˈβarse] *vp* **1.** (*fam*) (*niño*) to tell **2.** (*delincuente*) to grass

chivatazo [tʃiβaˈtaθo] *m* (*fam*) tip-off

chivato, ta [tʃiˈβato, ta] ◇ *m,f* **1.** (*fam*) (*niño*) telltale **2.** (*fam*) (*delincuente*) grass ◇ *m* **1.** (*Amér*) (*hombre valioso*) brave man **2.** (*Amér*) (*aprendiz*) apprentice

chocar [tʃoˈkar] ◇ *vi* **1.** (*coche, camión, etc*) to crash **2.** (*enfrentarse*) to clash ◇ *vt* **1.** (*las manos*) to shake **2.** (*copas, vasos*) to clink **3.** (*sorprender*) to shock

chocho, cha [ˈtʃotʃo, tʃa] *adj* **1.** (*viejo*) senile **2.** (*encariñado*) doting

choclo [ˈtʃoklo] *m* (*CSur & Perú*) maize (*UK*), corn (*US*)

chocolate [tʃokoˈlate] *m* **1.** (*alimento*) chocolate **2.** (*bebida*) drinking chocolate (*UK*), cocoa (*US*) ● **chocolate amargo** dark chocolate

chocolatería [tʃokolateˈria] *f* bar which serves drinking chocolate

chocolatina [tʃokolaˈtina] *f* chocolate bar

chófer [ˈtʃofer] *m* **1.** (*de coche*) chauffeur **2.** (*de autobús*) driver

chollo [ˈtʃoʎo] *m* **1.** (*fam*) (*ganga*) bargain **2.** (*trabajo*) cushy number

chomba [ˈtʃomba] (*Andes & Arg*),

chompa ['tʃompa] (*Andes*) *f* jumper (*UK*), sweater

chongo ['tʃongo] *m* (*Amér*) bun

chopo ['tʃopo] *m* poplar

choque [tʃoke] *m* **1.** (*colisión*) crash **2.** (*pelea, riña*) clash

chorizo [tʃo'riθo] *m* **1.** (*embutido*) spiced, smoked pork sausage **2.** (*fam*) (*ladrón*) thief

choro ['tʃoro] *m* (*Andes*) mussel

chorrada [tʃo'raða] *f* (*fam*) stupid thing

chorrear [tʃore'ar] *vi* (*ropa*) to drip

chorro ['tʃoro] *m* (*de líquido*) jet ● salir a chorros to gush out

choto, ta ['tʃoto, ta] *m,f* (*cabrito*) kid

choza ['tʃoθa] *f* hut

christma ['krizma] *m* Christmas card

chubasco [tʃu'βasko] *m* (*heavy*) shower

chubasquero [tʃuβas'kero] *m* raincoat

chúcaro, ra ['tʃukaro, ra] *adj* **1.** (*Andes & RP*) (*bravío*) wild **2.** (*huraño*) surly

chuchería [tʃutʃe'ria] *f* **1.** (*golosina*) sweet (*UK*), candy (*US*) **2.** (*trivialidad*) trinket

chucho, cha ['tʃutʃo, tʃa] *m,f* (*fam*) mutt

chueco, ca ['tʃweko, ka] *adj* **1.** (*Amér*) (*torcido*) twisted **2.** (*patizambo*) bow-legged

chufa ['tʃufa] *f* tiger nut

chuleta [tʃu'leta] *f* **1.** (*de carne*) chop **2.** (*de examen*) crib note (*UK*) o note (*US*) ● chuleta de cerdo pork chop ● chuleta de ternera veal cutlet

chuletón [tʃule'ton] *m* large cutlet

chulo, la ['tʃulo, la] ◇ *adj* **1.** (*engreído*) cocky **2.** (*fam*) (*bonito*) lovely ◇ *m* (*de prostituta*) pimp

chumbera [tʃum'bera] *f* prickly pear

chupachup® [tʃupa'tʃup] *m* lollipop

chupado, da [tʃu'paðo, ða] *adj* **1.** (*fig*) (*flaco*) skinny **2.** (*fam*) (*fácil*) dead easy ● está chupado (*fam*) it's a cinch

chupar [tʃu'par] *vt* **1.** (*caramelo, fruta, etc*) to suck **2.** (*suj: esponja, papel*) to soak up ● chuparle algo a alguien (*fam*) (*quitar*) to milk sb for sthg

chupe ['tʃupe] *m* (*Andes & Arg*) stew made with potatoes and meat or fish ● chupe de camarones thick potato and prawn soup

chupete [tʃu'pete] *m* **1.** (*de bebé*) dummy (*UK*), pacifier (*US*)

chupito [tʃu'pito] *m* (*de licor*) tot (*UK*), dram

churrasco [tʃu'rasko] *m* barbecued meat

churrería [tʃure'ria] *f* stall selling churros

churro ['tʃuro] *m* **1.** (*dulce*) stick of dough fried in oil, usually eaten with sugar or thick drinking chocolate **2.** (*fam*) (*chapuza*) botch

churros

Churros are deep-fried, fluted sticks of dough that are sprinkled with sugar and eaten hot. They are a traditional fairground snack and are also popular for breakfast, dipped in thick drinking chocolate and eaten either at home or in a *churrería*, a kind of snack bar specializing in *churros*.

chusma ['tʃuzma] *f* mob

chutar [tʃu'tar] *vt* to kick

chute ['tʃute] *m (fam) (en fútbol)* shot

CI [θe'i] *m (abr de coeficiente de inteligencia)* IQ *(intelligence quotient)*

Cía ['θia] *(abr de compañía)* Co. *(company)*

cibercafé [θiβerka'fe] *m* Internet café

ciberespacio [θiβeres'paθjo] *m* cyberspace

cibernauta [θiβer'nauta] *mf* Internet user

cibertienda [θiβer'tjenda] *f* online store

cicatriz [θika'triθ, θes] *(pl* -ces*) f* scar

cicatrizar [θikatri'θar] *vi* to form a scar, to heal ◆ **cicatrizarse** *vp* to heal

ciclismo [θi'klizmo] *m* cycling

ciclista [θi'klista] *mf* cyclist

ciclo ['θiklo] *m* **1.** *(periodo de tiempo)* cycle **2.** *(de actos, conferencias)* series

ciclomotor [θiklomo'tor] *m* moped

ciclón [θi'klon] *m* cyclone

ciego, ga ['θjeɣo, ɣa] ◇ *adj* blind ◇ *m,f* blind person ● **ciego de** *(pasión, ira, etc)* blinded by ● **los ciegos** the blind

cielo ['θjelo] *m* **1.** *(de la tierra)* sky **2.** *(de casa, habitación, etc)* ceiling **3.** *(en religión)* heaven **4.** *(apelativo)* darling ● **como llovido del cielo** *(fig)* out of the blue ● **cielos** *interj* good heavens!

ciempiés [θjem'pjes] *m inv* centipede

cien ['θjen] *núm* one hundred o a hundred ➤ **ciento**

ciencia ['θjenθja] *f* **1.** *(disciplina)* science **2.** *(saber, sabiduría)* knowledge ● **ciencia ficción** science fiction ● **ciencias económicas** economics *sg* ● **ciencias naturales** natural sciences ◆ **ciencias** *fpl (en educación)* science *sg*

cienciología [θjenθjolo'xia] *f* Scientology

científico, ca [θjen'tifiko, ka] ◇ *adj* scientific ◇ *m,f* scientist

ciento ['θjento] *núm* one hundred o a hundred ➤ **seis** ● **ciento cincuenta** one hundred and fifty ● **cien mil** one hundred thousand ● **por ciento** percent

cierre ['θjere] *m* **1.** *(mecanismo)* fastener **2.** *(de local, tienda, negociación)* closing **3.** *(de trato)* striking **4.** *(de actividad, acto)* closure ● **cierre centralizado** central locking ● **cierre relámpago** *(Amér)* zip *(UK)*, zipper *(US)*

cierto, ta ['θjerto, ta] *adj* **1.** certain **2.** *(seguro, verdadero)* true ● **cierto hombre** a certain man ● **cierta preocupación** a degree of unease ● **por cierto** by the way

ciervo, va ['θjerβo, βa] *m,f* deer

CIF ['θif] *m* Spanish tax code

cifra ['θifra] *f* figure

cigala [θi'ɣala] *f* Dublin Bay prawn

cigarra [θi'ɣara] *f* cicada

cigarrillo [θiɣa'riλo] *m* cigarette

cigarro [θi'ɣaro] *m (cigarrillo)* cigarette

cigüeña [θi'ɣweɲa] *f* stork

cilindrada [θilin'draða] *f* cylinder capacity

cilíndrico, ca [θi'lindriko, ka] *adj* cylindrical

cilindro [θi'lindro] *m* cylinder

cima ['θima] *f (de montaña)* summit

cimiento [θi'mjento] *m* **1.** *(de edificio)* foundations *pl* **2.** *(principio, raíz)* basis

cinco ['θinko] ◇ *adj inv* five ◇ *m* **1.** five **2.** *(día)* fifth ◇ *mpl* **1.** five **2.** *(temperatura)* five (degrees) ◇ *fpl* ● **(son) las cinco** (it's) six o'clock ● **el cinco de agosto** the fifth of August ● **doscientos cinco** two hundred and five ● **treinta y cinco** thirty-five ● **de cinco en cinco** in fives ● **los cinco** the five of them ● **empataron a cinco** they drew five-all ● **cinco a cero** five-nil

cincuenta [θiŋ'kwenta] *núm* fifty ➤ **seis**

cine ['θine] *m* **1.** *(arte)* cinema, the movies *(US)* **2.** *(edificio)* cinema, movie theater *(US)*

cineasta [θine'asta] *mf* (film) director

cinematografía [θinematoɣra'fia] *f* *(películas)* films, movies *(US)*

cinematográfico, ca [θinemato'ɣrafiko, ka] *adj* film ○ movie *(US)* *(antes de s)*

cínico, ca ['θiniko, ka] *adj* shameless

cinismo [θi'nizmo] *m* shamelessness

cinta ['θinta] *f* **1.** *(de tela)* ribbon **2.** *(de papel, plástico)* strip **3.** *(para grabar, medir)* tape ● **cinta adhesiva** adhesive tape ● **cinta aislante** insulating tape ● **cinta magnética** recording tape ● **cinta de vídeo** videotape

cintura [θin'tura] *f* waist

cinturón [θintu'ron] *m* belt ● **cinturón de seguridad** seat belt

ciprés [θi'pres] *m* cypress

circo ['θirko] *m* circus

circuito [θir'kuito] *m* **1.** *(viaje)* tour **2.** *(en competiciones)* circuit ● **circuito eléctrico** electrical circuit

circulación [θirkula'θjon] *f* **1.** *(de automóviles)* traffic **2.** *(de la sangre)* circulation

circular [θirku'lar] ◇ *adj & f* circular ◇ *vi* **1.** *(automóvil)* to drive (along) **2.** *(persona, grupo)* to move along **3.** *(información, noticia)* to circulate

círculo ['θirkulo] *m* circle ● **círculo polar** polar circle

circunferencia [θirkunfe'renθja] *f* circumference

circunscribir [θirkunskri'βir] *vt* ● **circunscribir algo a** to restrict sthg to

circunstancia [θirkuns'tanθja] *f* circumstance ● **las circunstancias** the circumstances

circunstancial [θirkunstan'θjal] *adj* chance

cirio ['θirjo] *m* large candle

cirrosis [θi'rrosis] *f inv* cirrhosis

ciruela [θi'rwela] *f* plum

ciruelo [θi'rwelo] *m* plum tree

cirugía [θiru'xia] *f* surgery ● **cirugía estética** cosmetic surgery ● **cirugía plástica** plastic surgery

cirujano, na [θiru'xano, na] *m,f* surgeon

cisma ['θizma] *m* *(en religión)* schism

cisne ['θizne] *m* swan

cisterna [θis'terna] *f* *(de agua)* tank

cita ['θita] *f* **1.** *(con médico, jefe, etc)* appointment **2.** *(de novios)* date **3.** *(nota)* quotation

citación [θita'θjon] *f* summons

citar [θi'tar] *vt* **1.** *(convocar)* to summons **2.** *(mencionar)* to quote ◆ **citarse** *vp* to arrange to meet

cítrico, ca ['θitriko, ka] *adj* citric ◆ **cítricos** *mpl* citrus fruits

ciudad [θju'ðað] *f* **1.** *(población grande)* city **2.** *(población pequeña)* town ● **ciudad universitaria** (university) campus

ciudadanía [θjuðaða'nia] *f* citizenship

ciudadano, na [θiuða'ðano, na] ◇ *adj* city/town *(antes de s)* ◇ *m,f* citizen

cívico, ca ['θiβiko, ka] *adj* 1. *(de la ciudad, ciudadano)* civic 2. *(educado, cortés)* public-spirited

civil [θi'βil] *adj* 1. civil 2. *(de la ciudad)* civic

civilización [θiβiliθa'θjon] *f* civilization

civilizado, da [θiβili'θaðo, ða] *adj* civilized

civismo [θi'βizmo] *m* *(educación, cortesía)* civility

cl *(abr de centilitro)* cl *(centilitre)*

clan ['klan] *m* clan

clara ['klara] *f* 1. *(de huevo)* white 2. *(bebida)* shandy *(UK)*

claraboya [klara'βoja] *f* skylight

clarear [klare'ar] ◇ *vt* to make lighter ◇ *vi* to brighten up ◇ *vi (amanecer)* ● **empezaba a clarear** dawn was breaking

claridad [klari'ðað] *f* 1. *(en el hablar)* clarity 2. *(sinceridad)* sincerity

clarinete [klari'nete] *m* clarinet

clarividencia [klariβi'ðenθja] *f* farsightedness

claro, ra ['klaro, ra] ◇ *adj* 1. clear 2. *(con luz)* bright 3. *(color)* light 4. *(sincero, franco)* straightforward ◇ *m* 1. *(de tiempo)* bright spell 2. *(en el bosque)* clearing ◇ *adv* clearly ◇ *interj* of course! ● **poner en claro** to clear up ● **sacar en claro** to make out

clase ['klase] *f* 1. class 2. *(variedad, tipo)* kind 3. *(aula)* classroom ● **dar clases** to teach ● **de primera clase** first-class ● **toda clase de** all sorts of ● **clase media** middle class ● **clase preferente** club class ● **clase turista** tourist class ●

primera/segunda clase first/second class

clásico, ca ['klasiko, ka] *adj* classical

clasificación [klasifika'θjon] *f* 1. *(lista)* classification 2. *(DEP)* league table

clasificador [klasifika'ðor, ra] *m* 1. *(carpeta)* divider *(for filing)* 2. *(mueble)* filing cabinet

clasificar [klasifi'kar] *vt* to classify ● **clasificarse** *vp (en competición)* to qualify

claudicar [klauði'kar] *vi (rendirse)* to give up

claustro ['klaustro] *m* 1. *(de iglesia, convento, etc)* cloister 2. *(de profesores)* senate

claustrofobia [klaustro'foβja] *f* claustrophobia

cláusula ['klausula] *f* clause

clausura [klau'sura] *f* 1. *(de acto)* closing ceremony 2. *(de curso)* end

clausurar [klausu'rar] *vt* 1. *(acto, celebración)* to close 2. *(curso)* to finish 3. *(local, establecimiento)* to close down

clavado, da [kla'βaðo, ða] *adj (en punto)* on the dot ● **ser clavado a** *(fam)* to be the spitting image of

clavar [kla'βar] *vt* 1. *(clavo, palo)* to drive in 2. *(cuchillo)* to thrust 3. *(alfiler)* to stick 4. *(sujetar, fijar)* to fix 5. *(fam) (en el precio)* to rip off

clave ['klaβe] ◇ *f* 1. *(explicación, solución)* key 2. *(de enigma, secreto)* code ◇ *adj inv* key

clavel [kla'βel] *m* carnation

clavícula [kla'βikula] *f* collar bone

clavija [kla'βixa] *f* 1. *(de madera)* peg 2. *(de metal)* pin

clavo ['klaβo] *m* **1.** *(para sujetar)* nail **2.** *(especia)* clove ● **dar en el clavo** to hit the nail on the head

claxon ['klakson] *m* horn

cleptomanía [kleptoma'nia] *f* kleptomania

clérigo ['kleriɣo] *m* clergyman

clero ['klero] *m* clergy

clicar, cliquear *vi* to click ● **para salir del programa, clica en 'cerrar'** to exit the program, click (on) 'close'

cliché [kli'tʃe] *m* **1.** *(de fotografía)* negative **2.** *(frase, actuación)* cliché

cliente [kli'ente] *mf* **1.** *(de médico, abogado)* client **2.** *(de tienda, comercio)* customer **3.** *(de hotel)* guest

clima ['klima] *m* climate

climático, ca [kli'matiko, ka] *adj* climatic

climatizado, da [klimati'θaðo, ða] *adj* air-conditioned

climatología [klimatolo'xia] *f* *(tiempo)* weather

clínica ['klinika] *f* clinic

clínico, ca ['kliniko, ka] *adj* clinical

clip ['klip] *m* **1.** *(para papeles)* paper clip **2.** *(para pelo)* hairclip

cliquear = **clicar**

cloaca [klo'aka] *f* sewer

clonación *f* cloning

cloro ['kloro] *m* chlorine

clorofila [kloro'fila] *f* chlorophyll

club ['kluβ] *m* club ● **club náutico** yacht club

cm *(abr de centímetro)* cm *(centimetre)*

coacción [koak'θjon] *f* coercion

coaccionar [koakθjo'nar] *vt* to coerce

coartada [koar'taða] *f* alibi

coba ['koβa] *f* ● **dar coba** to suck up to

cobarde [ko'βarðe] ◇ *adj* cowardly ◇ *mf* coward

cobardía [koβar'ðia] *f* cowardice

cobertizo [koβer'tiθo] *m* **1.** *(tejado)* lean-to **2.** *(barracón)* shed

cobija [ko'βixa] *f* *(Amér)* blanket

cobijar [koβi'xar] *vt* **1.** *(suj: edificio)* to house **2.** *(suj: persona)* to put up **3.** *(proteger)* to shelter ● **cobijarse** *vp* to (take) shelter

cobra ['koβra] *f* cobra

cobrador, ra [koβra'ðor, ra] *m,f* *(de autobús)* conductor *(f* conductress*)*

cobrar [ko'βrar] *vt* **1.** *(dinero)* to charge **2.** *(cheque)* to cash **3.** *(en el trabajo)* to earn **4.** *(importancia, fama)* to acquire ● **¿me cobra, por favor?** could I have the bill, please?

cobre ['koβre] *m* copper ● **no tener un cobre** *(Amér)* not to have a penny

cobro ['koβro] *m* **1.** *(de dinero)* collection **2.** *(de talón)* cashing ● **llamar a cobro revertido** to reverse the charges *(UK)*, to call collect *(US)*

coca ['koka] *f* **1.** *(planta)* coca **2.** *(fam)* *(cocaína)* coke

cocaína [koka'ina] *f* cocaine

cocainómano, na [kokai'nomano, na] *m,f* cocaine addict

cocción [kok'θjon] *f* **1.** *(en agua)* boiling **2.** *(en horno)* baking

cocear [koθe'ar] *vi* to kick

cocer [ko'θer] ◇ *vt* **1.** *(guisar)* to cook **2.** *(en agua)* to boil **3.** *(en horno)* to bake ◇ *vi* *(hervir)* to boil ● **cocerse** *vp* *(fig)* *(idea, plan)* to be brewing

coche ['kotʃe] *m* **1.** *(automóvil)* car **2.** *(de* *tren, caballos*) carriage ● **coche de alquiler** hire (*UK*) ◊ rental (*US*) car ● **coche cama** sleeper ● **coche restaurante** dining car

cochinillo [kotʃiˈniʎo] *m*

cochino, na [koˈtʃino, na] ◊ *adj* filthy ◊ *m,f* (*animal*) pig (*f* sow)

cocido, da [koˈθiðo, ða] ◊ *adj* boiled ◊ *m* stew ● **cocido madrileño** *stew made with meat, chickpeas, bacon and root vegetables, typical of Madrid*

cocina [koˈθina] *f* **1.** (*estancia, habitación*) kitchen **2.** (*aparato*) cooker (*UK*), stove (*US*) **3.** (*arte, técnica*) cooking ● **cocina española** Spanish cuisine ● **cocina de butano** butane gas cooker ● **cocina eléctrica** electric cooker ● **cocina de gas** gas cooker

cocinar [koθiˈnar] *vt & vi* to cook

cocinero, ra [koθiˈnero, ra] *m,f* cook

coco [ˈkoko] *m* **1.** (*fruto*) coconut **2.** (*árbol*) coconut palm **3.** (*fam*) (*cabeza*) nut

cocodrilo [kokoˈðrilo] *m* **1.** (*animal*) crocodile **2.** (*piel*) crocodile skin

cocotero [kokoˈtero] *m* coconut palm

cóctel [ˈkoktel] *m* **1.** (*bebida*) cocktail **2.** (*reunión, fiesta*) cocktail party

coctelera [kokteˈlera] *f* cocktail shaker

codazo [koˈðaθo] *m* poke with the elbow

codiciar [koðiˈθjar] *vt* to covet

codificado, da [koðifiˈkaðo, ða] *adj* coded

código [ˈkoðiɣo] *m* code ● **código de barras** bar code ● **código de circulación** highway code ● **código penal** penal code ● **código postal** post code (*UK*), zip code (*US*)

codo [ˈkoðo] *m* elbow ● **codo a codo** side by side

codorniz [koðorˈniθ, θes] (*pl* **-ces**) *f* quail

coeficiente [koefiˈθjente] *m* coefficient ● **coeficiente intelectual** I.Q.

coetáneo, a [koeˈtaneo, a] *adj* contemporary

coexistencia [koeksisˈtenθja] *f* coexistence

cofia [ˈkofja] *f* **1.** (*de tendero, camarero*) cap **2.** (*de monja*) coif

cofradía [kofraˈðia] *f* religious fraternity

cofre [ˈkofre] *m* (*arca*) chest

coger [koˈxer] ◊ *vt* **1.** to take **2.** (*ladrón, pez, enfermedad, oír*) to catch **3.** (*frutos*) to pick **4.** (*objeto caído*) to pick up **5.** (*teléfono*) to pick up, to answer **6.** (*suj: toro*) to gore **7.** (*entender*) to get ◊ *vi* **1.** (*planta, árbol*) to take **2.** (*caber*) to fit **3.** (*contestar al teléfono*) to answer **4.** (*Méx, RP & Ven*) (*vulg*) (*copular*) to fuck **5.** ● **coger algo a alguien** to take sthg (away) from sb ● **coge cerca de aquí** it's not far from here ● **coger a la derecha** to turn right ● **cogerse** *vp* ● **cogerse de** (*agarrarse de*) to hold on to

cogida [koˈxiða] *f* (*de toro*) goring

cogollos [koˈɣoʎos] *mpl* (*brotes*) shoots

cogote [koˈɣote] *m* nape (of the neck)

cohabitar [koaβiˈtar] *vi* to live together

coherencia [koeˈrenθja] *f* coherence

coherente [koeˈrente] *adj* coherent

cohete [koˈete] *m* rocket

coima [ˈkojma] *f* (*Andes & RP*) (*fam*) bribe

coincidencia [koinθi'ðenθja] f coincidence

coincidir [koinθi'ðir] vi 1. (en un lugar) to meet 2. (ser igual) to coincide ◆ **coincidir con** v + prep 1. (ser de la misma opinión que) to agree with 2. (ocurrir en el mismo momento que) to coincide with

coito ['koito] m (sexual) intercourse

cojear [koxe'ar] vi 1. (persona) to limp 2. (mueble) to wobble

cojín [ko'xin] m cushion

cojo, ja ['koxo, xa] ◇ adj 1. (persona, animal) lame 2. (mesa, silla) wobbly ◇ m,f lame person

cojón [ko'xon] m (vulg) (testículo) ball ◆ **cojones** interj (vulg) balls!

cojudez [koxu'ðeθ] f (Amér) (fam) silly thing

cojudo, da [ko'xuðo, ða] adj (Andes) (fam) stupid

col ['kol] f cabbage ● **col de Bruselas** Brussels sprout

cola ['kola] f 1. (rabo, de avión) tail 2. (fila) queue, line (US) 3. (de tren) back 4. (de vestido) train 5. (para pegar) glue 6. (bebida) cola ● **cola de caballo** ponytail ● **hacer cola** to queue (UK), to stand in line (US) ● **traer cola** (fig) to have repercussions

colaboración [kolaβora'θjon] f 1. (en trabajo, tarea) collaboration 2. (en publicación) article

colaborador, ra [kolaβora'ðor, ra] m,f 1. (en trabajo) collaborator 2. (en periódico) writer

colaborar [kolaβo'rar] vi ● **colaborar en una tarea** to collaborate on a task ●

colaborar en un periódico to write for a newspaper

colada [ko'laða] f (de ropa) laundry

colado, da [ko'laðo, ða] adj ● **estar colado por** (fam) to have a crush on

colador [kola'ðor] m 1. (para líquidos) strainer 2. (para verduras) colander

colar [ko'lar] ◇ vt 1. (líquido) to strain 2. (café) to filter 3. (lo falso, lo ilegal) to slip through ◇ vi to wash ● **no cuela** it won't wash ◆ **colarse** vp 1. (en cine, metro) to jump the queue (UK), to jump the line (US) 2. (equivocarse) to get it wrong

colcha ['kolt∫a] f bedspread

colchón [kol't∫on] m mattress ● **colchón inflable** air bed

colchoneta [kolt∫o'neta] f (en la playa) beach mat

colección [kolek'θjon] f collection

coleccionar [kolekθjo'nar] vt to collect

coleccionista [kolekθjo'nista] m,f collector

colecta [ko'lekta] f collection

colectivo, va [kolek'tiβo, βa] ◇ adj collective ◇ m group

colega [ko'leɣa] m,f colleague

colegiado, da [kole'xjaðo, ða] m,f referee

colegial, la [kole'xjal, la] m,f schoolchild

colegio [ko'lexjo] m 1. (de estudiantes) school 2. (de profesionales) professional association

cólera ['kolera] ◇ m (enfermedad) cholera ◇ f (enfado) rage

colérico, ca [ko'leriko, ka] adj bad-tempered

colesterol [koleste'rol] *m* cholesterol

coleta [ko'leta] *f* pigtail

colgador [kolɣa'ðor] *m* hanger

colgar [kol'ɣar] ◇ *vt* **1.** to hang **2.** *(la ropa)* to hang out **3.** *(fam) (abandonar)* to give up ◇ *vi* **1.** *(pender)* to hang **2.** *(al teléfono)* to hang up ● **colgar el teléfono** to hang up

coliflor [koli'flor] *f* cauliflower

colilla [ko'liʎa] *f* butt

colina [ko'lina] *f* hill

colirio [ko'lirjo] *m* eye drops

colitis [ko'litis] *f inv* colitis

collage [ko'ʎaxe] *m* collage

collar [ko'ʎar] *m* **1.** *(joya)* necklace **2.** *(para animales)* collar

collarín [koʎa'rin] *m* surgical collar

colmado [kol'maðo] *m* grocer's (shop)

colmar [kol'mar] *vt (cuchara, vaso, etc)* to fill to the brim ● **colmar a alguien de elogios** to shower sb with praise

colmena [kol'mena] *f* beehive

colmillo [kol'miʎo] *m* **1.** *(de persona)* eyetooth **2.** *(de elefante)* tusk

colmo ['kolmo] *m* ● **ser el colmo de** to be the height of ● **¡eso es el colmo!** that's the last straw!

colocación [koloka'θjon] *f* position

colocado, da [kolo'kaðo, ða] *adj* **1.** *(fam) (drogado)* high **2.** *(bebido)* plastered

colocar [kolo'kar] *vt* to place ● **colocarse** *vp (fam) (drogarse)* to get stoned

Colombia [ko'lombja] *s* Colombia

colombiano, na [kolom'bjano, na] *adj & m,f* Colombian

colonia [ko'lonja] *f* **1.** *(perfume)* (eau de) cologne **2.** *(grupo de personas, territorio)* colony **3.** *(Méx) (barrio)* area ● **colonia proletaria** *(Amér)* slum area ● **colonia de verano** summer camp ◆ **colonias** *fpl (para niños)* holiday camp *sg* (UK), summer camp *sg* (US) ● **ir de colonias** to go on a holiday camp

colonización [koloniθa'θjon] *f* colonization

colonizar [koloni'θar] *vt* to colonize

colono [ko'lono, na] *m* settler

coloquial [koloki'al] *adj* colloquial

coloquio [kolo'kjo] *m* debate

color [ko'lor] *m* **1.** colour **2.** *(colorante)* dye **3.** *(aspecto)* tone ● **en color** colour *(antes de s)*

colorado, da [kolo'raðo, ða] *adj (rojo)* red ● **ponerse colorado** to go red

colorante [kolo'rante] *m* colouring

colorete [kolo'rete] *m* blusher

colorido [kolo'riðo] *m* **1.** *(conjunto de colores)* colours *pl* **2.** *(animación)* colour

colosal [kolo'sal] *adj* **1.** *(extraordinario)* extraordinary **2.** *(muy grande)* colossal

columna [ko'lumna] *f* **1.** column **2.** *(de objetos)* stack ● **columna vertebral** spinal column

columpiarse [kolum'pjarse] *vp* to swing

columpio [ko'lumpjo] *m* swing

coma ['koma] ◇ *f* **1.** *(signo ortográfico)* comma **2.** *(signo matemático)* decimal point ◇ *m* ● **estar en coma** to be in a coma ● **cinco coma dos** five point two

comadre [ko'maðre] *f (Amér)* female friend (to a woman)

comadreja [koma'ðrexa] *f* weasel

comadrona [koma'ðrona] *f* midwife

comal [ko'mal] *m (CAm & Méx)* metal or ceramic griddle for making tortillas

comandante [koman'dante] *mf* major

comando [ko'mando] *m* commando

comarca [ko'marka] *f* area

comba ['komba] *f (juego)* skipping *(UK)*, jump rope *(US)* ● **saltar a la comba** to skip, to jump rope *(US)*

combate [kom'bate] *m* fight ● **combates** *mpl* fighting *sg*

combatir [komba'tir] ◇ *vi* to fight ◇ *vt* to combat

combinación [kombina'θjon] *f* 1. combination 2. *(de transportes)* connections *pl* 3. *(prenda femenina)* slip

combinado [kombi'naðo] *m (cóctel)* cocktail

combinar [kombi'nar] ◇ *vt* 1. *(unir, mezclar)* to combine 2. *(bebidas)* to mix ◇ *vi* ● **combinar (con)** *(colores, ropa etc)* to go together (with) ● **combinar algo con** *(compaginar)* to combine sthg with

combustible [kombus'tiβle] *m* fuel

combustión [kombus'tjon] *f* combustion

comecocos [kome'kokos] *m inv (juego)* brainteaser

comedia [ko'meðja] *f* 1. *(obra humorística)* comedy 2. *(obra en general)* play ● **hacer comedia** *(fam)* to pretend

comediante [kome'ðjante] *mf* 1. *(actor)* actor *(f actress)* 2. *(farsante)* fraud

comedor [kome'ðor] *m* 1. *(habitación)* dining room 2. *(muebles)* dining room furniture

comensal [komen'sal] *mf* fellow diner

comentar [komen'tar] *vt* to comment on

comentario [komen'tarjo] *m* 1. *(observación)* comment 2. *(análisis)* commentary

comentarista [komenta'rista] *mf* commentator

comenzar [komen'θar] *vt & vi* to begin, to start ● **comenzó a llover** it begin to rain, it started to rain

comer [ko'mer] ◇ *vt* to eat ◇ *vi* 1. *(alimentarse)* to eat 2. *(almorzar)* to have lunch

comercial [komer'θjal] ◇ *adj* commercial ◇ *m (Amér)* TV advert *(UK)*, commercial *(US)*

comercializar [komerθjali'θar] *vt* to market

comerciante [komer'θjante] *mf* 1. *(negociante)* trader 2. *(tendero)* shopkeeper

comerciar [komer'θjar] *vi* to trade ● **comerciar con armas** to trade in arms

comercio [ko'merθjo] *m* 1. *(negocio)* trade 2. *(tienda)* shop 3. *(actividad comercial)* business

comestible [komes'tiβle] *adj* edible

cometa [ko'meta] ◇ *m (astro)* comet ◇ *f (juguete)* kite

cometer [kome'ter] *vt* 1. *(delito)* to commit 2. *(error)* to make

cometido [kome'tiðo] *m* task

cómic ['komik] *m* comic *(UK)*, comic book *(US)*

comicios [ko'miθjos] *mpl (formal)* elections

cómico, ca ['komiko, ka] ◇ *adj* 1. *(gracioso)* comical 2. *(de la comedia)* comedy *(antes de s)* ◇ *m,f* comedian *(f* comedienne)

comida [ko'miða] *f* 1. *(alimento)* food 2. *(almuerzo, cena, etc)* meal 3. *(almuerzo)* lunch ● **comida basura** junk food ● **comida rápida** fast food ● **comidas**

caseras home-made food *sg* ● **comidas para llevar** takeaway food *sg*

comienzo [ko'mjenθo] *m* beginning, start ● **a comienzos de año** at the beginning of the year

comillas [ko'miʎas] *fpl* inverted commas (*UK*), parantheses (*US*) ● **entre comillas** in inverted commas

comilón, ona [komi'lon, ona] *adj* greedy

comilona [komi'lona] *f* (*fam*) blow-out (*UK*), feast

comino [ko'mino] *m* cumin ● **me importa un comino** (*fam*) I couldn't care less

comisaría [komisa'ria] *f* police station

comisario, ria [komi'sarjo, rja] *m,f* **1.** (*de policía*) police superintendent **2.** (*de exposición, museo*) curator

comisión [komi'sjon] *f* **1.** (*grupo de personas*) committee **2.** (*cantidad de dinero*) commission

comisura [komi'sura] *f* (*de labios*) corner of the mouth

comité [komi'te] *m* committee

comitiva [komi'tiβa] *f* retinue

como ['komo] ◇ *adv* **1.** as **2.** (*comparativo*) like **3.** (*aproximadamente*) roughly, more or less **4.** (*ya que*) as **2.** (*si*) if ● **tan ...como** as ... as ● **como si** as if ◇ *conj* **1.** (*condición*) if ● **cómo** ['komo] ◇ *adv* how ◇ *m* ● **el cómo y el porqué** the whys and wherefores ● **¿cómo es?** what's it like? ● **¿cómo?** (*¿qué dices?*) sorry? ● **¡cómo no!** of course!

cómoda ['komoða] *f* chest of drawers

cómodamente [ˌkomoða'mente] *adv* comfortably

comodidad [komoði'ðað] *f* comfort ◆ **comodidades** *fpl* (*ventajas*) advantages ● **con todas las comodidades** all mod cons

comodín [komo'ðin] *m* joker

cómodo, da ['komoðo, ða] *adj* comfortable

comodón, ona [komo'ðon, ona] *adj* comfort-loving

compacto, ta [kom'pakto, ta] ◇ *adj* compact ◇ *m* compact disc

compadecer [kompaðe'θer] *vt* to feel sorry for ◆ **compadecerse de** *v* + *prep* to feel sorry for

compadre [kom'paðre] *m* (*CAm & Méx*) mate (*UK*), buddy (*US*)

compadrear [kompaðre'ar] *vi* (*Amér*) (*fam*) to brag

compadreo [kompa'ðreo] *m* (*Amér*) (*fam*) friendship

compaginar [kompaxi'nar] *vt* ● **compagina el trabajo con los estudios** she combines her job with her studies

compañerismo [kompaɲe'rizmo] *m* comradeship

compañero, ra [kompa'ɲero, ra] *m,f* **1.** (*acompañante*) companion **2.** (*de clase*) classmate **3.** (*de trabajo*) colleague **4.** (*de juego*) partner **5.** (*amigo*) partner

compañía [kompa'ɲia] *f* company ● **compañía** (*animal*) pet ● **hacer compañía a alguien** to keep sb company

comparación [kompara'θjon] *f* comparison

comparar [kompa'rar] *vt* to compare ◆ **compararse** *vp* ● **compararse con** to compare with

comparsa [kom'parsa] ◇ *f* **1.** (*de fiesta*)

group of masked revellers at carnival **2.** *(de teatro)* extras *pl* ◊ *mf* extra

compartimento *m* compartment

compartir [kompar'tir] *vt* to share ● **compartir algo con alguien** to share sthg with sb

compás [kom'pas] *m* **1.** *(en dibujo)* pair of compasses **2.** *(ritmo)* beat

compasión [kompa'sjon] *f* compassion

compasivo, va [kompa'siβo, βa] *adj* compassionate

compatible [kompa'tiβle] *adj* compatible ● **compatible con** compatible with

compatriota [kompa'trjota] *mf* compatriot

compenetrarse [kompene'trarse] *vp* to be in tune

compensación [kompensa'θjon] *f* compensation

compensar [kompen'sar] ◊ *vt* to compensate for ◊ *vi* *(satisfacer)* to be worthwhile ● **compensar algo con** to make up for sthg with

competencia [kompe'tenθja] *f* **1.** *(rivalidad)* competition **2.** *(incumbencia)* area of responsibility **3.** *(aptitud)* competence

competente [kompe'tente] *adj* competent

competición [kompeti'θjon] *f* competition

competir [kompe'tir] *vi* to compete

competitivo, va [kompeti'tiβo, βa] *adj* competitive

complacer [kompla'θer] ◊ *vt* to please ◊ *vi* to be pleasing ● **complacerse** *vp* ● **complacerse en** to take pleasure in

complaciente [kompla'θjente] *adj* obliging

complejidad [komplexi'ðað] *f* complexity

complejo, ja [kom'plexo, xa] *adj* & *m* complex

complementar [komplemen'tar] *vt* to complement ● **complementarse** *vp* to complement one another

complementario, ria [komplemen'tarjo, rja] *adj* complementary

complemento [komple'mento] *m* **1.** *(accesorio)* complement **2.** *(en gramática)* complement, object

completamente [kom,pleta'mente] *adv* completely

completar [komple'tar] *vt* **1.** to complete **2.** *(Amér) (rellenar)* to fill out

completo, ta [kom'pleto, ta] *adj* **1.** *(con todas sus partes)* complete **2.** *(lleno)* full ● **por completo** completely ▼ **completo** no vacancies

complexión [komplek'sjon] *f* build

complicación [komplika'θjon] *f* complication

complicado, da [kompli'kaðo, ða] *adj* complicated

complicar [kompli'kar] *vt* *(hacer difícil)* to complicate ● **complicar a alguien en** *(implicar)* to involve sb in ● **complicarse** *vp* **1.** *(situación, problema)* to get complicated **2.** *(enfermedad)* to get worse

cómplice ['kompliθe] *mf* accomplice

complot [kom'plot] *m* plot

componente [kompo'nente] *m* component

componer [kompo'ner] *vt* **1.** *(obra literaria)* to write **2.** *(obra musical)* to compose **3.** *(lo roto)* to repair **4.** *(lo desordenado)* to tidy up (*UK*), to clean up (*US*)

componerse de *v* + *prep* to consist of ● **componérselas** to manage

comportamiento [komporta'mjento] *m* behaviour

comportar [kompor'tar] *vt* to involve ◆ **comportarse** *vp* to behave ● **portarse bien/mal** to behave well/badly

composición [komposi'θjon] *f* composition

compositor, ra [komposi'tor, ra] *m,f* composer

compostura [kompos'tura] *f* (*buena educación*) good behaviour

compota [kom'pota] *f* stewed fruit (*UK*), compote ● **compota de manzana** stewed apple

compra ['kompra] *f* purchase ● **hacer la compra** to do the shopping ● **ir de compras** to go shopping ● **compra a plazos** hire purchase (*UK*), installment plan (*US*)

comprador, ra [kompra'ðor, ra] *m,f* buyer

comprar [kom'prar] *vt* to buy ● **le compraron una cámara digital** they bought him a digital camera

comprender [kompren'der] *vt* 1. (*entender*) to understand 2. (*abarcar*) to comprise

comprensible [kompren'siβle] *adj* understandable

comprensión [kompren'sjon] *f* 1. (*de ejercicio, texto*) comprehension 2. (*de problema, situación*) understanding

comprensivo, va [kompren'siβo, βa] *adj* understanding

compresa [kom'presa] *f* 1. (*para higiene femenina*) sanitary towel (*UK*) o napkin (*US*) 2. (*para uso médico*) compress

compresor [kompre'sor] *m* (*máquina*) compressor

comprimido, da [kompri'miðo, ða] ◇ *adj* compressed ◇ *m* pill

comprimir [kompri'mir] *vt* to compress

comprobación [komproβa'θjon] *f* checking

comprobar [kompro'βar] *vt* 1. (*verificar*) to check 2. (*demostrar*) to prove

comprometer [komprome'ter] *vt* to compromise ◆ **comprometerse** *vp* (*novios*) to get engaged ● **comprometerse (a)** to commit o.s. (to) ● **comprometerse (con)** to commit o.s. (to)

comprometido, da [komprome'tiðo, ða] *adj* (*empeñado*) committed

compromiso [kompro'miso] *m* 1. (*obligación*) commitment 2. (*acuerdo*) compromise 3. (*apuro*) difficult situation ● **sin compromiso** without obligation

compuerta [kom'pwerta] *f* sluice gate

compuesto, ta [kom'pwesto, ta] ◇ *adj* 1. (*por varios elementos*) composed 2. (*reparado*) repaired ◇ *m* compound

compungido, da [kompun'xiðo, ða] *adj* remorseful

comulgar [komul'ɣar] *vi* to take communion ◆ **comulgar con** *v* + *prep* (*ideas, sentimientos*) to agree with

común [ko'mun] *adj* 1. (*frecuente*) common 2. (*compartido*) shared

comuna [ko'muna] *f* (*CSur & Perú*) municipality

comunicación [komunika'θjon] *f* 1. (*entre personas, animales*) communication 2.

(*escrito*) communiqué **3.** (*por carretera, tren, etc*) communications *pl* ● **se cortó la comunicación** I was cut off

comunicado, da [komuniˈkaðo, ða] ◇ *adj* ◇ *m* statement ● **bien/ mal comunicado** (*pueblo, ciudad*) with good/bad connections

comunicar [komuniˈkar] ◇ *vt* to communicate ◇ *vi* (*al teléfono*) to get through ● **está comunicando** (*teléfono*) the line's engaged

comunicativo, va [komunikaˈtiβo, βa] *adj* communicative

comunidad [komuniˈðað] *f* community ● **comunidad autónoma** *Spanish autonomous region* ● **Comunidad Europea** European Community

comunidad autónoma

Devolution is more advanced in Spain than in Britain. The 1978 Constitution created 17 autonomous communities, including Ceuta and Melilla, with their own directly elected parliaments, governments and high courts. While some policy areas are still controlled by central government, the autonomous communities are responsible for matters ranging from taxation to housing and education, although these powers vary from one region to another.

comunión [komuˈnjon] *f* communion
comunismo [komuˈnizmo] *m* communism

comunista [komuˈnista] *mf* communist
comunitario, ria [komuniˈtarjo, rja] *adj* community (*antes de s*)

con [kon] *prep* **1.** (*modo, medio*) with ● **hazlo con el martillo** do it with the hammer ● **lo ha conseguido con su esfuerzo** he has achieved it through his own efforts **2.** (*compañía*) with ● **trabaja con su padre** he works with his father **3.** (*junto a*) with ● **una cartera con varios documentos** a briefcase containing several documents **4.** (*a pesar de*) in spite of ● **con lo aplicado que es lo han suspendido** for all his hard work, they still failed him ● **con todo iremos a su casa** we'll go to her house anyway **5.** (*condición*) by ● **con salir a las cinco será suficiente** if we leave at five we'll have plenty of time **6.** (*en locuciones*) ● **con (tal) que** as long as

conato [koˈnato] *m* **1.** (*de agresión*) attempt **2.** (*de incendio*) beginnings *pl*
cóncavo, va [ˈkonkaβo, βa] *adj* concave
concebir [konθeˈβir] *vt* to conceive ● **no concibo cómo pudiste hacer eso** I can't believe you did that
conceder [konθeˈðer] *vt* **1.** (*dar*) to grant **2.** (*premio*) to award **3.** (*asentir*) to admit
concejal, la [konθeˈxal, la] *m,f* councillor
concentración [konθentraˈθjon] *f* **1.** (*de personas*) gathering **2.** (*de líquido*) concentration
concentrado, da [konθenˈtraðo, ða] ◇ *adj* **1.** (*reunido*) gathered **2.** (*espeso*) concentrated ◇ *m* ● **concentrado de ...** concentrated ...

concentrar [konθenˈtɾar] *vt* **1.** *(interés, atención)* to concentrate **2.** *(lo desunido)* to bring together ◆ **concentrarse** *vp* ● **concéntrate en los estudios** concentrate on your studies ● **se concentraron en el centro de la ciudad** they gathered in the center of town

concepción [konθepˈθjon] *f* conception

concepto [konˈθepto] *m* **1.** *(idea)* concept **2.** *(opinión)* opinion ● **en concepto de** by way of

concernir [konθerˈnir] ● **concernir a** *v + prep* to concern

concertación [konθertaˈθjon] *f* agreement

concertado, da [konθerˈtaðo, ða] *adj* agreed

concertar [konθerˈtar] *vt* **1.** *(precio)* to agree on **2.** *(cita, entrevista)* to arrange **3.** *(acuerdo)* to reach

concesión [konθeˈsjon] *f* award

concesionario, ria [konθesjoˈnarjo, rja] ◇ *adj* concessionary ◇ *m* licensee

concha [ˈkontʃa] *f* **1.** *(caparazón)* shell **2.** *(material)* tortoiseshell

conciencia [konˈθjenθja] *f* **1.** *(conocimiento)* awareness **2.** *(moral)* conscience ● **a conciencia** conscientiously ● **tener conciencia de** to be aware of

concienzudo, da [konθjenˈθuðo, ða] *adj* conscientious

concierto [konˈθjerto] *m* **1.** *(actuación musical)* concert **2.** *(composición musical)* concerto **3.** *(convenio)* agreement

conciliación [konθiljaˈθjon] *f* reconciliation

conciliar [konθiˈljar] *vt* to reconcile ● **conciliar el sueño** to get to sleep ◆

conciliarse con *v + prep* to be reconciled with

concisión [konθiˈsjon] *f* conciseness

conciso, sa [konˈθiso, sa] *adj* concise

concluir [konˈkluir] ◇ *vt* to conclude ◇ *vi* (to come to an) end

conclusión [konkluˈsjon] *f* conclusion

concordancia [konkorˈðanθja] *f* agreement

concordar [konkorˈðar] ◇ *vt* to reconcile ◇ *vi* **1.** *(de género)* to agree **2.** *(de número)* to tally ● **concordar con** *(coincidir con)* to agree with

concordia [konˈkorðja] *f* harmony

concretar [konkreˈtar] *vt* **1.** *(especificar)* to specify **2.** *(reducir)* to cut down

concreto, ta [konˈkreto, ta] ◇ *adj* **1.** *(no abstracto)* concrete **2.** *(específico)* specific ◇ *m* ● **concreto armado** *(Amér)* concrete

concubina [konkuˈβina] *f* concubine

concurrencia [konkuˈrenθja] *f* **1.** *(público)* audience **2.** *(de hechos)* concurrence **3.** *(asistencia)* attendance

concurrente [konkuˈrente] *adj* concurrent

concurrido, da [konkuˈrriðo, ða] *adj* crowded

concurrir [konkuˈrrir] *vi* **1.** *(asistir)* to attend **2.** *(coincidir)* to meet

concursante [konkurˈsante] *mf* contestant

concursar [konkurˈsar] *vi* to compete

concurso [konˈkurso] *m* **1.** *(de deportes, literatura)* competition **2.** *(en televisión)* game show

condado [konˈdaðo] *m* county

condal [konˈdal] *adj* county *(antes de s)*

conde, desa ['konde, 'desa] *m,f* count (*f* countess)

condecoración [kondekora'θjon] *f* medal

condena [kon'dena] *f* sentence

condenado, da [konde'naðo, ða] ◊ *adj* convicted ◊ *m,f* convicted criminal

condenar [konde'nar] *vt* **1.** (*suj: juez*) to sentence **2.** (*desaprobar*) to condemn

condensación [kondensa'θjon] *f* condensation

condensar [konden'sar] *vt* to condense

condición [kondi'θjon] *f* **1.** (*supuesto*) condition **2.** (*modo de ser*) nature **3.** (*estado social*) status ◆ **condiciones** *fpl* (*situación*) conditions ● **estar en buenas/malas condiciones** to be/not to be in a fit state

condicional [kondiθjo'nal] *adj* conditional

condimentar [kondimen'tar] *vt* to season

condimento [kondi'mento] *m* seasoning

condominio [kondo'minjo] *m* **1.** (*viviendas*) block of flats (*UK*), apartment building (*US*) **2.** (*oficinas*) office block (*UK*) o building (*US*)

conducción [konduk'θjon] *f* **1.** (*de vehículos*) driving **2.** (*cañerías*) pipes *pl*

conducir [kondu'θir] ◊ *vt* **1.** (*vehículo*) to drive **2.** (*llevar*) to lead **3.** (*dirigir*) to conduct ◊ *vi* to drive

conducta [kon'dukta] *f* behaviour

conducto [kon'dukto] *m* **1.** (*tubo*) pipe **2.** (*vía*) channel

conductor, ra [konduk'tor, ra] *m,f* driver

conectar [konek'tar] *vt* to connect ◆ **conectar con** *v + prep* **1.** (*contactar con*) to get in touch with **2.** (*comprender*) to get on well with

conejera [kone'xera] *f* (*madriguera*) warren

conejo, ja [ko'nexo, xa] *m,f* rabbit ● **conejo a la cazadora** rabbit cooked in olive oil, with onion, garlic and parsley

conexión [konek'sjon] *f* connection

confección [konfek'θjon] *f* (*de vestido*) dressmaking ◆ **confecciones** *fpl* (*tienda*) clothes shop *sg*

confederación [konfeðera'θjon] *f* confederation

conferencia [konfe'renθja] *f* **1.** (*disertación*) lecture **2.** (*por teléfono*) long-distance call

conferenciante [konferen'θjante] *mf* speaker (*at conference*)

confesar [konfe'sar] *vt* to confess ◆ **confesarse** *vp* to take confession

confesión [konfe'sjon] *f* **1.** (*de los pecados*) confession **2.** (*religión*) religion

confesionario [konfesjo'narjo] *m* confessional

confesor [konfe'sor] *m* confessor

confeti [kon'feti] *m* confetti

confiado, da [kon'fjaðo, ða] *adj* (*crédulo*) trusting

confianza [kon'fjanθa] *f* **1.** (*seguridad*) confidence **2.** (*fe*) faith **3.** (*trato familiar*) familiarity

confiar [konfi'ar] *vt* **1.** (*secreto*) to confide **2.** (*persona, cosa*) to entrust ◆ **confiar en** *v + prep* **1.** (*persona*) to trust **2.** (*esperar en*) to have faith in ● **confiar en que** to be confident that ◆

confiarse *vp* to be overconfident

confidencia [konfi'ðenθja] *f* confidence

confidencial [konfiðen'θjal] *adj* confidential

confidente [konfi'ðente] *mf* **1.** (*de un secreto*) confidante **2.** (*de la policía*) informer

configuración [konfiɣura'θjon] *f* configuration

configurar [konfiɣu'rar] *vt* to shape

confirmación [konfirma'θjon] *f* confirmation

confirmar [konfir'mar] *vt* to confirm

confiscar [konfis'kar] *vt* to confiscate

confitado, da [konfi'taðo, ða] *adj* crystallized

confite [kon'fite] *m* sweet (*UK*), candy (*US*)

confitería [konfite'ria] *f* (*tienda*) sweet shop (*UK*), candy store (*US*)

confitura [konfi'tura] *f* preserve

conflictivo, va [konflik'tiβo, βa] *adj* difficult

conflicto [kon'flikto] *m* **1.** (*desacuerdo*) conflict **2.** (*situación difícil*) difficulty

confluencia [kon'fluenθja] *f* **1.** (*lugar*) intersection **2.** (*de ríos*) confluence

confluir [konflu'ir] ◆ **confluir en** *v* + *prep* to meet at

conformarse [konfor'marse] ◆ **conformarse con** *v* + *prep* to settle for

conforme [kon'forme] ◇ *adj* in agreement ◇ *adv* as ◆ **conforme a** o **con** in accordance with

conformidad [konformi'ðað] *f* ◆ **dar la conformidad** to give one's consent

conformismo [konfor'mizmo] *m* conformism

conformista [konfor'mista] *mf* conformist

confort [kon'for] *m* comfort ▼ **todo confort** all mod cons

confortable [konfor'taβle] *adj* comfortable

confrontación [konfronta'θjon] *f* confrontation

confundir [konfun'dir] *vt* to confuse ● **me están confundiendo con otro** they're confusing me with someone else ◆ **confundirse** *vp* **1.** (*equivocarse*) to make a mistake **2.** (*al teléfono*) to get the wrong number ● **confundirse de casa** to get the wrong house ◆ **confundirse con** *v* + *prep* (*mezclarse con*) to merge into

confusión [konfu'sjon] *f* **1.** (*equivocación*) mix-up **2.** (*desorden*) confusion

confuso, sa [kon'fuso, sa] *adj* **1.** (*perplejo*) confused **2.** (*no diferenciado*) unclear

congelación [konxela'θjon] *f* freezing

congelado, da [konxe'laðo, ða] *adj* **1.** (*alimentos, productos*) frozen **2.** (*persona*) freezing ◆ **congelados** *mpl* (*alimentos*) frozen foods

congelador [konxela'ðor] *m* freezer

congelar [konxe'lar] *vt* to freeze ◆ **congelarse** *vp* (*persona*) to be freezing

congénito, ta [kon'xenito, ta] *adj* congenital

congestión [konxes'tjon] *f* congestion

conglomerado [konglome'raðo] *m* (*de madera*) hardboard

congregar [kongre'ɣar] *vt* to gather together ◆ **congregarse** *vp* to gather

congresista [kongre'sista] *mf* delegate

congreso [kon'greso] *m* **1.** (*de especialis-*

tas) conference **2.** *(de diputados)* parliament, congress ● **el congreso de diputados** *the lower house of the Spanish Parliament*

conjetura [konxe'tura] *f* conjecture

conjugación [konxuɣa'θjon] *f* **1.** *(de verbos)* conjugation **2.** *(de colores, estilos, etc)* combination

conjugar [konxu'ɣar] *vt* **1.** *(verbos)* to conjugate **2.** *(unir)* to combine

conjunción [konxun'θjon] *f* **1.** GRAM conjunction **2.** *(unión)* combining

conjuntamente [kon,xunta'mente] *adv* jointly

conjuntivitis [konxunti'βitis] *f inv* conjunctivitis

conjunto [kon'xunto] *m* **1.** *(grupo, de rock)* group **2.** *(ropa)* outfit **3.** *(en matemáticas)* set ● **en conjunto** as a whole

conmemoración [kommemora'θjon] *f* commemoration

conmemorar [kommemo'rar] *vt* to commemorate

conmigo [kom'miɣo] *pron* with me

conmoción [kommo'θjon] *f* shock ● **conmoción cerebral** concussion

conmover [kommo'βer] *vt (impresionar)* to move, to touch

conmutador [kommuta'ðor] *m* **1.** *(de electricidad)* switch **2.** *(Amér) (centralita)* switchboard

cono ['kono] *m* cone

conocer [kono'θer] *vt* **1.** to know **2.** *(persona por primera vez)* to meet **3.** *(distinguir)* to recognize ● **conocerse** *vp* **1.** *(tratarse)* to know one another **2.** *(por primera vez)* to meet **3.** *(reconocerse)* to

recognize one another **4.** *(uno mismo)* to know o.s.

conocido, da [kono'θiðo, ða] ◇ *adj* well-known ◇ *m,f* acquaintance

conocimiento [konoθi'mjento] *m* **1.** *(entendimiento)* knowledge **2.** MED consciousness ● **conocimientos** *mpl* knowledge *sg*

conque [konke] *conj* so

conquista [kon'kista] *f* conquest

conquistador, ra [konkista'ðor, ra] ◇ *adj* seductive ◇ *m,f* conqueror

conquistar [konkis'tar] *vt* **1.** *(país, territorio)* to conquer **2.** *(puesto, trabajo, etc)* to obtain **3.** *(persona)* to win over

consagrado, da [konsa'ɣraðo, ða] *adj* **1.** *(en religión)* consecrated **2.** *(dedicado)* dedicated

consagrar [konsa'ɣrar] *vt* **1.** *(monumento, calle, etc)* to dedicate **2.** *(acreditar)* to confirm

consciente [kons'θjente] *adj* ● **estar consciente** to be conscious ● **soy consciente de la situación** I'm aware of the situation

consecuencia [konse'kwenθja] *f* consequence ● **en consecuencia** consequently

consecuente [konse'kwente] *adj* **1.** *(persona)* consistent **2.** *(hecho)* resultant *(antes de s)*

consecutivo, va [konseku'tiβo, βa] *adj* consecutive

conseguir [konse'ɣir] *vt* **1.** *(lograr)* to obtain **2.** *(objetivo)* to achieve

consejo [kon'sexo] *m* **1.** *(advertencias)* advice **2.** *(advertencia concreta)* piece of advice **3.** *(organismo)* council **4.** *(reunión)* meeting

consenso [kon'senso] *m* consensus

consentido, da [konsen'tiðo, ða] *adj* spoilt (*UK*), spoiled (*US*)

consentir [konsen'tir] *vt* (*permitir*) to allow

conserje [kon'serxe] *m* caretaker

conserjería [konserxe'ria] *f* reception (desk)

conserva [kon'serβa] *f* ● **en conserva** tinned (*UK*), canned ◆ **conservas** *fpl* tinned food *sg* (*UK*), canned food *sg* (*US*)

conservador, ra [konserβa'ðor, ra] *adj* 1. (*en ideología*) conservative 2. (*en política*) Conservative

conservadurismo [konserβaðu'rizmo] *m* conservatism

conservante [konser'βante] *m* preservative

conservar [konser'βar] *vt* 1. (*mantener, cuidar*) to preserve 2. (*guardar*) to keep ◆ **conservarse** *vp* 1. (*persona*) to look after o.s. 2. (*alimentos, productos*) to keep

conservatorio [konserβa'torjo] *m* conservatoire

considerable [konsiðe'raβle] *adj* 1. (*grande*) considerable 2. (*hecho*) notable

consideración [konsiðera'θjon] *f* (*respeto*) respect ● **de consideración** considerable

considerar [konsiðe'rar] *vt* 1. to consider 2. (*valorar*) to value

consigna [kon'siɣna] *f* 1. (*orden*) instructions *pl* 2. (*depósito*) left-luggage office (*UK*), baggage room (*US*) ● **consigna automática** (left-)luggage locker

consignación [konsiɣna'θjon] *f* consignment

consigo [kon'siɣo] *pron* 1. (*con él, con ella*) with him (*f* with her) 2. (*con usted*) with you 3. (*con uno mismo*) with o.s.

consiguiente [konsiɣi'ente] ◆ **por consiguiente** *adv* therefore

consistencia [konsis'tenθja] *f* consistency

consistente [konsis'tente] *adj* (*sólido*) solid

consistir [konsis'tir] ◆ **consistir en** *v* + *prep* 1. (*componerse de*) to consist of 2. (*estar fundado en*) to be based on

consistorio [konsis'torjo] *m* town council (*UK*), city hall (*US*)

consola [kon'sola] *f* 1. (*mesa*) console table 2. (*de videojuegos*) console

consolar [konso'lar] *vt* to console ◆ **consolarse** *vp* to console o.s.

consolidación [konsoliða'θjon] *f* consolidation

consolidar [konsoli'ðar] *vt* to consolidate

consomé [konso'me] *m* consommé ● **consomé al jerez** *consommé made with sherry*

consonante [konso'nante] *f* consonant

consorcio [kon'sorθjo] *m* consortium

consorte [kon'sorte] *mf* spouse

conspiración [konspira'θjon] *f* conspiracy

conspirar [konspi'rar] *vi* to conspire

constancia [kons'tanθja] *f* (*tenacidad*) perseverance

constante [kons'tante] ◆ *adj* 1. (*que dura*) constant 2. (*tenaz*) persistent ◆ *f* constant ● **constantes vitales** vital signs

constantemente [kons,tante'mente] *adv* constantly

constar [kons'tar] ◆ **constar de** v + prep to be made up of ◆ **constar en** v + prep (figurar en) to appear in ● **me consta que** I know that ● **que conste que estoy en contra del proyecto** let there be no doubt that I'm against the project

constelación [konstela'θjon] f constellation

constipado [konsti'paðo] m cold

constiparse [konsti'parse] vp to catch a cold

constitución [konstitu'θjon] f 1. (forma) make-up 2. (ley) constitution

constitucional [konstituθjo'nal] adj constitutional

constituir [konstitu'ir] vt 1. (formar) to make up 2. (componer, fundar) to form 3. (ser) to be ◆ **constituirse** vp (formarse) to form ● **constituirse de** (estar compuesto de) to be made up of

construcción [konstruk'θjon] f 1. (edificio) building 2. (arte) construction

constructivo, va [konstruk'tiβo, βa] adj constructive

constructor [konstruk'tor] m builder

constructora [konstruk'tora] f construction company

construir [konstru'ir] vt 1. to build 2. (máquina) to manufacture

consuelo [kon'swelo] m consolation

cónsul ['konsul] mf consul

consulado [konsu'laðo] m 1. (lugar) consulate

consulta [kon'sulta] f 1. (aclaración, examen médico) consultation 2. (pregunta) question ● **consulta (médica)** surgery

consultar [konsul'tar] vt 1. (persona, libro) to consult 2. (dato) to look up ●

consultarle algo a alguien to consult sb about sthg

consultorio [konsul'torjo] m 1. (de médico) surgery (UK), doctor's office (US) 2. (de revista) problem page

consumición [konsumi'θjon] f 1. (alimento) food 2. (bebida) drink ▼ **consumición obligatoria** minimum charge

consumidor, ra [konsumi'ðor, ra] m,f consumer

consumir [konsu'mir] ◇ vt 1. (gastar) to use 2. (acabar totalmente) to use up ◇ vi (gastar dinero) to spend ◆ **consumirse** vp (extinguirse) to burn out

consumismo [konsu'mizmo] m consumerism

consumo [kon'sumo] m consumption

contabilidad [kontaβili'ðað] f (cuentas) accounts pl

contable [kon'taβle] mf accountant

contacto [kon'takto] m 1. contact 2. (de coche) ignition

contador, ra [konta'ðor, ra] ◇ m,f 1. (Amér) (prestamista) moneylender 2. (contable) accountant ◇ m meter

contagiar [konta'xjar] vt 1. (persona) to infect 2. (enfermedad) to pass on, to give

contagio [kon'taxjo] m infection ● **transmitirse por contagio** to be contagious

contagioso, sa [konta'xjoso, sa] adj infectious

container [kontaj'ner] m 1. (de mercancías) container 2. (de basuras) wheely bin for rubbish from blocks of flats etc, Dumpster® (US)

contaminación [kontamina'θjon] f pollution

contaminado, da [kontami'naðo, ða] adj polluted

contaminar [kontami'nar] vt to pollute ◆ **contaminarse** vp to become polluted

contar [kon'tar] ◇ vt **1.** to count **2.** (explicar) to tell ◇ vi to count ◆ **contar con** v + prep **1.** (tener en cuenta) to take into account **2.** (tener) to have **3.** (confiar en) to count on

contemplaciones [kontempla'θjones] fpl indulgence sg ● **sin contemplaciones** without standing on ceremony

contemplar [kontem'plar] vt to contemplate

contemporáneo, a [kontempo'raneo, a] adj contemporary

contenedor [kontene'ðor] m container ● **contenedor de basura** wheely bin for rubbish from blocks of flats etc, Dumpster ® (US)

contener [konte'ner] vt **1.** (llevar) to contain **2.** (impedir) to hold back ◆ **contenerse** vp to hold back

contenido, da [konte'niðo, ða] ◇ adj restrained ◇ m contents pl

contentar [konten'tar] vt to please ◆ **contentarse con** v + prep to make do with

contento, ta [kon'tento, ta] adj **1.** (alegre) happy **2.** (satisfecho) pleased

contestación [kontesta'θjon] f answer

contestador [kontesta'ðor] m ● **contestador (automático)** answering machine

contestar [kontes'tar] ◇ vt to answer ◇ vi **1.** (responder) to answer **2.** (responder mal) to answer back

contexto [kon'teksto] m context

contigo [kon'tiɣo] pron with you

contiguo, gua [kon'tiɣwo, ɣwa] adj adjacent

continental [kontinen'tal] adj continental

continente [konti'nente] m continent

continuación [kontinwa'θjon] f continuation ● **a continuación** then

continuamente [kon,tinwa'mente] adv **1.** (sin interrupción) continuously **2.** (repetidamente) continually

continuar [kontin'war] vt to continue ● **continúa en la casa** it's still in the house

continuo, nua [kon'tinwo, nwa] adj **1.** (sin interrupción) continuous **2.** (repetido) continual

contorno [kon'torno] m (silueta) outline

contra ['kontra] ◇ prep against ◇ m ● **los pros y los contras** the pros and cons ● **en contra** against ● **en contra de** against

contrabajo [kontra'βaxo] m (instrumento) double bass

contrabandista [kontraβan'dista] mf smuggler

contrabando [kontra'βando] m **1.** (de mercancías, droga) smuggling **2.** (mercancías) contraband

contracorriente [,kontrako'rjente] f cross current ● **a contracorriente** against the flow

contradecir [kontraðe'θir] vt to contradict ◆ **contradecirse** vp to be inconsistent

contradicción [kontraðik'θjon] f contradiction

contradictorio, ria [kontraðik'torjo,

ria] *adj* contradictory

contraer [kontra'er] *vt* **1.** to contract **2.** *(deuda)* to run up ● **contraer matrimonio** to marry

contraindicado, da [ˌkontrajndi'kaðo, ða] *adj* not recommended

contraluz [kontra'luθ] *m* picture taken against the light ● **a contraluz** against the light

contrapartida [ˌkontrapar'tiða] *f* compensation ● **en contrapartida** as compensation

contrapelo [kontra'pelo] *m* ● **a contrapelo** against the grain

contrapeso [kontra'peso] *m* counterbalance

contrariar [kontrari'ar] *vt (disgustar)* to upset

contrario, ria [kon'trarjo, rja] ◇ *adj* **1.** *(opuesto)* opposite **2.** *(equipo, etc)* opposing **3.** *(negativo)* contrary ◇ *m,f* opponent ● **al contrario** on the contrary ● **por el contrario** on the contrary ● **llevar la contraria** to always take an opposing view

contraseña [kontra'seɲa] *f* password

contrastar [kontras'tar] ◇ *vt* **1.** *(comparar)* to contrast **2.** *(comprobar)* to check ◇ *vi* to contrast

contraste [kon'traste] *m* contrast

contratar [kontra'tar] *vt* to hire

contratiempo [kontra'tjempo] *m* mishap

contrato [kon'trato] *m* contract

contribuir [kontriβu'ir] *vi* to contribute ● **contribuir a** to contribute to ● **contribuyó con cien euros** he contributed one hundred euros

contrincante [kontrin'kante] *mf* opponent

control [kon'trol] *m* **1.** *(comprobación)* inspection **2.** *(dominio)* control ● **control de pasaportes** passport control

controlar [kontro'lar] *vt* **1.** *(comprobar)* to check **2.** *(dominar)* to control ● **controlarse** *vp* to control o.s.

contusión [kontu'sjon] *f* bruise

convalidar [kombali'ðar] *vt (estudios)* to recognize

convencer [komben'θer] *vt* to convince ● **convencerse de** *v + prep* to convince o.s. of

convención [komben'θjon] *f* convention

convencional [kombenθjo'nal] *adj* conventional

conveniente [kombe'njente] *adj* **1.** *(oportuno)* suitable **2.** *(hora)* convenient **3.** *(aconsejable)* advisable **4.** *(útil)* useful

convenio [kom'benjo] *m* agreement

convenir [kombe'nir] *vt* to agree on ◇ *vi (ser adecuado)* to be suitable ● **conviene hacerlo** it's a good idea to do it

convento [kom'bento] *m* **1.** *(de monjas)* convent **2.** *(de monjes)* monastery

conversación [kombersa'θjon] *f* conversation

conversar [komber'sar] *vi* to have a conversation

convertir [komber'tir] *vt* ● **convertir algo/a alguien en** to turn sthg/sb into ● **convertirse** *vp* ● **se convirtió al cristianismo** he converted to Christianity ● **se convirtió en una rana** he turned into a frog

convicción [kombik'θjon] *f* conviction

convincente [kombin'θente] *adj* convincing

convivencia [kombi'βenθja] *f* living together

convivir [kombi'βir] ◆ **convivir con** *v + prep* to live with

convocar [kombo'kar] *vt* **1.** *(reunión)* to convene **2.** *(huelga, elecciones)* to call

convocatoria [komboka'torja] *f* ◆ **la convocatoria de junio** the June exams

convulsión [kombul'sjon] *f* **1.** *(espasmo)* convulsion **2.** *(conmoción, revolución)* upheaval

cónyuge ['konjuxe] *mf* spouse

coña ['koɲa] *f* (vulg) *(guasa)* joke ● **estar de coña** to be pissing around (UK), to be kidding around (US)

coñac [ko'nak] *m* brandy

coñazo [ko'naθo] *m* (vulg) pain in the arse (UK) ○ ass (US)

coño ['koɲo] *interj* (vulg) fuck!

cooperar [koope'rar] *vi* to cooperate

cooperativa [koopera'tiβa] *f* cooperative

coordinación [koorðina'θjon] *f* coordination

coordinar [koorði'nar] *vt* to coordinate

copa ['kopa] *f* **1.** *(para beber)* glass **2.** *(trofeo)* cup **3.** *(de árbol)* top ● **invitar a alguien a una copa** to buy sb a drink ● **tomar una copa** to have a drink ● **ir de copas** to go out drinking ◆ **copas** *fpl (de la baraja)* suit with pictures of goblets *in Spanish deck of cards*

copeo [ko'peo] *m* ● **ir de copeo** (fam) to go out drinking

copia ['kopja] *f* copy

copiar [ko'pjar] *vt* to copy

copiloto [kopi'loto] *m* copilot

copioso, sa [ko'pjoso, sa] *adj* copious

copla ['kopla] *f* **1.** *(estrofa)* verse **2.** *(canción)* popular song

copo ['kopo] *m* flake

coquetear [kokete'ar] *vi* to flirt

coqueto, ta [ko'keto, ta] *adj (que flirtea)* flirtatious

coraje [ko'raxe] *m (valor)* courage ● **dar coraje** to make angry

coral [ko'ral] ◆ *m* coral ◇ *f (coro)* choir

coraza [ko'raθa] *f (de soldado)* cuirass

corazón [kora'θon] *m* **1.** heart **2.** *(de fruta)* core ◆ **corazones** *(de la baraja)* hearts

corbata [kor'βata] *f* tie

corchete [kor'tʃete] *m* **1.** *(cierre)* hook and eye **2.** *(signo)* square bracket

corcho ['kortʃo] *m* cork

cordel [kor'ðel] *m* cord

cordero, ra [kor'ðero, ra] *m,f* lamb

cordial [kor'ðjal] *adj* cordial

cordialmente [kor, ðjal'mente] *adv* cordially

cordillera [korði'ʎera] *f* mountain range ● **la cordillera Cantábrica** the Cantabrian Mountains *pl*

cordón [kor'ðon] *m* **1.** *(cuerda)* cord **2.** *(de zapato)* lace **3.** *(cable eléctrico)* flex (UK), cord (US) **4.** *(policial)* cordon ● **cordón umbilical** umbilical cord

Corea [ko'rea] *s* Korea ● **Corea del Norte** North Korea ● **Corea del Sur** South Korea

coreografía [koreoɣra'fia] *f* choreography

corista [ko'rista] *mf* chorus singer

cornada [kor'naða] *f* goring

cornamenta [korna'menta] *f* **1.** *(de toro)*

horns *pl* **2.** *(de ciervo)* antlers *pl*

córnea ['kornea] *f* cornea

corneja [kor'nexa] *f* crow

córner ['korner] *m* corner (kick)

cornete [kor'nete] *m* cone

cornisa [kor'nisa] *f* cornice

coro ['koro] *m* choir ● **a coro** in unison

corona [ko'rona] *f* **1.** *(de rey)* crown **2.** *(fig) (trono)* crown **3.** *(de flores)* garland

coronar [koro'nar] *vt* to crown

coronel [koro'nel] *m* colonel

coronilla [koro'niʎa] *f* crown *(of the head)* ● **estar hasta la coronilla** to be fed up to the back teeth

corporal [korpo'ral] *adj (olor)* body *(antes de s)*

corpulento, ta [korpu'lento, ta] *adj* corpulent

Corpus ['korpus] *m* Corpus Christi

corral [ko'ral] *m (para animales)* pen

correa [ko'rea] *f* **1.** *(de bolso, reloj)* strap **2.** *(de pantalón)* belt **3.** *(de animal)* lead *(UK)*, leash *(US)*

corrección [korek'θjon] *f* **1.** *(de errores)* correction **2.** *(de comportamiento)* correctness

correctamente [ko̞ˌrekta'mente] *adv* correctly

correcto, ta [ko'rekto, ta] *adj* **1.** *(sin errores)* correct **2.** *(educado)* polite

corredor, ra [kore'ðor, ra] ◇ *m,f* **1.** *(en deporte)* runner **2.** *(intermediario)* agent ◇ *m (pasillo)* corridor

corregir [kore'xir] *vt* **1.** *(error, comportamiento)* to correct **2.** *(exámenes)* to mark, to grade *(US)* ◆ **corregirse** *vp* to mend one's ways

correo [ko'reo] *m* post, mail ● **correo aéreo** airmail ● **correo certificado** ≃ registered post ● **correo electrónico** e-mail ● **correo de voz** voice mail ◆ **Correos** *m inv* the Post Office ▼ **Correos y Telégrafos** *sign outside a major post office indicating telegram service*

El correo electrónico

Cuando te diriges a alguien que no conoces, lo mejor es usar la misma fórmula que en una carta formal, como por ejemplo *Dear Professor Williams* o *Dear Julie Barker*. Muchos usan *Dear* incluso cuando escriben a amigos y colegas. El comienzo más común usado en cartas a amigos y colegas es *Hi* seguido por el nombre de la persona. En mensajes enviados en el trabajo, es bastante común poner únicamente el nombre de la persona y nada más. Para la despedida de un mensaje a alguien que no conoces, puedes usar frases como *I look forward to hearing from you* seguido de *Best wishes* o *Kind regards* o *Best regards* y tu nombre. En mensajes enviados entre colegas de trabajo lo normal es no poner ninguna despedida y simplemente colocar tu nombre. Entre amigos no hay ninguna fórmula fija, puedes usar expresiones como *Take care, Love, Jane, See you Friday, lots of love* o *Mark*.

correr [ko'rer] ◇ *vi* **1.** *(persona, animal)* to run **2.** *(río)* to flow **3.** *(tiempo)* to pass **4.**

(noticia, rumor) to go around ◇ *vt* 1. *(mesa, silla, etc)* to move up 2. *(cortinas)* to draw ● **dejar correr algo** to let sthg be ◆ **correrse** *vp* 1. *(tintas, colores)* to run 2. *(Amér) (medias)* to ladder (UK), to run (US)

correspondencia [korespon'denθja] *f* 1. correspondence 2. *(de transporte)* connection ▼ **correspondencias** *(en metro)* to other lines

corresponder [korespon'der] *vi* ● **corresponder a alguien (con algo)** to repay sb (with sthg) ● **te corresponde hacerlo** it's your responsibility to do it

correspondiente [korespon'djente] *adj* corresponding

corresponsal [korespon'sal] *mf* correspondent

corrida [ko'riða] *f (de toros)* bullfight

corriente [ko'rjente] ◇ *adj* 1. *(agua)* running 2. *(común)* ordinary 3. *(día, mes, año)* current ◇ *f* 1. *(de aire)* draught 2. *(de mar)* current ● **estar al corriente de** to be up to date with ● **ponerse al corriente de** to bring o.s. up to date with ● **corriente (eléctrica)** (electric) current

corro ['koro] *m* circle

corromper [korom'per] *vt* 1. *(pervertir)* to corrupt 2. *(sobornar)* to bribe 3. *(pudrir)* to rot

corrupción [korup'θjon] *f* 1. *(perversión)* corruption 2. *(soborno)* bribery

corsé [kor'se] *m* corset

cortacésped [korta'θespeð] *m* lawnmower

cortado, da [kor'taðo, ða] ◇ *adj* 1. *(leche)* off 2. *(salsa)* curdled 3. *(labios,*

manos) chapped 4. *(carretera)* closed 5. *(fam) (persona)* inhibited ◇ *m* small coffee with a drop of milk

cortante [kor'tante] *adj* 1. *(cuchilla, etc)* sharp 2. *(persona)* cutting 3. *(viento, frío)* bitter

cortar [kor'tar] *vt* 1. to cut 2. *(calle)* to close 3. *(conversación)* to cut short 4. *(luz, gas, etc)* to cut off 5. *(piel)* to chap 6. *(hemorragia)* to stop ◆ **cortarse** *vp* 1. *(herirse)* to cut o.s. 2. *(avergonzarse)* to become tongue-tied 3. *(leche, salsa)* to curdle

cortaúñas [korta'uɲas] *m inv* nailclippers *pl*

corte ['korte] *m* 1. *(herida)* cut 2. *(en vestido, tela, etc)* tear 3. *(de corriente eléctrica)* power cut 4. *(vergüenza)* embarrassment ● **corte y confección** *(para mujeres)* dressmaking ● **corte de pelo** haircut

Cortes ['kortes] *fpl* ● **las Cortes** the Spanish parliament

cortés [kor'tes] *adj* polite

cortesía [korte'sia] *f* politeness

corteza [kor'teθa] *f* 1. *(de árbol)* bark 2. *(de pan)* crust 3. *(de queso, limón)* rind 4. *(de naranja)* peel ● **cortezas de cerdo** pork scratchings

cortijo [kor'tixo] *m* farm

cortina [kor'tina] *f* curtain

corto, ta ['korto, ta] *adj* 1. *(breve)* short 2. *(fam) (tonto)* thick ● **quedarse corto** *(al calcular)* to underestimate ● **corto de vista** short-sighted

cortometraje [,kortome'traxe] *m* short (film)

cosa ['kosa] *f* thing ● **¿alguna cosa**

más? anything else? ● **ser cosa de alguien** to be sb's business ● **como si tal cosa** as if nothing had happened

coscorrón [kosko'ron] *m* bump on the head

cosecha [ko'setʒa] *f* **1.** harvest **2.** *(de vino)* vintage

cosechar [kose'tʒar] ◇ *vt* to harvest ◇ *vi* to bring in the harvest

coser [ko'ser] *vt* & *vi* to sew

cosmopolita [kozmopo'lita] *adj* cosmopolita

cosmos ['kozmos] *m* cosmos

coso ['koso] *m* *(CSur) (objeto, aparato)* thingy

cosquillas [kos'kiʎas] *fpl* ● **hacer cosquillas** to tickle ● **tener cosquillas** to be ticklish

cosquilleo [koski'ʎeo] *m (fam)* tickling sensation

costa ['kosta] *f (orilla)* coast ● **a costa de** at the expense of

costado [kos'taðo] *m* side

costar [kos'tar] *vi (valer)* to cost ● **me cuesta (mucho) hacerlo** it's (very) difficult for me to do it ● **¿cuánto cuesta?** how much is it?

Costa Rica [ˌkosta'rika] *s* Costa Rica

costarriqueño, ña [ˌkostari'keɲo, ɲa] *adj* & *m,f* Costa Rican

coste ['koste] *m* **1.** *(de producción)* cost **2.** *(de producto, mercancía)* price

costero, ra [kos'tero, ra] *adj* coastal

costilla [kos'tiʎa] *f* rib ● **costillas de cordero** lamb chops

costo ['kosto] *m* **1.** *(de producción)* cost **2.** *(de producto, mercancía)* price

costoso, sa [kos'toso, sa] *adj* expensive

costra ['kostra] *f (de herida)* scab

costumbre [kos'tumbre] *f* habit ● **tener la costumbre de** to be in the habit of

costura [kos'tura] *f* **1.** *(labor)* sewing **2.** *(de vestido)* seam

costurera [kostu'rera] *f* seamstress

costurero [kostu'rero] *m* sewing box

cota ['kota] *f (altura)* height (above sea level)

cotejo [ko'texo] *m* comparison

cotidiano, na [koti'ðjano, na] *adj* daily

cotilla [ko'tiʎa] *mf (fam)* gossip

cotilleo [koti'ʎeo] *m (fam)* gossip

cotillón [koti'ʎon] *m* New Year's Eve party

cotización [kotiθa'θjon] *f (de la moneda)* price

cotizar [koti'θar] *vt* **1.** *(en la Bolsa)* to price **2.** *(cuota)* to pay

coto ['koto] *m (terreno)* reserve ● **coto (privado) de caza** (private) game preserve

cotorra [ko'tora] *f* **1.** *(pájaro)* parrot **2.** *(fam) (charlatán)* chatterbox

coyuntura [kojun'tura] *f* current situation

coz ['koθ] *f* tick

cráneo ['kraneo] *m* skull

cráter ['krater] *m* crater

crawl ['krol] *m* crawl

creación [krea'θjon] *f* creation

creador, ra [krea'ðor, ra] *m,f* creator

crear [kre'ar] *vt* **1.** *(inventar)* to create **2.** *(fundar)* to found

creatividad [kreati̱βi'ðað] *f* creativity

creativo, va [krea'tiβo, βa] *adj* creative

crecer [kre'θer] *vi* **1.** to grow **2.** *(río)* to rise **3.** *(luna)* to wax

crecimiento [kreθi'mjento] *m* growth

credencial [kreðen'θjal] *f* identification

crédito ['kreðito] *m* **1.** *(préstamo)* loan **2.** *(disponibilidad)* credit **3.** *(confianza)* confidence

credo ['kreðo] *m* *(oración)* Creed

creencia [kre'enθja] *f* **1.** *(en religión)* faith **2.** *(convicción)* belief

creer [kre'er] *vt* **1.** *(dar por verdadero)* to believe **2.** *(suponer)* to think ● ¡ya lo creo! I should say so! ◆ **creer en** *v* + *prep* to believe in

creído, da [kre'iðo, ða] *adj* *(presuntuoso)* vain

crema ['krema] *f* **1.** *(nata, cosmético)* cream **2.** *(betún)* polish ● **crema de belleza** beauty cream ● **crema de cangrejos** crab bisque ● **crema de marisco** seafood bisque ● **crema (pastelera)** custard

cremallera [krema'ʎera] *f* zip *(UK)*, zipper *(US)*

crepe ['krep] *f* crepe

cresta ['kresta] *f* crest

cretino, na [kre'tino, na] *adj* *(estúpido)* stupid

creyente [kre'jente] *mf* believer

cría ['kria] *f* **1.** *(de ganado)* breeding **2.** *(hijo de animal)* young ➤ **crío**

criadero [kria'ðero] *m* farm

criadillas [kria'ðiʎas] *fpl* bull's testicles

criado, da [kri'aðo, ða] *m,f* servant *(f maid)*

crianza [kri'anθa] *f* **1.** *(de animales)* breeding **2.** *(educación)* bringing up **3.** *(de vino)* vintage

criar [kri'ar] ◇ *vt* **1.** *(animales)* to breed **2.** *(educar)* to bring up ◇ *vi* to breed

criatura [kria'tura] *f* creature

cricket ['kriket] *m* cricket

crimen ['krimen] *m* crime

criminal [krimi'nal] *mf* criminal

crío, a ['krio, a] *m,f* kid

criollo, lla [kri'oʎo, ʎa] *m,f* Latin American of Spanish extraction

crisis ['krisis] *f inv* **1.** *(en política, economía)* crisis **2.** *(en enfermedad)* breakdown

cristal [kris'tal] *m* **1.** *(sustancia)* glass **2.** *(vidrio fino)* crystal **3.** *(de ventana)* pane

cristalería [kristale'ria] *f* **1.** *(tienda)* glassware shop **2.** *(objetos)* glassware

cristalino, na [krista'lino, na] *adj* crystalline

cristianismo [kristja'nizmo] *m* Christianity

cristiano, na [kris'tjano, na] *adj & m,f* Christian

Cristo ['kristo] *m* Christ

criterio [kri'terjo] *m* **1.** *(regla, norma)* criterion **2.** *(opinión)* opinion

crítica ['kritika] *f* **1.** *(de arte, cine, etc)* review **2.** *(censura)* criticism ➤ **crítico**

criticar [kriti'kar] ◇ *vt* **1.** *(obra, película, etc)* to review **2.** *(censurar)* to criticize ◇ *vi* to criticize

crítico, ca ['kritiko, ka] ◇ *adj* critical ◇ *m,f* critic

croar [kro'ar] *vi* to croak

croissant [krua'san] *m* croissant

croissantería [kruasante'ria] *f shop selling filled croissants*

crol ['krol] *m* (front) crawl

cromo ['kromo] *m* (estampa) transfer

crónica ['kronika] *f* 1. (de historia) chronicle 2. (en periódico) column

cronometrar [kronome'trar] *vt* to time

cronómetro [kro'nometro] *m* stopwatch

croqueta [kro'keta] *f* croquette

croquis ['krokis] *m inv* sketch

cruce ['kruθe] *m* 1. (de calles, caminos) crossroads 2. (en el teléfono) crossed line

crucero [kru'θero] *m* 1. (en barco) cruise 2. (de iglesia) transept

crucial [kru'θjal] *adj* crucial

crucifijo [kruθi'fixo] *m* crucifix

crucigrama [kruθi'γrama] *m* crossword

crudo, da ['kruðo, ða] *adj* 1. (no cocido) raw 2. (novela, película) harshly realistic 3. (clima) harsh

cruel [kru'el] *adj* cruel

crueldad [kruel'dað] *f* cruelty

crujido [kru'xiðo] *m* creak

crujiente [kru'xjente] *adj* (alimento) crunchy

crustáceo [krus'taθeo] *m* crustacean

cruz ['kruθ] *f* 1. cross 2. (de la moneda) tails 3. (fig) (carga) burden

cruzada [kru'θaða] *f* crusade

cruzar [kru'θar] *vt* to cross ◆ **cruzarse** *vp* ● **cruzarse de brazos** (fig) to twiddle one's thumbs ◆ **cruzarse con** *v* + *prep* (persona) to pass

cta. (abr de *cuenta*) a/c (account (current))

cte. (abr de *corriente*) inst. (instant)

cuaderno [kua'ðerno] *m* 1. (libreta) notebook 2. (de colegial) exercise book

cuadra ['kuaðra] *f* 1. (lugar, conjunto) stable 2. (Amér) (esquina) corner 3. (Amér) (de casas) block

cuadrado, da [kua'ðraðo, ða] *adj & m* square

cuadriculado, da [kuaðriku'laðo, ða] *adj* squared

cuadrilla [kua'ðriʎa] *f* group, team

cuadro ['kuaðro] *m* 1. (cuadrado) square 2. (pintura) picture, painting 3. (gráfico) diagram ● **a** o **de cuadros** checked

cuajada [kua'xaða] *f* curd ● **cuajada con miel** dish of curd covered in honey

cual ['kual] *pron* ● **el/la cual** (persona) who; (cosa) which ● **lo cual** which ● **sea cual sea** su nombre whatever his name may be

cuál ['kual] *pron* 1. (qué) what 2. (especificando) which ● **¿cuál te gusta más?** which do you prefer?

cualidad [kuali'ðað] *f* quality

cualificado, da [kualifi'kaðo, ða] *adj* skilled

cualquier [kual'kjer] *adj* ➢ cualquiera

cualquiera [kual'kjera] ◇ *adj* any ◇ *pron* anybody ◇ *mf* nobody ● **cualquier día iré a verte** I'll drop by one of these days

cuando ['kuando] ◇ *adv* when ◇ *conj* (si) if ◇ *prep* ● **cuando la guerra** when the war was on ● **de cuando en cuando** from time to time ● **de vez en cuando** from time to time

cuándo ['kuando] *adv* when

cuantía [kuan'tia] *f* amount

cuanto, ta ['kuanto, ta] ◇ *adj* 1. (todo) ● **despilfarra cuanto dinero gana** he squanders all the

money he earns **2.** (*compara cantidades*) ● **cuantas más mentiras digas, menos te creerán** the more you lie, the less people will believe you
◇ *pron* **1.** (*de personas*) everyone who ● **dio las gracias a todos cuantos le ayudaron** he thanked everyone who helped him **2.** (*todo lo que*) everything ● **come cuanto/cuantos quieras** eat as much/as many as you like ● **todo cuanto dijo era verdad** everything she said was true **3.** (*compara cantidades*) ● **cuanto más se tiene, más se quiere** the more you have, the more you want **4.** (*en locuciones*) ● **cuanto antes** as soon as possible ● **en cuanto** (*tan pronto como*) as soon as ● **en cuanto a** as regards ● **unos cuantos** a few

cuánto, ta ['kuanto, ta] ◇ *adj* **1.** (*interrogativo singular*) how much **2.** (*interrogativo plural*) how many **3.** (*exclamativo*) what a lot of ◇ *pron* **1.** (*interrogativo singular*) how much **2.** (*interrogativo plural*) how many ● **¿cuánto quieres?** how much do you want?

cuarenta [kua'renta] *núm* forty ➤ **seis**

cuaresma [kua'rezma] *f* Lent

cuartel [kuar'tel] *m* barracks *pl* ● **cuartel de la Guardia Civil** post of the Guardia Civil

cuartelazo [kuarte'laθo] *m* (*Amér*) military uprising

cuarteto [kuar'teto] *m* quartet

cuartilla [kuar'tiʎa] *f* sheet of (quarto) paper

cuarto, ta ['kuarto, ta] ◇ *adj* fourth ◇ *m* **1.** (*parte, período*) quarter **2.** (*habitación*) room ◇ *m,f* ● **el cuarto, la cuarta** (*persona, cosa*) the fourth; (*piso, planta*) the fourth floor ● **llegar el cuarto** to come fourth ● **capítulo cuarto** chapter four ● **el cuarto día** the fourth day ● **en cuarto lugar, en cuarta posición** in fourth place ● **cuarto de baño** bathroom ● **cuarto de estar** living room ● **un cuarto de hora** a quarter of an hour ● **un cuarto de kilo** a quarter of a kilo ● **la cuarta parte** a quarter

cuarzo ['kuarθo] *m* quartz

cuate, ta ['kuate, ta] *m,f* (*CAm & Méx*) (*fam*) mate (*UK*), buddy (*US*)

cuatro ['kuatro] ◇ *adj inv* four ◇ *m* **1.** four **2.** (*día*) fourth ◇ *mpl* **1.** four **2.** (*temperatura*) four (degrees) ◇ *fpl* ● **(son) las cuatro** (it's) four o'clock ● **el cuatro de agosto** the fourth of August ● **doscientos cuatro** two hundred and four ● **treinta y cuatro** thirty-four ● **de cuatro en cuatro** in fours ● **los cuatro** the four of them ● **empataron a cuatro** they drew four-all ● **cuatro a cero** four-nil

cuatrocientos, tas [kuatro'θjentos, tas] *núm* four hundred ➤ **seis**

Cuba ['kuβa] *s* Cuba

cubano, na [ku'βano, na] *adj & m,f* Cuban

cubertería [kuβerte'ria] *f* cutlery

cubeta [ku'βeta] *f* (*Amér*) bucket

cúbico, ca ['kuβiko, ka] *adj* cubic

cubierta [ku'βjerta] *f* **1.** (*de libro*) cover **2.** (*de barco*) deck

cubierto, ta [ku'βjerto, ta] ◇ *pp* ➤ **cubrir** ◇ *adj* **1.** (*tapado*) covered **2.** (*cielo*) overcast ◇ *m* **1.** (*pieza para comer*) piece of cutlery **2.** (*para comensal*) place setting ● **a cubierto** under cover

cubito [ku'βito] *m* ● **cubito de hielo** ice cube

cúbito ['kuβito] *m* ulna

cubo ['kuβo] *m* 1. (recipiente) bucket 2. (en geometría, matemáticas) cube ● **cubo de la basura** rubbish bin (UK), trash can (US) ● **cubo de la ropa** laundry basket

cubrir [ku'βrir] *vt* 1. to cover 2. (proteger) to protect ◆ **cubrirse** *vp* to cover o.s.

cucaracha [kuka'ratʃa] *f* cockroach

cuchara [ku'tʃara] *f* spoon

cucharada [kutʃa'raða] *f* spoonful

cucharilla [kutʃa'riʎa] *f* teaspoon

cucharón [kutʃa'ron] *m* ladle

cuchilla [ku'tʃiʎa] *f* blade ● **cuchilla de afeitar** razor blade

cuchillo [ku'tʃiʎo] *m* knife

cuclillas [ku'kliʎas] *fpl* ● **en cuclillas** squatting

cucurucho [kuku'rutʃo] *m* cone

cuelgue *m* (fam) high ● **lleva un buen cuelgue!** hes (as) high as a kite!

cuello ['kweʎo] *m* 1. (del cuerpo) neck 2. (de la camisa) collar

cuenca ['kwenka] *f* (de río, mar) basin

cuenco ['kwenko] *m* bowl

cuenta ['kwenta] *f* 1. (cálculo) sum 2. (factura) bill, check (US) 3. (en banco) account 4. (de collar) bead ● **la cuenta, por favor** could I have the bill, please? ● **caer en la cuenta** to catch on ● **darse cuenta de** to notice ● **tener en cuenta** to take into account

cuentagotas [kwenta'yotas] *m inv* dropper ● **en cuentagotas** in dribs and

drabs

cuentakilómetros [ˌkwentaki'lometros] *m inv* 1. (de distancia) ≃ mileometer (UK), ≃ odometer (US) 2. (de velocidad) speedometer

cuento ['kwento] *m* 1. (relato) short story 2. (mentira) story

cuerda ['kweɾða] *f* 1. (fina, de instrumento) string 2. (gruesa) rope 3. (del reloj) spring ● **cuerdas vocales** vocal cords ● **dar cuerda a** (reloj) to wind up

cuerno ['kwerno] *m* 1. horn 2. (de ciervo) antler

cuero ['kwero] *m* (piel) leather ● **cuero cabelludo** scalp ● **en cueros** stark naked

cuerpo ['kwerpo] *m* 1. body 2. (de policía) force 3. (militar) corps

cuervo ['kwerβo] *m* raven

cuesta ['kwesta] *f* slope ● **cuesta arriba** uphill ● **cuesta abajo** downhill ● **a cuestas** on one's back

cuestión [kwes'tjon] *f* question ● **ser cuestión de** to be a question of

cuestionario [kwestjo'narjo] *m* questionnaire

cueva ['kweβa] *f* cave

cuidado [kui'ðaðo] ◇ *m* care ◇ *interj* be careful! ● **¡cuidado con la cabeza!** mind your head! ● **de cuidado** dangerous ● **estar al cuidado de** to be responsible for ● **tener cuidado** to be careful

cuidadosamente [kuiða,ðosa'mente] *adv* carefully

cuidadoso, sa [kuiða'ðoso, sa] *adj* careful

cuidar [kui'ðar] ◇ *vt* to look after ◇ *vi* ●

cuidar de to look after ◆ **cuidarse** *vp* to look after o.s. ◆ **cuidarse de** *v + prep (encargarse de)* to look after

culata [ku'lata] *f* **1.** *(de arma)* butt **2.** *(de motor)* cylinder head

culebra [ku'leβɾa] *f* snake

culebrón [kule'βɾon] *m (fam)* soap opera

culo ['kulo] *m* **1.** *(fam) (de persona)* bum *(UK)*, butt *(US)* **2.** *(de botella, etc)* bottom

culpa ['kulpa] *f* fault ● **echar la culpa a alguien** to blame sb ● **tener la culpa** to be to blame

culpabilidad [kulpaβili'ðað] *f* guilt

culpable [kul'paβle] ◇ *mf* guilty party ◇ *adj* ● **culpable de** guilty of

culpar [kul'paɾ] *vt* **1.** *(echar la culpa)* to blame **2.** *(acusar)* to accuse ● **culpar a alguien de** to blame sb for

cultivar [kulti'βaɾ] *vt* **1.** *(plantas)* to grow **2.** *(tierra)* to farm

cultivo [kul'tiβo] *m (plantas)* crop

culto, ta ['kulto, ta] ◇ *adj* **1.** *(persona)* educated **2.** *(estilo)* refined **3.** *(lenguaje)* literary ◇ *m* worship

cultura [kul'tuɾa] *f* **1.** *(actividades)* culture **2.** *(conocimientos)* knowledge

cultural [kultu'ɾal] *adj* cultural

culturismo [kultu'ɾizmo] *m* bodybuilding

cumbre ['kumbɾe] *f* summit

cumpleaños [kumple'aɲos] *m inv* birthday

cumplido [kum'pliðo] *m* compliment

cumplir [kum'pliɾ] ◇ *vt* **1.** *(ley, orden)* to obey **2.** *(promesa)* to keep **3.** *(condena)* to serve ◇ *vi (plazo)* to expire ● **cumplió con el deber** he did his duty ● **cumplió su promesa** she kept her promise ● **hoy cumple 21 años** he's 21 today

cúmulo ['kumulo] *m* **1.** *(de cosas)* pile **2.** *(de nubes)* cumulus

cuna ['kuna] *f* **1.** *(cama)* cot *(UK)*, crib *(UK)* **2.** *(origen)* cradle **3.** *(patria)* birthplace

cuneta [ku'neta] *f* **1.** *(en carretera)* ditch **2.** *(en la calle)* gutter

cuña ['kuɲa] *f* **1.** *(calza)* wedge **2.** *(en radio, televisión)* commercial break

cuñado, da [ku'ɲaðo, ða] *m,f* brother-in-law *(f* sister-in-law*)*

cuota ['kwota] *f* **1.** *(a club, etc)* membership fee **2.** *(a Hacienda)* tax *(payment)* **3.** *(precio)* fee

cuplé [ku'ple] *m* type of popular song

cupo ['kupo] ◇ *v* ➤ **caber** ◇ *m* **1.** *(cantidad máxima)* quota **2.** *(cantidad proporcional)* share

cupón [ku'pon] *m* **1.** *(vale)* coupon **2.** *(de sorteo, lotería)* ticket

cúpula ['kupula] *f (de edificio)* dome

cura[1] ['kuɾa] *m (sacerdote)* priest

cura[2] ['kuɾa] *f* **1.** *(restablecimiento)* recovery **2.** *(tratamiento)* cure ● **cura de reposo** rest cure

curandero, ra [kuɾan'deɾo, ɾa] *m,f* quack

curar [ku'ɾaɾ] *vt* **1.** to cure **2.** *(herida)* to dress **3.** *(pieles)* to tan ◆ **curarse** *vp* to recover

curiosidad [kuɾiosi'ðað] *f* curiosity ● **tener curiosidad por** to be curious about

curioso, sa [ku'ɾioso, sa] ◇ *adj* **1.** *(de noticias, habladurías, etc)* curious **2.** *(inte-*

resante, raro) strange ◇ *m.f* onlooker

curita [ku'rita] *f* (*Amér*) (sticking) plaster (*UK*), Band-Aid ® (*US*)

curry ['kuri] *m* curry ● **al curry** curried

cursi ['kursi] *adj* 1. (*persona*) pretentious 2. (*vestido, canción*) naff (*UK*), cheesy (*US*)

cursillo [kur'siʎo] *m* 1. (*curso breve*) short course 2. (*de conferencias*) series of talks

curso ['kurso] *m* 1. course 2. (*año académico, alumnos*) year ● **en curso** (*año*) current

cursor [kur'sor] *m* cursor

curva ['kurβa] *f* 1. curve 2. (*de camino, carretera, etc*) bend

curvado, da [kur'βaðo, ða] *adj* curved

custodia [kus'toðja] *f* 1. (*vigilancia*) safe-keeping 2. (*de los hijos*) custody

cutis ['kutis] *m inv* skin, complexion

cutre ['kutre] *adj* 1. (*fam*) (*sucio*) shabby 2. (*fam*) (*pobre*) cheap and nasty

cuy ['kuj] *m* (*Andes & RP*) guinea-pig

cuyo, ya ['kujo, ja] *adj* 1. (*de quien*) whose 2. (*de que*) of which

CV *m* (*abr de currículum vitae*) CV (*curriculum vitae*)

*d*D

D. *abrev* = don

dado ['daðo] *m* dice

daga ['daɣa] *f* dagger

dalia ['dalja] *f* dahlia

dama ['dama] *f* lady ◆ **damas** *fpl* (*juego*) draughts *sg*

damasco [da'masko] *m* (*Andes & RP*) apricot

danés, esa [da'nes, esa] ◇ *adj & m* Danish ◇ *m.f* Dane

danza ['danθa] *f* dance

danzar [dan'θar] *vt & vi* to dance

dañar [da'ɲar] *vt* 1. (*persona*) to harm 2. (*cosa*) to damage

dañino, na [da'ɲino, na] *adj* 1. (*sustancia*) harmful 2. (*animal*) dangerous

daño ['daɲo] *m* 1. (*dolor*) pain 2. (*perjuicio*) damage 3. (*a persona*) harm ● **hacer daño** (*producir dolor*) to hurt ● **la cena me hizo daño** the meal didn't agree with me

dar [dar]

◇ *vt* 1. (*entregar, regalar, decir*) to give ● **da clases en la universidad** he teaches at the university ● **me dio las gracias/los buenos días** she thanked me/said good morning to me 2. (*producir*) to produce 3. (*causar, provocar*) to give ● **me da vergüenza** I'm embarrassed ● **me da risa/sueño** it makes me laugh/sleepy 4. (*suj: reloj*) to strike ● **el reloj ha dado las diez** the clock struck ten 5. (*encender*) to turn on ● **por favor, da la luz** turn on the lights, please 6. (*comunicar, emitir*) to give 7. (*película, programa*) to show; (*obra de teatro*) to put on 8. (*mostrar*) to show ● **su aspecto daba señales de cansancio** she was showing signs of weariness 9. (*expresa acción*) to give ● **dar un grito** to give a cry ● **le dio un golpe** he hit him 10. (*banquete, baile*) to hold ● **van**

a dar una fiesta they're going to throw a party **11.** *(considerar)* ● **dio la discusión por terminada** she considered the discussion to be over

◇ *vi* **1.** *(horas)* to strike ● **han dado las tres en el reloj** the clock's struck three **2.** *(golpear)* ● **le dieron en la cabeza** they hit her on the head ● **la piedra dio contra el cristal** the stone hit the glass **3.** *(sobrevenir)* ● **le dieron varios ataques al corazón** he had several heart attacks **4.** *(balcón, ventana)* to look out onto; *(pasillo)* to lead to; *(casa, fachada)* to face **5.** *(proporcionar)* ● **dar de comer** to feed ● **dar de beber a alguien** to give sb something to drink **6.** ● **dar en** *(blanco)* to hit **7.** *(en locuciones)* ● **dar de sí** to stretch ● **dar que hablar** to set people talking ● **da igual** o **lo mismo** it doesn't matter ● **¡qué más da!** what does it matter!

◆ **dar a** *v + prep (llave)* to turn
◆ **dar con** *v + prep (encontrar)* to find
◆ **darse** *vp (suceder)* to happen; *(dilatarse)* to stretch ● **darse contra** to bump into ● **se le da bien/mal el latín** she is good/bad at Latin ● **darse prisa** to hurry ● **se las da de listo** he likes to make out that he's clever ● **darse por vencido** to give in
◆ **darse a** *v + prep (entregarse)* to take to

dardo ['darðo] *m* dart ◆ **dardos** *mpl* *(juego)* darts *sg*

dátil ['datil] *m* date

dato ['dato] *m* fact, piece of information ● **datos** information *sg* ● **datos personales** personal details

para dar los datos personales

Da tu nombre seguido del número de la casa y el nombre de la calle, el nombre de la ciudad, y el código postal [*9 Grosvenor Avenue, London, N5 2NP*]. El número de teléfono se lee diciendo cada número por separado, con el prefijo primero [*0131 3150256; 0207 3541710*]. Se hace una pequeña pausa entre el prefijo y el número. En el Reino Unido el *0* se lee *oh*, y en los Estados Unidos *zero* [*oh-two-oh-seven.../zero-two-zero-seven*]. Cuando des tu dirección de correo electrónico, el punto se dice *dot* y la arroba *at* [*lucy-dot-kyle-at-hotmail-dot-com*].

dcha. *(abr de* derecha*)* right

d. de J.C. *(abr de* después de Jesucristo*)* AD *(Anno Domini)*

de [de] *prep* **1.** *(posesión, pertenencia)* of ● **el coche de mi padre/mis padres** my father's/parents' car ● **la casa es de ella** the house is hers **2.** *(materia)* (made) of ● **un reloj de oro** a gold watch **3.** *(contenido)* of ● **un vaso de agua** a glass of water **4.** *(en descripciones)* ● **de fácil manejo** user-friendly ● **la señora de verde** the lady in green ● **difícil de creer** hard to believe ● **una bolsa de deporte** a sports bag **5.** *(asunto)* about ● **háblame de ti** tell me about yourself ● **libros de historia** history books **6.** *(en calidad de)* as ● **trabaja de bombero** he works as a fireman **7.**

(tiempo) ● **trabaja de nueve a cinco** she works from nine to five ● **trabaja de noche y duerme de día** he works at night and sleeps during the day ● **a las tres de la tarde** at three in the afternoon ● **llegamos de madrugada** we arrived early in the morning ● **de pequeño** as a child **8.** *(procedencia, distancia)* from ● **vengo de mi casa** I've come from home ● **soy de Zamora** I'm from Zamora ● **del metro a casa voy a pie** I walk home from the underground **9.** *(causa, modo)* with ● **morirse de frío** to freeze to death ● **llorar de alegría** to cry with joy ● **de una (sola) vez** in one go **10.** *(con superlativos)* ● **el mejor de todos** the best of all **11.** *(cantidad)* ● **más/menos de** more/less than **12.** *(condición)* if ● **de querer ayudarme, lo haría** if she wanted to help me, she would

debajo [de'βaxo] *adv* underneath ● **debajo de** under

debate [de'βate] *m* debate

debatir [deβa'tir] *vt* to debate

deber [de'βer] ◇ *m* duty ◇ *vt* **1.** *(expresa obligación)* ● **debes dominar tus impulsos** you should control your impulses ● **nos debemos ir a casa a las diez** we must go home at ten **2.** *(adeudar)* to owe **3.** *(en locuciones)* ● **debido a** due to ● **me debes cincuenta euros** you owe me fifty euros ● **¿cuánto le debo?** how much does it come to? ◆ **deber de** *v + prep* ● **debe de llegar a las nueve** she should arrive at nine ● **deben de ser las doce** it must be twelve o'clock ◆ **deberse a** *v + prep* **1.** *(ser consecuencia de)*

to be due to **2.** *(dedicarse a)* to have a responsibility towards ◆ **deberes** *mpl (trabajo escolar)* homework *sg*

debido, da [de'βiðo, ða] *adj* proper ● **debido a** due to

débil ['deβil] *adj* **1.** *(sin fuerzas)* weak **2.** *(voz, sonido)* faint **3.** *(luz)* dim

debilidad [deβili'ðað] *f* weakness

debilitar [deβili'tar] *vt* to weaken

debut [de'βut] *m (de artista)* debut

década ['dekaða] *f* decade

decadencia [deka'ðenθja] *f (declive)* decline

decadente [deka'ðente] *adj* decadent

decaer [deka'er] *vi* **1.** *(fuerza, energía)* to fail **2.** *(esperanzas, país)* to decline **3.** *(ánimos)* to flag

decaído, da [deka'iðo, ða] *adj (deprimido)* gloomy

decano, na [de'kano, na] *m,f* **1.** *(de universidad)* dean **2.** *(el más antiguo)* senior member

decena [de'θena] *f* ten

decente [de'θente] *adj* **1.** *(honesto)* decent **2.** *(limpio)* clean

decepción [deθep'θjon] *f* disappointment

decepcionar [deθepθjo'nar] *vt* to disappoint ◆ **decepcionarse** *vp* to be disappointed

decidido, da [deθi'ðiðo, ða] *adj* determined

decidir [deθi'ðir] *vt* to decide ◆ **decidirse** *vp* ● **decidirse a** to decide to

decimal [deθi'mal] *adj* decimal

décimo, ma ['deθimo, ma] ◇ *adj* tenth ◇ *m (en lotería)* tenth share in a lottery ticket ◇ *m,f* ● **el décimo, la décima**

(persona, cosa) the tenth; (piso, planta) the tenth floor ● **llegar el décimo** to come tenth ● **capítulo décimo** chapter ten ● **el décimo día** the tenth day ● **en décimo lugar, en décima posición** in tenth place ● **la décima parte** a tenth

decir [deˈθir] *vt* **1.** (enunciar) to say **2.** (contar) to tell ● **decir a alguien que haga algo** to tell sb to do sthg ● **decir que sí** to say yes ● **¿diga?, ¿dígame?** (al teléfono) hello? ● **es decir** that is ● **¿cómo se dice ...?** how do you say ...? ● **se dice ...** they say ...

decisión [deθiˈsjon] *f* **1.** (resolución) decision **2.** (de carácter) determination ● **tomar una decisión** to take a decision

declaración [deklaraˈθjon] *f* **1.** statement **2.** (de amor) declaration ● **prestar declaración** to give evidence ● **tomar declaración** to take a statement ● **declaración de la renta** tax return

declarado, da [deklaˈraðo, ða] *adj* declared

declarar [deklaˈrar] ◇ *vt* **1.** to state **2.** (afirmar, bienes, riquezas) to declare ◇ *vi* (dar testimonio) to give evidence ● **declararse** *vp* **1.** (incendio, epidemia, etc) to break out **2.** (en el amor) to declare o.s. ● **me declaro a favor de ...** I'm in favour of ...

declinar [dekliˈnar] *vt* to decline

decoración [dekoraˈθjon] *f* **1.** (de casa, habitación) décor **2.** (adornos) decorations *pl*

decorado [dekoˈraðo] *m* (en teatro, cine) set

decorar [dekoˈrar] *vt* to decorate

decretar [dekreˈtar] *vt* to decree

decreto [deˈkreto] *m* decree

dedal [deˈðal] *m* thimble

dedicación [deðikaˈθjon] *f* dedication

dedicar [deðiˈkar] *vt* **1.** (tiempo, dinero, energía) to devote **2.** (obra) to dedicate ● **dedicarse a** *v + prep* (actividad, tarea) to spend time on ● **¿a qué se dedica Vd?** what do you do for a living?

dedo [ˈdeðo] *m* **1.** (de mano, bebida) finger **2.** (de pie) toe **3.** (medida) centímetre ● **hacer dedo** (fam) to hitchhike ● **dedo corazón** middle finger ● **dedo gordo** thumb

deducción [deðukˈθjon] *f* deduction

deducir [deðuˈθir] *vt* **1.** (concluir) to deduce **2.** (restar) to deduct

defecar [defeˈkar] *vi* (formal) to defecate

defecto [deˈfekto] *m* **1.** (físico) defect **2.** (moral) fault

defender [defenˈder] *vt* to defend ● **defenderse** *vp* (protegerse) to defend o.s. ● **defenderse de** (ataque, insultos) to defend o.s. against

defensa [deˈfensa] *f* defence

defensor, ra [defenˈsor, ra] *m,f* **1.** defender **2.** (abogado) counsel for the defence

deficiencia [defiˈθjenθja] *f* **1.** (defecto) deficiency **2.** (falta, ausencia) lack

deficiente [defiˈθjente] *adj* (Imperfecto) deficient

déficit [ˈdefiθit] *m inv* **1.** (en economía) deficit **2.** (escasez) shortage

definición [definiˈθjon] *f* definition

definir [defiˈnir] *vt* to define ● **definirse** *vp* (fig) to take a position

definitivo, **va** [defini'tiβo, βa] *adj* **1.** *(final, decisivo)* definitive **2.** *(terminante)* definite ● **en definitiva** in short

deformación [deforma'θjon] *f* deformation

deformar [defor'mar] *vt* to deform

defraudar [defrau'ðar] *vt* **1.** *(decepcionar)* to disappoint **2.** *(estafar)* to defraud

defunción [defun'θjon] *f (formal)* death

degenerado, **da** [dexene'raðo, ða] *m,f* degenerate

degenerar [dexene'rar] *vi* to degenerate

degustación [deɣusta'θjon] *f* tasting

dejadez [dexa'ðeθ] *f* neglect

dejar [de'xar]
◇ *vt* **1.** *(colocar, poner)* to leave ▼ **deje aquí su compra** *sign indicating lockers where bags must be left when entering a supermarket* **2.** *(prestar)* to lend ● **me dejó su pluma** she lent me her pen **3.** *(no tomar)* to leave ● **deja lo que no quieras** leave whatever you don't want ● **deja un poco de café para mí** leave a bit of coffee for me **4.** *(dar)* to give ● **déjame la llave** give me the key ● **dejé el perro a mi madre** I left the dog with my mother **5.** *(vicio, estudios)* to give up; *(casa, novia)* to leave; *(familia)* to abandon ● **dejó su casa** he left home **6.** *(producir)* to leave ● **este perfume deja mancha en la ropa** this perfume stains your clothing **7.** *(permitir)* to allow, to let ● **dejar a alguien hacer algo** to let sb do sthg ▼ **dejen salir antes de entrar** *(en metro, tren)* let the passengers off the train first, please ● **sus gritos no me dejaron dormir** his cries prevented me from sleeping **8.** *(olvidar, omitir)* to leave out ● **dejar algo por** o **sin hacer** to fail to do sthg ● **déjalo para otro día** leave it for another day **9.** *(no molestar)* to leave alone ● **¡déjame!** let me be! **10.** *(esperar)* **dejó que acabara de llover para salir** she waited until it stopped raining before going out **11.** *(en locuciones)* ● **dejar algo aparte** to leave sthg to one side ● **dejar algo/a alguien atrás** to leave sthg/sb behind ● **dejar caer algo** *(objeto)* to drop sthg
◇ *vi* **1.** *(parar)* ● **dejar de hacer algo** to stop doing sthg **2.** *(no olvidar)* ● **no dejar de hacer algo** to be sure to do sthg

◆ **dejarse** *vp* *(olvidarse)* to leave; *(descuidarse, abandonarse)* to let o.s. go ● **dejarse llevar por** to get carried away with ● **apenas se deja ver** we hardly see anything of her

◆ **dejarse de** *v + prep* ● **¡déjate de tonterías!** stop that nonsense!

del [del] ◇ **de, el**

delantal [delan'tal] *m* apron

delante [de'lante] *adv* **1.** *(en primer lugar)* in front **2.** *(en la parte delantera)* at the front **3.** *(enfrente)* opposite ● **delante de** in front of

delantera [delan'tera] *f (de coche, avión, etc)* front ● **coger** o **tomar la delantera** to take the lead

delantero, **ra** [delan'tero, ra] ◇ *adj* front ◇ *m (en deporte)* forward

delatar [dela'tar] *vt* **1.** *(persona)* to denounce **2.** *(suj: gesto, acto)* to betray

delco ® ['delko] *m* distributor

delegación [deleɣa'θion] *f* **1.** *(oficina)* (local) office **2.** *(representación)* delegation **3.** *(Méx) (distrito municipal)* borough *(UK)*, district *(US)* **4.** *(Méx) (de policía)* police station

delegado, da [dele'ɣaðo, ða] *m.f* delegate ● **delegado de curso** *student elected to represent his/her classmates*

delegar [dele'ɣar] *vt* to delegate

deletrear [deletre'ar] *vt* to spell

delfín [del'fin] *m* dolphin

delgado, da [del'ɣaðo, ða] *adj* **1.** thin **2.** *(esbelto)* slim

deliberadamente [deliβe̗raða'mente] *adv* deliberately

deliberado, da [deliβe'raðo, ða] *adj* deliberate

deliberar [deliβe'rar] *vt* to deliberate

delicadeza [delika'ðeθa] *f* **1.** *(atención, miramiento)* consideration **2.** *(finura)* delicacy **3.** *(cuidado)* care

delicado, da [deli'kaðo, ða] *adj* **1.** delicate **2.** *(respetuoso)* considerate

delicia [de'liθia] *f* delight

delicioso, sa [deli'θioso, sa] *adj* **1.** *(exquisito)* delicious **2.** *(agradable)* lovely

delincuencia [delin'kuenθia] *f* crime

delincuente [delin'kuente] *mf* criminal ● **delincuente común** common criminal

delirante [deli'rante] *adj* **1.** *(persona)* delirious **2.** *(idea)* mad

delirar [deli'rar] *vi* **1.** *(por la fiebre)* to be delirious **2.** *(decir disparates)* to talk rubbish *(UK)* o nonsense *(US)*

delirio [de'lirio] *m* *(perturbación)* ravings *pl*

delito [de'lito] *m* crime

delta ['delta] *m* delta

demanda [de'manda] *f* **1.** *(petición)* request **2.** *(reivindicación, de mercancías)* demand **3.** *(en un juicio)* action

demandar [deman'dar] *vt* **1.** *(pedir)* to request **2.** *(reivindicar)* to demand **3.** *(en un juicio)* to sue

demás [de'mas] ◇ *adj* other ◇ *pron* ● **los/las demás** the rest ● **lo demás** the rest ● **por lo demás** apart from that

demasiado, da [dema'siaðo, ða] ◇ *adj* **1.** *(con sustantivos singulares)* too much **2.** *(con sustantivos plurales)* too many ◇ *adv* too much ● **demasiado rápido** too fast ● **hace demasiado frío** it's too cold

demencia [de'menθia] *f* insanity

demente [de'mente] *adj* *(formal)* insane

democracia [demo'kraθia] *f* democracy

demócrata [de'mokrata] ◇ *adj* democratic ◇ *mf* democrat

democráticamente [demo̗kratika'mente] *adv* democratically

democrático, ca [demo'kratiko, ka] *adj* democratic

demoledor, ra [demole'ðor, ra] *adj* **1.** *(máquina, aparato)* demolition *(antes de s)* **2.** *(argumento, crítica)* devastating

demoler [demo'ler] *vt* to demolish

demonio [de'monio] *m* devil ● **¿qué demonios ...?** what the hell ...?

demora [de'mora] *f* delay

demostración [demostra'θion] *f* **1.** *(de hecho)* proof **2.** *(de afecto, sentimiento, etc)* demonstration

demostrar [demos'trar] *vt* **1.** *(probar)* to prove **2.** *(indicar)* to demonstrate, to show

denominación [denomina'θion] *f* ●
denominación de origen *certification that a product, especially wine, comes from a particular region*
densidad [densi'ðað] *f* density
denso, sa ['denso, sa] *adj* dense
dentadura [denta'ðura] *f* teeth *pl* ●
dentadura postiza dentures *pl*
dentífrico [den'tifriko] *m* toothpaste
dentista [den'tista] *mf* dentist
dentro ['dentro] *adv (en el interior)* inside
● **dentro de** *(en el interior)* in; *(en el plazo de)* in, within
denunciante [denun'θiante] *mf* person who reports a crime
denunciar [denunθi'ar] *vt* **1.** *(delito, persona)* to report **2.** *(situación irregular, escándalo)* to reveal
departamento [departa'mento] *m* **1.** *(de empresa, organismo)* department **2.** *(de armario, maleta)* compartment **3.** *(Amér) (vivienda)* flat *(UK)*, apartment *(US)*
dependencia [depen'denθia] *f* **1.** *(subordinación)* dependence **2.** *(habitación)* room **3.** *(sección, departamento)* branch
depender [depen'der] *vi* ● **depende ...** it depends ... ● **depender de** *v + prep* to depend on
dependiente, ta [depen'diente, ta] *m,f* shop assistant *(UK)*, sales associate *(US)*
depilarse [depi'larse] *vp* to remove hair from ● **depilarse las cejas** to pluck one's eyebrows
depilatorio, ria [depila'torio, ria] *adj* hair-removing
deporte [de'porte] *m* sport ● **hacer deporte** to do sport ● **deportes de invierno** winter sports

deportista [depor'tista] *mf* sportsman *(f* sportswoman*)*
deportivo, va [depor'tiβo, βa] ◇ *adj* **1.** *(zapatillas, pantalón, prueba)* sports *(antes de s)* **2.** *(persona)* sporting ◇ *m* sports car
depositar [deposi'tar] *vt* **1.** *(en un lugar)* to place **2.** *(en el banco)* to deposit
depósito [de'posito] *m* **1.** *(almacén)* store **2.** *(de dinero)* deposit **3.** *(recipiente)* tank ● **depósito de agua** water tank ● **depósito de gasolina** petrol tank *(UK)*, gas tank *(US)*
depre *(fam)* ◇ *adj* ● **estar depre** to be on a downer ◇ *f* ● **tener la depre** to be on a downer
depresión [depre'sion] *f* depression
depresivo, va [depre'siβo, βa] *adj* MED depressive
deprimido, da [depri'miðo, ða] *adj* depressed
deprimir [depri'mir] *vt* to depress ● **deprimirse** *vp* to get depressed
deprisa [de'prisa] *adv* quickly
depuradora [depura'ðora] *f* purifier
depurar [depu'rar] *vt* *(sustancia)* to purify
derecha [de'retʃa] *f* ● **la derecha** *(mano derecha)* one's right hand; *(lado derecho, en política)* the right ● **a la derecha** on the right ● **gira a la derecha** turn right ● **ser de derechas** to be right wing
derecho, cha [de'retʃo, tʃa] ◇ *adj* **1.** *(lado, mano, pie)* right **2.** *(recto)* straight ◇ *m* **1.** *(privilegio, facultad)* right **2.** *(estudios)* law **3.** *(de tela, prenda)* right side ◇ *adv* straight ● **todo derecho** straight on ● **¡no hay derecho!** it's not fair!

derivar [deri'βar] ◆ **derivar de** v + prep to derive from ◆ **derivar en** v + prep to end in

dermoprotector, ra [ˌdermoprotek'tor, ra] adj skin-protecting (antes de s)

derramar [dera'mar] vt 1. (por accidente) to spill 2. (verter) to pour ◆ **derramarse** vp to spill

derrame [de'rame] m spillage ● **derrame cerebral** brain haemorrhage

derrapar [dera'par] vi to skid

derretir [dere'tir] vt to melt ◆ **derretirse** vp 1. (hielo, mantequilla) to melt 2. (persona) to go weak at the knees

derribar [deri'βar] vt 1. (casa, muro, adversario) to knock down 2. (gobierno) to overthrow

derrochar [dero'tʃar] vt to waste

derroche [de'rotʃe] m 1. (de dinero) waste 2. (de esfuerzo, simpatía) excess

derrota [de'rota] f defeat

derrotar [dero'tar] vt to defeat

derrumbar [derum'bar] vt (casa, muro) to knock down ◆ **derrumbarse** vp 1. (casa, muro) to collapse 2. (moralmente) to be devastated

desabrochar [desaβro'tʃar] vt to undo ◆ **desabrocharse** vp ● **desabrocharse la camisa** to unbutton one's shirt

desaconsejable adj inadvisable

desacreditar [desakreði'tar] vt to discredit

desacuerdo [desa'kwerðo] m disagreement

desafiar [desafi'ar] vt 1. (persona) to challenge 2. (elementos, peligros) to defy ● **desafiar a alguien a** to challenge sb to

desafinar [desafi'nar] vi to be out of tune ◆ **desafinarse** vp to go out of tune

desafío [desa'fio] m challenge

desafortunadamente [desafortuˌnaða'mente] adv unfortunately

desafortunado, da [desafortu'naðo, ða] adj 1. (sin suerte) unlucky 2. (inoportuno) unfortunate

desagradable [desaɣra'ðaβle] adj unpleasant

desagradecido, da [desaɣraðe'θiðo, ða] adj 1. (persona) ungrateful 2. (trabajo, tarea) thankless

desagüe [desa'ɣwe] m 1. (de bañera, fregadero, piscina) drain 2. (cañería) drainpipe

desahogarse [desao'ɣarse] vp to pour one's heart out

desaire [de'saire] m snub

desajuste [desa'xuste] m ● **desajuste horario** jet lag

desaliñado, da [desali'ɲaðo, ða] adj (persona) unkempt

desalojar [desalo'xar] vt 1. (por incendio, etc) to evacuate 2. (por la fuerza) to evict ● **lo desalojaron de su propia casa** he was evicted from his own home

desamparado, da [desampa'raðo, ða] adj abandoned

desangrarse [desaŋ'grarse] vp to lose a lot of blood

desanimar [desani'mar] vt to discourage ◆ **desanimarse** vp to be discouraged

desaparecer [desapare'θer] vi to disappear

desaparecido, da [desapare'θiðo, ða] m,f missing person

desaparición [desapari'θion] *f* disappearance

desapercibido, da [desaperθi'βido, ða] *adj* • pasar desapercibido to go unnoticed

desaprovechar [desaproβe'tʒar] *vt* to waste

desarmador [desarma'ðor] *m* (*Méx*) screwdriver

desarrollado, da [desaro'ʎaðo, ða] *adj* 1. developed 2. (*persona*) well-developed

desarrollar [desaro'ʎar] *vt* to develop • **desarrollarse** *vp* 1. to develop 2. (*suceder*) to take place

desarrollo [desa'roʎo] *m* development

desasosiego [desaso'sjeɣo] *m* anxiety

desastre [de'sastre] *m* 1. disaster 2. (*objeto de mala calidad*) useless thing

desatar [desa'tar] *vt* 1. to untie 2. (*sentimiento*) to unleash

desatino [desa'tino] *m* (*equivocación*) mistake

desatornillar [desator'niʎar] *vt* (*Amér*) to unscrew

desavenencia [desaβe'nenθja] *f* disagreement

desayunar [desaju'nar] ◇ *vt* to have for breakfast ◇ *vi* to have breakfast

desayuno [desa'juno] *m* breakfast

desbarajuste [dezβara'xuste] *m* disorder

desbaratar [dezβara'tar] *vt* to ruin

desbordarse [dezβor'ðarse] *vp* 1. (*río, lago*) to overflow 2. (*sentimiento, pasión*) to erupt

descabellado, da [deskaβe'ʎaðo, ða] *adj* mad

descafeinado [deskafei̯'naðo] ◇ *adj* de-caffeinated ◇ *m* decaffeinated coffee • café descafeinado decaffeinated coffee

descalificar [deskalifi'kar] *vt* 1. (*jugador*) to disqualify 2. (*desacreditar*) to discredit

descalzarse [deskal'θarse] *vp* to take one's shoes off

descalzo, za [des'kalθo, θa] *adj* barefoot • ir descalzo to go barefoot

descampado [deskam'paðo] *m* open ground

descansar [deskan'sar] *vi* 1. (*reposar*) to rest 2. (*dormir*) to sleep

descansillo [deskan'siʎo] *m* landing

descanso [des'kanso] *m* 1. (*reposo*) rest 2. (*pausa*) break 3. (*intermedio*) interval 4. (*alivio*) relief

descapotable [deskapo'taβle] *m* convertible

descarado, da [deska'raðo, ða] *adj* 1. (*persona*) cheeky (*UK*), shameless (*US*) 2. (*intento, mentira*) blatant

descarga [des'karɣa] *f* (*de mercancías*) unloading • descarga eléctrica electric shock

descargar [deskar'ɣar] *vt* 1. (*camión, mercancías, equipaje*) to unload 2. (*arma*) to fire • **descargarse** *vp* (*batería*) 1. to go flat (*UK*), to die (*US*) 2. (*encendedor*) to run out 3. (*desahogarse*) to vent one's frustration

descaro [des'karo] *m* cheek

descarrilar [deskari'lar] *vi* to be derailed

descartar [deskar'tar] *vt* 1. (*ayuda*) to reject 2. (*posibilidad*) to rule out

descendencia [desθen'denθja] *f* (*hijos*) offspring

descender [desθen'der] *vi* to go down

descendiente [desθen'djente] *mf* descendent

descenso [des'θenso] *m* 1. *(bajada)* drop 2. *(de un río, montaña)* descent

descifrar [desθi'frar] *vt* to decipher

descolgar [deskol'ɣar] ◇ *vt* 1. *(cortina, ropa, cuadro)* to take down 2. *(teléfono)* to take off the hook ◇ *vi* to pick up the receiver

descolorido, da [deskolo'riðo, ða] *adj* faded

descomponer [deskompo'ner] *vt (Amér)* to break ◆ **descomponerse** *vp (Amér)* to break down

descomposición [deskomposi'θjon] *f* 1. *(de un alimento)* decomposition ◆ **descomposición (de vientre)** diarrhea

descompuesto, ta [deskom'puesto, ta] ◇ *pp* ➤ **descomponer** ◇ *adj (Amér)* broken

desconcertante [deskonθer'tante] *adj* disconcerting

desconcertar [deskonθer'tar] *vt* to disconcert

desconfianza [deskonfjanθa] *f* distrust

desconfiar [deskonfi'ar] ◆ **desconfiar de** *v + prep* to distrust

descongelar [deskonxe'lar] *vt* 1. *(alimentos)* to thaw 2. *(nevera)* to defrost ◆ **descongelarse** *vp* 1. *(alimentos)* to thaw 2. *(nevera)* to defrost

descongestionarse [deskonxestjo'narse] *vp* to clear

desconocer [deskono'θer] *vt* not to know

desconocido, da [deskono'θiðo, ða] *m,f* stranger

desconocimiento [deskonoθi'mjento] *m* ignorance

desconsiderado, da [deskonsiðe'raðo, ða] *adj* inconsiderate

desconsolado, da [deskonso'laðo, ða] *adj* distressed

desconsuelo [deskon'suelo] *m* distress

descontar [deskon'tar] *vt* to deduct

descrédito [des'kreðito] *m* discredit

describir [deskri'βir] *vt* to describe

descripción [deskrip'θjon] *f* description

descuartizar [deskuarti'θar] *vt* to quarter

descubierto, ta [desku'βjerto, ta] ◇ *pp* ➤ **descubrir** ◇ *adj* 1. *(sin tapar)* uncovered 2. *(sin nubes)* clear ◆ **al descubierto** in the open

descubrimiento [deskuβri'mjento] *m* discovery

descubrir [desku'βrir] *vt* 1. to discover 2. *(averiguar, destapar)* to uncover

descuento [des'kuento] *m* discount

descuidado, da [deskui'ðaðo, ða] *adj* 1. *(persona, aspecto)* untidy (UK), messy (US) 2. *(lugar)* neglected

descuidar [deskui'ðar] *vt* to neglect ◆ **descuidarse de** *v + prep (olvidarse de)* to forget to

descuido [des'kuiðo] *m* 1. *(imprudencia)* carelessness 2. *(error)* mistake

desde [dezðe] *prep* 1. *(en el tiempo)* since 2. *(en el espacio)* from ◆ **desde ... hasta** ... from ... to ... ◆ **vivo aquí desde hace dos años** I've been living here for two years ◆ **desde luego** of course ◆ **desde que** since

desdén [dez'ðen] *m* disdain

desdentado, da [dezðen'taðo, ða] *adj* toothless

desdicha [dez'ðitʃa] *f (pena)* misfortune

desdoblar [dezðo'βlar] *vt (papel, servilleta)* to unfold

desear [dese'ar] *vt* 1. *(querer)* to want 2. *(anhelar)* to wish for 3. *(amar)* to desire ● ¿qué desea? what can I do for you?

desechable [dese'tʃaβle] *adj* disposable

desechar [dese'tʃar] *vt (tirar)* to throw away

desembarcar [desembar'kar] *vi* to disembark

desembocadura [desemboka'ðura] *f* 1. *(de río)* mouth 2. *(de calle)* opening

desembocar [desembo'kar] ● **desembocar en** *v + prep* 1. *(río)* to flow into 2. *(calle)* to lead into 3. *(situación, problema)* to end in

desempeñar [desempe'ɲar] *vt* 1. *(funciones)* to carry out 2. *(papel)* to play 3. *(objeto empeñado)* to redeem

desempleo [desem'pleo] *m* unemployment

desencadenar [desenkaðe'nar] *vt (provocar)* to unleash ● **desencadenarse** *vi* 1. *(tormenta)* to break 2. *(tragedia)* to strike

desencajarse [desenka'xarse] *vp* 1. *(piezas)* to come apart 2. *(rostro)* to become distorted

desencanto [desen'kanto] *m* disappointment

desenchufar [desentʃu'far] *vt* to unplug

desenfadado, da [desenfa'ðaðo, ða] *adj* 1. *(persona)* easy-going 2. *(ropa)* casual 3. *(estilo)* light

desenfrenado, da [desenfre'naðo, ða] *adj (ritmo)* frantic

desengañar [desenga'ɲar] *vt* to reveal the truth to ● **desengañarse** *vp* ● **desengáñate** stop kidding yourself

desengaño [desen'gaɲo] *m* disappointment

desenlace [desen'laθe] *m* ending

desenmascarar [desenmaska'rar] *vt* to expose

desenredar [desenre'ðar] *vt* 1. *(pelo, madeja, ovillo)* to untangle 2. *(situación)* to unravel

desentenderse [desenten'derse] ● **desentenderse de** *v + prep* ● **se desentendió de ello** he refused to have anything to do with it

desenvolver [desembol'βer] *vt* to unwrap ● **desenvolverse** *vp (persona)* to cope

deseo [de'seo] *m* desire

desequilibrado, da [desekili'βraðo, ða] *adj (formal) (loco)* (mentally) unbalanced

desesperación [desespera'θion] *f* desperation

desesperarse [desespe'rarse] *vp* to lose hope

desfachatez [desfatʃa'teθ] *f* cheek (UK), nerve (US)

desfallecer [desfaʎe'θer] *vi* 1. *(debilitarse)* to flag 2. *(desmayarse)* to faint

desfigurarse [desfiɣu'rarse] *vp* to be disfigured

desfiladero [desfila'ðero] *m* (mountain) pass

desfile [des'file] *m* 1. *(de militares)* parade 2. *(de carrozas, etc)* procession 3. *(de modelos)* fashion show

desgana [dez'ɣana] *f* 1. *(falta de apetito)* lack of appetite 2. *(falta de interés)* lack of enthusiasm ● **con desgana** unwillingly

desgastar [dezɣas'tar] *vt* **1.** *(objeto)* to wear out **2.** *(fuerza)* to wear down

desgracia [dez'ɣraθja] *f* **1.** *(suerte contraria)* bad luck **2.** *(suceso trágico)* disaster ● **por desgracia** unfortunately

desgraciadamente [dezɣraθjaða'mente] *adv* unfortunately

desgraciado, da [dezɣra'θjaðo, ða] *m,f* poor wretch

desgraciar [dezɣra'θjar] *vt (estropear)* to spoil

desgreñado, da [dezɣre'ɲaðo, ða] *adj* tousled ● **ir desgreñado** to be dishevelled

deshacer [desa'θer] *vt* **1.** *(lo hecho)* to undo **2.** *(cama)* to mess up **3.** *(quitar las sábanas de)* to strip **4.** *(las maletas)* to unpack **5.** *(destruir)* to ruin **6.** *(disolver)* to dissolve ◆ **deshacerse** *vp* **1.** *(disolverse)* to dissolve **2.** *(derretirse)* to melt **3.** *(destruirse)* to be destroyed ◆ **deshacerse de** *v + prep (desprenderse de)* to get rid of

deshecho, cha [de'setʃo, tʃa] ◇ *pp* ➤ **deshacer** ◇ *adj* **1.** *(nudo, paquete)* undone **2.** *(cama)* unmade **3.** *(maletas)* unpacked **4.** *(estropeado)* ruined **5.** *(triste, abatido)* shattered

desheredar [desere'ðar] *vt* to disinherit

deshidratarse [desiðra'tarse] *vp* to be dehydrated

deshielo [dez'jelo] *m* thaw

deshonesto, ta [deso'nesto, ta] *adj* **1.** *(inmoral)* indecent **?** *(poco honrado)* dishonest

deshonra [de'sonra] *f* dishonour

deshuesar [dezwe'sar] *vt* **1.** *(carne)* to bone **2.** *(fruta)* to stone *(UK)*, to pit *(US)*

desierto, ta [de'sjerto, ta] ◇ *adj (lugar)* deserted ◇ *m* desert

designar [desiɣ'nar] *vt* **1.** *(persona)* to appoint **2.** *(lugar)* to decide on

desigual [desi'ɣwal] *adj* **1.** *(no uniforme)* different **2.** *(irregular)* uneven

desigualdad [desiɣwal'dað] *f* inequality

desilusión [desilu'sjon] *f* disappointment

desilusionar [desilusjo'nar] *vt* to disappoint

desinfectante [desinfek'tante] *m* disinfectant

desinfectar [desinfek'tar] *vt* to disinfect

desinflar [desin'flar] *vt (balón, globo, rueda)* to let down

desintegración [desinteɣra'θjon] *f* disintegration

desinterés [desinte'res] *m* lack of interest

desinteresado, da [desintere'saðo, ða] *adj* unselfish

desistir [desis'tir] ◆ **desistir de** *v + prep* to give up

desliz [dez'liθ, θes] *(pl* **-ces***) m* slip

deslizar [dezli'θar] *vt* to slide ◆ **deslizarse** *vp (resbalar)* to slide

deslumbrar [dezlum'brar] *vt* to dazzle

desmadrarse [dezma'ðrarse] *vp (fam)* to go over the top

desmaquillador [dezmakiʎa'ðor] *m* make-up remover

desmaquillarse [dezmaki'ʎarse] *vp* to take one's make-up off

desmayarse [dezma'jarse] *vp* to faint

desmayo [dez'majo] *m (desvanecimiento)* fainting fit

desmentir [dezmen'tir] *vt (negar)* to deny

desmesurado, da [dezmesu'raðo, ða] *adj* excessive

desmontar [dezmon'tar] ◊ *vt* 1. *(estructura)* to take down 2. *(aparato)* to take apart ◊ *vi* to dismount

desmoralizar [dezmorali'θar] *vt* to demoralize

desnatado, da [dezna'taðo, ða] *adj* 1. *(leche)* skimmed 2. *(yogur)* low-fat

desnivel [dezni'βel] *m (del terreno)* unevenness

desnudar [deznu'ðar] *vt* to undress ◆ **desnudarse** *vp* to get undressed

desnudo, da [dez'nuðo, ða] *adj* 1. *(sin ropa)* naked 2. *(sin adorno)* bare

desnutrición [deznutri'θjon] *f* undernourishment

desobedecer [desoβeðe'θer] *vt* to disobey

desobediente [desoβe'ðjente] *adj* disobedient

desodorante [desoðo'rante] *m* deodorant

desorden [de'sorðen] *m (de objetos, papeles)* mess ● **en desorden** in disarray

desordenar [desorðe'nar] *vt* to mess up

desorganización [desorγaniθa'θjon] *f* disorganization

desorientar [desorjen'tar] *vt (confundir)* to confuse ◆ **desorientarse** *vp* 1. *(perderse)* to lose one's bearings 2. *(confundirse)* to get confused

despachar [despa'tʃar] *vt* 1. *(vender)* to sell 2. *(despedir)* to sack *(UK)*, to fire *(US)*

despacho [des'patʃo] *m* 1. *(oficina)* office 2. *(estudio)* study ● **despacho de billetes** ticket office

despacio [des'paθjo] ◊ *adv* slowly ◊ *interj* slow down!

despampanante [despampa'nante] *adj* stunning

desparpajo [despar'paxo] *m* self-assurance

despecho [des'petʃo] *m* bitterness

despectivo, va [despek'tiβo, βa] *adj* disdainful

despedida [despe'ðiða] *f* goodbye

despedir [despe'ðir] *vt* 1. *(decir adiós)* to say goodbye to 2. *(del trabajo)* to sack *(UK)*, to fire *(US)* 3. *(arrojar)* to fling 4. *(producir)* to give off ◆ **despedirse** *vp* 1. *(decir adiós)* to say goodbye 2. *(del trabajo)* to hand in one's notice

despegar [despe'γar] ◊ *vt* to remove ◊ *vi (avión)* to take off

despegue [des'peγe] *m* take-off

despeinarse [despei'narse] *vp* to mess up one's hair

despejado, da [despe'xaðo, ða] *adj* 1. *(cielo, día, camino)* clear 2. *(persona)* alert 3. *(espacio)* spacious

despejar [despe'xar] *vt* 1. *(lugar)* to clear 2. *(incógnita, dudas)* to clear up ◆ **despejarse** *vp* 1. *(cielo, día, noche)* to clear up 2. *(persona)* to clear one's head

despensa [des'pensa] *f* larder

despeñadero [despeɲa'ðero] *m* precipice

desperdiciar [desperði'θjar] *vt* to waste

desperdicio [desper'ðiθjo] *m* waste ◆ **desperdicios** *mpl* 1. *(basura)* waste *sg* 2. *(de cocina)* scraps

desperezarse [despere'θarse] *vp* to stretch

desperfecto [desper'fekto] *m* **1.** *(daño)* damage **2.** *(defecto)* fault

despertador [desperta'ðor] *m* alarm clock

despertar [desper'tar] *vt* **1.** *(persona)* to wake up **2.** *(sentimiento)* to arouse ◆ **despertarse** *vp* to wake up

despido [des'piðo] *m* dismissal

despierto, ta [des'pierto, ta] *adj* **1.** *(que no duerme)* awake **2.** *(listo)* alert

despistado, da [despis'taðo, ða] *adj* absent-minded

despistarse [despis'tarse] *vp* **1.** *(desorientarse)* to get lost **2.** *(distraerse)* to get confused

despiste [des'piste] *m* **1.** *(olvido)* absent-mindedness **2.** *(error)* mistake

desplazarse [despla'θarse] *vp* **1.** *(moverse)* to move **2.** *(viajar)* to travel

desplegar [desple'yar] *vt* **1.** *(tela, periódico, mapa)* to unfold **2.** *(bandera)* to unfurl **3.** *(alas)* to spread **4.** *(cualidad)* to display

desplomarse [desplo'marse] *vp* to collapse

despojos [des'poxos] *mpl* **1.** *(de animal)* offal *sg* **2.** *(de persona)* remains **3.** *(sobras)* leftovers

despreciar [despre'θiar] *vt* **1.** *(persona, cosa)* to despise **2.** *(posibilidad, propuesta)* to reject

desprecio [des'preθio] *m* contempt

desprender [despren'der] *vt* **1.** *(desenganchar)* to unfasten **2.** *(soltar)* to give off ◆ **desprenderse** *vp* *(soltarse)* to come off ◆ **desprenderse de** *v* + *prep* **1.**

(deshacerse de) to get rid of **2.** *(deducirse de)* to be clear from

desprendimiento [desprendi'miento] *m* *(de tierra)* landslide

desprevenido, da [despreβe'niðo, ða] *adj* unprepared

desproporcionado, da [desproporθio'naðo, ða] *adj* disproportionate

después [des'pues] *adv* **1.** *(más tarde)* afterwards; *(entonces)* then; *(justo lo siguiente)* next ● **lo haré después** I'll do it later ● **yo voy después** it's my turn next ● **años después** years later ● **poco/mucho después** soon/a long time after **2.** *(en el espacio)* next ● **¿qué calle viene después?** which street comes next? ● **hay una farmacia y después está mi casa** there's a chemist's and then you come to my house **3.** *(en una lista)* further down **4.** *(en locuciones)* ● **después de** after ● **después de que** after ● **después de todo** after all

destacar [desta'kar] ◇ *vt* to emphasize ◇ *vi* *(resaltar)* to stand out

destajo [des'taxo] *m* ● **trabajar a destajo** to do piecework

destapador [desta'paðor] *m* *(Amér)* bottle opener

destapar [desta'par] *vt* *(caja, botella, etc)* to open

destello [des'teλo] *m* *(de luz)* flash

destemplado, da [destem'plaðo, ða] *adj* *(persona)* out of sorts

desteñir [deste'nir] ◇ *vt* to bleach ◇ *vi* to run

desternillante *adj* *(fam)* hilarious

desterrar [deste'rar] *vt* **1.** *(persona)* to

exile **2.** *(pensamiento, sentimiento)* to banish

destierro [des'tjero] *m* exile

destilación [destila'θjon] *f* distillation

destilar [desti'lar] *vt* to distil

destilería [destile'ria] *f* distillery

destinar [desti'nar] *vt* **1.** *(objeto)* to earmark **2.** *(persona)* to appoint **3.** *(programa, medidas)* to aim

destinatario, ria [destina'tarjo, rja] *m,f* addressee

destino [des'tino] *m* **1.** *(azar)* destiny **2.** *(de viaje)* destination **3.** *(finalidad)* use ◆ **4.** *(trabajo)* job ● **vuelos con destino a Londres** flights to London

destornillador [destorniʎa'ðor] *m* screwdriver

destornillar [destorni'ʎar] *vt* to unscrew

destrozar [destro'θar] *vt* **1.** *(objeto)* to smash **2.** *(plan, proyecto)* to ruin **3.** *(persona)* to shatter

destrucción [destruk'θjon] *f* destruction

destruir [destru'ir] *vt* **1.** to destroy **2.** *(plan, proyecto)* to ruin

desuso [de'suso] *m* disuse ● **caer en desuso** to become obsolete

desvalijar [dezβali'xar] *vt* **1.** *(persona)* to rob **2.** *(casa)* to burgle

desván [dez'βan] *m* attic

desvanecimiento [dezβaneθi'mjento] *m* *(desmayo)* fainting fit

desvariar [dezβari'ar] *vi* to rave

desvelar [dezβe'lar] *vt* **1.** *(persona)* to keep awake **2.** *(secreto)* to reveal ◆ **desvelarse** *vp* **1.** *(no dormir)* to be unable to sleep **2.** *(CAm & Méx)*

(quedarse levantado) to have a late night

desventaja [dezβen'taxa] *f* disadvantage

desvergonzado, da [dezβerɣon'θaðo, ða] *adj* shameless

desvestirse [dezβes'tirse] *vp* to get undressed

desviar [dezβi'ar] *vt* *(de un camino)* to divert ◆ **desviarse** *vp* ● **desviarse de** *(camino)* to turn off; *(propósito)* to be diverted from

desvío [dez'βio] *m* diversion

detallar [deta'ʎar] *vt* to describe in detail

detalle [de'taʎe] *m* **1.** *(pormenor, minucia)* detail **2.** *(delicadeza)* kind gesture ● **al detalle** *(minuciosamente)* in detail

detallista [deta'ʎista] *adj (minucioso)* painstaking

detectar [detek'tar] *vt* to detect

detective [detek'tiβe] *mf* detective

detener [dete'ner] *vt* **1.** *(parar)* to stop **2.** *(retrasar)* to hold up **3.** *(arrestar)* to arrest ◆ **detenerse** *vp (pararse)* to stop

detenido, da [dete'niðo, ða] *m,f* prisoner

detergente [deter'xente] *m* detergent

determinación [determina'θjon] *f (decisión)* decision ● **tomar una determinación** to take a decision

determinado, da [determi'naðo, ða] *adj* **1.** *(concreto)* specific **2.** *(en gramática)* definite

determinante [determi'nante] ◇ *adj* decisive ◇ *m* determiner

determinar [determi'nar] *vt* **1.** *(fijar)* to fix **2.** *(decidir)* to decide **3.** *(causar, motivar)* to cause

detestable [detes'taβle] *adj* detestable

detestar [detes'tar] *vt* to detest

detrás [de'tras] *adv* **1.** *(en el espacio)* behind **2.** *(en el orden)* then ● **el interruptor está detrás** the switch is at the back ● **detrás de** behind ● **por detrás** at/on the back

deuda ['deuða] *f* debt ● **contraer deudas** to get into debt

devaluación [deβalua'θion] *f* devaluation

devaluar [deβalu'ar] *vt* to devalue

devoción [deβo'θion] *f* devotion

devolución [deβolu'θion] *f* **1.** *(de dinero)* refund **2.** *(de objeto)* return

devolver [deβol'βer] ◇ *vt* **1.** *(objeto, regalo comprado, favor)* to return **2.** *(dinero)* to refund **3.** *(cambio, objeto prestado)* to give back **4.** *(vomitar)* to bring up ◇ *vi* to be sick ▾ **devuelve cambio** change given

devorar [deβo'rar] *vt* to devour

devoto, ta [de'βoto, ta] *adj* **1.** *(en religión)* devout **2.** *(aficionado)* devoted

dg *(abr de decigramo)* dg. *(decigram)*

día ['dia] *m* day ● **es de día** it's daytime ● **de día** in the daytime ● **al día siguiente** the next day ● **del día** *(fresco)* fresh ● **el día seis** the sixth ● **por día** daily ● **¿qué tal día hace?** what's the weather like today? ● **día azul** day for cheap travel on trains ● **día del espectador** day on which cinema tickets are sold at a discount ● **día festivo** (public) holiday ● **Día de los Inocentes** *(Esp)* 28 December, ≃ April Fools' Day ● **día laborable** working day ● **día libre** day off ● **Día de los**

Muertos *(Méx)* Day of the Dead ● **día del santo** saint's day

Día de los Inocentes

Herod's massacre of the innocent children is commemorated on 28 December. It is traditional for children and adults in Spain and Latin America to play practical jokes on each other on this day, much like the pranks played by British people on April Fools' Day. However, unlike in the UK, the most common prank is for people to stick a paper doll on somebody's back without them realizing.

Día de los Muertos

The Day of the Dead is a major festival in Mexico and is celebrated on 2 November although the festivities begin the day before. Dead people's graves are colourfully decorated by their families who may also build altars in their homes decorated with pictures of them and things they liked while they were alive. Having remembered the dead, people then celebrate life with parties, various cakes and sweets, and by dressing up as skeletons, vampires, etc.

diabetes [dia'βetes] *f inv* diabetes

diabético, ca [dia'βetiko, ka] *m,f* diabetic

diablo [di'aβlo] *m* devil

diablura [dia'βlura] *f* prank

diabólico, ca [dia'βoliko, ka] *adj* diabolical

diadema [dja'ðema] *f* hairband

diagnosticar [djaɣnosti'kar] *vt* to diagnose

diagnóstico [djaɣ'nostiko] *m* diagnosis

dialecto [dja'lekto] *m* dialect

diálogo [di'aloɣo] *m* (*conversación*) conversation

diamante [dia'mante] *m* diamond ◆ **diamantes** *mpl* (*palo de la baraja*) diamonds

diana ['diana] *f* (*blanco*) bull's-eye

diapositiva [djaposi'tiβa] *f* slide

diario, ria [di'arjo, rja] ◇ *adj* daily ◇ *m* (daily) newspaper ● **a diario** every day

diarrea [dja'rea] *f* diarrhea

dibujar [diβu'xar] *vt* to draw

dibujo [di'βuxo] *m* drawing ● **dibujos animados** cartoons

diccionario [dikθjo'narjo] *m* dictionary

dicha ['ditʃa] *f* (*felicidad*) joy

dicho, cha ['ditʃo] ◇ *pp* ➤ **decir** ◇ *m* saying ◇ *adj* ● **dicho y hecho** no sooner said than done ● **mejor dicho** rather

diciembre [di'θjembre] *m* December ● **a principios/mediados/finales de diciembre** at the beginning/in the middle/at the end of December ● **el nueve de diciembre** the ninth of December ● **el pasado/próximo (mes de) diciembre** last/next December ● **en diciembre** in December ● **este (mes de) December** (*pasado*) last December; (*próximo*) this (coming) December ●

para diciembre by December

dictado [dik'taðo] *m* dictation

dictador [dikta'ðor] *m* dictator

dictadura [dikta'ðura] *f* dictatorship

dictamen [dik'tamen] *m* opinion

dictar [dik'tar] *vt* **1.** (*texto*) to dictate **2.** (*decreto*) to issue **3.** (*ley*) to enact

dictatorial [diktato'rjal] *adj* dictatorial

diecinueve [djeθi'nueβe] *núm* nineteen ➤ **seis**

dieciocho [dje'θjotʃo] *núm* eighteen ➤ **seis**

dieciséis [djeθi'seis] *núm* sixteen ➤ **seis**

diecisiete [djeθi'sjete] *núm* seventeen ➤ **seis**

diente ['djente] *m* tooth ● **diente de ajo** clove of garlic ● **diente de leche** milk tooth

diéresis ['dieresis] *f inv* diaeresis

diesel ['diesel] *m* diesel

diestro, tra ['djestro, tra] ◇ *adj* **1.** (*de la derecha*) right-hand **2.** (*experto*) skilful ◇ *m* matador

dieta ['djeta] *f* diet ◆ **dietas** *fpl* (*honorarios*) expenses

dietética [dje'tetika] *f* dietetics *sg* ● **tienda de dietética** health food shop

diez [djeθ] ◇ *adj inv* ten ◇ *m* **1.** ten **2.** (*día*) tenth ◇ *mpl* **1.** ten **2.** (*temperatura*) ten (degrees) ◇ *fpl* ● **(son) las diez** (it's) ten o'clock ● **el diez de agosto** the tenth of August ● **doscientos diez** two hundred and ten ● **de seis en diez** in sixes ● **los diez** the ten of them ● **empataron a diez** they drew ten-all ● **diez a cero** ten-nil

diferencia [dife'renθja] *f* difference ●

di

a diferencia de in contrast to
diferenciar [diferen'θjar] vt to distinguish
diferente [dife'rente] ◇ adj different ◇ adv differently
diferido, da [dife'riðo, ða] adj ● **en diferido** recorded
diferir [dife'rir] vt to defer ◆ **diferir de** v + prep to differ from
difícil [di'fiθil] adj difficult
dificultad [difikul'taθ] f 1. (complejidad) difficulty 2. (obstáculo) problem
difundir [difun'dir] vt 1. (calor, luz) to diffuse 2. (noticia, idea) to spread 3. (programa) to broadcast
difunto, ta [di'funto, ta] m,f ● **el difunto** the deceased
difusión [difu'sjon] f 1. (de noticia, idea) dissemination 2. (de programa) broadcasting
digerir [dixe'rir] vt to digest
digestión [dixes'tjon] f digestion ● **hacer la digestión** to digest
digital [dixi'tal] adj 1. (en electrónica) digital 2. (de los dedos) finger (antes de s)
dígito ['dixito] m digit
dignarse [diɣ'narse] vp to deign
dignidad [diɣni'ðaθ] f 1. (decoro) dignity 2. (carga) office
digno, na ['diɣno, na] adj 1. (merecedor) worthy 2. (apropiado) appropriate 3. (honrado) honourable
dilema [di'lema] m dilemma
diligente [dili'xente] adj diligent
diluviar [dilu'βjar] vi ● **diluvió** it poured with rain
diluvio [di'luβjo] m flood

dimensión [dimen'sjon] f 1. (medida) dimension 2. (importancia) extent
diminuto, ta [dimi'nuto, ta] adj tiny
dimitir [dimi'tir] vi ● **dimitir (de)** to resign (from)
Dinamarca [dina'marka] s Denmark
dinámico, ca [di'namiko, ka] adj dynamic
dinamita [dina'mita] f dynamite
dinastía [dinas'tia] f dynasty
dinero [di'nero] m money ● **dinero de bolsillo** pocket money ● **dinero suelto** loose change
diócesis [di'oθesis] f inv diocese
dios ['djos] m god ◆ **Dios** m God ● **como Dios manda** properly ● **¡Dios mío!** my God! ● **¡por Dios!** for God's sake!
diploma [di'ploma] m diploma
diplomacia [diplo'maθja] f diplomacy
diplomado, da [diplo'maðo, ða] m,f qualified man (f qualified woman)
diplomarse [diplo'marse] ◆ **diplomarse en** v + prep to get a qualification in
diplomático, ca [diplo'matiko, ka] ◇ adj diplomatic ◇ m,f diplomat
diplomatura [diploma'tura] f degree awarded after three years of study
diptongo [dip'tongo] m diphthong
diputación [diputa'θjon] f (edificio) building that houses the diputación ● **diputación provincial** governing body of each province of an autonomous region in Spain, ≃ county council (UK), ≃ state assembly (US)
diputado, da [dipu'taðo, ða] m,f ≃ MP (UK), ≃ representative (US)
dique ['dike] m dike ● **dique seco** dry dock

dirección [direk'θion] *f* **1.** *(rumbo)* direction **2.** *(domicilio)* address **3.** *(de empresa)* management **4.** *(de vehículo)* steering ● **dirección de correo electrónico** e-mail address ● **calle de dirección única** one-way street ● **Dirección General de Tráfico** *Spanish traffic department*

para dar la dirección por escrito

Pon primero tu nombre, seguido del cargo en la empresa. Después, el nombre del departamento y la dirección de la empresa (como si fuera un sobre: número de la calle, nombre de la calle, ciudad y código postal). Luego, el número de teléfono, comenzando por el símbolo +, el prefijo (con el cero entre paréntesis, porque no se marca cuando se llama desde el extranjero. Así, un número de Londres, por ejemplo, se escribiría +44 (0) 20 con el número después). Finalmente, coloca el número de fax y la dirección de correo electrónico.

direccionales [direkθio'nales] *mpl* (*Col & Méx*) indicators

directa [di'rekta] *f* (*en el coche*) top gear

directo, ta [di'rekto, ta] *adj* direct ● **en directo** live

director, ra [direk'tor, ra] *m,f* **1.** *(de empresa)* director (*UK*), CEO (*US*) **2.** *(de hotel)* manager (*f* manageress) **3.** *(de orquesta)* conductor **4.** *(de colegio)* head (*UK*), principal (*US*)

directorio [direk'torjo] *m* directory ● **directorio telefónico** (*Amér*) phone book

dirigente [diri'xente] *mf* **1.** *(de partido)* leader **2.** *(de empresa)* manager

dirigir [diri'xir] *vt* **1.** *(destinar)* to address **2.** *(conducir, llevar)* to steer **3.** *(gobernar)* to run **4.** *(película, obra de teatro, enfocar)* to direct **5.** *(orquesta)* to conduct **6.** *(periódico)* to edit **7.** *(guiar, orientar)* to guide ● **dirigir la palabra a alguien** to speak to sb ◆ **dirigirse** *a* *v* + *prep* **1.** *(ir, marchar)* to head for **2.** *(hablar a)* to speak to

discapacidad *f* disability

discapacitado, da ◇ *adj* disabled ● **las personas discapacitadas** people with disabilities ◇ *m,f* disabled person ● **los discapacitados** people with disabilities

discar [dis'kar] *vt* (*Amér*) to dial

disciplina [disθi'plina] *f* discipline

discípulo, la [dis'θipulo, la] *m,f* disciple

disco ['disko] *m* **1.** *(en música)* record **2.** *(cilindro)* disc **3.** *(semáforo)* (traffic) light **4.** *(en informática)* disk **5.** *(en deporte)* discus ● **disco compacto** compact disc

disconformidad [diskonformi'ðað] *f* disagreement

discoteca [disko'teka] *f* disco

discotequero, ra [diskote'kero, ra] *adj* (*fam*) disco (*antes de s*)

discreción [diskre'θion] *f* discretion

discrepancia [diskre'panθja] *f* difference

discreto, ta [dis'kreto, ta] *adj* **1.** *(diplomático)* discreet **2.** *(mediano)* modest

discriminación [diskrimina'θion] *f* discrimination

discriminar [diskrimi'nar] vt to discriminate against

disculpa [dis'kulpa] f 1. *(pretexto)* excuse 2. *(al pedir perdón)* apology ● pedir disculpas to apologize

disculpar [diskul'par] vt to excuse ◆ **disculparse** vp to apologize ● se disculpó por llegar tarde he apologized for arriving late

discurrir [disku'rrir] vi *(pensar)* to reflect

discurso [dis'kurso] m speech

discusión [disku'sjon] f 1. *(debate)* discussion 2. *(riña)* argument

discutible [disku'tiβle] adj debatable

discutir [disku'tir] ◇ vt 1. *(debatir)* to discuss 2. *(contradecir)* to dispute ◇ vi *(reñir)* to argue

disecar [dise'kar] vt 1. *(planta)* to dry 2. *(animal)* to stuff

diseñador, ra [diseɲa'ðor, ra] m,f designer

diseñar [dise'ɲar] vt to design

diseño [di'seɲo] m design ● de diseño designer

disfraz [dis'fraθ, θes] *(pl* **-ces***)* m disguise

disfrazar [disfra'θar] vt to disguise ◆ **disfrazarse** vp ● disfrazarse (de) to dress up (as)

disfrutar [disfru'tar] vi to enjoy o.s. ◆ disfrutar de v + prep to enjoy

disgustar [dizɣus'tar] vt to upset ◆ **disgustarse** vp to get upset

disgusto [diz'ɣusto] m annoyance ● llevarse un disgusto to be upset

disidente [disi'ðente] mf dissident

disimular [disimu'lar] ◇ vt to hide ◇ vi to pretend

disminución [dizminu'θjon] f decrease

disminuir [dizminu'ir] vt to decrease

disolvente [disol'βente] m solvent

disolver [disol'βer] vt to dissolve

disparar [dispa'rar] vt & vi to shoot ◆ **dispararse** vp 1. *(actuar precipitadamente)* to go over the top 2. *(precios)* to shoot up

disparate [dispa'rate] m stupid thing

disparo [dis'paro] m shot

dispensar [dispen'sar] vt ● lo dispensaron de presentarse al examen he was excused from sitting the exam

dispersar [disper'sar] vt to scatter

disponer [dispo'ner] vt 1. *(colocar)* to arrange 2. *(preparar)* to lay on 3. *(suj: ley)* to stipulate ◆ **disponer de** v + prep 1. *(tener)* to have 2. *(usar)* to make use of ◆ **disponerse** vp ● disponerse a to get ready to

disponible [dispo'niβle] adj available

disposición [disposi'θjon] f 1. *(colocación)* arrangement 2. *(estado de ánimo)* mood 3. *(orden)* order ● a disposición de at the disposal of

dispositivo [disposi'tiβo] m device

dispuesto, ta [dis'pwesto, ta] ◇ pp ➢ disponer ◇ adj *(preparado)* ready ● dispuesto a prepared to

disputa [dis'puta] f dispute

disputar [dispu'tar] ◇ vt 1. *(competición)* to compete in 2. *(premio)* to compete for ◇ vi to argue ◆ **disputarse** vp *(competir por)* to dispute

disquete [dis'kete] m diskette

disquetera [diske'tera] f disk drive

distancia [dis'tanθja] f 1. distance 2. *(en tiempo)* gap ● ¿a qué distancia? how far away?

distanciarse [distan'θjarse] *vp (perder afecto)* to grow apart

distante [dis'tante] *adj* 1. *(lugar)* far away 2. *(persona)* distant

distinción [distin'θjon] *f* 1. *(diferencia)* distinction 2. *(elegancia)* refinement

distinguido, da [distin'giðo, ða] *adj* 1. *(elegante)* refined 2. *(notable, destacado)* distinguished

distinguir [distin'gir] *vt* 1. *(diferenciar)* to distinguish 2. *(lograr ver)* to make out 3. *(destacar)* to pick out

distintivo [distin'tiβo] *m* distinctive

distinto, ta [dis'tinto, ta] *adj* different

distracción [distrak'θjon] *f* 1. *(falta de atención)* absent-mindedness 2. *(descuido)* slip 3. *(diversión)* entertainment

distraer [distra'er] *vt (entretener)* to entertain ◆ **distraerse** *vp* 1. *(descuidarse)* to get distracted 2. *(no prestar atención)* to let one's mind wander 3. *(entretenerse)* to enjoy o.s.

distraído, da [distra'iðo, ða] *adj* 1. *(entretenido)* entertaining 2. *(despistado)* absent-minded

distribución [distriβu'θjon] *f* 1. *(de correo, mercancías)* delivery 2. *(comercial)* distribution

distribuir [distriβu'ir] *vt* 1. *(repartir)* to distribute 2. *(correo, mercancías)* to deliver

distrito [dis'trito] *m* district ● **distrito postal** postal district

disturbio [dis'turβjo] *m* 1. *(tumulto)* disturbance 2. *(del orden público)* riot

diurno, na [di'urno, na] *adj* daytime

diva ['diβa] *f* diva

diván [di'βan] *m* couch

diversidad [diβersi'ðað] *f* diversity

diversión [diβer'sjon] *f* entertainment

diverso, sa [di'βerso, sa] *adj* diverse ● **diversos** various

divertido, da [diβer'tiðo, ða] *adj* 1. *(entretenido)* enjoyable 2. *(que hace reír)* funny

divertirse [diβer'tirse] *vp* to enjoy o.s.

dividir [diβi'ðir] *vt* to divide

divino, na [di'βino, na] *adj* divine

divisar [diβi'sar] *vt* to spy

divisas [di'βisas] *fpl* foreign exchange *sg*

división [diβi'sjon] *f* division

divorciado, da [diβor'θjaðo, ða] *m,f* divorcé (*f* divorcée)

divorciarse [diβor'θjarse] *vp* to get divorced

divorcio [di'βorθjo] *m* divorce

divulgar [diβul'ɣar] *vt* 1. *(secreto)* to reveal 2. *(rumor)* to spread 3. *(información)* to disseminate

DNI ['de'ene'i] *m (abr de documento nacional de identidad)* ID card

dobladillo [doβla'ðiʎo] *m* hem

doblaje [do'βlaxe] *m* dubbing

doblar [do'βlar] *vt* 1. *(plegar)* to fold 2. *(duplicar)* to double 3. *(flexionar)* to bend 4. *(en cine)* to dub ● **doblar la esquina** to go round the corner

doble ['doβle] ◇ *adj* & *mf* double ◇ *m* ● **el doble (de)** twice as much ◆ **dobles** *mpl (en tenis)* doubles

doce ['doθe] ◇ *adj inv* twelve ◇ *m* 1. twelve 2. *(día)* twelfth ◇ *mpl* 1. twelve 2. *(temperatura)* twelve (degrees) ◇ *fpl* ● **(son) las seis** (it's) twelve o'clock ● **el**

doce de agosto the twelfth of August ● **doscientos** doce two hundred and twelve ● **de doce en doce** in twelves ● **los doce** the twelve of them ● empataron **a doce** they drew twelve-all ● **doce a cero** twelve-nil

docena [do'θena] *f* dozen

docente [do'θente] *adj* teaching

dócil ['doθil] *adj* obedient

doctor, ra [dok'tor, ra] *m,f* doctor

doctorado [dokto'raðo] *m* doctorate

doctorarse [dokto'rarse] *vp* to get a doctorate

doctrina [dok'trina] *f* doctrine

documentación [dokumenta'θjon] *f* papers *pl* ● **documentación del coche** registration documents *pl*

documental [dokumen'tal] *m* documentary

documento [doku'mento] *m* 1. *(escrito)* document 2. *(de identidad)* identity card 3. *(en historia)* record

dogma ['doɣma] *m* dogma

dogmático, ca [doɣ'matiko, ka] *adj* dogmatic

dólar ['dolar] *m* dollar

doler [do'ler] *vi* to hurt ● **me duele la pierna** my leg hurts ● **me duele la garganta** I have a sore throat

dolor [do'lor] *m* 1. *(daño)* pain 2. *(pena)* sorrow ● **tener dolor de cabeza** to have a headache ● **tener dolor de estómago** to have a stomachache ● **tener dolor de muelas** to have toothache

doloroso, sa [dolo'roso, sa] *adj* painful

domador, ra [doma'ðor, ra] *m,f* tamer

domar [do'mar] *vt* to tame

domesticar [domesti'kar] *vt* to tame

doméstico, ca [do'mestiko, ka] *adj* domestic

domicilio [domi'θiljo] *m* 1. *(casa)* residence 2. *(dirección)* address ● **servicio a domicilio** home delivery

dominante [domi'nante] *adj* dominant

dominar [domi'nar] ◇ *vt* 1. *(persona, panorama)* to dominate 2. *(nación)* to rule 3. *(situación)* to be in control of 4. *(nervios, pasiones, etc)* to control 5. *(incendio)* to bring under control 6. *(idioma)* to be fluent in 7. *(divisar)* to overlook ◇ *vi* 1. *(sobresalir, destacar)* to stand out 2. *(ser característico)* to predominate ● **dominarse** *vp* to control o.s.

domingo [do'miŋgo] *m* Sunday ● **cada domingo, todos los domingos** every Sunday ● **caer en domingo** to be on a Sunday ● **el próximo domingo, el domingo que viene** next Sunday ● **viene el domingo** she's coming on Sunday ● **el domingo pasado** last Sunday ● **el domingo por la mañana/tarde/noche** (on) Sunday morning/afternoon/night ● **este domingo** *(pasado)* last Sunday; *(próximo)* this (coming) Sunday ● **los domingos** (on) Sundays ● **domingo de Pascua** Easter Sunday ● **domingo de Ramos** Palm Sunday

dominguero, ra [domiŋ'gero, ra] *m,f* *(fam)* Sunday tripper

dominical [domini'kal] *m* Sunday supplement

dominio [do'minjo] *m* 1. *(control)* control 2. *(autoridad)* authority 3. *(de una lengua)* command 4. *(territorio)* domain

5. *(ámbito)* realm

dominó [domi'no] *m (juego)* dominoes *sg*

don ['don] *m* **1.** *(regalo, talento)* gift **2.** *(tratamiento)* ≃ Mr.

donante [do'nante] *mf* donor

donativo [dona'tiβo] *m* donation

donde ['donde] ◇ *adv* where ◇ *pron* where ● **el bolso está donde lo dejaste** your bag is where you left it ● **de/desde donde** from where ● **por donde** wherever ● **la casa donde nací** the house where I was born ● **la ciudad de donde vengo** the town I come from ● **por donde** where

dónde ['donde] *adv* where ● **de dónde** from where ● **por dónde** where

donut ® ['donut] *m (ring)* doughnut

dopaje [do'paxe] *m* doping

doparse [do'parse] *vp* to take artificial stimulants

doping ['dopin] *m* doping

dorado, da [do'raðo, ða] *adj* golden

dormir [dor'mir] ◇ *vi* to sleep ◇ *vt (niño)* to put to bed ● **dormir con alguien** to sleep with sb ● **dormirse** *vp* **1.** *(persona)* to fall asleep **2.** *(parte del cuerpo)* to go to sleep

dormitorio [dormi'torjo] *m* **1.** *(habitación)* bedroom **2.** *(mobiliario)* bedroom suite

dorsal [dor'sal] *adj* back *(antes de s)*

dorso ['dorso] *m* back ● **dorso de la mano** back of the hand

dos ['dos] ◇ *adj inv* two ◇ *m* **1.** two **2.** *(día)* second ◇ *mpl* **1.** two **2.** *(temperatura)* two (degrees) ◇ *fpl* ● **(son) las dos** (it's) two o'clock ● **el dos de**

agosto the second of August ● **doscientos dos** two hundred and two ● **treinta y dos** thirty-two ● **de dos en dos** in twos ● **los dos** the two of them ● **empataron a dos** they drew two-all ● **dos a cero** two-nil ● **cada dos por tres** every five minutes

doscientos [dos'θjentos] *núm* two hundred ➤ **seis**

dosis ['dosis] *f inv* dose

dotado, da [do'taðo, ða] *adj* gifted ● **dotado de paciencia** blessed with patience ● **dotado de ordenadores** equipped with computers

dotar [do'tar] *vt* **1.** *(equipar, proveer)* to provide **2.** *(suj: naturaleza)* to endow

Dr. *(abr de doctor)* Dr. *(Doctor)*

Dra. *(abr de doctora)* Dr. *(Doctor)*

dragón [dra'ɣon] *m* dragon

drama ['drama] *m* **1.** *(obra)* play **2.** *(género)* drama **3.** *(desgracia)* tragedy

dramático, ca [dra'matiko, ka] *adj* dramatic

dramaturgo, ga [drama'turɣo, ɣa] *m,f* playwright

droga ['droɣa] *f* drug ● **la droga** drugs *pl*

drogadicción [droɣaðik'θjon] *f* drug addiction

drogadicto, ta [droɣa'ðikto, ta] *m,f* drug addict

droguería [droɣe'ria] *f* shop selling paint, cleaning materials etc

dto. *abrev* = **descuento**

dual [du'al] *adj (emisión)* that can be listened to either dubbed or in the original language version

ducha ['dutʃa] *f* shower ● **darse una**

ducha to have a shower

ducharse [du'tʒarse] *vp* to have a shower

duda ['duða] *f* doubt ● **sin duda alguna** without a doubt

dudar [du'ðar] *vi* to be unsure ◆ **dudar de** *v + prep* to have one's doubts about

duelo ['dwelo] *m* 1. *(pelea)* duel 2. *(en deporte)* contest 3. *(pena)* grief

duende ['dwende] *m* 1. *(de cuentos infantiles)* goblin 2. *(gracia, encanto)* charm ● **tener duende** to have a certain something

dueño, ña ['dweɲo, ɲa] *m,f* 1. *(propietario)* owner 2. *(de piso)* landlord *(f* landlady)

dulce ['dulθe] ◇ *adj* 1. sweet 2. *(agua)* fresh ◇ *m* 1. *(caramelo, postre)* sweet, candy *(US)* 2. *(pastel)* cake ● **dulce de membrillo** quince jelly

dulzura [dul'θura] *f* sweetness

duna ['duna] *f* dune

dúo ['duo] *m* duet

dúplex ['dupleks] *m inv* duplex

duplicar [dupli'kar] *vt* to double

duración [dura'θjon] *f* length

durante [du'rante] *adv* during ● **durante toda la semana** all week ● **lo estuve haciendo durante dos horas** I was doing it for two hours

durar [du'rar] *vi* 1. *(prolongarse)* to last 2. *(resistir)* to wear well

durazno [du'raθno] *m (Amér)* peach

durex ® [du'reks] *m (Amér)* Sellotape *(UK)*, Scotch tape *(US)*

dureza [du'reθa] *f* 1. hardness 2. *(callosidad)* callus 3. *(de carácter)* harshness

duro, ra ['duro, ra] ◇ *adj* 1. hard 2. *(carácter, persona, clima)* harsh 3. *(carne)*

tough 4. *(pan)* stale ◇ *adv* hard

DVD *(abr de* Digital Video Disc o Digital Versatile Disc*) m* 1. *(disco)* DVD 2. *(aparato)* DVD drive

DVD-ROM *m (abr de* Disco Versátil Digital Read-Only Memory*)* DVD-ROM *(Digital Video or Versatile Disc read only memory)*

DYA *m (Esp) (abr de* detente y ayuda*) voluntary organisation giving assistance to motorists*

*e*E

E *(abr de* este*)* E *(east)*

ébano ['eβano] *m* ebony

ebrio, ebria ['eβrjo, 'eβrja] *adj (formal)* drunk

ebullición [eβuʎi'θjon] *f* boiling

echado, da [e'tʒaðo, ða] *adj (acostado)* lying down

echar [e'tʒar]

◇ *vt* 1. *(tirar)* to throw ● **echó la pelota** she threw the ball 2. *(añadir)* ● **echar sal a la sopa** to add salt to the soup ● **echar vino en la copa** to pour wine into the glass 3. *(reprimenda, discurso)* to give ● **me echaron la buenaventura** I had my fortune told 4. *(carta, postal)* to post *(UK)*, to mail *(US)* 5. *(expulsar)* to throw out; *(del trabajo)* to sack ● **lo echaron del colegio** they threw him out of school 6. *(humo, vapor, chispas)* to give off 7. *(accionar)* ● **echar la llave/el**

cerrojo to lock/bolt the door ● **echar el freno** to brake **8.** *(flores, hojas)* to sprout **9.** *(acostar)* to lie (down) ● **echa al niño en el sofá** lie the child down on the sofa **10.** *(calcular)* ● **¿cuántos años me echas?** how old would you say I am? **11.** *(fam)* *(en televisión, cine)* to show ● **¿qué echan esta noche en la tele?** what's on telly tonight? **12.** *(en locuciones)* ● **echar abajo** *(edificio)* to pull down; *(gobierno)* to bring down; *(proyecto)* to ruin ● **echar de menos** to miss

◇ *vi* **1.** *(dirigirse)* ● echó por el camino más corto he took the shortest route **2.** *(empezar)* ● echar a hacer algo to begin to do sthg ● echar a correr to break into a run

◆ **echarse** *vp* *(lanzarse)* to throw o.s.; *(acostarse)* to lie down ● **nos echamos a la carretera** we set out on the road ● echarse a hacer algo *(empezar)* to begin to do sthg

eclesiástico, ca [ekle'sjastika, ka] *adj* ecclesiastical

eclipse [e'klipse] *m* eclipse

eco ['eko] *m* echo ● **tener eco** to arouse interest

ecología [ekolo'xia] *f* ecology

ecológico, ca [eko'loxiko, ka] *adj* ecological

economía [ekono'mia] *f* **1.** *(administración)* economy **2.** *(ciencia)* economics ◆ **economías** *fpl* *(ahorros)* savings

económico, ca [eko'nomiko, ka] *adj* **1.** *(situación, crisis)* economic **2.** *(barato)* cheap **3.** *(motor, dispositivo)* economical

economista [ekono'mista] *mf* economist

ecosistema [ekosis'tema] *m* ecosystem

ecotasa *f* environmental tax, green tax

ecu ['eku] *m* ecu

ecuación [ekμa'θjon] *f* equation

ecuador [ekμa'ðor] *m* equator

Ecuador [ekμa'ðor] *s* Equador

ecuatoriano, na [ekμato'rjano, na] *adj* & *m,f* Equadorian

edad [e'ðað] *f* age ● **tengo 15 años de edad** I'm 15 (years old) ● **la Edad Media** the Middle Ages *pl*

edición [eði'θjon] *f* **1.** *(publicación)* publication **2.** *(ejemplares)* edition

edificante [eðifi'kante] *adj* exemplary

edificar [eðifi'kar] *vt* to build

edificio [eði'fiθjo] *m* building

editar [eði'tar] *vt* **1.** *(publicar)* to publish **2.** *(disco)* to release

editor, ra [eði'tor, ra] *m,f* publisher

editorial [eðito'rjal] *f* publishing house

edredón [eðre'ðon] *m* duvet

educación [eðuka'θjon] *f* **1.** *(formación)* education **2.** *(cortesía, urbanidad)* good manners *pl*

educado, da [eðu'kaðo, ða] *adj* polite ● **bien educado** polite ● **mal educado** rude

educar [eðu'kar] *vt* **1.** *(hijos)* to bring up **2.** *(alumnos)* to educate **3.** *(sensibilidad, gusto)* to refine

educativo, va [eðuka'tiβo, βa] *adj* **1.** educational **2.** *(sistema)* education *(antes de s)*

EEUU *mpl* *(abr de* **Estados Unidos)** USA *(United States of America)*

efectivo [efek'tiβo] *m* cash ● **en efectivo** in cash

efecto [e'fekto] *m* **1.** *(resultado)* effect **2.** *(impresión)* impression ● **en efecto** indeed ● **efectos personales** personal belongings ● **efecto secundarios** side effects

efectuar [efektu'ar] *vt* **1.** *(realizar)* to carry out **2.** *(compra, pago, viaje)* to make

eficacia [efi'kaθja] *f* **1.** *(de persona)* efficiency **2.** *(de medidas, plan)* effectiveness

eficaz [efi'kaθ, θes] *(pl* **-ces)** *adj* **1.** *(persona)* efficient **2.** *(medidas, plan)* effective

eficiente [efi'θjente] *adj* **1.** *(medicamento, solución, etc)* effective **2.** *(trabajador)* efficient

EGB [exeβ'e] *f (abr de Enseñanza General Básica) former Spanish primary education system for pupils aged 6-14*

Egipto [e'xipto] *s* Egypt

egoísmo [eɣo'izmo] *m* selfishness

egoísta [eɣo'ista] *adj* selfish

egresado, da [eɣre'saðo, ða] *m,f (Amér)* graduate

egresar [eɣre'sar] *vi (Amér)* to graduate

ej. *(abr de ejemplo)* eg. *(exempli gratia)*

eje ['exe] *m* **1.** *(de rueda)* axle **2.** *(centro, en geometría)* axis

ejecución [exeku'θjon] *f (de condenado)* execution

ejecutar [exeku'tar] *vt* **1.** *(realizar)* to carry out **2.** *(matar)* to execute

ejecutivo, va [exeku'tiβo, βa] *m,f* executive

ejemplar [exem'plar] ◇ *adj* exemplary ◇ *m* **1.** *(de especie, raza)* specimen **2.** *(de libro)* copy **3.** *(de revista)* issue

ejemplo [e'xemplo] *m* example ● **poner un ejemplo** to give an example ● **por ejemplo** for example

ejercer [exer'θer] *vt* **1.** *(profesión, actividad)* to practise **2.** *(influencia, autoridad)* to have

ejercicio [exer'θiθjo] *m* **1.** exercise **2.** *(de profesión, actividad)* practising ● **ejercicio físico** physical exercise

ejército [e'xerθito] *m* army

ejote [e'xote] *m (Amér)* green bean

el, la [el, la] *(pl* **los, las)** *art* **1.** *(con sustantivo genérico)* the ● **el coche** the car ● **las niñas** the girls ● **el agua/hacha/águila** the water/axe/eagle **2.** *(con sustantivo abstracto)* ● **el amor** love ● **la vida** life ● **los celos** jealousy *sg* **3.** *(indica posesión, pertenencia)* ● **se rompió la pierna** he broke his leg ● **tiene el pelo oscuro** she has dark hair **4.** *(con días de la semana)* ● **vuelven el sábado** they're coming back on Saturday **5.** *(antes de adj)* ● **prefiero la blanca** I prefer the white one **6.** *(en locuciones)* ● **cogeré el de atrás** I'll take the one at the back ● **mi hermano y el de Juan** my brother and Juan's ● **el que** *(persona)* whoever; *(cosa)* whichever *(one)* ● **el que más me gusta** the one I like best

él, ella ['el, 'eʎa] *(pl* **ellos, ellas)** *pron* **1.** *(sujeto, predicado)* he *(f* she*),* they *pl;* *(animal, cosa)* it, they *pl* ● **la culpa la tiene él** he's to blame ● **ella es una amiga de la familia** she's a friend of the family **2.** *(complemento)* him *(f* her*),* them *pl;* *(animal, cosa)* it, them *pl* ● **voy a ir de vacaciones con ellos** I'm going on holiday with them **3.** *(posesivo)* • **de él** his • **de ella** hers

elaborar [elaβo'rar] *vt* **1.** *(preparar)* to make **2.** *(idea)* to work out **3.** *(plan, lista)* to draw up

elasticidad [elasti0i'ðað] *f* elasticity

elástico, ca [e'lastiko, ka] *adj* elastic ◆ **elásticos** *mpl (para pantalones)* braces *(UK)*, suspenders *(US)*

elección [elek'θjon] *f* **1.** *(de regalo, vestido, etc)* choice **2.** *(de presidente, jefe, etc)* election ◆ **elecciones** *fpl* elections

electricidad [elektri0i'ðað] *f* electricity

electricista [elektri'0ista] *mf* electrician

eléctrico, ca [e'lektriko, ka] *adj* electric

electrocutar [elektroku'tar] *vt* to electrocute

electrodoméstico [elektroðo'mestiko] *m* electrical household appliance

electrónica [elek'tronika] *f* electronics

electrónico, ca [elek'troniko, ka] *adj* electronic

elefante [ele'fante] *m* elephant

elegancia [ele'yan0ja] *f* **1.** elegance **2.** *(de comportamiento)* dignity

elegante [ele'yante] *adj* **1.** elegant **2.** *(comportamiento)* dignified

elegir [ele'xir] *vt* **1.** *(escoger)* to choose **2.** *(en votación)* to elect

elemental [elemen'tal] *adj* **1.** *(sencillo)* obvious **2.** *(fundamental)* basic

elemento [ele'mento] *m* **1.** element **2.** *(factor)* factor ◆ **elementos** *mpl (fuerzas de la naturaleza)* elements

elevación [eleβa'θjon] *f* rise

elevado, da [ele'βaðo, ða] *adj* **1.** high **2.** *(edificio, monte)* tall

elevador [eleβa'ðor] *m (CAm & Méx)*

lift *(UK)*, elevator *(US)*

elevadorista [eleβaðo'rista] *mf (CAm & Méx)* lift attendant *(UK)*, elevator operator *(US)*

elevar [ele'βar] *vt* **1.** to raise **2.** *(ascender)* to promote ◆ **elevarse** *vp (subir)* to rise

eliminación [elimina'θjon] *f* elimination

eliminar [elimi'nar] *vt* to eliminate

élite ['elite] *f* elite

ella ['eʎa] ➤ **él**

ello ['eʎo] *pron neutro* it

ellos, ellas ['eʎos, 'eʎas] *pron pl* **1.** *(sujeto)* they **2.** *(complemento)* them • **de ellos/ellas** theirs

elocuencia [elo'kuen0ja] *f* eloquence

elocuente [elo'kuente] *adj* eloquent

elogiar [elo'xjar] *vt* to praise

elogio [e'loxjo] *m* praise

elote [e'lote] *m (Méx & CAm)* cob

eludir [elu'ðir] *vt* to avoid

emancipado, da [emanθi'paðo, ða] *adj* emancipated

emanciparse [emanθi'parse] *vp* to become emancipated

embajada [emba'xaða] *f* **1.** *(lugar)* embassy

embajador, ra [embaxa'ðor, ra] *m,f* ambassador

embalar [emba'lar] *vt* to wrap up ◆ **embalarse** *vp* to race away

embalsamar [embalsa'mar] *vt* to embalm

embalse [em'balse] *m* reservoir

embarazada [embara'θaða] *adj f* pregnant

embarazo [emba'raθo] *m* **1.** *(de mujer)* pregnancy **2.** *(dificultad)* obstacle

embarcación [embarka'θjon] f boat
embarcadero [embarka'ðero] m jetty
embarcar [embar'kar] vi to board ◆
embarcarse vp 1. (pasajeros) to board 2. (en asunto, negocio) to get involved
embargar [embar'ɣar] vt (bienes, propiedades) to seize
embargo [em'barɣo] m (de bienes) seizure ● sin embargo however
embarque [em'barke] m 1. (de pasajeros) boarding 2. (de equipaje) embarkation
embestir [embes'tir] vt to attack
emblema [em'blema] m 1. (símbolo) symbol 2. (distintivo) emblem
emborracharse [embora'tʃarse] vp to get drunk
emboscada [embos'kaða] f ambush
embotellado, da [embote'ʎaðo, ða] adj 1. (vino, licor) bottled 2. (calle, circulación) blocked
embotellamiento [embote'ʎamjento] m 1. (de tráfico) traffic jam 2. (de vino, agua) bottling
embotellar [embote'ʎar] vt (líquido) to bottle
embrague [em'braɣe] m clutch
embrión [embri'on] m embryo
embrujar [embru'xar] vt to bewitch
embudo [em'buðo] m funnel
embustero, ra [embus'tero, ra] m,f liar
embutidos [embu'tiðos] mpl cold meat sg (UK), cold cuts (US)
emergencia [emer'xenθja] f emergency
emigración [emiɣra'θjon] f 1. (de familia, pueblo) emigration 2. (de animales) migration
emigrante [emi'ɣrante] mf emigrant
emigrar [emi'ɣrar] vi 1. (persona, pueblo)

to emigrate 2. (animal) to migrate
eminente [emi'nente] adj eminent
emisión [emi'sjon] f 1. (de sonido) emission 2. (del mensaje) transmission 3. (programa) broadcast 4. (de juicio, opinión, etc) expression
emisor, ra [emi'sor, ra] adj broadcasting
emisora [emi'sora] f radio station
emitir [emi'tir] vt 1. (palabras) to utter 2. (sonido) to emit 3. (programa, música, etc) to broadcast 4. (juicio, opinión, etc) to express
emoción [emo'θjon] f emotion ● ¡qué emoción! how exciting!
emocionado, da [emoθjo'naðo, ða] adj excited
emocionante [emoθjo'nante] adj exciting
emocionarse [emoθjo'narse] vp to get excited
empacar [empa'kar] vi (Amér) to pack
empacho [em'patʃo] m (de comida) upset stomach
empanada [empa'naða] f pasty (UK), turnover (US) ● empanada gallega pasty containing tomato, tuna and peppers
empanadilla [empana'ðiʎa] f small pasty (UK), small turnover (US)
empapado, da [empa'paðo, ða] adj (mojado) soaked
empapar [empa'par] vt (mojar) to soak ◆
empaparse vp to get soaked
empapelar [empape'lar] vt to paper
empaquetar [empake'tar] vt to pack ▼
empaquetado para regalo gift-wrapped
empastar [empas'tar] vt to fill

empaste [em'paste] *m* filling

empatar [empa'tar] ◇ *vi* to draw ◇ *vt* (*Andes & Ven*) to connect

empate [em'pate] *m* 1. (*en juego, deporte*) draw (*UK*), tie 2. (*Andes & Ven*) (*empalme*) connection • **empate a dos** two-two draw

empeñar [empe'ɲar] *vt* (*joyas, bienes*) to pawn ◆ **empeñarse** *vp* (*endeudarse*) to get into debt ◆ **empeñarse en** *v + prep* (*insistir en*) to insist on

empeño [em'peɲo] *m* (*constancia*) determination

empeorar [empeo'rar] ◇ *vt* to make worse ◇ *vi* to get worse

emperador, triz [empera'ðor, 'triθ] (*fpl -ces*) ◇ *m,f* emperor (*f* empress) ◇ *m* (*pez*) swordfish

empezar [empe'θar] *vt & vi* to begin, to start • **empezar a hacer algo** to begin to do sthg, to start to do sthg • **empezar por hacer algo** to begin by doing sthg

epidermis [epi'ðermis] *f inv* epidermis

empinado, da [empi'naðo, ða] *adj* steep

empleado, da [emple'aðo, ða] *m,f* employee • **empleado de banco** bank clerk

emplear [emple'ar] *vt* 1. (*trabajador*) to employ 2. (*objeto, herramienta*) to use 3. (*dinero, tiempo*) to spend ◆ **emplearse en** *v + prep* (*empresa, oficina*) to get a job in

empleo [em'pleo] *m* 1. (*trabajo en general*) employment 2. (*puesto*) job 3. (*uso*) use

empotrado, da [empo'traðo, ða] *adj* built-in • **armario empotrado** fitted wardrobe (*UK*), built-in closet (*US*)

emprender [empren'der] *vt* 1. (*tarea, negocio, etc*) to start 2. (*viaje*) to set off on

empresa [em'presa] *f* company

empresario, ria [empre'sarjo, rja] *m,f* businessman (*f* businesswoman)

empujar [empu'xar] *vt* to push • **empujar a alguien a hacer algo** to push sb into doing sthg

empujón [empu'xon] *m* shove • **a empujones** by pushing

en [en] *prep* 1. (*en el interior de*) in • **viven en la capital** they live in the capital 2. (*sobre la superficie de*) on • **en el plato/la mesa** on the plate/table 3. (*en un punto concreto de*) at • **en casa/el trabajo** at home/work 4. (*dirección*) into • **el avión cayó en el mar** the plane fell into the sea • **entraron en la habitación** they came into the room 5. (*tiempo*) (*in; día*) on; (*período, momento*) at • **llegará en mayo/Navidades** she will arrive in May/at Christmas • **nació en 1940/sábado** he was born in 1940/on a Saturday • **en un par de días** in a couple of days 6. (*medio de transporte*) by • **ir en coche/tren/avión/barco** to go by car/train/plane/boat 7. (*modo*) in • **lo dijo en inglés** she said it in English • **todo se lo gasta en ropa** he spends it all on clothes • **en voz baja** in a low voice • **aumentar en un 10%** to increase by 10% 8. (*precio*) in • **las ganancias se calculan en millones** profits are calculated in millions • **te lo dejo en 500 euros** I'll let you have it for 500 euros 9. (*tema*) • **es un experto en matemáticas** he's an expert on mathematics • **es doctor en medicina** he's a doctor of medicine 10. (*cualidad*) • **rápido en actuar** quick to act • **le**

supera en inteligencia she is more intelligent than he is

enaguas [e'naɣuas] *fpl* underskirt *sg*, slip *sg* (US)

enamorado, da [enamo'raðo, ða] *adj* ● **enamorado (de)** in love (with)

enamorarse [enamo'rarse] *vp* ● **enamorarse (de)** to fall in love (with)

enano, na [e'nano, na] ◇ *adj (verdura)* baby *(antes de s)* ◇ *m,f* dwarf

encabezar [eŋkaβe'θar] *vt* 1. *(lista, carta, escrito)* to head 2. *(grupo)* to lead

encadenar [eŋkaðe'nar] *vt* 1. *(atar)* to chain 2. *(enlazar)* to link ● **encadenarse** *vp (hechos, sucesos)* to happen one after the other

encajar [eŋka'xar] ◇ *vt* 1. *(meter)* to fit 2. *(aceptar)* to take ◇ *vi* 1. *(caber)* to fit 2. *(cuadrar)* to square

encaje [eŋ'kaxe] *m* 1. *(tejido)* lace 2. *(de vestido, camisa)* lace trim

encalar [eŋka'lar] *vt* to whitewash

encantado, da [eŋkan'taðo, ða] ◇ *adj* 1. *(satisfecho)* delighted 2. *(lugar, edificio)* haunted 3. *(persona)* bewitched ◇ *interj* ● **encantado (de conocerle)** pleased to meet you

encantador, ra [eŋkanta'ðor, ra] *adj* delightful

encantar [eŋkan'tar] *vt (hechizar)* to cast a spell on ● **me encanta bailar** I love dancing ● **¡me encanta!** I love it! ● **encantarse** *vp (distraerse)* to be entranced

encanto [eŋ'kanto] *m* 1. *(atractivo)* charm 2. *(hechizo)* spell

encapotado, da [eŋkapo'taðo, ða] *adj* overcast

encapricharse [eŋkapri'tʃarse] *vp* ● **encapricharse con** *(obstinarse)* to set one's mind on

encarar [eŋka'rar] *vt (problema, riesgo)* to face up to ● **encararse** *vp* ● **encararse a** to confront

encarcelar [eŋkarθe'lar] *vt* to imprison

encarecer [eŋkare'θer] *vt (precio)* to make more expensive

encargado, da [eŋkar'ɣaðo, ða] *m,f* 1. *(responsable)* person in charge 2. *(de tienda, negocio)* manager (f manageress)

encargar [eŋkar'ɣar] *vt* 1. *(pedir)* to order 2. *(poner al cuidado)* to put in charge ● **encargarse de** *v* + *prep* to see to, to take care of

encargo [eŋ'karɣo] *m* 1. *(pedido)* order 2. *(tarea)* task 3. *(recado)* errand

encariñarse [eŋkari'ɲarse] ● **encariñarse con** *v* + *prep* to become fond of

encarnado, da [eŋkar'naðo, ða] *adj* 1. *(rojo)* red 2. *(personificado)* incarnate

encausar [eŋkau'sar] *vt* to prosecute

encendedor [eŋθende'ðor] *m* lighter

encender [eŋθen'der] *vt* 1. *(fuego, cigarrillo)* to light 2. *(luz, gas, aparato eléctrico)* to turn on 3. *(motor)* to start up

encendido [eŋθen'diðo] *m (de motor)* ignition

encerado [eŋθe'raðo] *m* 1. *(pizarra)* blackboard 2. *(del suelo)* polishing

encerrar [eŋθe'rar] *vt* 1. *(recluir)* to lock up 2. *(contener)* to contain ● **encerrarse** *vp* to shut o.s. away

encestar [eŋθes'tar] *vi* to score a basket

enchilarse [entʃi'larse] *vp* 1. *(Amér) (con chile)* to eat a mouthful of very hot food **2.** *(fig)* *(enfadarse)* to get angry

enchinar [entʃi'nar] *vt* *(Amér)* to curl

enchufar [entʃu'far] *vt* **1.** *(conectar)* to plug in **2.** *(encender)* to turn on **3.** *(fam)* *(a una persona)* to pull strings for

enchufe [en'tʃufe] *m* **1.** *(de aparato)* plug **2.** *(de pared)* socket **3.** *(fam)* *(recomendación)* connections *pl*

encía [en'θia] *f* gum

enciclopedia [enθiklo'peðja] *f* encyclopedia

encierro [en'θjero] *m* **1.** *(de personas)* sit-in **2.** *(de toros)* running of the bulls to the enclosure where they are kept before a bullfight

encima [en'θima] *adv* **1.** *(arriba)* on top **2.** *(en edificio)* upstairs **3.** *(además)* on top of that ● **no llevo dinero encima** I haven't got any money on me ● **encima de** *(en lugar superior)* above; *(en edificio)* upstairs from; *(sobre)* on (top of) ● **por encima** *(superficialmente)* superficially ● **por encima de** *(más arriba de)* over ● **por encima de sus posibilidades** beyond his means ● **por encima de todo** more than anything

encimera [enθi'mera] *f* worktop *(UK)*, counter *(US)*

encina [en'θina] *f* holm oak

encinta [en'θinta] *adj* pregnant

encoger [enko'xer] ◇ *vt* *(piernas)* to pull in ◇ *vi* to shrink ● **encogerse** *vp* **1.** *(tejido, ropa)* to shrink **2.** *(persona)* to get scared ● **encogerse de hombros** to shrug one's shoulders

encolar [enko'lar] *vt* *(pegar)* to glue

encolerizarse [enkoleri'θarse] *vp* to get angry

encomienda [enkomi'enða] *f* *(Amér)* parcel *(UK)*, package *(US)*

encontrar [enkon'trar] *vt* **1.** to find **2.** *(persona)* to meet ● **encontrar trabajo** to find work ● **encontrarse** *vp* **1.** *(coincidir)* to meet **2.** *(hallarse)* to be

encrespado, da [enkres'paðo, ða] *adj* **1.** *(pelo)* curly **2.** *(mar)* rough

encrucijada [enkruθi'xaða] *f* crossroads *sg*

encuadernar [enkuaðer'nar] *vt* to bind

encuadre [en'kuaðre] *m* *(de foto)* composition

encubrir [enku'βrir] *vt* to conceal

encuentro [en'kuentro] *m* **1.** *(con persona)* meeting **2.** *(partido)* match *(UK)*, game

encuesta [en'kuesta] *f* survey

encuestador, ra [enkuesta'ðor, ra] *m,f* pollster

enderezar [endere'θar] *vt* **1.** *(lo torcido)* to straighten **2.** *(lo caído)* to put upright **3.** *(persona, negocio, trabajo)* to set right

endeudado, da [endeu'ðaðo, ða] *adj* in debt

endivia [en'diβja] *f* endive ● **endivias al roquefort** endives in a Roquefort sauce

enemigo, ga [ene'miɣo, ɣa] *m,f* enemy ● **ser enemigo de** to hate

energía [ener'xia] *f* **1.** *(en física, etc)* energy **2.** *(de persona)* strength ● **energía atómica** nuclear power

enérgico, ca [e'nerxiko, ka] *adj* energetic

enero [e'nero] *m* January ➤ **setiembre**

enfadado, da [enfa'ðaðo, ða] *adj* angry

enfadarse [enfa'ðarse] *vp* to get angry

enfado [enˈfaðo] m anger

enfermar [enferˈmar] vi to fall ill (UK), to get sick (US) ◆ **enfermarse** vp (Amér) to fall ill (UK), to get sick (US)

enfermedad [enfermeˈðað] f 1. (caso concreto) illness 2. (morbo) disease

enfermería [enfermeˈria] f sick bay

enfermero, ra [enferˈmero, ra] m,f nurse

enfermizo, za [enferˈmiθo, θa] adj unhealthy

enfermo, ma [enˈfermo, ma] ◇ adj ill, sick ◇ m,f 1. (persona enferma) sick person 2. (en el hospital) patient ● **ponerse enfermo** to fall ill (UK), to get sick (US)

enfocar [enfoˈkar] vt 1. (luz, foco) to shine 2. (cámara) to focus 3. (tema, cuestión, problema) to look at

enfoque [enˈfoke] m 1. (de cámara) focus 2. (de cuestión, problema) approach

enfrentamiento [enfrentaˈmiento] m confrontation

enfrentarse [enfrenˈtarse] vp to clash ● **enfrentarse a** (oponerse a) to confront

enfrente [enˈfrente] adv opposite ● **enfrente de** opposite ● **la casa de enfrente** the house across the road

enfriamiento [enfriaˈmiento] m cold

enfriarse [enfriˈarse] vp 1. (comida, bebida) to get cold 2. (relación) to cool down 3. (resfriarse) to catch a cold

enganchar [enganˈtʃar] vt 1. (objeto, papel) to hang up 2. (caballos, caravana, coche) to hitch up ● **engancharse** vp (ropa, persona) to get caught

enganche [enˈgantʃe] m 1. (Méx) (depósito) deposit 2. (mecanismo, pieza) hook

● **$50 de enganche** (Amér) a $50 deposit

engañar [engaˈɲar] vt 1. (decir mentiras a) to deceive 2. (timar) to cheat 3. (a cónyuge) to cheat on ● **engañarse** vp (equivocarse) to be wrong

engaño [enˈgaɲo] m 1. (mentira) deceit 2. (timo) swindle 3. (infidelidad) cheating

engañoso, sa [engaˈɲoso, sa] adj 1. (apariencia) deceptive 2. (mirada, palabra) deceitful

engendrar [enxenˈdrar] vt 1. (persona, animal) to give birth to 2. (sentimiento) to give rise to

englobar [engloˈβar] vt to bring together

engordar [engorˈðar] vi 1. (persona) to put on weight 2. (alimento) to be fattening ● **engordarse** vp to put on weight

engranaje [engraˈnaxe] m (de coche) gears pl

engrapadora [engrapaˈðora] f (Amér) stapler

engrapar [engraˈpar] f (Amér) to staple

engrasar [engraˈsar] vt 1. (mecanismo, pieza) to lubricate 2. (ensuciar) to make greasy

engreído, da [engreˈiðo, ða] adj conceited

enhorabuena [enoraˈβuena] ◇ f congratulations pl ◇ interj congratulations! ● **dar la enhorabuena** to congratulate

enigma [eˈniɣma] m enigma

enjabonar [enxaβoˈnar] vt 1. (ropa) to soap 2. (fig) (persona) to butter up ● **enjabonarse** vp to soap o.s. down

enjuagar [enxuaˈɣar] vt to rinse ●

enjuagarse *vp (boca)* to rinse out one's mouth

enlace [en'laθe] ◇ *m* **1.** *(de trenes)* connection **2.** *(de carreteras)* link **3.** INFORM link **4.** *(formal) (matrimonio)* marriage ◇ *mf (intermediario)* go-between

enlazar [enla'θar] ◇ *vt* **1.** *(conectar)* to tie **2.** *(relacionar)* to connect ◇ *vi* ● **enlazar con** to connect with

enlosar [enlo'sar] *vt* to pave

enmendar [emmen'dar] *vt (corregir)* to correct ◆ **enmendarse** *vp* to mend one's ways

enmienda [em'mjenda] *f* **1.** *(corrección)* correction **2.** *(de ley)* amendment

enmudecer [emmuðe'θer] *vi* to be struck dumb

enojado, da [eno'xaðo, ða] *adj* annoyed

enojar [eno'xar] *vt* **1.** *(enfadar)* to anger **2.** *(molestar)* to annoy ◆ **enojarse** *vp* **1.** *(enfadarse)* to get angry **2.** *(molestarse)* to get annoyed

enojo [e'noxo] *m* **1.** *(enfado)* anger **2.** *(molestia)* annoyance

enorme [e'norme] *adj* huge

enredadera [enreða'ðera] *f* creeper

enredar [enre'ðar] *vt (lana, hilo, pelo)* to tangle ● **enredar a alguien en** *(complicar)* to involve sb in

enredo [en'reðo] *m* **1.** *(de lana, hilo, etc)* tangle **2.** *(situación difícil, desorden)* mess

enriquecer [enrike'θer] *vt* to make rich ◆ **enriquecerse** *vp* to get rich

enrojecer [enroxe'θer] ◇ *vt* to redden ◇ *vi (sonrojarse)* to blush

enrollar [enro'ʎar] *vt* to roll up ● **enrollarse** *vp* **1.** *(fam) (hablar mucho)* to

go on and on **2.** *(ligar)* to get off with each other *(UK)*, to hook up *(US)*

ensaimada [ensaj'maða] *f cake made of sweet, coiled pastry*

ensalada [ensa'laða] *f salad* ● **ensalada de lechuga** lettuce salad ● **ensalada mixta** mixed salad ● **ensalada variada** o **del tiempo** *salad of lettuce, tomato, carrot and onion* ● **ensalada verde** green salad

ensaladera [ensala'ðera] *f* salad bowl

ensaladilla [ensala'ðiʎa] *f* ● **ensaladilla (rusa)** Russian salad

ensanchar [ensan'tʃar] *vt* **1.** *(camino)* to widen **2.** *(falda, pantalón)* to let out

ensayar [ensa'jar] *vt* **1.** *(espectáculo)* to rehearse **2.** *(mecanismo, invento)* to test

ensayo [en'sajo] *m* **1.** *(de espectáculo)* rehearsal **2.** *(de mecanismo, invento)* test **3.** *(escrito)* essay

enseguida [ense'yiða] *adv* **1.** *(inmediatamente)* immediately **2.** *(pronto)* very soon

ensenada [ense'naða] *f* cove

enseñanza [ense'nanθa] *f* **1.** *(método, sistema)* education **2.** *(profesión)* teaching

enseñar [ense'ɲar] *vt* **1.** *(en escuela, universidad)* to teach **2.** *(indicar, mostrar)* to show

enseres [en'seres] *mpl* belongings

ensopar [enso'par] *vt (Col, RP & Ven)* to soak

ensuciar [ensu'θjar] *vt* to make dirty ◆ **ensuciarse** *vp* to get dirty

ente ['ente] *m* **1.** *(ser)* being **2.** *(asociación)* organization

entender [enten'der] ◇ *vt* **1.** to understand **2.** *(opinar)* to think ◇ *vi* to understand ✦ **entender de** *v* + *prep* *(saber de)* to be an expert on ✦ **entenderse** *vp* **1.** *(comprenderse)* to understand each other **2.** *(llegar a un acuerdo)* to reach an agreement **3.** *(fam) (estar liado)* to be involved ✦ **entenderse bien/mal con** to get on well/badly with

entendido, da [enten'diðo, ða] *m,f* expert

enterarse [ente'rarse] ✦ **enterarse de** *v* + *prep* **1.** *(noticia, suceso)* to find out about **2.** *(fam) (darse cuenta de)* to realize

entero, ra [en'tero, ra] *adj* **1.** whole **2.** *(de carácter)* composed ✦ **por entero** entirely

enterrar [ente'rar] *vt* to bury

entidad [enti'ðað] *f (asociación)* body

entierro [en'tjero] *m* burial

entlo *abrev* = **entresuelo**

entonces [en'tonθes] *adv* then ✦ **desde entonces** since then

entrada [en'traða] *f* **1.** *(acción)* entry **2.** *(lugar)* entrance **3.** *(puerta)* doorway **4.** *(de espectáculo)* ticket **5.** *(plato)* starter *(UK)*, appetizer *(US)* **6.** *(anticipo)* down payment ✦ **de entrada** *(en principio)* from the beginning ✦ **¿qué quiere de entrada?** what would you like for starters? ▼ **entrada** way in ▼ **entrada libre** admission free ▼ **entrada por la otra puerta** enter by other door ▼ **prohibida la entrada** no entry

entrantes [en'trantes] *mpl (entremeses)* hors d'oeuvres

entrañable [entra'naβle] *adj* **1.** *(digno de*

afecto) likeable **2.** *(afectuoso)* affectionate

entrañas [en'tranas] *fpl (vísceras)* entrails

entrar [en'trar] ◇ *vt* **1.** *(introducir)* to bring in ✦ **están entrando el carbón** they're bringing in the coal ✦ **ya puedes entrar el coche en el garaje** you can put your car in the garage now **2.** *INFORM* to enter ◇ *vi* **1.** *(introducirse)* to enter, to come/go in ✦ **la pelota entró por la ventana** the ball came in through the window ✦ **entramos en el bar** we went into the bar **2.** *(penetrar)* to go in ✦ **el enchufe no entra** the plug won't go in ✦ **el clavo ha entrado en la pared** the nail went into the wall **3.** *(caber)* to fit ✦ **este anillo no te entra** this ring doesn't fit you ✦ **en el garaje entran dos coches** you can fit two cars in the garage **4.** *(incorporarse)* to join ✦ **para entrar has de hacer un test** you have to do a test to get in ✦ **entró en el partido en abril** she joined the party in April ✦ **entró de secretaria** she started out as a secretary **5.** *(entender)* ✦ **no le entra la geometría** he can't get the hang of geometry **6.** *(estado físico o de ánimo)* ✦ **me entró mucha pena** I was filled with pity ✦ **me entraron ganas de hablar** I suddenly felt like talking **7.** *(estar incluido)* ✦ **entrar (en)** to be included (in) ✦ **la consumición no entra** *(en discoteca)* drinks are not included **8.** *(participar)* ✦ **entrar (en)** to participate (in) **9.** *(cantidad)* ✦ **¿cuántas peras entran en un kilo?** how many pears do you get to the kilo? **10.** *AUTO* to engage ● **no entra la quinta** you can't get into fifth **11.** *(empezar)* ● **entrar a hacer algo** to start doing sthg

entre ['entre] *prep* **1.** *(en medio de dos términos)* between ● **aparcar entre dos coches** to park between two cars ● **vendré entre las tres y las cuatro** I'll come between three and four **2.** *(en medio de muchos)* among ● **estaba entre los asistentes** she was among those present ● **entre hombres y mujeres somos cien** there are a hundred of us, counting men and women **3.** *(participación, cooperación)* between ● **entre todos lo consiguieron** between them they managed it ● **entre nosotros** *(en confianza)* between you and me **4.** *(lugar)* among ● **encontré tu carta entre los libros** I found your letter among the books ● **entre tanto** meanwhile

entreacto [entre'akto] *m* interval

entrecejo [entre'θexo] *m* space between the brows ● **fruncir el entrecejo** to frown

entrecot [entre'kot] *m* entrecôte ● **entrecot a la pimienta verde** *entrecôte in a green peppercorn sauce* ● **entrecot al roquefort** *entrecôte in a Roquefort sauce*

entrega [en'treɣa] *f* **1.** *(acto)* handing over **2.** *(de pedido)* delivery **3.** *(de premio)* presentation **4.** *(dedicación)* devotion **5.** *(fascículo)* instalment **6.** *(de seriado)* episode

entregar [entre'ɣar] *vt* **1.** *(dar)* to hand over **2.** *(pedido, paquete)* to deliver ● **entregarse a** *v + prep* **1.** *(rendirse)* to

surrender to **2.** *(abandonarse a)* to surrender to **3.** *(dedicarse a)* to devote o.s. to

entrelazar [entrela'θar] *vt* to interlace

entremeses [entre'meses] *mpl* hors d'oeuvres

entrenador, ra [entrena'ðor, ra] *m,f* coach

entrenamiento [entrena'mjento] *m* training

entrenar [entre'nar] *vt* to train ● **entrenarse** *vp* to train

entrepierna [entre'pjerna] *f* crotch

entreplanta [entre'planta] *f* mezzanine

entresuelo [entre'swelo] *m* mezzanine

entretanto [entre'tanto] *adv* meanwhile

entretecho [entre'tetʃo] *m* (*Amér*) attic

entretener [entrete'ner] *vt* **1.** *(divertir)* to entertain **2.** *(hacer retrasar)* to hold up ● **entretenerse** *vp* **1.** *(divertirse)* to amuse o.s. **2.** *(retrasarse)* to be held up

entretenido, da [entrete'niðo, ða] *adj* **1.** *(divertido)* entertaining **2.** *(que requiere atención)* time-consuming

entretenimiento [entreteni'mjento] *m* (*diversión*) entertainment

entretiempo [entre'tjempo] *m* ● **de entretiempo** mild-weather

entrever [entre'ßer] *vt* **1.** *(ver)* to glimpse **2.** *(sospechar)* to suspect

entrevista [entre'ßista] *f* interview

entrevistador, ra [entreßista'ðor, ra] *m,f* interviewer

entrevistar [entreßis'tar] *vt* to interview

entrevisto, ta [entre'ßisto, ta] *pp* ➢ **entrever**

entristecer [entriste'θer] *vt* to make sad ◆ **entristecerse** *vp* to become sad

entrometerse [entrome'terse] *vp* to interfere

entusiasmado, da [entusjaz'maðo, ða] *adj* full of enthusiasm

entusiasmar [entusjaz'mar] *vt* ● me entusiasma I love it ◆ **entusiasmarse** *vp* to get excited

entusiasmo [entu'sjazmo] *m* enthusiasm

entusiasta [entu'sjasta] *adj* enthusiastic

envasar [emba'sar] *vt* to pack

envase [em'base] *m* (*recipiente*) container ● **envase sin retorno** non-returnable bottle

envejecer [embexe'θer] *vi* to grow old

envenenamiento [embenena'mjento] *m* poisoning

envenenar [embene'nar] *vt* to poison

envergadura [emberɣa'ðura] *f* (*importancia*) extent

enviar [embi'ar] *vt* to send

envidia [em'biðja] *f* envy

envidiar [embi'ðjar] *vt* to envy

envidioso, sa [embi'ðjoso, sa] *adj* envious

envío [em'bio] *m* **1.** (*acción*) delivery **2.** (*paquete*) package

enviudar [embju'ðar] *vi* to be widowed

envolver [embol'βer] *vt* (*regalo, paquete*) to wrap (up)

enyesar [enje'sar] *vt* **1.** (*pared, muro*) to plaster **2.** (*pierna, brazo*) to put in plaster

epidemia [epi'ðemja] *f* epidemic

epidural *f* (*anestesia*) epidural

episodio [epi'soðjo] *m* **1.** (*suceso*) event **2.** (*capítulo*) episode

época ['epoka] *f* **1.** (*periodo*) period **2.** (*estación*) season

equilibrado, da [ekili'βraðo, ða] *adj* balanced

equilibrar [ekili'βrar] *vt* to balance

equilibrio [eki'liβrjo] *m* **1.** balance **2.** (*de persona*) level-headedness

equilibrista [ekili'βrista] *mf* tightrope walker

equipaje [eki'paxe] *m* luggage (*UK*), baggage (*US*) ● **equipaje de mano** hand luggage

equipar [eki'par] *vt* (*proveer*) to equip

equipo [e'kipo] *m* **1.** (*de personas*) team **2.** (*de objetos*) equipment **3.** (*de prendas*) kit (*UK*), gear (*US*)

equitación [ekita'θjon] *f* horse riding

equivalente [ekiβa'lente] *adj* & *m* equivalent

equivaler [ekiβa'ler] ◆ **equivaler a** *v* + *prep* to be equivalent to

equivocación [ekiβoka'θjon] *f* mistake

equivocado, da [ekiβo'kaðo, ða] *adj* wrong

equivocar [ekiβo'kar] *vt* (*confundir*) to mistake ◆ **equivocarse** *vp* **1.** (*cometer un error*) to make a mistake **2.** (*no tener razón*) to be wrong ● **equivocarse de nombre** to get the wrong name ● me he equivocado (*al teléfono*) sorry, wrong number

era ['era] ◇ *v* ➢ **ser** ◇ *f* era

erguido, da [er'ɣiðo, ða] *adj* erect

erizo [e'riθo] *m* hedgehog ● **erizo de mar** sea urchin

ermita [er'mita] *f* hermitage

erótico, ca [e'rotiko, ka] *adj* erotic

erotismo [ero'tizmo] *m* eroticism

errante [e'rante] *adj* wandering

errar [e'rar] *vi* (equivocarse) to make a mistake

erróneo, a [e'roneo, a] *adj* wrong

error [e'rror] *m* mistake, error

eructar [eruk'tar] *vi* to belch

eructo [e'rukto] *m* belch

erudito, ta [eru'ðito, ta] *m,f* erudite

erupción [erup'θjon] *f* 1. (de la piel) rash 2. (de volcán) eruption

esbelto, ta [ez'βelto, ta] *adj* slim

esbozo [ez'βoθo] *m* 1. (dibujo) sketch 2. (resumen, guión) outline

escabeche [eska'βetʒe] *m* • en escabeche marinated

escala [es'kala] *f* 1. scale 2. (de barco, avión) stopover • a gran escala (fam) on a large scale • escala musical scale • hacer escala en to stop over at

escalador, ra [eskala'ðor, ra] *m,f* climber

escalar [eska'lar] *vt* to climb

escalera [eska'lera] *f* 1. (de casa, edificio) staircase, stairs *pl* 2. (portátil) ladder • escalera de caracol spiral staircase • escalera de incendios fire escape • escalera mecánica escalator • escaleras *fpl* stairs

escalerilla [eskale'riʎa] *f* stairs *pl*

escalibada *f* Catalan dish of roasted vegetables

escalofrío [eskalo'frio] *m* shiver

escalón [eska'lon] *m* step

escalope [eska'lope] *m* escalope

escalopín [eskalo'pin] *m* • escalopines de ternera escalope of veal *sg* (UK), veal scallopini *sg* (US)

escama [es'kama] *f* 1. (de pez, reptil) scale 2. (en la piel) flake

escampar [eskam'par] *vi* to clear up

escandalizar [eskandali'θar] *vt* to shock • escandalizarse *vp* to be shocked

escándalo [es'kandalo] *m* 1. (inmoralidad) scandal 2. (alboroto) uproar

escaño [es'kaɲo] *m* (de diputado) seat (in parliament)

escapar [eska'par] *vi* • escapar (de) to escape (from) • escaparse *vp* 1. (persona) to escape 2. (líquido, gas) to leak

escaparate [eskapa'rate] *m* (shop) window

escape [es'kape] *m* 1. (de líquido, gas) leak 2. (de coche) exhaust • a escape in a rush

escarabajo [eskara'βaxo] *m* beetle

escarbar [eskar'βar] *vt* to scratch

escarcha [es'kartʒa] *f* frost

escarmentar [eskarmen'tar] ◇ *vi* to learn (one's lesson) ◇ *vt* • escarmentar a alguien to teach sb a lesson

escarola [eska'rola] *f* endive

escasear [eskase'ar] *vi* to be scarce

escasez [eska'seθ] *f* 1. (insuficiencia) shortage 2. (pobreza) poverty

escaso, sa [es'kaso, sa] *adj* 1. (recursos, número) limited 2. (víveres) scarce 3. (tiempo) short 4. (visibilidad) poor • un metro escaso barely a metre • andar escaso de dinero to be short of money

escayola [eska'jola] *f* plaster

escayolar [eskajo'lar] *vt* to put in plaster

escena [es'θena] *f* 1. scene 2. (escenario) stage

escenario [esθe'narjo] *m* 1. (de teatro) stage 2. (de un suceso) scene

escepticismo [esθepti'θizmo] *m* scepticism

escéptico, ca [es'θeptiko, ka] *adj* sceptical

esclavitud [esklaβi'tuð] *f* slavery

esclavo, va [es'klaβo, βa] *m,f* slave

esclusa [es'klusa] *f* lock

escoba [es'koβa] *f* broom

escobilla [esko'βiʎa] *f* 1. brush 2. (Andes) (para dientes) toothbrush

escocer [esko'θer] *vi* to sting

escocés, esa [esko'θes, esa] ◇ *adj* Scottish ◇ *m,f* Scot

Escocia [es'koθja] *s* Scotland

escoger [esko'xer] ◇ *vt* to choose ◇ *vi* ● escoger entre to choose between

escolar [esko'lar] ◇ *adj* school (antes de s) ◇ *mf* schoolboy (*f* schoolgirl)

escolaridad [eskolari'ðað] *f* schooling

escollo [es'koʎo] *m* (roca) reef

escolta [es'kolta] *f* escort

escombros [es'kombros] *mpl* rubble *sg*

esconder [eskon'der] *vt* to hide ◆ esconderse *vp* to hide

escondite [eskon'dite] *m* 1. (lugar) hiding place 2. (juego) hide-and-seek

escopeta [esko'peta] *f* shotgun

escorpión [eskor'pjon] *m* scorpion

escotado, da [esko'taðo, ða] *adj* low-cut

escote [es'kote] *m* (de vestido) neckline

escotilla [esko'tiʎa] *f* hatch

escribir [eskri'βir] *vt* & *vi* to write ● escribir a mano to write by hand ● escribir a máquina to type ◆ escribirse *vp* (tener correspondencia) to write to one another ● ¿cómo se escribe ...? how do you spell ...?

escrito, ta [es'krito] ◇ *pp* ➤ escribir ◇ *m* 1. (texto) text 2. (documento) document

escritor, ra [eskri'tor, ra] *m,f* writer

escritorio [eskri'torjo] *m* desk

escritura [eskri'tura] *f* 1. (letra) script 2. (documento) deed

escrúpulo [es'krupulo] *m* scruple ◆ escrúpulos *mpl* (reservas) qualms

escuadra [es'kwaðra] *f* 1. (en dibujo) set square (UK), triangle (US) 2. (de barcos) squadron 3. (del ejército) squad

escuchar [esku'tʃar] ◇ *vt* to listen to ◇ *vi* to listen ● escuchar la radio to listen to the radio

escudo [es'kuðo] *m* 1. (arma defensiva) shield

escuela [es'kwela] *f* school ● escuela privada/pública private/state school ● escuela universitaria university which awards degrees after three years' study

esculpir [eskul'pir] *vt* to sculpt

escultor, ra [eskul'tor, ra] *m,f* sculptor (*f* sculptress)

escultura [eskul'tura] *f* sculpture

escupir [esku'pir] ◇ *vt* to spit out ◇ *vi* to spit

escurrir [esku'rir] *vt* 1. (ropa) to wring out 2. (platos) to drain 3. (deslizar) to slide ◆ escurrirse *vp* (deslizarse) to slip

ese, esa [ese, esa] *adj* that

ése, ésa [ese, esa] *pron* that one

esencia [e'senθja] *f* essence

esencial [esen'θjal] *adj* essential

esfera [es'fera] *f* 1. (en geometría) sphere 2. (del reloj) face 3. (ámbito) circle

esférico, ca [es'feriko, ka] *adj* spherical

esforzarse [esfor'θarse] *vp* to make an effort

esfuerzo [es'fuerθo] *m* effort

esfumarse [esfu'marse] *vp* to vanish

esgrima [ez'ɣrima] *f* fencing

esguince [ez'ɣinθe] *m* sprain

eslabón [ezla'βon] *m* link

eslálom [ez'lalom] *m* slalom

eslip [ez'lip, ez'lips] (*pl* **eslips**) *m* **1.** *(pieza interior)* briefs *pl* **2.** *(bañador)* swimming trunks *pl* (UK), swimsuit (US)

Eslovaquia [ezlo'βakja] *s* Slovakia

esmalte [ez'malte] *m* enamel ● **esmalte de uñas** nail varnish (UK) o polish (US)

esmeralda [ezme'ralda] *f* emerald

esmerarse [ezme'rarse] *vp* to take great pains

esmero [ez'mero] *m* great care

esmoquin [ez'mokin] *m* dinner jacket (UK), tuxedo (US)

esnob [ez'noβ, ez'noβs] (*pl* **esnobs**) *mf* person who wants to be trendy

eso ['eso] *pron neutro* that ● **eso que tienes en la mano** that thing in your hand ● **a eso de** (at) around ● **por eso te lo digo** that's why I'm telling you ● **y eso que** even though

ESO (*abr de* **Enseñanza Secundaria Obligatoria**) *f* (Esp) compulsory secondary education for pupils aged 12-16

esos, esas ['esos, 'esas] *adj pl* those

espaciador *m* space bar

espacial [espa'θjal] *adj* space (*antes de s*)

espacio [es'paθjo] *m* **1.** space **2.** *(de tiempo)* period **3.** *(programa)* programme ● **espacio aéreo** air space ● **espacio publicitario** advertising spot

espacioso, sa [espa'θjoso, sa] *adj* spacious

espada [es'paða] *f* sword ◆ **espadas** *fpl* (*naipes*) suit in Spanish deck of cards bearing swords

espaguetis [espa'ɣetis] *mpl* spaghetti *sg*

espalda [es'palda] ◇ *f* back ◇ *f inv* (en natación) backstroke ◆ **espaldas** *fpl* back *sg*

espantapájaros [espanta'paxaros] *m inv* scarecrow

espanto [es'panto] *m* fright

espantoso, sa [espan'toso, sa] *adj* **1.** *(que asusta)* horrific **2.** *(muy feo, desagradable)* horrible **3.** *(enorme)* terrible

España [es'paɲa] *s* Spain

español, la [espa'ɲol, la] ◇ *adj & m* Spanish ◇ *m,f* Spaniard

esparadrapo [espara'ðrapo] *m* (sticking) plaster (UK), Band-Aid ® (US)

esparcir [espar'θir] *vt* **1.** *(extender)* to spread **2.** *(azúcar)* to sprinkle **3.** *(semillas, papeles)* to scatter

espárrago [es'paraɣo] *m* asparagus ● **espárragos trigueros** wild asparagus

espasmo [es'pazmo] *m* spasm

espátula [es'patula] *f (en cocina)* spatula

especia [es'peθja] *f* spice

especial [espe'θjal] *adj* **1.** special **2.** *(fam)* *(persona)* odd ● **especial para** specially for

especialidad [espeθjali'ðað] *f* speciality (UK), specialty (US) ● **especialidad de la casa** house speciality

especialista [espeθja'lista] *mf* specialist

especializado, da [espeθjali'θaðo, ða] *adj* specialized

especialmente [espe,θjal'mente] *adv* especially

especie [es'peθje] *f* **1.** *(familia)* species **2.**

(fig) (tipo) type ● **en especie** in kind
especie protegida protected species
especificar [espeθifi'kar] *vt* to specify
específico, ca [espe'θifiko, ka] *adj* specific
espectáculo [espek'takulo] *m (en teatro, circo, etc)* performance, show
espectador, ra [espekta'ðor, ra] *m.f* 1. *(en deporte)* spectator 2. *(en cine, teatro)* member of the audience
especulación [espekula'θion] *f* speculation
espejismo [espe'xizmo] *m* mirage
espejo [es'pexo] *m* mirror
espera [es'pera] *f* wait ● **en espera de** waiting for
esperanza [espe'ranθa] *f* 1. *(deseo)* hope 2. *(confianza)* expectation
esperar [espe'rar] ◇ *vt* 1. *(aguardar)* to wait for 2. *(confiar)* to expect 3. *(recibir, buscar)* to meet 4. *(en el futuro)* to await ◇ *vi (aguardar)* to wait ● **esperar que** to hope (that) ● **¡eso espero!** I hope so! ● **¡espera y verás!** wait and see!
espérate sentado *(fig)* you're in for a long wait ◆ **esperarse** *vp* 1. *(figurarse)* to expect 2. *(aguardar)* to wait
esperma [es'perma] *m* sperm
espeso, sa [es'peso, sa] *adj* thick
espesor [espe'sor] *m* 1. *(grosor)* thickness 2. *(densidad)* density
espía [es'pia] *mf* spy
espiar [espi'ar] *vt* to spy on
espiga [es'piɣa] *f (de trigo)* ear
espina [es'pina] *f* 1. *(de planta)* thorn 2. *(de pez)* bone
espinacas [espi'nakas] *fpl* spinach *sg*
espinilla [espi'niʎa] *f* 1. *(de la pierna)*

shin 2. *(en la piel)* blackhead
espionaje [espio'naxe] *m* espionage
espiral [espi'ral] *f* spiral ● **en espiral** spiral
espirar [espi'rar] *vi* to breathe out
espiritismo [espiri'tizmo] *m* spiritualism
espíritu [es'piritu] *m* 1. *(alma)* spirit 2. *(en religión)* soul
espiritual [espiritu'al] *adj* spiritual
espléndido, da [es'plendiðo, ða] *adj* 1. *(magnífico)* splendid 2. *(generoso)* lavish
esplendor [esplen'dor] *m* splendour
espliego [es'plieɣo] *m* lavender
esponja [es'ponxa] *f* sponge
esponjoso, sa [espon'xoso, sa] *adj* spongy
espontaneidad [espontanei'ðað] *f* spontaneity
espontáneo, a [espon'taneo, a] ◇ *adj* spontaneous ◇ *m spectator who takes part in bullfight on the spur of the moment*
esposas [es'posas] *fpl* handcuffs
esposo, sa [es'poso, sa] *m.f* husband (*f* wife)
espray [es'prai] *m* spray
esprint [es'prin] *m* sprint
esprínter [es'printer] *mf* sprinter
espuma [es'puma] *f* 1. *(burbujas)* foam 2. *(de jabón)* lather 3. *(de cerveza)* head ● **espuma para el pelo** *(styling)* mousse
esquash [es'kuaʃ] *m* squash
esqueleto [eske'leto] *m* skeleton
esquema [es'kema] *m* 1. *(esbozo)* outline 2. *(gráfico)* diagram
esquematizar [eskemati'θar] *vt* to outline

esquí [es'ki] *m* **1.** *(patín)* ski **2.** *(deporte)* skiing ● **esquí acuático** water skiing

esquiador, ra [eskia'ðor, ɾa] *m,f* skier

esquiar [eski'ar] *vi* to ski

esquilar [eski'lar] *vt* to shear

esquimal [eski'mal] *adj* & *mf* Eskimo

esquina [es'kina] *f* corner

esquivar [eski'βar] *vt* to avoid

estabilidad [estaβili'ðað] *f* stability

estable [es'taβle] *adj* stable

establecer [estaβle'θer] *vt* **1.** *(fundar)* to establish **2.** *(suj: ley, decreto)* to stipulate ◆ **establecerse** *vp (con residencia)* to settle

establecimiento [estaβleθi'mjento] *m* **1.** *(acto)* setting up **2.** *(local)* establishment

establo [es'taβlo] *m* stable

estaca [es'taka] *f (de tienda de campaña)* peg

estación [esta'θjon] *f* **1.** *(de tren, autobús, etc)* station **2.** *(del año, temporada)* season ▼ **estación de servicio** service station ● **estación de tren** train station

estacionamiento [estaθjona'mjento] *m (aparcamiento)* parking ● **estacionamiento indebido** parking offence ▼ **estacionamiento limitado** restricted parking

estacionar [estaθjo'nar] *vt* to park ▼ **no estacionar** no parking ◆ **estacionarse** *vp* to park

estadía [esta'ðia] *f (Amér)* stay

estadio [es'taðjo] *m (de deporte)* stadium

estadística [esta'ðistika] *f (censo)* statistics *pl*

estado [es'taðo] *m* state ● **estar en estado** to be expecting ● **en buen/mal estado** in good/bad condition ● **estado civil** marital status ● **estado físico** physical condition ◆ **Estado** *m* ● **el Estado** the State

Estados Unidos [es'taðosu'niðos] *mpl* ● **(los) Estados Unidos** the United States

estadounidense [es,taðouni'ðense] ◇ *adj* United States ◇ *mf* United States citizen

estafa [es'tafa] *f* swindle

estafador, ra [estafa'ðor, ɾa] *m,f* swindler

estafar [esta'far] *vt* **1.** *(engañar)* to swindle **2.** *(robar)* to defraud

estalactita [estalak'tita] *f* stalactite

estalagmita [estalaɣ'mita] *f* stalagmite

estallar [esta'ʎar] *vi* **1.** *(bomba)* to explode **2.** *(guerra, revolución)* to break out ● **estallar en sollozos** to burst into tears

estallido [esta'ʎiðo] *m (explosión)* explosion

estambre [es'tambre] *m* stamen

estamento [esta'mento] *m* class

estampado, da [estam'paðo, ða] ◇ *adj* printed ◇ *m* (cotton) print

estampida [estam'piða] *f* stampede

estampilla [estam'piʎa] *f* **1.** *(Amér) (sello)* stamp **2.** *(cromo)* transfer

estancado, da [estan'kaðo, ða] *adj* **1.** *(agua, río, etc)* stagnant **2.** *(mecanismo)* jammed

estancarse [estan'karse] *vp* **1.** *(agua, río, etc)* to stagnate **2.** *(mecanismo)* to jam

estanco [es'tanko] *m* tobacconist's (shop)

estand [es'tan, es'tans] (*pl* **estands**) *m* stand, stall

estándar [es'tandar] *adj* standard

estanque [es'tanke] *m* 1. (*alberca*) pond 2. (*para riego*) reservoir

estante [es'tante] *m* shelf

estantería [estante'ria] *f* 1. (*estantes*) shelves *pl* 2. (*para libros*) bookcase

estaño [es'taɲo] *m* tin

estar [es'tar]

⋄ *vi* 1. (*hallarse*) to be ● ¿**está Juan?** is Juan in? ● **estaré allí a la hora convenida** I'll be there at the agreed time 2. (*con fechas*) ● ¿**a qué estamos hoy?** what's the date today? ● **hoy estamos a martes 13 de julio** today is Tuesday the 13th of July ● **estamos en febrero/primavera** it's February/spring 3. (*quedarse*) to stay ● **estaré un par de horas y me iré** I'll stay a couple of hours and then I'll go ● **estuvo toda la tarde en casa** he was at home all afternoon 4. (*hallarse listo*) to be ready ● **la comida estará a las tres** the meal will be ready at three 5. (*expresa duración*) to be ● **están golpeando la puerta** they're banging on the door 6. (*expresa valores, grados*) ● **la libra está a 1,4 euros** the pound is at 1.4 euros ● **estamos a 20 grados** it's 20 degrees here 7. (*servir*) ● **estar para** to be (there) for 8. (*faltar*) ● **eso está por descubrir** we have yet to discover that 9. (*hallarse a punto de*) ● **estar por hacer algo** to be on the verge of doing sthg

⋄ *v cop* 1. (*expresa cualidad, estado*) to be ● ¿**cómo estás?** how are you? ● **esta calle está sucia** this street is dirty ● **estar bien/mal** (*persona*) to be well/unwell ● **el cielo está con nubes** the sky is cloudy ● **estoy sin dinero** I've got no money ● **el jefe está que muerde** the boss is furious 2. (*sentar*) ● **el traje te está muy bien** the suit looks good on you 3. (*expresa situación, ocupación, acción*) ● **estar como camarero** to be a waiter ● **estar de suerte** to be in luck ● **estar de viaje** to be on a trip 4. (*expresa permanencia*) ● **estar en uso** to be in use 5. (*consistir*) ● **estar en** to lie in

♦ **estarse** *vp* (*permanecer*) to stay

estárter [es'tarter] *m* starter

estatal [esta'tal] *adj* state

estático, ca [es'tatiko, ka] *adj* (*inmóvil*) stock-still

estatua [es'tatwa] *f* statue

estatura [esta'tura] *f* height

estatus [es'tatus] *m* status

estatuto [esta'tuto] *m* 1. (*de compañía*) article (of association) 2. (*de comunidad autónoma*) by-law

este¹, esta [ˈeste, ˈesta] *adj* this

este² [ˈeste] *m* east ♦ **Este** *m* ● **el Este** (*de Europa*) Eastern Europe

éste, ésta [ˈeste, ˈesta] *pron* 1. (*cercano en espacio*) this one 2. (*cercano en el tiempo*) this

estera [es'tera] *f* mat

estéreo [es'tereo] *m* stereo

estéril [es'teril] *adj* 1. (*persona, animal*) sterile 2. (*envase, jeringuilla*) sterilized

esterilizar [esterili'θar] *vt* to sterilize

esternón [ester'non] *m* breastbone

estética [es'tetika] *f* (*aspecto*) look

estibador, ra [estiβa'ðor, ra] *m.f* stevedore

estiércol [es'tjerkol] *m* 1. *(excremento)* dung 2. *(abono)* manure

estilo [es'tilo] *m* 1. style 2. *(de natación)* stroke ● **algo por el estilo** something of the sort

estilográfica [estilo'ɣrafika] *f* fountain pen

estima [es'tima] *f* esteem

estimación [estima'θjon] *f* 1. *(aprecio)* esteem 2. *(valoración)* valuation

estimado, da [esti'maðo, ða] *adj* 1. *(querido)* esteemed 2. *(valorado)* valued ● **Estimado señor** Dear Sir

estimulante [estimu'lante] ◇ *adj (alentador)* encouraging ◇ *m* stimulant

estimular [estimu'lar] *vt* 1. *(animar)* to encourage 2. *(excitar)* to stimulate

estímulo [es'timulo] *m* incentive

estirado, da [esti'raðo, ða] *adj* 1. *(orgulloso)* haughty 2. *(ropa)* stretched

estirar [esti'rar] ◇ *vt* to stretch ◇ *vi* to pull ● **estirarse** *vp (desperezarse)* to stretch

estirpe [es'tirpe] *f* stock

esto ['esto] *pron neutro* this ● **esto que dices** what you're saying

estofado [esto'faðo] *m* stew

estoicismo [estoi'θizmo] *m* stoicism

estoico, ca [es'toiko, ka] *adj* stoical

estómago [es'tomaɣo] *m* stomach

estorbar [estor'βar] ◇ *vt* 1. *(obstaculizar)* to hinder 2. *(molestar)* to bother ◇ *vi* 1. *(estar en medio)* to be in the way 2. *(molestar)* to be a bother

estorbo [es'torβo] *m (obstáculo)* hindrance

estornudar [estornu'ðar] *vi* to sneeze

estornudo [estor'nuðo] *m* sneeze

estos, tas ['estos, tas] *adj pl* these

éstos, tas ['estos, tas] *pron pl* 1. *(cercano en espacio)* these (ones) 2. *(cercano en el tiempo)* these

estrafalario, ria [estrafa'larjo, rja] *adj (fam)* eccentric

estrangulador, ra [estrangula'ðor, ra] *m.f* strangler

estrangular [estrangu'lar] *vt* to strangle

estrategia [estra'texja] *f* strategy

estratégico, ca [estra'texiko, ka] *adj* strategic

estrechar [estre'tʃar] *vt* 1. *(camino, calle)* to narrow 2. *(ropa)* to take in 3. *(amistad, relación)* to make closer ● **estrechar la mano a alguien** to shake sb's hand ● **estrecharse** *vp (apretarse)* to squeeze up

estrecho, cha [es'tretʃo, tʃa] ◇ *adj* 1. *(calle, camino, etc)* narrow 2. *(zapato, ropa, etc)* tight 3. *(amistad)* close ◇ *m* strait ● **estar estrecho** *(en un lugar)* to be cramped

estrella [es'treʎa] *f* star ● **estrella de cine** film star ● **estrella fugaz** shooting star ● **estrella de mar** starfish

estrellarse [estre'ʎarse] *vp (chocar)* to crash

estremecerse [estreme'θerse] ◆ **estremecerse de** *v + prep* to tremble with

estrenar [estre'nar] *vt* 1. *(ropa)* to wear for the first time 2. *(espectáculo)* to première 3. *(coche, vajilla, sábanas)* to use for the first time

estreno [es'treno] *m* 1. *(de espectáculo)* première 2. *(de cosa)* first use

estreñimiento [estreɲi'mjento] *m* constipation

estrepitoso, sa [estrepi'toso, sa] *adj (ruido, caída, etc)* noisy

estrés [es'tres] *m* stress

estría [es'tria] *f* groove

estribillo [estri'βiʎo] *m (de canción)* chorus

estribo [es'triβo] *m* 1. *(del jinete)* stirrup 2. *(del automóvil)* step ● **perder los estribus** to fly off the handle

estribor [estri'βor] *m* starboard

estricto, ta [es'trikto, ta] *adj* strict

estrofa [es'trofa] *f* verse

estropajo [estro'paxo] *m* scourer

estropeado, da [estrope'aðo, ða] *adj* 1. *(coche)* broken down 2. *(máquina)* out of order

estropear [estrope'ar] *vt* 1. *(proyecto, plan, comida, etc)* to spoil 2. *(averiar)* to break 3. *(dañar)* to damage ◆ **estropearse** *vp (máquina, aparato)* to break down

estructura [estruk'tura] *f* structure

estuario [es'twarjo] *m* estuary

estuche [es'tutʃe] *m* case

estudiante [estu'ðjante] *mf* student

estudiar [estu'ðjar] *vt & vi* to study

estudio [es'tuðjo] *m* 1. study 2. *(de artista)* studio 3. *(piso)* studio apartment ◆ **estudios** *mpl* 1. *(de radio, televisión)* studios 2. *(educación)* education *sg*

estudioso, sa [estu'ðjoso, sa] *adj* studious

estufa [es'tufa] *f* heater

estupefacto, ta [estupe'fakto, ta] *adj* astonished

estupendo, da [estu'pendo, da] ◇ *adj* great ◇ *interj* great!

estupidez [estupi'ðeθ] *f* 1. *(calidad)* stupidity 2. *(dicho, acto)* stupid thing

estúpido, da [es'tupiðo, ða] *adj* stupid

ETA ['eta] *f (abr de Euskadi ta Askatasuna)* ETA *(terrorist Basque separatist organization)*

etapa [e'tapa] *f* stage

etarra [e'tara] *mf* member of ETA

etc. *(abr de etcétera)* etc *(etcetera)*

etcétera [et'θetera] *adv* etcetera

eternidad [eterni'ðað] *f* eternity ● **una eternidad** *(fam)* ages *pl*

eterno, na [e'terno, na] *adj* 1. *(perpetuo)* eternal 2. *(fam) (que dura mucho, que se repite)* interminable

ética ['etika] *f* ethics *pl*

ético, ca ['etiko, ka] *adj* ethical

etimología [etimolo'xia] *f* etymology

etiqueta [eti'keta] *f* 1. *(de paquete, vestido)* label 2. *(normas)* etiquette ● **de etiqueta** formal

étnico, ca ['etniko, ka] *adj* ethnic

ETS [ete'se] *f* 1. *(abr de Escuela Técnica Superior)* technical college offering degree courses 2. *(abr de enfermedad de transmisión sexual)* STD

eucalipto [euka'lipto] *m* eucalyptus

eucaristía [eukaris'tia] *f* Eucharist

eufemismo [eufe'mizmo] *m* euphemism

eufórico, ca [eu'foriko, ka] *adj* elated

euro ['euro] *m* euro

Europa [eu'ropa] *s* Europe

europeo, a [euro'peo, a] *adj & m,f* European

Euskadi [eus'kaði] *s* the Basque Country

euskera [eus'kera] *adj & m* Basque

eutanasia [euta'nasja] *f* euthanasia

evacuación [eβakua'θjon] *f* evacuation

evacuar [eβa'kuar] *vt* to evacuate

evadir [eβa'ðir] *vt* to avoid ♦ **evadirse** *vp* ● **evadirse de** to escape from

evaluación [eβalua'θjon] *f* **1.** *(de trabajo, examen, etc)* assessment **2.** *(de casa, terreno, etc)* valuation

evaluar [eβalu'ar] *vt* **1.** *(trabajo, examen, etc)* to assess **2.** *(casa, terreno, etc)* to value

evangelio [eβan'xeljo] *m* gospel

evangelización [eβanxeliθa'θjon] *f* evangelization

evaporarse [eβapo'rarse] *vp* to evaporate

evasión [eβa'sjon] *f* **1.** *(distracción)* amusement **2.** *(fuga)* escape ● **evasión de capitales** capital flight

eventual [eβentu'al] *adj* **1.** *(posible)* possible **2.** *(trabajador)* casual

eventualidad [eβentuali'ðað] *f* *(posibilidad)* possibility

evidencia [eβi'ðenθja] *f* **1.** *(seguridad)* obviousness **2.** *(prueba)* evidence

evidente [eβi'ðente] *adj* evident

evidentemente [eβi,ðente'mente] *adv* evidently

evitar [eβi'tar] *vt* **1.** to avoid **2.** *(desastre, peligro)* to avert

evocar [eβo'kar] *vt* to evoke

evolución [eβolu'θjon] *f* **1.** *(desarrollo)* development **2.** *(cambio)* evolution **3.** *(movimiento)* manoeuvre

evolucionar [eβoluθjo'nar] *vi* **1.** *(progresar)* to evolve **2.** *(cambiar)* to change **3.** *(hacer movimientos)* to carry out manoeuvres

exactamente [ek,sakta'mente] *adv* exactly

exactitud [eksakti'tuð] *f* **1.** *(fidelidad)* accuracy **2.** *(rigurosidad)* exactness

exacto, ta [e'ksakto, ta] *adj* **1.** *(riguroso)* exact **2.** *(preciso)* accurate **3.** *(correcto)* correct **4.** *(cantidad, hora, etc)* precise **5.** *(igual)* exactly the same

exageración [eksaxera'θjon] *f* exaggeration

exagerado, da [eksaxe'raðo, ða] *adj* **1.** *(poco razonable)* exaggerated **2.** *(precio)* exorbitant

exagerar [eksaxe'rar] *vt & vi* to exaggerate

exaltarse [eksal'tarse] *vp* to get excited

examen [ek'samen] *m* **1.** *(prueba, ejercicio)* exam **2.** *(inspección)* examination

examinar [eksami'nar] *vt* to examine ♦ **examinarse** *vp* ● **examinarse (de)** to take an exam (in)

excavación [ekskaβa'θjon] *f* *(en arqueología)* dig

excavadora [ekskaβa'ðora] *f* *(mechanical)* digger

excavar [ekska'βar] *vt* *(en arqueología)* to excavate

excedencia [eksθe'ðenθja] *f* leave (of absence)

exceder [eksθe'ðer] *vt* to exceed ♦ **excederse** *vp* *(propasarse)* to go too far

excelencia [eksθe'lenθja] *f* **1.** *(calidad superior)* excellence **2.** *(tratamiento)* Excellency ● **por excelencia** par excellence

excelente [eksθe'lente] *adj* excellent

excentricidad [eksθentriθi'ðað] *f* eccentricity

excéntrico, ca [eks'θentriko, ka] *m,f* eccentric

excepción [eksep'θion] *f* exception • **a o con excepción de** except for • **de excepción** exceptional

excepcional [eksepθio'nal] *adj* exceptional

excepto [eks'θepto] *adv* except (for)

excesivo, va [ekse'siβo, βa] *adj* excessive

exceso [eks'θeso] *m* excess • **en exceso** excessively • **exceso de equipaje** excess baggage • **exceso de peso** excess weight • **exceso de velocidad** speeding • **excesos** *mpl* (abusos) excesses

excitar [eksθi'tar] *vt* 1. (provocar nerviosismo) to agitate 2. (ilusionar) to excite • **excitarse** *vp* 1. (ponerse nervioso) to get agitated 2. (ilusionarse) to get excited

exclamación [eksklama'θion] *f* (grito) cry

excluir [eksklu'ir] *vt* 1. (descartar) to rule out 2. (no admitir) to exclude

exclusiva [eksklu'siβa] *f* 1. (periódico) exclusive 2. COM exclusive rights • **en exclusiva** exclusive ➤ **exclusivo**

exclusivo, va [eksklu'siβo, βa] *adj* exclusive

excursión [ekskur'sion] *f* trip ▼ **excursiones** day trips

excusa [eks'kusa] *f* 1. (pretexto) excuse 2. (disculpa) apology

excusar [eksku'sar] *vt* (disculpar) to excuse • **excusarse** *vp* to apologize

exento, ta [ek'sento, ta] *adj* exempt

exhaustivo, va [eksaus'tiβo, βa] *adj* exhaustive

exhibición [eksiβi'θion] *f* 1. (demostración) display 2. (deportiva, artística) exhibition 3. (de películas) showing

exhibir [eksi'βir] *vt* 1. (productos) to display 2. (cuadros, etc) to exhibit 3. (película) to show

exigencia [eksi'xenθia] *f* 1. (petición) demand 2. (pretensión) fussiness

exigente [eksi'xente] *adj* demanding

exigir [eksi'xir] *vt* 1. (pedir) to demand 2. (requerir) to require

exiliar [eksi'liar] *vt* to exile • **exiliarse** *vp* to go into exile

exilio [ek'silio] *m* exile

existencia [eksis'tenθia] *f* existence • **existencias** *fpl* stock *sg*

existir [eksis'tir] *vi* to exist • **existen varias razones** there are several reasons

éxito ['eksito] *m* 1. success 2. (canción) hit • **tener éxito** to be successful

exitoso, sa [eksi'toso, sa] *adj* (Amér) successful

exótico, ca [ek'sotiko, ka] *adj* exotic

expedición [ekspeði'θion] *f* 1. expedition 2. (de carné) issuing

expediente [ekspe'ðiente] *m* 1. (de trabajador, empleado) file 2. (documentación) documents *pl* 3. (de alumno) record, transcript (US)

expedir [ekspe'ðir] *vt* 1. (paquete, mercancía, etc) to send 2. (documento) to draw up 3. (pasaporte, carné) to issue

expendedor, ra [ekspende'ðor, ra] *m,f* 1. (comerciante) dealer 2. (de lotería) vendor • **expendedor automático** vending machine ▼ **expendedora de billetes** ticket machine

expensas [eks'pensas] *fpl* expenses ● **a expensas de** at the expense of

experiencia [ekspe'rjenθja] *f* 1. experience 2. *(experimento)* experiment

experimentado, da [eksperimen'taðo, ða] *adj* experienced

experimental [eksperimen'tal] *adj* experimental

experimentar [eksperimen'tar] *vt* 1. *(en ciencia)* to experiment with 2. *(probar)* to test 3. *(sensación, sentimiento)* to experience

experimento [eksperi'mento] *m* experiment

experto, ta [eks'perto, ta] *m,f* expert ● **experto en** expert on

expirar [ekspi'rar] *vi (formal)* to expire

explicación [eksplika'θjon] *f* explanation

explicar [ekspli'kar] *vt* 1. to explain 2. *(enseñar)* to teach ● **explicarse** *vp* 1. *(hablar)* to explain o.s. 2. *(comprender)* to understand

explícito, ta [eks'pliθito, ta] *adj* explicit

explorador, ra [eksplora'ðor, ra] *m,f* explorer

explorar [eksplo'rar] *vt* to explore

explosión [eksplo'sjon] *f* 1. *(de bomba, artefacto)* explosion 2. *(de alegría, tristeza)* outburst

explosivo, va [eksplo'siβo, βa] *adj & m* explosive

explotación [eksplota'θjon] *f* 1. *(de petróleo)* drilling 2. *(agrícola)* farming 3. *(de mina)* mining 4. *(de negocio)* running 5. *(de trabajador, obrero)* exploitation ● **explotación agrícola** *(instalación)* farm

explotar [eksplo'tar] ◇ *vi* to explode ◇ *vt* 1. *(mina)* to work 2. *(negocio)* to run 3. *(terreno)* to farm 4. *(obreros)* to exploit

expo *f* Expo, world exhibition

exponente [ekspo'nente] *m (ejemplo)* example

exponer [ekspo'ner] *vt* 1. *(explicar)* to explain 2. *(exhibir)* to display 3. *(arriesgar)* to risk ● **exponerse a** *v + prep* to expose o.s. to

exportación [eksporta'θjon] *f* export

exportar [ekspor'tar] *vt* to export

exposición [eksposi'θjon] *f* 1. *(de pinturas)* exhibition 2. *(en fotografía)* exposure 3. *(en escaparate)* display 4. *(de automóviles)* show 5. *(de tema, asunto)* explanation ● **exposición de arte** art exhibition

expositor, ra [eksposi'tor, ra] ◇ *m,f (persona)* exhibitor ◇ *m (mueble)* display cabinet

exprés [eks'pres] *adj* 1. *(tren)* express 2. *(café)* espresso

expresar [ekspre'sar] *vt* to express ● **expresarse** *vp* to express o.s.

expresión [ekspre'sjon] *f* expression

expresivo, va [ekspre'siβo, βa] *adj* 1. *(elocuente)* expressive 2. *(afectuoso)* affectionate

expreso, sa [eks'preso, sa] ◇ *adj* 1 *(claro)* clear 2. *(tren)* express ◇ *m (tren)* express train

exprimidor [eksprimi'ðor] *m* squeezer

exprimir [ekspri'mir] *vt (limón, naranja)* to squeeze

expuesto, ta [eks'pwesto, ta] ◇ *pp* > **exponer** ◇ *adj* ● **estar expuesto a** to be exposed to

expulsar [ekspul'sar] *vt* **1.** *(de clase, local)* to throw out **2.** *(de colegio)* to expel **3.** *(jugador)* to send off

expulsión [ekspul'sjon] *f* **1.** *(de local)* throwing-out **2.** *(de colegio)* expulsion **3.** *(de jugador)* sending-off

exquisito, ta [ekski'sito, ta] *adj (comida)* delicious

éxtasis ['ekstasis] *m inv* ecstasy

extender [eksten'der] *vt* **1.** *(desplegar)* to spread (out) **2.** *(brazos, piernas)* to stretch **3.** *(influencia, dominio)* to extend **4.** *(documento)* to draw up **5.** *(cheque)* to make out **6.** *(pasaporte)* to issue ◇ **extenderse** *vp* **1.** *(ocupar)* to extend **2.** *(durar)* to last **3.** *(hablar mucho)* to talk at length **4.** *(difundirse)* to spread

extensión [eksten'sjon] *f* **1.** *(en espacio)* area **2.** *(en tiempo)* length **3.** *(alcance)* extent **4.** *(de teléfono)* extension

extenso, sa [eks'tenso, sa] *adj* **1.** *(espacio)* extensive **2.** *(duración)* long

exterior [ekste'rjor] *adj* **1.** *(de fuera)* outside **2.** *(capa)* outer **3.** *(extranjero)* foreign ◇ *m (parte exterior)* outside

exterminar [ekstermi'nar] *vt* to exterminate

externo, na [eks'terno, na] ◇ *adj* outer ◇ *m,f* day boy *(f* day girl) *(UK)*, day student *(US)* ▼ **uso externo** for external use only

extinguirse [ekstin'girse] *vp* **1.** *(luz, fuego)* to go out **2.** *(vida, amor)* to come to an end

extintor [ekstin'tor] *m* fire extinguisher

extirpar [ekstir'par] *vt (formal) (órgano)* to remove

extra ['ekstra] ◇ *adj* **1.** *(de calidad*

superior) top-quality **2.** *(de más)* extra ◇ *m* extra

extracción [ekstrak'θjon] *f* **1.** *(formal) (de órgano)* removal **2.** *(de petróleo)* drilling **3.** *(de mineral)* mining

extracto [eks'trakto] *m* **1.** *(resumen)* summary **2.** *(sustancia)* extract ● **extracto de cuenta** bank statement

extractor [ekstrak'tor] *m* extractor *(fan)*

extradición [ekstraði'θjon] *f* extradition

extraer [ekstra'er] *vt* **1.** *(formal) (órgano)* to remove **2.** *(petróleo)* to drill for

extranjero, ra [ekstran'xero, ra] ◇ *adj* foreign ◇ *m,f* foreigner ◇ *m* foreign countries *pl* ● **en el/al extranjero** abroad

extrañar [ekstra'nar] *vt* **1.** *(echar de menos)* to miss **2.** *(sorprender)* to surprise ● **extrañarse de** *v + prep* to be surprised at

extrañeza [ekstra'neθa] *f* surprise

extraño, ña [eks'trano, na] ◇ *adj* strange ◇ *m,f* stranger

extraordinario, ria [ekstraorði'narjo, rja] *adj* extraordinary

extraterrestre [ekstrate'restre] *mf* extraterrestrial

extravagante [ekstraβa'yante] *adj* eccentric

extraviar [ekstraβi'ar] *vt (formal) (perder)* to mislay ● **extraviarse** *vp* **1.** *(formal) (objeto)* to go missing **2.** *(persona)* to get lost

extremar [ekstre'mar] *vt* to go to extremes with

extremaunción [ekstremaun'θjon] *f* extreme unction

extremidades [ekstremi'ðaðes] *fpl* extremities

extremista [ekstre'mista] *mf* extremist

extremo, ma [eks'tremo, ma] ◇ *adj* 1. *(último)* furthest 2. *(exagerado)* extreme ◇ *m* 1. *(final)* end 2. *(punto máximo)* extreme ● **en extremo** extremely

extrovertido, da [ekstroβer'tiðo, ða] *adj* extrovert (*UK*), extroverted (*US*)

F *(abr de* Fahrenheit*)* F *(Fahrenheit)*

fabada [fa'βaða] *f* ● **fabada (asturiana)** *Asturian stew made of beans, pork sausage and bacon*

fábrica ['faβrika] *f* factory

fabricante [faβri'kante] *mf* manufacturer

fabricar [faβri'kar] *vt* to make, to manufacture ▼ **fabricado en** made in

fábula ['faβula] *f (relato)* fable

fabuloso, sa [faβu'loso, sa] *adj* 1. *(extraordinario)* fabulous 2. *(irreal)* mythical

faceta [fa'θeta] *f* facet

fachada [fa'tʃaða] *f (de edificio)* façade

fácil ['faθil] *adj* 1. easy 2. *(dócil)* easygoing 3. *(probable)* likely

facilidad [faθili'ðað] *f* 1. *(aptitud)* aptitude 2. *(sencillez)* ease ● **tener facilidad para** to have a gift for ● **facilidades de pago** easy (payment) terms

facilitar [faθili'tar] *vt* 1. *(hacer fácil)* to make easy 2. *(hacer posible)* to make

possible 3. *(proporcionar)* to provide

factor [fak'tor] *m* 1. *(elemento, condición)* factor

factura [fak'tura] *f* 1. *(de gás, teléfono, hotel)* bill 2. *(por mercancías, etc)* invoice

facturación [faktura'θjon] *f* 1. *(de equipaje)* checking-in 2. *(de empresa)* turnover ▼ **facturación** check-in

facturar [faktu'rar] *vt* 1. *(equipaje)* to check in 2. *(cobrar)* to bill

facultad [fakul'tað] *f* 1. faculty 2. *(poder)* right ● **facultad de ciencias/letras** faculty (*UK*) ○ college (*US*) of science/arts

faena [fa'ena] *f* 1. *(tarea, trabajo)* task 2. *(en los toros)* bullfighter's performance

faisán [faj'san] *m* pheasant

faja ['faxa] *f* 1. *(ropa interior)* girdle 2. *(para cintura)* sash

fajo ['faxo] *m (de billetes)* wad

falange [fa'lanxe] *f (hueso)* phalanx

falda ['falda] *f* 1. *(prenda de vestir)* skirt 2. *(de montaña)* mountainside 3. *(de persona)* lap ● **faldas** *fpl (fam) (mujeres)* girls

falla ['faʎa] *f* 1. *(de terreno)* fault 2. *(de cartón)* cardboard figure burned during *Fallas* ● **Fallas** *fpl* celebrations in Valencia on 19 March during which fallas are burned

Fallas de San José

Valencia celebrates its best-known festival, the *fallas*, on 19 March. *Fallas* are grotesque papier-mâché giants built by the local people that are surrounded by smaller figures called *ninots*, creating satirical scenes. They are displayed publicly from 15 March before being judged to decide which of the *ninots* will be burned on the night of 19 March.

fallar [faˈʎar] *vi* **1.** *(equivocarse)* to get it wrong **2.** *(no acertar)* to miss **3.** *(fracasar, no funcionar)* to fail

fallecer [faʎeˈθer] *vi (formal)* to pass away

fallo [ˈfaʎo] *m* **1.** *(equivocación)* mistake **2.** *(de frenos, etc)* failure **3.** *(sentencia)* verdict

falsedad [falseˈðað] *f* falseness

falsete [falˈsete] *m* falsetto

falsificar [falsifiˈkar] *vt* to forge

falso, sa [ˈfalso, sa] *adj* **1.** *(afirmación, noticia)* false **2.** *(puerta, salida)* hidden **3.** *(joya, piel)* fake **4.** *(dinero, cuadro)* forged **5.** *(hipócrita)* deceitful

falta [ˈfalta] *f* **1.** *(carencia)* lack **2.** *(necesidad)* need **3.** *(error)* mistake **4.** *(de asistencia, puntualidad)* absence **5.** *(en fútbol, etc)* foul **6.** *(en tenis)* fault **7.** *(infracción)* offence ● **echar en falta algo/a alguien** *(echar de menos)* to miss sthg/sb; *(notar la ausencia de)* to notice sthg/sb is missing ● **hacer falta** to be necessary ● **me hace falta suerte** I need some luck ● **falta de educación** rudeness

faltar [falˈtar] *vi* **1.** *(no haber)* to be lacking **2.** *(estar ausente)* to be absent ● **falta aire** there isn't enough air ● **falta sal** it needs some salt ● **me falta un lápiz** I need a pencil ● **le falta interés** she lacks interest ● **falta una** **semana** there's a week to go ● **faltan 15 km para Londres** we're 15 km away from London ● **faltar a clase** not to attend one's classes ● **¡no faltaba más!** that's all I/we *etc* needed! ◆ **faltar a** *v + prep* **1.** *(obligación)* to neglect **2.** *(palabra, promesa)* to break **3.** *(cita, trabajo)* not to turn up at **4.** *(ofender)* to offend

fama [ˈfama] *f* **1.** *(renombre)* fame **2.** *(reputación)* reputation

familia [faˈmilja] *f* family ● **familia numerosa** large family

familiar [famiˈljar] ◇ *adj* **1.** *(de familia)* family *(antes de s)* **2.** *(conocido)* familiar **3.** *(llano)* informal ◇ *mf* relative

familiarizarse [familjariˈθarse] ◆ **familiarizarse con** *v + prep* to familiarize o.s. with

famoseo *m (fam)* celebrities *pl*

famoso, sa [faˈmoso, sa] *adj* famous

fanatismo [fanaˈtizmo] *m* fanaticism

fandango [fanˈdaŋgo] *m* fandango

fanfarrón, ona [fanfaˈron, ona] *adj* boastful

fantasía [fantaˈsia] *f* **1.** *(imaginación)* imagination **2.** *(imagen, ilusión)* fantasy

fantasma [fanˈtazma] *m* **1.** *(aparición)* ghost **2.** *(fam) (persona presuntuosa)* show-off

fantástico, ca [fanˈtastiko, ka] *adj* fantastic

farmacéutico, ca [farmaˈθeutiko, ka] *m,f* chemist

farmacia [farˈmaθja] *f* chemist's (shop) ● *(UK)*, pharmacy *(US)* ▽ **farmacia de guardia** duty chemist's

faro [ˈfaro] *m (torre)* lighthouse ◆ **faros** *mpl (de coche)* headlights

farol [fa'rol] *m* **1.** *(lámpara)* street light **3.** *(en el juego)* bluff

farola [fa'rola] *f* **1.** *(poste)* lamppost **2.** *(farol)* street light

farolillo [faro'liʎo] *m* paper lantern

farsa ['farsa] *f* farce

farsante [far'sante] *adj* **1.** *(impostor)* fraudulent **2.** *(hipócrita)* deceitful

fascismo [fas'θizmo] *m* fascism

fascista [fas'θista] *mf* fascist

fase ['fase] *f* phase

fastidiar [fasti'ðjar] *vt* **1.** *(molestar)* to annoy **2.** *(fiesta, planes)* to ruin **3.** *(máquina, objeto)* to break ◆ **fastidiarse** *vp* **1.** *(fam) (persona)* to put up with it **2.** *(plan, proyecto)* to be ruined

fastidio [fas'tiðjo] *m* *(molestia)* bother

fatal [fa'tal] ◇ *adj* **1.** *(trágico)* fatal **2.** *(inevitable)* inevitable **3.** *(malo)* awful ◇ *adv* *(fam)* awfully ● **me siento fatal** I feel awful

fatalidad [fatali'ðað] *f* **1.** *(desgracia)* misfortune **2.** *(destino, suerte)* fate

fatiga [fa'tiɣa] *f* *(cansancio)* fatigue

fatigarse [fati'ɣarse] *vp* to get tired

fauna ['fauna] *f* fauna

favor [fa'βor] *m* favour ● **estar a favor de** to be in favour of ● **hacer un favor a alguien** to do sb a favour ● **pedir un favor a alguien** to ask sb a favour ● **por favor** please

favorable [faβo'raβle] *adj* favourable

favorecer [faβore'θer] *vt* **1.** *(quedar bien)* to suit **2.** *(beneficiar)* to favour

favorito, ta [faβo'rito, ta] *adj* favourite

fax ['faks] *m inv* fax ● **mandar algo por fax** to fax sth

fayuquero [faju'kero] *m* *(CAm & Méx)* contraband dealer

fe ['fe] *f* faith ● **de buena/mala fe** *(fig)* in good/bad faith

fealdad [feal'dað] *f* ugliness

febrero [fe'βrero] *m* February ➢ **se tiembre**

fecha ['fetʃa] *f* date ● **fecha de caducidad** *(de carné etc)* expiry date; *(de alimentos)* sell-by date *(UK)*, best-before date *(US)*; *(de medicamentos)* use-by date *(UK)*, expiration date *(US)* ● **fecha de nacimiento** date of birth ◆ **fechas** *fpl (período, época)* time *sg*

fechar [fe'tʃar] *vt* to date

fecundo, da [fe'kundo, da] *adj* **1.** *(mujer)* fertile **2.** *(productivo, creativo)* prolific

federación [feðera'θjon] *f* federation

felicidad [feliθi'ðað] *f* happiness ◆ **felicidades** *interj* **1.** *(enhorabuena)* congratulations! **2.** *(en cumpleaños)* happy birthday!

felicitación [feliθita'θjon] *f* **1.** *(de palabra)* congratulations *pl* **2.** *(tarjeta)* greetings card

felicitar [feliθi'tar] *vt* to congratulate

feligrés, esa [feli'ɣres, esa] *m,f* parishioner

feliz [fe'liθ] *adj* **1.** happy ● **¡felices Pascuas!** Happy Easter ● **¡feliz Año Nuevo!** Happy New Year ● **¡feliz cumpleaños!** Happy Birthday ● **¡feliz Navidad!** Merry Christmas

felpudo [fel'puðo] *m* doormat

femenino, na [feme'nino, na] *adj* feminine

feminismo [femi'nizmo] *m* feminism

feminista [femi'nista] *mf* feminist

fémur ['femur] *m* thighbone

fenomenal [fenome'nal] *adj* **1.** *(estupendo)* wonderful **2.** *(fam) (muy grande)* huge

fenómeno [fe'nomeno] ◇ *m* phenomenon ◇ *adv* *(fam)* brilliantly

feo, a ['feo, a] *adj* **1.** *(rostro, decoración)* ugly **2.** *(actitud, comportamiento, tiempo)* nasty

féretro ['feretro] *m* coffin

feria ['ferja] *f* fair ● **feria de muestras** trade fair ● **ferias** *fpl (fiestas)* festival *sg*

feria de abril

Seville's *feria de abril* is the most famous festival in Spain and includes important bullfights. The week-long festivities take place a fortnight after Easter in an open-air compound where hundreds of stalls where people eat, drink and dance *sevillanas* round the clock.

feriado [fe'rjaðo] *m* *(Amér)* (public) holiday

fermentación [fermenta'θjon] *f* fermentation

feroz [fe'roθ, θes] *(pl* **-ces)** *adj* **1.** *(animal)* fierce **2.** *(cruel)* savage

ferretería [ferete'ria] *f* ironmonger's (shop) *(UK)*, hardware store *(US)*

ferrocarril [feroka'ril] *m* railway *(UK)*, railroad *(US)*

ferroviario, ria [fero'βjarjo, rja] *adj* rail *(antes de s)*

ferry ['feri] *m* ferry

fértil ['fertil] *adj* fertile

fertilidad [fertili'ðað] *f* fertility

festival [festi'βal] *m* festival ● **festival de cine** film festival

festividad [festiβi'ðað] *f* festivity

festivo, va [fes'tiβo, βa] *adj* **1.** *(traje)* festive **2.** *(humorístico)* funny

feto ['feto] *m* foetus

fiambre ['fjambre] *m* cold meat *(UK)*, cold cut *(US)*

fiambrera [fjam'brera] *f* lunch box

fianza ['fjanθa] *f* **1.** *(de alquiler, venta)* deposit **2.** *(de presa)* bail

fiar [fi'ar] *vt* *(vender a crédito)* to sell on credit ● **fiarse de** *v + prep* to trust

fibra ['fiβra] *f* fibre

ficción [fik'θjon] *f* fiction

ficha ['fitʃa] *f* **1.** *(de datos)* card **2.** *(de datos personales)* file **3.** *(de guardarropa, parking)* ticket **4.** *(de casino)* chip **5.** *(de dominó, parchís, etc)* counter **6.** *(de deportista)* contract

fichar [fi'tʃar] ◇ *vt* **1.** *(contratar)* to sign up **2.** *(delincuente)* to put on police files ◇ *vi* *(empleado)* to clock in/out

fichero [fi'tʃero] *m* file

ficticio, cia [fik'tiθjo, θja] *adj* fictitious

fidelidad [fiðeli'ðað] *f* **1.** *(lealtad)* loyalty **2.** *(exactitud)* accuracy

fideos [fi'ðeos] *mpl* noodles

fiebre ['fjeβre] *f* fever ● **tener fiebre** to have a temperature

fiel ['fjel] ◇ *adj* **1.** *(amigo, seguidor)* loyal **2.** *(cónyuge)* faithful **3.** *(exacto)* accurate ◇ *m* *(cristiano)* believer

fieltro ['fjeltro] *m* felt

fiera ['fjera] *f* *(animal)* wild animal

fiero, ra ['fjero, ra] *adj* savage

fierro ['fjero] *m* *(Amér)* iron

fiesta ['fjesta] *f* **1.** *(de pueblo, etc)*

festivities *pl* **2.** *(reunión)* party **3.** *(día festivo)* public holiday **4.** *(alegría)* delight ● **fiesta mayor** *local celebrations for the festival of a town's patron saint*

fiestas patronales

From the smallest village to the biggest city, everywhere in Spain has a festival in honour of its patron saint. Lasting between two days and a week, the celebrations involve various cultural and sporting activities not to mention much dancing and merrymaking in the streets at night.

fiestas patrias

The Spanish-speaking countries of Latin America all have their own *fiestas patrias*, marking the day that each country gained independence from Spain. The celebrations usually last two days and are the most important national festival.

figura [fiˈɣura] *f* **1.** *(forma exterior)* shape **2.** *(representación)* figure
figurar [fiɣuˈrar] ◇ *vt* **1.** *(representar)* to represent **2.** *(simular)* to feign ◇ *vi* **1.** *(constar)* to appear **2.** *(ser importante)* to be important ◆ **figurarse** *vp* *(imaginarse)* to imagine
figurativo, va [fiɣuraˈtiβo, βa] *adj* figurative
figurín [fiɣuˈrin] *m* **1.** *(dibujo)* fashion sketch **2.** *(revista)* fashion magazine

fijador [fixaˈðor] *m* **1.** *(de pelo)* hairspray **2.** *(crema)* hair gel
fijar [fiˈxar] *vt* to fix ◆ **fijarse** *vp* *(prestar atención)* to pay attention ● **fijarse en** *(darse cuenta de)* to notice
fijo, ja [ˈfixo, xa] *adj* **1.** fixed **2.** *(sujeto)* secure **3.** *(fecha)* definite
fila [ˈfila] *f* *(hilera)* line
filatelia [filaˈtelja] *f* philately
filete [fiˈlete] *m* **1.** fillet **2.** *(de carne)* steak ● **filete de ternera** fillet of veal ● **filete de lenguado** fillet of sole
filiación [filjaˈθjon] *f* **1.** *(datos personales)* record **2.** *(procedencia)* relationship
filial [fiˈljal] ◇ *adj* filial ◇ *f* subsidiary
Filipinas [filiˈpinas] *fpl* ● **(las) Filipinas** the Philippines
filmar [filˈmar] *vt & vi* to film
filoso, sa [fiˈloso, sa] *adj* *(Amér)* sharp
filosofar [filosoˈfar] *vi* *(fam)* to philosophize
filosofía [filosoˈfia] *f* philosophy
filósofo, fa [fiˈlosofo, fa] *m,f* philosopher
filtrar [filˈtrar] *vt* **1.** *(líquido)* to filter **2.** *(noticia, información)* to leak
filtro [ˈfiltro] *m* filter ● **filtro solar** sun filter
fin [ˈfin] *m* **1.** end **2.** *(objetivo)* aim ● **a fin de que** in order that ● **a fines de** at the end of ● **en fin** anyway ● **por fin** finally ● **sin fin** endless ● **fin de año** New Year's Eve ● **fin de semana** weekend
final [fiˈnal] ◇ *adj & f* final ◇ *m* end
finalidad [finaliˈðað] *f* purpose
finalista [finaˈlista] *mf* finalist
finalizar [finaliˈθar] *vt & vi* to finish

financiación [finanθja'θjon] *f* financing

financiar [finan'θjar] *vt* to finance

financista [finan'θista] *mf* (*Amér*) financier

finanzas [fi'nanθas] *fpl* finance *sg*

finca ['finka] *f* 1. (*bienes inmuebles*) property 2. (*casa de campo*) country residence

finde *m* (*fam*) weekend

finger ['finger] *m* (*de aeropuerto*) jetway

fingir [fin'xir] *vt* to feign

finlandés, esa [finlan'des, esa] ◇ *adj* Finnish ◇ *m,f* Finn

Finlandia [fin'landja] *s* Finland

fino, na ['fino, na] ◇ *adj* 1. (*delgado*) thin 2. (*suave*) smooth 3. (*esbelto*) slim 4. (*restaurante, hotel*) posh 5. (*persona*) refined 6. (*de calidad, sabor, olor*) fine 7. (*sutil*) subtle ◇ *m* dry sherry ● **finas hierbas** fines herbes

fiordo ['fjorðo] *m* fjord

firma ['firma] *f* 1. (*de persona*) signature 2. (*empresa*) firm

firmar [fir'mar] *vt* to sign

firme ['firme] *adj* 1. firm 2. (*bien sujeto*) stable 3. (*carácter*) resolute

firmemente [ˌfirme'mente] *adv* firmly

firmeza [fir'meθa] *f* 1. (*solidez*) stability 2. (*constancia*) firmness 3. (*de carácter*) resolution

fiscal [fis'kal] ◇ *adj* tax (*antes de s*) ◇ *mf* public prosecutor (*UK*), district attorney (*US*)

fiscalía [fiska'lia] *f* 1. (*oficio*) post of public prosecutor (*UK*), post of district attorney (*US*) 2. (*oficina*) public prosecutor's office (*UK*), district attorney's office (*US*)

física ['fisika] *f* physics *sg* ➤ **físico**

físico, ca ['fisiko, ka] ◇ *adj* physical ◇ *m,f* physicist ◇ *m* (*aspecto exterior*) physique

fisioterapeuta [fisjotera'peuta] *mf* physiotherapist

fisonomía [fisono'mia] *f* appearance

fisonomista [fisono'mista] *adj* good at remembering faces

flaco, ca ['flako, ka] *adj* thin

flamante [fla'mante] *adj* 1. (*llamativo*) resplendent 2. (*nuevo*) brand-new

flamenco, ca [fla'menko, ka] ◇ *m* 1. (*ave*) flamingo 2. (*cante andaluz*) flamenco

flamenco

The term *flamenco* originates from Andalusia and refers not only to the famous dance but also to the traditional folk songs and the style of guitar playing. It is the result of a mixture of influences from various cultures. The different styles of flamenco are called *palos*.

flan ['flan] *m* crème caramel (*UK*), flan (*US*) ● **flan con nata** crème caramel with whipped cream

flaqueza [fla'keθa] *f* weakness

flash ['flas] *m* (*en fotografía*) flash

flauta ['flauta] *f* flute

flecha ['fletʃa] *f* arrow

fleco ['fleko] *m* (*de cortina, mantel*) fringe ● **flecos** *mpl* (*de pantalón, camisa*) frayed edges

flemón [fle'mon] *m* gumboil

flequillo [fle'kiʎo] *m* fringe

flexibilidad [fleksiβili'ðað] *f* flexibility

flexible [flek'siβle] *adj* flexible

flexión [flek'sjon] *f* (*ejercicio*) press-up (*UK*), push-up (*US*)

flojera [flo'xera] *f* (*fam*) lethargy

flojo, ja [floxo, xa] *adj* 1. (*cuerda, clavo*) loose 2. (*carácter, persona*) weak 3. (*de poca calidad*) poor

flor ['flor] *f* flower

flora ['flora] *f* flora

florecer [flore'θer] *vi* 1. (*planta*) to flower 2. (*prosperar*) to flourish

florero [flo'rero] *m* vase

florido, da [flo'riðo, ða] *adj* 1. (*árbol*) blossoming 2. (*jardín*) full of flowers

florista [flo'rista] *mf* florist

floristería [floriste'ria] *f* florist's (shop)

flota ['flota] *f* fleet

flotador [flota'ðor] *m* 1. (*para la cintura*) rubber ring (*UK*), life saver (*US*) 2. (*para los brazos*) arm band (*UK*), water wing (*US*)

flotar [flo'tar] *vi* to float

flote ['flote] ◆ **a flote** *adv* afloat ● **salir a flote** (*fig*) to get back on one's feet

fluido, da ['fluiðo, ða] ◇ *adj* 1. (*líquido*) fluid 2. (*lenguaje, estilo*) fluent ◇ *m* fluid

fluir [flu'ir] *vi* to flow

flúor ['fluor] *m* (*en dentífrico*) fluoride

FM [efe'eme] *f* (*abr de* frecuencia modulada) FM (*frequency modulation*)

foca ['foka] *f* seal

foco ['foko] *m* 1. (*en teatro*) spotlight 2. (*en campo de fútbol*) floodlight 3. (*de infección, epidemia*) centre 4. (*Andes y Méx*) (*bombilla*) light bulb

foi-gras [fua'yras] *m inv* foie-gras

foja ['foxa] *f* (*Amér*) (*folio*) sheet

folio ['foljo] *m* sheet (of paper)

folklórico, ca [fol'kloriko, ka] *adj* 1. (*tradición, baile*) traditional, popular 2. (*fam*) (*ridículo*) absurd

follaje [fo'ʎaxe] *m* foliage

folleto [fo'ʎeto] *m* 1. (*turístico, publicitario*) brochure 2. (*explicativo, de instrucciones*) leaflet

fomentar [fomen'tar] *vt* to encourage

fonda ['fonda] *f* boarding house

fondo ['fondo] *m* 1. bottom 2. (*de dibujo, fotografía*) background 2. (*dimensión*) depth ● **a fondo** thoroughly ● **al fondo de la calle** at the end of the street ● **al fondo de la habitación** at the back of the room ◆ **fondos** *mpl* 1. (*dinero*) funds 2. (*de archivo, biblioteca*) catalogue *sg*

fono ['fono] *m* (*Amér*) receiver

fontanero, ra [fonta'nero, ra] *m,f* plumber

footing ['futin] *m* jogging ● **hacer footing** to go jogging

forastero, ra [foras'tero, ra] *m,f* stranger

forense [fo'rense] *mf* pathologist

forestal [fores'tal] *adj* forest (*antes de s*)

forfait [for'xait] *f* ski pass

forjar [for'xar] *vt* 1. (*hierro*) to forge 2. (*crear*) to build up

forma ['forma] *f* 1. (*figura externa*) shape 2. (*modo, manera*) way ● **en forma de** in the shape of ◆ **formas** *fpl* (*modales*) social conventions

formación [forma'θjon] *f* 1. formation 2. (*educación*) training ● **formación profesional** *Spanish vocational training*

formal [for'mal] *adj* **1.** *(de forma)* formal **2.** *(de confianza)* reliable **3.** *(serio)* serious

formalidad [formali'ðað] *f* **1.** *(seriedad)* seriousness **2.** *(requisito)* formality

formar [for'mar] *vt* **1.** *(crear)* to form **2.** *(educar)* to train ◆ **formarse** *vp (educarse)* to be trained

formidable [formi'ðaβle] *adj* **1.** *(estupendo)* amazing **2.** *(grande)* tremendous

fórmula ['formula] *f* formula

formular [formu'lar] *vt* to formulate

formulario [formu'larjo] *m* form

forrar [fo'rar] *vt* **1.** *(libro)* to cover **2.** *(ropa)* to line ◆ **forrarse** *vp (fam)* to make a pile of money

forro ['foro] *m* **1.** *(de prenda de vestir)* lining **2.** *(de libro)* cover

fortaleza [forta'leθa] *f* **1.** *(fuerza)* strength **2.** *(recinto)* fortress

fortuna [for'tuna] *f* **1.** *(suerte)* (good) luck **2.** *(riqueza)* fortune

forzado, da [for'θaðo, ða] *adj* forced

forzar [for'θar] *vt* to force ◆ **forzar a alguien a hacer algo** to force sb to do sthg

forzosamente [for,θosa'mente] *adv* necessarily

fósforo ['fosforo] *m (cerilla)* match

fósil ['fosil] *m* fossil

foso ['foso] *m* **1.** *(de castillo)* moat **2.** *(de orquesta)* pit **3.** *(hoyo)* ditch

foto ['foto] *f* photo ● **sacar una foto** to take a photo

fotocopia [foto'kopja] *f* photocopy

fotocopiadora [fotokopja'ðora] *f* photocopier

fotocopiar [fotoko'pjar] *vt* to photocopy

fotografía [fotoɣra'fia] *f* **1.** *(imagen)* photograph **2.** *(arte)* photography

fotografiar [fotoɣrafi'ar] *vt* to photograph

fotográfico, ca [foto'ɣrafiko, ka] *adj* photographic

fotógrafo, fa [fo'toɣrafo, fa] *m,f* photographer

fotomatón [,fotoma'ton] *m* passport photo machine

fra. *(abr de factura)* invoice

fracasar [fraka'sar] *vi* to fail

fracaso [fra'kaso] *m* failure

fracción [frak'θjon] *f* fraction

fractura [frak'tura] *f* fracture

frágil ['fraxil] *adj* ▼ **frágil** fragile

fragmento [fraɣ'mento] *m* **1.** *(pedazo)* fragment **2.** *(de obra)* excerpt

fraile ['frajle] *m* friar

frambuesa [fram'bwesa] *f* raspberry

francamente [,franka'mente] *adv* **1.** *(sinceramente)* frankly **2.** *(muy)* really

francés, esa [fran'θes, esa] ◇ *adj & m* French ◇ *m,f* Frenchman *(f* Frenchwoman) ● **los franceses** the French

Francia ['franθja] *s* France

franco, ca ['franko, ka] ◇ *adj* **1.** *(sincero)* frank **2.** *(sin obstáculos)* free ◇ *m (moneda)* franc

francotirador, ra [,frankotira'ðor, ra] *m,f* sniper

franela [fra'nela] *f* flannel

franqueo [fran'keo] *m* postage

frasco ['frasko] *m* small bottle

frase ['frase] *f* sentence

fraternal [frater'nal] *adj* fraternal

fraternidad [fraterni'ðað] *f* brotherhood

fraude ['frauðe] *f* fraud

fray [fraj] *m* brother

frazada [fra'θaða] *f* (*Amér*) blanket ●
frazada eléctrica electric blanket

frecuencia [fre'kwenθja] *f* frequency ●
con frecuencia often

frecuente [fre'kwente] *adj* **1.** (*repetido*)
frequent **2.** (*usual*) common

fregadero [freɣa'ðero] *m* (kitchen) sink

fregado, da [fre'ɣaðo, ða] *adj* (*Amér*)
(*fam*) annoying

fregar [fre'ɣar] *vt* **1.** (*limpiar*) to wash **2.**
(*frotar*) to scrub **3.** (*Amér*) (*fam*) (*molestar*) to bother ● **fregar los platos** to
do the dishes

fregona [fre'ɣona] *f* **1.** (*utensilio*) mop **2.**
(*despec*) (*mujer*) skivvy

freír [fre'ir] *vt* to fry

frenar [fre'nar] ◇ *vt* **1.** (*parar*) to brake **2.**
(*contener*) to check ◇ *vi* to brake

frenazo [fre'naθo] *m* ● **dar un frenazo**
to slam on the brakes

frenético, ca [fre'netiko, ka] *adj* **1.**
(*rabioso*) furious **2.** (*exaltado*) frantic

freno ['freno] *m* brake ● **freno de mano**
hand brake (*UK*), parking brake (*US*) ●
freno to step on the brakes

frente¹ ['frente] *m* front ● **estar al
frente de** (*dirigir*) to be at the head of

frente² ['frente] *f* (*de la cara*) forehead ●
de frente head on ● **frente a** opposite ●
frente a frente face to face

fresa ['fresa] *f* strawberry

fresco, ca ['fresko, ka] ◇ *adj* **1.** fresh **2.**
(*frío*) cool **3.** (*desvergonzado*) cheeky
(*UK*), fresh (*US*) **4.** (*tejido, ropa*) light ◇
m,f (*desvergonzado*) cheeky (*UK*) ◇
impudent (*US*) person ◇ *m* **1.** (*frío*

suave) cool **2.** (*pintura*) fresco ● **hace
fresco** it's chilly ● **tomar el fresco** to
get a breath of fresh air

fresno ['fresno] *m* ash (tree)

fresón [fre'son] *m* large strawberry

fricandó [frikan'do] *m* fricandeau

frigorífico [friɣo'rifiko] *m* refrigerator

frijol [fri'xol] *m* **1.** (*judía*) bean **2.** (*Amér*)
(*tipo de judía*) pinto bean

frío, a ['frio, a] *adj & m* cold ● **hace frío**
it's cold ● **tener frío** to be cold

fritada [fri'taða] *f* fried dish ● **fritada
de pescado** dish of fried fish

frito, ta ['frito, ta] ◇ *pp* ➤ **freir** ◇ *adj*
fried

fritura [fri'tura] *f* fried dish

frívolo, la ['friβolo, la] *adj* frivolous

frondoso, sa [fron'doso, sa] *adj* leafy

frontera [fron'tera] *f* border

fronterizo, za [fronte'riθo, θa] *adj* **1.**
(*cerca de la frontera*) border (*antes de s*) **2.**
(*vecino*) neighbouring

frontón [fron'ton] *m* **1.** (*juego*) pelota,
jai alai **2.** (*de edificio*) pediment

frotar [fro'tar] *vt* to rub

frustración [frustra'θjon] *f* frustration

frustrar [frus'trar] *vt* (*plan, proyecto*) to
thwart ● **frustrarse** *vp* **1.** (*persona*) to
get frustrated **2.** (*plan, proyecto*) to fail

fruta ['fruta] *f* fruit ● **fruta del tiempo**
fruit in season

frutal [fru'tal] *m* fruit tree

frutería [frute'ria] *f* fruit shop

frutero, ra [fru'tero, ra] ◇ *m,f* (*persona*)
fruiterer ◇ *m* (*plato*) fruit bowl

frutilla [fru'tiʎa] *f* (*Andes & RP*) strawberry

fruto ['fruto] *m* **1.** fruit **2.** (*nuez, avellana,*

etc) nut ◆ **frutos** *mpl* produce *sg*
frutos del bosque fruits of the forest ●
frutos secos dried fruit and nuts

fuego ['fweɣo] *m* fire ● **a fuego lento**
over a low heat ● **¿tienes fuego?** do
you have a light? ● **fuegos artificiales**
fireworks

fuelle ['fweʎe] *m* **1.** *(de aire)* bellows *pl* **2.**
(entre vagones) concertina vestibule

fuente ['fwente] *f* **1.** *(manantial)* spring **2.**
(en la calle) fountain **3.** *(recipiente)*
(serving) dish **4.** *(origen)* source

fuera ['fwera] ⋄ *v* ➤ ir, ser ⋄ *adv* **1.** *(en el
exterior)* outside **2.** *(en otro lugar)* away ⋄
interj get out! ● **sal fuera** go out ● **por
fuera** (on the) outside ● **fuera borda**
outboard motor ● **fuera de** *(a excepción
de)* except for ● **fuera de combate** *(en
boxeo)* knocked out ▼ **fuera de servicio**
out of order

fuerte ['fwerte] ⋄ *adj* **1.** strong **2.** *(frío,
dolor)* intense **3.** *(lluvia)* heavy **4.** *(golpe,
colisión)* hard **5.** *(alimento)* rich **6.** *(voz,
sonido)* loud ⋄ *m* **1.** *(fortaleza)* fort **2.**
(afición) strong point ⋄ *adv* **1.** *(con fuerza,
intensidad)* hard **2.** *(gritar)* loudly

fuerza ['fwerθa] *f* **1.** force **2.** *(de persona,
animal, resistencia)* strength ● **a fuerza
de** by dint of ● **a la fuerza** by force ●
por fuerza *(por obligación)* by force; *(por
necesidad)* of necessity ● **las fuerzas
armadas** the armed forces

fuga ['fuɣa] *f* **1.** *(de persona)* escape **2.** *(de
gas)* leak

fugarse [fu'ɣarse] *vp* to escape ●
fugarse de casa to run away (from
home)

fugaz [fu'ɣaθ] *(pl* **-ces)** *adj* fleeting

fugitivo, va [fuxi'tiβo, βa] *m,f* fugitive

fulana [fu'lana] *f* tart (UK), hussy (US)
➤ **fulano**

fulano, na [fu'lano, na] *m,f* what's his/
her name

fulminante [fulmi'nante] *adj (muy rápido)* sudden

fumador, ra [fuma'ðor, ra] *m,f* smoker
● **¿fumador o no fumador?** smoking or
nonsmoking ▼ **fumadores** smokers ▼
no fumadores nonsmokers

fumar [fu'mar] *vt* & *vi* to smoke ●
fumar en pipa to smoke a pipe ▼ **no
fumar** no smoking

función [fun'θjon] *f* **1.** *(utilidad)* function
2. *(de teatro)* show

funcionar [funθjo'nar] *vi* to work ●
funciona con diesel it runs on diesel ▼
no funciona out of order

funcionario, ria [funθjo'narjo, rja] *m,f*
civil servant

funda ['funda] *f* **1.** *(cubierta)* cover **2.** *(de
almohada)* pillowcase

fundación [funda'θjon] *f* foundation

fundador, ra [funda'ðor, ra] *m,f* foun-
der

fundamental [fundamen'tal] *adj* fundamental

fundamento [funda'mento] *m (base)*
basis ◆ **fundamentos** *mpl (conocimientos)* basics

fundar [fun'dar] *vt* **1.** *(crear)* to found **2.**
(apoyar) to base ◆ **fundarse en** *v + prep*
to be based on

fundición [fundi'θjon] *f* **1.** *(de metal)*
smelting **2.** *(fábrica)* foundry

fundir [fun'dir] *vt* **1.** *(derretir)* to melt **2.**
(aparato) to fuse **3.** *(bombilla, dinero)* to

g G

blow **4.** *(unir)* to merge ✦ **fundirse** *vp* *(derretirse)* to melt

funeral [fune'ral] *m* funeral

fungir [fun'xir] *vi (Amér)* to act

funicular [funiku'lar] *m* **1.** *(por tierra)* funicular railway **2.** *(por aire)* cable car

furgón [fur'ɣon] *m* **1.** *(coche grande)* van **2.** *(vagón de tren)* wagon *(UK)*, boxcar *(US)*

furgoneta [furɣo'neta] *f* van

furia ['furja] *f* fury

furioso, sa [fu'rjoso, sa] *adj* **1.** *(lleno de ira)* furious **2.** *(intenso)* intense

furor [fu'ror] *m (furia)* rage ✦ **hacer furor** *(fam)* to be all the rage

fusible [fu'siβle] *m* fuse

fusil [fu'sil] *m* rifle

fusilar [fusi'lar] *vt* to shoot

fusión [fu'sjon] *m* **1.** *(de metal, cuerpo sólido)* melting **2.** *(de empresas)* merger

fustán [fus'tan] *m* **1.** *(Perú & Ven)* *(enaguas)* underskirt, slip *(US)* **2.** *(falda)* skirt

fútbol ['fuðβol] *m* football *(UK)*, soccer *(US)* ✦ **fútbol sala** indoor five-a-side *(UK)*, indoor soccer *(US)*

futbolín [fuðβo'lin] *m* table football *(UK)*, foosball *(US)*

futbolista [fuðβo'lista] *mf* footballer *(UK)*, soccer player *(US)*

futuro, ra [fu'turo, ra] *adj & m* future

g *(abr de gramo)* g *(gram)*

g/ *abrev* = **giro**

gabán [ga'βan] *m* overcoat

gabardina [gaβar'ðina] *f* raincoat

gabinete [gaβi'nete] *m* **1.** *(sala)* study **2.** *(gobierno)* cabinet

gafas ['gafas] *fpl* glasses ● **gafas de sol** sunglasses

gaita ['gaita] *f* bagpipes *pl* ● **ser una gaita** *(fam)* to be a pain in the neck

gala ['gala] *f (actuación)* show ● **de gala** black tie *(antes de s)* ● **galas** *fpl* *(vestidos)* best clothes

galán [ga'lan] *m* **1.** *(hombre atractivo)* handsome man **2.** *(actor)* leading man **3.** *(mueble)* clothes stand

galaxia [ga'laksja] *f* galaxy

galería [gale'rja] *f* **1.** gallery **2.** *(corredor descubierto)* verandah ● **galería de arte** art gallery ✦ **galerías** *fpl* *(tiendas)* shopping arcade *sg*

Gales ['gales] *s* ● **(el País de) Gales** Wales

galés, esa [ga'les, esa] ◇ *adj & m* Welsh ◇ *m,f* Welshman *(f* Welshwoman*)* ● **los galeses** the Welsh

Galicia [ga'liðja] *s* Galicia

gallego, ga [ga'ʎeɣo, ɣa] *adj & m,f* Galician

galleta [ga'ʎeta] *f* biscuit *(UK)*, cookie *(US)*

gallina [ga'ʎina] ◇ *f (animal)* hen ◇ *mf (cobarde)* chicken

gallinero [gaʎi'nero] *m* **1.** *(corral)* hen-house **2.** *(de teatro)* gods *pl* (UK), gallery (US)

gallo ['gaʎo] *m* **1.** *(ave)* cock (UK), rooster (US) **2.** *(pescado)* John Dory **3.** *(fam) (nota falsa)* false note

galopar [galo'par] *vi* to gallop

galope [ga'lope] *m* gallop

gama ['gama] *f* range

gamba ['gamba] *f* prawn (UK), shrimp (US) ● **gambas al ajillo** *prawns cooked in an earthenware dish in a sauce of oil, garlic and chilli* ● **gambas a la plancha** grilled prawns

gamberro, rra [gam'bero, ra] *m.f* hooligan

gamuza [ga'muθa] *f* **1.** *(piel, para limpiar el coche, etc)* chamois **2.** *(para quitar el polvo)* duster

gana ['gana] *f (apetito)* appetite ● **de buena gana** willingly ● **de mala gana** unwillingly ● **no me da la gana de hacerlo** I don't feel like doing it ◆ **ganas** *fpl* ● **tener ganas de** to feel like

ganadería [ganaðe'ria] *f* **1.** *(ganado)* livestock **2.** *(actividad)* livestock farming **3.** *(en toros)* breed

ganadero, ra [gana'ðero, ra] *m.f* **1.** *(dueño)* livestock farmer **2.** *(cuidador)* cattle hand

ganado [ga'naðo] *m* **1.** *(animales de granja)* livestock **2.** *(vacuno)* cattle ● **ganado bovino** cattle ● **ganado ovino** sheep ● **ganado porcino** pigs

ganador, ra [gana'ðor, ra] *m.f* winner

ganancias [ga'nanθjas] *fpl* profit *sg*

ganar [ga'nar] ◇ *vt* **1.** to win **2.** *(obtener)* to earn **3.** *(beneficio)* to make **4.** *(au-

mentar)* to gain **5.** *(derrotar)* to beat ◇ *vi* **1.** *(ser vencedor)* to win **2.** *(mejorar)* to benefit ◆ **ganarse** *vp (conseguir)* to earn ● **ganarse la vida** to earn a living

ganchillo [gan'tʃiʎo] *m* **1.** *(aguja)* crochet hook **2.** *(labor)* crochet

gancho ['gantʃo] *m* **1.** *(para colgar)* hook **2.** *(atractivo)* sex appeal **3.** *(Amér) (percha)* coat hanger

gandul, la [gan'dul, la] *adj* lazy

ganga ['ganga] *f* bargain

ganso ['ganso, sa] *m* goose

garabato [gara'βato] *m* scribble

garaje [ga'raxe] *m* garage

garantía [garan'tia] *f* guarantee

garbanzo [gar'βanθo] *m* chickpea

garfio ['garfjo] *m* hook

garganta [gar'ɣanta] *f* **1.** *(de persona)* throat **2.** *(entre montañas)* gorge

gargantilla [garɣan'tiʎa] *f (short)* neck-lace, choker

gárgaras ['garɣaras] *fpl* ● **hacer gárgaras** to gargle

garra ['gara] *f (de animal)* claw

garrafa [ga'rafa] *f large bottle usually in a wicker holder*

garrapata [gara'pata] *f* tick

garúa [ga'rua] *f (Amér)* drizzle

gas ['gas] *m* gas ◆ **gases** *mpl (del estómago)* wind *sg*

gasa ['gasa] *f* gauze

gaseosa [gase'osa] *f* lemonade (UK), lemon-lime soda (US)

gaseoso, sa [gase'oso, sa] *adj* fizzy

gasfitería [gasfite'ria] *f (Andes)* plumbing

gasfitero [gasfi'tero] *m (Andes)* plumber

gasóleo [ga'soleo] *m* diesel oil

gasolina [gaso'lina] *f* petrol (*UK*), gas (*US*) ● **gasolina normal** ≃ two-star petrol (*UK*), ≃ leaded gas (*US*) ● **gasolina sin plomo** unleaded petrol (*UK*), ≃ regular gas (*US*) ● **gasolina súper** ≃ four-star petrol (*UK*), ≃ premium unleaded gas (*US*)

gasolinera [gasoli'nera] *f* petrol station (*UK*), gas station (*US*)

gastar [gas'tar] *vt* **1.** (*dinero*) to spend **2.** (*usar*) to use **3.** (*talla, número*) to take **4.** (*acabar*) to use up ◆ **gastarse** *vp* **1.** (*acabarse*) to run out **2.** (*desgastarse*) to wear out

gasto ['gasto] *m* **1.** (*acción de gastar*) expenditure **2.** (*cosa que pagar*) expense ◆ **gastos** *mpl* expenditure *sg*

gastritis [gas'tritis] *f inv* gastritis

gastronomía [gastrono'mia] *f* gastronomy

gastronómico, ca [gastro'nomiko, ka] *adj* gastronomic

gatear [gate'ar] *vi* to crawl

gatillo [ga'tiʎo] *m* trigger

gato, ta ['gato, ta] ◇ *m,f* cat ◇ *m* (*aparato*) jack ● **a gatas** on all fours

gaucho ['gautʃo] *m* gaucho

gaucho

The poncho-clad *gaucho* is a stereotypical figure of South America, a free-spirited but rather melancholy cowboy who roamed the *pampas* on horseback, herding cattle from one area of pasture to another. They were famed for their bravery during the 19th century wars of independence, but have since disappeared.

gavilán [gaβi'lan] *m* sparrowhawk

gaviota [ga'βiota] *f* seagull

gazpacho [gaθ'patʃo] *m* ● **gazpacho** (*andaluz*) gazpacho

Gb (*abr escrita de gigabyte*) *m* Gb, GB (*gigabyte*)

GB (*abr de Gran Bretaña*) GB (*Great Britain*)

gel [xel] *m* gel

gelatina [xela'tina] *f* **1.** (*para cocinar*) gelatine **2.** (*postre*) jelly (*UK*), Jell-o ® (*US*)

gemelo, la [xe'melo, la] ◇ *adj* & *m,f* twin ◇ *m* (*músculo*) calf ◆ **gemelos** *mpl* **1.** (*botones*) cufflinks **2.** (*anteojos*) binoculars

gemido [xe'miðo] *m* moan

Géminis ['xeminis] *m inv* Gemini

gemir [xe'mir] *vi* to moan

generación [xenera'θjon] *f* generation

generador [xenera'ðor] *m* generator

general [xene'ral] *adj* & *m* general ● **en general** in general ● **por lo general** generally

generalizar [xenerali'θar] ◇ *vt* to make widespread ◇ *vi* to generalize

generalmente [xene,ral'mente] *adv* generally

generar [xene'rar] *vt* to generate

género ['xenero] *m* **1.** (*clase, especie*) type **2.** GRAM gender **3.** (*en literatura*) genre **4.** (*mercancía*) goods *pl* ● **géneros de punto** knitwear

generosidad [xenerosi'ðað] *f* generosity

generoso, sa [xene'roso, sa] *adj* generous

genial [xe'nial] *adj* brilliant

genio ['xenjo] *m* 1. *(carácter)* character 2. *(mal carácter)* bad temper 3. *(persona inteligente)* genius 4. *(ser fantástico)* genie • **tener mal genio** to be bad-tempered

genitales [xeni'tales] *mpl* genitals

gente ['xente] *f* 1. people *pl* 2. *(fam) (familia)* folks *pl*

gentil [xen'til] *adj* 1. *(cortés)* kind 2. *(elegante)* elegant

gentileza [xenti'leθa] *f* 1. *(cortesía)* kindness 2. *(elegancia)* elegance

genuino, na [xe'nuino, na] *adj* genuine

geografía [xeoɣra'fia] *f* geography • **por toda la geografía nacional** throughout the country

geográficamente [xeo,ɣrafika'mente] *adv* geographically

geometría [xeome'tria] *f* geometry

geométrico, ca [xeo'metriko, ka] *adj* geometric

geranio [xe'ranjo] *m* geranium

gerente [xe'rente] *mf* manager (*f* manageress)

germen ['xermen] *m* germ

gestión [xes'tjon] *f* 1. *(diligencia)* step 2. *(administración)* management

gestionar [xestjo'nar] *vt* 1. *(tramitar)* to work towards 2. *(administrar)* to manage

gesto ['xesto] *m* 1. *(con las manos)* gesture 2. *(mueca)* grimace, face

gestor, ra [xes'tor, ra] *m,f* 1. *(de gestoría)* agent who deals with public bodies on behalf of private individuals 2. *(de empresa)* manager

gestoría [xesto'ria] *f (establecimiento)* office of a gestor

GHz *m (abr escrita de gigahercio)* GHz *(gigahertz)*

Gibraltar [xiβral'tar] *s* Gibraltar

gibraltareño, na [xiβralta'reno, na] *adj* & *m,f* Gibraltarian

gigahercio *m* gigahertz

gigante, ta [xi'ɣante] *adj* & *m,f* giant

gigantesco, ca [xiɣan'tesko, ka] *adj* gigantic

gimnasia [xim'nasja] *f* 1. *(deporte)* gymnastics *sg* 2. *(ejercicio)* exercises *pl*

gimnasio [xim'nasjo] *m* gymnasium

gimnasta [xim'nasta] *mf* gymnast

ginebra [xi'neβra] *f* gin

ginecólogo, ga [xine'koloɣo, ɣa] *m,f* gynaecologist

gin tonic [jin'tonik] *m* gin and tonic

gira ['xira] *f* tour

girar [xi'rar] ⋄ *vt* 1. *(hacer dar vueltas)* to turn 2. *(rápidamente)* to spin 3. *(letra, cheque)* to draw 4. *(paquete)* to send 5. *(dinero)* to transfer ⋄ *vi* 1. *(dar vueltas)* to turn 2. *(rápidamente)* to spin • **girarse** *vp* to turn round

girasol [xira'sol] *m* sunflower

giro ['xiro] *m* 1. turn 2. *(de letra, cheque)* draft 3. *(expresión, dicho)* saying • **giro postal** postal order

gis [xis] *m (Méx)* chalk

gitano, na [xi'tano, na] *adj* & *m,f* gypsy

glaciar [gla'θjar] *m* glacier

gladiolo [gla'djolo] *m* gladiolus

glándula ['glandula] *f* gland

global [glo'βal] *adj* 1. *(aumento)* overall 2. *(mundial)* global

globalización *f* globalization

globo ['gloβo] m 1. (para jugar, volar) balloon 2. (cuerpo esférico) sphere 3. (la Tierra, de lámpara) globe ● **globo aerostático** hot-air balloon ● **globo terráqueo** globe

glóbulo ['gloβulo] m corpuscle

gloria ['glorja] f 1. glory 2. (fam) (placer) bliss 3. (persona) star

glorieta [glo'rjeta] f 1. (plaza) square 2. (redonda) ≃ roundabout (UK), ≃ traffic circle (US) 3. (de jardín) bower

glorioso, sa [glo'rjoso, sa] adj glorious

glucosa [glu'kosa] f glucose

gluten ['gluten] m gluten

gobernador, ra [goβerna'ðor, ra] m,f governor

gobernante [goβer'nante] mf leader

gobernar [goβer'nar] vt 1. (nación, país) to govern 2. (nave, vehículo) to steer

gobierno [go'βjerno] m 1. (de país) government 2. (edificio) governor's office 3. (de nave, vehículo) steering

goce ['goθe] m pleasure

gol ['gol] m goal

goleador, ra [golea'ðor, ra] m,f scorer

golf ['golf] m golf

golfo, fa ['golfo, fa] ◇ m,f 1. (gamberro) lout 2. (pillo) rascal ◇ m (en geografía) gulf

golondrina [golon'drina] f swallow

golosina [golo'sina] f (dulce) sweet (UK), candy (US)

goloso, sa [go'loso, sa] adj sweet-toothed

golpe ['golpe] m 1. (puñetazo, desgracia) blow 2. (bofetada) smack, slap 3. (en puerta) knock 4. (choque) bump 5. DEP shot 6. (gracia) witticism 7. (atraco, asalto) raid ● **de golpe** suddenly ● **golpe de Estado** coup

golpear [golpe'ar] ◇ vt to hit ◇ vi to bang

golpiza [gol'piθa] f (Amér) beating

goma ['goma] f 1. (pegamento) gum 2. (material) rubber 3. (banda elástica) elastic 4. (gomita) elastic band (UK), rubber band (US) ● **goma de borrar** rubber (UK), eraser (US)

gomina [go'mina] f hair gel

gordo, da ['gorðo, ða] ◇ adj 1. (obeso) fat 2. (grueso) thick 3. (grave) big 4. (importante) important ◇ m,f fat person ◇ m ● **el gordo** (de la lotería) first prize

gordura [gor'ðura] f fatness

gorila [go'rila] m 1. (animal) gorilla 2. (fam) (guardaespaldas) bodyguard 3. (fam) (en discoteca) bouncer

gorjeo [gor'xeo] m chirping

gorra ['gora] f cap ● **de gorra** for free

gorrión [go'rjon] m sparrow

gorro ['goro] m cap

gota ['gota] f 1. drop 2. (enfermedad) gout ● **no veo ni gota** I can't see anything ● **gotas** fpl (para nariz, ojos) drops

gotera [go'tera] f 1. leak 2. (mancha) stain (left by leaking water)

gótico, ca ['gotiko, ka] ◇ adj Gothic ◇ m (en arte) Gothic (art)

gozar [go'θar] vi to enjoy o.s. ● **gozar de** v + prep (disponer de) to enjoy

gozo ['goθo] m joy

gr (abr de grado) deg. (degree)

grabación [graβa'θjon] f recording

grabado [gra'βaðo] m 1. (arte) engraving 2. (lámina) print

grabar [gra'βar] vt **1.** to engrave **2.** (canción, voz, imágenes, etc) to record

gracia ['graθja] f **1.** (humor) humour **2.** (atractivo) grace **3.** (don) talent **4.** (chiste) joke ● **no me hace gracia** (no me gusta) I'm not keen on it ● **tener gracia** to be funny ◆ **gracias** ◊ fpl thanks ◊ interj thank you ● **dar las gracias a** to thank ● **gracias a** thanks to ● **gracias por** thank you for ● **muchas gracias** thank you very much

gracioso, sa [gra'θjoso, sa] adj **1.** (que da risa) funny **2.** (con encanto) graceful

grada ['graða] f **1.** (de plaza de toros) row **2.** (peldaño) step ● **las gradas** the terraces (UK), the stands (US)

gradería [graðe'ria] f **1.** (de plaza de toros) rows pl **2.** (de estadio) terraces pl, stands pl (US) **3.** (público) crowd

grado ['graðo] m **1.** (medida) degree **2.** (fase) stage **3.** (de enseñanza) level **4.** (del ejército) rank ● **de buen grado** willingly

graduación [graðwa'θjon] f **1.** (de bebida) ≃ proof **2.** (de militar) rank **3.** (acto) grading

graduado, da [gra'ðwaðo, ða] ◊ adj **1.** (persona) graduate **2.** (regla, termómetro) graduated ◊ m,f (persona) graduate ◊ m (título) degree ● **graduado escolar** qualification received on completing primary school

gradual [graðu'al] adj gradual

gradualmente [graðwal'mente] adv gradually

graduar [graðu'ar] vt (calefacción, calentador) to regulate ◆ **graduarse** vp (militar) to receive one's commission

● **graduarse (en)** (estudiante) to graduate (in)

graffiti [gra'fiti] m graffiti

grafía [gra'fia] f written symbol

gráfica ['grafika] f (curva) graph ➤ gráfico

gráfico, ca ['grafiko, ka] ◊ adj graphic ◊ m o f (dibujo) graph

gragea [gra'xea] f pill

gramática [gra'matika] f grammar

gramatical [gramati'kal] adj grammatical

gramo ['gramo] m gram

gran ['gran] adj ➤ grande

granada [gra'naða] f **1.** (fruto) pomegranate **2.** (proyectil) grenade

granadilla [grana'ðiʎa] f (Amér) passion fruit

granate [gra'nate] ◊ adj inv deep red ◊ m garnet

Gran Bretaña ['grambre'taɲa] s Great Britain

grande ['grande] ◊ adj **1.** (de tamaño) big **2.** (de altura) tall **3.** (importante) great ◊ m (noble) grandee ● **le va grande** (vestido, zapato) it's too big for him ● **grandes almacenes** department store sg

grandeza [gran'deθa] f **1.** (importancia) grandeur **2.** (tamaño) (great) size

grandioso, sa [gran'djoso, sa] adj grand

granel [γra'nel] ◆ **a granel** adv **1.** (arroz, judías, etc) loose **2.** (líquidos) by volume **3.** (en abundancia) in abundance

granero [gra'nero] m granary

granito [gra'nito] m granite

granizada [grani'θaða] f hailstorm

granizado [grani'θaðo] m ≃ Slush-Puppie®, drink consisting of crushed *ice with lemon juice, coffee etc*

granizar [graniˈθar] *vi* ● **está granizando** it's hailing

granja [ˈgranxa] *f* **1.** (*en el campo*) farm **2.** (*bar*) milk bar (*UK*), ≃ snack bar (*US*)

granjero, ra [granˈxero, ra] *m,f* farmer

grano [ˈgrano] *m* **1.** (*de cereal*) grain **2.** (*de la piel*) spot **3.** (*de fruto, planta*) seed **4.** (*de café*) bean ● **ir al grano** (*fam*) to get straight to the point

granuja [graˈnuxa] *mf* (*chiquillo*) rascal

grapa [ˈgrapa] *f* staple

grapadora [grapaˈðora] *f* stapler

grapar [graˈpar] *vt* to staple

grasa [ˈgrasa] *f* **1.** grease **2.** (*de persona, animal*) fat

grasiento, ta [graˈsjento, ta] *adj* greasy

graso, sa [ˈgraso, sa] *adj* greasy

gratificar [gratifiˈkar] *vt* (*recompensar*) to reward ▼ **se gratificará** reward

gratinado [gratiˈnaðo] *m* gratin

gratinar [gratiˈnar] *vt* to cook au gratin

gratis [ˈgratis] *adv* free

gratitud [gratiˈtuð] *f* gratitude

grato, ta [ˈgrato, ta] *adj* pleasant

gratuito, ta [gratuˈito, ta] *adj* **1.** (*gratis*) free **2.** (*sin fundamento*) unfounded

grave [ˈgraβe] *adj* **1.** serious **2.** (*voz*) deep **3.** (*tono*) low **4.** (*palabra*) with the stress on the penultimate syllable

gravedad [graβeˈðað] *f* **1.** (*importancia*) seriousness **2.** (*de la Tierra*) gravity

gravilla [graˈβiʎa] *f* gravel

Grecia [ˈgreθja] *s* Greece

gremio [ˈgremjo] *m* (*profesión*) profession, trade

greña [ˈgreɲa] *f* mop of hair

griego, ga [ˈgrjeɣo, ɣa] *adj & m,f* Greek

grieta [ˈgrjeta] *f* crack

grifero, ra [griˈfero, ra] *m,f* (*Perú*) petrol-pump attendant (*UK*), gas station attendant (*US*)

grifo [ˈgrifo] *m* **1.** (*Esp*) (*de agua*) tap (*UK*), faucet (*US*) **2.** (*Perú*) (*gasolinera*) petrol station (*UK*), gas station (*US*)

grill [ˈgril] *m* grill

grillo [ˈgriʎo] *m* cricket

gripa [ˈgripa] *f* (*Col & Méx*) flu

gripe [ˈgripe] *f* flu

gris [ˈgris] *adj & m* grey

gritar [griˈtar] *vi* **1.** (*hablar alto*) to shout **2.** (*chillar*) to scream

grito [ˈgrito] *m* **1.** (*de dolor, alegría*) cry **2.** (*palabra*) shout ● **a gritos** at the top of one's voice

grosella [groˈseʎa] *f* redcurrant ● **grosella negra** blackcurrant

grosería [groseˈria] *f* **1.** (*dicho*) rude word **2.** (*acto*) rude thing

grosero, ra [groˈsero, ra] *adj* **1.** (*poco refinado*) coarse **2.** (*maleducado*) rude

grosor [groˈsor] *m* thickness

grotesco, ca [groˈtesko, ka] *adj* grotesque

grúa [ˈgrua] *f* **1.** (*máquina*) crane **2.** (*para averías*) breakdown truck **3.** (*para aparcamientos indebidos*) towaway truck

grueso, sa [ˈgrueso, sa] ◇ *adj* **1.** (*persona*) fat **2.** (*objeto*) thick ◇ *m* **1.** (*espesor, volumen*) thickness **2.** (*parte principal*) bulk

grumo [ˈgrumo] *m* lump

gruñido [gruˈɲiðo] *m* grunt

gruñir [gruˈɲir] *vi* to grunt

grupa [ˈgrupa] *f* hindquarters *pl*

grupo [ˈgrupo] *m* group ● **en grupo** in

a group • **grupo de riesgo** high risk group • **grupo sanguíneo** blood group

gruta ['gruta] *f* grotto

guacamole [guaka'mole] *m* (*Amér*) guacamole

guachimán [guatʃi'man] *m* (*Amér*) security guard

guagua ['guaɣua] *f* **1.** (*Carib*) (*fam*) (*autobús*) bus **2.** (*Andes*) (*bebé*) baby

guante ['guante] *m* glove

guantera [guan'tera] *f* glove compartment

guapo, pa ['guapo, pa] *adj* **1.** (*mujer*) pretty **2.** (*hombre*) handsome **3.** (*fam*) (*objeto, ropa, etc*) nice

guardabarros [guarða'βaros] *m inv* mudguard (*UK*), fender (*US*)

guardacoches [guarða'kotʃes] *m inv* car park attendant

guardaespaldas [ˌguarðaes'paldas] *m inv* bodyguard

guardameta [guarða'meta] *m* goalkeeper

guardapolvo [guarða'polβo] *m* **1.** (*prenda*) overalls *pl* **2.** (*funda*) dust cover

guardar [guar'ðar] *vt* **1.** to keep **2.** (*poner*) to put (away) **3.** (*cuidar*) to look after **4.** (*suj: guardia*) to guard **5.** (*ley*) to observe ◆ **guardarse** *vp* ◆ **guardarse de** (*abstenerse de*) to be careful not to

guardarropa [guarða'ropa] *m* **1.** (*de local*) cloakroom *pl* **2.** (*armario*) wardrobe

guardería [guarðe'ria] *f* **1.** (*escuela*) nursery (school) **2.** (*en el trabajo*) crèche (*UK*), day care center (*US*)

guardia ['guarðia] ◇ *mf* (*policía*) police officer ◇ *f* **1.** (*vigilancia*) guard **2.** (*turno*) duty • **guardia civil** *member of the Guardia Civil* • **guardia municipal** o **urbano** *local police officer who deals mainly with traffic offences* • **guardia de seguridad** security guard • **farmacia de guardia** duty chemist's ◆ **Guardia Civil** *f Spanish police who patrol rural areas, highways and borders*

guardián, ana [guar'ðian, ana] *m,f* guardian

guarida [gua'riða] *f* lair

guarnición [guarni'θion] *f* **1.** (*de comida*) garnish **2.** (*del ejército*) garrison

guarro, rra ['guaro, ra] *adj* (*despec*) filthy

guasa ['guasa] *f* **1.** (*fam*) (*ironía*) irony **2.** (*gracia*) humour

Guatemala [guate'mala] *s* Guatemala

guatemalteco, ca [guatemal'teko, ka] *adj & m,f* Guatemalan

guateque [gua'teke] *m* party

guayaba [gua'jaβa] *f* guava

guayabo [gua'jaβo] *m* guava tree

güero, ra ['guero, ra] *adj* (*Méx*) (*fam*) blond (*f* blonde)

guerra ['gera] *f* war • **guerra civil** civil war • **guerra mundial** world war

guerrera [ge'rera] *f* (*chaqueta*) military-style jacket ➤ **guerrero**

guerrero, ra [ge'rero, ra] *m,f* warrior

guerrilla [ge'riʎa] *f* guerilla group

guerrillero, ra [geri'ʎero, ra] *m,f* guerrilla

guía ['gia] ◇ *mf* (*persona*) guide ◇ *f* (*libro, folleto, indicación*) guide • **guía de carreteras** road atlas • **guía de ferrocarriles** train timetable • **guía telefónica** telephone directory • **guía turística** tourist guide

guiar [gi'ar] vt **1.** (mostrar dirección) to guide **2.** (vehículo) to steer ◆ **guiarse por** v + prep to be guided by

guijarro [gi'xaro] m pebble

guillotina [giʎo'tina] f guillotine

guinda ['ginda] f morello cherry

guindilla [gin'diʎa] f chilli pepper

guiñar [gi'ɲar] vt ● **guiñar un ojo to wink**

guiñol [gi'ɲol] m puppet theatre

guión [gi'on] m **1.** (argumento) script **2.** (esquema) outline **3.** (signo) hyphen

guionista [gio'nista] mf scriptwriter

guiri ['giri] mf (fam) foreigner

guirnalda [gir'nalda] f garland

guisado [gi'saðo] m stew

guisante [gi'sante] m pea ● **guisantes salteados** ◇ **con jamón** peas fried with jamón serrano

guisar [gi'sar] vt & vi to cook

guiso ['giso] m dish (food)

guitarra [gi'tara] f guitar

guitarrista [gita'rista] mf guitarist

gusa f (fam) ● **tener gusa** to be peckish ● **a estas horas me entra una gusa que no veas** I get really peckish around this time

gusano [gu'sano] m worm

gustar [gus'tar] vi ● **me gusta** I like it ● **me gustas** I like you ● **me gustan los pasteles** I like cakes ● **no me gusta ese libro** I don't like that book ● **me gusta ir al cine** I like going to the cinema

gusto ['gusto] m **1.** taste **2.** (placer) pleasure ● **a tu gusto** as you wish ● **vivir a gusto** (bien) to live comfortably ● **un filete al gusto** a steak done the way you like it ● **con mucho gusto** with pleasure ● **mucho gusto** pleased to meet you

hH

h. (abr de hora) hr (hour)

haba ['aβa] f broad bean (UK), fava bean (US) ● **habas a la catalana** stew of broad beans, bacon, butifarra and wine

habano [a'βano] m Havana cigar

haber [a'βer] ◇ m (bienes) assets pl ● **tiene tres pisos en su haber** he owns three flats ◇ v aux **1.** (en tiempos compuestos) to have ● **los niños han comido** the children have eaten ● **habían desayunado antes** they'd had breakfast earlier **2.** (expresa reproche) ● **¡haberlo dicho!** why didn't you say so? ◇ vi **1.** (existir, estar, tener lugar) ● **hay** there is, there are pl ● **¿qué hay hoy para comer?** what's for dinner today? ● **¿no hay nadie en casa?** isn't anyone at home? ● **el jueves no habrá reparto** there will be no delivery on Thursday **2.** (expresa obligación) ● **haber que hacer algo** to have to do sthg ● **habrá que soportarlo** we'll have to put up with it ◇ (en locuciones) ● **habérselas con alguien** to confront sb ● **¡hay que ver!** honestly! ● **no hay de qué** don't mention it

◆ **haber de** v + prep to have to

habichuela [aβi'tʃuela] f bean

hábil ['aβil] adj **1.** (diestro) skilful **2.** (astuto) clever ● **día hábil** working day

habilidad [aβili'ðað] f **1.** (destreza) skill **2.** (astucia) cleverness

habiloso, sa [aβi'loso, sa] adj (Amér) shrewd

habitación [aβita'θjon] f **1.** (cuarto) room **2.** (dormitorio) bedroom ● **habitación doble** (con cama de matrimonio) double room; (con dos camas) twin room ● **habitación individual** single room

habitante [aβi'tante] mf inhabitant

habitar [aβi'tar] ◇ vi to live ◇ vt to live in

hábito ['aβito] m habit

habitual [aβitu'al] adj **1.** (acostumbrado) habitual **2.** (cliente, lector) regular

habitualmente [aβitua'mente] adv **1.** (generalmente) usually **2.** (siempre) regularly

hablador, ra [aβla'ðor, ra] adj talkative

habladurías [aβlaðu'rias] fpl gossip sg

hablar [a'βlar] ◇ vi **1.** to talk **2.** (pronunciar discurso) to speak ◇ vt **1.** (saber) to speak **2.** (tratar) to discuss ● **hablar de** to talk about ● **hablar por hablar** to talk for the sake of it ● **¡ni hablar!** no way! ● **hablarse** vp (relacionarse) to speak (to each other) ▼ **se habla inglés** English spoken

hacer [a'θer] ◇ vt **1.** (elaborar, crear, cocinar) to make ● **hacer planes/un vestido** to make plans/ a dress ● **hacer un poema** to write a poem ● **hacer la comida** to make lunch/dinner etc **2.** (construir) to build **3.** (generar) to produce ● **la carretera hace una curva** there's a bend in the road ● **el fuego hace humo** fire produces smoke ● **llegar tarde hace mal efecto** arriving late makes a bad impression **4.** (realizar) to make ● **hizo un gesto de dolor** he grimaced with pain ● **le hice una señal con la mano** I signalled to her with my hand ● **estoy haciendo segundo** I'm in my second year ● **haremos una excursión** we'll go on a trip **5.** (practicar) to do ● **deberías hacer deporte** you should start doing some sport **6.** (colada) to do; (cama) to make **7.** (dar aspecto) ● **este traje te hace más delgado** this suit makes you look slimmer **8.** (transformar) to make ● **hizo pedazos el papel** she tore the paper to pieces ● **hacer feliz a alguien** to make sb happy **9.** (en cine y teatro) to play ● **hace el papel de reina** she plays (the part of) the queen **10.** (mandar) ● **haré que tiñan el traje** I'll have this dress dyed **11.** (comportarse como) ● **hacer el tonto** to act the fool **12.** (ser causa de) to make ● **no me hagas reír/llorar** don't make me laugh/ cry **13.** (en cálculo, cuentas) to make ● **éste hace cien** this one makes (it) a hundred

◇ vi **1.** (intervenir) ● **déjame hacer a mí** let me do it **2.** (en cine y teatro) ● **hacer de malo** to play the villain **3.** (trabajar, actuar) ● **hacer de cajera** to be a checkout girl **4.** (aparentar) ● **hacer como si** to act as if

◇ vi **1.** (tiempo meteorológico) ● **hace**

frío/calor/sol it's cold/hot/sunny ● hace buen/mal tiempo the weather is good/bad **2.** *(tiempo transcurrido)* ● hace un año que no lo veo it's a year since I saw him ● no nos hablamos desde hace un año we haven't spoken for a year

◆ **hacerse** *vp (convertirse en)* to become; *(formarse)* to form; *(desarrollarse, crecer)* to grow; *(cocerse)* to cook; *(resultar)* to get, to become ● **hacerse el rico** to pretend to be rich

◆ **hacerse a** *v + prep (acostumbrarse)* to get used to

◆ **hacerse con** *v + prep (apropiarse)* to take

◆ **hacerse de** *v + prep (Amér) (adquirir, obtener)* to get

hacha [ˈatʃa] *f* axe

hachís [xaˈtʃis] *m* hashish

hacia [ˈaθja] *prep* **1.** *(de dirección)* towards **2.** *(en el tiempo)* about ● **hacia abajo** downwards ● **hacia arriba** upwards ● **gira hacia la izquierda** turn left

hacienda [aˈθjenda] *f* **1.** *(finca)* farm **2.** *(bienes)* property ◆ **Hacienda** *f the Spanish Treasury*

hacker [ˈxaker] *mf* hacker

hada [ˈaða] *f* fairy

Haití [aiˈti] *s* Haiti

hala [ˈala] *interj* **1.** *(para dar prisa)* hurry up! **2.** *(expresa incredulidad)* you're joking!

halago [aˈlaɣo] *m* flattery

halcón [alˈkon] *m* falcon

hall [ˈxol] *m* foyer

hallar [aˈʎar] *vt* **1.** *(encontrar)* to find **2.** *(inventar)* to discover ◆ **hallarse** *vp* to be

halógeno, na [aˈloxeno, na] *adj* halogen *(antes de s)*

halterofilia [alteroˈfilja] *f* weightlifting

hamaca [aˈmaka] *f* **1.** *(en árbol, etc)* hammock **2.** *(en la playa)* deck chair

hambre [ˈambre] *f* hunger ● **tener hambre** to be hungry

hambriento, ta [amˈbrjento, ta] *adj* starving

hamburguesa [amburˈɣesa] *f* hamburger

hamburguesería [amburɣeseˈria] *f* hamburger joint

hámster [ˈxamster] *m* hamster

hangar [anˈɡar] *m* hangar

hardware [xarˈwar] *m* hardware

harina [aˈrina] *f* flour

hartar [arˈtar] *vt* **1.** *(saciar)* to fill up **2.** *(cansar)* to annoy ◆ **hartarse de** *v + prep (cansarse de)* to get fed up with ● **hartarse de algo** *(hacer en exceso)* to do sthg non-stop

harto, ta [ˈarto, ta] *adj (saciado)* full ● **estar harto de** *(cansado)* to be fed up with

hasta [ˈasta] ◇ *prep* **1.** *(en el espacio)* as far as **2.** *(en el tiempo)* until ◇ *adv (incluso)* even ● **el agua llega hasta el borde** the water comes up to the edge ● **desde ... hasta ...** from ... to ... ● **hasta la vista** see you ● **hasta luego** see you later ● **hasta mañana** see you tomorrow ● **hasta pronto** see you soon ● **hasta que** until

haya [ˈaja] ◇ *v* ➤ **haber** ◇ *f* beech

haz [ˈaθ] *(pl* **-ces***)* ◇ *v* ➤ **hacer** ◇ *m* **1.** *(de luz)* beam **2.** *(de hierba, leña)* bundle

hazaña [a'θaɲa] *f* exploit

hebilla [e'βiʎa] *f* buckle

hebra ['eβra] *f* **1.** *(de hilo)* thread **2.** *(de legumbres)* string

hebreo, a [e'βreo, a] *adj & m,f* Hebrew

hechizar [etʃi'θar] *vt* to bewitch

hechizo [e'tʃiθo] *m* **1.** *(embrujo)* spell **2.** *(fascinación)* charm

hecho, cha ['etʃo, tʃa] ◇ *pp* ➤ **hacer** ◇ *adj (queso)* done ◇ *m* **1.** *(suceso)* event **2.** *(dato)* fact **3.** *(acto)* action ● **muy hecho** well-done ● **poco hecho** rare ● **hecho de** *(material)* made of

hectárea [ek'tarea] *f* hectare

helada [e'laða] *f* frost

heladería [elaðe'ria] *f* **1.** *(tienda)* ice-cream parlour **2.** *(quiosco)* ice-cream stall *(UK)*, ice-cream stand *(US)*

helado, da [e'laðo, ða] ◇ *adj* **1.** *(muy frío)* freezing **2.** *(congelado)* frozen **3.** *(pasmado)* astonished ◇ *m* ice-cream ▼ **helados variados** assorted ice-creams

helar [e'lar] ◇ *vt* to freeze ◇ *vi* ● **heló** there was a frost ◆ **helarse** *vp* to freeze

hélice ['eliθe] *f (de barco, avión)* propeller

helicóptero [eli'koptero] *m* helicopter

hematoma [ema'toma] *m* bruise

hembra ['embra] *f* **1.** *(animal)* female **2.** *(de enchufe)* socket

hemorragia [emo'raxja] *f* haemorrhage

heno ['eno] *m* hay

hepatitis [epa'titis] *f inv* hepatitis

herboristería [erβoriste'ria] *f* herbalist's *(shop)*

heredar [ere'ðar] *vt* to inherit

heredero, ra [ere'ðero, ra] *m,f* heir *(f heiress)*

hereje [e'rexe] *mf* heretic

herejía [ere'xia] *f* **1.** *(en religión)* heresy **2.** *(disparate)* silly thing

herencia [e'renθja] *f* inheritance

herida [e'riða] *f* **1.** *(lesión)* injury **2.** *(en lucha, atentado)* wound ➤ **herido**

herido, da [e'riðo, ða] ◇ *adj* **1.** *(lesionado)* injured **2.** *(en lucha, atentado)* wounded **3.** *(ofendido)* hurt ◇ *m,f* ● **hubo 20 heridos** 20 people were injured

herir [e'rir] *vt* **1.** *(causar lesión)* to injure **2.** *(en lucha, atentado)* to wound **3.** *(ofender)* to hurt

hermanastro, tra [erma'nastro, tra] *m,f* stepbrother *(f stepsister)*

hermano, na [er'mano, na] *m,f* brother *(f sister)*

hermético, ca [er'metiko, ka] *adj* airtight

hermoso, sa [er'moso, sa] *adj* **1.** *(bello)* beautiful **2.** *(hombre)* handsome **3.** *(fam) (grande)* large

hermosura [ermo'sura] *f* **1.** beauty **2.** *(de hombre)* handsomeness

héroe ['eroe] *m* hero

heroico, ca [e'roiko, ka] *adj* heroic

heroína [ero'ina] *f* **1.** *(persona)* heroine **2.** *(droga)* heroin

heroinómano, na [eroi'nomano, na] *m,f* heroin addict

heroísmo [ero'izmo] *m* heroism

herradura [era'ðura] *f* horseshoe

herramienta [era'mjenta] *f* tool

herrero [e'rero] *m* blacksmith

hervir [er'βir] *vt & vi* to boil

heterosexual [eteroseksu'al] *mf* heterosexual

hidalgo [i'ðalɣo] *m* nobleman

hidratante [iðra'tante] *adj* moisturizing

hidratar [iðra'tar] *vt* to moisturize

hiedra ['jeðra] *f* ivy

hielo ['jelo] *m* ice

hiena ['jena] *f* hyena

hierba ['jerβa] *f* 1. *(césped)* grass 2. *(planta)* herb ● **mala hierba** weed

hierbabuena [jerβa'βwena] *f* mint

hierro ['jero] *m* iron

hígado ['iɣaðo] *m* liver

higiene [i'xjene] *f* 1. *(aseo)* hygiene 2. *(salud)* health

higiénico, ca [i'xjeniko, ka] *adj* hygienic

higo ['iɣo] *m* fig

higuera [i'ɣera] *f* fig tree

hijastro, tra [i'xastro, tra] *m,f* stepson *(f* stepdaughter)

hijo, ja [i'xo, xa] *m,f* son *(f* daughter) ● **hijo de la chingada** *(Amér) (vulg)* son of a bitch ● **hijo político** son-in-law ● **hija política** daughter-in-law ● **hijo de puta** *(vulg)* son of a bitch ◆ **hijos** *mpl* children

hilera [i'lera] *f* row

hilo ['ilo] *m* 1. *(de coser, de conversación)* thread 2. *(tejido)* linen 3. *(alambre, cable)* wire ● **hilo musical** piped music

hilvanar [ilβa'nar] *vt (coser)* to tack *(UK)*, to baste *(US)*

hincapié [inka'pje] *m* ● **hacer hincapié en algo** *(insistir)* to insist on sthg; *(subrayar)* to emphasize sthg

hinchado, da [in'tʃaðo, ða] *adj* 1. *(globo, colchón)* inflated 2. *(parte del cuerpo)* swollen

hinchar [in'tʃar] *vt* to blow up ● **hincharse** *vp (parte del cuerpo)* to swell up ◆ **hincharse de** *v + prep (hartarse de)* to stuff o.s. with

hinchazón [intʃa'θon] *f* swelling

híper ['iper] *m (fam)* hypermarket *(UK)*, superstore *(US)*

hipermercado [ipermer'kaðo] *m* hypermarket *(UK)*, superstore *(US)*

hipermetropía [ipermetro'pia] *f* long-sightedness

hipertensión [iperten'sjon] *f* high blood pressure

hipertenso, sa [iper'tenso, sa] *adj* suffering from high blood pressure

hipervínculo *m* hyperlink

hípica ['ipika] *f* 1. *(carreras de caballos)* horseracing 2. *(de obstáculos)* show-jumping

hipnotizar [ipnoti'θar] *vt* to hypnotize

hipo ['ipo] *m* hiccups *pl*

hipocresía [ipokre'sia] *f* hypocrisy

hipócrita [i'pokrita] *adj* hypocritical

hipódromo [i'poðromo] *m* racecourse *(UK)*, racetrack *(US)*

hipopótamo [ipo'potamo] *m* hippopotamus

hipoteca [ipo'teka] *f* mortgage

hipótesis [i'potesis] *f inv (supuesto)* theory

hipotético, ca [ipo'tetiko, ka] *adj* hypothetical

hippy ['xipi] *mf* hippy

hispánico, ca [is'paniko, ka] *adj* Hispanic, Spanish-speaking

hispano, na [is'pano, na] *adj* 1. *(hispanoamericano)* Spanish-American 2. *(español)* Spanish

Hispanoamérica [is,panoa'merika] *s* Spanish America

hispanoamericano, na [is,panoameri'kano, na] *adj & m,f* Spanish-American, Hispanic

hispanohablante [is,panoa'βlante], **hispanoparlante** [is,panopar'lante] *adj* Spanish-speaking ◇ *mf* Spanish speaker

histeria [is'terja] *f* hysteria

histérico, ca [is'teriko, ka] *adj* hysterical

historia [is'torja] *f* 1. *(hechos pasados)* history 2. *(narración)* story

histórico, ca [is'toriko, ka] *adj* 1. *(real, auténtico)* factual 2. *(de importancia)* historic

historieta [isto'rjeta] *f* 1. *(relato)* anecdote 2. *(cuento con dibujos)* comic strip

hobby ['xoβi] *m* hobby

hocico [o'θiko] *m* 1. *(de cerdo)* snout 2. *(de perro, gato)* nose

hockey ['xokei] *m* hockey

hogar [o'ɣar] *m* 1. *(casa)* home 2. *(de chimenea)* fireplace

hogareño, ña [oɣa'reɲo, ɲa] *adj (persona)* home-loving

hoguera [o'ɣera] *f* bonfire

hoja ['oxa] *f* 1. *(de plantas)* leaf 2. *(de papel)* sheet 3. *(de libro)* page 4. *(de cuchillo)* blade ● **hoja de afeitar** razor blade

hojalata [oxa'lata] *f* tinplate

hojaldre [o'xaldre] *m* puff pastry

hola ['ola] *interj* hello!

Holanda [o'landa] *s* Holland

holandés, esa [olan'des, esa] ◇ *adj & m* Dutch ◇ *m,f* Dutchman (*f* Dutchwoman) ● **los holandeses** the Dutch

holgado, da [ol'ɣaðo, ða] *adj* 1. *(ropa)* loose-fitting 2. *(vida, situación)* comfortable

holgazán, ana [olɣa'θan, ana] *adj* lazy

hombre ['ombre] ◇ *m* man ◇ *interj* wow! ● **hombre de negocios** businessman ● **hombre del tiempo** weatherman

hombrera [om'brera] *f (almohadilla)* shoulder pad

hombro ['ombro] *m* shoulder

homenaje [ome'naxe] *m* tribute ● **en homenaje a** in honour of

homeopatía [omeopa'tia] *f* homeopathy

homicida [omi'θiða] *mf* murderer

homicidio [omi'θiðjo] *m* murder

homosexual [omoseksu'al] *mf* homosexual

hondo, da ['ondo, da] *adj* 1. *(profundo)* deep 2. *(intenso)* deep

Honduras [on'duras] *s* Honduras

hondureño, ña [ondu'reɲo, ɲa] *adj & m,f* Honduran

honestidad [onesti'ðað] *f (sinceridad)* honesty

honesto, ta [o'nesto, ta] *adj (honrado)* honest

hongo ['ongo] *m* 1. *(comestible)* mushroom 2. *(no comestible)* toadstool

honor [o'nor] *m* honour ● **en honor de** in honour of

honorario [ono'rarjo] *adj* honorary ◆ **honorarios** *mpl* fees

honra ['onra] *f* honour ● **¡a mucha honra!** and (I'm) proud of it!

honradez [onra'ðeθ] *f* honesty

honrado, da [on'raðo, ða] *adj* honest

honrar [on'rar] *vt* to honour

hora ['ora] *f* 1. *(período de tiempo)* hour 2. *(momento determinado)* time ● **¿a qué**

hora ...? what time ...? ● ¿qué hora es? what's the time? ● **media hora** half an hour ● **pedir hora para** to ask for an appointment for ● **tener hora (con)** to have an appointment (with) ● **a última hora** at the last minute ● **horas de visita** visiting times ● **hora punta** rush hour

horario [oˈrarjo] *m* timetable ▾ **horario comercial** opening hours

horca [ˈorka] *f* **1.** *(de ejecución)* gallows *pl* **2.** *(en agricultura)* pitchfork

horchata [orˈtʃata] *f* cold drink made from ground tiger nuts, milk and sugar

horizontal [oriθonˈtal] *adj* horizontal

horizonte [oriˈθonte] *m* horizon

horma [ˈorma] *f* **1.** *(molde)* mould **2.** *(para zapatos)* last

hormiga [orˈmiɣa] *f* ant

hormigón [ormiˈɣon] *m* concrete ● **hormigón armado** reinforced concrete

hormigonera [ormiɣoˈnera] *f* concrete mixer

hormiguero [ormiˈɣero] *m* anthill

hormona [orˈmona] *f* hormone

hornear [orneˈar] *vt* to bake

horno [ˈorno] *m* oven ● **al horno** *(carne)* roast; *(pescado)* baked

horóscopo [oˈroskopo] *m* horoscope

horquilla [orˈkiʎa] *f* hairgrip (UK), bobby pin (US)

hórreo [ˈoreo] *m* type of granary, on stilts, found in Galicia and Asturias

horrible [oˈriβle] *adj* **1.** *(horroroso)* horrible **2.** *(pésimo)* dreadful

horror [oˈror] *m* terror ● ¡qué horror! that's awful!

horrorizar [orroriˈθar] *vt* to terrify

horroroso, sa [oroˈroso, sa] *adj* horrible

hortaliza [ortaˈliθa] *f* (garden) vegetable

hortelano, na [orteˈlano, na] *m,f* market gardener (UK), truck farmer (US)

hortensia [orˈtensja] *f* hydrangea

hortera [orˈtera] *adj (fam)* tacky

hospedarse [ospeˈðarse] *vp* to stay

hospital [ospiˈtal] *m* hospital

hospitalario, ria [ospitaˈlarjo, rja] *adj (persona)* hospitable

hospitalidad [ospitaliˈðað] *f* hospitality

hospitalizar [ospitaliˈθar] *vt* to put in hospital

hostal [osˈtal] *m* ≃ two-star hotel

hostelería [osteleˈria] *f* hotel trade

hostia [ˈostja] ◇ *f* **1.** *(en religión)* host **2.** *(vulg) (golpe)* whack ◇ *interj (vulg)* bloody hell! ● **darse una hostia** *(vulg)* to have a smash-up

hostil [osˈtil] *adj* hostile

hotel [oˈtel] *m* hotel ● **hotel de lujo** luxury hotel

hotelero, ra [oteˈlero, ra] *adj* hotel *(antes de s)*

hoy [ˈoj] *adv* **1.** *(día presente)* today **2.** *(momento actual)* nowadays ● **hoy en día** nowadays ● **hoy por hoy** at the moment

hoyo [ˈojo] *m* hole

hoz [ˈoθ] *f* sickle

huachafería [watʃafeˈria] *f (Amér)* tacky thing

huachafo, fa [waˈtʃafo, fa] *adj (Perú)* tacky

hucha [ˈutʃa] *f* moneybox

hueco, ca [ˈweko, ka] ◇ *adj (vacío)*

hollow ◇ *m* **1.** *(agujero)* hole **2.** *(de tiempo)* spare moment

huelga ['welɣa] *f* strike

huella ['weʎa] *f* **1.** *(de persona)* footprint **2.** *(de animal)* track ● **huellas dactilares** fingerprints

huérfano, na ['werfano, na] *m,f* orphan

huerta ['werta] *f* market garden *(UK)*, truck farm *(US)*

huerto ['werto] *m* **1.** *(de hortalizas)* vegetable patch **2.** *(de frutales)* orchard

hueso ['weso] *m* **1.** *(del esqueleto)* bone **2.** *(de una fruta)* stone

huésped, da ['wespeð, ða] *m,f* guest

huevada [we'βaða] *f* *(Andes)* *(fam)* stupid thing

huevear [weβe'ar] *vi* *(Chile & Perú)* *(fam)* to mess about *(UK)*, to goof off *(US)*

huevo ['weβo] *m* egg ● **huevo de la copa** o **tibio** *(Amér)* hard-boiled egg ● **huevo duro** hard-boiled egg ● **huevo escalfado** poached egg ● **huevo estrellado** *(Amér)* fried egg ● **huevo frito** fried egg ● **huevo pasado por agua** soft-boiled egg ● **huevos a la flamenca** *huevos al plato with fried pork sausage, black pudding and a tomato sauce* ● **huevos al plato** *eggs cooked in the oven in an earthenware dish* ● **huevos revueltos** scrambled eggs

huevón [we'βon] *m* *(Andes & Ven)* idiot

huida [u'iða] *f* escape

huir [u'ir] *vi* **1.** *(escapar)* to flee **2.** *(de cárcel)* to escape ● **huir de algo/alguien** *(evitar)* to avoid sthg/sb

humanidad [umani'ðað] *f* humanity ◆

humanidades *fpl* humanities

humanitario, ria [umani'tarjo, rja] *adj* humanitarian

humano, na [u'mano, na] ◇ *adj* **1.** *(del hombre)* human **2.** *(benévolo, compasivo)* humane ◇ *m* human (being)

humareda [uma'reða] *f* cloud of smoke

humedad [ume'ðað] *f* **1.** *(de piel)* moisture **2.** *(de atmósfera)* humidity **3.** *(en la pared)* damp

humedecer [umeðe'θer] *vt* to moisten

húmedo, da ['umeðo, ða] *adj* **1.** *(ropa, toalla, etc)* damp **2.** *(clima, país)* humid **3.** *(piel)* moist

humilde [u'milde] *adj* humble

humillación [umiʎa'θjon] *f* humiliation

humillante [umi'ʎante] *adj* humiliating

humillar [umi'ʎar] *vt* to humiliate

humo ['umo] *m* **1.** *(gas)* smoke **2.** *(de coche)* fumes *pl* ◆ **humos** *mpl* airs

humor [u'mor] *m* **1.** *(estado de ánimo)* mood **2.** *(gracia)* humour ● **estar de buen humor** to be in a good mood ● **estar de mal humor** to be in a bad mood

humorismo [umo'rizmo] *m* comedy

humorista [umo'rista] *mf* comedian (*f* comedienne)

humorístico, ca [umo'ristiko, ka] *adj* humorous

hundir [un'dir] *vt* **1.** *(barco)* to sink **2.** *(edificio)* to knock down **3.** *(techo)* to knock in **4.** *(persona)* to devastate ◆ **hundirse** *vp* **1.** *(barco)* to sink **2.** *(edificio, techo)* to collapse **3.** *(persona)* to be devastated

húngaro, ra ['ungaro, ra] *adj* & *m,f* Hungarian

Hungría [un'gria] *s* Hungary

huracán [ura'kan] *m* hurricane
hurtadillas [urta'ðiʎas] ◆ **a hurtadillas** *adv* stealthily
hurto ['urto] *m* theft

iI

IBERIA [i'βerja] *f* IBERIA *(Spanish national airline)*
ibérico, ca [i'βeriko, ka] *adj* Iberian
Ibiza [i'βiθa] *s* Ibiza
iceberg [iθe'βer] *m* iceberg
icono [i'kono] *m* icon
ida [i'ða] *f* outward journey ● billete de) ida y vuelta return (ticket)
idea [i'ðea] *f* 1. idea 2. *(propósito)* intention 3. *(opinión)* impression ● no tengo ni idea I've no idea
ideal [iðe'al] *adj* & *m* ideal
idealismo [iðea'lizmo] *m* idealism
idealista [iðea'lista] *mf* idealist
idéntico, ca [i'ðentiko, ka] *adj* identical
identidad [iðenti'ðað] *f* identity
identificación [iðentifika'θjon] *f* identification
identificar [iðentifi'kar] *vt* to identify
identificarse *vp (mostrar documentación)* to show one's identification
ideología [iðeolo'xia] *f* ideology
idilio [i'ðiljo] *m* love affair
idioma [i'ðjoma] *m* language
idiota [i'ðjota] ◇ *adj (despec)* stupid ◇ *mf* idiot
ídolo ['iðolo] *m* idol

idóneo, a [i'ðoneo, a] *adj* suitable
iglesia [i'ɣlesja] *f* church
ignorancia [iɣno'ranθja] *f* ignorance
ignorante [iɣno'rante] *adj* ignorant
ignorar [iɣno'rar] *vt* 1. *(desconocer)* not to know 2. *(no hacer caso)* to ignore
igual [i'ɣwal] ◇ *adj* 1. *(idéntico)* the same 2. *(parecido)* similar 3. *(cantidad, proporción)* equal 4. *(ritmo)* steady ◇ *adv* the same ● ser igual que to be the same as ● da igual it doesn't matter ● me da igual I don't care ● es igual it doesn't matter ● al igual que just like ● por igual equally
igualado, da [iɣwa'laðo, ða] *adj* level
igualdad [iɣwal'dað] *f* equality
igualmente [i,ɣwal'mente] *adv* likewise
ilegal [ile'ɣal] *adj* illegal
ilegalizar *vt* to outlaw
ilegítimo, ma [ile'xitimo, ma] *adj* illegitimate
ileso, sa [i'leso, sa] *adj* unhurt
ilimitado, da [ilimi'taðo, ða] *adj* unlimited
ilocalizable *adj* ● está ilocalizable he cant be found
ilógico, ca [i'loxiko, ka] *adj* illogical
iluminación [ilumina'θjon] *f (alumbrado)* lighting
iluminar [ilumi'nar] *vt (suj: luz, sol)* to light up
ilusión [ilu'sjon] *f* 1. *(esperanza)* hope 2. *(espejismo)* illusion ● el regalo me ha hecho ilusión I liked the present ● me hace ilusión la fiesta I'm looking forward to the party ● hacerse ilusiones to get one's hopes up
ilusionarse [ilusjo'narse] *vp* 1. *(esperan-*

zarse) to get one's hopes up **2.** (*emocionarse*) to get excited

ilustración [ilustra'θjon] *f* illustration

ilustrar [ilus'trar] *vt* to illustrate

ilustre [i'lustre] *adj* illustrious

imagen [i'maxen] *f* **1.** image. **2.** (*en televisión*) picture

imaginación [imaxina'θjon] *f* imagination

imaginar [imaxi'nar] *vt* **1.** (*suponer*) to imagine **2.** (*inventar*) to think up ◆ **imaginarse** *vp* to imagine

imaginario, ria [imaxi'narjo, rja] *adj* imaginary

imaginativo, va [imaxina'tiβo, βa] *adj* imaginative

imán [i'man] *m* magnet

imbécil [im'beθil] ◇ *adj* (*despec*) stupid ◇ *mf* idiot

imitación [imita'θjon] *f* **1.** (*de persona*) impression **2.** (*de obra de arte*) imitation

imitar [imi'tar] *vt* to imitate

impaciencia [impa'θjenθja] *f* impatience

impaciente [impa'θjente] *adj* impatient ◆ **impaciente por** impatient to

impar [im'par] *adj* odd

imparable [impa'raβle] *adj* unstoppable

imparcial [impar'θjal] *adj* impartial

impasible [impa'siβle] *adj* impassive

impecable [impe'kaβle] *adj* impeccable

impedimento [impeði'mento] *m* obstacle

impedir [impe'ðir] *vt* **1.** (*no permitir*) to prevent **2.** (*obstaculizar*) to hinder

impensable [impen'saβle] *adj* unthinkable

imperativo [impera'tiβo] *m* (*en gramática*) imperative

imperceptible [imperθep'tiβle] *adj* imperceptible

imperdible [imper'ðiβle] *m* safety pin

imperdonable [imperðo'naβle] *adj* unforgivable

imperfecto, ta [imper'fekto, ta] ◇ *adj* **1.** (*incompleto*) imperfect **2.** (*defectuoso*) faulty ◇ *m* imperfect tense

imperial [impe'rjal] *adj* imperial

imperio [im'perjo] *m* **1.** (*territorio*) empire **2.** (*dominio*) rule

impermeable [imperme'aβle] ◇ *adj* waterproof ◇ *m* raincoat

impersonal [imperso'nal] *adj* impersonal

impertinencia [imperti'nenθja] *f* **1.** (*insolencia*) impertinence **2.** (*comentario*) impertinent remark

impertinente [imperti'nente] *adj* impertinent

ímpetu ['impetu] *m* (*energía*) force

implicar [impli'kar] *vt* **1.** to involve **2.** (*significar*) to mean

implícito, ta [im'pliθito, ta] *adj* implicit

imponer [impo'ner] ◇ *vt* **1.** (*obligación, castigo, impuesto*) to impose **2.** (*obediencia, respeto*) to command ◇ *vi* to be imposing

importación [importa'θjon] *f* (*producto*) import

importancia [impor'tanθja] *f* importance

importante [impor'tante] *adj* **1.** (*destacado*) important **2.** (*cantidad*) large

importar [impor'tar] ◇ *vt* (*mercancías*) to import ◇ *vi* (*interesar*) to matter ◆ ¿**le importa que fume?** do you mind if I smoke? ● ¿le importaría venir? would you mind coming? ● no importa it doesn't matter ● no me importa I don't care

importe [im'porte] *m* **1.** *(precio)* price **2.** *(en cuenta, factura)* total ▼ **importe del billete** ticket price

imposibilidad [imposiβili'ðað] *f* impossibility

imposible [impo'siβle] ◇ *adj* impossible ◇ *interj* never! ● *m* **pedir un imposible** to ask the impossible

impostor, ra [impos'tor, ra] *m,f* impostor

impotencia [impo'tenθja] *f* impotence

impotente [impo'tente] *adj* impotent

impreciso, sa [impre'θiso, sa] *adj* vague

impregnar [impreɣ'nar] *vt (humedecer)* to soak

imprenta [im'prenta] *f* **1.** *(arte)* printing **2.** *(taller)* printer's (shop)

imprescindible [impresθin'diβle] *adj* indispensable

impresión [impre'sjon] *f* **1.** *(de un libro)* edition **2.** *(sensación)* feeling **3.** *(opinión)* impression

impresionante [impresjo'nante] *adj* impressive

impresionar [impresjo'nar] ◇ *vt* to impress ◇ *vi (causar admiración)* to be impressive

impreso, sa [im'preso] ◇ *pp* ➤ **imprimir** ◇ *m (formulario)* form

impresora [impre'sora] *f* printer ● **impresora de chorro de tinta** inkjet printer ● **impresora láser** láser printer

imprevisto [impre'βisto] *m* unexpected event

imprimir [impri'mir] *vt* to print

improvisación [improβisa'θjon] *f* improvisation

improvisado, da [improβi'saðo, ða] *adj* improvised

improvisar [improβi'sar] *vt* to improvise

imprudente [impru'ðente] *adj* rash

impuesto, ta [im'puesto] ◇ *pp* ➤ **imponer** ◇ *m* tax

impulsar [impul'sar] *vt (empujar)* to drive ● **impulsar a alguien a** to drive sb to

impulsivo, va [impul'siβo, βa] *adj* impulsive

impulso [im'pulso] *m* **1.** *(empuje)* momentum **2.** *(estímulo)* stimulus

impuro, ra [im'puro, ra] *adj* impure

inaceptable [inaθep'taβle] *adj* unacceptable

inadecuado, da [inaðe'kuaðo, ða] *adj* unsuitable

inadmisible [inaðmi'siβle] *adj* unacceptable

inaguantable [inaɣuan'taβle] *adj* unbearable

inauguración [inauɣura'θjon] *f* inauguration, opening

inaugurar [inauɣu'rar] *vt* to inaugurate, to open

incapacidad [inkapaθi'ðað] *f* **1.** *(incompetencia)* incompetence **2.** *(por enfermedad)* incapacity

incapaz [inka'paθ, θes] *(pl* **-ces)** *adj* incapable ● **ser incapaz de** to be unable to

incendio [in'θendjo] *m* fire ● **contra incendios** *(medidas)* fire-fighting; *(segu-*

ro, brigada) fire *(antes de s)*

incentivo [inθen'tiβo] *m* incentive

incidente [inθi'ðente] *m* incident

incineradora [inθineɾa'ðoɾa] *f* incinerator

incinerar [inθine'ɾar] *vt* to incinerate

incitar [inθi'taɾ] *vt* 1. *(animar)* to encourage 2. *(a la violencia)* to incite

inclinación [inklina'θjon] *f* 1. *(saludo)* bow 2. *(tendencia)* tendency 3. *(afecto)* fondness

incluido, da [inklu'iðo, ða] *adj* included

incluir [inklu'iɾ] *vt* 1. *(contener)* to include 2. *(adjuntar)* to enclose

inclusive [inklu'siβe] *adv* inclusive

incluso [in'kluso] *adv* even

incógnita [in'koɣnita] *f (cosa desconocida)* mystery

incoherente [inkoe'ɾente] *adj (contradictorio)* inconsistent

incoloro, ra [inko'loɾo, ɾa] *adj* colourless

incómodo, da [in'komoðo, ða] *adj* uncomfortable

incomparable [inkompa'ɾaβle] *adj* incomparable

incompatibilidad [inkompatiβili'ðað] *f* incompatibility

incompetente [inkompe'tente] *adj* incompetent

incomprensible [inkompɾen'siβle] *adj* incomprehensible

incomunicado, da [inkomuni'kaðo, ða] *adj (pueblo)* cut off

incondicional [inkondiθjo'nal] *adj* 1. *(apoyo, ayuda)* wholehearted 2. *(amigo)* staunch

inconfundible [inkonfun'diβle] *adj* unmistakable

inconsciencia [inkons'θjenθja] *f (irresponsabilidad)* thoughtlessness

inconsciente [inkons'θjente] *adj* 1. *(sin conocimiento)* unconscious 2. *(insensato)* thoughtless

incontable [inkon'taβle] *adj* countless

inconveniente [inkombe'njente] *m* 1. *(dificultad)* difficulty 2. *(desventaja)* disadvantage

incorporación [inkorpoɾa'θjon] *f (unión)* inclusion

incorporar [inkoɾpo'ɾar] *vt* 1. *(agregar)* to incorporate 2. *(levantar)* to sit up ◆ **incorporarse** *vp (levantarse)* to sit up ◆ incorporarse a un equipo to join a team

incorrecto, ta [inko'rekto, ta] *adj* 1. *(erróneo)* incorrect 2. *(descortés)* impolite

incorregible [inkore'xiβle] *adj* incorrigible

incrédulo, la [in'kɾeðulo, la] *adj* sceptical

increíble [inkre'iβle] *adj* 1. *(inverosímil)* hard to believe 2. *(extraordinario)* incredible

incremento [inkre'mento] *m* increase

incubadora [inkuβa'ðoɾa] *f* incubator

incubar [inku'βar] *vt* to incubate

inculpado, da [inkul'paðo, ða] *m,f* accused

inculto, ta [in'kulto, ta] *adj (persona)* uneducated

incumbir [inkum'bir] *vi* ◆ no te incumbe hacerlo it's not for you to do it

incurable [inku'ɾaβle] *adj* incurable

incurrir [inku'rir] ◆ incurrir en *v + prep* 1. *(error)* to make 2. *(delito)* to commit

indecente [inde'θente] *adj* indecent

indeciso, sa [inde'θiso, sa] *adj* **1.** *(falta de iniciativa)* indecisive **2.** *(falto de decisión)* undecided **3.** *(poco claro)* inconclusive

indefenso, sa [inde'fenso, sa] *adj* defenceless

indefinido, da [indefi'niðo, ða] *adj* **1.** indefinite **2.** *(impreciso)* vague

indemnización [indemniθa'θjon] *f* compensation

indemnizar [indemni'θar] *vt* to compensate

independencia [indepen'denθja] *f* independence

independiente [indepen'djente] *adj* independent

independizarse [independi'θarse] ♦ **independizarse de** *v + prep* to become independent of

indeterminado, da [indetermi'naðo, ða] *adj* indefinite

India ['indja] *f* ● **(la) India** India

indicación [indika'θjon] *f (señal)* sign ♦ **indicaciones** *fpl* **1.** *(instrucciones)* instructions **2.** *(para llegar a un sitio)* directions

indicador [indika'ðor] *m* indicator ● **indicador de dirección** indicator

indicar [indi'kar] *vt* **1.** *(señalar)* to indicate **2.** *(lugar, dirección)* to show **3.** *(suj: señal, reloj)* to read

indicativo, va [indika'tiβo, βa] *adj* indicative

índice ['indiθe] *m* **1.** *(de libro, precios)* index **2.** *(de natalidad, mortalidad)* rate **3.** *(de la mano)* index finger

indicio [in'diθjo] *m (señal)* sign

indiferencia [indife'renθja] *f* indifference

indiferente [indife'rente] *adj* indifferent ● **es indiferente** it makes no difference

indígena [in'dixena] *mf* native

indigerible *adj* **1.** *(alimento)* stodgy **2.** *(libro)* ● **ser indigerible** to be heavy going

indigestión [indixes'tjon] *f* indigestion

indigesto, ta [indi'xesto, ta] *adj* hard to digest

indignación [indiyna'θjon] *f* indignation

indignado, da [indiy'naðo, ða] *adj* indignant

indignante [indiy'nante] *adj* outrageous

indio, dia ['indjo, dja] *adj* & *m,f* Indian

indirecta [indi'rekta] *f* hint

indirecto, ta [indi'rekto, ta] *adj* indirect

indiscreto, ta [indis'kreto, ta] *adj* indiscreet

indiscriminado, da [indiskrimi'naðo, ða] *adj* indiscriminate

indiscutible [indisku'tiβle] *adj* indisputable

indispensable [indispen'saβle] *adj* indispensable

indispuesto, ta [indis'puesto, ta] *adj* unwell

individual [indiβiðu'al] *adj* **1.** *(del individuo)* individual **2.** *(cama, habitación)* single ● **individuales** *DEP* singles

individuo [indi'βiðuo] *m* individual

índole ['indole] *f (tipo)* type

Indonesia [indo'nesja] *s* Indonesia

indudablemente [indu'ðaβle'mente] *adv* undoubtedly

indumentaria [indumen'tarja] *f* clothes *pl*

industria [in'dustɾja] *f* **1.** *(actividad)* industry **2.** *(fábrica)* factory

industrial [indus'tɾjal] ◇ *adj* industrial ◇ *mf* industrialist

industrializado, da [industɾjali'θaðo, ða] *adj* industrialized

inédito, ta [i'neðito, ta] *adj (desconocido)* unprecedented

inepto, ta [i'nepto, ta] *adj* inept

inequívoco, ca [ine'kiβoko, ka] *adj* **1.** *(clarísimo)* unequivocal **2.** *(inconfundible)* unmistakable

inesperado, da [inespe'ɾaðo, ða] *adj* unexpected

inestable [ines'taβle] *adj* unstable

inevitable [ineβi'taβle] *adj* inevitable

inexperto, ta [ineks'peɾto, ta] *adj (sin experiencia)* inexperienced

infalible [infa'liβle] *adj* infallible

infancia [in'fanθja] *f* childhood

infanta [in'fanta] *f* princess

infantería [infante'ɾja] *f* infantry

infantil [infan'til] *adj* **1.** *(para niños)* children's **2.** *(despec) (inmaduro)* childish

infarto [in'faɾto] *m* heart attack

infección [infek'θjon] *f* infection

infeccioso, sa [infek'θjoso, sa] *adj* infectious

infectar [infek'taɾ] *vt* to infect ◆ **infectarse** *vp* to become infected

infelicidad [infeliθi'ðað] *f* unhappiness

infeliz [infe'liθ, θes] *(pl* **-ces)** ◇ *adj* unhappy ◇ *mf* **1.** *(desgraciado) wretch* **2.** *(fam) (ingenuo)* naive person

inferior [infe'ɾjoɾ] ◇ *adj* **1.** *(de abajo, menos importante, cantidad)* lower **2.** *(de menos calidad)* inferior ◇ *mf* inferior

inferioridad [inferjoɾi'ðað] *f* inferiority

infidelidad [infiðeli'ðað] *f* infidelity

infiel [in'fjel] ◇ *adj (a la pareja)* unfaithful ◇ *mf (no cristiano)* infidel

infierno [in'fjeɾno] *m* hell

ínfimo, ma [infimo, ma] *adj* very low

infinito, ta [infi'nito, ta] ◇ *adj* infinite ◇ *m* infinity

inflación [infla'θjon] *f* inflation

inflar [in'flaɾ] *vt* **1.** *(de aire)* to inflate **2.** *(globo)* to blow up ◆ **Inflarse de** *v + prep (comer, beber)* to stuff o.s. with

inflexible [inflek'siβle] *adj* inflexible

influencia [influ'enθja] *f* influence ◆ **tener influencia** to have influence

influenciar [influen'θjaɾ] *vt* to influence

influir [influ'iɾ] ◆ **influir en** *v + prep* to influence

influjo [in'fluxo] *m* influence

influyente [influ'jente] *adj* influential

información [informa'θjon] *f* **1.** *(datos)* information **2.** *(noticias)* news **3.** *(oficina)* information office **4.** *(mostrador)* information desk **5.** *(de teléfono)* directory enquiries *pl* (UK), directory assistance (US)

informal [infoɾ'mal] *adj* **1.** *(persona)* unreliable **2.** *(lenguaje, traje)* informal

informalidad [infoɾmali'ðað] *f (irresponsabilidad)* unreliability

informar [infoɾ'maɾ] *vt* to tell ◆ **informarse** *vp* to find out

informática [infoɾ'matika] *f* information technology, computing ➤ **informático**

informático, ca [infoɾ'matiko, ka] *m,f* computer expert

informativo [informaˈtiβo] *m* news bulletin

informe [inˈforme] *m* report ◆ **informes** *mpl* *(referencias)* references

infracción [infrakˈθjon] *f* *(delito)* offence

infundir [infunˈdir] *vt* to inspire

infusión [infuˈsjon] *f* infusion ● **infusión de manzanilla** camomile tea ● **infusión de tila** lime blossom tea

ingeniería [inxenjeˈria] *f* engineering

ingeniero, ra [inxeˈnjero, ra] *m,f* engineer

ingenio [inˈxenjo] *m* 1. *(agudeza)* wit 2. *(inteligencia)* ingenuity 3. *(máquina)* device

ingenioso, sa [inxeˈnjoso, sa] *adj* 1. *(agudo)* witty 2. *(inteligente)* ingenious

ingenuidad [inxenwiˈðað] *f* naivety

ingenuo, nua [inˈxenwo, nwa] *adj* naive

Inglaterra [inglaˈtera] *s* England

ingle [ˈingle] *f* groin

inglés, esa [inˈgles, esa] ◇ *adj & m* English ◇ *m,f* Englishman *(f* Englishwoman*)* ● **los ingleses** the English

ingrato, ta [inˈgrato, ta] *adj* 1. *(trabajo)* thankless 2. *(persona)* ungrateful

ingrediente [ingreˈðjente] *m* ingredient

ingresar [ingreˈsar] ◇ *vt* *(dinero)* to deposit ◇ *vi* 1. *(en hospital)* to be admitted 2. *(en sociedad)* to join 3. *(en universidad)* to enter *(UK)*, to enroll *(US)*

ingreso [inˈgreso] *m* 1. *(entrada, en universidad)* entry *(UK)*, enrollment *(US)* 2. *(de dinero)* deposit 3. *(en hospital)* admission 4. *(en sociedad)* joining ● **ingresos** *mpl* *(sueldo)* income *sg*

inhabitable [inaβiˈtaβle] *adj* uninhabitable

inhalar [inaˈlar] *vt* to inhale

inhibición [iniβiˈθjon] *f* inhibition

inhumano, na [inuˈmano, na] *adj* inhumane

iniciación [iniθjaˈθjon] *f* *(comienzo)* beginning

inicial [iniˈθjal] *adj & f* initial

iniciar [iniˈθjar] *vt* *(empezar)* to begin, to start ● **iniciarse en** *v + prep* *(conocimiento, práctica)* to learn

iniciativa [iniθjaˈtiβa] *f* initiative ● **tener iniciativa** to have initiative

inicio [iˈniθjo] *m* beginning, start

inimaginable [inimaxiˈnaβle] *adj* unimaginable

injerto [inˈxerto] *m* graft

injusticia [inxustiˈθja] *f* injustice

injusto, ta [inˈxusto, ta] *adj* unfair

inmaduro, ra [immaˈðuro, ra] *adj* 1. *(persona)* immature 2. *(fruta)* unripe

inmediatamente [immeˌðjataˈmente] *adv* immediately

inmediato, ta [immeˈðjato, ta] *adj* 1. *(tiempo)* immediate 2. *(contiguo)* next ● **de inmediato** immediately

inmejorable [immexoˈraβle] *adj* unbeatable

inmenso, sa [imˈmenso, sa] *adj* immense

inmigración [immiɣraˈθjon] *f* immigration

inmigrante [immiˈɣrante] *mf* immigrant

inmigrar [immiˈɣrar] *vi* to immigrate

inmobiliaria [immoβiˈljarja] *f* estate agency *(UK)*, real-estate office *(US)*

inmoral [immoˈral] *adj* immoral

inmortal [immorˈtal] *adj* immortal

inmóvil [imˈmoβil] *adj* 1. *(persona)* mo-

tionless **2.** *(coche, tren)* stationary
inmovilizar [immoβili'θar] *vt* to immobilize
inmueble [im'mueβle] *m* building
inmune [im'mune] *adj* immune
inmunidad [immuni'ðað] *f* immunity
innato, ta [in'nato, ta] *adj* innate
innecesario, ria [inneθe'sarjo, rja] *adj* unnecessary
innovación [innoβa'θjon] *f* innovation
inocencia [ino'θenθja] *f* innocence
inocentada [inoθen'taða] *f* **2.** *(broma)* practical joke
inocente [ino'θente] *adj* innocent
inofensivo, va [inofen'siβo, βa] *adj* harmless
inolvidable [inolβi'ðaβle] *adj* unforgettable
inoportuno, na [inopor'tuno, na] *adj* **1.** *(inadecuado)* inappropriate **2.** *(molesto)* inconvenient **3.** *(en mal momento)* untimely
inoxidable [inoksi'ðaβle] *adj* **1.** *(material)* rustproof **2.** *(acero)* stainless
inquietarse [inkje'tarse] *vp* to worry
inquieto, ta [inki'eto, ta] *adj* **1.** *(preocupado)* worried **2.** *(aventurero)* restless
inquietud [inkje'tuð] *f* worry
inquilino, na [inki'lino, na] *m,f* tenant
Inquisición [inkisi'θjon] *f* ◆ **la Inquisición** the (Spanish) Inquisition
insaciable [insa'θjaβle] *adj* insatiable
insalubre [insa'luβre] *adj* unhealthy
insatisfacción [insatisfak'θjon] *f* dissatisfaction
insatisfecho, cha [insatis'fetʃo, tʃa] *adj* dissatisfied
inscribir [inskri'βirse] ◆ **inscribirse en** *v*

+ *prep* to enrol on
inscripción [inskrip'θjon] *f* **1.** *(de moneda, piedra, etc)* inscription **2.** *(en registro)* enrolment
insecticida [insekti'θiða] *m* insecticide
insecto [in'sekto] *m* insect
inseguridad [inseɣuri'ðað] *f* **1.** *(falta de confianza)* insecurity **2.** *(peligro)* lack of safety
inseguro, ra [inse'ɣuro, ra] *adj* **1.** *(sin confianza)* insecure **2.** *(peligroso)* unsafe
insensato, ta [insen'sato, ta] *adj* foolish
insensible [insen'siβle] *adj* **1.** *(persona)* insensitive **2.** *(aumento, subida, bajada)* imperceptible
inseparable [insepa'raβle] *adj* inseparable
insertar [inser'tar] *vt* to insert ◆ **insertar algo en** to insert sthg into
inservible [inser'βiβle] *adj* useless
insignia [in'siɣnja] *f* **1.** *(distintivo)* badge **2.** *(de militar)* insignia **3.** *(estandarte)* flag
insignificante [insiɣnifi'kante] *adj* insignificant
insinuar [insinu'ar] *vt* to hint at ◆ **insinuarse** *vp* to make advances
insípido, da [in'sipiðo, ða] *adj* insipid
insistencia [insis'tenθja] *f* insistence
insistir [insis'tir] *vi* ◆ **insistir (en)** to insist (on)
insolación [insola'θjon] *f* *(indisposición)* sunstroke
insolencia [inso'lenθja] *f* *(dicho, hecho)* insolent thing
insolente [inso'lente] *adj* **1.** *(desconsiderado)* insolent **2.** *(orgulloso)* haughty
insólito, ta [in'solito, ta] *adj* unusual
insolvente [insol'βente] *adj* insolvent

insomnio [in'somnjo] *m* insomnia

insonorización [insonoriθa'θjon] *f* soundproofing

insoportable [insopor'taβle] *adj* unbearable

inspeccionar [inspekθjo'nar] *vt* to inspect

inspector, ra [inspek'tor, ra] *m,f* inspector ● **inspector de aduanas** customs official ● **inspector de Hacienda** tax inspector

inspiración [inspira'θjon] *f* **1.** (de aire) inhalation **2.** (de un artista) inspiration

inspirar [inspi'rar] *vt* **1.** (aire) to inhale **2.** (ideas) to inspire ◆ **inspirarse en** *v + prep* to be inspired by

instalación [instala'θjon] *f* **1.** (acto) installation **2.** (equipo) installations *pl* ● **instalación eléctrica** wiring ◆ **instalaciones** *fpl* (edificios) facilities ● **instalaciones deportivas** sports facilities

instalar [insta'lar] *vt* **1.** (teléfono, antena, etc) to install **2.** (gimnasio, biblioteca, etc) to set up **3.** (alojar) to settle ◆ **instalarse** *vp* (en nueva casa) to move in

instancia [instan'θia] *f* (solicitud) application

instantánea [instan'tanea] *f* snapshot

instantáneo, a [instan'taneo, a] *adj* instantaneous

instante [ins'tante] *m* instant ● **al instante** straight away

instintivo, va [instin'tiβo, βa] *adj* instinctive

instinto [ins'tinto] *m* instinct

institución [institu'θjon] *f* institution ◆ **instituciones** *fpl* institutions

institucional [instituθjo'nal] *adj* institutional

instituir [institu'ir] *vt* to set up

instituto [insti'tuto] *m* **1.** institute **2.** (centro de enseñanza) state secondary school, ≃ high school (US)

institutriz [institu'triθ, θes] (pl **-ces**) *f* governess

instrucción [instruk'θjon] *f* (formación) education ◆ **instrucciones** *fpl* (indicaciones) instructions

instruir [instru'ir] *vt* **1.** (enseñar) to teach **2.** (enjuiciar) to prepare

instrumental [instrumen'tal] *m* instruments *pl*

instrumento [instru'mento] *m* instrument

insuficiente [insufi'θjente] ◇ *adj* insufficient ◇ *m* fail

insufrible [insu'friβle] *adj* insufferable

insultante [insul'tante] *adj* insulting

insultar [insul'tar] *vt* to insult ◆ **insultarse** *vp* to insult each other

insulto [in'sulto] *m* insult

insuperable [insupe'raβle] *adj* **1.** (inmejorable) unsurpassable **2.** (problema) insurmountable

intacto, ta [in'takto, ta] *adj* intact

integración [inteɣra'θjon] *f* integration

integrarse [inte'ɣrarse] ◆ **integrarse en** *v + prep* to become integrated in

íntegro, gra ['inteɣro, ɣra] *adj* **1.** (cosa) whole **2.** (persona) honourable

intelectual [intelektu'al] *mf* intellectual

inteligencia [inteli'xenθja] *f* intelligence

inteligente [inteli'xente] *adj* intelligent

intemperie [intem'perje] *f* ● **a la intemperie** in the open air

intención [inten'θjon] *f* intention ●

con la intención de with the intention of • tener la intención de to intend to

intencionado, da [inten'θjo'naðo, ða] *adj* deliberate • **bien intencionado** well-meaning • **mal intencionado** ill-intentioned

intensivo, va [inten'siβo, βa] *adj* intensive

intenso, sa [in'tenso, sa] *adj* 1. intense 2. *(luz)* bright 3. *(lluvia)* heavy

intentar [inten'tar] *vt* to try • **intentar hacer algo** to try to do sthg

intento [in'tento] *m* 1. *(propósito)* intention 2. *(tentativa)* try

intercalar [interka'lar] *vt* to insert

intercambio [inter'kambjo] *m* exchange

interceder [interθe'ðer] • **interceder por** *v + prep* to intercede on behalf of

interceptar [interθep'tar] *vt* to intercept

interés [inte'res] *m* 1. interest 2. *(provecho)* self-interest • **intereses** *mpl* 1. *(dinero)* interest *sg* 2. *(fortuna, aspiraciones)* interests

interesado, da [intere'saðo, ða] *adj* 1. *(que tiene interés)* interested 2. *(egoísta)* self-interested

interesante [intere'sante] *adj* interesting

interesar [intere'sar] *vi* to be of interest • **¿te interesa la música?** are you interested in music? • **interesarse en** *v + prep* to be interested in • **interesarse por** *v + prep* to take an interest in

interferencia [interfe'renθja] *f* interference

interina [inte'rina] *f* *(criada)* cleaning lady

interino, na [inte'rino, na] *adj* *(trabajador)* temporary

interior [inte'rjor] ◇ *adj* 1. inner 2. *(mercado, política)* domestic ◇ *m* 1. *(parte de dentro)* inside 2. *(fig) (mente)* inner self 3. *(en deporte)* inside forward • **el interior de España** inland Spain

interlocutor, ra [interloku'tor, ra] *m,f* speaker

intermediario, ria [interme'ðjarjo, rja] *m,f* middleman

intermedio, dia [inter'meðjo, ðja] ◇ *adj* intermediate ◇ *m* interval

interminable [intermi'naβle] *adj* endless

intermitente [intermi'tente] *m* indicator

internacional [internaθjo'nal] *adj* international

internacionalmente [internaθjo,nal-'mente] *adv* internationally

internado [inter'naðo] *m* boarding school

Internet [inter'net] *m* Internet • **en Internet** on the Internet

interno, na [in'terno, na] ◇ *adj* internal ◇ *m,f* 1. *(en colegio)* boarder 2. *(en hospital)* intern

interponerse [interpo'nerse] *vp* to intervene

interpretación [interpreta'θjon] *f* 1. *(en teatro, cine, etc)* performance 2. *(traducción)* interpreting

interpretar [interpre'tar] *vt* 1. *(en teatro, cine, etc)* to perform 2. *(traducir)* to interpret

intérprete [in'terprete] *mf* 1. *(en teatro, cine, etc)* performer 2. *(traductor)* interpreter

interrogación [interoɣa'θion] *f* **1.** *(pregunta)* question **2.** *(signo)* question mark

interrogante [intero'ɣante] *m o f* question mark

interrogar [intero'ɣar] *vt* to question

interrogatorio [interoɣa'torjo] *m* questioning

interrumpir [interum'pir] *vt* to interrupt

interrupción [interup'θion] *f* interruption

interruptor [interup'tor] *m* switch

interurbano, na [interur'βano, na] *adj* long-distance

intervalo [inter'βalo] *m* **1.** *(tiempo)* interval **2.** *(espacio)* gap

intervención [interβen'θion] *f* *(discurso)* speech ● **intervención quirúrgica** operation

intervenir [interβe'nir] ◇ *vt* **1.** *(en medicina)* to operate on **2.** *(confiscar)* to seize ◇ *vi* *(tomar parte)* to participate

interviú [inter'βiu] *f* interview

intestino [intes'tino] *m* intestine

intimidad [intimi'ðað] *f* *(vida privada)* private life

íntimo, ma ['intimo, ma] *adj* **1.** *(cena, pensamiento, etc)* private **2.** *(amistad, relación)* close **3.** *(ambiente, restaurante)* intimate

intocable [into'kaβle] *adj* untouchable

intolerable [intole'raβle] *adj* intolerable

intolerante [intole'rante] *adj* intolerant

intoxicación [intoksika'θion] *f* poisoning ● **intoxicación alimenticia** food poisoning

intoxicarse [intoksi'karse] *vp* to be poisoned

intranet *f* intranet

intranquilo, la [intran'kilo, la] *adj* **1.** *(nervioso)* restless **2.** *(preocupado)* worried

intransigente [intransi'xente] *adj* intransigent

intransitable [intransi'taβle] *adj* impassable

intrépido, da [in'trepiðo, ða] *adj* intrepid

intriga [in'triɣa] *f* **1.** *(maquinación)* intrigue **2.** *(trama)* plot

intrigar [intri'ɣar] *vt & vi* to intrigue

introducción [introðuk'θion] *f* introduction

introducir [introðu'θir] *vt* **1.** to introduce **2.** *(meter)* to put in ▼ **introducir monedas** insert coins

introvertido, da [introβer'tiðo, ða] *adj* introverted

intruso, sa [in'truso, sa] *m,f* intruder

intuición [intui̯'θion] *f* intuition

inundación [inunda'θion] *f* flood

inundar [inun'dar] *vt* to flood

inusual [inusu'al] *adj* unusual

inútil [i'nutil] *adj* **1.** useless **2.** *(no provechoso)* unsuccessful **3.** *(inválido)* disabled

invadir [imba'ðir] *vt* **1.** *(país, territorio)* to invade **2.** *(suj: alegría, tristeza)* to overwhelm

inválido, da [im'baliðo, ða] *m,f* disabled person

invasión [imba'sjon] *f* invasion

invasor, ra [imba'sor, ra] *m,f* invader

invención [imben'θion] *f* invention

inventar [imben'tar] *vt* to invent

inventario [imben'tarjo] *m* inventory

invento [im'bento] *m* invention

invernadero [imberna'ðero] *m* greenhouse

inversión [imber'sjon] *f* 1. *(de dinero)* investment 2. *(de orden)* reversal

inverso, sa [im'berso, sa] *adj* opposite ● **a la inversa** the other way round

invertir [imber'tir] *vt* 1. *(dinero, tiempo)* to invest 2. *(orden)* to reverse

investigación [imbestiɣa'θjon] *f* 1. *(de delito, crimen)* investigation 2. *(en ciencia)* research

investigador, ra [imbestiɣa'ðor, ra] *m,f* researcher

investigar [imbesti'ɣar] *vt* 1. *(delito, crimen)* to investigate 2. *(en ciencia)* to research

invidente [imbi'ðente] *mf* blind person

invierno [im'bjerno] *m* winter ● **en invierno** in (the) winter

invisible [imbi'siβle] *adj* invisible

invitación [imbita'θjon] *f* invitation ● **es invitación de la casa** it's on the house

invitado, da [imbi'taðo, ða] *m,f* guest

invitar [imbi'tar] *vt (a fiesta, boda, etc)* to invite ● **os invito** *(a café, copa, etc)* it's my treat ● **te invito a cenar fuera** I'll take you out for dinner

involucrar [imbolu'krar] *vt* to involve ◆ **involucrarse en** *v + prep* to get involved in

invulnerable [imbulne'raβle] *adj* invulnerable

inyección [injek'θjon] *f* injection

ir ['ir] *vi* 1. *(desplazarse)* to go ● **fuimos**

andando we went on foot ● **iremos en coche** we'll go by car ● **¡vamos!** let's go! 2. *(asistir)* to go ● **nunca va a las reuniones** he never goes to meetings 3. *(extenderse)* to go ● **la carretera va hasta Valencia** the road goes as far as Valencia 4. *(funcionar)* to work ● **la televisión no va** the television's not working 5. *(desenvolverse)* to go ● **le va bien en su trabajo** things are going well (for him) in his job ● **los negocios van mal** business is bad ● **¿cómo te va?** how are you doing? 6. *(vestir)* ● **ir en o con** to wear ● **ir de azul/de uniforme** to wear blue/a uniform 7. *(tener aspecto físico)* to look like ● **tal como voy no puedo entrar** I can't go in looking like this 8. *(valer)* to be ● **¿a cuánto va el pollo?** how much is the chicken? 9. *(expresa duración gradual)* ● **ir haciendo algo** to be doing sthg ● **voy mejorando mi estilo** I'm working on improving my style 10. *(sentar)* ● **le va fatal el color negro** black doesn't suit him at all ● **le irían bien unas vacaciones** he could do with a holiday 11. *(referirse)* ● **ir por o con alguien** to go for sb 12. *(en locuciones)* ● **ni me va ni me viene** *(fam)* I'm not bothered ● **¡qué va!** you must be joking! ● **vamos, no te preocupes** come on, don't worry ● **¿vamos bien a Madrid?** is this the right way to Madrid?

◆ **ir a** *v + prep (expresa intención)* to be going to

◆ **ir de** *v + prep (película, libro)* to be about

◆ **ir por** *v + prep (buscar)* to go and fetch

● **voy por la mitad del libro** I'm halfway through the book
◆ **irse** *vp* to go ● **irse abajo** *(edificio)* to fall down; *(negocio)* to collapse; *(proyecto)* to fall through

ira [ˈira] *f* fury, rage

Irak [iˈrak] *m* ● **(el) Irak** Iraq

Irán [iˈran] *m* ● **(el) Irán** Iran

Irlanda [irˈlanda] *s* Ireland ● **Irlanda del Norte** Northern Ireland

irlandés, esa [irlanˈdes, esa] ◇ *adj* Irish ◇ *m,f* Irishman *(f* Irishwoman*)* ● **los irlandeses** the Irish

ironía [iroˈnia] *f* irony

irónico, ca [iˈroniko, ka] *adj* ironic

IRPF [i‿erepeˈefe] *m* *(abr de* Impuesto sobre la Renta de las Personas Físicas*)* Spanish income tax

irracional [iraθjoˈnal] *adj* irrational

irrecuperable [irekupeˈraβle] *adj* irretrievable

irregular [ireɣuˈlar] *adj* **1.** irregular **2.** *(objeto, superficie)* uneven

irregularidad [ireɣulariˈðað] *f* **1.** irregularity **2.** *(de superficie, contorno)* unevenness

irresistible [iresisˈtiβle] *adj* **1.** *(inaguantable)* unbearable **2.** *(apetecible)* irresistible

irresponsable [iresponˈsaβle] *adj* irresponsible

irreversible [ireβerˈsiβle] *adj* irreversible

irrigar [iriˈɣar] *vt* to irrigate

irritable [iriˈtaβle] *adj* **1.** *(persona)* irritable **2.** *(piel, ojos)* itchy

irritación [iritaˈθjon] *f* irritation

irritante [iriˈtante] *adj* irritating

irritar [iriˈtar] *vt* to irritate ◆ **irritarse** *vp* to get irritated

isla [ˈizla] *f* island

islam [izˈlam] *m* Islam

islandés, esa [izlanˈdes, esa] ◇ *adj* Icelandic ◇ *m,f* Icelander

Islandia [izˈlandja] *s* Iceland

islote [izˈlote] *m* islet

Israel [izraˈel] *s* Israel

istmo [ˈizðmo] *m* isthmus

Italia [iˈtalja] *s* Italy

italiano, na [itaˈljano, na] *adj, m & f* Italian

itinerario [itineˈrarjo] *m* itinerary

IVA [ˈiβa] *m* **1.** *(abr de* impuesto sobre el valor añadido*)* VAT *(Value Added Tax)* **2.** *(Amér) (abr de* impuesto sobre el valor agregado*)* VAT *(Value Added Tax)*

izda *(abr de* izquierda*)* left

izquierda [iθˈkjerða] *f* ● **la izquierda** *(lado izquierdo)* the left; *(mano izquierda)* one's left hand ● **a la izquierda** on the left ● **girar a la izquierda** to turn left ● **ser de izquierdas** to be left-wing

izquierdo, da [iθˈkjerðo, ða] *adj* left

J

jabalí [xaβaˈli] *m* wild boar

jabalina [xaβaˈlina] *f* javelin

jabón [xaˈβon] *m* soap

jabonera [xaβoˈnera] *f* soap dish

jacuzzi ® [ʤaˈkusi] *m* Jacuzzi ®

jade [ˈxaðe] *m* jade

jaguar [xa'ɣuar] *m* jaguar

jalar [xa'lar] *vt* (Andes, CAm, Carib & Méx) (tirar hacia sí) to pull

jalea [xa'lea] *f* jelly ● **jalea real** royal jelly

jaleo [xa'leo] *m* **1.** (barullo) row (UK), racket **2.** (lío) mess

Jamaica [xa'maika] *s* Jamaica

jamás [xa'mas] *adv* never ● **lo mejor que he visto jamás** the best I've ever seen ● **nunca jamás** never ever

jamón [xa'mon] *m* ham ● **jamón de bellota** cured ham from pigs fed on acorns ● **jamón de Jabugo** type of top-quality cured ham from Jabugo ● **jamón serrano** cured ham, Parma ham ● **jamón (de) York** boiled ham

Japón [xa'pon] *m* ● (el) Japón Japan

japonés, esa [xapo'nes, esa] *adj, m & f* Japanese

jarabe [xa'raβe] *m* syrup ● **jarabe para la tos** cough mixture (UK) o syrup (US)

jardín [xar'ðin] *m* garden ● **jardín botánico** botanical gardens *pl* ● **jardín de infancia** nursery school ● **jardín público** park

jardinera [xarði'nera] *f* (recipiente) plant pot holder (UK), cachepot (US) ➤ **jardinero**

jardinero, ra [xarði'nero, ra] *m,f* gardener ● **a la jardinera** garnished with vegetables

jarra [xara] *f* jug (UK), pitcher (US) ● **en jarras** (posición) hands on hips

jarro [xaro] *m* jug (UK), pitcher (US)

jarrón [xa'ron] *m* vase

jaula [xaula] *f* cage

jazmín [xaθ'min] *m* jasmine

jazz ['jas] *m* jazz

jefatura [xefa'tura] *f* **1.** (lugar) headquarters *pl* **2.** (cargo) leadership ● **jefatura de policía** police headquarters

jefe, fa ['xefe, fa] *m,f* **1.** (de trabajador) boss **2.** (de empresa) manager **3.** (de partido, asociación) leader **4.** (de departamento) head ● **jefe de gobierno** head of state

jerez [xe'reθ] *m* sherry

jerga ['xerɣa] *f* **1.** (argot) slang **2.** (lenguaje difícil) jargon

jeringuilla [xerin'giʎa] *f* syringe

jeroglífico [xero'ɣlifiko] *m* **1.** (escritura) hieroglyphic **2.** (pasatiempo) rebus

jersey [xer'sei] *m* sweater ● **jersey de cuello alto** polo neck (UK), turtle neck (US)

Jesucristo [xesu'kristo] *s* Jesus Christ

jesús [xe'sus] *interj* **1.** (después de estornudo) bless you! **2.** (de asombro) good heavens!

jinete [xi'nete] *m* rider

jirafa [xi'rafa] *f* giraffe

jirón [xi'ron] *m (Perú)* avenue

jitomate [xito'mate] *m (CAm & Méx)* tomato

joder [xo'ðer] ◇ *vt (vulg) (fastidiar)* to fuck up ◇ *vi (vulg) (copular)* to fuck ◇ *interj (vulg)* fucking hell!

Jordania [xor'ðanja] *s* Jordan

jornada [xor'naða] *f* **1.** *(de trabajo)* working day **2.** *(de viaje, trayecto)* day's journey

jornal [xor'nal] *m* day's wage

jornalero, ra [xorna'lero, ra] *m,f* day labourer

jota ['xota] *f (baile) popular dance of Aragon and Galicia*

joven ['xoßen] ◇ *adj* young ◇ *mf* young man *(f young woman)* ● **jóvenes** *mpl (juventud)* ● **los jóvenes** young people

joya ['xoja] *f* **1.** jewel **2.** *(fig) (persona)* gem

joyería [xoje'ria] *f* jeweller's (shop)

joyero, ra [xo'jero, ra] ◇ *m,f* jeweller ◇ *m* jewellery box

joystick ['jojstik] *m* joystick

jubilación [xuβila'θjon] *f* **1.** *(retiro)* retirement **2.** *(pensión)* pension

jubilado, da [xuβi'laðo, ða] *m,f* pensioner *(UK)*, retiree *(US)*

jubilarse [xuβi'larse] *vp* to retire

judaísmo [xuða'izmo] *m* Judaism

judía [xu'ðia] *f* bean ● **judía tierna** young, stringless bean ● **judías blancas** haricot beans *(UK)*, navy beans *(US)* ● **judías pintas** kidney beans ● **judías verdes** green beans ➤ **judío**

judío, a [xu'ðio, a] ◇ *adj* Jewish ◇ *m,f* Jew

judo ['xuðo] *m* judo

juego ['xueɣo] *m* **1.** *(entretenimiento, en tenis)* game **2.** *(acción)* play **3.** *(con dinero)* gambling **4.** *(conjunto de objetos)* set ● **hacer juego (con algo)** to match (sthg) ● **juego de azar** game of chance ● **juego de manos** (conjuring) trick ● **juegos de sociedad** parlour games ● **juegos olímpicos** Olympic Games

juerga ['xuerɣa] *f* party ● **irse de juerga** to go out on the town

jueves ['xueßes] *m inv* Thursday ● **Jueves Santo** Maundy Thursday ➤ **sábado**

juez ['xueθ, θes] *(pl -ces) mf* judge ● **juez de línea** *(en fútbol)* linesman

jugador, ra [xuɣa'ðor, ra] *m,f* **1.** *(participante)* player **2.** *(de dinero)* gambler

jugar [xu'ɣar] ◇ *vi* **1.** *(entretenerse)* to play **2.** *(con dinero)* to gamble ◇ *vt* to play ● **jugar a** *v + prep (fútbol, parchís, etc)* to play ● **jugar con** *v + prep (no tomar en serio)* to play with ● **jugarse** *vp* **1.** *(arriesgar)* to risk **2.** *(apostar)* to bet

jugo ['xuɣo] *m* **1.** *(líquido)* juice **2.** *(interés)* substance

jugoso, sa [xu'ɣoso, sa] *adj* juicy

juguete [xu'ɣete] *m* toy

juguetería [xuɣete'ria] *f* toy shop

juguetón, ona [xuɣe'ton, ona] *adj* playful

juicio ['xuiθjo] *m* **1.** *(sensatez)* judgment **2.** *(cordura)* sanity **3.** *(ante juez, tribunal)* trial **4.** *(opinión)* opinion ● **a mi juicio** in my opinion

julio ['xuljo] *m* July ➤ **setiembre**

junco ['xunko] *m* reed

jungla ['xungla] *f* jungle

la

junio ['xunjo] *m* June ➤ **setiembre**

junta ['xunta] *f* 1. committee 2. *(sesión)* meeting

juntar [xun'tar] *vt* 1. *(dos cosas)* to put together 2. *(personas)* to bring together 3. *(fondos, provisiones)* to get together ◆ **todo junto** all together

juntarse *vp* 1. *(ríos, caminos)* to meet 2. *(personas)* to get together 3. *(pareja)* to live together

junto, ta ['xunto, ta] ◇ *adj (unido)* together ◇ *adv* at the same time ◆ **junto a** *(al lado de)* next to; *(cerca de)* near ◆ **todo junto** all together

jurado [xu'raðo] *m* 1. *(de juicio)* jury 2. *(de concurso, oposición)* panel of judges

jurar [xu'rar] *vt & vi* to swear

jurídico, ca [xu'riðiko, ka] *adj* legal

justicia [xus'tiθja] *f* 1. justice 2. *(organismo)* law

justificación [xustifika'θjon] *f* justification

justificar [xustifi'kar] *vt* 1. to justify 2. *(persona)* to make excuses for 3. *(demostrar)* to prove ◆ **justificarse** *vp (excusarse)* to excuse o.s.

justo, ta ['xusto, ta] ◇ *adj* 1. *(equitativo)* fair 2. *(exacto)* exact 3. *(adecuado)* right 4. *(apretado)* tight ◇ *adv* just ◆ **justo en medio** right in the middle

juvenil [xuβe'nil] *adj (persona)* youthful

juventud [xuβen'tuð] *f* 1. *(etapa de la vida)* youth 2. *(jóvenes)* young people *pl*

juzgado [xuθ'ɣaðo] *m* 1. court 2. *(territorio)* jurisdiction

juzgar [xuθ'ɣar] *vt* 1. *(procesar)* to try 2. *(considerar, opinar)* to judge

kK

karaoke [kara'oke] *m* 1. *(juego)* karaoke 2. *(lugar)* karaoke bar

kárate ['karate] *m* karate

Kb *(abr escrita de kilobyte)* *m* Kb, KB *(kilobyte)*

kg *(abr de kilogramo)* kg *(kilogram)*

kilo ['kilo] *m (fam)* kilo ● **un cuarto de kilo de ...** a quarter of a kilo of ...

kilobyte [kilo'βait] *m* kilobyte

kilogramo [kilo'ɣramo] *m* kilogram

kilómetro [ki'lometro] *m* kilometre ● **kilómetros por hora** kilometres per hour

kimono [ki'mono] *m* kimono

kiwi ['kiwi] *m* kiwi fruit

kleenex ® ['klineks] *m inv* tissue

km *(abr de kilómetro)* km *(kilometre)*

KO ['kao] *m (abr de knock-out)* KO *(knock-out)*

lL

l *(abr de litro)* l *(litre)*

la [la] ➤ **el, lo**

laberinto [laβe'rinto] *m* labyrinth

labio ['laβjo] *m* lip

labor [la'βor] *f* 1. *(trabajo)* work 2. *(tarea)* task 3. *(en agricultura)* farmwork 4. *(de costura)* needlework

laborable [laβo'raβle] ◇ *adj (día)* working ◇ *m* ▼ **sólo laborables** working days only

laboral [laβo'ral] *adj* labour *(antes de s)*

laboratorio [laβora'torjo] *m* laboratory ● **laboratorio fotográfico** developer's (shop)

laborioso, sa [laβo'rjoso, sa] *adj* 1. *(trabajador)* hard-working 2. *(complicado, difícil)* laborious

labrador, ra [laβra'ðor, ra] *m,f (agricultor)* farmer

labrar [la'βrar] *vt* 1. *(tierra)* to farm 2. *(madera, piedra, etc)* to carve

laca ['laka] *f* 1. *(de cabello)* hairspray 2. *(barniz)* lacquer

lacio, cia ['laθjo, θja] *adj (cabello)* straight

lacón [la'kon] *m* shoulder of pork ● **lacón con grelos** *Galician dish of shoulder of pork with turnip tops*

lácteo, a ['lakteo, a] *adj* 1. *(de leche)* milk *(antes de s)* 2. *(producto)* dairy *(antes de s)*

ladera [la'ðera] *f* 1. *(de cerro)* slope 2. *(de montaña)* mountainside

lado ['laðo] *m* 1. side 2. *(sitio)* place ● **al lado** *(cerca)* nearby ● **al lado de** beside ● **al otro lado de** on the other side of ● **de lado** to one side ● **en otro lado** somewhere else ● **la casa de al lado** the house next door

ladrar [la'ðrar] *vi* to bark

ladrido [la'ðriðo] *m* bark

ladrillo [la'ðriʎo] *m* brick

ladrón, ona [la'ðron, ona] ◇ *m,f* 1. *(de coches)* thief 2. *(de casas)* burglar 3. *(de bancos)* robber ◇ *m (enchufe)* adapter

lagartija [layar'tixa] *f (small) lizard*

lagarto [la'yarto] *m* lizard

lago ['layo] *m* lake

lágrima ['layrima] *f* tear

laguna [la'yuna] *f* 1. *(de agua)* lagoon 2. *(de ley)* loophole 3. *(de memoria)* gap

lamentable [lamen'taβle] *adj* pitiful

lamentar [lamen'tar] *vt* to be sorry about ● **lamentarse** *vp* ● **lamentarse (de)** to complain (about)

lamer [la'mer] *vt* to lick

lámina ['lamina] *f* 1. *(de papel, metal, etc)* sheet 2. *(estampa)* plate

lámpara ['lampara] *f* lamp

lampista [lam'pista] *m* plumber

lana ['lana] *f* 1. wool 2. *(Amér) (fam) (dinero)* dough

lancha ['lantʃa] *f* boat ● **lancha motora** motorboat

langosta [lan'gosta] *f* 1. *(crustáceo)* lobster 2. *(insecto)* locust

langostino [langos'tino] *m* king prawn ● **langostinos al ajillo** *king prawns cooked in an earthenware dish in garlic and chilli sauce* ● **langostinos a la plancha** grilled king prawns

lanza ['lanθa] *f (arma)* spear

lanzar [lan'θar] *vt* 1. *(pelota, dardo, etc)* to throw 2. *(producto, novedad)* to launch ● **lanzarse** *vp* 1. *(al mar, piscina, etc)* to dive 2. *(precipitarse)* to rush into it

lapa ['lapa] *f* limpet

lapicera [lapi'θera] *f (CSur)* pen

lapicero [lapi'θero] *m* 1. *(lápiz)* pencil 2.

(CAm & Perú) (de tinta) pen

lápida ['lapiða] f memorial stone

lápiz ['lapiθ, θes] (pl **-ces**) m pencil ● **lápiz de labios** lipstick ● **lápiz de ojos** eyeliner

largavistas [larɣa'βistas] m inv (CSur) binoculars

largo, ga ['larɣo, ɣa] ◇ adj long ◇ m length ● **tiene 15 metros de largo** it's 15 metres long ● **a la larga** in the long run ● **a lo largo de** (playa, carretera, etc) along; (en el transcurso de) throughout ● **de largo recorrido** long-distance

largometraje [larɣome'traxe] m feature film

laringe [la'rinxe] f larynx

lástima ['lastima] f 1. (compasión) pity 2. (disgusto, pena) shame ● **¡qué lástima!** what a pity!

lata ['lata] f 1. (envase, lámina) tin (UK), can 2. (de bebidas) can ● **ser una lata** (fam) to be a pain

latido [la'tiðo] m beat

látigo ['latiɣo] m whip

latín [la'tin] m Latin

Latinoamérica [latinoa'merika] s Latin America

latinoamericano, na [la,tinoameri'kano, na] adj & m,f Latin American

latir [la'tir] vi to beat

laurel [lau'rel] m 1. (hoja) bay leaf 2. (árbol) laurel

lava ['laβa] f lava

lavabo [la'βaβo] m 1. (cuarto de baño) toilet (UK), bathroom (US) 2. (pila) washbasin (UK), sink (US)

lavadero [laβa'ðero] m (de coches) car-wash

lavado [la'βaðo] m wash ● **lavado automático** automatic wash

lavadora [laβa'ðora] f washing machine

lavanda [la'βanda] f lavender

lavandería [laβande'ria] f 1. (establecimiento) launderette (UK), laundromat (US) 2. (de hotel, residencia) laundry

lavaplatos [laβa'platos] ◇ m inv (máquina) dishwasher ◇ mf inv (persona) dishwasher

lavar [la'βar] vt 1. to wash 2. ● **lavar la ropa** to do the washing o laundry (US) 3. ● **lavar los platos** to do the dishes o washing-up ● **lavarse** vp to wash ● **lavarse las manos** to wash one's hands ● **lavarse los dientes** to brush one's teeth

lavavajillas [,laβaβa'xiʎas] m inv 1. (máquina) dishwasher 2. (detergente) washing-up liquid (UK), dish-washing detergent (US)

laxante [lak'sante] m laxative

lazo ['laθo] m 1. (nudo) bow 2. (para animales) lasso 3. (vínculo) tie, link

le [le] pron 1. (a él) him 2. (a ella) her 3. (a usted) you

leal [le'al] adj loyal

lealtad [leal'tað] f loyalty

lección [lek'θjon] f lesson

lechal [le'tʃal] adj ● **cordero lechal** baby lamb

leche ['letʃe] ◇ f 1. milk 2. (vulg) (golpe) whack ◇ interj shit! ● **leche condensada** condensed milk ● **leche desnatada** o **descremada** skimmed milk ● **leche semidesnatada** semiskimmed milk (UK), low-fat milk (US) ● **leche entera**

full-cream milk (*UK*), whole milk ● **leche frita** *sweet made from fried milk, cornflour and lemon rind* ● **leche limpiadora** cleansing milk (*UK*), cleansing cream (*US*)

lechera [le'tʃera] *f* (*jarra*) milk jug ➤ **lechero**

lechería [letʃe'ria] *f* dairy

lechero, ra [le'tʃero, ra] *m,f* milkman (*f* milkwoman)

lecho ['letʃo] *m* bed

lechuga [le'tʃuɣa] *f* lettuce

lechuza [le'tʃuθa] *f* owl

lector, ra [lek'tor, ra] ◇ *m,f* **1.** (*persona*) reader **2.** (*profesor*) language assistant ◇ *m* (*aparato*) reader ● **lector de DVD** DVD player

lectura [lek'tura] *f* reading

leer [le'er] *vt* & *vi* to read

legal [le'ɣal] *adj* legal

legalidad [leɣali'ðað] *f* **1.** (*cualidad*) legality **2.** (*conjunto de leyes*) law

legible [le'xiβle] *adj* legible

legislación [lexisla'θjon] *f* legislation

legislatura [lexisla'tura] *f* term (of office)

legítimo, ma [le'xitimo, ma] *adj* **1.** (*legal*) legitimate **2.** (*auténtico*) genuine

legumbre [le'ɣumbre] *f* pulse, legume

lejano, na [le'xano, na] *adj* distant

lejía [le'xia] *f* bleach

lejos ['lexos] *adv* **1.** (*en el espacio*) far (away) **2.** (*en el pasado*) long ago **3.** (*en el futuro*) far away ● **lejos de** far from ● **a lo lejos** in the distance

lencería [lenθe'ria] *f* **1.** (*ropa interior*) lingerie **2.** (*tienda*) draper's (shop) (*UK*), dry goods store (*US*)

lengua ['lengwa] *f* **1.** (*órgano*) tongue **2.** (*idioma*) language ● **lengua de gato** ≃ chocolate finger (biscuit) ● **lengua materna** mother tongue ● **lengua oficial** official language

lenguas amerindias

Although Spanish is the official language of all the Spanish-speaking countries of Latin America, the indigenous communities in many rural areas continue to speak pre-Columbian languages. The most widespread include *Náhuatl* (spoken in Mexico and El Salvador), *Aymara* (Bolivia and Peru) and *Quechua* (Bolivia, Peru and Ecuador).

lenguas oficiales

Although Spanish is the official language of the whole of Spain, some autonomous communities have a second official language (Catalan in Catalonia, the Balearics and Valencia, Galician in Galicia, and Basque in the Basque Country). These are often the language of choice for inhabitants of these regions and are also used in official settings. Spanish is the official language of most of Latin America.

lenguado [len'gwaðo] *m* sole ● **lenguado menier** sole meunière

lenguaje [len'gwaxe] *m* language

lengüeta [len'gweta] f tongue

lentamente [ˌlenta'mente] adv slowly

lente ['lente] m o f lens ● **lentes de contacto** contact lenses ◆ **lentes** mpl (formal) (gafas) spectacles

lenteja [len'texa] f lentil ● **lentejas estofadas** lentil stew with wine

lentitud [lenti'tuð] f slowness

lento, ta ['lento, ta] ◇ adj slow ◇ adv slowly

leña ['leɲa] f firewood

leñador, ra [leɲa'ðor, ra] m,f woodcutter

leño ['leɲo] m log

Leo ['leo] m Leo

león, ona [le'on, 'ona] m,f lion (f lioness)

leopardo [leo'parðo] m 1. (animal) leopard 2. (piel) leopard skin

leotardos [leo'tarðos] mpl thick tights

lesbiana [lez'βjana] f lesbian

lesión [le'sjon] f (herida) injury

letal [le'tal] adj lethal

letra ['letra] f 1. (signo) letter 2. (de persona) handwriting 3. (de una canción) lyrics pl 4. (de una compra) bill of exchange ● **letra de cambio** bill of exchange ◆ **letras** fpl (en enseñanza) arts

letrero [le'trero] m sign

levantamiento [leβanta'mjento] m (sublevación) uprising ● **levantamiento de pesos** weightlifting

levantar [leβan'tar] vt 1. to raise 2. (caja, peso, prohibición) to lift 3. (edificio) to build ◆ **levantarse** vp 1. (de la cama) to get up 2. (ponerse de pie) to stand up 3. (sublevarse) to rise up

levante [le'βante] m 1. (este) east 2.

(viento) east wind ◆ **Levante** m the east coast of Spain between Castellón and Cartagena

léxico ['leksiko] m vocabulary

ley ['lei] f 1. law 2. (parlamentaria) act

leyenda [le'jenda] f legend

liar [li'ar] vt 1. (atar) to tie up 2. (envolver) to roll up 3. (fam) (complicar) to muddle up ◆ **liarse** vp (enredarse) to get muddled up ● **liarse a** (comenzar a) to start to

Líbano ['liβano] m ● **(el) Líbano** Lebanon

libélula [li'βelula] f dragonfly

liberal [liβe'ral] adj liberal

liberar [liβe'rar] vt to free

libertad [liβer'tað] f freedom ◆ **libertades** fpl (atrevimiento) liberties

libertador, ra [liβerta'ðor, ra] m,f liberator

Libia ['liβja] s Libya

libra ['liβra] f (moneda, unidad de peso) pound ● **libra esterlina** pound (sterling)

librar [li'βrar] ◇ vt 1. (de trabajo) to free 2. (de peligro) to save 3. (letra, orden de pago) to make out ◇ vi (tener fiesta) to be off work ◆ **librarse de** v + prep (peligro, obligación) to escape from

libre ['liβre] adj 1. free 2. (no ocupado) vacant 3. (soltero) available ● **libre de** free from ● **libre de impuestos** tax-free ▼ **libre** (taxi) for hire

librería [liβre'ria] f 1. (establecimiento) bookshop 2. (mueble) bookcase

librero [li'βrero] m (Chile & Méx) bookshelf

libreta [li'βreta] f 1. (cuaderno) notebook 2. *(de ahorros)* savings book

libro [ˈliβɾo] *m* book ● libro de bolsillo paperback ● libro de cheques cheque book ● libro de reclamaciones complaints book ● libro de texto text-book

licencia [liˈθenθi̯a] *f* licence ● licencia de conducir o manejar *(Amér)* driving licence *(UK)*, driver's license *(US)*

licenciado, da [liθenˈθi̯aðo, ða] *m,f* graduate

licenciarse [liθenˈθi̯arse] *vp* 1. *(en universidad)* to graduate 2. *(de servicio militar)* to be discharged

licenciatura [liθenθi̯aˈtura] *f* degree

liceo [liˈθeo] *m* (CSur & Ven) secondary school *(UK)*, high school *(US)*

licor [liˈkor] *m* liquor

licorería [likoreˈria] *f (tienda)* ≃ off-licence *(UK)*, ≃ liquor store *(US)*

licuadora [liku̯aˈðora] *f* liquidizer *(UK)*, blender *(US)*

líder [ˈliðer] *mf* leader

lidia [ˈliði̯a] *f (corrida)* bullfight ● la lidia bullfighting

liebre [ˈli̯eβre] *f* hare

lienzo [ˈli̯enθo] *m* 1. *(tela)* canvas 2. *(pintura)* painting

liga [ˈliɣa] *f* 1. league 2. *(para medias)* suspender *(UK)*, garter *(US)*

ligar [liˈɣar] ◇ *vt* 1. *(atar)* to tie 2. *(relacionar)* to link ◇ *vi* ● ligar con *(fam)* to get off with *(UK)*, to hook up with *(US)*

ligeramente [li̯xeraˈmente] *adv (poco)* slightly

ligero, ra [liˈxero, ra] *adj* 1. light 2. *(rápido)* quick 3. *(ágil)* agile 4. *(leve)*

slight 5. *(vestido, tela)* thin ● a la ligera lightly

light [ˈlai̯t] *adj inv* 1. *(comida)* low-calorie, light 2. *(bebida)* diet *(antes de s)* 3. *(cigarrillo)* light

ligue [ˈliɣe] *m (fam) (relación)* fling ● ir de ligue to go out on the pull *(UK)*, to go out on the make *(US)*

liguero [liˈɣero] *m* suspender belt *(UK)*, garter belt *(US)*

lija [ˈlixa] *f (papel)* sandpaper

lijar [liˈxar] *vt* to sandpaper

lila [ˈlila] *adj inv & f* lilac

lima [ˈlima] *f* 1. *(herramienta)* file 2. *(fruto)* lime ● lima para uñas nail file

límite [ˈlimite] *m* 1. limit 2. *(línea de separación)* boundary ● límite de velocidad speed limit

limón [liˈmon] *m* lemon

limonada [limoˈnaða] *f* lemonade

limonero [limoˈnero] *m* lemon tree

limosna [liˈmozna] *f* alms *pl* ● dar limosna to give money ● pedir limosna to beg

limpiabotas [limpi̯aˈβotas] *m inv* shoe-shine *(UK)*, boot black *(US)*

limpiacristales [ˌlimpi̯akrisˈtales] ◇ *m inv (detergente)* window-cleaning fluid ◇ *mf inv (persona)* window cleaner

limpiador, ra [limpi̯aˈðor, ra] *m,f* cleaner

limpiaparabrisas [ˌlimpi̯aparaˈβrisas] ◇ *m inv (de automóvil)* windscreen wiper *(UK)*, windshield wiper *(US)* ◇ *mf inv (persona)* windscreen cleaner *(UK)*, windshield cleaner *(US)*

limpiar [limˈpi̯ar] *vt* 1. *(quitar suciedad)* to clean 2. *(zapatos)* to polish 3. *(con trapo)* to wipe **4.** *(mancha)* to wipe away **5.** *(fam) (robar)* to pinch ● **limpiar la casa** to do the housework

limpieza [lim'pieθa] *f* **1.** *(cualidad)* cleanliness **2.** *(acción)* cleaning **3.** *(destreza)* skill **4.** *(honradez)* honesty ● **hacer la limpieza** to do the cleaning

limpio, pia ['limpio, pia] *adj* **1.** *(sin suciedad)* clean **2.** *(pulcro)* neat **3.** *(puro)* pure **4.** *(correcto)* honest **5.** *(dinero)* net ● **en limpio** *(escrito)* fair

linaje [li'naxe] *m* lineage

lince ['linθe] *m* lynx

lindo, da ['lindo, da] *adj* **1.** pretty **2.** *(Amér) (agradable)* lovely **3.** ● **de lo lindo** a great deal

línea ['linea] *f* **1.** line **2.** *(pauta)* course **3.** *(aspecto)* shape **4.** *(avión)* **línea aérea** airline ● **línea telefónica** (telephone) line

lingote [lin'gote] *m* ingot ● **lingote de oro** gold ingot

lingüística [lin'gu̯istika] *f* linguistics *sg*

lingüístico, ca [lin'gu̯istiko, ka] *adj* linguistic

lino ['lino] *m* **1.** *(tejido)* linen **2.** *(planta)* flax

linterna [lin'terna] *f* *(utensilio)* torch (*UK*), flashlight (*US*)

lío ['lio] *m* **1.** *(paquete)* bundle **2.** *(fam) (desorden, embrollo)* mess **3.** *(fam) (relación amorosa)* affair ● **hacerse un lío** to get muddled up

liquidación [likiða'θion] *f* **1.** *(de cuenta)* settlement **2.** *(de mercancías, género)* clearance sale ▼ **liquidación total** closing down sale

liquidar [liki'ðar] *vt* **1.** *(cuenta)* to settle **2.** *(mercancías, existencias)* to sell off **3.**

(fam) (matar) to bump off

líquido ['likiðo] *m* liquid

lira ['lira] *f* *(instrumento)* lyre

lirio ['lirio] *m* iris

liso, sa ['liso, sa] ◇ *adj* **1.** *(llano)* flat **2.** *(sin asperezas)* smooth **3.** *(vestido, color)* plain **4.** *(pelo)* straight ◇ *m,f* *(Amér)* rude person

lista ['lista] *f* **1.** *(enumeración)* list **2.** *(de tela)* strip ● **lista de boda** wedding list ● **lista de correos** poste restante ● **lista de espera** waiting list ● **lista de precios** price list ● **lista de vinos** wine list

listín [lis'tin] *m* directory ● **listín telefónico** telephone directory

listo, ta ['listo, ta] ◇ *adj* **1.** *(inteligente, astuto)* clever **2.** *(preparado)* ready ◇ *interj* I'm/we're/it's ready!

listón [lis'ton] *m* **1.** *(de madera)* lath **2.** *(en deporte)* bar

lisura [li'sura] *f* *(Amér)* swearword

litera [li'tera] *f* **1.** *(de tren)* couchette **2.** *(de barco)* berth **3.** *(mueble)* bunk (bed)

literal [lite'ral] *adj* literal

literario, ria [lite'rario, ria] *adj* literary

literatura [litera'tura] *f* literature

litro ['litro] *m* litre

llaga ['ʎaɣa] *f* wound

llama ['ʎama] *f* **1.** *(de fuego)* flame **2.** *(animal)* llama

llamada [ʎa'maða] *f* call ● **hacer una llamada a cobro revertido** to reverse the charges (*UK*), to call collect (*US*) ● **llamada en espera** call waiting ● **llamada interprovincial** national call ● **llamada interurbana** long-distance call ● **llamada local** local call ● **llamada**

metropolitana local call • **llamada provincial** ≃ local area call (UK), ≃ regional toll call (US) • **llamada telefónica** telephone call

llamada telefónica

Al responder al teléfono, lo normal es decir *hello*. Algunas personas dicen también su número de teléfono: *Hello. 842157*. En un ambiente de trabajo, lo normal es decir *hello* y el nombre de la persona que ha respondido la llamada. Si la persona que llama dice *can I speak to...?* y esa persona eres tú, respondes diciendo *speaking* en inglés británico y *this is she/he* en inglés americano. La persona que ha recibido la llamada dice *thanks for calling*. Para terminar una llamada de una forma más informal se puede decir *speak to you soon*, y cuando hablas con amigos o familiares, *lots of love*.

llamar [ʎa'mar] ◇ *vt* to call ◇ *vi* **1.** *(a la puerta)* to knock **2.** *(al timbre)* to ring • **llamar por teléfono** to phone • **llamarse** *vp* to be called • ¿cómo te llamas? what's your name?

llano, na ['ʎano, na] ◇ *adj* **1.** *(superficie, terreno)* flat **2.** *(amable)* straightforward ◇ *m* plain

llanta ['ʎanta] *f* **1.** *(de rueda)* rim **2.** *(Amér)* *(rueda de coche, camión)* wheel, tyre

llanura [ʎa'nura] *f* plain

llave ['ʎaβe] *f* **1.** key **2.** *(para tuercas)* spanner *(UK)*, wrench *(US)* **3.** *(signo ortográfico)* curly bracket • **echar la llave** to lock up • **llave de contacto** ignition key • **llave inglesa** monkey wrench • **llave maestra** master key • **llave de paso** mains tap

llegada [ʎe'ɣaða] *f* **1.** *(de viaje, trayecto, etc)* arrival **2.** *(en deporte)* finish • **llegadas** *fpl* *(de tren, avión, etc)* arrivals ▼ **llegadas internacionales** international arrivals

llegar [ʎe'ɣar] *vi* **1.** *(a un lugar)* to arrive **2.** *(fecha, momento)* to come **3.** *(ser suficiente)* to be enough • **llegar a o hasta** *(extenderse)* to reach • **no llegué a verla** I didn't manage to see her • **llegar a** *v + prep* **1.** *(presidente, director)* to become **2.** *(edad, altura, temperatura)* to reach • **llegar a conocer** to get to know • **llegar a ser** to become

llenar [ʎe'nar] *vt* **1.** *(recipiente, espacio)* to fill **2.** *(impreso)* to fill out • **llenarse** *vp* **1.** *(lugar)* to fill up **2.** *(hartarse)* to be full • **llenarse de** *v + prep* *(cubrirse)* to get covered with

lleno, na ['ʎeno, na] ◇ *adj* **1.** *(ocupado)* full **2.** *(espectáculo, cine)* sold out ◇ *m* *(en espectáculo)* full house • **de lleno** *(totalmente)* completely

llevar [ʎe'βar] ◇ *vt* **1.** *(transportar)* to carry • **el barco lleva carga y pasajeros** the boat carries cargo and passengers **2.** *(acompañar)* to take • **llevó al niño a casa** she took the child home • **me llevaron en coche** they drove me there **3.** *(prenda, objeto personal)* to wear • **lleva gafas** he wears glasses • **no llevamos diner**

we don't have any money on us **4.** (*coche, caballo*) to handle **5.** (*conducir*) **llevar a alguien a** to lead sb to **6.** (*ocuparse, dirigir*) to be in charge of ● **lleva muy bien sus estudios** he's doing very well in his studies **7.** (*tener*) to have ● **llevar el pelo largo** to have long hair ● **llevas las manos sucias** your hands are dirty **8.** (*soportar*) to deal with **9.** (*con tiempo*) ● **lleva tres semanas de viaje** he's been travelling for three weeks ● **me llevó mucho tiempo hacer el trabajo** I took a long time to get the work done **10.** (*sobrepasar*) ● **te llevo seis puntos** I'm six points ahead of you ● **te lleva seis años** she's six years older than him ◇ *vi* **1.** (*dirigirse*) to lead ● **este camino lleva a Madrid** this road leads to Madrid **2.** (*haber*) ● **llevo leída media novela** I'm halfway through the novel **3.** (*estar*) ● **lleva viniendo cada día** she's been coming every day
◆ **llevarse** *vp* (*coger*) to take; (*conseguir, recibir*) to get; (*estar de moda*) to be in (fashion) ● **llevarse bien/mal (con)** to get on well/badly (with)

llorar [ʎo'rar] ◇ *vi* to cry ◇ *vt* to mourn

llorón, ona [ʎo'ron, ona] *m,f* crybaby

llover [ʎo'ßer] ◇ *vi* ● **está lloviendo** it's raining ◇ *vi* (*ser abundante*) to rain down ● **llover a cántaros** to rain cats and dogs

llovizna [ʎo'ßiθna] *f* drizzle

lloviznar [ʎoßiθ'nar] *vi* ● **está lloviznando** it's drizzling

lluvia ['ʎußja] *f* **1.** rain **2.** (*fig*) (*de preguntas*) barrage

lluvioso, sa [ʎu'ßjoso, sa] *adj* rainy

lo, la [lo, la] ◇ *pron* **1.** (*cosa*) it, them *pl* **2.** (*persona*) him (*f* her), them *pl* **3.** (*usted, ustedes*) you ◇ *pron neutro* It ◇ *art* ● **lo mejor** the best ● **lo bueno del asunto** the good thing about it ● **ella es guapa, él no lo es** she's good-looking, he isn't ● **siento lo de tu padre** I'm sorry about your father ● **lo que** what

lobo, ba ['loßo, ßa] *m,f* wolf

local [lo'kal] ◇ *adj* local ◇ *m* (*lugar*) premises *pl*

localidad [lokali'ðað] *f* **1.** (*población*) town **2.** (*asiento*) seat **3.** (*entrada*) ticket

localización [lokaliθa'θjon] *f* location

localizar [lokali'θar] *vt* **1.** (*encontrar*) to locate **2.** (*limitar*) to localize ◆ **localizarse** *vp* (*situarse*) to be located

loción [lo'θjon] *f* lotion ● **loción bronceadora** suntan lotion

loco, ca ['loko, ka] ◇ *adj* mad ◇ *m,f* madman (*f* madwoman) ● **loco por** (*aficionado*) mad (*UK*) o crazy (*US*) about ● **a lo loco** (*sin pensar*) madly ● **volver loco a alguien** to drive sb crazy

locomotora [lokomo'tora] *f* engine, locomotive

locura [lo'kura] *f* **1.** (*falta de juicio*) madness **2.** (*acción insensata*) folly

locutor, ra [loku'tor, ra] *m,f* presenter

locutorio [loku'torjo] *m* **1.** (*de emisora*) studio **2.** (*de convento*) visiting room

lodo ['loðo] *m* mud

lógica ['loxika] *f* logic

lógico, ca ['loxiko, ka] *adj* logical

logrado, da [lo'ɣraðo, ða] *adj* (*bien hecho*) accomplished

lograr [lo'ɣɾaɾ] vt **1.** (resultado, objetivo) to achieve **2.** (beca, puesto) to obtain ● **lograr hacer algo** to manage to do sthg ● **lograr que alguien haga algo** to manage to get sb to do sthg

logro ['loɣɾo] m achievement

lombriz [lom'bɾiθ, θes] (pl **-ces**) f earthworm

lomo ['lomo] m **1.** (de animal) back **2.** (carne) loin **3.** (de libro) spine ● **lomo de cerdo** pork loin ● **lomo embuchado** pork loin stuffed with seasoned mince ● **lomo ibérico** cold, cured pork sausage ● **lomos de merluza** hake steak sg

lona ['lona] f canvas

loncha ['lontʃa] f slice

lonche ['lontʃe] m (Amér) lunch

Londres ['londɾes] s London

longaniza [longa'niθa] f type of spicy, cold pork sausage

longitud [lonxi'tuð] f length

lonja ['lonxa] f **1.** (edificio) exchange **2.** (loncha) slice

loro ['loɾo] m parrot

lote ['lote] m porción share

lotería [lote'ɾia] f lottery ● **lotería primitiva** twice-weekly state-run lottery

lotero, ra [lo'teɾo, ɾa] m,f lottery ticket seller

loza ['loθa] f **1.** (material) earthenware **2.** (porcelana) china **3.** (vajilla) crockery

ltda. (abr de limitada) Ltd. (limited)

lubina [lu'βina] f sea bass

lubricante [luβɾi'kante] m lubricant

lucha ['lutʃa] f **1.** (pelea) fight **2.** (oposición) struggle ● **lucha libre** all-in wrestling

luchador, ra [lutʃa'ðoɾ, ɾa] m,f fighter

luchar [lu'tʃaɾ] vi **1.** (pelear) to fight **2.** (esforzarse) to struggle

luciérnaga [lu'θjeɾnaɣa] f glow-worm

lucir [lu'θiɾ] ◇ vt (llevar puesto) to wear ◇ vi **1.** to shine **2.** (Amér) (verse bien) to look good ◆ **lucirse** vp **1.** (quedar bien) to shine **2.** (exhibirse) to be seen **3.** (fam) (hacer el ridículo) to mess things up

lucro ['lukɾo] m profit

lúdico, ca ['luðiko, ka] adj ● **actividades lúdicas** fun and games

luego ['lweɣo] ◇ adv **1.** (justo después) then **2.** (más tarde) later **3.** (Amér) (pronto) soon ◇ conj so ● **desde luego** (sin duda) of course; (para reprochar) for heaven's sake ● **luego luego** (Chile & Méx) straight away

lugar [lu'ɣaɾ] m place ● **tener lugar** to take place ● **en lugar de** instead of

lujo ['luxo] m **1.** luxury **2.** (abundancia) profusion ● **de lujo** luxury (antes de s)

lujoso, sa [lu'xoso, sa] adj luxurious

lujuria [lu'xuɾja] f lust

lumbago [lum'baɣo] m lumbago

luminoso, sa [lumi'noso, sa] adj bright

luna ['luna] f **1.** (astro) moon **2.** (de vidrio) window (pane)

lunar [lu'naɾ] m (de la piel) mole ● **lunares** mpl (estampado) spots (UK), polka dots (US)

lunes ['lunes] m inv Monday ➤ **sábado**

luneta [lu'neta] f (de coche) windscreen (UK), windshield (US) ● **luneta térmica** demister (UK), defogger (US)

lupa ['lupa] f magnifying glass

lustrabotas [lustɾa'βotas] m inv (Andes & RP) bootblack

lustrador [lustra'ðor] *m* (*Andes & RP*) bootblack

luto ['luto] *m* mourning

luz ['luθ, θes] (*pl* **-ces**) *f* **1.** light **2.** (*electricidad*) electricity ◆ **luz solar** sunlight ● **dar a luz** to give birth ◆ **luces** *fpl* (*de coche*) lights

lycra ® ['likra] *f* Lycra ®

*m*M

m (*abr de metro*) *m* (*metre*)

macanudo [maka'nuðo] *adj* (*CSur & Perú*) (*fam*) great

macarrones [maka'rones] *mpl* macaroni *sg*

macedonia [maθe'ðonja] *f* ● **macedonia (de frutas)** fruit salad

maceta [ma'θeta] *f* flowerpot

machacar [matʃa'kar] *vt* to crush

machismo [ma'tʃizmo] *m* machismo

machista [ma'tʃista] *mf* male chauvinist

macho ['matʃo] ◇ *adj* **1.** (*animal, pieza*) male **2.** (*hombre*) macho ◇ *m* **1.** (*animal*) male **2.** (*de enchufe*) male plug

macizo, za [ma'θiθo, θa] ◇ *adj* solid ◇ *m* **1.** (*de montañas*) massif **2.** (*de flores*) flowerbed

macramé [makra'me] *m* macramé

macuto [ma'kuto] *m* backpack

madeja [ma'ðexa] *f* hank

madera [ma'ðera] *f* **1.** wood **2.** (*pieza*) piece of wood ● **de madera** wooden

madrastra [ma'ðrastra] *f* stepmother

madre ['maðre] *f* mother ● **madre política** mother-in-law ● **madre soltera** single mother ● **¡madre mía!** Jesus!

madreselva [maðre'selβa] *f* honeysuckle

Madrid [ma'ðrið] *s* Madrid

madriguera [maðri'ɣera] *f* **1.** (*de tejón*) den **2.** (*de conejo*) burrow

madrileño, ña [maðri'leɲo, ɲa] ◇ *adj* of/relating to Madrid ◇ *m,f* native/inhabitant of Madrid

madrina [ma'ðrina] *f* **1.** (*de bautizo*) godmother **2.** (*de boda*) bridesmaid **3.** (*de fiesta, acto*) patroness

madrugada [maðru'ɣaða] *f* **1.** (*noche*) early morning **2.** (*amanecer*) dawn

madrugador, ra [maðruɣa'ðor, ra] *adj* early-rising

madrugar [maðru'ɣar] *vi* to get up early

madurar [maðu'rar] ◇ *vt* (*proyecto, plan, idea*) to think through ◇ *vi* **1.** (*fruto*) to ripen **2.** (*persona*) to mature

madurez [maðu'reθ] *f* **1.** (*sensatez*) maturity **2.** (*edad adulta*) adulthood **3.** (*de fruto*) ripeness

maduro, ra [ma'ðuro, ra] *adj* **1.** (*fruto, grano*) ripe **2.** (*sensato, mayor*) mature **3.** (*proyecto, plan, idea*) well thought-out

maestría [maes'tria] *f* (*habilidad*) mastery

maestro, tra [ma'estro, tra] *m,f* **1.** (*de escuela*) teacher **2.** (*de arte, oficio*) master **3.** (*músico*) maestro

mafia ['mafja] *f* mafia

magdalena [maɣða'lena] *f* fairy cake

(UK), cupcake (US)

magia ['maxja] *f* magic

mágico, ca ['maxiko, ka] *adj* **1.** *(maravilloso)* magical **2.** *(de la magia)* magic

magistrado, da [maxis'tɾaðo, ða] *m,f* *(de justicia)* judge

magistratura [maxistɾa'tuɾa] *f* **1.** *(tribunal)* tribunal **2.** *(cargo)* judgeship

magnate [may'nate] *m* magnate

magnesio [may'nesjo] *m* magnesium

magnético, ca [may'netiko, ka] *adj* magnetic

magnetófono [mayne'tofono] *m* tape recorder

magnífico, ca [may'nifiko, ka] *adj* magnificent

magnitud [mayni'tuð] *f* magnitude

magnolia [may'nolja] *f* magnolia

mago, ga ['mayo, ɣa] *m,f* **1.** *(en espectáculo)* magician **2.** *(personaje fantástico)* wizard

magro, gra ['mayɾo, ɣɾa] *adj (carne)* lean

maicena [mai'θena] *f* cornflour (UK), cornstarch (US)

maillot [ma'ʎot] *m* **1.** *(de ballet, deporte)* maillot **2.** *(de ciclista)* jersey

maíz [ma'iθ] *m* maize (UK), corn (US)

majestuoso, sa [maxes'tuoso, sa] *adj* majestic

majo, ja ['maxo, xa] *adj* **1.** *(agradable)* nice **2.** *(bonito)* pretty

mal ['mal] ◇ *m* **1.** *(daño)* harm **2.** *(enfermedad)* illness ◇ *adv* **1.** *(incorrectamente)* wrong **2.** *(inadecuadamente)* badly ◇ *adj* ➤ **malo** ● **el mal evil** ● **encontrarse mal** to feel ill ● **oír/ver mal** to have poor hearing/eyesight ●

oler mal to smell bad ● **saber mal** to taste bad ● **sentar mal a alguien** *(ropa)* not to suit sb; *(comida)* to disagree with sb; *(comentario)* to upset sb ● **ir de mal en peor** to go from bad to worse

Malasia [ma'lasja] *s* Malaysia

malcriar [malkɾi'aɾ] *vt* to spoil

maldad [mal'dað] *f* **1.** *(cualidad)* evil **2.** *(acción)* evil thing

maldición [maldi'θjon] *f* curse

maldito, ta [mal'dito, ta] *adj* damned ● **¡maldita sea!** damn it!

maleable [male'aβle] *adj* malleable

malecón [male'kon] *m* **1.** *(atracadero)* jetty **2.** *(rompeolas)* breakwater **3.** *(Amér) (passeo marítimo)* seafront promenade

maleducado, da [maleðu'kaðo, ða] *adj* rude

malentendido [ˌmalenten'diðo] *m* misunderstanding

malestar [males'taɾ] *m* **1.** *(inquietud)* uneasiness **2.** *(dolor)* discomfort

maleta [ma'leta] *f* suitcase ● **hacer las maletas** to pack (one's bags)

maletero [male'teɾo] *m* boot (UK), trunk (US)

maletín [male'tin] *m* briefcase

malformación [ˌmalforma'θjon] *f* malformation

malgastar [malɣas'taɾ] *vt (dinero, esfuerzo, tiempo)* to waste

malhablado, da [mala'βlaðo, ða] *adj* foul-mouthed

malhechor, ra [male'tʒoɾ, ɾa] *adj* criminal

malhumorado, da [ˌmalumo'ɾaðo, ða] *adj* bad-tempered

malicia [ma'liθja] *f* **1.** *(maldad)* wickedness **2.** *(mala intención)* malice **3.** *(astucia)* sharpness

malintencionado, da [ˌmalɪntenθjo-'naðo, ða] *adj* malicious

malla ['maʎa] *f* **1.** *(tejido)* mesh **2.** *(traje)* leotard ◆ **mallas** *fpl (pantalones)* leggings

Mallorca [ma'ʎorka] *s* Majorca

malo, la ['malo, la] *(peor es el comparativo y el superlativo de* malo*) adj* **1.** bad **2.** *(travieso)* naughty ● **estar malo** *(enfermo)* to be ill ● **estar de malas** to be in a bad mood ● **por las malas** by force

malograr [malo'ɣrar] *vt (Amér)* to waste ◆ **malograrse** *vp (Amér)* to fail

malpensado, da [malpen'saðo, ða] *m,f* malicious person

maltratador, ra *m,f* domestic abuser

maltratar [maltra'tar] *vt* **1.** *(persona)* to ill-treat **2.** *(objeto)* to damage

mamá [ma'ma] *f (fam)* mum *(UK)*, mom *(US)* ● **mamá grande** *(Amér)* grandma

mamadera [mama'ðera] *f* **1.** *(CSur y Perú) (biberón)* (baby's) bottle **2.** *(tetilla)* teat *(UK)*, nipple *(US)*

mamar [ma'mar] *vt & vi* to suckle

mamífero [ma'mifero] *m* mammal

mamila [ma'mila] *f (Cuba, Méx & Ven)* baby bottle

mampara [mam'para] *f* screen

manada [ma'naða] *f (de vacas)* herd

mánager ['manajer] *m* manager

manantial [manan'tjal] *m* spring

mancha ['mantʃa] *f* stain

manchar [man'tʃar] *vt* **1.** *(ensuciar)* to make dirty **2.** *(con manchas)* to stain ◆

mancharse *vp* to get dirty

manco, ca ['manko, ka] *adj* one-handed

mancuerna [man'kɣerna] *f (Amér)* cufflink

mandar [man'dar] *vt* **1.** *(suj: ley, orden)* to decree **2.** *(ordenar)* to order **3.** *(dirigir)* to be in charge of **4.** *(enviar)* to send ● **mandar hacer algo** to have sthg done ● **¿mande?** *(Amér)* eh? *(UK)*, excuse me? *(US)*

mandarina [manda'rina] *f* mandarin, tangerine

mandíbula [man'diβula] *f* jaw

mando ['mando] *m* **1.** *(autoridad)* command **2.** *(jefe)* leader **3.** *(instrumento)* control ● **mando a distancia** remote control

manecilla [mane'θiʎa] *f* hand *(of clock)*

manejable [mane'xaβle] *adj* manageable

manejar [mane'xar] *vt* **1.** *(herramienta, persona)* to handle **2.** *(aparato)* to operate **3.** *(dinero)* to manage **4.** *(Amér) (conducir)* to drive

manejo [ma'nexo] *m* **1.** *(de instrumento)* handling **2.** *(de aparato)* operation **3.** *(de dinero)* management **4.** *(engaño, astucia)* intrigue

manera [ma'nera] *f* way ● **lo hizo de cualquier manera** he did it any old how ● **de cualquier manera,** no me queda dinero anyway, I don't have any money left ● **de esta manera** *(así)* this way ● **de ninguna manera** certainly not ● **de manera que** *(así que)* so (that) ◆ **maneras** *fpl (comportamiento)* manners

manga ['manga] *f* **1.** *(de vestido)* sleeve **2.** *(tubo flexible)* hosepipe (UK), hose (US) **3.** *(de campeonato)* round

mango ['mango] *m* **1.** *(asa)* handle **2.** *(fruto)* mango

manguera [man'gera] *f* hosepipe (UK), hose (US)

maní [ma'ni] *m* (Andes, CAm & RP) peanut

manía [ma'nia] *f* **1.** *(obsesión)* obsession **2.** *(afición exagerada)* craze **3.** *(antipatía)* dislike

maniático, ca [mani'atiko, ka] ◇ *adj (tiquismiquis)* fussy ◇ *m,f* ● **es un maniático del fútbol** he's football crazy

manicomio [mani'komjo] *m* mental hospital

manicura [mani'kura] *f* manicure ● **hacerse la manicura** to have a manicure

manifestación [manifesta'θjon] *f* **1.** *(de personas)* demonstration **2.** *(muestra)* display **3.** *(declaración)* expression

manifestante [manifes'tante] *mf* demonstrator

manifestar [manifes'tar] *vt* **1.** *(declarar)* to express **2.** *(mostrar)* to show ◆ **manifestarse** *vp* to demonstrate

manifiesto, ta [mani'fjesto, ta] ◇ *adj* clear ◇ *m* manifesto

manillar [mani'ʎar] *m* handlebars *pl*

maniobra [ma'njoβra] *f* **1.** *(de coche, barco, tren)* manoeuvre **2.** *(astucia)* trick

manipular [manipu'lar] *vt* **1.** *(con las manos)* to handle **2.** *(persona, información)* to manipulate

maniquí [mani'ki] ◇ *m (muñeco)* dummy ◇ *mf (persona)* model

manito [ma'nito] *m (Amér) (fam)* pal

manivela [mani'βela] *f* crank

mano ['mano] ◇ *f* **1.** hand **2.** *(capa)* coat ◇ *m (CAm & Méx)* pal ● **tuve que escribirlo a mano** I had to write it by hand ● **¿tienes una calculadora a mano?** do you have a calculator to hand? ● **a mano derecha** on the right ● **de segunda mano** second-hand ● **dar la mano a alguien** to shake hands with sb ● **echar una mano a alguien** to lend sb a hand ● **mano de obra** *(trabajadores)* workforce

manoletina [manole'tina] *f (zapato)* type of open, low-heeled shoe, often with a bow

manopla [ma'nopla] *f* mitten

manosear [manose'ar] *vt* to handle roughly

mansión [man'sjon] *f* mansion

manso, sa ['manso, sa] *adj* **1.** *(animal)* tame **2.** *(persona)* gentle

manta ['manta] *f* blanket

manteca [man'teka] *f* **1.** *(de animal)* fat **2.** *(de cerdo)* lard **3.** *(de cacao, leche)* butter

mantecado [mante'kaðo] *m* **1.** *(dulce)* shortcake **2.** *(sorbete)* ice-cream made of milk, eggs and sugar

mantel [man'tel] *m* tablecloth

mantelería [mantele'ria] *f* table linen

mantener [mante'ner] *vt* **1.** to keep **2.** *(sujetar)* to support **3.** *(defender)* to maintain **4.** *(relación, correspondencia)* to have ◆ **mantenerse** *vp* **1.** *(edificio)* to be standing **2.** *(alimentarse)* to support o.s.

mantenimiento [manteni'mjento] *m* **1.** *(de persona)* sustenance **2.** *(de edificio, coche)* maintenance

mantequería [manteke'ria] *f* dairy

mantequilla [mante'kiʎa] *f* butter

mantero, ra *m.f* (*fam*) (*vendedor callejero*) person who sells bootleg CDs displayed on a cloth on the pavement

mantilla [man'tiʎa] *f* (*de mujer*) mantilla

mantón [man'ton] *m* shawl

manual [ma'nwal] *adj & m* manual

manuscrito [manus'krito] *m* manuscript

manzana [man'θana] *f* 1. (*fruto*) apple 2. (*de casas*) block • **manzana al horno** baked apple

manzanilla [manθa'niʎa] *f* 1. (*infusión*) camomile tea 2. (*vino*) manzanilla (sherry)

manzano [man'θano] *m* apple tree

mañana [ma'nana] ◇ *f* morning ◇ *adv & m* tomorrow • **las dos de la mañana** two o'clock in the morning • **mañana por la mañana** tomorrow morning • **por la mañana** in the morning

mapa ['mapa] *m* map

maqueta [ma'keta] *f* model

maquillaje [maki'ʎaxe] *m* 1. (*producto*) make-up 2. (*acción*) making-up

maquillar [maki'ʎar] *vt* to make up • **maquillarse** *vp* to put on one's make up

máquina ['makina] *f* 1. (*aparato*) machine 2. (*locomotora*) engine 3. (*Amér*) (*coche*) car • **a máquina** by machine • **máquina de afeitar** electric razor • **máquina de coser** sewing machine • **máquina de escribir** typewriter • **máquina fotográfica** camera • **máquina tragaperras** slot machine

maquinaria [maki'narja] *f* (*conjunto de máquinas*) machinery

maquinilla [maki'niʎa] *f* razor

maquinista [maki'nista] *mf* (*de metro, tren*) engine driver (UK), engineer (US)

mar ['mar] *m o f* sea ◆ **Mar** *m* • **el Mar del Norte** the North Sea

maracas [ma'rakas] *fpl* maracas

maratón [mara'ton] *m* 1. marathon

maravilla [mara'βiʎa] *f* 1. (*cosa extraordinaria*) marvel 2. (*impresión*) wonder

maravilloso, sa [maraβi'ʎoso, sa] *adj* marvellous

marca ['marka] *f* 1. (*señal, huella*) mark 2. (*nombre*) brand 3. (*en deporte*) record • **de marca** (*ropa, producto*) designer (*antes de s*) • **marca registrada** registered trademark

marcado, da [mar'kaðo, ða] *adj* marked

marcador [marka'ðor] *m* 1. (*panel*) scoreboard 2. (*rotulador*) marker (pen)

marcapasos [marka'pasos] *m inv* pacemaker

marcar [mar'kar] *vt* 1. (*poner señal*) to mark 2. (*anotar*) to note down 3. (*un tanto*) to score 4. (*suj: termómetro, contador*) to read 5. (*suj: reloj*) to say 6. (*número de teléfono*) to dial 7. (*pelo*) to set 8. (*con el precio*) to price • **marcar un gol** to score a goal • **marcar un número** to dial a number

marcha ['martʃa] *f* 1. (*partida*) departure 2. (*de vehículo*) gear 3. (*desarrollo*) progress 4. (*fam*) (*animación*) life 5. (*pieza musical*) march • **dar marcha atrás** to reverse • **en marcha** (*motor*) running • **poner en marcha** to start

marchar [mar'tʃar] *vi* 1. (*aparato, meca-*

nismo) to work **2.** *(asunto, negocio)* to go well **3.** *(soldado)* to march ◆ **marcharse** *vp* **1.** *(irse)* to go **2.** *(partir)* to leave

marchitarse [martʃi'tarse] *vp* to wither

marchoso, sa [mar'tʃoso, sa] *adj (fam)* lively

marciano, na [mar'θjano, na] *m,f* **1.** *(de Marte)* Martian **2.** *(extraterrestre)* alien

marco ['marko] *m* **1.** frame **2.** *(límite)* framework

marea [ma'rea] *f* tide ● **marea negra** oil slick

mareado, da [mare'aðo, ða] *adj* **1.** *(con náuseas)* sick **2.** *(en coche)* carsick **3.** *(en barco)* seasick **4.** *(en avión)* airsick **5.** *(aturdido)* dizzy

marearse [mare'arse] *vp* **1.** *(en coche)* to be carsick **2.** *(en barco)* to be seasick **3.** *(en avión)* to be airsick **4.** *(aturdirse)* to get dizzy

marejada [mare'xaða] *f* heavy sea

marejadilla [marexa'ðiʎa] *f* slight swell

maremoto [mare'moto] *m* tidal wave

mareo [ma'reo] *m* **1.** *(náuseas)* sickness **2.** *(aturdimiento)* dizziness

marfil [mar'fil] *m* ivory

margarina [marɣa'rina] *f* margarine

margarita [marɣa'rita] *f* daisy

margen ['marxen] ◇ *m* **1.** *(de página, beneficio)* margin **2.** *(de camino)* side **3.** *(tiempo, de actuar)* leeway ◇ *f (de río)* bank

marginación [marxina'θjon] *f* exclusion

marginado, da [marxi'naðo, ða] *m,f* outcast

mariachi [ma'rjatʃi] *m (Méx) (orquesta)* mariachi band

Mariachi bands are now a stereotypical image of Mexico. Easily recognized by their black trousers, tight-fitting bolero jackets, and broad-brimmed *sombreros*, they play their music at festivals, in the streets and in restaurants, and are sometimes also hired to entertain at birthdays and weddings.

maricón [mari'kon] *m (vulg)* poof

marido [ma'riðo] *m* husband

marihuana [mari'wana] *f* marijuana

marina [ma'rina] *f* **1.** *(armada)* navy **2.** *(cuadro)* seascape

marinero, ra [mari'nero, ra] *adj (ropa)* sailor *(antes de s)* ● **a la marinera** *cooked in a white wine and garlic sauce*

marino [ma'rino] *m* sailor

marioneta [marjo'neta] *f (muñeco)* puppet ◆ **marionetas** *fpl (teatro)* puppet show *sg*

mariposa [mari'posa] *f* butterfly

mariquita [mari'kita] *f* ladybird *(UK),* ladybug *(US)*

mariscada [maris'kaða] *f* seafood dish

marisco [ma'risko] *m* seafood

marisma [ma'risma] *f* salt marsh

marítimo, ma [ma'ritimo, ma] *adj* **1.** *(paseo)* seaside *(antes de s)* **2.** *(barco)* seagoing

mármol ['marmol] *m* marble

marqués, esa [mar'kes, sa] *m,f* marquis *(f* marchioness)

marquesina [marke'sina] *f* **1.** *(de puerta, andén)* glass canopy **2.** *(parada de auto-*

bús) bus shelter

marrano, na [ma'rano, na] ◇ *adj* **1.** *(sucio)* filthy **2.** *(innoble)* contemptible ● *m,f (cerdo)* plg

marrón [ma'ron] *adj inv* brown

marroquí [maro'ki] *adj & mf* Moroccan

Marruecos [ma'ɾuekos] *s* Morocco

martes ['martes] *m inv* Tuesday ➤ sábado

martillo [mar'tiʎo] *m* hammer

mártir ['martir] *mf* martyr

marzo ['marθo] *m* March ➤ setiembre

más ['mas] ◇ *adv* **1.** *(comparativo)* more ● Pepe es más ambicioso Pepe is more ambitious ● tengo más hambre I'm hungrier ● más de/que more than ● más ... que ... more ... than ... ● de más *(de sobra)* left over **2.** *(superlativo)* ● el/la más ... the most ... ● el más listo the cleverest **3.** *(en frases negativas)* any more ● no necesitas más trabajo you don't need any more work **4.** *(con pron interrogativo o indefinido)* else ● ¿quién/qué más? who/what else? ● nadie más no one else **5.** *(indica intensidad)* ¡qué día más bonito! what a lovely day! ● ¡es más tonto! he's so stupid! **6.** *(indica suma)* ● dos más dos igual a cuatro two plus two is four **7.** *(indica preferencia)* ● más vale que te quedes en casa it would be better for you to stay at home **8.** *(en locuciones)* ● es más what is more ● más bien rather ● más o menos more or less ● poco más little more ● por más que however much ● por más que lo intente however hard she tries ● ¿qué más

da? what difference does it make? ◇ *m inv* ● tiene sus más y sus menos it has its good points and its bad points

masa ['masa] *f* **1.** mass **2.** *(de pan, bizcocho)* dough **3.** *(Amér) (dulce)* small cake

masaje [ma'saxe] *m* massage

masajista [masa'xista] *mf* masseur *(f* masseuse)

mascar [mas'kar] *vt* to chew

máscara ['maskara] *f* mask

mascarilla [maska'riʎa] *f* **1.** *(crema, loción)* face pack *(UK)* o mask *(US)* **2.** *(para nariz y boca)* mask

mascota [mas'kota] *f* mascot

masculino, na [masku'lino, na] *adj* **1.** *(sexo)* male **2.** *(viril)* manly **3.** *(en gramática)* masculine

masía [ma'sia] *f* farm *(in Aragon or Catalonia)*

masticar [masti'kar] *vt* to chew

mástil ['mastil] *m (de barco)* mast

matadero [mata'ðero] *m* slaughterhouse

matador [mata'ðor] *m* matador

matamoscas [mata'moskas] *m inv* **1.** *(palo)* flyswatter **2.** *(espray)* flyspray

matanza [ma'tanθa] *f* **1.** *(de personas, animales)* slaughter **2.** *(de cerdo)* pig-killing

matar [ma'tar] *vt* **1.** to kill **2.** *(hacer sufrir)* to drive mad **3.** *(brillo, color)* to tone down **4.** *(en cartas)* to beat **5.** *(en ajedrez)* to take ◆ **matarse** *vp (tomarse interés, trabajo)* to go to great lengths

matarratas [mata'ratas] *m inv* **1.** *(insecticida)* rat poison **2.** *(bebida mala)* rotgut

matasellos [mata'seʎos] *m inv* postmark

mate ['mate] ◇ *adj* matt ◇ *m* **1.** *(en ajedrez)* mate **2.** *(planta, infusión)* maté

mate

Mate is a herbal tea popular across much of Latin America and especially in Argentina. The term *mate* actually refers to the plant used to make the infusion and the hollowed-out gourd from which it is drunk as well as to the tea itself. It is drunk with sugar through a kind of metal straw.

matemáticas [mate'matikas] *fpl* mathematics

matemático, ca [mate'matiko, ka] *adj* mathematical

materia [ma'terja] *f* **1.** *(sustancia, tema)* matter **2.** *(material)* material **3.** *(asignatura)* subject ● **materia prima** raw material

material [mate'rjal] ◇ *adj* **1.** *(de materia)* material **2.** *(físico)* physical ◇ *m* **1.** *(componente)* material **2.** *(instrumento)* equipment

maternidad [materni'ðað] *f* **1.** *(cualidad)* motherhood **2.** *(clínica)* maternity hospital

materno, na [ma'terno, na] *adj* **1.** *(de madre)* maternal **2.** *(lengua)* mother *(antes de s)*

matinal [mati'nal] *adj* morning *(antes de s)*

matiz [ma'tiθ, θes] *(pl* **-ces***) m* **1.** *(de color)* shade **2.** *(leve diferencia)* nuance

matizar [mati'θar] *vt* **1.** *(colores)* to tinge

2. *(concepto, idea, proyecto)* to explain in detail

matón [ma'ton] *m* **1.** *(guardaespaldas)* bodyguard **2.** *(asesino)* hired assassin

matorral [mato'ral] *m* thicket

matrícula [ma'trikula] *f* **1.** *(de colegio)* registration **2.** *(de universidad)* matriculation *(UK)*, enrollment *(US)* **3.** *(de vehículo)* numberplate *(UK)*, license plate *(US)* ● **matrícula de honor** top marks *pl (UK)*, honor roll *(US)*

matricular [matriku'lar] *vt* to register ◆ **matricularse** *vp* to register

matrimonio [matri'monjo] *m* **1.** *(ceremonia)* marriage **2.** *(pareja)* married couple

matutino, na [matu'tino, na] *adj* morning *(antes de s)*

maullar [mau'ʎar] *vi* to miaow

maullido [mau'ʎiðo] *m* miaow

máxima ['maksima] *f* **1.** *(temperatura)* highest temperature **2.** *(frase)* maxim

máximo, ma ['maksimo, ma] ◇ *adj* **1.** *(triunfo, pena, frecuencia)* greatest **2.** *(temperatura, puntuación, galardón)* highest ◇ *m* maximum ● **como máximo** at the most

maya ['maja] ◇ *adj* Mayan ◇ *mf* Maya Indian ◇ *m (lengua)* Maya

mayo ['majo] *m* May ➤ setiembre

mayonesa [majo'nesa] *f* mayonnaise

mayor [ma'jor] ◇ *adj* **1.** *(en tamaño)* bigger **2.** *(en número)* higher **3.** *(en edad)* older **4.** *(en importancia)* greater **5.** *(adulto)* grown-up **6.** *(anciano)* old ◇ *m (en el ejército)* major ● **el/la mayor** *(en tamaño)* the biggest; *(en número)* the highest; *(en edad)* the oldest; *(en impor-*

tancia) the greatest ● **al por mayor** wholesale ● **la mayor parte (de)** most (of) ● **ser mayor de edad** to be an adult ◆ **mayores** *mpl* ● **los mayores** *(adultos)* grown-ups; *(ancianos)* the elderly

mayoreo [majo'reo] *m (Amér)* wholesale

mayoría [majo'ria] *f* majority ● **la mayoría de** most of

mayúscula [ma'juskula] *f* capital letter ● **en mayúsculas** in capitals

mazapán [maθa'pan] *m* marzipan

mazo ['maθo] *m* **1.** *(de madera)* mallet **2.** *(Amér) (baraja)* pack of cards

me [me] *pron* **1.** *(complemento directo)* me **2.** *(complemento indirecto)* (to) me **3.** *(reflexivo)* myself

mear [me'ar] *vi (fam)* to piss

mecánica [me'kanika] *f (mecanismo)* mechanics *pl*

mecánico, ca [me'kaniko, ka] ◇ *adj* mechanical ◇ *m* mechanic

mecanismo [meka'nizmo] *m* **1.** *(funcionamiento)* procedure **2.** *(piezas)* mechanism

mecanografía [mekanoɣra'fia] *f* typing

mecanógrafo, fa [meka'noɣrafo, fa] *m,f* typist

mecedora [meθe'ðora] *f* rocking chair

mecer [me'θer] *vt* to rock

mecha ['metʃa] *f* **1.** *(de vela)* wick **2.** *(de explosivo)* fuse **3.** *(de pelo)* highlight **4.** *(de tocino)* strip of meat used as stuffing for chicken etc

mechero [me'tʃero] *m* (cigarette) lighter

mechón [me'tʃon] *m (de pelo)* lock

medalla [me'ðaʎa] *f* medal

medallón [meða'ʎon] *m* medallion ● **medallones de rape** medallions of monkfish ● **medallones de solomillo** medallions of sirloin steak

media ['meðja] *f* **1.** *(calcetín)* stocking **2.** *(punto)* average ◆ **medias** *fpl* tights, panty hose *(US)*

mediado, da [me'ðjaðo, ða] *adj* ● **a mediados de** in the middle of

mediana [me'ðjana] *f (de autopista)* central reservation *(UK)*, median *(US)*

mediano, na [me'ðjano, na] *adj* **1.** *(en tamaño)* medium **2.** *(en calidad)* average

medianoche [meðja'notʃe] *f* midnight

mediante [me'ðjante] *prep* by means of

mediar [me'ðjar] *vi* **1.** *(llegar a la mitad)* to be halfway through **2.** *(transcurrir)* to pass **3.** *(interceder)* to intercede ● **mediar entre** to be between

medicamento [meðika'mento] *m* medicine

medicina [meði'θina] *f* medicine

medicinal [meðiθi'nal] *adj* medicinal

médico, ca ['meðiko, ka] *m,f* doctor ● **médico de familia** GP ● **médico de guardia** duty doctor

medida [me'ðiða] *f* **1.** *(dimensión)* measurement **2.** *(cantidad, disposición)* measure **3.** *(intensidad)* extent ● **tomar medidas** to take measures ● **medidas de seguridad** safety measures ● **a la medida** *(ropa)* made-to-measure ● **a la medida que** as ● **en cierta medida** to some extent

medieval [meðje'βal] *adj* medieval

medio, día ['meðjo, ðja] ◇ *adj* **1.** half **2.** *(tamaño, estatura)* medium **3.** *(posición,* *punto, clase*) middle **4.** (*de promedio*) average ◇ *m* **1.** (*centro*) middle **2.** (*entorno, ambiente*) environment **3.** (*manera, medida, de transporte*) means **4.** (*en matemáticas*) average ◇ *adv* half ● **en medio de** (*entre dos*) between; (*entre varios, en mitad de*) in the middle of ● **a medias** (*partido entre dos*) half each ● **hacer algo a medias** to half-do something ● **medio ambiente** environment ● **media hora** half an hour ● **medio kilo (de)** half a kilo (of) ● **media docena/libra (de)** half a dozen/pound (of) ● **un vaso y medio** a glass and a half ● **media pensión** half board ● **medios** *mpl* (*económicos*) resources ● **los medios de comunicación** the media

mediocre [me'ðjokre] *adj* mediocre

mediocridad [meðjokri'ðað] *f* mediocrity

mediodía [meðjo'ðia] *m* midday

mediopensionista [ˌmeðjopensjo'nista] *mf* child who has lunch at school

medir [me'ðir] *vt* **1.** (*dimensión, intensidad*) to measure **2.** (*comparar*) to weigh up **3.** (*fuerzas*) to compare **4.** (*palabras, acciones*) to weigh ● **¿cuánto mides?** how tall are you?

meditar [meði'tar] ◇ *vt* to ponder ◇ *vi* to meditate

mediterráneo, a [meðite'raneo, a] *adj* Mediterranean ◆ **Mediterráneo** *m* ● **el (mar) Mediterráneo** the Mediterranean (Sea)

médium ['meðjum] *mf inv* medium

medusa [me'ðusa] *f* jellyfish

megáfono [me'ɣafono] *m* megaphone

mejilla [me'xiʎa] *f* cheek

mejillón [mexi'ʎon] *m* mussel ● **mejillones a la marinera** moules marinières

mejor [me'xor] *adj & adv* better ● **el/la mejor** the best ● **a lo mejor** maybe

mejora [me'xora] *f* improvement

mejorar [mexo'rar] ◇ *vt* **1.** to improve **2.** (*superar*) to be better than **3.** (*enfermo*) to make better ◇ *vi* **1.** (*enfermo*) to get better **2.** (*tiempo, clima*) to improve ● **mejorarse** *vp* **1.** (*persona*) to get better **2.** (*tiempo, clima*) to improve

mejoría [mexo'ria] *f* improvement

melancolía [melanko'lia] *f* melancholy

melancólico, ca [melan'koliko, ka] *adj* melancholic

melena [me'lena] *f* **1.** (*de persona*) long hair **2.** (*de león*) mane

mella ['meʎa] *f* **1.** (*en metal*) nick **2.** (*en diente*) chip ● **hacer mella** (*causar impresión*) to make an impression

mellizo, za [me'ʎiθo, θa] *adj* twin (*antes de s*) ◆ **mellizos** *mpl* twins

melocotón [meloko'ton] *m* peach ● **melocotón en almíbar** peaches *pl* in syrup

melocotonero [melokoto'nero] *m* peach tree

melodía [melo'ðia] *f* tune

melodrama [melo'ðrama] *m* melodrama

melodramático, ca [meloðra'matiko, ka] *adj* melodramatic

melón [me'lon] *m* melon ● **melón con jamón** melon with serrano ham

membrillo [mem'briʎo] *m* **1.** (*fruto*) quince **2.** (*dulce*) quince jelly

memorable [memo'raβle] *adj* memorable

memoria [me'morja] *f* **1.** memory **2.** *(estudio)* paper **3.** *(informe)* report ● **de memoria** by heart ◆ **memorias** *fpl (de persona)* memoirs

memorizar [memori'θar] *vt* to memorize

menaje [me'naxe] *m (de cocina)* kitchenware

mención [men'θjon] *f* mention

mencionar [menθjo'nar] *vt* to mention

mendigo, ga [men'diɣo, ɣa] *m,f* beggar

menestra [me'nestra] *f* ● **menestra (de verduras)** vegetable stew

menor [me'nor] ◇ *adj* **1.** *(en edad)* younger **2.** *(en tamaño)* smaller **3.** *(en número)* lower **4.** *(en calidad)* lesser ◇ *m (persona)* minor ● **el/la menor** *(en tamaño)* the smallest; *(en edad)* the youngest; *(en número)* the lowest ● **menor de edad** under age

Menorca [me'norka] *s* Minorca

menos ['menos]

◇ *adv* **1.** *(comparativo)* less ● **está menos gordo** he's not as fat ● **tengo menos hambre** I'm not as hungry ● **menos leche** less milk ● **menos manzanas** fewer apples ● **menos de/que** fewer/less than ● **menos ... que ...** fewer/less ... than ... ● **me han dado 2 euros de menos** they've given me 2 euros too little **2.** *(superlativo)* ● **el/la menos ...** the least ... ● **lo menos que puedes hacer** the least you can do **3.** *(indica resta)* minus ● **tres menos dos igual a uno** three minus two is one **4.** *(con las horas)* ● **son las cuatro menos diez** it is ten to four **5.** *(en locuciones)* ● **a menos que** unless ● **poco menos de** just

under ● **¡menos mal!** thank God! ● **eso es lo de menos** that's the least of it ◇ *prep (excepto)* except (for) ● **acudieron todos menos él** everyone came except him ● **todo menos eso** anything but that

◇ *m inv* ● **al** o **por lo menos** at least

menospreciar [menospre'θjar] *vt* **1.** *(despreciar)* to despise **2.** *(apreciar poco)* to undervalue

menosprecio [menos'preθjo] *m* **1.** *(desprecio)* scorn **2.** *(poco aprecio)* undervaluing

mensaje [men'saxe] *m* message

mensajero, ra [mensa'xero, ra] *m,f* **1.** *(de paquetes, cartas)* courier **2.** *(de comunicados)* messenger

menstruación [menstrua'θjon] *f* menstruation

mensual [men'sual] *adj* monthly

menta ['menta] *f* mint ● **a la menta** with mint

mental [men'tal] *adj* mental

mente ['mente] *f* **1.** *(inteligencia)* mind **2.** *(forma de pensar)* mentality

mentir [men'tir] *vi* to lie

mentira [men'tira] *f* lie

mentiroso, sa [menti'roso, sa] *m,f* liar

mentón [men'ton] *m* chin

menú [me'nu] *m* **1.** menu **2.** *(de precio reducido)* set menu ● **menú de degustación** *meal consisting of several small portions of different dishes* ● **menú (del día)** set meal

menudeo [menu'ðeo] *m (Amér)* retail

menudo, da [me'nuðo, ða] *adj* small ● **a menudo** often ● **¡menudo gol!** what a goal!

meñique [meˈɲike] *m* little finger

mercadillo [merkaˈðiʎo] *m* flea market

mercado [merˈkaðo] *m* market

mercancía [merkanˈθia] *f* merchandise

mercantil [merkanˈtil] *adj* commercial

mercería [merθeˈria] *f* haberdasher's (shop) (UK), notions store (US)

mercurio [merˈkurjo] *m* mercury

merecer [mereˈθer] *vt* to deserve ◆ **merecerse** *vp* to deserve

merendar [merenˈdar] ◇ *vt* ≃ to have for tea (UK) o supper ◇ *vi* ≃ to have tea (UK) o supper

merendero [merenˈdero] *m* open air café or bar in the country or on the beach

merengue [meˈreŋge] *m* meringue

meridiano, na [meriˈðjano, na] ◇ *adj* 1. *(evidente)* crystal-clear 2. *(del mediodía)* midday *(antes de s)* ◇ *m* meridian

meridional [meriðjoˈnal] *adj* southern

merienda [meˈrjenda] *f* 1. *(de media tarde)* tea (UK) *(light afternoon meal)* 2. *(para excursión)* picnic

mérito [ˈmerito] *m* merit

merluza [merˈluθa] *f* hake ● **merluza a la plancha** grilled hake ● **merluza a la romana** hake fried in batter

mermelada [mermeˈlaða] *f* jam

mero [ˈmero] *m* grouper ● **mero a la plancha** grilled grouper

mes [ˈmes] *m* 1. month 2. *(salario mensual)* monthly salary ● **en el mes de** in (the month of)

mesa [ˈmesa] *f* 1. table 2. *(escritorio)* desk 3. *(de personas)* committee ● **poner la mesa** to lay the table ● **quitar la mesa** to clear the table

mesero, ra [meˈsero, ra] *m,f (Amér)* waiter *(f* waitress*)*

meseta [meˈseta] *f* plateau

mesilla [meˈsiʎa] *f* ● **mesilla de noche** bedside table

mesón [meˈson] *m (restaurante)* old, country-style restaurant and bar

mestizo, za [mesˈtiθo, θa] *m,f* person of mixed race

meta [ˈmeta] *f* 1. goal 2. *(de carrera)* finishing line

metáfora [meˈtafora] *f* metaphor

metal [meˈtal] *m* metal

metálico, ca [meˈtaliko, ka] ◇ *adj (de metal)* metal ◇ *m* cash ● **en metálico** in cash

meteorito [meteoˈrito] *m* meteorite

meteorología [meteoroloˈxia] *f* meteorology

meter [meˈter] *vt* 1. *(introducir, ingresar, invertir)* to put in ● **meter algo en algo** to put sthg in sthg ● **lo han metido en la cárcel** they've put him in prison 2. *(hacer partícipe)* ● **meter a alguien en algo** to get sb into sthg 3. *(fam) (hacer soportar)* ● **nos meterá su discurso** she'll make us listen to her speech 4. *(fam) (imponer, echar)* to give ● **me han metido una multa** they've given me a fine ● **le metieron una bronca** they told him off 5. *(causar)* ● **meter miedo/prisa a alguien** to scare/rush sb ◆ **meterse** *vp (entrar)* to get in; *(estar)* to get to; *(entrometerse)* to meddle ● **meterse a** *(dedicarse a)* to become; *(empezar)* to start ● **meterse en** *(mezclarse con)* to get involved in ◆ **meterse con** *v + prep (molestar)* to hassle; *(atacar)* to go for

método [ˈmetoðo] *m* **1.** *(modo ordenado)* method **2.** *(de enseñanza)* course

metralla [meˈtraʎa] *f* **1.** *(munición)* shrapnel

metro [ˈmetro] *m* **1.** *(unidad de longitud)* metre **2.** *(transporte)* underground *(UK)*, subway *(US)* **3.** *(instrumento)* tape measure

metrópoli [meˈtropoli] *f* metropolis

mexicano, na [mexiˈkano, na] *adj & m,f* Mexican

México [ˈmexiko] *s* Mexico

mezcla [ˈmeθkla] *f* mixture

mezclar [meθˈklar] *vt* **1.** to mix **2.** *(confundir, involucrar)* to mix up ● **mezclarse en** *v + prep* to get mixed up in

mezquino, na [meθˈkino, na] *adj* mean

mezquita [meθˈkita] *f* mosque

mg *(abr de miligramo)* mg *(milligram)*

mi [mi, mis] *(pl* **mis***) adj* my

mí [ˈmi] *pron* **1.** *(después de preposición)* me **2.** *(reflexivo)* myself ● **¡a mí qué!** so what! ● **por mí ...** as far as I'm concerned ...

mico [ˈmiko] *m* monkey

microbio [miˈkroβjo] *m* germ

micrófono [miˈkrofono] *m* microphone

microondas [mikroˈondas] *m inv* microwave (oven)

microscopio [mikrosˈkopjo] *m* microscope

miedo [ˈmjeðo] *m* fear ● **tener miedo de** to be afraid of

miedoso, sa [mjeˈðoso, sa] *adj* fearful

miel [ˈmjel] *f* honey

miembro [ˈmjembro] *m* **1.** *(de grupo, asociación)* member **2.** *(extremidad)* limb

mientras [ˈmjentras] *conj (a la vez)* while ● **mientras no se apruebe** until it has been approved ● **mientras (que)** whilst ● **mientras (tanto)** in the meantime

miércoles [ˈmjerkoles] *m inv* Wednesday ➢ **sábado**

mierda [ˈmjerða] ◇ *f (vulg)* shit ◇ *interj (vulg)* shit!

miga [ˈmiɣa] *f* **1.** crumb ? *(parte sustanciosa)* substance ◆ **migas** *fpl (guiso)* fried breadcrumbs

migaja [miˈɣaxa] *f* crumb

migra *f (Amér) (fam)* ● **la migra** the US immigration police on the Mexican border

mil [ˈmil] *núm* a thousand ● **dos mil** two thousand ➢ **seis**

milagro [miˈlaɣro] *m* miracle ● **de milagro** miraculously

milenario, ria [mileˈnarjo, rja] ◇ *adj* ancient ◇ *m* millennium

milenio [miˈlenjo] *m* millennium

milésimo, ma [miˈlesimo, ma] *adj* thousandth

mili [ˈmili] *f (fam)* military service ● **hacer la mili** *(fam)* to do one's military service

miligramo [miliˈɣramo] *m* milligram

mililitro [miliˈlitro] *m* millilitre

milímetro [miˈlimetro] *m* millimetre

militante [miliˈtante] *mf* militant

militar [miliˈtar] ◇ *adj* military ◇ *m* soldier

milla [ˈmiʎa] *f* **1.** *(en tierra)* mile **2.** *(en mar)* nautical mile

millar [miˈʎar] *m* thousand

millón [miˈʎon] *núm* million ● **dos millones** two million, seis

millonario, ria [miʎoˈnarjo, rja] *m,f* millionaire (*f* millionairess)

mimado, da [miˈmaðo, ða] *adj* spoilt (*UK*), spoiled (*US*)

mimar [miˈmar] *vt* to spoil

mímica [ˈmimika] *f* mime

mimosa [miˈmosa] *f* mimosa

min (*abr de* minuto) min (*minute*)

mina [ˈmina] *f* 1. mine 2. (*de lápiz*) lead

mineral [mineˈral] *adj & m* mineral

minero, ra [miˈnero, ra] *m,f* miner

miniatura [minjaˈtura] *f* miniature

minifalda [miniˈfalda] *f* mini skirt

mínimo, ma [ˈminimo, ma] *adj & m* minimum ● **como mínimo** at the very least

ministerio [minisˈterjo] *m* ministry

ministro, tra [miˈnistro, tra] *m,f* minister

minoría [minoˈria] *f* minority

minoritario, ria [minoriˈtarjo, rja] *adj* minority (*antes de s*)

minucioso, sa [minuˈθjoso, sa] *adj* 1. (*persona*) meticulous 2. (*trabajo*) very detailed

minúscula [miˈnuskula] *f* small letter ● **en minúscula** in lower-case letters

minúsculo, la [miˈnuskulo, la] *adj* (*muy pequeño*) minute

minusválido, da [minuzˈβaliðo, ða] *m,f* disabled person

minutero [minuˈtero] *m* minute hand

minuto [miˈnuto] *m* minute

mío, mía [ˈmio, ˈmia] *adj* mine ◇ *pron* ● **el mío, la mía** mine ● **lo mío** (*lo que me gusta*) my thing ● **un amigo mío** a

friend of mine

miope [miˈope] *adj* shortsighted

miopía [mioˈpia] *f* shortsightedness

mirada [miˈraða] *f* 1. look 2. (*rápida*) glance ● **echar una mirada a** to have a quick look at

mirador [miraˈðor] *m* 1. (*lugar*) viewpoint 2. (*balcón cerrado*) enclosed balcony

mirar [miˈrar] ◇ *vt* 1. (*ver*) to look at 2. (*observar, vigilar*) to watch 3. (*considerar*) to consider ◇ *vi* (*buscar*) to look ● **mirar a** (*estar orientado*) to face ● **estoy mirando** (*en tienda*) I'm just looking ● **mirarse** *vp* to look at o.s.

mirilla [miˈriʎa] *f* spyhole

mirlo [ˈmirlo] *m* blackbird

mirón, ona [miˈron, ona] *m,f* (*espectador*) onlooker

misa [ˈmisa] *f* mass ● **misa del gallo** midnight mass

miserable [miseˈraβle] *adj* 1. (*muy pobre*) poor 2. (*desgraciado, lastimoso*) wretched 3. (*mezquino*) mean

miseria [miˈserja] *f* 1. (*pobreza*) poverty 2. (*poca cantidad*) pittance

misericordia [miseriˈkorðja] *f* compassion

misil [miˈsil] *m* missile

misión [miˈsjon] *f* 1. mission 2. (*tarea*) task

misionero, ra [misjoˈnero, ra] *m,f* missionary

mismo, ma [ˈmizmo, ma] ◇ *adj* (*igual*) same ◇ *pron* ● **el mismo, la misma** the same ● **el mismo que vi ayer** the same one I saw yesterday ● **ahora mismo** right now ● **lo mismo (que)** the same thing (as) ● **da lo mismo** it doesn't matter ● **en este mismo cuarto** in this very room ● **yo mismo** I myself

misterio [mis'terjo] *m* 1. *(secreto)* mystery 2. *(sigilo)* secrecy

misterioso, sa [miste'rjoso, sa] *adj* mysterious

mitad [mi'tað] *f* 1. *(parte)* half 2. *(centro, medio)* middle ● **a mitad de camino** halfway there ● **a mitad de precio** half-price ● **en mitad de** in the middle of

mitin ['mitin] *m* rally

mito ['mito] *m* myth

mitología [mitolo'xia] *f* mythology

mixto, ta ['miksto, ta] ◇ *adj* 1. *(colegio, vestuario)* mixed 2. *(comisión, agrupación)* joint ◇ *m* ham and cheese toasted sandwich

ml *(abr de* mililitro*)* ml *(millilitre)*

mm *(abr de* milímetro*)* mm *(millimetre)*

mobiliario [moβi'ljarjo] *m* furniture

mocasín [moka'sin] *m* moccasin

mochila [mo'tʃila] *f* backpack

mocho ['motʃo] *m (fregona)* mop

mochuelo [mo'tʃwelo] *m* little owl

moco ['moko] *m* mucus ● **tener mocos** to have a runny nose

moda ['moða] *f* fashion ● **a la moda** fashionable ● **estar de moda** to be fashionable ● **pasado de moda** unfashionable

modalidad [moðali'ðað] *f* 1. *(variante)* type 2. *(en deporte)* discipline

modelo [mo'ðelo] ◇ *m* 1. model 2. *(vestido)* number ◇ *mf* model

módem ['moðem] *(pl* **modems***) m* modem

moderno, na [mo'ðerno, na] *adj* modern

modestia [mo'ðestja] *f* modesty

modesto, ta [mo'ðesto, ta] *adj* modest

modificación [moðifika'θjon] *f* alteration

modificar [moðifi'kar] *vt* to alter

modisto, ta [mo'ðisto, ta] *m,f (sastre)* tailor *(f* dressmaker*)*

modo ['moðo] *m* 1. *(manera)* way 2. *(en gramática)* mood ● **de modo que** *(de manera que)* in such a way that ● **de ningún modo** in no way ● **de todos modos** in any case ● **en cierto modo** in some ways ● **modo de empleo** instructions *pl*

moflete [mo'flete] *m* chubby cheek

mogollón [moɣo'ʎon] *m (fam) (cantidad)* loads *pl*

moho ['moo] *m (hongo)* mould

mojado, da [mo'xaðo, ða] *adj* 1. *(empapado)* wet 2. *(húmedo)* damp

mojar [mo'xar] *vt* 1. *(empapar)* to wet 2. *(humedecer)* to dampen 3. *(pan)* to dunk ◆ **mojarse** *vp* to get wet

molde ['molde] *m* mould

moldeado [molde'aðo] *m (en peluquería)* soft perm

moldear [molde'ar] *vt* 1. *(dar forma)* to mould 2. *(en peluquería)* to give a soft perm to

mole ['mole] *m (Méx)* dish featuring a spicy sauce made from ground chillies, spices, nuts and sometimes chocolate.

molestar [moles'tar] *vt* 1. *(incordiar)* to annoy 2. *(disgustar)* to bother 3. *(doler)* to hurt ◆ **molestarse** *vp* 1. *(enfadarse, ofenderse)* to take offence 2. *(darse trabajo)* to bother

molestia [mo'lestja] *f* **1.** *(fastidio)* nuisance **2.** *(dolor)* discomfort

molesto, ta [mo'lesto, ta] *adj (fastidioso)* annoying ● **estar molesto** *(enfadado)* to be annoyed

molino [mo'lino] *m* mill ● **molino de viento** windmill

molusco [mo'lusko] *m* mollusc

momento [mo'mento] *m* **1.** moment **2.** *(época)* time ● **hace un momento** a moment ago ● **por el momento** for the moment ● **al momento** straightaway ● **de un momento a otro** any minute now ● **¡un momento!** just a moment!

momia ['momja] *f* mummy

monada [mo'naða] *f* **1.** *(fam) (cosa)* lovely thing **2.** *(niño)* little darling

monaguillo [mona'ɣiʎo] *m* altar boy

monarca [mo'narka] *m* monarch

monarquía [monar'kia] *f* monarchy

monasterio [monas'terjo] *m* monastery

Moncloa [mon'kloa] *f* ● **la Moncloa** the Moncloa palace

Palacio de la Moncloa

The Moncloa Palace is the official residence of the Spanish premier and the seat of the country's government. The term *la Moncloa* also refers to the Spanish government. Situated in a complex of government buildings in the northwest of Madrid, a series of important social and economic agreements known as the *pactos de la Moncloa* were signed at the palace in 1977-78.

moneda [mo'neða] *f* **1.** *(pieza)* coin **2.** *(divisa)* currency

monedero [mone'ðero] *m* purse

monitor, ra [moni'tor, ra] ◇ *m,f (persona)* instructor ◇ *m* monitor

monja ['monxa] *f* nun

monje ['monxe] *m* monk

mono, na ['mono, na] ◇ *adj* lovely ◇ *m,f (animal)* monkey ◇ *m* **1.** *(con peto)* dungarees *pl* *(UK)*, overalls *pl* *(US)* **2.** *(con mangas)* overalls *pl* *(UK)*, coveralls *pl* *(US)* ● **¡qué mono!** how lovely!

monólogo [mo'noloyo] *m* monologue

monopatín [monopa'tin] *m* skateboard

monopolio [mono'poljo] *m* monopoly

monótono, na [mo'notono, na] *adj* monotonous

monovolumen [monoβo'lumen] *m* people carrier

monstruo ['monstruo] *m* monster

montacargas [monta'karɣas] *m inv* goods lift *(UK)*, freight elevator *(US)*

montaje [mon'taxe] *m* **1.** *(de una máquina)* assembly **2.** *(de espectáculo)* staging **3.** *(de película)* editing **4.** *(estafa)* put-up job *(UK)*, con job *(US)*

montaña [mon'taɲa] *f* mountain ● **montaña rusa** roller coaster

montañismo [monta'nizmo] *m* mountaineering

montañoso, sa [monta'ɲoso, sa] *adj* mountainous

montar [mon'tar] ◇ *vt* **1.** *(caballo, burro)* to ride ● *(tienda de campaña)* to put up **2.** *(máquina, instalación)* to assemble **3.** *(negocio, tienda)* to set up **4.** *(clara de huevo)* to beat **5.** *(nata)* to whip **6.** *(película)* to edit ◇ *vi (subir)* ● **montar**

en *(animal, bicicleta)* to get on; *(coche)* to get into ● **montar en bicicleta** to ride a bicycle ● **montar a caballo** to ride a horse

monte ['monte] *m* 1. *(montaña)* mountain 2. *(bosque)* woodland

montera [mon'tera] *f* bullfighter's cap

montón [mon'ton] *m* heap ● **un montón de** *(fam)* loads of

montura [mon'tura] *f* 1. *(de gafas)* frame 2. *(caballo, burro, etc)* mount

monumental [monumen'tal] *adj* 1. *(lugar, ciudad)* famous for its monuments 2. *(enorme)* monumental

monumento [monu'mento] *m* monument

moño ['moɲo] *m* bun

moqueta [mo'keta] *f* (fitted) carpet *(UK)*, wall-to-wall carpet *(US)*

mora ['mora] *f* blackberry ➤ **moro**

morado, da [mo'raðo, ða] ◇ *adj* purple ◇ *m* 1. *(color)* purple 2. *(herida)* bruise

moral [mo'ral] ◇ *adj* moral ◇ *f* 1. morality 2. *(ánimo)* morale

moraleja [mora'lexa] *f* moral

moralista [mora'lista] *mf* moralist

morcilla [mor'θiʎa] *f* ≃ black pudding *(UK)*, ≃ blood sausage *(US)*

mordaza [mor'ðaθa] *f* gag

mordedura [morðe'ðura] *f* bite

morder [mor'ðer] *vt* to bite

mordida [mor'ðiða] *f (Méx) (fam)* bribe

mordisco [mor'ðisko] *m* bite

moreno, na [mo'reno, na] *adj* 1. *(por el sol)* tanned 2. *(piel, pelo)* dark

moribundo, da [mori'βundo, da] *adj* dying

morir [mo'rir] *vi* to die ● **morirse** *vp* 1. *(fallecer)* to die 2. *(fig) (tener deseo fuerte)*

to be dying

moro, ra ['moro, ra] ◇ *adj* Moorish ◇ *m,f* Moor

morocho, cha [mo'rotʃo, tʃa] *adj* 1. *(Amér) (fam) (robusto)* tough 2. *(moreno)* dark

moroso, sa [mo'roso, sa] *m,f* defaulter

morralla [mo'raʎa] *f (Amér)* change

morro ['moro] *m* 1. *(de animal)* snout 2. *(vulg) (de persona)* thick lips *pl* ● **por el morro** *(fam)* without asking ● **¡qué morro!** what a cheek! *(UK)*, what a nerve! *(US)*

morsa ['morsa] *f* walrus

mortadela [morta'ðela] *f* Mortadella, *type of cold pork sausage*

mortal [mor'tal] *adj* 1. *(vida)* mortal 2. *(herida, accidente)* fatal 3. *(fig) (aburrido)* deadly

mortero [mor'tero] *m* mortar

mosaico [mo'sajko] *m* mosaic

mosca ['moska] *f* fly ● **por si las moscas** just in case

moscatel [moska'tel] *m* Muscatel

mosquito [mos'kito] *m* mosquito

mostaza [mos'taθa] *f* mustard

mostrador [mostra'ðor] *m* 1. *(en tienda)* counter 2. *(en bar)* bar ▼ **mostrador de facturación** check-in desk

mostrar [mos'trar] *vt* to show ● **mostrarse** *vp* ● **se mostró muy interesado** he expressed great interest

motel [mo'tel] *m* motel

motivación [motiβa'θjon] *f (motivo)* motive

motivar [moti'βar] *vt (causar)* to cause

motivo [mo'tiβo] *m* 1. *(causa, razón)* reason 2. *(en música, pintura)* motif ●

con motivo de *(a causa de)* because of; *(con ocasión de)* on the occasion of

moto ['moto] *f* motorbike, motorcycle
● **moto acuática** jet-ski

motocicleta [motoθi'kleta] *f* motorbike, motorcycle

motociclismo [ˌmotoθi'klizmo] *m* motorcycling

motociclista [ˌmotoθi'klista] *mf* motorcyclist

motocross [moto'kros] *m inv* motocross

motoneta [moto'neta] *f* (*Amér*) moped

motor [mo'tor] *m* engine, motor ● **motor de arranque** starter

motora [mo'tora] *f* motorboat

motorista [moto'rista] *mf* motorcyclist

mountain bike ['mountaim'baik] *f* mountain biking

mousse ['mus] *f* mousse ● **mousse de chocolate/limón** chocolate/lemon mousse ● **mousse de limón** lemon mousse

mover [mo'βer] *vt* 1. to move 2. *(hacer funcionar)* to drive ● **moverse** *vp (fam) (realizar gestiones)* to make an effort

movida [mo'βiða] *f (fam)* scene

movida madrileña

The *movida madrileña* was a cultural and artistic movement born in Madrid in the 1980s as a reaction to the repression of the Franco years. The movement was spearheaded by provocative, liberal artists such as the film director Pedro Almodóvar, the singer and actor Miguel Bosé and bands such as Alaska and Mecano.

movido, da [mo'βiðo, ða] *adj (persona)* restless

móvil ['moβil] ⬦ *adj* mobile ⬦ *m* 1. *(motivo)* motive 2. *(teléfono)* mobile (*UK*), cell phone (*US*)

movimiento [moβi'mjento] *m* 1. movement 2. *(circulación)* activity 3. *(de cuenta corriente)* transactions *pl*

mozo, za ['moθo, θa] ⬦ *m,f* young boy (*f* young girl) ⬦ *m* 1. *(de hotel, estación)* porter 2. *(recluta)* conscript 3. *(Andes & RP) (camarero)* waiter

MP3 *m* 1. *(formato)* MP3 2. *(archivo)* MP3 (file)

mucamo, ma [mu'kamo, ma] *m,f* (*Amér*) servant

muchacha [mu'tʃatʃa] *f (fam) (criada)* maid ➣ **muchacho**

muchachada [mutʃa'tʃaða] *f* (*Amér*) crowd of young people

muchacho, cha [mu'tʃatʃo, tʃa] *m,f* boy (*f* girl)

muchedumbre [mutʃe'ðumbre] *f* crowd

mucho, cha ['mutʃo, tʃa] ⬦ *adj* a lot of ⬦ *pron* a lot ⬦ *adv* 1. a lot 2. *(indica comparación)* much ● **tengo mucho sueño** I'm very sleepy ● **mucho antes** long before ● **mucho gusto** *(saludo)* pleased to meet you ● **como mucho** at most ● **¡con mucho gusto!** *(encantado)* with pleasure! ● **vinieron muchos** a lot of people came ● **ni mucho menos** by no means ● **por mucho que** no matter how much

mudanza [mu'ðanθa] *f (de casa)* move

mudar [mu'ðar] *vt (piel, plumas)* to moult ● **mudarse** *vp (de ropa)* to change ● **mudarse (de casa)** to move (house)

mudo, da ['muðo, ða] ◇ *adj* **1.** *(que no habla)* dumb **2.** *(película, letra)* silent ● *m,f* mute

mueble ['mueβle] *m* piece of furniture ● **los muebles** the furniture

mueca ['mueka] *f* **1.** *(gesto)* face **2.** *(de dolor)* grimace

muela ['muela] *f (diente)* tooth

muelle ['mueʎe] *m* **1.** *(de colchón)* spring **2.** *(de puerto)* dock

muerte ['muerte] *f* **1.** *(fallecimiento)* death **2.** *(homicidio)* murder

muerto, ta ['muerto, ta] ◇ *pp* > **morir** ◇ *adj* dead ● *m,f* dead person ● **muerto de frío** freezing ● **muerto de hambre** starving

muestra ['muestra] *f* **1.** *(de mercancía)* sample **2.** *(señal)* sign **3.** *(demostración)* demonstration **4.** *(exposición)* show **5.** *(prueba)* proof

mugido [mu'xiðo] *m* moo

mugir [mu'xir] *vi* to moo

mujer [mu'xer] *f* **1.** woman **2.** *(esposa)* wife

mulato, ta [mu'lato, ta] *m,f* mulatto

muleta [mu'leta] *f* **1.** *(bastón)* crutch **2.** *(de torero)* muleta, *red cape hanging from a stick used to tease the bull*

mulo, la ['mulo, la] *m,f* mule

multa ['multa] *f* fine

multar [mul'tar] *vt* to fine

multicine [multi'θine] *m* multiscreen cinema *(UK)*, multiplex *(US)*

multinacional [,multinaθjo'nal] *f* multinational

múltiple ['multiple] *adj* multiple

múltiples *adj pl (numerosos)* numerous

multiplicación [multiplika'θjon] *f* multiplication

multiplicar [multipli'kar] *vt* to multiply ● **multiplicarse** *vp (persona)* to do lots of things at the same time

múltiplo ['multiplo] *m* multiple

multitud [multi'tuð] *f (de personas)* crowd

mundial [mundi'al] *adj* world *(antes de s)*

mundo ['mundo] *m* world ● **un hombre de mundo** a man of the world ● **el mundo es un pañuelo** it's a small world ● **todo el mundo** everyone

munición [muni'θjon] *f* ammunition

municipal [muniθi'pal] ◇ *adj* municipal ◇ *m,f* local police officer who deals mainly with traffic offences

municipio [muni'θipio] *m* **1.** *(territorio)* town **2.** *(organismo)* town council *(UK)*, city hall *(US)*

muñeca [mu'neka] *f (de la mano)* wrist > **muñeco**

muñeco, ca [mu'neko, ka] *m,f* doll

muñeira [mu'neira] *f type of music and dance from Galicia*

muñequera [mune'kera] *f* wristband

mural [mu'ral] *m* mural

muralla [mu'raʎa] *f* wall

murciélago [mur'θjelaɣo] *m* bat

muro ['muro] *m* wall

musa ['musa] *f* muse

músculo ['muskulo] *m* muscle

museo [mu'seo] *m* museum ● **museo de arte** art gallery

musgo ['musɣo] *m* moss

música ['musika] *f* music ● **música ambiental** background music ● **música clásica** classical music ● **música pop** pop music > **músico**

musical [musi'kal] *adj* musical

musicalmente [musi͵kal'mente] *adv* musically

músico, ca ['musiko, ka] *m,f* musician

muslo ['muzlo] *m* thigh ● **muslo de pollo** chicken thigh

musulmán, ana [musul'man, ana] *adj* & *m,f* Muslim

mutilado, da [muti'laðo, ða] *m,f* cripple

mutua ['mutua] *f* mutual benefit society

muy ['mui] *adv* very

*n*N

N (*abr de* **Norte**) N (*North*)

nabo ['naβo] *m* turnip

nacer [na'θer] *vi* 1. (*persona, animal*) to be born 2. (*vegetal*) to sprout 3. (*arroyo, río*) to rise

nacimiento [naθi'mjento] *m* 1. (*de persona, animal*) birth 2. (*de vegetal*) sprouting 3. (*de río, arroyo*) source 4. (*belén*) Nativity scene

nación [na'θjon] *f* nation

nacional [naθjo'nal] *adj* 1. national 2. (*vuelo, mercado*) domestic

nacionalidad [naθjonali'ðað] *f* nationality

nada ['naða] ◇ *pron* 1. (*ninguna cosa*) nothing 2. (*en negativas*) anything ◇ *adv* ● **no me gustó nada** I didn't like it at all ● **de nada** (*respuesta a "gracias"*) you're welcome ● **nada más** nothing

else ● **nada más llegar** as soon as he arrived

nadador, ra [naða'ðor, ra] *m,f* swimmer

nadar [na'ðar] *vi* to swim

nadie ['naðje] *pron* nobody ● **no se lo dije a nadie** I didn't tell anybody

nailon ® ['nailon] *m* nylon

naipe ['naipe] *m* (*playing card*)

nalga ['nalɣa] *f* buttock ◆ **nalgas** *fpl* backside *sg*

nana ['nana] *f* 1. lullaby 2. (*Amér*) (*para niño*) nanny

naranja [na'ranxa] *adj inv, m* & *f* orange ● **naranja exprimida** freshly-squeezed orange juice

naranjada [naran'xaða] *f* orangeade

naranjo [na'ranxo] *m* orange tree

narco *mf* drug trafficker ● **una red de narcos** a drug trafficking ring

narcotraficante [͵narkotrafi'kante] *mf* drug trafficker

narcotráfico [narko'trafiko] *m* drug trafficking

nariz [na'riθ, θes] (*pl* **-ces**) *f* nose

narración [nara'θjon] *f* (*relato*) story

narrador, ra [nara'ðor, ra] *m,f* narrator

narrar [na'rar] *vt* to tell

narrativa [nara'tiβa] *f* narrative

nata ['nata] *f* cream ● **nata montada** whipped cream

natación [nata'θjon] *f* swimming

natillas [na'tiʎas] *fpl* custard *sg*

nativo, va [na'tiβo, βa] *m,f* native

natural [natu'ral] *adj* 1. natural 2. (*alimento*) fresh ● **ser natural de** to come from ● **al natural** (*fruta*) in its own juice

naturaleza [natura'leθa] *f* nature ● **por naturaleza** by nature

naufragar [naufra'ɣar] *vi* to be wrecked

naufragio [nau'fraxjo] *m* shipwreck

náuseas ['nauseas] *fpl* nausea *sg* ● **tener náuseas** to feel sick

náutico, ca ['nautiko, ka] *adj* 1. *(de navegación)* nautical 2. *DEP* water *(antes de s)*

navaja [na'βaxa] *f* 1. *(pequeña)* penknife 2. *(más grande)* jackknife 3. *(de afeitar)* razor 4. *(molusco)* razor clam

naval [na'βal] *adj* naval

nave ['naβe] *f* 1. *(barco)* ship 2. *(de iglesia)* nave 3. *(en una fábrica)* plant ● **nave espacial** spaceship

navegable [naβe'ɣaβle] *adj* navigable

navegador [naβeɣa'ðor] *m INFORM* browser

navegar [naβe'ɣar] *vi (en barco)* to sail ● **navegar por Internet** to surf the Net

Navidad [naβi'ðað] *f* Christmas (Day) ● **Navidades** *fpl* Christmas *sg*

nazareno [naθa'reno] *m* man dressed in hood and tunic who takes part in Holy Week processions

NB *(abr de nota bene)* N.B. *(nota bene)*

neblina [ne'βlina] *f* mist

necedad [neθe'ðað] *f* 1. *(cualidad)* stupidity 2. *(dicho)* stupid thing

necesario, ria [neθe'sarjo, rja] *adj* necessary

neceser [neθe'ser] *m* toilet bag

necesidad [neθesi'ðað] *f need* ● **de primera necesidad** essential ● **necesidades** *fpl* ● **hacer sus necesidades** to answer the call of nature

necesitar [neθesi'tar] *vt* to need ▼ **se**

necesita ... ... wanted

necio, cia ['neθjo, θja] *adj* foolish

nécora ['nekora] *f* fiddler crab

necrológicas [nekro'loxikas] *fpl* obituaries

negación [neɣa'θjon] *f* 1. *(desmentido)* denial 2. *(negativa)* refusal

negado, da [ne'ɣaðo, ða] *adj* useless

negar [ne'ɣar] *vt* to deny ● **negarse** *vp* ● **negarse (a)** to refuse (to)

negativa [neɣa'tiβa] *f* 1. *(negativa)* refusal 2. *(desmentido)* denial

negativo, va [neɣa'tiβo, βa] *adj & m* negative

negociable [neɣo'θjaβle] *adj* negotiable

negociación [neɣoθja'θjon] *f* negotiation

negociador, ra [neɣoθja'ðor, ra] *m,f* negotiator

negociar [neɣo'θjar] ◇ *vt* to negotiate ◇ *vi (comerciar)* to do business ● **negociar en** to deal in

negocio [ne'ɣoθjo] *m* 1. business 2. *(transacción)* deal 3. *(beneficio)* good deal ● **hacer negocios** to do business

negro, gra ['neɣro, ɣra] ◇ *adj & m* black ◇ *m,f (persona)* black man *(f* black woman*)*

nene, na ['nene, na] *m,f (fam)* baby

nenúfar [ne'nufar] *m* water lily

nervio [ner'βjo] *m* 1. *(de persona)* nerve 2. *(de planta)* vein 3. *(de carne)* sinew 4. *(vigor)* energy ● **nervios** *mpl (estado mental)* nerves

nerviosismo [nerβjo'sizmo] *m* nerves *pl*

nervioso, sa [ner'βjoso, sa] *adj* 1. nervous 2. *(irritado)* worked-up

neto, ta ['neto, ta] *adj* 1. *(peso, precio)*

net 2. (contorno, línea) clean

neumático [neu'matiko] *m* tyre

neura (fam) *m* 1. (obsesión) obsession 2. (depresión) ● estar con la neura to be on a real downer

neurosis [neu'rosis] *f inv* neurosis

neutral [neu'tral] *adj* neutral

neutro, tra ['neutro, tra] *adj* neutral

nevada [ne'βaða] *f* snowfall

nevado, da [ne'βaðo, ða] *adj* snowy

nevar [ne'βar] *vi* ● está nevando it's snowing

nevera [ne'βera] *f* fridge (UK)

ni [ni] ◇ *conj* ● no ... ni ... neither ... nor ... ● no es alto ni bajo he's neither tall nor short ● ni mañana ni pasado neither tomorrow nor the day after ● ni un/una ... not a single ... ● ni siquiera lo ha probado she hasn't even tried it ● ni que as if ◇ *adv* not even ● está tan atareado que ni come he's so busy he doesn't even eat

Nicaragua [nika'raγwa] *s* Nicaragua

nicaragüense [nikara'γwense] *adj & mf* Nicaraguan

nicho ['nitʃo] *m* niche

nido ['niðo] *m* nest

niebla ['nieβla] *f* 1. (densa) fog 2. (neblina) mist ● hay niebla it's foggy

nieto, ta ['nieto, ta] *m,f* grandson (f granddaughter)

nieve ['nieβe] *f* snow

NIF ['nif] *m* (abr de número de identificación fiscal) tax reference number (UK), TIN (US)

ningún [nin'gun] *adj* ➤ ninguno

ninguno, na [nin'guno, na] ◇ *adj* no ◇ *pron* 1. (ni uno) none 2. (nadie) nobody

● no tengo ningún abrigo I don't have a coat ● ninguno me gusta I don't like any of them ● ninguno de los dos neither of them

niña ['niɲa] *f* (del ojo) pupil ➤ niño

niñera [ni'ɲera] *f* nanny

niñez [ni'ɲeθ] *f* childhood

niño, ña ['niɲo, ɲa] *m,f* 1. (crío) child, boy (f girl) 2. (bebé) baby ● los niños the children

níquel ['nikel] *m* nickel

níspero ['nispero] *m* medlar

nítido, da ['nitiðo, ða] *adj* clear

nitrógeno [ni'troxeno] *m* nitrogen

nivel [ni'βel] *m* level ● al nivel de level with ● nivel de vida standard of living

no ['no] *adv* 1. (de negación) not 2. (en respuestas) no ● ¿no vienes? aren't you coming? ● estamos de acuerdo ¿no? so, we're agreed then, are we? ● no sé I don't know ● no veo nada I can't see anything ● ¿cómo no? of course ● eso sí que no certainly not ● ¡qué no! I said no!

n° (abr de número) no. (number)

noble ['noβle] ◇ *adj* 1. (metal) precious 2. (honrado) noble ◇ *mf* noble

nobleza [no'βleθa] *f* nobility

noche ['notʃe] *f* 1. (más tarde) night 2. (atardecer) evening ● ayer por la noche last night ● esta noche tonight ● por la noche at night ● las diez de la noche ten o'clock at night

Nochebuena [notʃe'βwena] *f* Christmas Eve

Nochevieja [notʃe'βiexa] *f* New Year's Eve

Nochevieja

On New Year's Eve in Spain it is traditional to eat twelve grapes, one for each of the chimes of midnight. It is thought that this brings good luck for the coming year. The chimes are broadcast live from the clock at the Puerta del Sol in Madrid, where huge crowds congregate to see in the New Year.

noción [no'θjon] f notion ◆ **nociones** fpl ● **tener nociones de** to have a smattering of

nocivo, va [no'θiβo, βa] adj harmful

noctámbulo, la [nok'tambulo, la] m,f night owl

nocturno, na [nok'turno, rna] adj 1. (tren, vuelo, club) night (antes de s) 2. (clase) evening (antes de s)

nogal [no'ɣal] m walnut

nómada ['nomaða] mf nomad

nombrar [nom'braɾ] vt 1. (mencionar) to mention 2. (para un cargo) to appoint

nombre ['nombre] m 1. name 2. (en gramática) noun ● **a nombre de** (cheque) on behalf of; (carta) addressed to ● **nombre de pila** first name ● **nombre y apellidos** full name

nomeolvides [ˌnomeol'βiðes] m inv forget-me-not

nómina ['nomina] f 1. (lista de empleados) payroll 2. (sueldo) wages pl

nórdico, ca ['norðiko, ka] adj 1. (del norte) northern

noreste [no'reste] m north-east

noria ['norja] f (de feria) Ferris wheel, big wheel (UK)

norma ['norma] f 1. (principio) standard 2. (regla) rule

normal [nor'mal] adj normal

normalmente [norˌmal'mente] adv normally

noroeste [noro'este] m north-west

norte ['norte] m north

Norteamérica [ˌnortea'merika] s North America

norteamericano, na [ˌnorteameri'kano, na] adj & m,f (North) American

Noruega [no'rweɣa] s Norway

noruego, ga [no'rweɣo, ɣa] adj, m & f Norwegian

nos [nos] pron 1. (complemento directo) us 2. (complemento indirecto) (to) us 3. (reflexivo) ourselves 4. (recíproco) each other ● **nos vamos** we're going

nosotros, tras [no'sotros, tras] pron 1. (sujeto) we 2. (complemento) us

nostalgia [nos'talxja] f (de país, casa) homesickness

nostálgico, ca [nos'talxiko, ka] adj (de país, casa) homesick

nota ['nota] f 1. note 2. (en educación) mark, grade (US) 3. (cuenta) bill (UK), check (US) ● **tomar nota de** to note down

notable [no'taβle] adj remarkable

notar [no'tar] vt 1. (darse cuenta de) to notice 2. (sentir) to feel

notario, ria [no'tarjo, rja] m,f notary

noticia [no'tiθja] f piece of news ◆ **noticias** fpl (telediario) news sg

novatada [noβa'taða] f (broma) joke (played on new arrivals)

novato, ta [no'βato, ta] *m,f* beginner

novecientos, tas [noβe'θjentos, tas] *núm* nine hundred ➤ **seis**

novedad [noβe'ðað] *f* 1. (*cualidad*) newness 2. (*suceso*) new development 3. (*cosa*) new thing ▼ **novedades** (*discos*) new releases; (*ropa*) latest fashion *sg*

novela [no'βela] *f* novel ● **novela de aventuras** adventure story ● **novela policíaca** detective story ● **novela rosa** romantic novel

novelesco, ca [noβe'lesko, ka] *adj* fictional

novelista [noβe'lista] *mf* novelist

noveno, na [no'βeno, na] *núm* ninth ➤ **sexto**

noventa [no'βenta] *núm* ninety ➤ **seis**

noviazgo [no'βjaθγo] *m* engagement

noviembre [no'βjembre] *m* November ➤ **setiembre**

novillada [noβi'ʎaða] *f* bullfight with young bulls

novillero [noβi'ʎero] *m* apprentice bullfighter

novillo, lla [no'βiʎo, ʎa] *m,f* young bull (*f* young cow) (2-3 years old)

novio, via [no'βjo, βja] *m,f* 1. (*prometido*) fiancé (*f* fiancée) 2. (*amigo*) boyfriend (*f* girlfriend) ● **novios** *mpl* (*recién casados*) newlyweds ● **¡vivan los novios!** to the bride and groom!

nubarrón [nuβa'ron] *m* storm cloud

nube [nuβe] *f* cloud

nublado, da [nu'βlaðo, ða] *adj* cloudy

nublarse [nu'βlarse] *vi* ● **se está nublando** it's clouding over

nubosidad [nuβosi'ðað] *f* cloudiness

nuboso, sa [nu'βoso, sa] *adj* cloudy

nuca [nuka] *f* nape

nuclear [nukle'ar] *adj* nuclear

núcleo [nukleo] *m* (*parte central*) centre

nudillos [nu'ðiʎos] *mpl* knuckles

nudismo [nu'ðizmo] *m* nudism

nudista [nu'ðista] *mf* nudist

nudo [nuðo] *m* 1. (*de cuerda, hilo*) knot 2. (*de comunicaciones*) major junction 3. (*en argumento*) crux

nuera [nuera] *f* daughter-in-law

nuestro, tra [nuestro, tra] ◇ *adj* our ◇ *pron* ● **el nuestro, la nuestra** ours ● **lo nuestro** (*lo que nos gusta*) our thing ● **un amigo nuestro** a friend of ours

nuevamente [ˌnueβa'mente] *adv* again

Nueva Zelanda [ˌnueβaθe'landa] *s* New Zealand

nueve [nueβe] *núm* nine ➤ **seis**

nuevo, va [nueβo, βa] *adj* new ● **de nuevo** again

nuez [nueθ, θes] (*pl* **-ces**) *f* 1. (*fruto seco en general*) nut 2. (*de nogal*) walnut 3. (*del cuello*) Adam's apple

nulidad [nuli'ðað] *f* 1. (*anulación*) nullity 2. (*persona*) useless idiot

nulo, la [nulo, la] *adj* 1. (*sin valor legal*) null and void 2. (*inepto*) useless

núm. (*abr de número*) no. (*number*)

numerado, da [nume'raðo, ða] *adj* numbered

número [numero] *m* 1. number 2. (*de lotería*) ticket 3. (*de una publicación*) issue 4. (*talla*) size ● **¿qué número calzas?** what size shoe are you? ● **número de teléfono** telephone number

numeroso, sa [nume'roso, sa] *adj* numerous

numismática [numiz'matika] *f* coin-collecting

nunca ['nunka] *adv* **1.** never **2.** *(en negativas)* ever

nupcial [nup'θjal] *adj* wedding *(antes de s)*

nupcias ['nupθias] *fpl* wedding *sg*

nutria ['nutria] *f* otter

nutrición [nutri'θion] *f* nutrition

nutritivo, va [nutri'tiβo, βa] *adj* nutritious

ñandú [nan'du] *m* rhea

ñato, ta ['nato, ta] *adj* *(Andes & RP)* snub

ñoñería [none'ria] *f* insipidness

ñoño, ña ['nono, na] *adj* **1.** *(remilgado)* squeamish **2.** *(quejica)* whining **3.** *(soso)* dull

ñoqui ['noki] *m* gnocchi *pl*

o O

o [o] *conj* or ● **o sea** in other words

O (*abr de* oeste) W *(west)*

oasis [o'asis] *m inv* oasis

obedecer [oβeðe'θer] *vt* to obey ◆ **obedecer a** *v + prep (ser motivado por)* to be due to

obediencia [oβe'ðjenθja] *f* obedience

obediente [oβe'ðjente] *adj* obedient

obesidad [oβesi'ðað] *f* obesity

obeso, sa [o'βeso, sa] *adj* obese

obispo [o'βispo] *m* bishop

objeción [oβxe'θjon] *f* objection

objetividad [oβxetiβi'ðað] *f* objectivity

objetivo, va [oβxe'tiβo, βa] ◇ *adj* objective ◇ *m* **1.** *(finalidad)* objective **2.** *(blanco)* target **3.** *(lente)* lens

objeto [oβ'xeto] *m* **1.** object **2.** *(finalidad)* purpose ● **con el objeto de** with the aim of ▼ **objetos perdidos** lost property

obligación [oβliɣa'θjon] *f* **1.** *(deber)* obligation **2.** *(de una empresa)* bond

obligar [oβli'ɣar] *vt* to force ◆ **obligarse a** *v + prep (comprometerse a)* to undertake to

obligatorio, ria [oβliɣa'torjo, rja] *adj* compulsory

obra ['oβra] *f* **1.** *(realización)* work **2.** *(en literatura)* book **3.** *(en teatro)* play **4.** *(en música)* opus **5.** *(edificio en construcción)* building site ● **obra de caridad** charity ● **obra (de teatro)** play ● **obras** *fpl (reformas)* alterations ▼ **obras** *(en carretera)* roadworks

obrador [oβra'ðor] *m* workshop

obrero, ra [o'βrero, ra] *m,f* worker

obsequiar [oβse'kjar] *vt* ● **obsequiar a alguien con algo** to present sb with sthg

obsequio [oβ'sekjo] *m* gift

observación [oβserβa'θjon] *f* observation

observador, ra [oβserβa'ðor, ra] *adj* observant

observar [oβser'βar] *vt* **1.** to observe **2.**

(darse cuenta de) to notice

observatorio [oβserβa'torjo] *m* observatory

obsesión [oβse'sjon] *f* obsession

obsesionar [oβsesjo'nar] *vt* to obsess ✦ **obsesionarse** *vp* to be obsessed

obstáculo [oβs'takulo] *m* obstacle

obstante [oβs'tante] ✦ **no obstante** *conj* nevertheless

obstinado, da [oβsti'naðo, ða] *adj* **1.** *(persistente)* persistent **2.** *(terco)* obstinate

obstruir [oβs'truir] *vt* to obstruct ✦ **obstruirse** *vp (agujero, cañería)* to get blocked up

obtener [oβte'ner] *vt* to get

obvio, via ['oββjo, βja] *adj* obvious

oca ['oka] *f* **1.** *(ave)* goose **2.** *(juego)* board game similar to snakes and ladders

ocasión [oka'sjon] *f* **1.** *(momento determinado)* moment **2.** *(vez)* occasion **3.** *(oportunidad)* chance ● **de ocasión** *(rebajado)* bargain *(antes de s)*

ocasional [okasjo'nal] *adj* **1.** *(eventual)* occasional **2.** *(casual)* accidental

ocaso [o'kaso] *m* **1.** *(de sol)* sunset **2.** *(fig) (decadencia)* decline

occidental [okθiðen'tal] *adj* western

occidente [okθi'ðente] *m* west ✦ **Occidente** *m* the West

océano [o'θeano] *m* ocean

ochenta [o'tʃenta] *núm* eighty ➤ **seis**

ocho ['otʃo] *núm* eight ➤ **seis**

ochocientos, tas [otʃo'θjentos, tas] *núm* eight hundred ➤ **seis**

ocio ['oθjo] *m* leisure

ocioso, sa [o'θjoso, sa] *adj (inactivo)* idle

ocre ['okre] *adj inv* ochre

octavo, va [ok'taβo, βa] *núm* eighth ➤ **sexto**

octubre [ok'tuβre] *m* October ➤ **septiembre**

oculista [oku'lista] *mf* ophthalmologist

ocultar [okul'tar] *vt* **1.** *(esconder)* to hide **2.** *(callar)* to cover up

oculto, ta [o'kulto, ta] *adj* hidden

ocupación [okupa'θjon] *f* **1.** occupation **2.** *(oficio)* job

ocupado, da [oku'paðo, ða] *adj* **1.** *(plaza, asiento)* taken **2.** *(aparcamiento)* full **3.** *(lavabo)* engaged *(UK)*, occupied *(US)* **4.** *(atareado)* busy **5.** *(invadido)* occupied ▼ **ocupado** *(taxi)* sign indicating that a taxi is not for hire

ocupar [oku'par] *vt* **1.** to occupy **2.** *(habitar)* to live in **3.** *(mesa)* to sit at **4.** *(en tiempo)* to take up **5.** *(cargo, posición, etc)* to hold **6.** *(dar empleo)* to provide work for ✦ **ocuparse de** *v + prep* **1.** *(encargarse de)* to deal with **2.** *(persona)* to look after

ocurrir [oku'rir] *vi* to happen ✦ **ocurrirse** *vp* ● **no se me ocurre la respuesta** I can't think of the answer

odiar [o'ðjar] *vt* to hate

odio ['oðjo] *m* hatred

oeste [o'este] *m* west

ofensiva [ofen'siβa] *f* offensive

oferta [o'ferta] *f* **1.** *(propuesta)* offer **2.** *(en precio)* bargain **3.** *(surtido)* range

oficial [ofi'θjal] ◇ *adj* official ◇ *m,f (militar)* officer

oficina [ofi'θina] *f* office ● **oficina de cambio** bureau de change ● **oficina de correos** post office ● **oficina de objetos**

perdidos lost property office ● oficina de turismo tourist office

oficinista [ofiθi'nista] *mf* office worker

oficio [o'fiθjo] *m* **1.** *(profesión)* trade **2.** *(empleo)* job **3.** *(misa)* service

ofrecer [ofre'θer] *vt* **1.** to offer **2.** *(mostrar)* to present ◆ ofrecerse *vp* *(ser voluntario)* to volunteer

oftalmología [oftalmolo'xia] *f* ophthalmology

OGM *m* *(abr de organismo genéticamente modificado)* GMO *(genetically modified organism)*

ogro ['oɣro] *m* ogre

oído [o'iðo] *m* **1.** *(sentido)* hearing **2.** *(órgano)* ear ● hablar al oído a alguien to have a word in sb's ear

oír [o'ir] *vt* **1.** *(ruido, música, etc)* to hear **2.** *(atender)* to listen to ● ¡oiga, por favor! excuse me!

ojal [o'xal] *m* buttonhole

ojalá [oxa'la] *interj* if only!

ojeras [o'xeras] *fpl* bags under the eyes

ojo ['oxo] ◇ *m* **1.** eye **2.** *(de cerradura)* keyhole ◇ *interj* watch out! ● ojo de buey porthole ● a ojo *(fig)* roughly

OK [o'kei] *interj* OK

okupa [o'kupa] *mf* *(fam)* squatter

ola ['ola] *f* wave ● ola de calor heatwave ● ola de frío cold spell

ole ['ole] *interj* bravo!

oleaje [ole'axe] *m* swell

óleo ['oleo] *m* oil *(painting)*

oler [o'ler] *vt & vi* to smell ● oler bien to smell good ● oler mal to smell bad ◆ olerse *vp* to sense

olfato [ol'fato] *m* **1.** *(sentido)* sense of smell **2.** *(astucia)* nose

olimpiadas [olim'pjaðas] *fpl* Olympics

olímpico, ca [o'limpiko, ka] *adj* Olympic

oliva [o'liβa] *f* olive

olivo [o'liβo] *m* olive tree

olla ['oʎa] *f* pot ● olla a presión pressure cooker

olmo ['olmo] *m* elm *(tree)*

olor [o'lor] *m* smell

olvidar [olβi'ðar] *vt* **1.** to forget **2.** *(dejarse)* to leave ◆ olvidarse de *v + prep* *(dejarse)* to leave

olvido [ol'βiðo] *m* **1.** *(en memoria)* forgetting **2.** *(descuido)* oversight

ombligo [om'bliɣo] *m* **1.** *(de vientre)* navel **2.** *(fig) (centro)* heart

omitir [omi'tir] *vt* to omit

once ['onθe] *núm* eleven ➤ seis

ONCE ['onθe] *f Spanish association for the blind*

ONCE

This independent organization was originally founded to help the blind but now also covers other disabled people. Its members have the opportunity to work selling tickets for its daily national lottery, the proceeds of which are used to fund the organization's other activities. Friday's winning ticket, the *cuponazo*, gets an especially large prize.

onda ['onda] *f* wave

ondulado, da [ondu'laðo, ða] *adj* wavy

ONU ['onu] *f (abr de Organización de las Naciones Unidas)* UN *(United Nations)*

opaco, ca [o'pako, ka] *adj* opaque

opción [op'θjon] *f* option ● **tener opción a** to be eligible for

ópera ['opera] *f* opera

operación [opera'θjon] *f* 1. operation 2. *(negocio)* transaction ● **operación retorno/salida** *police operation to assist travel of holidaymakers to/from city homes, minimizing congestion and maximizing road safety*

operadora [opera'ðora] *f (de teléfonos)* operator

operar [ope'rar] *vt* 1. *(enfermo)* to operate on 2. *(realizar)* to bring about ◆ **operarse** *vp (del hígado, etc)* to have an operation

operario, ria [ope'rarjo, rja] *m,f* worker

opinar [opi'nar] ◇ *vt* to think ◇ *vi* to give one's opinion

opinión [opi'njon] *f* opinion ● **la opinión pública** public opinion

oponer [opo'ner] *vt* 1. *(obstáculo, resistencia)* to use against 2. *(razón, argumento, etc)* to put forward ◆ **oponerse** *vp (contrarios, fuerzas)* to be opposed ● **oponerse a** *v + prep* 1. *(ser contrario a)* to oppose 2. *(negarse a)* to refuse to

oportunidad [oportuni'ðað] *f* opportunity ▼ **oportunidades** bargains

oportuno, na [opor'tuno, na] *adj* 1. *(adecuado)* appropriate 2. *(propicio)* timely 3. *(momento)* right

oposición [oposi'θjon] *f* 1. *(impedimento)* opposition 2. *(resistencia)* resistance ● **la oposición** the opposition ◆ **oposiciones** *fpl (para empleo)* public entrance examinations

oprimir [opri'mir] *vt* 1. *(botón)* to press

2. *(reprimir)* to oppress

optar [op'tar] ◆ **optar a** *v + prep (aspirar a)* to go for ◆ **optar por** *v + prep* **optar por algo** to choose sthg ● **optar por hacer algo** to choose to do sthg

optativo, va [opta'tiβo, βa] *adj* optional

óptica ['optika] *f* 1. *(ciencia)* optics 2. *(establecimiento)* optician's *(shop)*

optimismo [opti'mizmo] *m* optimism

optimista [opti'mista] *adj* optimistic

opuesto, ta [o'puesto, ta] ◇ *pp* ➤ **oponer** ◇ *adj (contrario)* conflicting ● **opuesto a** contrary to

oración [ora'θjon] *f* 1. *(rezo)* prayer 2. *(frase)* sentence

orador, ra [ora'ðor, ra] *m,f* speaker

oral [o'ral] *adj* oral

órale ['orale] *interj (Méx)* that's right!

orangután [orangu'tan] *m* orangutang

oratoria [ora'torja] *f* oratory

órbita ['orβita] *f* 1. *(de astro)* orbit 2. *(de ojo)* eye socket 3. *(ámbito)* sphere

orca ['orka] *f* killer whale

orden¹ ['orðen] *m* order ● **en orden** *(bien colocado)* tidy *(UK)*, neat *(US)*; *(en regla)* in order

orden² ['orðen] *f* order

ordenación [orðena'θjon] *f* 1. *(colocación)* arrangement 2. *(de sacerdote)* ordination

ordenado, da [orðe'naðo, ða] *adj (en orden)* tidy *(UK)*, neat *(US)*

ordenador [orðena'ðor] *m* computer ● **ordenador portátil** laptop computer

ordenar [orðe'nar] *vt* 1. *(colocar)* to arrange 2. *(armario, habitación)* to tidy up *(UK)*, to clean up *(US)* 3. *(mandar)* to order 4. *(sacerdote)* to ordain

ordeñar [orðe'ɲar] vt to milk

ordinario, ria [orði'narjo, rja] adj **1.** (habitual) ordinary **2.** (basto, grosero) coarse

orégano [o'reɣano] m oregano

oreja [o'rexa] f **1.** ear **2.** (de sillón) wing

orgánico, ca [or'ɣaniko, ka] adj organic

organillo [orɣa'niʎo] m barrel organ

organismo [orɣa'nizmo] m **1.** (de ser vivo) body **2.** (institución) organization

organización [orɣaniθa'θjon] f organization

organizador, ra [orɣaniθa'ðor, ra] m,f organizer

organizar [orɣani'θar] vt **1.** to organize **2.** (negocio, empresa, etc) to set up

órgano ['orɣano] m organ

orgullo [or'ɣuʎo] m pride

orgulloso, sa [orɣu'ʎoso, sa] adj proud
● **orgulloso de** proud of

oriental [orjen'tal] ◇ adj **1.** (del este) eastern **2.** (del Lejano Oriente) oriental ◇ mf oriental

orientar [orjen'tar] vt (guiar) to direct
● **orientar algo hacia algo** to place sthg facing sthg

orientativo, va adj guideline (antes de s) ● **precio orientativo** recommended price ● **ser puramente orientativo** only to be intended as a guideline

oriente [o'rjente] m **1.** (punto cardinal) east **2.** (viento) east wind ◆ **Oriente** m ● **el Oriente** the East

orificio [ori'fiθjo] m hole

origen [o'rixen] m **1.** origin **2.** (motivo) cause **3.** (ascendencia) birth

original [orixi'nal] adj **1.** original **2.** (extraño) eccentric

originario, ria [orixi'narjo, rja] adj **1.** (país, ciudad) native **2.** (inicial) original
● **ser originario de** to come from

orilla [o'riʎa] f **1.** (de mar, lago) shore **2.** (de río) bank **3.** (borde) edge

orillarse [ori'ʎarse] vp (Col & Ven) to move to one side

orina [o'rina] f urine

orinal [ori'nal] m chamberpot

orinar [ori'nar] vi to urinate

oro ['oro] m **1.** (metal) gold **2.** (riqueza) riches pl ◆ **oros** mpl (de la baraja) suit of Spanish cards bearing gold coins

orquesta [or'kesta] f **1.** (de música) orchestra **2.** (lugar) orchestra pit

orquestar [orkes'tar] vt to orchestrate

orquídea [or'kiðea] f orchid

ortiga [or'tiɣa] f (stinging) nettle

ortodoxo, xa [orto'ðokso, sa] adj orthodox

oruga [o'ruɣa] f caterpillar

os [os] pron **1.** (complemento directo) you **2.** (complemento indirecto) (to) you **3.** (reflexivo) yourselves **4.** (recíproco) each other

oscilar [osθi'lar] vi (moverse) to swing ● **oscilar (entre)** (variar) to fluctuate (between)

oscuridad [oskuri'ðað] f **1.** (falta de luz) darkness **2.** (confusión) obscurity

oscuro, ra [os'kuro, ra] adj **1.** dark **2.** (confuso) obscure **3.** (nublado) overcast
● **a oscuras** in the dark

oso, osa ['oso, 'osa] m,f bear ● **oso hormiguero** anteater

osobuco [oso'βuko] m osso bucco

ostra ['ostra] f oyster ◆ **ostras** interj (fam) wow!

OTAN [oˈtan] *f* NATO

otoño [oˈtoɲo] *m* autumn, fall *(US)*

otorrino, na [otoˈrino, na] *m,f (fam)* ear, nose and throat specialist

otorrinolaringólogo, ga [otoˌrinolariŋˈɣoloɣo, ɣa] *m,f* ear, nose and throat specialist

otro, otra ['otɾo, 'otɾa] ◇ *adj* another *sg*, other *pl* ◇ *pron* **1.** *(otra cosa)* another *sg*, others *pl* **2.** *(otra persona)* someone else ● **el otro** the other one ● **los otros** the others ● **otro vaso** another glass ● **otros dos vasos** another two glasses ● **el otro día** the other day ● **la otra tarde** the other evening

ovalado, da [oβaˈlaðo, ða] *adj* oval

ovario [oˈβaɾjo] *m* ovary

oveja [oˈβexa] *f* sheep

ovni [ˈoβni] *m* UFO

óxido [ˈoksiðo] *m (herrumbre)* rust

oxígeno [okˈsixeno] *m* oxygen

oyente [oˈjente] *mf* listener

ozono [oˈθono] *m* ozone

*p*P

p. *(abr de paseo)* Ave *(Avenue)*

pabellón [paβeˈʎon] *m* **1.** *(edificio)* pavilion **2.** *(de hospital)* block **3.** *(tienda de campaña)* bell tent **4.** *(de oreja)* outer ear

pacer [paˈθeɾ] *vi* to graze

pacharán [patʃaˈɾan] *m* liqueur made from brandy and sloes

paciencia [paˈθjenθja] *f* patience ●

perder la paciencia to lose one's patience ● tener paciencia to be patient

paciente [paˈθjente] *adj* & *mf* patient

pacificación [paθifikaˈθjon] *f* pacification

pacífico, ca [paˈθifiko, ka] *adj* peaceful ◆ **Pacífico** *m* ● **el Pacífico** the Pacific

pacifismo [paθiˈfizmo] *m* pacifism

pacifista [paθiˈfista] *mf* pacifist

pack [ˈpak] *m* pack

pacto [ˈpakto] *m (entre personas)* agreement

padecer [paðeˈθeɾ] ◇ *vt* **1.** *(enfermedad)* to suffer from **2.** *(soportar)* to endure ◇ *vi* to suffer ● **padece del hígado** she has liver trouble

padrastro [paˈðɾastɾo] *m* **1.** *(pariente)* stepfather **2.** *(pellejo)* hangnail

padre [ˈpaðɾe] ◇ *m* father ◇ *adj (Méx) (fam) (estupendo)* brilliant ◆ **padres** *mpl (de familia)* parents

padrino [paˈðɾino] *m* **1.** *(de boda)* best man **2.** *(de bautizo)* godfather ◆ **padrinos** *mpl* godparents

padrísimo [paˈðɾisimo] *adj (Amér) (fam)* brilliant

paella [paˈeʎa] *f* paella

pág. *(abr de página)* p. *(page)*

paga [ˈpaɣa] *f (sueldo)* wages *pl*

paga extraordinaria

In Spain, permanent employees' annual salaries are usually composed of 14 equal payments. This means that they receive double their standard monthly salary twice a year, in June and December. The extra cash is intended to help pay for summer holidays and Christmas presents.

pagadero, ra [paɣaˈðero, ra] *adj*

pagado, da [paˈɣaðo, ða] *adj* (deuda, cuenta, etc) paid

pagano, na [paˈɣano, na] *m,f* pagan

pagar [paˈɣar] ⋄ *vt* **1.** (cuenta, deuda, etc) to pay **2.** (estudios, gastos, error) to pay for **3.** (corresponder) to repay ⋄ *vi* to pay ▼ **pague en caja antes de retirar su vehículo** please pay before leaving

página [ˈpaxina] *f* page

pago [ˈpaɣo] *m* **1.** payment **2.** (recompensa) reward

país [paˈis] *m* country

paisaje [paiˈsaxe] *m* **1.** landscape **2.** (vista panorámica) view

paisano, na [paiˈsano, na] *m,f* **1.** (persona no militar) civilian **2.** (de país) compatriot **3.** (de ciudad) person from the same city

Países Bajos [paˈisez ˈβaxos] *mpl* ● **los Países Bajos** the Netherlands

País Vasco [paˈiz ˈβasko] *m* ● **el País Vasco** the Basque country

paja [ˈpaxa] *f* **1.** straw **2.** (parte desechable) padding

pajarita [paxaˈrita] *f* (corbata) bow tie ● **pajarita de papel** paper bird

pájaro [ˈpaxaro] *m* bird

paje [ˈpaxe] *m* page

pala [ˈpala] *f* **1.** (herramienta) spade **2.** (de ping-pong) bat (UK), paddle (US) **3.** (de cocina) slice (UK), spatula (US) **4.** (de remo, hacha) blade

palabra [paˈlaβra] *f* word ● **dar la palabra a alguien** to give sb the floor

de palabra (hablando) by word of mouth ● **palabras** *fpl* (discurso) words

palacio [paˈlaθjo] *m* palace ● **palacio municipal** (Amér) town hall

Palacio de la Moneda

This neoclassical building is the official residence of the Chilean president and the seat of the country's government. It also houses various other government departments. Its name comes from the fact that until 1929 it served as the national Mint.

Palacio de la Zarzuela

The Zarzuela palace is the current residence of the King of Spain and is situated in the el Pardo hills to the northwest of Madrid. Built in the neoclassical style between 1634 and 1638, it was renovated in the rococo style in the 18th century.

paladar [palaˈðar] *m* palate

paladear [palaðeˈar] *vt* to savour

palanca [paˈlanka] *f* lever ● **palanca de cambio** gear lever (UK), gearshift (US)

palangana [palanˈɡana] *f* **1.** (para fregar) washing-up bowl (UK) **2.** (para lavarse) wash bowl

palco [ˈpalko] *m* box (at theatre)

paletilla [paleˈtiʎa] *f* shoulder blade ● **paletilla de cordero** shoulder of lamb

pálido, da [ˈpaliðo, ða] *adj* pale

palillo [paˈliʎo] *m* **1.** (para dientes)

toothpick **2.** *(para tambor)* drumstick
paliza [pa'liθa] *f* **1.** *(zurra, derrota)* beating **2.** *(esfuerzo)* hard grind
palma ['palma] *f* **1.** *(de mano, palmera)* palm **2.** *(hoja de palmera)* palm leaf ● **palmas** *fpl* applause *sg* ● **dar palmas** to applaud
palmada [pal'maða] *f* **1.** *(golpe)* pat **2.** *(ruido)* clap
palmera [pal'mera] *f (árbol)* palm (tree)
palmitos [pal'mitos] *mpl (de cangrejo)* crab sticks ● **palmitos a la vinagreta** *crab sticks in vinegar*
palo ['palo] *m* **1.** *(de madera)* stick **2.** *(de golf)* club **3.** *(de portería)* post **4.** *(de tienda de campaña)* pole **5.** *(golpe)* blow *(with a stick)* **6.** *(de barco)* mast **7.** *(en naipes)* suit
paloma [pa'loma] *f* dove, pigeon
palomar [palo'mar] *m* dovecote
palomitas [palo'mitas] *fpl* popcorn *sg*
palpitar [palpi'tar] *vi* **1.** *(corazón)* to beat **2.** *(sentimiento)* to shine through
palta ['palta] *f (Andes & RP)* avocado
pamela [pa'mela] *f* sun hat
pampa ['pampa] *f* pampas *pl*
pan ['pan] *m* **1.** *(alimento)* bread **2.** *(hogaza)* loaf ● **pan dulce** *(Amér)* *(sweet)* pastry ● **pan integral** wholemeal bread ● **pan de molde** sliced bread ● **pan de muerto** *(Méx)* *sweet pastry eaten on All Saints' Day* ● **pan rallado** breadcrumbs *pl* ● **pan con tomate** *bread rubbed with tomato and oil* ● **pan tostado** toast
panadería [panaðe'ria] *f* bakery
panadero, ra [pana'ðero, ra] *m,f* baker
panal [pa'nal] *m* honeycomb
Panamá [pana'ma] *s* Panama

panameño, ña [pana'meɲo, ɲa] *adj & m,f* Panamanian
pancarta [paŋ'karta] *f* banner
pandereta [pande'reta] *f* tambourine
pandilla [pan'diʎa] *f* gang
panecillo [pane'θiʎo] *m (bread)* roll
panel [pa'nel] *m* panel
panera [pa'nera] *f* **1.** *(cesta)* bread basket **2.** *(caja)* bread bin *(UK)*, bread box *(US)*
pánico ['paniko] *m* panic
panorama [pano'rama] *m* **1.** *(paisaje)* panorama **2.** *(situación)* overall state
panorámica [pano'ramika] *f* panorama
panorámico, ca [pano'ramiko, ka] *adj* panoramic
pantaletas [panta'letas] *fpl (CAm & Ven)* knickers *(UK)*, panties *(US)*
pantalla [pan'taʎa] *f* **1.** *(de cine, televisión)* screen **2.** *(de lámpara)* lampshade
pantalones [panta'lones] *mpl* trousers *(UK)*, pants *(US)* ● **pantalones cortos** shorts ● **pantalones vaqueros** jeans
pantano [pan'tano] *m* **1.** *(embalse)* reservoir **2.** *(ciénaga)* marsh
pantanoso, sa [panta'noso, sa] *adj* marshy
pantera [pan'tera] *f* panther
pantimedias [panti'meðjas] *fpl (Méx)* tights *(UK)*, pantyhose *(US)*
pantorrilla [panto'riʎa] *f* calf
pantys ['pantis] *mpl* tights *(UK)*, pantyhose *(US)*
pañal [pa'nal] *m* nappy *(UK)*, diaper *(US)* ● **pañales higiénicos** disposable nappies
paño ['paɲo] *m* cloth ● **paño de cocina** tea towel *(UK)*, dishcloth

pañuelo [pa'ɲwelo] *m* **1.** *(para limpiarse)* handkerchief **2.** *(de adorno)* scarf

Papa ['papa] *m* ● el Papa the Pope

papa ['papa] *f (Amér)* potato ● **papas fritas** *(de cocina)* chips *(UK)*, French fries *(US)*; *(de paquete)* crisps *(UK)*, chips *(US)*

papá [pa'pa] *m (fam)* dad ● **papá grande** *(Amér)* grandad ◆ **papás** *mpl (fam) (padres)* parents

papachador, ra [papatʒa'ðoɾ, ɾa] *adj (Amér)* pampering

papachar [papa'tʒaɾ] *vt (Amér)* to spoil

papagayo [papa'ɣaʝo] *m* parrot

papel [pa'pel] *m* **1.** paper **2.** *(hoja)* sheet of paper **3.** *(función, de actor)* role ● **papel higiénico** toilet paper ● **papel pintado** wallpaper ◆ **papeles** *mpl (documentos)* papers

papeleo [pape'leo] *m* red tape

papelera [pape'leɾa] *f* wastepaper basket

papelería [papele'ɾia] *f* stationer's *(shop)*

papeleta [pape'leta] *f* **1.** *(de votación)* ballot paper **2.** *(de examen)* slip of paper with university exam results **3.** *(fig) (asunto difícil)* tricky thing

paperas [pa'peɾas] *fpl* mumps

papilla [pa'piʎa] *f (alimento)* baby food

paquete [pa'kete] *m* **1.** *(postal)* parcel **2.** *(de cigarrillos, klínex, etc)* pack ● **paquete turístico** package tour

Paquistán [pakis'tan] *m* ● (el) Paquistán Pakistan

paquistaní [pakista'ni] *adj & mf* Pakistani

par ['paɾ] ◇ *adj (número)* even ◇ *m* **1.** *(de zapatos, guantes, etc)* pair **2.** *(de veces)* couple ● **abierto de par en par** wide open ● **sin par** matchless ● **un par de ... a couple of ...**

para [paɾa] *prep* **1.** *(finalidad)* for ● **esta agua no es buena para beber** this water isn't fit for drinking ● **lo he comprado para ti** I bought it for you ● **te lo repetiré para que te enteres** I'll repeat it so you understand **2.** *(motivación)* (in order) to ● **lo he hecho para agradarte i did it to please you 3.** *(dirección)* towards ● **ir para casa** to head (for) home ● **salir para el aeropuerto** to leave for the airport **4.** *(tiempo)* for ● **lo tendré acabado para mañana** I'll have it finished for tomorrow **5.** *(comparación)* considering ● **está muy delgado para lo que come** he's very thin considering how much he eats **6.** *(inminencia, propósito)* ● **la comida está lista para servir** the meal is ready to be served

parabólica [paɾa'βolika] *f* satellite dish

parabrisas [paɾa'βɾisas] *m inv* windscreen *(UK)*, windshield *(US)*

paracaídas [paɾaka'iðas] *m inv* parachute

parachoques [paɾa'tʒokes] *m inv* bumper *(UK)*, fender *(US)*

parada [pa'ɾaða] *f* stop ● **parada de autobús** bus stop ● **parada de taxis** taxi rank ➤ **parado**

paradero [paɾa'ðeɾo] *m (Andes)* bus stop

parado, da [pa'ɾaðo, ða] ◇ *adj* **1.** *(coche, máquina, etc)* stationary **2.** *(desempleado)* unemployed **3.** *(sin iniciativa)* unenterprising **4.** (*Amér*) (*de pie*) standing up ◇ *m,f* unemployed person

paradoja [para'ðoxa] *f* paradox

paradójico, ca [para'ðoxiko, ka] *adj* paradoxical

parador [para'ðor] *m* (*mesón*) roadside inn ● **parador nacional** state-owned luxury hotel

parador nacional

Paradors are surprisingly affordable luxury hotels run by the Spanish State. They are usually converted buildings of artistic or historic interest such as castles and palaces, and tend to be situated in areas of outstanding natural beauty. Their restaurants specialize in local or regional cuisine.

paraguas [pa'raɣuas] *m inv* umbrella

Paraguay [para'ɣuai] *m* ● **(el) Paraguay** Paraguay

paraguayo, ya [para'ɣuajo, ja] *adj & m,f* Paraguayan

paraíso [para'iso] *m* paradise

paraje [pa'raxe] *m* spot

paralelas [para'lelas] *fpl* parallel bars

paralelo, la [para'lelo, la] *adj & m* parallel

parálisis [pa'ralisis] *f inv* paralysis

paralítico, ca [para'litiko, ka] *m,f* paralytic

paralizar [parali'θar] *vt* to paralyse

parapente [para'pente] *m* paraskiing

parar [pa'rar] ◇ *vt* **1.** to stop **2.** (*Amér*) (*levantar*) to lift ◇ *vi* **1.** (*detenerse*) to stop

2. (*hacer huelga*) to go on strike ● **sin parar** non-stop ▼ **para en todas las estaciones** stopping at all stations ●

pararse *vp* **1.** (*detenerse*) to stop **2.** (*Amér*) (*ponerse de pie*) to stand up

pararrayos [para'rajos] *m inv* lightning conductor

parasol [para'sol] *m* parasol

parchís [par'tʃis] *m inv* ludo (*UK*), Parcheesi ® (*US*)

parcial [par'θjal] ◇ *adj* **1.** partial **2.** (*injusto*) biased ◇ *m* (*examen*) end-of-term examination

pardo, da ['parðo, ða] *adj* dun-coloured

parecer [pare'θer] ◇ *m* (*opinión*) opinion ◇ *v cop* to look, to seem ◇ *vi* ● **me parece que ...** I think (that) ... ● **parece que va a llover** it looks like it's going to rain ● **¿qué te parece?** what do you think? ● **de buen parecer** good-looking ● **parecerse** *vp* to look alike ● **parecerse a** to resemble

parecido, da [pare'θiðo, ða] ◇ *adj* similar ◇ *m* resemblance

pared [pa'reð] *f* (*muro*) wall

pareja [pa'rexa] *f* **1.** (*conjunto de dos*) pair **2.** (*de casados, novios*) couple **3.** (*compañero*) partner

parentesco [paren'tesko] *m* relationship

paréntesis [pa'rentesis] *m inv* **1.** (*signo de puntuación*) bracket (*UK*), parenthesis (*US*) **2.** (*interrupción*) break ● **entre paréntesis** in brackets

pareo [pa'reo] *m* wraparound skirt

pariente, ta [pa'rjente, ta] *m,f* relative

parking ['parkin] *m* car park (*UK*), parking lot (*US*)

parlamentario, ria [parlamen'tarjo, rja] *m,f* member of parliament

parlamento [parla'mento] *m* **1.** (*asamblea legislativa*) parliament **2.** (*discurso*) speech

parlanchín, ina [parlan'tʒin, ina] *adj* talkative

paro ['paro] *m* **1.** (*desempleo*) unemployment **2.** (*parada*) stoppage **3.** (*huelga*) strike ● estar en paro to be unemployed

parpadear [parpaðe'ar] *vi* (*ojos*) to blink

párpado ['parpaðo] *m* eyelid

parque ['parke] *m* **1.** (*jardín*) park **2.** (*de niños*) playpen **3.** (*de automóviles*) fleet ● parque acuático waterpark ● parque de atracciones amusement park ● parque de bomberos fire station ● parque eólico wind farm ● parque infantil children's playground ● parque nacional national park ● parque zoológico zoo

parque nacional

While access to national parks is free, there are strict rules governing the behaviour of visitors, in order to ensure adequate protection for these areas of outstanding natural beauty. The main national parks in Spain are the *Coto de Doñana* (Huelva), *Ordesa* (Huesca) and *Teide* (Santa Cruz de Tenerife), while Latin America boasts *los Glaciares* (Argentina), *Isla Cocos* (Costa Rica), *Darién* (Panama) and *Canaima* (Venezuela).

parqué [par'ke] *m* parquet

parquear [parke'ar] *vt* (*Col*) to park

parquímetro [par'kimetro] *m* parking meter

parra ['para] *f* vine

párrafo ['parafo] *m* paragraph

parrilla [pa'riʎa] *f* **1.** (*para cocinar*) grill **2.** (*Amér*) (*de coche*) roof rack ● a la parrilla grilled

parrillada [pari'ʎaða] *f* mixed grill ● parrillada de carne selection of grilled meats ● parrillada de pescado selection of grilled fish

parroquia [pa'rokja] *f* **1.** (*iglesia*) parish church **2.** (*conjunto de fieles*) parish **3.** (*fig*) (*clientela*) clientele

parte ['parte] ◊ *f* **1.** part **2.** (*bando, lado, cara*) side ◊ *m* report ● dar parte de algo to report sthg ● de parte de (*en nombre de*) on behalf of ● ¿de parte de quién? (*en el teléfono*) who's calling? ● en alguna parte somewhere ● en otra parte somewhere else ● en parte partly ● en o por todas partes everywhere ● parte meteorológico weather forecast ● por otra parte (*además*) what is more

participación [partiθipa'θjon] *f* **1.** (*colaboración*) participation **2.** (*de boda, bautizo*) notice **3.** (*en lotería*) share

participar [partiθi'par] *vi* ● participar (en) to participate (in) ● participar algo a alguien to notify sb of sthg

partícula [par'tikula] *f* particle

particular [partiku'lar] *adj* **1.** (*privado*) private **2.** (*propio*) particular **3.** (*especial*) unusual ● en particular in particular

partida [par'tiða] *f* **1.** (*marcha*) departure **2.** *(en el juego)* game **3.** *(certificado)* certificate **4.** *(de género, mercancías)* consignment

partidario, ria [parti'ðarjo, rja] *m,f* supporter ● **ser partidario de** to be in favour of

partidista [parti'ðista] *adj* partisan

partido [par'tiðo] *m* **1.** *(en política)* party **2.** *(en deporte)* game ● **sacar partido de** to make the most of ● **partido de ida** away leg ● **partido de vuelta** home leg

partir [par'tir] ◇ *vt* **1.** *(dividir)* to divide **2.** *(romper)* to break **3.** *(nuez)* to crack **4.** *(repartir)* to share ◇ *vi (ponerse en camino)* to set off ● **a partir de** from ◆ **partir de** *v* + *prep (tomar como base)* to start from

partitura [parti'tura] *f* score

parto ['parto] *m* birth

parvulario [parβu'larjo] *m* nursery school

pasa ['pasa] *f* raisin

pasable [pa'saβle] *adj* passable

pasada [pa'saða] *f* **1.** *(con trapo)* wipe **2.** *(de pintura, barniz)* coat **3.** *(en labores de punto)* row ● **de pasada** in passing

pasado, da [pa'saðo, ða] ◇ *adj* **1.** *(semana, mes, etc)* last **2.** *(viejo)* old **3.** *(costumbre)* old-fashioned **4.** *(alimento)* off (*UK*), bad ◇ *m* past ● **el año pasado** last year ● **bien pasado** *(carne)* well-done ● **pasado de moda** old-fashioned ● **pasado mañana** the day after tomorrow

pasaje [pa'saxe] *m* **1.** *(de avión, barco)* ticket **2.** *(calle)* alley **3.** *(conjunto de pasajeros)* passengers *pl* **4.** *(de novela, ópera)* passage

pasajero, ra [pasa'xero, ra] ◇ *adj* pas-

sing ◇ *m,f* passenger ▼ **pasajeros sin equipaje** passengers with hand luggage only

pasamanos [pasa'manos] *m inv (barandilla)* handrail

pasaporte [pasa'porte] *m* passport

pasar [pa'sar]
◇ *vt* **1.** *(deslizar, filtrar)* to pass ● **me pasó la mano por el pelo** she ran her hand through my hair ● **pasar algo por** to pass sthg through **2.** *(cruzar)* to cross ● **pasar la calle** to cross the road **3.** *(acercar, hacer llegar)* to pass ● **¿me pasas la sal?** would you pass me the salt? **4.** *(contagiar)* ● **me has pasado la tos** you've given me your cough **5.** *(trasladar)* ● **pasar algo a** to move sthg to **6.** *(llevar adentro)* to show in ● **nos pasó al salón** he showed us into the living room **7.** *(admitir)* to accept **8.** *(rebasar)* to go through ● **no pases el semáforo en rojo** don't go through a red light **9.** *(sobrepasar)* ● **ya ha pasado los veinticinco** he's over twenty-five now **10.** *(tiempo)* to spend ● **pasó dos años en Roma** she spent two years in Rome **11.** *(padecer)* to suffer **12.** *(adelantar)* to overtake **13.** *(aprobar)* to pass **14.** *(revisar)* to go over **15.** *(en cine)* to show **16.** *(en locuciones)* ● **pasarlo bien/mal** to have a good/bad time ● **pasar lista** to call the register ● **pasar visita** to see one's patients
◇ *vi* **1.** *(ir, circular)* to go ● **el autobús pasa por mi casa** the bus goes past my house ● **el Manzanares pasa por Madrid** the Manzanares goes through Madrid ● **pasar de largo** to go by **2.**

(entrar) to go in ▼ **no pasar** no entry ● **¡pase!** come in! ▼ **pasen por caja** please pay at the till **3.** *(poder entrar)* to get through ● **déjame más sitio, que no paso** move up, I can't get through **4.** *(ir un momento)* to pop in ● **pasaré por tu casa** I'll drop by (your place) **5.** *(suceder)* to happen ● **¿qué (te) pasa?** what's the matter (with you)? ● **¿qué pasa aquí?** what's going on here? ● **pase lo que pase** whatever happens **6.** *(terminarse)* to be over ● **cuando pase el verano** when the summer's over **7.** *(transcurrir)* to go by ● **el tiempo pasa muy deprisa** time passes very quickly **8.** *(cambiar de acción, tema)* ● **pasar a** to move on to **9.** *(servir)* to be all right ● **puede pasar** it'll do **10.** *(fam)* *(prescindir)* ● **paso de política** I'm not into politics ◆ **pasarse** *vp* *(acabarse)* to pass; *(comida)* to go off *(UK)*, to go bad; *(flores)* to fade; *(fam)* *(propasarse)* to go over the top; *(tiempo)* to spend; *(omitir)* to miss out ● **se me pasó decirtelo** I forgot to mention it to you ● **no se le pasa nada** she doesn't miss a thing

pasarela [pasa'rela] *f* **1.** *(de barco)* gangway **2.** *(para modelos)* catwalk *(UK)*, runway *(US)*

pasatiempo [pasa'tjempo] *m* pastime

Pascua ['paskwa] *f* *(en primavera)* Easter ◆ **Pascuas** *fpl* *(Navidad)* Christmas *sg*

pase ['pase] *m* pass

pasear [pase'ar] ◇ *vt* to take for a walk ◇ *vi* to go for a walk ◆ **pasearse** *vp* to walk

pasillo [pase'iʎo] *m opening procession of bullfighters*

paseo [pa'seo] *m* **1.** *(caminata)* walk **2.** *(calle ancha)* avenue **3.** *(distancia corta)* short walk ● **dar un paseo** to go for a walk ● **ir de paseo** to go for a walk ● **paseo marítimo** promenade

pasillo [pa'siʎo] *m* corridor, hall *(US)*

pasión [pa'sjon] *f* passion

pasiva [pa'siβa] *f* *(en gramática)* passive voice

pasividad [pasiβi'ðað] *f* passivity

pasivo, va [pa'siβo, βa] ◇ *adj* passive ◇ *m (deudas)* debts *pl*

paso ['paso] *m* **1.** step **2.** *(acción de pasar)* passing **3.** *(manera de andar)* walk **4.** *(ritmo)* pace **5.** *(en montaña)* pass ● **de paso** in passing ● **estar de paso** to be passing through ● **a dos pasos** *(muy cerca)* round the corner ● **paso de cebra** zebra crossing *(UK)*, crosswalk *(US)* ● **paso a nivel** level *(UK)* ● grade *(US)* crossing ● **paso de peatones** pedestrian crossing ● **paso subterráneo** subway *(UK)*, underpass *(US)*

pasodoble [paso'ðoβle] *m* paso doble

pasta ['pasta] *f* **1.** *(macarrones, espagueti, etc)* pasta **2.** *(para pastelería)* pastry **3.** *(pastelillo)* cake **4.** *(fam)* *(dinero)* dough ● **pasta de dientes** toothpaste

pastel [pas'tel] *m* **1.** *(tarta)* cake **2.** *(salado)* pie **3.** *(en pintura)* pastel

pastelería [pastele'ria] *f* **1.** *(establecimiento)* cake shop *(UK)*, bakery *(US)* **2.** *(bollos)* pastries *pl*

pastelero, ra [paste'lero, ra] *m,f* cake shop owner *(UK)*, baker *(US)*

pastilla [pas'tiʎa] *f* **1.** *(medicamento)* pill **2.** *(de chocolate)* bar

pastor, ra [pas'tor, ra] ◇ *m,f (de ganado)*

shepherd (*f* shepherdess) ◇ *m* (*sacerdote*) minister

pastoreo [pasto'reo] *m* shepherding

pata ['pata] ◇ *f* 1. (*pierna, de mueble*) leg 2. (*pie*) foot 3. (*de perro, gato*) paw ◇ *m* (*Perú*) mate (*UK*), buddy (*US*) ● **pata negra** *type of top-quality cured ham* ● **estar patas arriba** (*fig*) to be upsidedown ● **meter la pata** to put one's foot in it ● **tener mala pata** (*fig*) to be unlucky ➤ **pato**

patada [pa'taða] *f* kick

patata [pa'tata] *f* potato ● **patatas fritas** (*de sartén*) chips (*UK*), French fries (*US*); (*de bolsa*) crisps (*UK*), chips (*US*)

paté [pa'te] *m* paté

patente [pa'tente] ◇ *adj* obvious ◇ *f* 1. patent 2. (*CSur*) (*de coche*) number plate (*UK*), license plate (*US*)

paterno, na [pa'terno, na] *adj* paternal

patilla [pa'tiʎa] *f* 1. (*de barba*) sideboard (*UK*), sideburn (*US*) 2. (*de gafas*) arm

patín [pa'tin] *m* 1. (*de ruedas*) roller skate 2. (*de ruedas en línea*) rollerblade 3. (*de hielo*) ice skate ● **patín (de pedales)** pedal boat

patinaje [pati'naxe] *m* skating ● **patinaje sobre hielo** ice skating

patinar [pati'nar] *vi* 1. (*con patines*) to skate 2. (*resbalar*) to skid 3. (*fam*) (*equivocarse*) to put one's foot in it

patinazo [pati'naθo] *m* 1. (*resbalón*) skid 2. (*fam*) (*equivocación*) blunder

patineta [pati'neta] *f* (*CSur, Méx & Ven*) skateboard

patinete [pati'nete] *m* scooter

patio ['patjo] *m* 1. (*de casa*) patio 2. (*de escuela*) playground ● **patio de butacas**

stalls *pl* (*UK*), orchestra (*US*) ● **patio interior** courtyard

pato, ta ['pato, ta] *m,f* duck ● **pato a la naranja** duck à l'orange

patoso, sa [pa'toso, sa] *adj* clumsy

patria ['patrja] *f* native country

patriota [pa'trjota] *mf* patriot

patriótico, ca [pa'trjotiko, ka] *adj* patriotic

patrocinador, ra [patroθina'ðor, ra] *m,f* sponsor

patrón, ona [pa'tron, ona] ◇ *m,f* 1. (*de pensión*) landlord (*f* landlady) 2. (*jefe*) boss ◇ *m* 1. (*santo*) patron saint ◇ *m* 1. (*de barco*) skipper 2. (*en costura*) pattern 3. (*fig*) (*modelo*) standard

patronal [patro'nal] *f* (*de empresa*) management

patrono, na [pa'trono, na] *m,f* 1. (*jefe*) boss 2. (*protector*) patron (*f* patroness)

patrulla [pa'truʎa] *f* patrol ● **patrulla urbana** vigilante group

pausa ['pausa] *f* break

pauta ['pauta] *f* guideline

pavada [pa'βaða] *f* (*Perú & RP*) stupid thing

pavimento [paβi'mento] *m* road surface, pavement (*US*)

pavo, va ['paβo, βa] *m,f* turkey ● **pavo real** peacock

payaso, sa [pa'jaso, sa] *m,f* clown

paz [paθ, θes] (*pl* -ces) *f* peace ● **dejar en paz** to leave alone ● **hacer las paces** to make it up ● **que en paz descanse** may he/she rest in peace

pazo ['paθo] *m* Galician country house

PC [pe'θe] *m* (*abr de personal computer*) PC (*personal computer*)

PD (abr de posdata) PS (postscript)

peaje [pe'axe] m toll

peatón [pea'ton] m pedestrian

peatonal [peato'nal] adj pedestrian (antes de s)

peca ['peka] f freckle

pecado [pe'kaðo] m sin

pecador, ra [peka'ðor, ra] m,f sinner

pecar [pe'kar] vi to sin

pecera [pe'θera] f (acuario) fish tank

pecho ['petʃo] m 1. (en anatomía) chest 2. (de la mujer) breast

pechuga [pe'tʃuɣa] f breast (meat)

pecoso, sa [pe'koso, sa] adj freckly

peculiar [peku'ljar] adj 1. (propio) typical 2. (extraño) peculiar

pedagogía [peðaɣo'xia] f education

pedagogo, ga [peða'ɣoɣo, ɣa] m,f (profesor) teacher

pedal [pe'ðal] m pedal

pedalear [peðale'ar] vi to pedal

pedante [pe'ðante] adj pedantic

pedazo [pe'ðaθo] m piece • hacer pedazos to break to pieces

pedestal [peðes'tal] m pedestal

pediatra [pe'ðjatra] mf pediatrician

pedido [pe'ðiðo] m order

pedir [pe'ðir] ◇ vt 1. (rogar) to ask for 2. (poner precio) to ask 3. (en restaurante, bar) to order 4. (exigir) to demand ◇ vi (mendigar) to beg • pedir a alguien que haga algo to ask sb to do sthg • pedir disculpas to apologize • pedir un crédito to ask for a loan • pedir prestado algo to borrow sthg

pedo ['peðo] m (vulg) (ventosidad) fart

pedófilo, la m,f paedophile

pedregoso, sa [peðre'ɣoso, sa] adj stony

pedrisco [pe'ðrisko] m hail

pega ['peɣa] f 1. (pegamento) glue 2. (fam) (inconveniente) hitch • poner pegas to find problems

pegajoso, sa [peɣa'xoso, sa] adj 1. (cosa) sticky 2. (fig) (persona) clinging

pegamento [peɣa'mento] m glue

pegar [pe'ɣar] ◇ vi 1. (sol) to beat down 2. (armonizar) to go (together) ◇ vt 1. (adherir, unir) to stick 2. (cartel) to put up 3. (golpear) to hit 4. (contagiar) to give, to pass on 5. (grito, salto) to give • pegar la silla a la pared to put the chair up against the wall • pegarse vp 1. (chocar) to hit o.s. 2. (adherirse) to stick 3. (a una persona) to attach o.s.

pegatina [peɣa'tina] f sticker

peinado [pei'naðo] m hairstyle

peinador, dora [peina'ðor, ðora] m,f (Méx & RP) hairdresser

peinar [pei'nar] vt to comb • peinarse vp to comb one's hair

peine ['peine] m comb

peineta [pei'neta] f ornamental comb

p.ej. (abr de por ejemplo) e.g. (exempli gratia)

peladilla [pela'ðiʎa] f sugared almond

pelar [pe'lar] vt 1. (patatas, fruta) to peel 2. (ave) to pluck • pelarse vp • pelarse de frío to be freezing cold

peldaño [pel'daɲo] m step

pelea [pe'lea] f fight

pelear [pele'ar] vi to fight • pelearse vp to fight

peletería [pelete'ria] f (tienda) furrier's (shop)

peli f (fam) movie

pelícano [pe'likano] m pelican

película [pe'likula] *f* film, movie (*US*)

peligro [pe'liɣɾo] *m* **1.** (*riesgo*) risk **2.** (*amenaza*) danger ● **correr peligro** to be in danger

peligroso, sa [peli'ɣɾoso, sa] *adj* dangerous

pelirrojo, ja [peli'roxo, xa] *adj* redhaired

pellejo [pe'ʎexo] *m* skin

pellizcar [peʎiθ'kar] *vt* to pinch

pellizco [pe'ʎiθko] *m* pinch

pelma ['pelma] *mf* (*fam*) pain

pelo ['pelo] *m* **1.** hair **2.** (*de animal*) coat **3.** (*fig*) (*muy poco*) tiny bit ● **con pelos y señales** in minute detail ● **por un pelo** by the skin of one's teeth ● **tomar el pelo a alguien** to pull sb's leg ● **pelo rizado** curly hair

pelota [pe'lota] ◇ *f* ball ◇ *mf* (*fam*) crawler (*UK*), brown-nose (*US*) ● **jugar a la pelota** to play ball ● **hacer la pelota** to suck up ● **pelota (vasca)** (*juego*) pelota, jai alai

pelotari [pelo'tari] *mf* pelota o jai alai player

pelotón [pelo'ton] *m* **1.** (*de gente*) crowd **2.** (*de soldados*) squad

pelotudo, da [pelo'tuðo, ða] *adj* (*RP*) (*fam*) thick (*UK*), dense (*US*)

peluca [pe'luka] *f* wig

peludo, da [pe'luðo, ða] *adj* hairy

peluquería [peluke'ria] *f* **1.** (*local*) hairdresser's (salon) **2.** (*oficio*) hairdressing ▼ **peluquería-estética** beauty salon

peluquero, ra [pelu'kero, ra] *m,f* hairdresser

pelvis ['pelβis] *f inv* pelvis

pena ['pena] *f* **1.** (*lástima*) pity **2.** (*tristeza*) sadness **3.** (*desgracia*) problem **4.** (*castigo*) punishment **5.** (*condena*) sentence **6.** (*CAm, Carib, Col, Méx & Ven*) (*vergüenza*) embarrassment ● **me da pena** (*lástima*) I feel sorry for him; (*vergüenza*) I'm embarrassed about it ● **a duras penas** with great difficulty ● **vale la pena** it's worth it ● **¡qué pena!** what a pity!

penalti [pe'nalti] *m* penalty

pendiente [pen'djente] ◇ *adj* (*por hacer*) pending ◇ *m* earring ◇ *f* slope

péndulo ['pendulo] *m* pendulum

pene ['pene] *m* penis

penetrar [pene'trar] ● **penetrar en** *v* + *prep* **1.** (*filtrarse por*) to penetrate **2.** (*entrar en*) to go into **3.** (*perforar*) to pierce

penicilina [peniθi'lina] *f* penicillin

península [pe'ninsula] *f* peninsula

peninsular [peninsu'lar] *adj* (*de la península española*) of/relating to mainland Spain

penitencia [peni'tenθja] *f* penance ● **hacer penitencia** to do penance

penitente [peni'tente] *m* (*en procesión*) *person in Holy Week procession wearing penitent's clothing*

penoso, sa [pe'noso, sa] *adj* **1.** (*lamentable*) distressing **2.** (*dificultoso*) laborious **3.** (*CAm, Carib, Col, Méx & Ven*) (*vergonzoso*) shy

pensador, ra [pensa'ðor, ra] *m,f* thinker

pensamiento [pensa'mjento] *m* thought

pensar [pen'sar] ◇ *vi* to think ◇ *vt* **1.**

pe

(meditar) to think about **2.** *(opinar)* to think **3.** *(idear)* to think up ● **pensar hacer algo** to intend to do sthg ● **pensar en algo** to think about sthg ● **pensar en un número** to think of a number

pensativo, va [pensa'tiβo, βa] *adj* pensive

pensión [pen'sjon] *f* **1.** *(casa de huéspedes)* ≃ guesthouse **2.** *(paga)* pension ● **media pensión** half board ● **pensión completa** full board

peña ['peɲa] *f* **1.** *(piedra)* rock **2.** *(acantilado)* cliff **3.** *(de amigos)* group

peñasco [pe'ɲasko] *m* large rock

peón [pe'on] *m* **1.** *(obrero)* labourer **2.** *(en ajedrez)* pawn

peonza [pe'onθa] *f* (spinning) top

peor [pe'or] ◇ *adj & adv* worse ◇ *interj* too bad! ● **el/la peor** the worst ● **el que lo hizo peor** the one who did it worst

pepino [pe'pino] *m* cucumber

pepita [pe'pita] *f* **1.** *(de fruta)* pip (UK), seed (US) **2.** *(de metal)* nugget

pequeño, ña [pe'keɲo, ɲa] *adj* **1.** small, little **2.** *(cantidad)* low **3.** *(más joven)* little

pera ['pera] *f* pear

peral [pe'ral] *m* pear tree

percebe [per'θeβe] *m* barnacle

percha ['pertʒa] *f* (coat) hanger

perchero [per'tʒero] *m* **1.** *(de pared)* clothes' rail **2.** *(de pie)* coat stand

percibir [nerθi'βir] *vt* **1.** *(sentir, notar)* to notice **2.** *(cobrar)* to receive

perdedor, ra [perðe'ðor, ra] *m,f* loser

perder [per'ðer] ◇ *vt* **1.** to lose **2.** *(tiempo)* to waste **3.** *(tren, oportunidad)*

to miss ◇ *vi* **1.** *(en competición)* to lose **2.** *(empeorar)* to get worse ● **echar a perder** *(fam)* to spoil ◆ **perderse** *vp* *(extraviarse)* to get lost

pérdida ['perðiða] *f* loss

perdigón [perði'ɣon] *m* pellet

perdiz [per'ðiθ, θes] *(pl* **-ces***) f* partridge

perdón [per'ðon] ◇ *m* forgiveness ◇ *interj* sorry! ● **perdón, ¿me deja entrar?** excuse me, can I come in?

perdonar [perðo'nar] *vt* *(persona)* to forgive ● **perdonar algo a alguien** *(obligación, castigo, deuda)* to let sb off sthg; *(ofensa)* to forgive sb for sthg

peregrinación [pereɣrina'θjon] *f* *(romería)* pilgrimage

peregrino, na [pere'ɣrino, na] *m,f* pilgrim

perejil [pere'xil] *m* parsley

pereza [pe'reθa] *f* **1.** *(gandulería)* laziness **2.** *(lentitud)* sluggishness

perezoso, sa [pere'θoso, sa] *adj* lazy

perfección [perfek'θjon] *f* perfection

perfeccionista [perfekθjo'nista] *mf* perfectionist

perfectamente [per,fekta'mente] *adv* **1.** *(sobradamente)* perfectly **2.** *(muy bien)* fine

perfecto, ta [per'fekto, ta] *adj* perfect

perfil [per'fil] *m* **1.** *(contorno)* outline **2.** *(de cara)* profile ● **de perfil** in profile

perforación [perfora'θjon] *f* MED puncture

perforar [perfo'rar] *vt* to make a hole in

perfumar [perfu'mar] *vt* to perfume ◆ **perfumarse** *vp* to put on perfume

perfume [per'fume] *m* perfume

perfumería [perfume'ria] *f* perfumery

pergamino [perɣa'mino] *m* parchment

pérgola ['perɣola] *f* pergola

periferia [peri'ferja] *f* (*de ciudad*) outskirts *pl*

periódico, ca [pe'rjoðiko, ka] ◇ *adj* periodic ◇ *m* newspaper

periodismo [perjo'ðizmo] *m* journalism

periodista [perjo'ðista] *mf* journalist

período [pe'rioðo] *m* period

periquito [peri'kito] *m* parakeet

peritaje [peri'taxe] *m* expert's report

perito, ta [pe'rito, ta] *m,f* 1. (*experto*) expert 2. (*ingeniero técnico*) technician

perjudicar [perxuði'kar] *vt* to harm

perjuicio [per'xuiθjo] *m* harm

perla ['perla] *f* pearl ● **me va de perlas** it's just what I need

permanecer [permane'θer] *vi* (*seguir*) to remain ● **permanecer (en)** (*quedarse en*) to stay (in)

permanencia [perma'nenθja] *f* continued stay

permanente [perma'nente] ◇ *adj* permanent ◇ *f* perm

permiso [per'miso] *m* 1. (*autorización*) permission 2. (*documento*) permit 3. (*de soldado*) leave ● **permiso de conducir** driving licence (*UK*), driver's license (*US*)

permitir [permi'tir] *vt* to allow

pernoctar [pernok'tar] *vi* to spend the night

pero [pero] *conj* but ● **pero ¿no lo has visto?** you mean you haven't seen it?

perpendicular [perpendiku'lar] ◇ *adj*

perpendicular ◇ *f* perpendicular line ● **perpendicular a** at right angles to

perpetuo, tua [per'petuo, tua] *adj* perpetual

perplejo, ja [per'plexo, xa] *adj* bewildered

perra ['pera] *f* 1. (*rabieta*) tantrum 2. (*dinero*) penny ➤ **perro**

perrito [pe'rito] *m* ● **perrito caliente** hot dog

perro, rra ['pero, ra] *m,f* dog (*f* bitch)

persecución [perseku'θjon] *f* (*seguimiento*) pursuit

perseguir [perse'ɣir] *vt* to pursue

persiana [per'sjana] *f* blind

persona [per'sona] *f* person ● **cuatro personas** four people ● **en persona** in person ● **las personas adultas** adults ● **ser buena persona** to be nice

personaje [perso'naxe] *m* 1. (*celebridad*) celebrity 2. (*en cine, teatro*) character

personal [perso'nal] ◇ *adj* personal ◇ *m* 1. (*empleados*) staff 2. (*fam*) (*gente*) people *pl* ▼ **sólo personal autorizado** staff only

personalidad [personali'ðað] *f* personality

perspectiva [perspek'tiβa] *f* 1. (*vista, panorama*) view 2. (*aspecto*) perspective 3. (*esperanzas, porvenir*) prospect

persuadir [perswa'ðir] *vt* to persuade

persuasión [perswa'sjon] *f* persuasion

pertenecer [pertene'θer] *vi* ● **pertenecer a** to belong to; (*corresponder a*) to belong in

perteneciente [pertene'θjente] *adj* ● **perteneciente a** belonging to

pertenencias [perte'nenθjas] *fpl* (*objetos*

personales) belongings

Perú [pe'ru] *m* ● (el) Perú Peru

peruano, na [pe'ruano, na] *adj & m,f* Peruvian

pesa ['pesa] *f* weight ◆ **pesas** *fpl* (en gimnasia) weights

pesadez [pesa'ðeθ] *f* 1. (molestia) drag 2. (sensación) heaviness

pesadilla [pesa'ðiʎa] *f* nightmare

pesado, da [pe'saðo, ða] *adj* 1. (carga, sueño) heavy 2. (broma) bad 3. (agotador) tiring 4. (aburrido) boring 5. (persona) annoying

pesadumbre [pesa'ðumbre] *f* sorrow

pésame ['pesame] *m* ● **dar el pésame** to offer one's condolences

pesar [pe'sar] ◇ *m* (pena) grief ◇ *vt* to weigh ◇ *vi* 1. (tener peso) to weigh 2. (ser pesado) to be heavy 3. (influir) to carry weight ● **me pesa tener que hacerlo** it grieves me to have to do it ● **a pesar de** in spite of

pesca ['peska] *f* 1. (actividad) fishing 2. (captura) catch

pescadería [peskaðe'ria] *f* fishmonger's (shop)

pescadero, ra [peska'ðero, ra] *m,f* fishmonger

pescadilla [peska'ðiʎa] *f* whiting

pescado [pes'kaðo] *m* fish

pescador, ra [peska'ðor, ra] *m,f* fisherman (f fisherwoman)

pescar [pes'kar] *vt* 1. (peces) to fish for 2. (fam) (pillar) to catch

pesebre [pe'seβre] *m* 1. (establo) manger 2. (belén) crib

pesero [pe'sero] *m* (CAm & Méx) small bus used in towns

peseta [pe'seta] *f* peseta

pesimismo [pesi'mizmo] *m* pessimism

pesimista [pesi'mista] *adj* pessimistic

pésimo, ma ['pesimo, ma] *adj* awful

peso ['peso] *m* 1. weight 2. (moneda) peso

pesquero, ra [pes'kero, ra] ◇ *adj* fishing ◇ *m* (barco) fishing boat

pestañas [pes'tañas] *fpl* eyelashes

peste ['peste] *f* 1. (mal olor) stink 2. (enfermedad) plague

pesticida [pesti'θiða] *m* pesticide

pestillo [pes'tiʎo] *m* 1. (cerrojo) bolt 2. (en verjas) latch

pétalo ['petalo] *m* petal

petanca [pe'tanka] *f* boules *form of bowls using metal balls, played in public areas*

petardo [pe'tarðo] *m* firecracker

petición [peti'θion] *f* (solicitud) request

peto ['peto] *m* (vestidura) bib

petróleo [pe'troleo] *m* oil

petrolero, ra [petro'lero, ra] ◇ *adj* oil (antes de s) ◇ *m* (barco) oil tanker

petrolífero, ra [petro'lifero, ra] *adj* oil (antes de s)

petulancia [petu'lanθja] *f* (comentario) opinionated remark

petulante [petu'lante] *adj* opinionated

petunia [pe'tunja] *f* petunia

pez ['peθ, θes] (pl **-ces**) *m* fish ● **pez espada** swordfish

pezón [pe'θon] *m* (de mujer) nipple

pezuña [pe'θuña] *f* hoof

pianista [pja'nista] *mf* pianist

piano ['pjano] *m* piano ● **piano bar** piano bar ● **piano de cola** grand piano

piar [pi'ar] *vi* to tweet

pibe, ba ['piβe, βa] *m,f* (*RP*) (*fam*) boy (*f* girl)

picador, ra [pika'ðor, ra] *m,f* (*torero*) picador

picadora [pika'ðora] *f* mincer ➤ picador

picadura [pika'ðura] *f* **1.** (*de mosquito, serpiente*) bite **2.** (*de avispa, ortiga*) sting **3.** (*tabaco picado*) (loose) tobacco

picante [pi'kante] *adj* **1.** (*comida*) spicy **2.** (*broma, chiste*) saucy

picar [pi'kar] ◇ *vt* **1.** (*suj: mosquito, serpiente, pez*) to bite **2.** (*suj: avispa, ortiga*) to sting **3.** (*al toro*) to goad **4.** (*piedra*) to hack at **5.** (*carne*) to mince (*UK*), to grind (*US*) **6.** (*verdura*) to chop **7.** (*billete*) to clip ◇ *vi* **1.** (*comer un poco*) to nibble **2.** (*sal, pimienta, pimiento*) to be hot **3.** (*la piel*) to itch **4.** (*sol*) to burn

picarse *vp* **1.** (*vino*) to go sour **2.** (*muela*) to decay **3.** (*fam*) (*enfadarse*) to get upset

pícaro, ra ['pikaro, ra] *adj* (*astuto*) crafty

picas ['pikas] *fpl* (*palo de la baraja*) spades

pichón [pi'tʃon] *m* (young) pigeon

picnic ['piɣnik] *m* picnic

pico ['piko] *m* **1.** (*de ave*) beak **2.** (*de montaña*) peak **3.** (*herramienta*) pickaxe ● cincuenta y pico fifty-odd ● a las tres y pico just after three o'clock

picor [pi'kor] *m* itch

picoso, sa [pi'koso, sa] *adj* (*Méx*) spicy

pie ['pje] *m* **1.** foot **2.** (*apoyo*) stand ● a pie on foot ● en pie (*válido*) valid ● no estar de pie to be standing up ● no hacer pie (*en el agua*) to be out of one's depth ● pies de cerdo (pig's) trotters

piedad [pje'ðað] *f* pity

piedra ['pjeðra] *f* **1.** stone **2.** (*granizo*) hailstone ● piedra preciosa precious stone

piel ['pjel] *f* **1.** (*de persona, animal, fruta*) skin **2.** (*cuero*) leather **3.** (*pelo*) fur

pierna ['pjerna] *f* leg ● estirar las piernas to stretch one's legs ● pierna de cordero leg of lamb

pieza ['pjeθa] *f* **1.** piece **2.** (*en mecánica*) part **3.** (*en pesca, caza*) specimen ● pieza de recambio spare part

pijama [pi'xama] *m* pyjamas *pl*

pila ['pila] *f* **1.** (*de casete, radio, etc*) battery **2.** (*montón*) pile **3.** (*fregadero*) sink ● pila alcalina alkaline battery ● pila recargable rechargeable battery

pilar [pi'lar] *m* pillar

píldora ['pildora] *f* pill

pillar [pi'ʎar] *vt* **1.** (*agarrar*) to grab hold of **2.** (*atropellar*) to hit **3.** (*dedos, ropa, delincuente*) to catch ● pillar una insolación (*fam*) to get sunstroke ● pillar un resfriado (*fam*) to catch a cold

pilotar [pilo'tar] *vt* **1.** (*avión*) to pilot **2.** (*barco*) to steer

piloto [pi'loto] ◇ *mf* **1.** (*de avión*) pilot **2.** (*de barco*) navigator ◇ *m* **1.** (*luz de coche*) tail light **2.** (*llama*) pilot light ● piloto automático automatic pilot

pimentón [pimen'ton] *m* paprika

pimienta [pi'mjenta] *f* pepper (*for seasoning*) ● a la pimienta verde in a green peppercorn sauce

pimiento [pi'mjento] *m* (*fruto*) pepper (*vegetable*) ● pimientos del piquillo type of hot red pepper eaten baked

pin ['pin] *m* pin (*badge*)

pincel [pin'θel] *m* paintbrush

pincha *mf* (*fam*) DJ

pinchar [pin'tʃar] *vt* **1.** (*con aguja, pinchos*) to prick **2.** (*rueda*) to puncture **3.** (*globo, balón*) to burst **4.** (*provocar*) to annoy **5.** (*fam*) (*con inyección*) to jab ◆ **pincharse** *vp* (*fam*) (*drogarse*) to shoot up

pinchazo [pin'tʃaθo] *m* **1.** (*de rueda*) puncture (*UK*), flat (*US*) **2.** (*en la piel*) prick

pinche ['pintʃe] *adj* (*Amér*) (*fam*) damned

pincho ['pintʃo] *m* **1.** (*punta*) point **2.** (*tapa*) *aperitif on a stick, or a small sandwich* ● **pincho moruno** *shish kebab*

ping-pong ® ['pim'pon] *m* table tennis, ping-pong (*US*)

pingüino [pin'gwino] *m* penguin

pino ['pino] *m* pine tree ● **los Pinos** *official residence of the Mexican president*

Los Pinos

This has been the official residence of the Mexican president and the seat of the country's government since 1935. In 1934, President Cárdenas refused to take up residence in Chapultepec Castle, choosing instead to live to the south of Chapultepec Forest in the *Rancho La Hormiga* which was later renamed *Los Pinos*.

---

pintada [pin'taða] *f* graffiti

pintado, da [pin'taðo, ða] *adj* **1.** (*colo-reado*) coloured **2.** (*maquillado*) made-up ▼ **recién pintado** wet paint

pintalabios [pinta'laβjos] *m inv* lipstick

pintar [pin'tar] *vt* to paint ◆ **pintarse** *vp* to make o.s. up

pintor, ra [pin'tor, ra] *m,f* painter

pintoresco, ca [pinto'resko, ka] *adj* picturesque

pintura [pin'tura] *f* **1.** (*arte, cuadro*) painting **2.** (*sustancia*) paint

piña ['piɲa] *f* **1.** (*ananás*) pineapple **2.** (*del pino*) pine cone **3.** (*fam*) (*de gente*) close-knit group ● **piña en almíbar** pineapple in syrup ● **piña natural** fresh pineapple

piñata [pi'ɲata] *f pot of sweets*

piñón [pi'ɲon] *m* (*semilla*) pine nut

piojo ['pjoxo] *m* louse

pipa [pi'pa] *f* **1.** (*de fumar*) pipe **2.** (*semilla*) seed ◆ **pipas** *fpl* (*de girasol*) salted sunflower seeds

pipí [pi'pi] *m* (*fam*) wee, pee ● **hacer pipí** to have a wee-wee

pipiolo, la *m,f* (*fam & despec*) kiddie

pique [pi'ke] *m* (*fam*) (*enfado*) bad feeling ● **irse a pique** (*barco*) to sink

piragua [pi'raɣwa] *f* canoe

piragüismo [pira'ɣwizmo] *m* canoeing

pirámide [pi'ramiðe] *f* pyramid

piraña [pi'raɲa] *f* piranha

pirata [pi'rata] *adj & m* pirate

piratear [pirate'ar] *vt* (*programa informático*) to hack

Pirineos [piri'neos] *mpl* ● **los Pirineos** the Pyrenees

pirómano, na [pi'romano, na] *m,f* pyromaniac

piropo [pi'ropo] *m* flirtatious comment

pirueta [pi'rµeta] *f* pirouette

pisada [pi'saða] *f* **1.** *(huella)* footprint **2.** *(ruido)* footstep

pisar [pi'sar] *vt* to step on

piscina [pis'θina] *f* swimming pool

Piscis ['pisθis] *m* Pisces

pisco ['pisko] *m* *(Amér)* strong liquor made from grapes, popular in Chile and Peru ● **pisco sour** *(Amér)* cocktail with pisco

piso ['piso] *m* **1.** *(vivienda)* flat *(UK)*, apartment *(US)* **2.** *(suelo, planta)* floor **3.** *(Amér)* *(fig)* *(influencia)* influence ● **piso bajo** ground floor

pisotón [piso'ton] *m* stamp *(on sb's foot)*

pista ['pista] *f* **1.** track **2.** *(indicio)* clue ● **pista de aterrizaje** runway ● **pista de baile** dance floor ● **pista de despegue** runway ● **pista de esquí** ski slope ● **pista de tenis** tennis court

pistacho [pis'tatʃo] *m* pistachio

pistola [pis'tola] *f* pistol

pistolero [pisto'lero] *m* gunman

pitar [pi'tar] *vi* **1.** *(tocar el pito)* to blow a whistle **2.** *(tocar la bocina)* to toot o honk *(US)* one's horn ● **salir pitando** *(fig)* to leave in a hurry

pitillera [piti'ʎera] *f* cigarette case

pitillo [pi'tiʎo] *m* cigarette

pito ['pito] *m* whistle

pitón [pi'ton] *m* **1.** *(del toro)* tip of the horn **2.** *(de botijo, jarra)* spout **3.** *(serpiente)* python

pizarra [pi'θarra] *f* **1.** *(encerado)* blackboard **2.** *(roca)* slate

pizarrón [piθa'ron] *m* *(Amér)* blackboard

pizza ['piðsa] *f* pizza

pizzería [piðse'ria] *f* pizzeria

pizzero, ra *m,f* **1.** *(repartidor)* pizza delivery boy *(f girl)* **2.** *(cocinero)* pizza chef

placa ['plaka] *f* **1.** *(lámina)* plate **2.** *(inscripción)* plaque **3.** *(insignia)* badge

placer [pla'θer] *m* pleasure ● **es un placer** it's a pleasure

plan ['plan] *m* **1.** *(proyecto, intención)* plan **2.** *(programa)* programme ● **hacer planes** to make plans ● **plan de estudios** syllabus

plancha ['plantʃa] *f* **1.** *(para planchar)* iron **2.** *(para cocinar)* grill **3.** *(de metal)* sheet **4.** *(fam)* *(error)* boob *(UK)*, blunder ● **a la plancha** grilled

planchar [plan'tʃar] *vt* to iron

planeta [pla'neta] *m* planet

plano, na ['plano, na] ◇ *adj* flat ◇ *m* **1.** *(mapa)* plan **2.** *(nivel)* level **3.** *(en cine, fotografía)* shot **4.** *(superficie)* plane

planta ['planta] *f* **1.** *(vegetal, fábrica)* plant **2.** *(del pie)* sole **3.** *(piso)* floor ● **planta baja** ground floor *(UK)*, first floor *(US)* ● **segunda planta** second floor *(UK)*, third floor *(US)*

plantar [plan'tar] *vt* **1.** *(planta, terreno)* to plant **2.** *(poste)* to put in **3.** *(tienda de campaña)* to pitch **4.** *(persona)* to stand up ◆ **plantarse** *vp* **1.** *(ponerse)* to plant o.s. **2.** *(en naipes)* to stick

planteamiento [plantea'mjento] *m* **1.** *(exposición)* raising **2.** *(perspectiva)* approach

plantear [plante'ar] *vt* **1.** *(plan, proyecto)* to set out **2.** *(problema, cuestión)* to raise ◆ **plantearse** *vp* to think about

plantilla [plan'tiʎa] *f* **1.** *(personal)* staff **2.** *(de zapato)* insole **3.** *(patrón)* template

plástico, ca ['plastiko] *adj* & *m* plastic ● **de plástico** plastic

plastificar [plastifi'kar] *vt* to plasticize

plastilina ® [plasti'lina] *f* Plasticine ®, modeling clay *(US)*

plata ['plata] *f* **1.** silver **2.** *(Andes & RP)* *(fam)* *(dinero)* money **3.** ● **de plata** silver

plataforma [plata'forma] *f* **1.** *(tarima)* platform **2.** *(del tren, autobús, etc)* standing room

plátano ['platano] *m* **1.** *(fruta)* banana **2.** *(árbol)* plane tree

platea [pla'tea] *f* stalls *pl* *(UK)*, orchestra *(US)*

plateresco, ca [plate'resko, ka] *adj* plateresque

plática ['platika] *f* *(Amér)* chat

platicar [plati'kar] *vi* *(Amér)* to have a chat

platillo [pla'tiʎo] *m* **1.** *(plato pequeño)* small plate **2.** *(de taza)* saucer **3.** *(de balanza)* pan ● **platillos** *mpl* *(en música)* cymbals

plato ['plato] *m* **1.** *(recipiente)* plate **2.** *(comida)* dish **3.** *(parte de una comida)* course ● **plato combinado** *single course meal usually of meat or fish with chips and vegetables* ● **plato del día** *today's special* ● **plato principal** main course ● **platos caseros** home-made food *sg* ● **primer plato** starter

platudo, da [pla'tuðo, ða] *adj* *(Andes & RP)* *(fam)* loaded

playa ['plaja] *f* beach ● **ir a la playa de vacaciones** to go on holiday to the seaside ● **playa de estacionamiento** *(CSur & Perú)* car park *(UK)*, parking lot *(US)*

play-back ['pleiβak] *m* ● **hacer play-back** to mime (the lyrics)

playeras [pla'jeras] *fpl* **1.** *(de deporte)* tennis shoes **2.** *(para la playa)* canvas shoes

plaza ['plaθa] *f* **1.** *(en una población)* square **2.** *(sitio, espacio)* space **3.** *(puesto, vacante)* job ● **4.** *(asiento)* seat **5.** *(mercado)* market ● **plaza de toros** bullring

plazo ['plaθo] *m* **1.** *(de tiempo)* period **2.** *(pago)* instalment ● **hay 20 días de plazo** the deadline is in 20 days ● **a corto plazo** in the short term ● **a largo plazo** in the long term ● **a plazos** in instalments

plegable [ple'yaβle] *adj* *(silla)* folding

pleito ['pleito] *m* *(en un juicio)* lawsuit

plenamente [plena'mente] *adv* completely

plenitud [pleni'tuð] *f* *(apogeo)* peak

pleno, na ['pleno, na] ◇ *adj* complete ◇ *m* plenary (session) ● **en pleno día** in broad daylight ● **en pleno invierno** in the middle of the winter

pliegue ['plieye] *m* *(en tela)* pleat

plomería [plome'ria] *f* *(Amér)* plumbing

plomero [plo'mero] *m* *(Amér)* plumber

plomo ['plomo] *m* **1.** *(metal)* lead **2.** *(bala)* bullet **3.** *(fam)* *(persona pesada)* pain **4.** *(fusible)* fuse

pluma ['pluma] *f* **1.** *(de ave)* feather **2.** *(para escribir)* pen ● **pluma estilográfica** fountain pen ● **pluma fuente** *(Amér)* fountain pen

plumaje [plu'maxe] *m* **1.** *(de ave)* plumage **2.** *(adorno)* plume

plumero [plu'mero] *m* **1.** *(para el polvo)* feather duster **2.** *(estuche)* pencil case **3.** *(adorno)* plume

plumier [plu'mjer, plu'mjers] *(pl* **plumiers**) *m* pencil case

plumilla [plu'miʎa] *f* nib

plumón [plu'mon] *m* down

plural [plu'ral] *adj* & *m* plural

pluralidad [plurali'ðað] *f* *(diversidad)* diversity

plusmarca [pluz'marka] *f* record

plusmarquista [pluzmar'kista] *mf* record holder

p.m. ['pe'eme] *(abr de* post meridiem*)* p.m. *(post meridiem)*

PM *(abr de* policía militar*)* MP *(Military Police)*

p.n. *(abr de* peso neto*)* nt. wt. *(net weight)*

p.o. *(abr de* por orden*)* by order

población [poβla'θjon] *f* **1.** *(habitantes)* population **2.** *(ciudad)* town **3.** *(más grande)* city **4.** *(pueblo)* village

poblado, da [po'βlaðo, ða] ◇ *adj* populated ◇ *m* **1.** *(ciudad)* town **2.** *(pueblo)* village

poblar [po'βlar] *vt (establecerse en)* to settle

pobre ['poβre] ◇ *adj* poor ◇ *mf (mendigo)* beggar

pobreza [po'βreθa] *f* **1.** *(miseria)* poverty **2.** *(escasez)* scarcity

pocilga [po'θilɣa] *f* pigsty

pocillo [po'θiʎo] *m (Amér)* small coffee cup

poco, ca ['poko, ka] ◇ *adj* & *pron* **1.** *(en singular)* little, not much **2.** *(en plural)* few, not many ◇ *adv* **1.** *(con escasez)* not much **2.** *(tiempo corto)* not long ● **tengo poco dinero** I don't have much money ● **unos pocos días** a few days ● **tengo pocos** I don't have many ● **come poco** he doesn't eat much ● **dentro de poco** shortly ● **hace poco** not long ago ● **poco a poco** bit by bit ● **por poco** almost ● **un poco (de)** a bit (of)

poda ['poða] *f (acto)* pruning

podar [po'ðar] *vt* to prune

poder [po'ðer]

◇ *m* **1.** *(facultad, gobierno)* power ● **poder adquisitivo** purchasing power ● **estar en el poder** to be in power **2.** *(posesión)* ● **estar en poder de alguien** to be in sb's hands

◇ *v aux* **1.** *(tener facultad para)* can, to be able to ● **puedo hacerlo** I can do it **2.** *(tener permiso para)* can, to be allowed to ● **¿se puede fumar aquí?** can I smoke here? ● **no puedo salir por la noche** I'm not allowed to go out at night **3.** *(ser capaz moralmente de)* can ● **no podemos abandonarle** we can't abandon him **4.** *(tener posibilidad)* may, can ● **puedo ir en barco o en avión** I can go by boat or by plane ● **podías haber cogido el tren** you could have caught the train **5.** *(expresa queja, reproche)* ● **¡podría habernos invitado!** she could have invited us! **6.** *(en locuciones)* ● **es tonto a o hasta más no poder** he's as stupid as can be ● **no poder más** *(estar lleno)* to be full (up); *(esta enfadado)* to have had enough; *(esta*

cansado) to be too tired to carry on ◊ **¿se puede?** may I come in?
◊ *vi (ser posible)* may ● **puede ser que llueva** it may rain ● **no puede ser verdad** it can't be true ● **¿vendrás mañana? - puede** will you come tomorrow? - I may do
◊ *vt (tener más fuerza que)* to be stronger than

◆ **poder con** *v + prep (enfermedad, rival)* to be able to overcome; *(tarea, problema)* to be able to cope with ● **no puedo con tanto trabajo** I can't cope with all this work

poderoso, sa [poðe'roso, sa] *adj* powerful

podio ['poðjo] *m* podium

podrido, da [po'ðriðo, ða] ◊ *pp* ➤ **pudrir** ◊ *adj* rotten

poema [po'ema] *m* poem

poesía [poe'sia] *f* 1. *(poema)* poem 2. *(arte)* poetry

poeta [po'eta] *mf* poet

poético, ca [po'etiko, ka] *adj* poetic

polar [po'lar] *adj* polar

polaroid® [pola'roið] *f* Polaroid®

polea [po'lea] *f* pulley

polémica [po'lemika] *f* controversy

polémico, ca [po'lemiko, ka] *adj* controversial

polen ['polen] *m* pollen

polichinela [politʃi'nela] *m (títere)* marionette

policía [poli'θia] ◊ *f (cuerpo)* police ◊ *mf* policeman *(f* policewoman*)* ● **policía municipal** o **urbana** local police who deal mainly with traffic offences and administrative matters ● **policía nacional** national police

policíaco, ca [poli'θiako, ka] *adj* police *(antes de* s*)*

polideportivo [poliðepor'tiβo] *m* sports centre

poliéster [po'ljester] *m* polyester

políglota [po'liɣlota] *mf* polyglot

polígono [po'liɣono] *m* ● **polígono industrial** industrial estate *(UK)* o park *(US)*

politécnica [poli'teɣnika] *f university faculty devoted to technical subjects*

política [po'litika] *f* 1. *(arte de gobernar)* politics 2. *(modo de gobernar)* policy ➤ **político**

político, ca [po'litiko, ka] ◊ *m,f* politician ◊ *adj* political ● **hermano político** brother-in-law

póliza ['poliθa] *f* 1. *(de seguros)* policy 2. *(sello)* stamp on a document proving payment of tax

pollito [po'ʎito] *m* chick

pollo ['poʎo] *m* chicken ● **pollo al ajillo** chicken pieces fried in garlic until crunchy ● **pollo asado** roast chicken ● **pollo a l'ast** chicken roasted on a spit ● **pollo al curry** chicken curry ● **pollo a la plancha** grilled chicken

polluelo [po'ʎuelo] *m* chick

polo ['polo] *m* 1. *(helado)* ice lolly *(UK)*, Popsicle® *(US)* 2. *(de una pila)* pole 3. *(jersey)* polo shirt 4. *(juego)* polo

Polonia [po'lonja] *s* Poland

Polo Norte ['polo'norte] *m* ● **el Polo Norte** the North Pole

Polo Sur ['polo'sur] *m* ● **el Polo Sur** the South Pole

polución [polu'θjon] *f* pollution

polvera [pol'βera] *f* powder compact

polvo ['polβo] *m* dust ◆ **polvos** *mpl* (*en cosmética, medicina*) powder *sg* ◆ **polvos de talco** talcum powder *sg*

pólvora ['polβora] *f* gunpowder

polvoriento, ta [polβo'rjento, ta] *adj* dusty

polvorón [polβo'c] *m* powdery sweet made of flour, sugar and butter

pomada [po'maða] *f* ointment

pomelo [po'melo] *m* grapefruit

pomo ['pomo] *m* knob

pómulo ['pomulo] *m* cheekbone

ponchar [pon'tʃar] *vt* (*CAm & Méx*) to puncture ◆ **poncharse** *vp* (*CAm & Méx*) to get a puncture (*UK*), flat (*US*)

poner [po'ner]

◇ *vt* **1.** (*colocar, añadir*) to put ◆ **pon el libro en el estante** put the book on the shelf ◆ **pon más azúcar al café** put some more sugar in the coffee **2.** (*vestir*) ◆ **poner algo a alguien** to put sthg on sb **3.** (*contribuir, invertir*) to put in ◆ **puso su capital en el negocio** he put his capital into the business **4.** (*hacer estar de cierta manera*) ◆ **me has puesto colorado** you've made me blush ◆ **lo puso de mal humor** it put him in a bad mood **5.** (*radio, televisión, luz, etc*) to switch on; (*gas, instalación*) to put in **6.** (*oponer*) ◆ **poner inconvenientes** to raise objections **7.** (*telegrama, fax*) to send; (*conferencia*) to make ◆ ¿**me pones con Juan?** can you put me through to Juan? **8.** (*asignar, imponer*) to fix ◆ **le han puesto una multa** they've fined him ◆ ¿**qué nombre le han puesto?** what have they called her? **9.** (*aplicar facultad*) to put ◆ **no**

pone ningún interés he shows no interest **10.** (*montar*) to set up; (*casa*) to do up; (*tienda de campaña*) to pitch ◆ **han puesto una tienda nueva** they've opened a new shop **11.** (*en cine, teatro, televisión*) to show ◆ ¿**qué ponen en la tele?** what's on (the telly) **12.** (*escribir, decir*) to say ◆ **no sé qué pone ahí** I don't know what that says **13.** (*suponer*) to suppose ◆ **pongamos que sucedió así** (let's) suppose that's what happened **14.** (*en locuciones*) ◆ **poner en marcha** (*iniciar*) to start

◇ *vi* (*ave*) to lay (*eggs*)

◆ **ponerse** *vp* (*ropa, gafas, maquillaje*) to put on; (*estar de cierta manera*) to become; (*astro*) to set ◆ **ponte aquí** stand here ◆ **se puso rojo** he went red ◆ **ponerse bien** (*de salud*) to get better ◆ **ponerse malo** to fall ill

poniente [po'njente] *m* (*oeste*) west

popa ['popa] *f* stern

popote [po'pote] *m* (*Méx*) straw

popular [popu'lar] *adj* **1.** (*del pueblo*) of the people **2.** (*arte, música*) folk **3.** (*famoso*) popular

popularidad [populari'ðað] *f* popularity

póquer ['poker] *m* poker

por [por] *prep* **1.** (*causa*) because of ◆ **se enfadó por tu comportamiento** she got angry because of your behaviour **2.** (*finalidad*) (in order) to ◆ **lo hizo por complacerte** he did it to please you ◆ **lo compré por ti** I bought it for you ◆ **luchar por algo** to fight for sthg **3.** (*medio, modo, agente*) ◆ **por mensajero/fax** by courier/fax ◆ **por escrito** in writing ◆ **el récord fue batido por e**

atleta the record was broken by the athlete **4.** *(tiempo)* ● **por la mañana/tarde** in the morning/afternoon ● **por la noche** at night ● **por unos días** for a few days ● **creo que la boda será por abril** I think the wedding will be some time in April **5.** *(aproximadamente en)* ● **está por ahí** it's round there somewhere ● **¿por dónde vive?** whereabouts does she live? **6.** *(a través de)* through ● **pasar por la aduana** to go through customs ● **entramos en Francia por Irún** we entered France via Irún **7.** *(a cambio, en lugar de)* for ● **cambió el coche por una moto** he exchanged his car for a motorbike **8.** *(distribución)* per ● **cinco euros por unidad** five euros each ● **20 km por hora** 20 km an hour **9.** *(en matemáticas)* times ● **dos por dos igual a cuatro** two times two is four

porcelana [porθe'lana] *f* **1.** *(material)* porcelain **2.** *(vasija)* piece of porcelain

porcentaje [porθen'taxe] *m* percentage

porche ['portʃe] *m* porch

porción [por'θjon] *f* **1.** *(cantidad)* portion **2.** *(parte)* share

porno ['porno] *adj (fam)* porno, porn

pornografía [pornoɣra'fia] *f* pornography

pornográfico, ca [porno'ɣrafiko, ka] *adj* pornographic

porque ['porke] *conj* because

porqué [por'ke] *m* reason ● **el porqué de algo** the reason for sthg

porrón [po'rron] *m* wine jar with a long spout for drinking

portaaviones [portaaβi'ones] *m inv* aircraft carrier

portada [por'taða] *f* **1.** *(de libro)* title page **2.** *(de revista)* cover

portador, ra [porta'ðor, ra] *m,f* carrier ● **al portador** *(cheque)* to the bearer

portaequipajes [,portaeki'paxes] *m inv* boot *(UK)*, trunk *(US)*

portafolios [porta'foljos] *m inv (carpeta)* file

portal [por'tal] *m* **1.** *(vestíbulo)* hallway **2.** *(entrada)* main entrance **3.** *(de Internet)* portal

portalámparas [porta'lamparas] *m inv* socket

portarse [por'tarse] *vp* to behave ● **portarse bien/mal** to behave well/badly

portátil [por'tatil] *adj* portable

portavoz [porta'βoθ, θes] *(pl* **-ces)** *mf* spokesman *(f* spokeswoman*)*

portazo [por'taθo] *m* slam ● **dar un portazo** to slam the door

portería [porte'ria] *f* **1.** *(conserjería)* porter's office *(UK)*, ≃ doorman's desk *(US)* **2.** *(en deporte)* goal

portero, ra [r'rpoteo, ra] *m,f* **1.** *(conserje)* porter, ≃ doorman *(US)* **2.** *(en deporte)* goalkeeper ● **portero electrónico** entryphone

Portugal [portu'ɣal] *s* Portugal

portugués, esa [portu'ɣes, esa] *adj & m,f* Portuguese

porvenir [porβe'nir] *m* future

posada [po'saða] *f* **1.** *(alojamiento)* accommodation **2.** *(hostal)* guesthouse

posarse [po'sarse] *vp* **1.** *(ave)* to perch **2.** *(insecto)* to settle

posavasos [posa'βasos] *m inv* coaster

posdata [poz'ðata] *f* postscript

pose ['pose] *f* pose

poseedor, ra [posee'ðor, ra] *m,f* **1.** *(dueño)* owner **2.** *(de cargo, récord)* holder

poseer [pose'er] *vt* **1.** *(ser dueño de)* to own **2.** *(tener)* to have, to possess

posesión [pose'sjon] *f* possession

posesivo, va [pose'siβo, βa] *adj & m* possessive

posgrado *m* postgraduate course ● **estudios de posgrado** postgraduate studies

posibilidad [posiβili'ðað] *f* possibility

posible [po'siβle] *adj* possible

posición [posi'θjon] *f* **1.** position **2.** *(social)* status **3.** *(económica)* situation

positivamente [posi,tiβa'mente] *adv* positively

positivo, va [posi'tiβo, βa] ◇ *adj* positive ◇ *m (en fotografía)* print

posmoderno, na [pozmo'ðerno, na] *adj* postmodern

poso ['poso] *m* sediment

postal [pos'tal] *f* postcard

poste ['poste] *m* post

póster ['poster] *m* poster

posterior [poste'rjor] *adj* **1.** *(en tiempo, orden)* subsequent **2.** *(en espacio)* back ● **posterior a** after

postre ['postre] *m* dessert ● **¿qué hay de postre?** what's for dessert? ● **postre de la casa** chef's special dessert

póstumo, ma ['postumo, ma] *adj* posthumous

postura [pos'tura] *f* position

potable [po'taβle] *adj* **1.** *(agua)* drinkable **2.** *(fam) (aceptable)* palatable

potaje [po'taxe] *m* stew ● **potaje de** garbanzos chickpea stew

potencia [po'tenθja] *f* power

potenciar [poten'θjar] *vt* to foster

potro ['potro] *m* **1.** *(caballo)* colt **2.** *(en gimnasia)* vaulting horse

pozo ['poθo] *m (de agua)* well

p.p. *(abr de por poder)* p.p. *(per procurationem)*

práctica ['praktika] *f* **1.** practice **2.** *(de un deporte)* playing ● **prácticas** *fpl (de conducir)* lessons

practicante [prakti'kante] *mf (en religión)* practising member ● **practicante (ambulatorio)** medical assistant

practicar [prakti'kar] ◇ *vt* **1.** *(ejercer)* to practise **2.** *(deporte)* to play ◇ *vi* to practise

práctico, ca ['praktiko, ka] *adj* practical

pradera [pra'ðera] *f* large meadow, prairie

prado ['praðo] *m* meadow

pral. *abrev* = **principal**

precario, ria [pre'karjo, rja] *adj* precarious

precaución [prekau'θjon] *f* **1.** *(medida)* precaution **2.** *(prudencia)* care

precintado, da [preθin'taðo, ða] *adj* sealed

precio ['preθjo] *m* price ● **¿qué precio tiene?** how much is it? ● **precio fijo** fixed price ● **precio de venta al público** retail price ● **precios de coste** warehouse prices

preciosidad [preθjosi'ðað] *f (cosa preciosa)* beautiful thing

precioso, sa [pre'θjoso, sa] *adj* **1.** *(bonito)* lovely **2.** *(valioso)* precious

precipicio [preθi'piθjo] *m* precipice

pr

precipitación [preθipita'θjon] *f* **1.** *(imprudencia, prisa)* haste **2.** *(lluvia)* rainfall

precipitado, da [preθipi'taðo, ða] *adj* hasty

precipitarse [preθipi'tarse] *vp* *(actuar sin pensar)* to act rashly

precisamente [pre,θisa'mente] *adv* precisely

precisar [preθi'sar] *vt* **1.** *(especificar)* to specify **2.** *(necesitar)* to need

preciso, sa [pre'θiso, sa] *adj* **1.** *(detallado, exacto)* precise **2.** *(imprescindible)* necessary

precoz [pre'koθ] *adj* *(persona)* precocious

predicar [preði'kar] *vt* to preach

predilecto, ta [preði'lekto, ta] *adj* favourite

predominar [preðomi'nar] *vi* to prevail

preescolar [preesko'lar] *adj* pre-school

preferencia [prefe'renθja] *f* **1.** preference **2.** *(en carretera)* right of way

preferible [prefe'riβle] *adj* preferable

preferir [prefe'rir] *vt* to prefer

prefijo [pre'fixo] *m* **1.** *(en gramática)* prefix **2.** *(de teléfono)* dialling code (UK), area code (US)

pregón [pre'ɣon] *m* *(de fiesta)* opening speech

pregonar [preɣo'nar] *vt* **1.** *(noticia)* to announce **2.** *(secreto)* to spread about

pregonero [preɣo'nero] *m* town crier

pregunta [pre'ɣunta] *f* question ● **hacer una pregunta** to ask a question

preguntar [preɣun'tar] *vt* to ask ◆ **preguntar por** *v + prep* to ask after ◆ **preguntarse** *vp* to wonder

prehistórico, ca [preis'toriko, ka] *adj* prehistoric

prejuicio [pre'xwiθjo] *m* prejudice

premamá *adj inv* maternity *(antes de s)*

prematuro, ra [prema'turo, ra] *adj* premature

premeditación [premeðita'θjon] *f* premeditation

premiar [pre'mjar] *vt* to award a prize to

premio ['premjo] *m* **1.** prize **2.** *(recompensa)* reward ● **premio gordo** first prize

prenatal [prena'tal] *adj* antenatal (UK), prenatal (US)

prenda ['prenda] *f* **1.** *(vestido)* item of clothing **2.** *(garantía)* pledge

prensa ['prensa] *f* press ● **la prensa** the press

preocupación [preokupa'θjon] *f* worry

preocupado, da [preoku'paðo, ða] *adj* worried

preocupar [preoku'par] *vt* to worry ◆ **preocuparse de** *v + prep* *(encargarse de)* to take care of ◆ **preocuparse por** *v + prep* to worry about

prepago *m* pre-payment ● **tarjeta de prepago** pre-paid card

preparación [prepara'θjon] *f* **1.** *(arreglo, disposición)* preparation **2.** *(formación)* training

preparar [prepa'rar] *vt* **1.** *(disponer)* to prepare **2.** *(maletas)* to pack **3.** *(estudiar)* to study for ◆ **prepararse** *vp* *(arreglarse)* to get ready

preparativos [prepara'tiβos] *mpl* preparations

preparatoria [prepara'torja] *f* *(Méx)* *pre-university course in Mexico*

preparatoria

The *preparatoria*, or *prepa* as it is colloquially known, is the name given to the three years of pre-university education undertaken by students in Mexico between the ages of 16 and 19.

preponderante [prepondeˈrante] *adj* prevailing

preposición [preposiˈθjon] *f* preposition

prepotente [prepoˈtente] *adj* dominant

presa [ˈpresa] *f* 1. *(de un animal)* prey 2. *(embalse)* dam • **presa > preso**

presbiterio [prezβiˈterjo] *m* chancel

prescindir [presθinˈdir] • **prescindir de** *v* + *prep (renunciar a)* to do without; *(omitir)* to dispense with

presencia [preˈsenθja] *f* presence

presenciar [presenˈθjar] *vt* to attend

presentable [presenˈtaβle] *adj* presentable

presentación [presentaˈθjon] *f* 1. presentation 2. *(entre personas)* introduction

presentador, ra [presentaˈðor, ra] *m,f* presenter

presentar [presenˈtar] *vt* 1. to present 2. *(queja)* to lodge 3. *(a dos personas)* to introduce 4. *(excusas, respetos)* to offer 5. *(aspecto, apariencia)* to have • **presentarse** *vp* 1. *(comparecer)* to turn up 2. *(como candidato, voluntario)* to put o.s. forward • **presentarse a** *(examen)* to sit; *(elección)* to stand for

presente [preˈsente] *adj & m* present • **tener presente** to remember

presentimiento [presentiˈmjento] *m* feeling, hunch

preservar [preserˈβar] *vt* to protect

preservativo [preserβaˈtiβo] *m* condom

presidencia [presiˈðenθja] *f* 1. *(cargo)* presidency 2. *(lugar)* president's office 3. *(grupo de personas)* board

presidencial [presiðenˈθjal] *adj* presidential

presidente, ta [presiˈðente, ta] *m,f* 1. *(de nación)* president 2. *(de asamblea)* chairperson

presidiario, ria [presiˈðjarjo, rja] *m,f* convict

presidir [presiˈðir] *vt* 1. *(ser presidente de)* to preside over 2. *(reunión)* to chair 3. *(predominar)* to dominate

presión [preˈsjon] *f* pressure • **presión sanguínea** blood pressure

preso, sa [ˈpreso, sa] *m,f* prisoner

préstamo [ˈprestamo] *m* loan

prestar [presˈtar] *vt* 1. *(dinero)* to lend 2. *(colaboración, ayuda)* to give 3. *(declaración)* to make 4. *(atención)* to pay • **prestarse a** *v* + *prep* 1. *(ofrecerse a)* to offer to 2. *(dar motivo a)* to be open to

prestigio [presˈtixjo] *m* prestige

presumido, da [presuˈmiðo, ða] *adj* conceited

presumir [presuˈmir] ◇ *vt* to presume ◇ *vi* to show off • **presumir de guapo** to think o.s. good-looking

presunción [presunˈθjon] *f* 1. *(suposición)* assumption 2. *(vanidad)* conceit

presunto, ta [preˈsunto, ta] *adj (delincuente, etc)* alleged

presuntuoso, sa [presuntuˈoso, sa] *adj* conceited

presupuesto [presu'puesto] *m* 1. *(cálculo)* budget 2. *(de costo)* estimate

pretencioso, sa [preten'θjoso, sa] *adj* pretentious

pretender [preten'der] *vt* 1. *(aspirar a)* to aim at 2. *(afirmar)* to claim ● **pretender hacer algo** to try to do sthg

pretendiente [preten'djente] *mf* 1. *(al trono)* pretender 2. *(a una mujer)* suitor

pretensión [preten'sjon] *f* 1. *(intención)* aim 2. *(aspiración)* aspiration

pretexto [pre'teksto] *m* pretext

prever [pre'βer] *vt* 1. *(presagiar)* to foresee 2. *(prevenir)* to plan

previo, via ['preβjo, βja] *adj* prior

previsor, ra [preβi'sor, ra] *adj* farsighted

previsto, ta [pre'βisto, ta] *adj (planeado)* anticipated

primaria [pri'marja] *f (enseñanza)* primary school

primario, ria [pri'marjo, rja] *adj* 1. *(primordial)* primary 2. *(elemental)* primitive

primavera [prima'βera] *f* spring

primer [pri'mer] *núm* ➤ **primero**

primera [pri'mera] *f* 1. *(velocidad)* first gear 2. *(clase)* first class ● **de primera** first-class ➤ **primero**

primero, ra [pri'mero, ra] ◇ *núm & adv* first ◇ *m,f* ● **el primero de la clase** top of the class ● **a primeros de** at the beginning of ● **lo primero** the main thing ● **primera clase** first class ● **primeros auxilios** first aid *sg* ➤ **sexto**

primo, ma ['primo, ma] *m,f* 1. *(familiar)* cousin 2. *(fam) (bobo)* sucker

primogénito, ta [primo'xenito, ta] *m,f* firstborn (child)

princesa [prin'θesa] *f* princess

principado [prinθi'paðo] *m* principality

principal [prinθi'pal] ◇ *adj* main ◇ *m* first floor

príncipe ['prinθipe] *m* prince

principiante [prinθi'pjante] *m* beginner

principio [prin'θipjo] *m* 1. *(inicio)* beginning 2. *(causa, origen)* origin 3. *(norma)* principle ● **a principios de** at the beginning of ● **al principio** at the beginning ● **en principio** in principle ● **por principios** on principle

pringoso, sa [prin'goso, sa] *adj (pegajoso)* sticky

prioridad [priori'ðað] *f* priority

prisa ['prisa] *f* 1. *(rapidez)* speed 2. *(urgencia)* urgency ● **darse prisa** to hurry up ● **tener prisa** to be in a hurry

prisión [pri'sjon] *f (cárcel)* prison

prisionero, ra [prisjo'nero, ra] *m,f* prisoner

prisma ['prizma] *m* prism

prismáticos [priz'matikos] *mpl* binoculars

privado, da [pri'βaðo, ða] *adj* private

privar [pri'βar] *vt* to deprive ◆ **privarse de** *v + prep* to go without

privilegiado, da [priβile'xjaðo, ða] *adj* privileged

privilegio [priβi'lexjo] *m* privilege

proa ['proa] *f* bows *pl*

probabilidad [proβaβili'ðað] *f* 1. *(cualidad)* probability 2. *(oportunidad)* chance

probable [pro'βaβle] *adj* probable

probador [proβa'ðor] *m* changing room *(UK)*, fitting room *(US)*

probar [pro'βar] ◇ vt **1.** (demostrar) to prove **2.** (examinar) to check **3.** (comida, bebida) to taste ◇ vi to try ◆ **probarse** vp (ropa, zapato) to try on

probeta [pro'βeta] f test tube

problema [pro'βlema] m problem

problemático, ca [proβle'matiko, ka] adj problematic

procedencia [proθe'ðenθja] f (origen, fuente) origin ● **con procedencia de** (arriving) from

procedente [proθe'ðente] adj (oportuno) appropriate ● **procedente de** from

proceder [proθe'ðer] ◇ m behaviour ◇ vi **1.** (actuar) to act **2.** (ser oportuno) to be appropriate ◆ **proceder de** v + prep to come from

procedimiento [proθeði'mjento] m (método) procedure

procesado, da [proθe'saðo, ða] m,f accused

procesar [proθe'sar] vt (enjuiciar) to try

procesión [proθe'sjon] f procession

proceso [pro'θeso] m **1.** process **2.** (transcurso, evolución) course **3.** (juicio) trial

proclamación [proklama'θjon] f proclamation

proclamar [prokla'mar] vt **1.** to proclaim **2.** (aclamar) to acclaim ◆ **proclamarse** vp to proclaim o.s.

procurar [proku'rar] vt ● **procurar hacer algo** to try to do sthg

prodigarse [proði'ɣarse] vp (esforzarse) to put o.s. out ● **prodigarse en algo** to overdo sthg

producción [proðuk'θjon] f **1.** production **2.** (producto) products pl

producir [proðu'θir] vt **1.** to produce **2.** (provocar) to cause ◆ **producirse** vp (ocurrir) to take place

productividad [proðuktiβi'ðað] f productivity

productivo, va [proðuk'tiβo, βa] adj **1.** (que produce) productive **2.** (que da beneficio) profitable

producto [pro'ðukto] m **1.** product **2.** (de la tierra) produce **3.** (beneficios) profit

productor, ra [proðuk'tor, ra] m,f producer

productora [proðuk'tora] f (en cine) production company ➤ **productor**

profecía [profe'θia] f prophecy

profesión [profe'sjon] f profession

profesional [profesjo'nal] adj & mf professional

profesionista [profesjo'nista] mf (Amér) professional

profesor, ra [profe'sor, ra] m,f teacher

profeta [pro'feta] m prophet

profiteroles [profite'roles] mpl profiteroles

profundidad [profundi'ðað] f depth ● **tiene dos metros de profundidad** it's two metres deep

profundo, da [pro'fundo, da] adj **1.** deep **2.** (notable) profound

programa [pro'ɣrama] m **1.** programme **2.** (de estudios) syllabus **3.** (plan) schedule **4.** (en informática) program

programación [proɣrama'θjon] f **1.** (en televisión, radio) programmes pl **2.** (en informática) programming

programador, ra [proɣrama'ðor, ra] m,f programmer

programar [proɣra'mar] vt **1.** (planear)

to plan **2.** *(en televisión, radio)* to put on **3.** *(en informática)* to program

progresar [proɣre'sar] *vi* to (make) progress

progresivo, va [proɣre'siβo, βa] *adj* progressive

progreso [pro'ɣreso] *m* progress

prohibición [proiβi'θjon] *f* ban

prohibido, da [proi'βiðo, ða] *adj* prohibited ▼ prohibido aparcar no parking ▼ prohibido el paso no entry ▼ prohibido el paso a personas ajenas a la obra no entry for unauthorised personnel ▼ prohibido fijar carteles billposters will be prosecuted ▼ prohibido fumar no smoking ▼ prohibida la entrada no entry ▼ prohibida la entrada a menores adults only

prohibir [proi'βir] *vt* **1.** *(vedar)* to forbid **2.** *(por ley)* to prohibit **3.** *(práctica existente)* to ban

prójimo ['proximo] *m* fellow human being

proliferación [prolifera'θjon] *f* proliferation

prólogo ['proloɣo] *m (en libro, revista)* introduction

prolongar [prolon'gar] *vt* **1.** *(alargar)* to extend **2.** *(hacer durar más)* to prolong ◆ **prolongarse** *vp* to go on

promedio [pro'meðjo] *m* average

promesa [pro'mesa] *f* promise

prometer [prome'ter] ◇ *vt* to promise ◇ *vi* to show promise ◆ **prometerse** *vp* to get engaged

prometido, da [prome'tiðo, ða] *m,f* fiancé (f fiancée)

promoción [promo'θjon] *f* **1.** *(ascenso)*

promotion **2.** *(curso)* class

promocionar [promoθjo'nar] *vt* to promote ◆ **promocionarse** *vp* to promote o.s.

promotor, ra [promo'tor, ra] *m,f* promoter

pronóstico [pro'nostiko] *m* **1.** *(predicción)* forecast **2.** *(en medicina)* prognosis ● **pronóstico del tiempo** weather forecast

pronto ['pronto] *adv* **1.** *(temprano)* early **2.** *(dentro de poco)* soon **3.** *(rápidamente)* quickly ● **de pronto** suddenly ● **¡hasta pronto!** see you soon! ● **tan pronto como** as soon as

pronunciación [pronunθja'θjon] *f* pronunciation

pronunciar [pronun'θjar] *vt* **1.** to pronounce **2.** *(discurso)* to make

propaganda [propa'ɣanda] *f* advertising

propensión [propen'sjon] *f* ● **propensión a** a tendency towards

propenso, sa [pro'penso, sa] *adj* ● **ser propenso a** to have a tendency to

propicio, cia [pro'piθjo, θja] *adj* favourable

propiedad [propje'ðað] *f* **1.** property **2.** *(posesión)* ownership

propietario, ria [propje'tarjo, rja] *m,f* owner

propina [pro'pina] *f* tip

sometimes leave part or all of their change. It is also not customary to tip taxi drivers or hairdressers.

propio, pia ['propio, pia] *adj* **1.** *(de propiedad)* own **2.** *(peculiar)* characteristic **3.** *(apropiado)* appropriate **4.** *(natural)* natural ● **el propio presidente** the president himself

proponer [propo'ner] *vt* to propose ◆ **proponerse** *vp* to intend

proporcionado, da [proporθjo'naðo, ða] *adj* proportionate

proporcionar [proporθjo'nar] *vt* **1.** *(facilitar)* to give, to provide **2.** *(ser causa de)* to add

proposición [proposi'θjon] *f (propuesta)* proposal

propósito [pro'posito] *m* **1.** *(intención)* intention **2.** *(objetivo)* purpose ● **a propósito** *(adrede)* on purpose; *(por cierto)* by the way ● **a propósito de** with regard to

propuesta [pro'pwesta] *f* proposal

prórroga ['proroɣa] *f* **1.** *(aplazamiento)* extension **2.** *(en deporte)* extra time *(UK)*, overtime *(US)*

prorrogar [proro'ɣar] *vt* to extend

prosa ['prosa] *f* prose

proscrito, ta [pros'krito, ta] *m,f* exile

prospecto [pros'pekto] *m* **1.** *(folleto)* leaflet **2.** *(de medicamento)* instructions leaflet

próspero, ra ['prospero, ra] *adj* prosperous

prostíbulo [pros'tiβulo] *m* brothel

prostitución [prostitu'θjon] *f* prostitution

prostituta [prosti'tuta] *f* prostitute

prota *mf (fam) (en cine, teatro)* lead

protagonista [protaɣo'nista] *mf* **1.** *(de libro)* main character **2.** *(en cine, teatro)* lead

protección [protek'θjon] *f* protection

proteger [prote'xer] *vt* to protect ◆ **protegerse** *vp (resguardarse)* to shelter

protegido, da [prote'xiðo, ða] *m,f* protegé *(f* protegée*)*

proteína [prote'ina] *f* protein

protesta [pro'testa] *f* protest

protestante [protes'tante] *mf* Protestant

protestar [protes'tar] *vi* to protest

protocolo [proto'kolo] *m* protocol

provecho [pro'βetʃo] *m* benefit ● **¡buen provecho!** enjoy your meal! ● **sacar provecho de** to make the most of

provechoso, sa [proβe'tʃoso, sa] *adj* advantageous

provenir [proβe'nir] ◆ **provenir de** *v + prep* to come from

proverbio [pro'βerβjo] *m* proverb

provincia [pro'βinθja] *f* province

provisional [proβisjo'nal] *adj* provisional

provocación [proβoka'θjon] *f* provocation

provocar [proβo'kar] *vt* **1.** *(incitar, enojar)* to provoke **2.** *(excitar sexualmente)* to arouse **3.** *(causar)* to cause **4.** *(incendio)* to start ● **¿te provoca hacerlo?** *(Andes)* do you feel like doing it?

provocativo, va [proβoka'tiβo, βa] *adj* provocative

próximo, ma ['proksimo, ma] *adj* **1.** *(cercano)* near **2.** *(ciudad, casa)* nearby

3. *(siguiente)* next ▼ próximas llegadas arriving next

proyección [projek'θion] *f (de película)* showing

proyectar [projek'tar] *vt* **1.** *(película)* to show **2.** *(luz)* to shine **3.** *(sombra, figura)* to cast **4.** *(idear)* to plan

proyecto [pro'jekto] *m* **1.** *(plan)* plan **2.** *(propósito)* project **3.** *(de ley)* bill

proyector [projek'tor] *m (de cine, diapositivas)* projector

prudencia [pru'ðenθia] *f* **1.** *(cautela)* caution **2.** *(moderación)* moderation

prudente [pru'ðente] *adj* **1.** *(cauteloso)* cautious **2.** *(sensato)* sensible

prueba ['prueβa] *f* **1.** *(testimonio)* proof **2.** *(ensayo, examen)* test **3.** *(competición)* event

psicoanálisis [sikoa'nalisis] *m inv* psychoanalysis

psicología [sikolo'xia] *f* psychology

psicológico, ca [siko'loxiko, ka] *adj* psychological

psicólogo, ga [si'koloɣo, ɣa] *m,f* psychologist

psicópata [si'kopata] *mf* psychopath

psiquiatra [si'kjatra] *mf* psychiatrist

psiquiátrico [si'kjatriko] *m* psychiatric hospital

psíquico, ca ['sikiko, ka] *adj* psychic

pta. *(abr de peseta)* pta. *(peseta)*

púa ['pua] *f* **1.** *(de planta)* thorn **2.** *(de peine)* tooth

pub ['puβ] *m* upmarket pub

pubertad [puβer'tað] *f* puberty

pubis ['puβis] *m inv* pubis

publicación [puβlika'θion] *f* publication

públicamente [ˌpuβlika'mente] *adv* publicly

publicar [puβli'kar] *vt* **1.** to publish **2.** *(noticia)* to make public

publicidad [puβliθi'ðað] *f* **1.** *(propaganda)* advertising **2.** *(en televisión)* adverts *pl (UK)*, commercials *pl (US)*

publicitario, ria [puβliθi'tarjo, rja] *adj* advertising *(antes de s)*

público, ca ['puβliko, ka] ◇ *adj* **1.** public **2.** *(colegio)* state *(UK)*, public *(US)* ◇ *m* **1.** *(en cine, teatro, televisión)* audience **2.** *(en partido)* crowd ● **en público** in public

pucha ['putʃa] *interj (Andes & RP)* good heavens!

pudding ['puðin] *m* pudding

pudor [pu'ðor] *m* **1.** *(recato)* modesty **2.** *(timidez)* shyness

pudrir [pu'ðrir] *vt* to rot ◆ **pudrirse** *vp* to rot

pueblo ['pueβlo] *m* **1.** people **2.** *(localidad pequeña)* village **3.** *(más grande)* town

puente ['puente] *m* bridge ● **hacer puente** to take a day off between two public holidays ● **puente aéreo** shuttle

puerco, ca ['puerko, ka] ◇ *adj* filthy ◇ *m,f* pig

puerro ['puero] *m* leek

puerta ['puerta] *f* **1.** door **2.** *(de jardín, ciudad)* gate **3.** *(en deporte)* goal ● **puerta de embarque** boarding gate ● **puerta principal** front door

puerto ['puerto] *m* **1.** *(de mar)* port **2.** *(de montaña)* pass ● **puerto deportivo** marina

Puerto Rico ['puerto'riko] *s* Puerto Rico

pues ['pues] *conj* **1.** *(ya que)* since **2.** *(así* que) so 3. (uso enfático) well

puesta ['pwesta] *f* ● **puesta de sol** sunset

puesto, ta ['pwesto, ta] ◇ *pp* ➤ **poner** ◇ *adj (elegante)* smart ◇ *m* 1. *(lugar)* place 2. *(cargo)* job 3. *(tienda pequeña)* stall *(UK)*, stand *(US)* 4. *(de la Guardia Civil)* station

pulga ['pulɣa] *f* flea

pulgar [pul'ɣar] *m* thumb

pulidora [puli'ðora] *f* polisher

pulir [pu'lir] *vt* to polish

pulmón [pul'mon] *m* lung

pulmonía [pulmo'nia] *f* pneumonia

pulpa ['pulpa] *f* flesh

pulpo ['pulpo] *m* octopus ● **pulpo a la gallega** *octopus cooked with red pepper and spices*

pulsar [pul'sar] *vt* 1. *(timbre, botón)* to press 2. *(cuerdas de un instrumento)* to play

pulsera [pul'sera] *f* bracelet

pulso ['pulso] *m* 1. *(latido)* pulse 2. *(firmeza)* steady hand

puma ['puma] *m* puma

puna ['puna] *f (Andes & Arg) altitude sickness*

punk ['pank] *mf* punk

punta ['punta] *f* 1. *(extremo agudo)* point 2. *(extremo)* end 3. *(de dedo)* tip 4. *(de tierra)* point ● **en la punta de la lengua** on the tip of one's tongue

puntapié [punta'pje] *m* kick

puntera [pun'tera] *f* toecap

puntería [punte'ria] *f (habilidad)* marksmanship

puntiagudo, da [puntja'ɣuðo, ða] *adj* pointed

puntilla [pun'tiʎa] *f* point lace

punto ['punto] *m* 1. point 2. *(marca)* dot 3. *(signo ortográfico)* full stop *(UK)*, period *(US)* 4. *(lugar)* spot, place 5. *(momento)* moment 6. *(grado, intensidad)* level 7. *(en cirugía, costura)* stitch ● **estar a punto de** to be about to ● **en punto** on the dot ● **hacer punto** to knit ● **dos puntos** colon *sg* ● **punto de encuentro** meeting point ● **punto muerto** neutral ● **punto de vista** point of view ● **punto y aparte** new paragraph ● **punto y coma** semi-colon ● **punto y seguido** full-stop ● **puntos suspensivos** suspension points

puntuación [puntwa'θjon] *f* 1. *(en gramática)* punctuation 2. *(en competición)* score 3. *(en examen)* mark, grade *(US)*

puntual [puntu'al] *adj* 1. *(persona)* punctual 2. *(detallado)* detailed

puntualidad [puntuali'ðað] *f (de persona)* punctuality

puntualización [puntualiθa'θjon] *f* detailed explanation

puntualizar [puntuali'θar] *vt* to explain in detail

puntuar [puntu'ar] *vt* 1. *(texto)* to punctuate 2. *(examen)* to mark, to grade *(US)*

punzón [pun'θon] *m* punch

puñado [pu'ɲaðo] *m* handful

puñal [pu'ɲal] *m* dagger

puñalada [puɲa'laða] *f* 1. *(golpe)* stab 2. *(herida)* stabwound

puñeta [pu'ɲeta] *interj* damn!

puñetazo [puɲe'taθo] *m* punch

puñetero, ra [puɲe'tero, ɾa] *adj (fam)* damn

puño ['puɲo] *m* **1.** *(mano cerrada)* fist **2.** *(de arma)* hilt **3.** *(de camisa)* cuff **4.** *(de bastón, paraguas)* handle

pupa ['pupa] *f* **1.** *(en el labio)* blister **2.** **hacerse pupa** *(fam) (daño)* to hurt o.s.

pupitre [pu'pitre] *m* desk

puré [pu're] *m* **1.** *(concentrado)* purée **2.** *(sopa)* thick soup ◇ **puré de patatas** o **papas** *(Amér)* mashed potatoes *pl*

puritano, na [puri'tano, na] *adj* puritanical

puro, ra ['puro, ra] ◇ *adj* **1.** pure **2.** *(cielo)* clear **3.** *(verdad)* simple ◇ *m* cigar

puta ['puta] *f* *(vulg)* whore

puzzle ['puθle] *m* jigsaw puzzle

PVP *abrev* = **precio de venta al público**

pza. *(abr de plaza)* Sq. *(square)*

q Q

que [ke]
◇ *pron* **1.** *(cosa)* that, which ● **la moto que me gusta** the motorbike (that) I like ● **el libro que le regalé** the book (that) I gave her ● **la playa a la que fui** the beach I went to ● **el día en que me fui** the day I left **2.** *(persona: sujeto)* who, that ● **el hombre que corre** the man who's running **3.** *(persona: complemento)* whom, that ● **el hombre que conociste** the man you met ● **la chica a la que se lo presté** the girl to whom I lent it ● **la mujer con la que hablas** the woman you are talking to
◇ *conj* **1.** *(con oraciones de sujeto)* that ● **es importante que me escuches** it's important that you listen to me **2.** *(con oraciones de complemento directo)* that ● **me ha confesado que me quiere** he has told me that he loves me **3.** *(comparativo)* than ● **es más rápido que tú** he's quicker than you ● **antes morir que vivir la guerra** I'd rather die than live through a war **4.** *(expresa causa)* ● **hemos de esperar, que todavía no es la hora** we'll have to wait, as it isn't time yet **5.** *(expresa consecuencia)* that ● **tanto me lo pidió que se lo di** she asked for it so persistently that I gave it to her **6.** *(expresa finalidad)* so (that) ● **ven aquí que te vea** come here so (that) I can see you **7.** *(expresa deseo)* that ● **espero que te diviertas** I hope (that) you enjoy yourself ● **quiero que lo hagas** I want you to do it **8.** *(expresa disyunción)* or ● **quieras que no** whether you want to or not **9.** *(en oraciones exclamativas)* ● **¡que te diviertas!** have fun! ● **¡que sí/no!** I said yes/no!

qué ['ke] ◇ *adj* **1.** *(interrogativo)* what **2.** *(al elegir, concretar)* which ◇ *pron* what ◇ *adv* how ● **¿qué?** *(¿cómo?)* sorry?, excuse me? *(US)* ● **¿por qué (...)?** why (...)? ● **¿y qué?** so what?

quebrado [ke'βraðo] *m* fraction

quebrar [ke'βrar] ◇ *vt* to break ◇ *vi* to go bankrupt

quedar [ke'ðar] *vi* **1.** *(permanecer)* to remain, to stay **2.** *(haber suficiente, faltar)* to be left **3.** *(llegar a ser, resultar)* to turn out **4.** *(sentar)* to look **5.** *(estar situado)* to be ● **quedar en ridículo** to make a fool of o.s. ● **quedar por hacer** to remain to be done ● **quedar bien/mal con alguien** to make a good/bad impression on sb ● **quedar en nada** to come to nothing ◆ **quedar con** v + prep (citarse) to arrange to meet ◆ **quedar en** v + prep (acordar) to agree to ◆ **quedarse** vp 1. (permanecer) to stay 2. (cambio) to keep 3. (comprar) to take ● **se quedó ciego** he went blind ◆ **quedarse con** v + prep 1. (preferir) to go for 2. (fam) (burlarse de) to take the mickey out of (UK), to make fun of

quehacer [kea'θer] m task

quejarse [ke'xarse] vp 1. (protestar) to complain 2. (lamentarse) to cry out ● **quejarse de/por** to complain about

quejido [ke'xiðo] m cry

quemadura [kema'ðura] f burn

quemar [ke'mar] ◇ vt to burn ◇ vi to be (scalding) hot ◆ **quemarse** vp 1. (casa, bosque, etc) to burn down 2. (persona) to get burnt

querer [ke'rer]
◇ vt 1. (desear) to want 2. (amar) to love 3. (en preguntas formales) ● **¿quiere pasar?** would you like to come in? 4. (precio) to want 5. (requerir) to need ● vi 1. (apetecer) to want 2. (en locuciones) **queriendo** (con intención) on purpose ● **querer decir** to mean ● **sin querer** accidentally
◇ vi ● **parece que quiere llover** it looks like rain ● **quiere una bicicleta** she wants a bicycle ● **queremos que las cosas vayan bien** we want things to go well ● **quiero que vengas** I want you

to come ● **quisiera hacerlo** I would like to do it ● **tal vez él quiera acompañarte** maybe he'll go with you ● **quiere mucho a su hijo** he loves his son very much ● **¿cuánto quiere por el coche?** how much does he want for the car? ● **esta habitación quiere más luz** this room needs more light ● **ven cuando quieras** come whenever you like ◆ **want** ● **estoy aquí porque quiero** I'm here because I want to be ◆ **quererse** vp to love each other

querido, da [ke'riðo, ða] adj dear

queso ['keso] m cheese ● **queso de bola** Gouda ● **queso manchego** hard, mild yellow cheese made in La Mancha ● **queso parmesano** Parmesan ● **queso rallado** grated cheese

quiebra ['kjeβra] f (de empresa) bankruptcy

quien [kjen] pron 1. (relativo sujeto) who 2. (relativo complemento) whom 3. (indefinido) whoever

quién ['kjen] pron who ● **¡quién pudiera verlo!** if only I could have seen it! ● **¿quién es?** (en la puerta) who is it?; (al teléfono) who's speaking?

quieto, ta ['kjeto, ta] adj 1. (inmóvil) still 2. (inactivo) at a standstill 3. (de carácter) quiet

quilla ['kiʎa] f keel

quilo ['kilo] m = kilo

química ['kimika] f chemistry ➤ **químico**

químico, ca ['kimiko, ka] m,f chemist

quince ['kinθe] núm fifteen ➤ **seis** ● **quince días** fortnight (UK), two weeks (US)

quincena [kin'θena] f fortnight (UK), two weeks (US)

quiniela [ki'njela] f (juego) (football) pools pl (UK), ≃ sweepstakes pl

quinientos, tas [ki'njentos, tas] núm five hundred ➤ seis

quinqué [kin'ke] m oil lamp

quinteto [kin'teto] m quintet

quinto, ta ['kinto, ta] ◇ núm fifth ◇ m (recluta) recruit ➤ sexto

quiosco [ki'osko] m 1. (puesto) kiosk 2. (de periódicos) newspaper stand

quirófano [ki'rofano] m operating theatre (UK), operating room (US)

quisquilla [kis'kiʎa] f shrimp

quisquilloso, sa [kiski'ʎoso, sa] adj 1. (detallista) pernickety 2. (susceptible) touchy

quitamanchas [kita'mantʃas] m inv stain remover

quitar [ki'tar] vt 1. (robar) to take 2. (separar, retirar, suprimir) to remove 3. (ropa, zapatos) to take off ● **quitarle algo a alguien** to take sthg away from sb ◆ **quitarse** vp (apartarse) to get out of the way ● **quitarse la ropa** to take off one's clothes

quizá(s) [ki'θa(s)] adv perhaps

rR

rábano ['raβano] m radish

rabia ['raβja] f 1. (ira) rage 2. (enfermedad) rabies

rabieta [ra'βjeta] f tantrum

rabioso, sa [ra'βjoso, sa] adj 1. (enfermo) rabid 2. (violento) furious

rabo ['raβo] m tail

racha ['ratʃa] f 1. (de viento, aire) gust 2. (fam) (época) spell ● **buena/mala racha** good/bad patch

racial [ra'θjal] adj racial

racimo [ra'θimo] m bunch

ración [ra'θjon] f 1. portion 2. (en un bar) large portion of a particular dish, served as a snack

racismo [ra'θizmo] m racism

racista [ra'θista] mf racist

radar [ra'ðar] m radar

radiación [raðja'θjon] f radiation

radiador [raðja'ðor] m radiator

radiante [ra'ðjante] adj radiant

radiar [ra'ðjar] vt 1. (irradiar) to radiate 2. (en la radio) to broadcast 3. (en medicina) to give X-ray treatment to

radical [raði'kal] adj radical

radio ['raðjo] ◇ f radio ◇ m 1. radius 2. (de una rueda) spoke

radioaficionado [ˌraðjoafiθjo'naðo, ða] m,f radio ham

radiocasete [ˌraðjoka'sete] m o f radio cassette (player)

radiodespertador [ˌraðjoðesperta'ðor] m clock radio (with alarm)

radiodifusión [ˌraðjoðifu'sjon] f broadcasting

radiodifusora [ˌraðjoðifu'sora] f (Amér) radiostation

radiografía [ˌraðjoɣra'fia] f (fotografía) X-ray

radiólogo, ga [ra'ðjoloɣo, ɣa] m,f radiologist

radionovela [ˌraðjonoˈβela] *f* radio soap opera

radiorreloj [ˌraðjoreˈlox] *m* clock radio

radioyente [raðjoˈjente] *mf* listener

ráfaga [ˈrafaɣa] *f* 1. *(de viento, aire)* gust 2. *(de luz)* flash 3. *(de disparos)* burst

rafia [ˈrafja] *f* raffia

rafting [ˈraftin] *m* white-water rafting

raíl [raˈil] *m* rail

raíz [raˈiθ] *f* root

raja [ˈraxa] *f* 1. *(grieta)* crack 2. *(porción)* slice

rajatabla [raxaˈtaβla] ◆ **a rajatabla** *adv* to the letter

rallador [raʎaˈðor] *m* grater

rallar [raˈʎar] *vt* to grate

rally [ˈrali, ˈralis] *(pl* **rallys)** *m* rally

rama [ˈrama] *f* branch

rambla [ˈrambla] *f* avenue

ramo [ˈramo] *m* 1. *(de flores)* bunch 2. *(de actividad)* branch

rampa [ˈrampa] *f* 1. *(pendiente)* steep incline 2. *(para ayudar el acceso)* ramp

rana [ˈrana] *f* frog

ranchera [ranˈtʃera] *f* (Méx) *popular Mexican song and dance*

rancho [ˈrantʃo] *m* 1. *(granja)* ranch 2. *(comida)* mess

rancio, cia [ˈranθjo, θja] *adj* 1. *(vino)* mellow 2. *(pasado)* rancid

rango [ˈrango] *m* 1. *(categoría social)* standing 2. *(en una jerarquía)* rank

ranura [raˈnura] *f* 1. *(surco)* groove 2. *(para monedas)* slot

rape [ˈrape] *m* monkfish ● **rape a la marinera** *monkfish cooked in a white wine and garlic sauce* ● **rape a la plancha** *grilled monkfish*

rápidamente [ˌrapiðaˈmente] *adv* quickly

rapidez [rapiˈðeθ] *f* speed

rápido, da [ˈrapiðo, ða] ◇ *adj* 1. *(veloz)* fast 2. *(que dura poco)* quick ◇ *adv* quickly ◇ *m (tren)* express train ◆ **rápidos** *mpl* rapids

raptar [rapˈtar] *vt* to abduct

raqueta [raˈketa] *f* 1. *(de tenis)* racquet 2. *(para la nieve)* snowshoe

raramente [ˌraraˈmente] *adv* rarely

raro, ra [ˈraro, ra] *adj* 1. *(poco frecuente)* unusual 2. *(extraño)* strange 3. *(escaso)* rare 4. *(extravagante)* odd

rascacielos [raskaˈθjelos] *m inv* skyscraper

rascador [raskaˈðor] *m* scraper

rascar [rasˈkar] *vt* 1. *(con las uñas)* to scratch 2. *(limpiar)* to scrub 3. *(pintura)* to scrape (off)

rasgar [razˈɣar] *vt* to tear

rasgo [ˈrazɣo] *m* 1. *(de rostro)* feature 2. *(característica)* characteristic 3. *(trazo)* stroke

raso, sa [ˈraso, sa] ◇ *adj* 1. *(superficie)* flat 2. *(cucharada, etc)* level ◇ *m* satin ● **al raso in the open** *(air)*

rastrillo [rasˈtriʎo] *m* 1. rake 2. *(Méx) (para barbear)* razor

rastro [ˈrastro] *m* 1. *(huella)* trace 2. *(mercadillo)* flea market

rastro

Street markets with stalls selling a variety of antique, second-hand and new goods are found in the majority of Spanish towns. The most famous, however, is *El Rastro* in Madrid. It is situated near the *Plaza Mayor* and is usually particularly busy on Sunday mornings.

rata ['rata] *f* rat
ratero, ra [ra'tero, ra] *m,f* petty thief
rato ['rato] *m* while ● **a ratos** from time to time ● **pasar un buen rato** to have a good time ● **pasar un mal rato** to have a hard time of it ● **ratos libres** spare time *sg*
ratón [ra'ton] *m* mouse
rattán [ra'tan] *m* (*Amér*) wicker
raya ['raja] *f* 1. (*línea*) line 2. (*estampado*) stripe 3. (*del pelo*) parting 4. (*de pantalón*) crease 5. (*arañazo*) scratch 6. (*pez*) ray ● **a o de rayas** stripy
rayo ['rajo] *m* 1. ray 2. (*de tormenta*) bolt of lightning ● **rayos** lightning *sg* ● **rayos-X** X-rays
raza ['raθa] *f* 1. (*de personas*) race 2. (*de animales*) breed ● **de raza** pedigree
razón [ra'θon] *f* reason ● **dar la razón a alguien** to say that sb is right ● **entrar en razón** to see reason ● **tener razón** to be right ▼ **se vende piso: razón portería** flat for sale: enquire at caretaker's office
razonable [raθo'naβle] *adj* reasonable
razonamiento [raθona'mjento] *m* reasoning
razonar [raθo'nar] ◇ *vt* to reason out ◇ *vi* to reason
reacción [reak'θjon] *f* reaction
reaccionar [reakθjo'nar] *vi* 1. (*responder*) to react 2. (*a tratamiento*) to respond
reactor [reak'tor] *m* 1. (*avión*) jet

(*plane*) 2. (*motor*) jet engine
real [re'al] *adj* 1. (*verdadero*) real 2. (*de rey*) royal
realeza [rea'leθa] *f* royalty
realidad [reali'ðað] *f* 1. (*existencia*) reality 2. (*verdad*) truth ● **en realidad** in fact
realismo [rea'lizmo] *m* realism
realización [realiθa'θjon] *f* 1. (*de tarea, trabajo*) carrying-out 2. (*de proyecto, plan*) implementation 3. (*de deseo, sueño*) fulfilment 4. (*de película*) production
realizar [reali'θar] *vt* 1. (*tarea, trabajo*) to carry out 2. (*proyecto, plan*) to implement 3. (*deseo, sueño*) to fulfil 4. (*película*) to produce
realmente [re'almente] *adv* 1. (*en verdad*) actually 2. (*muy*) really
realquilado, da [realki'laðo, ða] *m,f* sub-tenant
realquilar [realki'lar] *vt* to sublet
reanimación [reanima'θjon] *f* 1. (*de fuerzas, energía*) recovery 2. (*de enfermo*) revival 3. (*del ánimo*) cheering-up
rebaja [re'βaxa] *f* 1. (*de precio*) discount 2. (*de altura, nivel, etc*) reduction ◆ **rebajas** *fpl* sales
rebajado, da [reβa'xaðo, ða] *adj* reduced
rebajar [reβa'xar] *vt* 1. (*precio*) to reduce 2. (*altura, nivel, etc*) to lower 3. (*humillar*) to humiliate
rebanada [reβa'naða] *f* slice
rebanar [reβa'nar] *vt* to slice
rebaño [re'βaɲo] *m* (*de ovejas*) flock
rebelarse [reβe'larse] *vp* to rebel
rebelde [re'βelde] ◇ *adj* 1. rebellious 2.

(niño, pelo) unruly **3.** *(enfermedad)* persistent ◇ *mf* rebel

rebeldía [reβel'dia] *f* **1.** *(cualidad)* rebelliousness **2.** *(acción)* rebellion

rebelión [reβe'ljon] *f* rebellion

rebozado, da [reβo'θaðo, ða] *adj* coated in batter or fried breadcrumbs

rebozo [re'βoθo] *m* *(Amér)* shawl

recado [re'kaðo] *m* *(mensaje)* message

recaer [reka'er] *vi* **1.** *(en enfermedad)* to have a relapse **2.** *(en vicio, error, etc)* to relapse

recalcar [rekal'kar] *vt* to stress

recalentar [rekalen'tar] *vt* **1.** *(volver a calentar)* to warm up **2.** *(calentar demasiado)* to overheat ◆ **recalentarse** *vp* to overheat

recámara [re'kamara] *f* *(CAm, Col & Méx)* bedroom

recamarera [rekama'rera] *f* *(Amér)* maid

recambio [re'kambjo] *m* **1.** *(pieza)* spare (part) **2.** *(de pluma)* refill

recargar [rekar'γar] *vt* **1.** *(mechero, recipiente)* to refill **2.** *(batería)* to recharge **3.** *(arma)* to reload **4.** *(cargar demasiado)* to overload **5.** *(impuesto)* to increase

recato [re'kato] *m* **1.** *(pudor)* modesty **2.** *(prudencia)* caution

recepción [reθep'θjon] *f* reception

para presentarse en recepción

Si tienes una cita con alguien en una empresa, te presentas diciendo *hello, I'm Jenny Barton, I have an appointment with Michael Johnson*. Si representas a una empresa, puedes decir *hello, I'm Jenny Barton from Robinson Associates, I have an appointment with...* Si se trata de un grupo de personas, sólo hace falta decir el nombre de la empresa: *hello, we're from Robinson Associates and we have an appointment with...* En un hotel, sólo hace falta dar el nombre de la persona que hizo la reserva: *hello, we've booked a room for 2 nights in the name of Barker.*

recepcionista [reθepθjo'nista] *mf* receptionist

receptor [reθep'tor] *m* receiver

recesión [reθe'sjon] *f* recession

receta [re'θeta] *f* *(de guiso)* recipe ◆ **receta (médica)** prescription

recetar [reθe'tar] *vt* to prescribe

rechazar [retʃa'θar] *vt* **1.** to reject **2.** *(físicamente)* to push away **3.** *(denegar)* to turn down

rechazo [re'tʃaθo] *m* rejection

recibidor [reθiβi'ðor] *m* entrance hall

recibimiento [reθiβi'mjento] *m* reception

recibir [reθi'βir] *vt* **1.** to receive **2.** *(dar la bienvenida a)* to welcome **3.** *(ir a buscar)* to meet ◆ **recibirse** *vp* *(Amér)* to graduate

recibo [re'θiβo] *m* receipt

reciclado, da [reθi'klaðo, ða] *adj* recycled

reciclaje [reθi'klaxe] *m* *(de papel, plástico, etc)* recycling

reciclar [reθi'klar] *vt* to recycle ◆ **reciclarse** *vp* *(persona)* to retrain

recién [re'θjen] *adv* recently ● **recién hecho** fresh ● **recién nacido** newborn baby ▼ **recién pintado** wet paint

reciente [re'θjente] *adj* recent

recientemente [re,θjente'mente] *adv* recently

recinto [re'θinto] *m* area

recipiente [reθi'pjente] *m* container

recital [reθi'tal] *m* **1.** *(de música pop)* concert **2.** *(de música clásica)* recital

recitar [reθi'tar] *vt* to recite

reclamación [reklama'θjon] *f* **1.** *(queja)* complaint **2.** *(petición)* claim ▼ **reclamaciones y quejas** complaints

reclamar [rekla'mar] *vt* to demand

recluir [reklu'ir] *vt* to shut away

reclusión [reklu'sjon] *f* **1.** *(encarcelamiento)* imprisonment **2.** *(voluntaria)* seclusion

recobrar [reko'βrar] *vt* to recover ◆ **recobrarse de** *v* + *prep* to recover from

recogedor [rekoxe'ðor] *m* dustpan

recoger [reko'xer] *vt* **1.** *(coger)* to pick up **2.** *(reunir)* to collect **3.** *(fruta)* to pick **4.** *(ir a buscar)* to meet **5.** *(mesa)* to clear **6.** *(acoger)* to take in ◆ **recogerse** *vp* **1.** *(retirarse)* to withdraw **2.** *(acostarse)* to retire

recogida [reko'xiða] *f* **1.** *(de objetos, basura, etc)* collection **2.** *(de frutos)* harvest

recolección [rekolek'θjon] *f* *(de frutos)* harvesting

recomendar [rekomen'dar] *vt* to recommend

recompensa [rekom'pensa] *f* reward

recompensar [rekompen'sar] *vt* to reward

reconocer [rekono'θer] *vt* **1.** to recognize **2.** *(examinar)* to examine **3.** *(terreno)* to survey

reconocimiento [rekonoθi'mjento] *m* **1.** recognition **2.** *(agradecimiento)* gratitude **3.** *(en medicina)* examination

Reconquista [rekon'kista] *f (Esp)* ● **la Rreconquista** the Reconquest *(of Spain)*

récord ['rekor] *m* record

recordar [rekor'ðar] *vt* to remember ● **me recuerda a mi tía** she reminds me of my aunt

recorrer [reko'rer] *vt* **1.** *(país, etc)* to travel across **2.** *(distancia)* to cover

recorrido [reko'riðo] *m* **1.** *(trayecto)* route **2.** *(viaje)* journey ● **tren de largo recorrido** intercity train

recortar [rekor'tar] *vt* **1.** *(pelo)* to trim **2.** *(papel)* to cut out **3.** *(tela, gastos, precio)* to cut

recostarse [rekos'tarse] *vp* to lie down

recreo [re'kreo] *m* **1.** *(diversión)* recreation **2.** *(de escolares)* break

recta ['rekta] *f* straight line

rectangular [rektangu'lar] *adj* rectangular

rectángulo [rek'tangulo] *m* rectangle

rectitud [rekti'tuð] *f* rectitude

recto, ta ['rekto, ta] *adj* **1.** *(camino, línea, etc)* straight **2.** *(severo, honesto)* upright ◆ **todo recto** straight on

rector, ra [rek'tor, ra] *m,f* vice chancellor *(UK)*, president *(US)*

recuerdo [re'kuerðo] *m* **1.** *(del pasado)* memory **2.** *(de viaje)* souvenir ◆ **recuerdos** *mpl (saludos)* regards ● **dar recuerdos a** to give one's regards to

recuperación [rekupera'θion] *f* recovery

recuperar [rekupe'rar] *vt* 1. to recover 2. *(tiempo)* to make up ◆ **recuperarse** *vp (volver en sí)* to come to ◆ **recuperarse de** *v + prep* to recover from

recurrir [reku'rir] *vi (en juicio)* to appeal ◆ **recurrir a** *(pedir ayuda)* to turn to

recurso [re'kurso] *m* 1. *(medio)* resort 2. *(reclamación)* appeal ◆ **recursos** *mpl* resources ◆ **recursos humanos** human resources

red ['reð] *f* 1. *(malla, en deporte)* net 2. *(de pelo)* hairnet 3. *(de carreteras, conductos, etc)* network 4. *(de tiendas, empresas, etc)* chain

redacción [reðak'θion] *f* 1. *(de texto, periódico)* editing 2. *(en escuela)* essay 3. *(estilo)* wording 4. *(conjunto de personas)* editorial team 5. *(oficina)* editorial office

redactar [reðak'tar] *vt* to write

redactor, ra [reðak'tor, ra] *m,f* 1. *(escritor)* writer 2. *(editor)* editor

redil [re'ðil] *m (sheep)* pen

redondeado, da [reðonde'aðo, ða] *adj* 1. *(material, forma, etc)* rounded 2. *(precio, cantidad, etc)* rounded up/down

redondel [reðon'del] *m* ring

redondo, da [re'ðondo, ða] *adj* 1. round 2. *(perfecto)* excellent

reducción [reðuk'θion] *f* reduction

reducir [reðu'θir] *vt* 1. to reduce 2. *(someter)* to suppress ◆ **reducirse a** *v + prep* to be reduced to

reembolsar [reembol'sar] *vt* 1. *(gastos)* to reimburse 2. *(dinero)* to refund 3. *(deuda)* to repay

reembolso [reem'bolso] *m* 1. *(de gastos)* reimbursement 2. *(de dinero)* refund 3. *(de deuda)* repayment ◆ **contra reembolso** cash on delivery

reemplazar [reempla'θar] *vt* to replace

reestrenar [reestre'nar] *vt* to re-release

reestreno [rees'treno] *m* re-release

reestructurar [reestruktu'rar] *vt* to restructure

refacción [refak'θion] *f* 1. *(Chile & Méx)* spare (part) 2. *(Andes & RP)* *(en edificio)* renovation

refaccionar [refakθio'nar] *vt (Amér)* to repair

referencia [refe'renθia] *f* reference ◆ **referencias** *fpl* references

referéndum [refe'rendum] *m* referendum

referente [refe'rente] *adj* ◆ **referente a** concerning

referirse [refe'rirse] ◆ **referirse a** *v + prep* to refer to

refinería [refine'ria] *f* refinery

reflector [reflek'tor] *m* spotlight

reflejar [refle'xar] *vt* to reflect ◆ **reflejarse** *vp* to be reflected

reflejo, ja [re'flexo, xa] ◇ *adj (movimiento)* reflex ◇ *m* 1. *(luz)* gleam 2. *(imagen)* reflection ◆ **reflejos** *mpl (reacción)* rápida reflexes ◆ **hacerse reflejos** to have highlights put in

reflexión [reflek'sion] *f* reflection

reflexionar [refleksio'nar] *vi* to reflect

reforma [re'forma] *f* 1. reform 2. *(de casa, edificio)* alteration 3. *(de idea, plan)* change

reformar [refor'mar] *vt* 1. to reform 2. *(casa, edificio)* to do up 3. *(idea, plan)* to alter ◆ **reformarse** vp to mend one's ways

reforzar [refor'θar] vt to reinforce

refrán [re'fran] m proverb

refrescante [refres'kante] adj refreshing

refresco [re'fresko] m soft drink

refrigerado, da [refrixe'raðo, ða] adj (con aire acondicionado) air-conditioned

refrigerador [refrixera'ðor] m refrigerator

refugiado, da [refu'xjaðo, ða] m,f refugee

refugiar [refu'xjar] vt to give refuge to ◆ **refugiarse** vp to take refuge

refugio [re'fuxjo] m **1.** refuge **2.** (de guerra) shelter

regadera [reɣa'ðera] f **1.** (para plantas) watering can **2.** (Col, Méx & Ven) (ducha) shower head

regalar [reɣa'lar] vt **1.** (obsequiar) to give (as a present) **2.** (dar gratis) to give away

regaliz [reɣa'liθ] m liquorice

regalo [re'ɣalo] m present, gift

regañar [reɣa'ɲar] ◇ vt to tell off ◇ vi (pelearse) to argue

regar [re'ɣar] vt **1.** (campos, plantas) to water **2.** (suj: río) to flow through

regata [re'ɣata] f **1.** (competición) regatta **2.** (canal) irrigation channel

regatear [reɣate'ar] vt **1.** (precio) to haggle over **2.** (esfuerzos, ayuda) to be sparing with **3.** (en deporte) to beat, to dribble past

regazo [re'ɣaθo] m lap

regenerar [rexene'rar] vt **1.** (cosa) to regenerate **2.** (persona) to reform ◆

regenerarse vp (persona) to mend one's ways

régimen ['reximen] m **1.** (de alimentación) diet **2.** (conjunto de normas) rules pl **3.** (forma de gobierno) regime

región [re'xjon] f region

regional [rexjo'nal] adj regional

regir [re'xir] ◇ vt (dirigir) to run ◇ vi to apply

registrar [rexis'trar] vt **1.** (inspeccionar) to search **2.** (cachear) to frisk **3.** (en lista, registro, cinta) to record ◆ **registrarse** vp (ocurrir) to occur

registro [re'xistro] m **1.** (libro) register **2.** (inspección) search **3.** (de luz, agua, etc) cupboard containing electricity/water meter ● **registro (civil)** registry office

regla ['reɣla] f **1.** (norma) rule **2.** (instrumento) ruler **3.** (menstruación) period ● **en regla** in order ● **por regla general** as a rule ● **tener la regla** to have one's period

reglamento [reɣla'mento] m regulations pl

regrabadora f rewriter

regresar [reɣre'sar] ◇ vt (Amér) to return ◇ vi to return ◆ **regresarse** vp (Amér) to return

regreso [re'ɣreso] m return

regular [reɣu'lar] ◇ adj **1.** (uniforme) regular **2.** (de tamaño) medium **3.** (vuelo) scheduled **4.** (habitual) normal **5.** (mediocre) average ◇ vt **1.** (reglamentar) to regulate **2.** (mecanismo) to adjust ◇ adv all right

regularidad [reɣulari'ðað] f regularity

rehabilitar [reaβili'tar] vt **1.** (local, casa, etc) to restore **2.** (persona) to rehabilitate

rehén [re'en] *mf* hostage

rehogar [reo'ɣar] *vt* to fry over a low heat

reina ['reina] *f* queen

reinado [rei'naðo] *m* reign

reinar [rei'nar] *vi* to reign

reincorporar [reinkorpo'rar] *vt* to reincorporate ◆ **reincorporarse a** *v + prep* to go back to

reino ['reino] *m* kingdom

Reino Unido ['reinou'niðo] *m* ● **el Reino Unido** the United Kingdom

reintegro [rein'teɣro] *m* 1. *(pago)* reimbursement 2. *(en banco)* withdrawal 3. *(en lotería)* return of one's stake

reír [re'ir] *vi* to laugh ◇ *vt* to laugh at ◆ **reírse de** *v + prep* to laugh at

reivindicación [reiβindika'θjon] *f* claim

reivindicar [reiβindi'kar] *vt* to claim

reja ['rexa] *f* (de puerta, ventana) bars *pl*

rejilla [re'xiʎa] *f* 1. (para abertura) grid 2. (de ventana) grille 3. (de horno) gridiron (UK), rack (US) 4. (de silla) wickerwork 5. (para equipaje) luggage rack

rejuvenecer [rexuβene'θer] *vt & vi* to rejuvenate

relación [rela'θjon] *f* 1. *(nexo)* relation 2. *(trato)* relationship 3. *(enumeración)* list 4. *(narración)* account ◆ **relaciones** *fpl* 1. *(amistades)* relations 2. *(influencias)* connections 3. *(noviazgo)* relationship *sg*

relacionar [relaθjo'nar] *vt* to relate ◆ **relacionarse** *vp* 1. *(ideas, objetos, etc)* to be related 2. *(personas)* to mix

relajación [relaxa'θjon] *f* relaxation

relajar [rela'xar] *vt* to relax ◆ **relajarse** *vp* to relax

relajo [re'laxo] *m* (Amér) commotion

relámpago [re'lampaɣo] *m* flash of lightning

relampaguear [relampaɣe'ar] *vi* ● **relampagueó** lightning flashed

relatar [rela'tar] *vt* to relate

relativo, va [rela'tiβo, βa] *adj* 1. *(no absoluto)* relative 2. *(escaso)* limited ● **relativo a** concerning

relato [re'lato] *m* 1. *(cuento)* tale 2. *(exposición)* account

relevo [re'leβo] *m* 1. *(sustitución)* relief 2. *(en deporte)* relay ◆ **relevos** *mpl* relay (race) *sg*

relieve [re'ljeβe] *m* 1. relief 2. *(importancia)* importance

religión [reli'xjon] *f* religion

religioso, sa [reli'xjoso, sa] ◇ *adj* religious ◇ *m,f* (monje) monk (f nun)

relinchar [relin'tʃar] *vi* to neigh

relincho [re'lintʃo] *m* neigh

rellano [re'ʎano] *m* landing

rellenar [reʎe'nar] *vt* 1. (volver a llenar) to refill 2. (pastel) to fill 3. (pollo, almohada) to stuff 4. (formulario, documento) to fill in

relleno, na [re'ʎeno, na] ◇ *adj* stuffed ◇ *m* 1. stuffing 2. (de pastel) filling

reloj [re'lox] *m* clock ● **reloj de arena** hourglass ● **reloj (de pared)** clock ● **reloj (de pulsera)** watch

relojería [reloxe'ria] *f* 1. (tienda) watchmaker's (shop) 2. (taller) watchmaker's workshop

relojero, ra [relo'xero, ra] *m,f* watchmaker

remar [re'mar] *vi* to row

remediar [reme'ðjar] *vt* 1. (solucionar) to put right 2. (problema) to solve

re

remedio [re'meðjo] *m* 1. *(solución)* solution 2. *(auxilio)* help 3. *(para enfermedad)* remedy ● **no queda más remedio** there's nothing for it ● **no tener más remedio** to have no choice ● **sin remedio** hopeless

remendar [remen'dar] *vt* to mend

remite [re'mite] *m* sender's name and address (UK), return address (US)

remitente [remi'tente] *mf* sender

remitir [remi'tir] *vt* to send ◆ **remitir a** *v + prep* to refer to

remo ['remo] *m* oar

remojar [remo'xar] *vt* to soak

remojo [re'moxo] *m* ● **poner en remojo** to leave to soak

remolacha [remo'latʃa] *f* beetroot (UK), beet (US)

remolcador [remolka'ðor] *m* 1. *(embarcación)* tugboat 2. *(camión)* breakdown lorry (UK), tow truck (US)

remolcar [remol'kar] *vt* to tow

remolque [re'molke] *m (vehículo)* trailer

remontar [remon'tar] *vt* to go up ◆ **remontarse a** *v + prep* to date back to

remordimiento [remorði'mjento] *m* remorse

remoto, ta [re'moto, ta] *adj* remote

remover [remo'βer] *vt* 1. *(café, sopa)* to stir 2. *(tierra)* to dig up 3. *(recuerdos)* to rake up

remuneración [remunera'θjon] *f* remuneration

renacuajo [rena'kwaxo] *m* tadpole

rencor [ren'kor] *m* resentment

rendición [rendi'θjon] *f* surrender

rendimiento [rendi'mjento] *m (de motor)* performance

rendir [ren'dir] ◇ *vt (homenaje)* to pay ◇ *vi* 1. *(máquina)* to perform well 2. *(persona)* to be productive 3. *(negocio, dinero)* to be profitable ◆ **rendirse** *vp (someterse)* to surrender

RENFE ['renfe] *f* Spanish state railway company

reno ['reno] *m* reindeer

renovación [renoβa'θjon] *f* 1. *(de decoración, local)* renovation 2. *(de contrato, carné)* renewal

renovar [reno'βar] *vt* 1. *(decoración, local)* to renovate 2. *(contrato, carné, relación)* to renew 3. *(vestuario)* to clear out

renta ['renta] *f* 1. *(ingresos)* income 2. *(beneficio)* return 3. *(alquiler)* rent

rentable [ren'taβle] *adj* profitable

rentar [ren'tar] *vt (Amér)* to rent

renunciar [renun'θjar] ◆ **renunciar a** *v + prep* 1. *(prescindir de)* to give up 2. *(declinar)* to refuse to

reñir [re'ɲir] ◇ *vt (reprender)* to tell off ◇ *vi* 1. *(pelearse)* to argue 2. *(romper relaciones)* to fall out

reo, a ['reo, a] *m,f* offender

reparación [repara'θjon] *f* 1. *(de coche, avería, etc)* repair 2. *(de daño, ofensa, etc)* reparation

reparar [repa'rar] *vt* 1. *(coche, máquina, etc)* to repair 2. *(equivocación, ofensa, etc)* to make amends for ◆ **reparar en** *v + prep* to notice

repartidor, ra [reparti'ðor, ra] *m,f* deliveryman (*f* deliverywoman)

repartir [repar'tir] *vt* 1. *(dividir)* to share out 2. *(distribuir)* to deliver

reparto [re'parto] *m* 1. *(de bienes, dinero, etc)* division 2. *(de mercancías, periódicos,* *etc*) delivery **3.** (*de actores*) cast

repasar [repa'sar] *vt* **1.** to go over **2.** (*trabajo, lección*) to revise (*UK*), to review (*US*) **3.** (*releer*) to go over **4.** (*remendar*) to mend ● **repasar apuntes** to go over one's notes

repaso [re'paso] *m* **1.** revision (*UK*), review (*US*) **2.** (*fam*) (*represión*) telling off

repelente [repe'lente] *adj* repulsive

repente [re'pente] ◆ **de repente** *adv* suddenly

repentino, na [repen'tino, na] *adj* sudden

repercusión [reperku'sjon] *f* repercussion

repertorio [reper'torjo] *m* **1.** (*catálogo*) list **2.** (*de actor, compañía, etc*) repertoire

repetición [repeti'θjon] *f* repetition

repetidor, ra [repeti'ðor, ra] ◇ *m,f* (*alumno*) student repeating a year ◇ *m* (*en telecomunicaciones*) repeater

repetir [repe'tir] ◇ *vt* **1.** to repeat **2.** (*comida, bebida*) to have seconds of ◇ *vi* (*sabor*) to repeat

réplica ['replika] *f* **1.** (*copia*) replica **2.** (*contestación*) reply

replicar [repli'kar] *vt & vi* to answer back

repoblación [repoβla'θjon] *f* **1.** (*de ciudad, región, etc*) repopulation **2.** (*de bosque, campos*) replanting ● **repoblación forestal** reafforestation

repoblar [repo'βlar] *vt* **1.** (*ciudad, región, etc*) to repopulate **2.** (*bosque, campos, etc*) to replant

reponer [repo'ner] *vt* **1.** to replace **2.** (*película, obra de teatro*) to re-run ◆

reponerse *vp* to recover

reportaje [repor'taxe] *m* **1.** (*en radio, televisión*) report **2.** (*en periódico, revista*) article

reportar [repor'tar] *vt* (*Méx*) to report ◆

reportarse *vp* (*Andes, CAm & Méx*) to report

reporte [re'porte] *m* (*Méx*) report

reportero, ra [repor'tero, ra] *m,f* reporter

reposo [re'poso] *m* **1.** (*descanso*) rest **2.** (*quietud*) calm

repostería [reposte'ria] *f* confectionery

representación [representa'θjon] *f* **1.** representation **2.** (*de obra de teatro*) performance ● **en representación de** on behalf of

representante [represen'tante] *mf* **1.** (*de actor, cantante, etc*) agent **2.** (*vendedor*) representative

representar [represen'tar] *vt* **1.** to represent **2.** (*obra de teatro*) to perform **3.** (*edad*) to look **4.** (*importar*) to mean

representativo, va [representa'tiβo, βa] *adj* representative

represión [repre'sjon] *f* suppression

reprimir [repri'mir] *vt* to suppress ◆

reprimirse *vp* to restrain o.s.

reprochar [repro'tʃar] *vt* to reproach

reproche [re'protʃe] *m* reproach

reproducción [reproðuk'θjon] *f* reproduction

reproducir [reproðu'θir] *vt* to reproduce ◆ **reproducirse** *vp* (*seres vivos*) to reproduce

reptar [rep'tar] *vi* to crawl

reptil [rep'til] *m* reptile

república [re'puβlika] *f* republic

República Dominicana [reˈpuβlikaðo-miniˈkana] *f* ● la República Dominicana the Dominican Republic

republicano, na [repuβliˈkano, na] *adj* republican

repuesto, ta [reˈpu̯esto] *pp* ➤ **reponer** ◇ *m* (recambio) spare (part) ● de repuesto spare

repugnar [repu̯ɣˈnar] *vt* ● me repugna ese olor I find that smell disgusting

reputación [reputaˈθjon] *f* reputation

requerir [rekeˈrir] *vt* to require

requesón [rekeˈson] *m* cottage cheese

res [ˈres] *f* 1. (animal) cow 2. (Col, Méx & Ven) (carne) beef

resaca [reˈsaka] *f* 1. (de borrachera) hangover 2. (del mar) undertow

resbalada [rezβaˈlaða] *f* (Amér) slip

resbaladizo, za [rezβalaˈðiθo, θa] *adj* slippery

resbalar [rezβaˈlar] *vi* 1. (deslizarse) to slide 2. (caer) to slip 3. (equivocarse) to slip up ● **resbalarse** *vp* to slip

rescatar [reskaˈtar] *vt* to rescue

rescate [resˈkate] *m* (dinero) ransom

resentimiento [resentiˈmjento] *m* resentment

reserva¹ [reˈserβa] *f* 1. (de habitación, asiento, comedimiento) reservation 2. (cautela) discretion 3. (de alimentos, provisiones, etc) reserves *pl* 4. (de animales) reserve ● reserva natural nature reserve ▼ reservas hoteles y pensiones hotel and guest house reservations

reserva² [reˈserβa] *m* (vino) vintage

reservación [reserβaˈθjon] *f* (Amér) reservation

reservado, da [reserˈβaðo, ða] ◇ *adj* reserved ◇ *m* (compartimento) reserved compartment

reservar [reserˈβar] *vt* 1. (asiento, billete, etc) to reserve, to book 2. (callar) to reserve 3. (noticia, datos) to keep to o.s. 4. (guardar) to set aside

resfriado, da [resˈfrjaðo, ða] ◇ *m* cold ◇ *adj* ● estar resfriado to have a cold

resfriarse [resˈfrjarse] *vp* to catch a cold

resfrío [resˈfrio] *m* (Amér) cold

resguardar [rezɣu̯arˈðar] *vt* to protect ● **resguardarse de** *v + prep* to shelter from

resguardo [rezˈɣu̯arðo] *m* (documento) receipt

residencia [resiˈðenθja] *f* 1. (estancia) stay 2. (casa) residence 3. (de estudiantes) hall of residence (UK), dormitory (US) 4. (de ancianos) old people's home (UK), retirement home (US) 5. (pensión) guest house

residuo [reˈsiðu̯o] *m* residue ● residuos *mpl* waste *sg*

resignarse [resiɣˈnarse] *vp* to resign o.s.

resistencia [resisˈtenθja] *f* 1. resistance 2. (para correr, etc) stamina 3. (de pared, material, etc) strength

resistente [resisˈtente] *adj* tough

resistir [resisˈtir] ◇ *vt* 1. (carga, dolor, enfermedad) to withstand 2. (tentación, deseo, ataque) to resist 3. (tolerar) to stand ◇ *vi* (durar) to keep going ● **resistirse a** *v + prep* to refuse to

resolver [resolˈβer] *vt* 1. (duda, crisis) to resolve 2. (problema, caso) to solve

resonancia [resoˈnanθja] *f* 1. (de sonido)

resonance **2.** *(repercusión)* repercussions *pl*

resorte [re'sorte] *m* spring

respaldo [res'paldo] *m (de asiento)* back

respectivo, va [respek'tiβo, βa] *adj* respective

respecto [res'pekto] *m* ● **al respecto** in this respect ● **(con) respecto a** regarding

respetable [respe'taβle] *adj* **1.** *(digno de respeto)* respectable **2.** *(considerable)* considerable

respetar [respe'tar] *vt* to respect

respeto [res'peto] *m* respect

respiración [respira'θjon] *f* breathing

respirar [respi'rar] *vi* **1.** to breathe **2.** *(sentir alivio)* to breathe again

respiro [res'piro] *m (alivio)* relief ● **darse un respiro** to have a breather

resplandor [resplan'dor] *m* brightness

responder [respon'der] ◇ *vt* to answer ◇ *vi* **1.** *(contestar)* to answer **2.** *(replicar)* to answer back **3.** *(reaccionar)* to respond ● **responder a algo** to reply to sthg ◆ **responder a** *v + prep (deberse a)* to be due to ◆ **responder de** *v + prep* to answer for ◆ **responder por** *v + prep* to answer for

responsabilidad [responsaβili'ðað] *f* responsibility

responsable [respon'saβle] *adj* responsible ● **responsable de** to be responsible for

respuesta [res'pwesta] *f* **1.** *(contestación)* answer **2.** *(reacción)* response

resta ['resta] *f* subtraction

restar [res'tar] *vt* **1.** *(quitar)* to take away **2.** *(en matemáticas)* to subtract

restauración [restaura'θjon] *f* **1.** restoration **2.** *(en hostelería)* restaurant trade

restaurado, da [restau'raðo, ða] *adj* restored

restaurador, ra [restaura'ðor, ra] *m,f* **1.** *(de pintura, escultura, etc)* restorer **2.** *(en hostelería)* restaurateur

restaurante [restau'rante] *m* restaurant

restaurar [restau'rar] *vt* to restore

resto ['resto] *m* rest ◆ **restos** *mpl* **1.** remains **2.** *(de comida)* leftovers

restricción [restrik'θjon] *f* restriction

resucitar [resuθi'tar] ◇ *vt (persona)* to bring back to life ◇ *vi* to rise from the dead

resuelto, ta [re'swelto, ta] ◇ *pp* ➤ **resolver** ◇ *adj (decidido)* determined

resultado [resul'taðo] *m* result

resultar [resul'tar] *vi* **1.** *(acabar en)* to turn out to be **2.** *(tener éxito)* to work out **3.** *(ser)* to be ◆ **resultar de** *v + prep* to result from

resumen [re'sumen] *m* summary

resumir [resu'mir] *vt* to summarize

retablo [re'taβlo] *m* altarpiece

retal [re'tal] *m* remnant

retención [reten'θjon] *f* **1.** *(de tráfico)* hold-up **2.** *(de líquidos, grasas)* retention

retirado, da [reti'raðo, ða] *adj* **1.** *(apartado)* secluded **2.** *(jubilado)* retired

retirar [reti'rar] *vt* **1.** *(quitar, recoger)* to remove **2.** *(carné, permiso, dinero, afirmación)* to withdraw ◆ **retirarse** *vp* to retire

reto ['reto] *m* challenge

retocar [reto'kar] *vt* **1.** *(fotografía, pintura)* to touch up **2.** *(trabajo)* to put the finishing touches to

retorcer [retor'θer] *vt* **1.** *(brazo)* to twist **2.** *(ropa)* to wring ◆ **retorcerse de** *v +*

prep **1.** (*dolor*) to writhe in **2.** (*risa*) to double up with

retórica [re'torika] *f* rhetoric

retornable [retor'naβle] *adj* returnable

retorno [re'torno] *m* return

retransmisión [retranzmi'sjon] *f* **1.** broadcast **2.** (*repetición*) repeat

retransmitir [retranzmi'tir] *vt* **1.** to broadcast **2.** (*repetir*) to repeat

retrasado, da [retra'saðo, ða] *adj* **1.** (*tren*) delayed **2.** (*trabajo*) behind **3.** (*reloj*) slow **4.** (*no actual*) old-fashioned **5.** (*persona*) backward (*UK*), mentally handicapped

retrasar [retra'sar] *vt* **1.** (*aplazar*) to postpone **2.** (*reloj*) to put back **3.** (*hacer más lento*) to hold up ◆ **retrasarse** *vp* **1.** (*tardar*) to be late **2.** (*reloj*) to lose time **3.** (*en el pago*) to be behind

retraso [re'traso] *m* **1.** (*de persona, tren, etc*) delay **2.** (*de reloj*) slowness **3.** (*de pueblo, cultura, etc*) backwardness **4.** (*deuda*) arrears *pl* ● **con retraso** late ● **llevar retraso** to be late

retratar [retra'tar] *vt* **1.** (*fotografiar*) to photograph **2.** (*dibujar, pintar*) to do a portrait of **3.** (*describir*) to portray

retrato [re'trato] *m* **1.** (*fotografía*) photograph **2.** (*dibujo, pintura*) portrait **3.** (*descripción*) portrayal **4.** (*imagen parecida*) spitting image

retrete [re'trete] *m* toilet (*UK*), bathroom (*US*)

retroceder [retroθe'ðer] *vi* to go back

retrospectivo, va [retrospek'tiβo, βa] *adj* retrospective

retrovisor [retroβi'sor] *m* rear-view mirror

reuma ['reuma] *m o f* rheumatism

reunión [reu'njon] *f* meeting

reunir [reu'nir] *vt* **1.** (*personas*) to bring together **2.** (*dinero, fondos*) to raise **3.** (*condiciones*) to meet ◆ **reunirse** *vp* to meet

revancha [re'βantʃa] *f* revenge

revelado [reβe'laðo] *m* developing ● **revelado en color/blanco y negro** colour/black and white developing

revelar [reβe'lar] *vt* **1.** (*secreto, noticia, etc*) to reveal **2.** (*fotografía*) to develop

reventar [reβen'tar] ◇ *vt* **1.** (*romper*) to burst **2.** (*fam*) (*fastidiar*) to bug ◇ *vi* **1.** (*cansar*) to get exhausted **2.** (*bomba*) to explode **3.** (*globo*) to burst **4.** (*fam*) (*morir*) to kick the bucket ◆ **reventarse** *vp* (*romperse*) to burst

reventón [reβen'ton] *m* puncture

reverencia [reβe'renθja] *f* (*inclinación*) bow

reversa [re'βersa] *f* (*Col & Méx*) reverse

reversible [reβer'siβle] *adj* reversible

reverso [re'βerso] *m* back

revés [re'βes] *m* **1.** (*de moneda, folio, etc*) back **2.** (*con raqueta*) backhand **3.** (*con mano*) slap **4.** (*desgracia*) setback ● **al revés** (*en orden contrario*) the other way round; (*en mal orden*) the wrong way round; (*al contrario*) on the contrary

revestimiento [reβesti'mjento] *m* (*de pintura*) coat

revisar [reβi'sar] *vt* **1.** (*corregir*) to revise **2.** (*coche*) to service **3.** (*Amér*) (*paciente*) to examine

revisión [reβi'sjon] *f* **1.** (*repaso*) revision **2.** (*arreglo*) amendment

revisor, ra [reβi'sor, ra] *m,f* **1.** (*en tren*)

ticket inspector **2.** *(en autobús)* conductor

revista [re'βista] *f* **1.** *(publicación)* magazine **2.** *(espectáculo)* revue **3.** *(inspección)* inspection

revistero [reβis'tero] *m* magazine rack

revolcarse [reβol'karse] *vp* to roll about

revoltillo [reβol'tiʎo] *m* **1.** *(confusión)* jumble **2.** *(guiso)* scrambled egg, usually with fried prawns and mushrooms

revoltoso, sa [reβol'toso, sa] *adj* **1.** *(travieso)* naughty **2.** *(rebelde)* rebellious

revolución [reβolu'θion] *f* revolution

revolucionario, ria [reβoluθio'narjo, rja] *m,f* revolutionary

revolver [reβol'βer] *vt* **1.** *(mezclar)* to mix **2.** *(desordenar)* to mess up **3.** *(líquido)* to stir

revólver [re'βolβer] *m* revolver

revuelta [re'βwelta] *f* *(rebelión)* revolt

revuelto, ta [re'βwelto, ta] ◇ *pp* ➤ revolver ◇ *adj* **1.** *(desordenado)* in a mess **2.** *(turbio)* cloudy **3.** *(tiempo)* unsettled **4.** *(mar)* choppy **5.** *(alborotado)* turbulent ◇ *m* scrambled eggs *pl*

rey ['rei] *m* king ● **los Reyes Magos** the Three Wise Men ◆ **Reyes** *m* *(fiesta)* Epiphany *6 January when Spanish children traditionally receive presents*

Reyes

In Spain, children receive presents on 6 January rather than 25 December, and the gifts are supposedly brought by the Three Kings rather than Father Christmas. The *cabalgata de los Reyes Magos* is a procession on the night of 5 January, where the Three Kings arrive in the town mounted on camels. Good children find presents in their shoes the following morning, but if they have been bad all they get is a lump of coal.

rezar [re'θar] ◇ *vt* to say ◇ *vi* to pray

rezo ['reθo] *m* prayer

ría ['ria] *f* estuary

riachuelo [ria'tʒwelo] *m* stream

riada [ri'aða] *f* flood

ribera [ri'βera] *f* **1.** *(del río)* bank **2.** *(del mar)* shore **3.** *(terreno)* plain *(irrigated by a river)*

ribete [ri'βete] *m* **1.** *(de vestido, zapato, etc)* edging **2.** *(añadido)* touch

rico, ca ['riko, ka] *adj* **1.** rich **2.** *(sabroso)* tasty **3.** *(fam)* *(simpático)* cute **4.** *(Amér)* *(día, casa, danza, etc)* wonderful

ridículo, la [ri'ðikulo, la] ◇ *adj* **1.** *(cómico)* ridiculous **2.** *(escaso)* laughable ◇ *m* ● **hacer el ridículo** to make a fool of o.s.

riego ['rieɣo] *m* irrigation

rienda ['rienda] *f* rein

riesgo ['rieзɣo] *m* risk ● **a todo riesgo** comprehensive

riesgoso, sa ['rieзɣoso, sa] *adj* *(Amér)* risky

rifar [ri'far] *vt* to raffle

rigidez [rixi'ðeθ] *f* **1.** *(de palo, tela, etc)* stiffness **2.** *(de carácter)* inflexibility **3.** *(de norma, regla)* strictness

rígido, da ['rixiðo, ða] *adj* **1.** *(palo, tela, etc)* stiff **2.** *(carácter, persona)* inflexible **3.** *(norma, regla)* strict

rigor [ri'ɣor] *m* **1.** *(exactitud)* accuracy **2.** *(severidad)* strictness **3.** *(del clima)* harshness ● **de rigor** essential

riguroso, sa [riɣu'roso, sa] *adj* **1.** *(exacto)* rigorous **2.** *(severo, normas, leyes, etc)* strict **3.** *(frío, calor)* harsh

rima ['rima] *f* rhyme

rímel ['rimel] *m* mascara

rincón [rin'kon] *m* corner

ring ['rin] *m* (boxing) ring

rinoceronte [rinoθe'ronte] *m* rhinoceros

riña ['riɲa] *f* **1.** *(discusión)* fight **2.** *(pelea)* fight

riñón [ri'ɲon] *m* kidney ● **riñones** *mpl* *(parte del cuerpo)* lower back *sg* ● **riñones al jerez** *kidneys cooked in sherry*

riñonera [riɲo'nera] *f* bum bag (UK), fanny pack (US)

río ['rio] *m* river

rioja [ri'oxa] *m* Rioja (wine)

RIP ['rip] *(abrev de requiescat in pace)* RIP

riqueza [ri'keθa] *f* **1.** *(fortuna)* wealth **2.** *(cualidad)* richness

risa ['risa] *f* laughter

ristra ['ristra] *f* string

ritmo ['riðmo] *m* **1.** *(armonía)* rhythm **2.** *(velocidad)* pace

rito ['rito] *m* **1.** rite **2.** *(costumbre)* ritual

ritual [ritu'al] *m* ritual

rival [ri'βal] *mf* rival

rizado, da [ri'θaðo, ða] *adj* **1.** *(pelo)* curly **2.** *(papel, tela, etc)* curly **3.** *(mar)* choppy

rizo ['riθo] *m* *(de pelo)* curl

RNE *(abr de Radio Nacional de España)* Spanish national radio station

robar [ro'βar] *vt* **1.** *(quitar)* to steal **2.** *(casa)* to burgle **3.** *(cobrar demasiado)* to rob **4.** *(en naipes, dominó)* to draw

roble ['roβle] *m* oak

robo ['roβo] *m* **1.** robbery **2.** *(en casa)* burglary **3.** *(estafa)* ● **es un robo** it's daylight robbery

robot [ro'βot] *m* *(de cocina)* food processor

robusto, ta [ro'βusto, ta] *adj* robust

roca ['roka] *f* rock

roce ['roθe] *m* **1.** *(acción)* rub **2.** *(más suave)* brush **3.** *(desgaste)* wear **4.** *(trato)* close contact **5.** *(desavenencia)* brush

rociar [roθi'ar] *vt* **1.** *(mojar)* to sprinkle **2.** *(con spray)* to spray

rocío [ro'θio] *m* dew

rock ['rok] *m* rock

rocoso, sa [ro'koso, sa] *adj* rocky

rodaballo [roða'βaʎo] *m* turbot

rodaje [ro'ðaxe] *m* **1.** *(de película)* shooting **2.** *(de vehículo)* running-in

rodar [ro'ðar] ◇ *vt* **1.** *(película)* to shoot **2.** *(vehículo)* to run in ◇ *vi* **1.** *(bola, pelota, etc)* to roll **2.** *(coche)* to go, to travel **3.** *(caerse)* to tumble **4.** *(deambular)* to wander

rodeado, da [roðe'aðo, ða] *adj* surrounded ● **rodeado de** surrounded by

rodear [roðe'ar] *vt* **1.** *(cercar)* to surround **2.** *(dar la vuelta a)* to go around ● **rodearse de** *v + prep* to surround o.s. with

rodeo [ro'ðeo] *m* **1.** *(camino largo, vuelta)* detour **2.** *(al hablar)* evasiveness **3.** *(espectáculo)* rodeo ● **dar rodeos** to beat about the bush

rodilla [ro'ðiʎa] *f* knee ● **de rodillas** on one's knees

rodillo [ro'ðiʎo] *m* **1.** *(de máquina)* roller **2.** *(utensilio)* rolling pin

roedor [roe'ðor] *m* rodent

roer [ro'er] *vt* **1.** *(raspar, atormentar)* to gnaw (at) **2.** *(desgastar)* to eat away (at)

rogar [ro'ɣar] *vt (pedir)* to ask

rojo, ja [roxo, xa] *adj, m & f* red

rollito [ro'ʎito] *m* ● **rollito de primavera** spring roll

rollo [roʎo] *m* **1.** *(cilindro)* roll **2.** *(película fotográfica)* (roll of) film **3.** *(fam) (persona, cosa, actividad aburrida)* bore

romana [ro'mana] *f* ● **a la romana** fried in batter

románico, ca [ro'maniko, ka] ◇ *adj* **1.** *(lengua)* Romance **2.** *(en arte)* Romanesque ◇ *m* Romanesque

romano, na [ro'mano, na] *adj* Roman

romántico, ca [ro'mantiko, ka] *adj* **1.** *(sentimental)* romantic **2.** *(en arte)* Romantic

rombo ['rombo] *m (símbolo)* lozenge *(UK)*, rhombus

romería [rome'ria] *f (fiesta)* popular religious festival combining a religious ceremony and dancing, eating etc

romero [ro'mero] *m (planta)* rosemary

romo, ma ['romo, ma] *adj* blunt

rompecabezas [,rompeka'βeθas] *m inv* **1.** *(juego)* jigsaw **2.** *(asunto complicado)* puzzle

rompedor, ra *adj* groundbreaking

rompeolas [rompe'olas] *m inv* breakwater

romper [rom'per] ◇ *vt* **1.** to break **2.** *(rasgar)* to tear **3.** *(hacer añicos)* to smash **4.** *(terminar)* to break off ◇ *vi (olas, día)* to break ● **romper con alguien** to split up with sb ● **romper a hacer algo** to suddenly start doing sthg ◆ **romperse** *vp* **1.** *(partirse)* to break **2.** *(desgarrarse)* to tear

ron ['ron] *m* rum

roncar [ron'kar] *vi* **1.** *(persona)* to snore

ronco, ca ['ronko, ka] *adj* hoarse

ronda ['ronda] *f* **3.** *(vigilancia)* rounds *pl* **4.** *(fam) (de copas, tapas)* round **5.** *(de circunvalación)* ring road

ronquido [ron'kiðo] *m* **1.** *(de persona)* snore

ronronear [ronrone'ar] *vi* to purr

ronroneo [ronro'neo] *m* purr

ropa ['ropa] *f* clothes *pl* ● **ropa interior** underwear ● **ropa íntima** underwear

roquefort [roke'for] *m* Roquefort ● **al roquefort** in a Roquefort sauce

rosa ['rosa] ◇ *f rose* ◇ *adj inv* pink ● **rosa de los vientos** compass

rosado, da [ro'saðo, ða] ◇ *adj* pink ◇ *m* rosé

rosal [ro'sal] *m* rose(bush)

rosario [ro'sarjo] *m* rosary

roscón [ros'kon] *m* ● **roscón (de reyes)** ring-shaped cake eaten on 6 January

rosetón [rose'ton] *m* rose window

rosquilla [ros'kiʎa] *f round biscuit with a hole in the middle*

rostro ['rostro] *m* face

roto, ta ['roto, ta] ◇ *pp* ➤ **romper** ◇ *adj* broken ◇ *m (en ropa)* tear

rotonda [ro'tonda] *f* **1.** *(en carretera)* roundabout *(UK)*, traffic circle *(US)* **2.** *(plaza)* circus **3.** *(edificio)* rotunda

rotulador [rotula'ðor] *m* **1.** *(para dibujar)* felt-tip pen **2.** *(para marcar)* marker (pen)

rótulo ['rotulo] *m* (*letrero*) sign

rotundo, da [ro'tundo, da] *adj* (*respuesta, negación*) emphatic

rozar [ro'θar] *vt* **1.** (*frotar*) to rub **2.** (*tocar*) to brush (against) ◆ **rozarse** *vp* (*desgastarse*) to get worn

r.p.m. (*abr de* **revoluciones por minuto**) rpm (*revolutions per minute*)

Rte. *abrev* = **remitente**

RTVE ['ere'te'uβe'e] *f* Spanish state broadcasting company

rubí [ru'βi] *m* ruby

rubio, bia ['ruβjo, βja] *adj* blond (*f* blonde)

rubor [ru'βor] *m* **1.** (*enrojecimiento*) blush **2.** (*vergüenza*) embarrassment

ruborizarse [ruβori'θarse] *vp* to blush

rudimentario, ria [ruðimen'tarjo, rja] *adj* rudimentary

rudo, da ['ruðo, ða] *adj* **1.** rough **2.** (*descortés*) rude

rueda ['rueða] *f* **1.** (*pieza*) wheel **2.** (*corro*) circle ● **rueda de prensa** press conference ● **rueda de repuesto** o **de recambio** spare wheel

ruedo ['rueðo] *m* **1.** (*plaza de toros*) bullring **2.** (*de falda*) hem

ruego ['rueɣo] *m* request

rugby ['ruɣβi] *m* rugby

rugido [ru'xiðo] *m* roar

rugir [ru'xir] *vi* to roar

rugoso, sa [ru'ɣoso, sa] *adj* **1.** (*áspero*) rough **2.** (*con arrugas*) wrinkled

ruido ['ruiðo] *m* **1.** (*sonido desagradable*) noise **2.** (*sonido cualquiera*) sound

ruidoso, sa [rui'ðoso, sa] *adj* noisy

ruin ['ruin] *adj* mean

ruina ['ruina] *f* ruin ◆ **ruinas** *fpl* ruins

ruinoso, sa [rui'noso, sa] *adj* **1.** (*edificio, puente*) tumbledown **2.** (*negocio, trabajo*) ruinous

ruiseñor [ruise'ɲor] *m* nightingale

ruleta [ru'leta] *f* roulette

rulo ['rulo] *m* **1.** (*rizo*) curl **2.** (*objeto*) curler

ruma ['ruma] *f* (*Andes*) pile

rumba ['rumba] *f* rumba

rumbo ['rumbo] *m* (*dirección*) direction ● (**con**) **rumbo a** heading for

rumiante [ru'mjante] *m* ruminant

rumiar [ru'mjar] *vt* **1.** (*masticar*) to chew **2.** (*fig*) (*reflexionar*) to chew over

rumor [ru'mor] *m* **1.** (*chisme*) rumour **2.** (*ruido*) murmur

ruptura [rup'tura] *f* (*de relaciones*) breaking-off

rural [ru'ral] *adj* rural

Rusia ['rusja] *s* Russia

ruso, sa ['ruso, sa] *adj, m & f* Russian

ruta ['ruta] *f* route

rutina [ru'tina] *f* routine

SS

s [se'ɣundo] (*abr de* **segundo**) sec. (*second*)

S (*abr de* **San**) St. (*Saint*) (*abr de* **Sur**) S (*South*)

SA ['ese'a] *f* (*abr de* **sociedad anónima**) ≃ Ltd (*UK*) (*Limited*), ≃ PLC (*UK*) (*Public Limited Company*), ≃ Inc (*US*) (*Incorporated*)

sábado ['saβaðo] *m* Saturday • cada sábado, todos los sábados every Saturday • caer en sábado to be on a Saturday • el próximo sábado, el sábado que viene next Saturday • viene el sábado she's coming on Saturday • el sábado pasado last Saturday • el sábado por la mañana/tarde/noche (on) Saturday morning/afternoon/night • este sábado (pasado) last Saturday; (próximo) this (coming) Saturday • los sábados (on) Saturdays

sábana ['saβana] *f* sheet

sabañón [saβa'ɲon] *m* chilblain

saber [sa'βer] ◇ *m* knowledge ◇ *vt* 1. (conocer) to know 2. (entender de) to know about 3. (poder hablar) to speak ◇ *vi* • saber hacer algo (ser capaz de) to know how to do sthg, to be able to do sthg; (Amér) (soler) to usually do sthg • ¿sabes algo de él? have you heard from him? • saber bien/mal (alimento, bebida) to taste good/bad • saber mal a alguien to upset sb ◆ saber a *v + prep* to taste of

sabiduría [saβiðu'ria] *f* 1. (prudencia) wisdom 2. (conocimiento profundo) knowledge

sabio, bia ['saβjo, βja] ◇ *adj* 1. (prudente) wise 2. (con conocimientos profundos) knowledgeable ◇ *m,f* 1. (persona prudente) wise person 2. (persona sabia) knowledgeable person

sable ['saβle] *m* sabre

sabor [sa'βor] *m* 1. (gusto) taste 2. (variedad) flavour • tener sabor a to taste of • helado con sabor a fresa strawberry-flavoured ice cream

saborear [saβore'ar] *vt* to savour

sabotaje [saβo'taxe] *m* sabotage

sabroso, sa [sa'βroso, sa] *adj* 1. (comida) tasty 2. (comentario, noticia, etc) juicy 3. (cantidad) substantial

sacacorchos [saka'kortʃos] *m inv* corkscrew

sacapuntas [saka'puntas] *m inv* pencil sharpener

sacar [sa'kar] ◇ *vt* 1. (extraer, llevar) to take out 2. (quitar) to remove 3. (salvar, información) to get out 4. (conseguir, obtener) to get 5. (en el juego) to play 6. (ensanchar) to let out 7. (pecho, barriga) to stick out 8. (crear, fabricar) to bring out 9. (copia) to make ◇ *vi (en tenis)* to serve • sacar billetes o entradas to get tickets • sacar brillo to polish • sacar dinero to withdraw money • sacar fotos to take photos • sacar la lengua to stick one's tongue out • sacar nota to get a good mark • sacar buenas/malas notas to get good/bad marks • sacan tres puntos a sus rivales they are three points ahead of their rivals ◆ sacarse *vp (carné, permiso)* to get

sacarina [saka'rina] *f* saccharine

sacerdote [saθer'ðote] *m* priest

saciar [sa'θjar] *vt* 1. to satisfy 2. (sed) to quench

saco ['sako] *m* 1. sack, bag 2. (Amér) (chaqueta) jacket • saco de dormir sleeping bag

sacramento [sakra'mento] *m* sacrament

sacrificar [sakrifi'kar] *vt* 1. (renunciar a) to sacrifice 2. (animal) to slaughter ◆

sacrificarse *vp* ● **sacrificarse por** to make sacrifices for

sacrificio [sakri'fiθjo] *m* 1. sacrifice 2. *(de animal)* slaughter

sacristán [sakris'tan] *m* sacristan

sacudida [saku'ðiða] *f* 1. *(movimiento brusco)* shake 2. *(de vehículo)* bump 3. *(terremoto)* tremor

sacudir [saku'ðir] ◇ *vt* 1. *(agitar)* to shake 2. *(alfombra, sábana)* to shake out 3. *(pegar)* to hit ◇ *vi* (*CSur & Méx*) *(limpiar)* to dust

safari [sa'fari] *m* 1. *(expedición)* safari 2. *(parque zoológico)* safari park

Sagitario [saxi'tarjo] *m* Sagittarius

sagrado, da [sa'yraðo, ða] *adj* sacred

sal ['sal] *f* 1. *(condimento)* salt 2. *(fig) (gracia)* wit ● **sales** *fpl* 1. *(de baño)* bath salts 2. *(para reanimar)* smelling salts

sala ['sala] *f* 1. *(habitación)* room 2. *(de hospital)* ward 3. *(de cine)* screen, cinema (*UK*) 4. *(tribunal)* court ● **sala de embarque** departure lounge ● **sala de espera** waiting room ● **sala de estar** living room ● **sala de fiestas** discothèque ● **sala de juegos** casino

salado, da [sa'laðo, ða] *adj* 1. *(comida)* salty 2. *(persona)* funny 3. *(Amér) (pessoa)* jinxed

salamandra [sala'mandra] *f* salamander

salar [sa'lar] *vt* 1. *(comida)* to add salt to 2. *(para conservar)* to salt

salario [sa'larjo] *m* salary

salchicha [sal'tʃitʃa] *f* sausage

salchichón [saltʃi'tʃon] *m* ≃ salami

saldo ['saldo] *m* 1. *(de cuenta)* balance 2. *(pago)* payment 3. *(mercancía)* remnant

salero [sa'lero] *m* 1. *(recipiente)* salt cellar (*UK*), salt shaker (*US*) 2. *(gracia)* wit

salida [sa'liða] *f* 1. *(de lugar)* exit 2. *(de tren, avión, autobús)* departure 3. *(excursión)* outing 4. *(ocurrencia)* witty remark 5. *(recurso)* way out 6. *(de productos)* market ● **salida de incendios** fire escape ● **salida de socorro** o **emergencia** emergency exit ● **salidas internacionales** international departures ▼ **salida sin compra** *sign in supermarkets etc indicating exit for people who have not bought anything*

salina [sa'lina] *f* saltmine ◆ **salinas** *fpl* saltworks *sg*

salir [sa'lir] *vi* 1. *(ir fuera)* to go out; *(venir fuera)* to come out ● **salió a la calle** he went outside ● **¡sal aquí fuera!** come out here! ● **salir de** to leave 2. *(marcharse)* to leave ● **el tren sale muy temprano** the train leaves very early ● **él ha salido para Madrid** he's left for Madrid 3. *(ser novios)* to go out ● **Juan y María salen juntos** Juan and María are going out together 4. *(separarse)* to come off ● **el anillo no le sale del dedo** the ring won't come off her finger 5. *(resultar)* to turn out ● **ha salido muy estudioso** he has turned out to be very studious ● **ha salido perjudicado** he came off badly ● **salir bien/mal** to turn out well/badly ● **mi número ha salido premiado** my ticket won a prize 6. *(resolverse)* ● **este problema no me sale** I can't solve this problem 7. *(proceder)* ● **salir de** to come from 8. *(surgir)* to come out ● **ha**

salido el sol (al amanecer) the sun has come up **9.** (aparecer) to appear; (publicación, producto, disco) to come out • **¡qué bien sales en la foto!** you look great in the photo! • **en la película sale tu actor favorito** your favourite actor is in the film **10.** (costar) • **la comida le ha salido por sesenta euros** the meal worked out at sixty euros **11.** (sobresalir) to stick out **12.** (librarse) • **salir de** to get out of **13.** (en locuciones) • **salir adelante** (persona, empresa) to get by; (proyecto, propuesta) to be successful • **salirse** vp (marcharse) to leave; (rebosar) to overflow • **salirse de** (desviarse) to come off; (fig) (escaparse) to deviate from

saliva [sa'liβa] f saliva

salmón [sal'mon] m salmon • **salmón ahumado** smoked salmon • **salmón fresco** fresh salmon

salmonete [salmo'nete] m red mullet

salón [sa'lon] m **1.** (de casa) living room **2.** (de edificio público) hall **3.** (muebles) lounge suite **4.** (exposición) show • **salón del automóvil** motor show • **salón de belleza** beauty parlour • **salón recreativo** arcade

salpicadera [salpika'ðera] f (Méx) mudguard (UK), fender (US)

salpicadero [salpika'ðero] m dashboard

salpicar [salpi'kar] ◇ vt to splash ◇ vi (aceite) to spit

salpicón [salpi'kon] m • **salpicón de marisco** cold dish of chopped seafood with pepper, salt, oil, vinegar and onion

salpimentar [salpimen'tar] vt to season

salsa ['salsa] f **1.** (para comidas) sauce **2.**

(de carne) gravy **3.** (gracia) spice **4.** (baile, música) salsa • **salsa bechamel** bechamel sauce • **salsa rosa** thousand island dressing • **salsa de tomate** tomato sauce • **salsa verde** sauce made with mayonnaise, parsley, capers and gherkins

salsera [sal'sera] f gravy boat

saltamontes [salta'montes] m inv grasshopper

saltar [sal'tar] ◇ vi **1.** to jump **2.** (tapón, corcho) to pop out **3.** (levantarse) to jump (up) **4.** (botón, pintura) to come off **5.** (enfadarse) to flare up **6.** (explotar) to explode ◇ vt to jump over • **saltarse** vp **1.** (omitir) to miss out **2.** (cola, semáforo) to jump **3.** (ley, norma) to break

salteado, da [salte'aðo, ða] adj **1.** (discontinuo) unevenly spaced **2.** (frito) sautéed

saltear [salte'ar] vt (freír) to sauté

salto ['salto] m **1.** jump **2.** (en el tiempo, omisión) gap • **salto de agua** waterfall • **salto de altura** high jump • **salto de cama** negligée • **salto de longitud** long jump

salud [sa'luð] f health • **tener buena/mala salud** to be healthy/in poor health • **estar bien/mal de salud** to be healthy/in poor health • **¡(a su) salud!** cheers!

saludable [salu'ðaβle] adj **1.** healthy **2.** (provechoso) beneficial

saludar [salu'ðar] vt to greet • **saludarse** vp to greet each other

saludo [sa'luðo] m greeting • **saludos** mpl (recuerdos) regards

salvación [salβa'θjon] f (rescate) rescue

Salvador [salβa'ðor] *m* ● **El Salvador** El Salvador

salvadoreño, ña [salβaðo'reɲo, ɲa] *adj* & *m,f* Salvadoran

salvaje [sal'βaxe] *adj* wild

salvamanteles [ˌsalβaman'teles] *m inv* tablemat

salvar [sal'βar] *vt* **1.** to save **2.** *(rescatar)* to rescue **3.** *(obstáculo)* to go round **4.** *(peligro, dificultad)* to get through **5.** *(distancia, espacio)* to cover ◆ **salvarse** *vp (escapar)* to escape

salvaslip [salβas'lip] *m (Esp)* panty liner

salvavidas [salβa'βiðas] *m inv* **1.** *(chaleco)* lifejacket *(UK)*, lifesaver *(US)* **2.** *(cinturón)* lifebelt

salvo ['salβo] *adv* except ● **a salvo** safe

san [san] *adj* ➤ **santo**

sanatorio [sana'torjo] *m* sanatorium

sanción [san'θjon] *f (castigo)* punishment

sancochar [sanko'tʃar] *vt (Amér)* to stew

sandalia [san'dalja] *f* sandal

sandía [san'dia] *f* watermelon

sandwich ['sanwitʃ] *m* toasted *(UK)* o grilled *(US)* sandwich

sanfermines [sanfer'mines] *mpl* Pamplona bullfighting festival

sanfermines

Pamplona is famous for its *sanfermines* festival, held between 6 and 14 July in honour of the town's patron saint. The daily bullfights are preceded by the running of the bulls, where six bulls are released from the bullpen and members of the public run in front of them through the streets for about three minutes over an 800-metre course. Injuries are common and fatalities by no means unknown.

sangrar [san'grar] ◇ *vi* to bleed ◇ *vt (línea, párrafo)* to indent

sangre ['sangre] *f (líquido)* blood ● **sangre azul** blue blood ● **sangre fría** sangfroid

sangría [san'gria] *f* sangria

sangriento, ta [san'grjento, ta] *adj* bloody

sanidad [sani'ðað] *f* **1.** *(servicios de salud)* (public) health **2.** *(higiene)* health

sanitario, ria [sani'tarjo, rja] ◇ *adj* health *(antes de s)* ◇ *m,f* health worker ◆ **sanitarios** *mpl (instalaciones)* bathroom fittings

sano, na ['sano, na] *adj* **1.** healthy **2.** *(sin daño)* undamaged ● **sano y salvo** safe and sound

santiguarse [santi'ɣuarse] *vp* to make the sign of the Cross

santo, ta ['santo, ta] ◇ *adj* holy ◇ *m,f* saint ◇ *m (festividad)* saint's day

santo

In Spain, each day in the year commemorates a particular saint. People with the same name as the saint, especially the more common ones such as Juan, José, Pedro, Jorge and María, celebrate their saint's day by buying drinks for their friends and family. In return, they receive small gifts.

santuario [santu'arjo] *m* shrine

sapo ['sapo] *m* toad

saque ['sake] *m (en tenis)* serve

saquear [sake'ar] *vt* **1.** *(tienda)* to loot **2.** *(vaciar)* to ransack

sarampión [sarampi'on] *m* measles

sarcástico, ca [sar'kastiko, ka] *adj* sarcastic

sardana [sar'ðana] *f popular Catalan dance*

sardina [sar'ðina] *f* sardine ● **sardinas a la plancha** grilled sardines

sargento [sar'xento] *m* sergeant

sarna ['sarna] *f (de persona)* scabies

sarpullido [sarpu'ʎiðo] *m* rash

sarro ['saro] *m (de dientes)* tartar

sartén [sar'ten] *f* frying pan

sastre ['sastre] *m* tailor

sastrería [sastre'ria] *f* **1.** *(tienda)* tailor's (shop) **2.** *(oficio)* tailoring

satélite [sa'telite] *m* satellite

sátira ['satira] *f* satire

satírico, ca [sa'tiriko, ka] *adj* satirical

satisfacción [satisfak'θjon] *f* satisfaction

satisfacer [satisfa'θer] *vt* **1.** to satisfy **2.** *(deuda)* to pay **3.** *(duda, pregunta, dificultad)* to deal with

satisfecho, cha [satis'fetʒo, tʒa] ◇ *pp*
➣ **satisfacer** ◇ *adj* satisfied

sauce ['sauθe] *m* willow

sauna ['sauna] *f* sauna

saxofón [sakso'fon] *m* saxophone

sazonar [saθo'nar] *vt* to season

se [se] *pron* **1.** *(reflexivo)* himself *(f*

herself), themselves *pl; (usted mismo)* yourself, yourselves *pl; (de cosas, animales)* itself, themselves *pl* ● **se lavó los dientes** she cleaned her teeth **2.** *(recíproco)* each other ● **se aman** they love each other ● **se escriben** they write to each other **3.** *(en construcción pasiva)* ● **se ha suspendido la reunión** the meeting has been cancelled **4.** *(en construcción impersonal)* ▼ **se habla inglés** English spoken ▼ **se prohíbe fumar** no smoking ● **se dice que** it is said that **5.** *(complemento indirecto)* to him *(f* to her), to them *pl; (usted, ustedes)* to you; *(de cosa, animal)* to it, to them *pl* ● **yo se lo daré** I'll give it to him/her/*etc*

secador [seka'ðor] *m* dryer ● **secador de pelo** hairdryer

secadora [seka'ðora] *f* (tumble) dryer

secano [se'kano] *m* dry land

secar [se'kar] *vt* **1.** to dry **2.** *(sudor, sangre)* to wipe away ◆ **secarse** *vp* **1.** *(río, fuente)* to dry up **2.** *(planta, árbol)* to wilt **3.** *(ropa, cabello, superficie)* to dry

sección [sek'θjon] *f* **1.** section **2.** *(de empresa, oficina)* department

seco, ca ['seko, ka] *adj* **1.** dry **2.** *(planta, árbol)* wilted **3.** *(delgado)* lean **4.** *(ruido, sonido)* dull **5.** *(brusco)* brusque ● **a secas** just, simply ● **parar en seco** to stop dead

secretaría [sekreta'ria] *f* **1.** *(oficina)* secretary's office **2.** *(cargo)* post of secretary

secretariado [sekreta'rjaðo] *m* **1.** *(estudios)* secretarial studies *pl* **2.** *(profesión)* secretaries *pl*

secretario, ria [sekre'tarjo, rja] *m,f* **1.** secretary **2.** *(de ministerio)* Secretary of State

secreto, ta [se'kreto, ta] ◇ *adj* secret ◇ *m* **1.** secret **2.** *(reserva)* secrecy ● **en secreto** in secret

secta ['sekta] *f* sect

sector [sek'tor] *m* sector

secuestrador, ra [sekwestra'ðor, ra] *m,f* **1.** *(de persona)* kidnapper **2.** *(de avión)* hijacker

secuestrar [sekwes'trar] *vt* **1.** *(persona)* to kidnap **2.** *(avión)* to hijack

secuestro [se'kwestro] *m* **1.** *(de persona)* kidnap **2.** *(de avión)* hijacking

secundario, ria [sekun'darjo, rja] *adj* secondary

sed ['seð] ◇ *v* ➤ **ser** ◇ *f* thirst ● **correr me da sed** running makes me thirsty ● **tener sed** to be thirsty

seda ['seða] *f* silk

sedante [se'ðante] *m* sedative

sede ['seðe] *f* headquarters *pl*

sedentario, ria [seðen'tarjo, rja] *adj* sedentary

sediento, ta [se'ðjento, ta] *adj* thirsty

seductor, ra [seðuk'tor, ra] *adj* **1.** *(persona)* seductive **2.** *(oferta, libro)* enticing

segador, ra [seɣa'ðor, ra] *m,f* harvester

segadora [seɣa'ðora] *f* *(máquina)* reaping machine ➤ **segador**

segar [se'ɣar] *vt* **1.** *(hierba)* to mow **2.** *(cereal)* to reap

segmento [seɣ'mento] *m* segment

seguido, da [se'ɣiðo, ða] ◇ *adj* **1.** *(continuo)* continuous **2.** *(consecutivo)* consecutive ◇ *adv* **1.** *(en línea recta)* straight on **2.** *(Amér)* *(muitas vezes)* often **3.** ● **dos años seguidos** two years in a row ● **en seguida** straight away ● **todo seguido** straight ahead

seguir [se'ɣir] ◇ *vt* **1.** to follow **2.** *(perseguir)* to chase **3.** *(reanudar)* to continue ◇ *vi* to continue ● **seguir a algo** to follow sthg ● **sigue nevando** it's still snowing

según [se'ɣun] ◇ *prep* **1.** *(de acuerdo con)* according to **2.** *(dependiendo de)* depending on ◇ *adv* as ● **según yo/tú** in my/ your opinion

segunda [se'ɣunda] *f* *(velocidad)* second (gear) ➤ **segundo**

segundero [seɣun'dero] *m* second hand

segundo, da [se'ɣundo, da] ◇ *núm* second ◇ *m,f* second-in-command ◇ *m* *(de tiempo)* second ➤ **sexto**

seguramente [se,ɣura'mente] *adv* **1.** *(con seguridad)* for certain **2.** *(probablemente)* probably

seguridad [seɣuri'ðað] *f* **1.** *(falta de peligro)* safety **2.** *(protección)* security **3.** *(certidumbre)* certainty **4.** *(confianza)* confidence ◆ **Seguridad Social** *f* Social Security

seguro, ra [se'ɣuro, ra] ◇ *adj* **1.** *(sin riesgo, peligro)* safe **2.** *(confiado)* sure **3.** *(infalible)* reliable **4.** *(amigo)* firm ◇ *adv* definitely ◇ *m* **1.** *(de coche, vida, casa)* insurance **2.** *(de arma, máquina)* safety catch **3.** *(CAm & Méx)* *(para ropa)* safety pin **4.** ● **estar seguro** *(sin temor)* to be safe; *(cierto, confiado)* to be sure ● **seguro Social** *(Amér)* Social Security

seis ['seis] ◇ *adj inv* six ◇ *m* **1.** six **2.** *(día)* sixth ◇ *mpl* **1.** six **2.** *(temperatura)* six (degrees) ◇ *fpl* ● **(son) las seis** (it's) six o'clock ● **el seis de agosto** the sixth of August ● **doscientos seis** two hundred and six ● **treinta y seis** thirty-six ● **de seis en seis** in sixes ● **los seis** the six of them ● **empataron a seis** they drew six-all ● **seis a cero** six-nil

seiscientos [seis'θjentos] *núm* six hundred ➤ **seis**

selección [selek'θjon] *f* 1. selection 2. *(equipo nacional)* team

seleccionador, ra [selekθjona'ðor, ra] *m,f* ≃ manager

seleccionar [selekθjo'nar] *vt* to pick

selectividad [selektiβi'ðað] *f (examen)* Spanish university entrance examination

selecto, ta [se'lekto, ta] *adj* fine, choice

selector [selek'tor] *m* selector

self-service [self'serβis] *m* self-service restaurant

sello [se'ʎo] *m* 1. *(de correos)* stamp 2. *(tampón)* rubber stamp

selva ['selβa] *f* 1. *(jungla)* jungle 2. *(bosque)* forest

semáforo [se'maforo] *m* traffic lights *pl*

semana [se'mana] *f* week ● **Semana Santa** *f* 1. Easter 2. *RELIG* Holy Week

Semana Santa

Easter week in Spain and Latin America is marked by processions in which statues depicting scenes from the Passion of Christ are borne through the streets on people's shoulders. The processions are accompanied by penitents wearing long tunics and pointed hoods with cut-out holes for their eyes. The most famous processions are in Seville, Taxco (Mexico) and Lima (Peru).

semanal [sema'nal] *adj* 1. *(que sucede cada semana)* weekly 2. *(que dura una semana)* week-long

semanario [sema'narjo] *m* weekly (newspaper)

sembrar [sem'brar] *vt* to sow

semejante [seme'xante] ◇ *adj* 1. *(parecido)* similar 2. *(tal, uso despectivo)* such ◇ *m* fellow human being ● **semejante cosa** such a thing

semejanza [seme'xanθa] *f* similarity

semen ['semen] *m* semen

semestre [se'mestre] *m* six-month period

semidesnatado, da [semiðezna'taðo, ða] *adj* semi-skimmed *(UK)*, low-fat *(US)*

semidirecto, ta [semiði'rekto, ta] *adj* ● **tren semidirecto** through train, a section of which becomes a stopping train

semifinal [semifi'nal] *f* semifinal

semilla [se'miʎa] *f* seed

sémola [se'mola] *f* semolina

Senado [se'naðo] *m* ● **el Senado** the Senate

senador, ra [sena'ðor, ra] *m,f* senator

sencillo, lla [sen'θiʎo, ʎa] *adj* 1. simple 2. *(espontáneo)* unaffected 3. *(Amér) (monedas)* small change

sendero [sen'dero] *m* track

seno ['seno] *m* 1. *(pecho)* breast 2. *(interior)* heart

sensación [sensa'θion] *f* 1. sensation 2. *(premonición)* feeling

sensacional [sensaθio'nal] *adj* sensational

sensacionalismo [sensaθiona'lizmo] *m* sensationalism

sensacionalista [sensaθiona'lista] *adj* sensationalist

sensato, ta [sen'sato, ta] *adj* sensible

sensibilidad [sensiβili'ðað] *f* 1. *(don)* feel 2. *(sentimentalismo, de aparato)* sensitivity 3. *(de los sentidos)* feeling

sensible [sen'siβle] *adj* sensitive

sensual [sen'sual] *adj* sensual

sentado, da [sen'taðo, ða] *adj (persona)* sensible ◆ **dar por sentado** to take for granted

sentar [sen'tar] ◇ *vt (basar)* to base ◇ *vi* ● **sentar bien/mal a alguien** *(comida, bebida)* to agree/disagree with sb; *(ropa, zapatos, joyas)* to suit/not to suit sb; *(dicho, hecho, broma)* to go down well/badly with sb ◆ **sentarse** *vp* to sit (down)

sentencia [sen'tenθia] *f* 1. *(de juez, tribunal)* sentence 2. *(frase corta)* saying

sentenciar [senten'θiar] *vt* to sentence

sentido [sen'tiðo] *m* 1. sense 2. *(dirección)* direction 3. *(conocimiento)* consciousness ● **sentido común** common sense

sentimental [sentimen'tal] *adj* sentimental

sentimiento [senti'mjento] *m* feeling ● **le acompaño en el sentimiento** my deepest sympathy

sentir [sen'tir] ◇ *m* feeling ◇ *vt* 1. to feel 2. *(lamentar)* to be sorry about, to regret ● **lo siento** I'm sorry ◆ **sentirse** *vp* to feel ● **sentirse bien/mal** *(de salud)* to feel well/ill; *(de ánimo)* to feel good/bad

seña ['seɲa] *f* 1. *(gesto)* sign 2. *(marca)* mark ◆ **señas** *fpl (domicilio)* address *sg* ● **señas personales** description *sg*

señal [se'ɲal] *f* 1. sign 2. *(aviso, orden)* signal 3. *(fianza)* deposit 4. *(cicatriz)* mark 5. *(de teléfono)* tone ● **señal de tráfico** road sign

señalado, da [seɲa'laðo, ða] *adj* 1. *(fecha, día)* special 2. *(persona)* distinguished

señalar [seɲa'lar] *vt* 1. *(poner marca, herir)* to mark 2. *(con la mano, dedo)* to point out 3. *(lugar, precio, fecha)* to fix 4. *(nombrar)* to pick 5. *(ser indicio de)* to indicate

señor, ra [se'ɲor, ra] ◇ *adj (gran)* big ◇ *m* 1. *(hombre)* man 2. *(antes de nombre)* Mr 3. *(al dirigir la palabra)* Sir 4. *(dueño)* owner 5. *(caballero)* gentleman ● **muy señor mío** Dear Sir

señora [se'ɲora] *f* 1. *(mujer, dama)* lady 2. *(antes de nombre)* Mrs 3. *(al dirigir la palabra)* Madam *(UK)*, Ma'am *(US)* 4. *(esposa)* wife 5. *(dueña)* owner ● **muy señora mía** Dear Madam

señorita [seɲo'rita] *f* 1. *(maestra)* teacher 2. *(mujer joven)* young woman 3. *(mujer soltera)* Miss

señorito, ta [seɲo'rito, ta] ◇ *adj (despec)* lordly ◇ *m* master

separación [separa'θion] *f* 1. separation 2. *(espacio, distancia)* space

separado, da [sepa'raðo, ða] *adj (persona, matrimonio)* separated

separar [sepa'rar] vt **1.** to separate **2.** (silla, etc) to move away **3.** (reservar) to put aside ◆ **separarse** vp **1.** (persona) to leave **2.** (pareja) to separate

sepia ['sepja] f cuttlefish ● **sepia a la plancha** grilled cuttlefish

septentrional [septentrjo'nal] adj northern

septiembre [sep'tjembre] m = setiembre

séptimo, ma ['septimo, ma] núm seventh > sexto

sepulcro [se'pulkro] m tomb

sequía [se'kia] f drought

ser ['ser]
◇ m being
◇ v aux (forma la voz pasiva) to be
◇ v cop **1.** (descripción) to be **2.** (empleo, dedicación) to be **3.** ● **ser de** (materia) to be made of; (origen) to be from; (posesión) to belong to; (pertenencia) to be a member of
◇ vi **1.** (suceder, ocurrir) to be **2.** (haber, existir) to be **3.** (valer) to be **4.** (día, fecha, hora) to be **5.** (en locuciones) ● **a no ser que** unless ● **como sea** somehow or other ● **o sea** I mean
◇ vi (expresión de tiempo) to be ● **ser humano** human being ● **el atracador fue visto** the robber was seen ● **mi abrigo es lila** my coat is lilac ● **este señor es alto/gracioso** this man is tall/ funny ● **ser como** to be like ● **su mujer es abogada** his wife is a lawyer ● **la final fue ayer** the final was yesterday ● **¿cuánto es?** - **son cinco euros** how much is it? - five euros, please ● **hoy es martes** it's Tuesday today ● **¿qué**

hora es? what time is it? ● **son las tres (de la tarde)** it's three o'clock (in the afternoon) ● **es de día/de noche** it's daytime/night ● **es muy tarde** it is very late

◆ **ser para** v + prep (servir para, adecuarse a) to be for

serenar [sere'nar] vt to calm ◆ **serenarse** vp **1.** (persona, ánimo) to calm down **2.** (mar) to become calm **3.** (tiempo) to clear up

serenidad [sereni'ðað] f calm

sereno, na [se'reno, na] adj **1.** calm **2.** (tiempo) fine

serie ['serje] f **1.** series **2.** (en deportes) heat

seriedad [serje'ðað] f **1.** seriousness **2.** (formalidad) responsible nature

serio, ria ['serjo, rja] adj **1.** serious **2.** (responsable) responsible **3.** (sin adornos) sober ● **en serio** seriously ● **ir en serio** to be serious ● **tomar en serio** to take seriously

sermón [ser'mon] m sermon

serpentina [serpen'tina] f streamer

serpiente [ser'pjente] f snake

serrar [se'rar] vt to sow

serrín [se'rin] m sawdust

serrucho [se'rutʃo] m handsaw

servicio [ser'βiθjo] m **1.** service **2.** (retrete) toilet (UK), bathroom (US) ● **estar de servicio** to be on duty ● **servicio militar** military service ● **servicio público** public service ● **servicio de revelado rápido** ≃ developing in one hour ● **servicio urgente** express service ● **servicios mínimos** skeleton services pl ◆ **servicios** mpl (baño) toilets

servidumbre [serβiˈðumbre] *f* **1.** *(criados)* servants *pl* **2.** *(dependencia)* servitude

servilleta [serβiˈʎeta] *f* serviette *(UK)*, napkin *(US)*

servir [serˈβir] ◇ *vt* **1.** *(bebida, comida)* to serve **2.** *(mercancía)* to supply **3.** *(ayudar)* to help ◇ *vi* **1.** to serve **2.** *(ser útil)* to be useful ● **no sirven** *(ropa, zapatos)* they're no good ● **servir de algo** to serve as sthg ● **¿en qué le puedo servir?** what can I do for you? ◆ **servirse** *vp* *(bebida, comida)* to help o.s. to ▼ **sírvase usted mismo** please help yourself ◆ **servirse de** *v* + *prep* to make use of

sesenta [seˈsenta] *núm* sixty > **seis**

sesión [seˈsjon] *f* **1.** session **2.** *(de cine)* showing **3.** *(de teatro)* performance ● **sesión continua** continuous showing ● **sesión golfa** late-night showing ● **sesión matinal** matinée ● **sesión de noche** evening showing ● **sesión de tarde** afternoon matinée

sesos [ˈsesos] *mpl* brains

seta [ˈseta] *f* mushroom ● **setas al ajillo** garlic mushrooms ● **setas con gambas** *mushrooms filled with prawns and egg*

setecientos, tas [seteˈθjentos, tas] *núm* seven hundred > **seis**

setenta [seˈtenta] *núm* seventy > **seis**

setiembre [seˈtjembre] *m* September ● **a principios/mediados/finales de setiembre** at the beginning/in the middle/at the end of September ● **el nueve de setiembre** the ninth of September ● **el pasado/próximo (mes de) setiembre** last/next September ● **en setiembre** in September ● **este (mes de) setiembre (pasado)** last September; *(próximo)* this (coming) September ● **para setiembre** for September

seto [ˈseto] *m* hedge

severidad [seβeriˈðað] *f* severity

severo, ra [seˈβero, ra] *adj* **1.** severe **2.** *(estricto)* strict

Sevilla [seˈβiʎa] *s* Seville

sevillanas [seβiˈʎanas] *fpl* **1.** *(baile)* dance from Andalusia **2.** *(música)* music of the sevillanas

sexismo [sekˈsizmo] *m* sexism

sexista [sekˈsista] *mf* sexist

sexo [ˈsekso] *m* **1.** sex **2.** *(órganos sexuales)* genitals *pl*

sexto, ta [ˈseksto, ta] ◇ *adj* sixth ◇ *m,f* ● **el sexto, la sexta** *(persona, cosa)* the sixth; *(piso, planta)* the sixth floor ● **llegar el sexto** to come sixth ● **capítulo sexto** chapter six ● **el sexto día** the sixth day ● **en sexto lugar, en sexta posición** in sixth place ● **la sexta parte** a sixth

sexual [sekˈsual] *adj* sexual

sexualidad [seksualiˈðað] *f* sexuality

shorts [ˈtʃors] *mpl* shorts

show [ˈtʃow] *m* show

si [si] *conj* if

sí [si, ˈsies] (*pl* **síes**) ◇ *adv* yes ◇ *pron* **1.** *(de personas)* himself (*f* herself), themselves *pl* **2.** *(usted)* yourself, yourselves *pl* **3.** *(de cosas, animales)* itself, themselves *pl* **4.** *(impersonal)* oneself ◇ *m* consent ● **creo que sí** I think so ● **creo**

que no I don't think so

sida ['siða] m AIDS

sidecar [siðe'kar] m sidecar

sidra ['siðra] f cider

siega ['sieɣa] f 1. (acción) harvesting 2. (temporada) harvest

siembra ['siembra] f 1. (acción) sowing 2. (temporada) sowing time

siempre ['siempre] adv 1. always 2. (Amér) (con toda seguridad) definitely ● desde siempre always

sien ['sien] f temple

sierra ['sierra] f 1. (herramienta) saw 2. (de montañas) mountain range

siesta ['siesta] f afternoon nap ● echar una siesta to have an afternoon nap

siete ['siete] ◇ núm seven ➤ seis ◇ f ● ¡la gran siete! (Amér) (fam) Jesus!

sifón [si'fon] m 1. (botella) siphon 2. (agua con gas) soda water

siglas ['siɣlas] fpl acronym sg

siglo ['siɣlo] m 1. century 2. (fam) (periodo muy largo) ages pl

El siglo de oro

This term refers to Spain's Golden Age in the 16th and 17th centuries when the country was Europe's foremost political and economic power thanks to the discovery of the Americas. Some of Spain's greatest literature was written during this period, including the works of authors such as Quevedo, Lope de Vega and Calderón de la Barca.

significado [siɣnifi'kaðo] m meaning

significar [siɣnifi'kar] vt to mean

significativo, va [siɣnifika'tiβo, βa] adj significant

signo ['siɣno] m sign ● signo de admiración exclamation mark ● signo de interrogación question mark

siguiente [si'ɣiente] ◇ adj 1. (en el tiempo, espacio) next 2. (a continuación) following ◇ mf ● el/la siguiente the next one

sílaba ['silaβa] f syllable

silbar [sil'βar] ◇ vi to whistle ◇ vt (abuchear) to boo

silbato [sil'βato] m whistle

silbido [sil'βiðo] m whistle

silenciador [silenθja'ðor] m silencer

silencio [si'lenθjo] m silence

silenciosamente [silen θjosa'mente] adv silently

silencioso, sa [silen'θjoso, sa] adj silent, quiet

silicona [sili'kona] f silicone

silla ['siʎa] f chair ● silla de montar saddle ● silla de ruedas wheelchair

sillín [si'ʎin] m saddle

sillón [si'ʎon] m armchair

silueta [si'lueta] f 1. figure 2. (contorno) outline

silvestre [sil'βestre] adj wild

símbolo ['simbolo] m symbol

simétrico, ca [si'metriko, ka] adj symmetrical

similar [simi'lar] adj similar

similitud [simili'tuð] f similarity

simpatía [simpa'tia] f 1. (cariño) affection 2. (cordialidad) friendliness

simpático, ca [sim'patiko, ka] adj 1. (amable) nice 2. (amigable) friendly

simpatizante [simpati'θante] *mf* sympathizer

simpatizar [simpati'θar] *vi* ● **simpatizar (con)** *(persona)* to get on/along (with); *(cosa)* to sympathize (with)

simple ['simple] ◇ *adj* 1. simple 2. *(sin importancia)* mere

simplicidad [simpliθi'ðað] *f* 1. *(sencillez)* simplicity 2. *(ingenuidad)* simpleness

simular [simu'lar] *vt* to feign

simultáneo, a [simul'taneo, a] *adj* simultaneous

sin [sin] *prep* without ● **está sin hacer** it hasn't been done before ● **estamos sin vino** we're out of wine ● **sin embargo** however

sinagoga [sina'γoγa] *f* synagogue

sinceridad [sinθeri'ðað] *f* sincerity

sincero, ra [sin'θero, ra] *adj* sincere

sincronizar [sinkroni'θar] *vt* to synchronize

sindicato [sindi'kato] *m* (trade) union

sinfonía [sinfo'nia] *f* symphony

sinfónico, ca [sin'foniko, ka] *adj* symphonic

singular [singu'lar] ◇ *adj* 1. *(único)* unique 2. *(extraordinario)* strange 3. *(en gramática)* singular ◇ *m* singular

siniestro, tra [si'njestro, tra] ◇ *adj* sinister ◇ *m* 1. *(accidente, desgracia)* disaster 2. *(de coche, avión)* crash

sinnúmero [sin'numero] *m* ● **un sinnúmero de** countless

sino [sino] *conj* 1. *(para contraponer)* but 2. *(excepto)* except

sinónimo [si'nonimo] *m* synonym

síntesis ['sintesis] *f inv* *(resumen)* summary

sintético, ca [sin'tetiko, ka] *adj* synthetic

sintetizador [sintetiθa'ðor] *m* synthesizer

síntoma ['sintoma] *m* symptom

sintonía [sinto'nia] *f* 1. *(música, canción)* signature tune 2. *(de televisión, radio)* tuning

sintonizar [sintoni'θar] *vt* to tune in to

sinvergüenza [simber'γuenθa] *mf* 1. *(descarado)* cheeky (UK) o shameless (US) person 2. *(estafador)* scoundrel

siquiera, ta [siki'era] *adv* at least ● **ni siquiera** not even

sirena [si'rena] *f* 1. *(sonido)* siren 2. *(en mitología)* mermaid

sirviente, ta [sir'βjente, ta] *m,f* servant

sisa ['sisa] *f* 1. *(robo)* pilfering 2. *(de vestido)* armhole

sistema [sis'tema] *m* 1. system 2. *(medio, método)* method ● **por sistema** systematically

sistema educativo

In Spain, children begin primary school at the age of 6 after attending kindergarten for the previous 3 years. Compulsory secondary education is known as *educación secundaria obligatoria (ESO)* and lasts from the age of 12 to 16, when students choose between a broad-based academically-oriented course *(bachillerato)* and a vocational course *(formación profesional)* both of which last two years. In order to get into university you have to pass the *selectividad*, a two-day diet of exams.

sitiar [si'tjar] *vt* to besiege

sitio ['sitjo] *m* 1. (*lugar*) place 2. (*espacio*) space, room 3. (*de ciudad, pueblo*) siege 4. (*Amér*) (*de taxis*) rank (*UK*), stand (*US*) ● **en otro sitio** somewhere else ● **hacer sitio** to make room

situación [situa'θjon] *f* 1. (*estado, condición, localización*) position 2. (*circunstancias*) situation

situar [situ'ar] *vt* 1. (*colocar*) to put 2. (*localizar*) to locate ● **situarse** *vp* (*establecerse*) to get established

skin head [es'kin'xeð] *mf* skinhead

SL ['ese'ele] *f* (*abr de sociedad limitada*) ≃ Ltd (*UK*) (*Limited*), ≃ Inc (*US*) (*Incorporated*)

SM (*abr de Su Majestad*) HM (*His (or Her) Majesty*)

SMS ['ese'eme'ese] (*abr de Short Message System*) *m* (*mensaje*) text message, SMS ● **enviar un SMS** to send a text message ● **enviar un SMS a alguien** to text sb

s/n *abrev* = **sin número**

sobaco [so'βako] *m* armpit

sobado, da [so'βaðo, ða] *adj* 1. (*vestido*) shabby 2. (*libro*) dog-eared 3. (*chiste, broma*) old

soberbia [so'βerβja] *f* arrogance

soberbio, bia [so'βerβjo, βja] *adj* 1. (*orgulloso*) arrogant 2. (*magnífico*) magnificent

soborno [so'βorno] *m* bribe

sobrar [so'βrar] *vi* 1. (*haber demasiado*) to be more than enough 2. (*estar de más*) to be superfluous 3. (*quedar*) to be left (over)

sobras ['soβras] *fpl* (*de comida*) leftovers

sobrasada [soβra'saða] *f* spicy Mallorcan sausage

sobre[¹] ['soβre] *prep* 1. (*encima de*) on (top of) 2. (*por encima de*) over, above 3. (*acerca de*) about 4. (*alrededor de*) about 5. (*en locuciones*) ● **sobre todo** above all ● **el libro estaba sobre la mesa** the book was on the table ● **el pato vuela sobre el lago** the duck is flying over the lake ● **un libro sobre el amor** a book about love ● **llegaron sobre las diez** they arrived at about ten o'clock

sobre[²] ['soβre] *m* envelope

El sobre

Lo normal es no colocar ninguna puntuación separando las líneas. En cartas formales, el nombre del destinatario lleva un título delante (*Mr, Mrs, Ms, Dr, Professor*): *Ms Amanda Sutton, Dr James Parker*. El nombre de la empresa se coloca sin abreviarlo. El número del piso y de la calle va delante del nombre de la calle: *Flat 4, 23 Hereford Road*. Se suelen usar bastantes abreviaturas, como *Rd* (Road), *St* (Street), *Ave* (Avenue), *Tce* (Terrace), *Gdns* (Gardens) o *Sq* (Square). En la línea siguiente se coloca el nombre de la población, y en la que sigue el de la región o el estado. Muchas regiones británicas tienen formas abreviadas, como *N Yorks* (North Yorkshire) o *Hants* (Hampshire). El código postal se coloca después del nombre de la región o del estado: *Burke Virginia 22051 USA*

sobreático [soβreˈatiko] *m* penthouse

sobrecarga [soβreˈkarɣa] *f* excess weight

sobredosis [soβreˈðosis] *f inv* overdose

sobrehumano, na [soβreuˈmano, na] *adj* superhuman

sobremesa [soβreˈmesa] *f* period of time sitting around the table after lunch ● **hacer la sobremesa** to have a chat after lunch

sobrenombre [soβreˈnombre] *m* nickname

sobrepasar [soβrepaˈsar] *vt* **1.** (*exceder*) to exceed **2.** (*aventajar*) to overtake

sobreponer [soβrepoˈner] *vt* (*poner delante*) to put first ◆ **sobreponerse a** *v + prep* to overcome

sobrepuesto, ta [soβreˈpu̯esto, ta] *adj* superimposed

sobresaliente [soβresaˈli̯ente] ◇ *adj* outstanding ◇ *m* (*nota*) excellent

sobresalir [soβresaˈlir] *vi* **1.** (*en altura*) to jut out **2.** (*en importancia*) to stand out

sobresalto [soβreˈsalto] *m* fright

sobrevivir [soβreβiˈβir] *vi* to survive

sobrevolar [soβreβoˈlar] *vt* to fly over

sobrino, na [soˈβrino, na] *m,f* nephew (*f* niece)

sobrio, bria [ˈsoβri̯o, βri̯a] *adj* **1.** sober **2.** (*moderado*) restrained

sociable [soˈθi̯aβle] *adj* sociable

social [soˈθi̯al] *adj* **1.** (*de la sociedad*) social **2.** (*de los socios*) company (*antes de s*)

socialista [soθi̯aˈlista] *mf* socialist

sociedad [soθi̯eˈðað] *f* **1.** society **2.** (*empresa*) company

socio, cia [ˈsoθi̯o, θi̯a] *m,f* **1.** (*de club, asociación*) member **2.** (*de negocio*) partner

sociología [soθi̯oloˈxia] *f* sociology

sociólogo, ga [soˈθi̯oloɣo, ɣa] *m,f* sociologist

socorrer [sokoˈrer] *vt* to help

socorrismo [sokoˈrizmo] *m* **1.** (*primeros auxilios*) first aid **2.** (*en la playa*) lifesaving

socorrista [sokoˈrista] *mf* **1.** (*primeros auxilios*) first aid worker **2.** (*en la playa*) lifeguard

socorro [soˈkoro] ◇ *m* help ◇ *interj* help!

soda [ˈsoða] *f* soda water

sofá [soˈfa] *m* sofa, couch

sofisticado, da [sofistiˈkaðo, ða] *adj* sophisticated

sofocante [sofoˈkante] *adj* stifling

sofoco [soˈfoko] *m* **1.** (*ahogo*) breathlessness **2.** (*disgusto*) fit (of anger) **3.** (*vergüenza*) embarrassment

sofrito [soˈfrito] *m* tomato and onion sauce

software [ˈsofwar] *m* software

sol [ˈsol] *m* **1.** sun ● **hace sol** it's sunny ● **tomar el sol** to sunbathe

solamente [ˌsolaˈmente] *adv* only

solapa [soˈlapa] *f* **1.** (*de vestido, chaqueta*) lapel **2.** (*de libro*) flap

solar [soˈlar] ◇ *adj* solar ◇ *m* (*undeveloped*) plot

solárium [soˈlari̯um] *m* solarium

soldado [solˈdaðo] *m* soldier ● **soldado raso** private

soldador, ra [soldaˈðor, ra] *m* soldering iron

soldar [sol'dar] *vt* to weld, to solder

soleado, da [sole'aðo, ða] *adj* sunny

soledad [sole'ðað] *f* **1.** *(falta de compañía)* solitude **2.** *(tristeza)* loneliness

solemne [so'lemne] *adj* **1.** solemn **2.** *(grande)* utter

solemnidad [solemni'ðað] *f* ceremony

soler [so'ler] *vi* ● **soler hacer algo** to do sthg usually ● **solíamos hacerlo** we used to do it

solicitar [soliθi'tar] *vt* **1.** *(pedir)* to request **2.** *(puesto)* to apply for

solicitud [soliθi'tuð] *f* **1.** *(petición)* request **2.** *(de puesto)* application **3.** *(impreso)* application form

solidaridad [soliðari'ðað] *f* solidarity

sólido, da [so'liðo, ða] ◇ *adj* **1.** *(cimientos, casa, muro)* solid **2.** *(argumento, conocimiento)* sound ◇ *m* solid

solista [so'lista] *mf* soloist

solitario, ria [soli'tario, ria] ◇ *adj* **1.** *(sin compañía)* solitary **2.** *(lugar)* lonely ◇ *m,f* loner ◇ *m* **1.** *(juego)* patience **2.** *(joya)* solitaire

sollozar [soʎo'θar] *vi* to sob

sollozo [so'ʎoθo] *m* sob

solo, la ['solo, la] *adj* **1.** *(sin compañía, familia)* alone **2.** *(único)* single **3.** *(sin añadidos)* on its own **4.** *(café)* black **5.** *(whisky)* neat, straight **6.** *(solitario)* lonely ● **a solas** on one's own

sólo ['solo] *adv* only

solomillo [solo'miʎo] *m* sirloin ● **solomillo a la parrilla** grilled sirloin steak ● **solomillo de ternera** veal sirloin

soltar [sol'tar] *vt* **1.** *(de la mano)* to let go of **2.** *(desatar)* to undo **3.** *(dejar libre)* to set free **4.** *(desenrollar)* to pay out **5.** *(decir)* to come out with **6.** *(lanzar)* to let out

soltero, ra [sol'tero, ra] ◇ *adj* single ◇ *m,f* bachelor *(f* single woman)

solterón, ona [solte'ron, ona] *m,f* old bachelor *(f* old maid)

soltura [sol'tura] *f* fluency ● **con soltura** fluently

solución [solu'θjon] *f* solution

solucionar [soluθjo'nar] *vt* to solve

solvente [sol'βente] *adj* solvent

sombra ['sombra] *f* **1.** *(oscuridad)* shade **2.** *(de un cuerpo)* shadow ● **a la sombra** in the shade ● **el árbol da sombra** the tree is shady

sombrero [som'brero] *m* hat

sombrilla [som'briʎa] *f* sunshade

someter [some'ter] *vt* **1.** *(dominar)* to subdue **2.** *(mostrar)* to submit ● **someter a alguien a algo** to subject sb to sthg ● **someterse** *vp (rendirse)* to surrender

somier [so'mjer] *m (de muelles)* divan

somnífero [som'nifero] *m* sleeping pill

sonajero [sona'xero] *m* rattle

sonar [so'nar] ◇ *vi* **1.** to sound **2.** *(teléfono, timbre)* to ring **3.** *(ser conocido)* to be familiar **4.** *(letra)* to be pronounced ◇ *vt (nariz)* to blow ● **suena a verdad** it sounds true ● **sonarse** *vp* to blow one's nose

sonido [so'niðo] *m* sound

sonoro, ra [so'noro, ra] *adj* **1.** resonant **2.** *(banda)* sound *(antes de s* **3.** *(consonante, vocal)* voiced

sonreír [sonre'ir] *vi* to smile ● **sonreírse** *vp* to smile

sonriente [sonri'ente] *adj* smiling

sonrisa [son'risa] *f* smile

sonrojarse [sonro'xarse] *vp* to blush

sonso, sa ['sonso, sa] *adj* (*Amér*) (*fam*) dummy

soñar [so'ɲar] ◇ *vi* to dream ◇ *vt* to dream about ● **soñar con** to dream of

sopa ['sopa] *f* soup ● **sopa de ajo** garlic soup ● **sopa de marisco** seafood bisque ● **sopa de pescado** fish soup

sopera [so'pera] *f* soup tureen

soplar [so'plar] ◇ *vi* to blow ◇ *vt* 1. (*polvo, migas*) to blow away 2. (*respuesta*) to whisper

soplete [so'plete] *m* blowtorch

soplido [so'pliðo] *m* puff

soplo ['soplo] *m* 1. (*soplido*) puff 2. (*del corazón*) murmur 3. (*fam*) (*chivatazo*) tip-off

soportales [sopor'tales] *mpl* arcade *sg*

soportar [sopor'tar] *vt* 1. (*carga, peso*) to support 2. (*persona*) to stand 3. (*dolor, molestia*) to bear

soporte [so'porte] *m* support

soprano [so'prano] *f* soprano

sorber [sor'βer] *vt* 1. (*beber*) to sip 2. (*haciendo ruido*) to slurp 3. (*absorber*) to soak up

sorbete [sor'βete] *m* sorbet ● **sorbete de frambuesa** raspberry sorbet ● **sorbete de limón** lemon sorbet

sordo, da ['sorðo, ða] ◇ *adj* 1. deaf 2. (*ruido, sentimiento*) dull ◇ *m,f* deaf person

sordomudo, da [sorðo'muðo, ða] *m,f* deaf-mute

soroche [so'rotʃe] *m* (*Andes*) altitude sickness

sorprendente [sorpren'dente] *adj* surprising

sorprender [sorpren'der] *vt* to surprise ● **sorprenderse** *vp* to be surprised

sorpresa [sor'presa] *f* surprise ● **por sorpresa** by surprise

sorpresivo, va [sorpre'siβo, βa] *adj* (*Amér*) unexpected

sortear [sorte'ar] *vt* 1. (*rifar*) to raffle 2. (*evitar*) to dodge

sorteo [sor'teo] *m* 1. (*lotería*) draw 2. (*rifa*) raffle

sortija [sor'tixa] *f* ring

SOS [,eso'ese] *m* (*abr de* save our souls) SOS (*save our souls*)

sosiego [so'sjeɣo] *m* peace, calm

soso, sa ['soso, sa] *adj* bland

sospechar [sospe'tʃar] *vt* to suspect ● **sospechar de** v + *prep* to suspect

sospechoso, sa [sospe'tʃoso, sa] ◇ *adj* suspicious ◇ *m,f* suspect

sostén [sos'ten] *m* 1. (*apoyo*) support 2. (*prenda femenina*) bra

sostener [soste'ner] *vt* 1. to support 2. (*defender, afirmar*) to defend ● **sostenerse** *vp* 1. (*sujetarse*) to stay fixed 2. (*tenerse en pie*) to stand up

sostenible *adj* 1. (*crecimiento, desarrollo*) sustainable ● **el desarrollo sostenible** sustainable development 2. (*teoría, razonamiento*) sound

sota ['sota] *f* (*baraja*) ~ jack

sotana [so'tana] *f* cassock

sótano ['sotano] *m* basement

squash [es'kwaʃ] *m* squash

Sr. (*abr de* señor) Mr

Sra. (*abr de* señora) Mrs

Sres. (*abr de* señores) Messrs (*Messieurs*)

Srta. *abrev* = señorita

SSMM *abrev* = Sus Majestades

Sta. (*abr de santa*) St. (*Saint*)

Sto. (*abr de santo*) St. (*Saint*)

stock [es'tok] *m* stock

stop [es'top] *m* stop sign

su [su, sus] (*pl* **sus**) *adj* **1.** (*de él*) his **2.** (*de ella*) her **3.** (*de cosa, animal*) its **4.** (*de ellos, ellas*) their **5.** (*de usted, ustedes*) your

suave ['swaβe] *adj* **1.** (*agradable al tacto*) soft **2.** (*liso*) smooth **3.** (*cuesta, brisa*) gentle **4.** (*clima, temperatura*) mild

suavidad [swaβi'ðað] *f* **1.** (*al tacto*) softness **2.** (*de cuesta, brisa*) gentleness **3.** (*de clima, temperatura*) mildness

suavizante [swaβi'θante] *m* conditioner

subasta [su'βasta] *f* auction

subcampeón, ona [suβkampe'on, 'ona] *m,f* runner-up

subconsciente [suβkons'θjente] *m* subconscious

subdesarrollado, da [suβðesaro'ʎaðo, ða] *adj* underdeveloped

subdesarrollo [suβðesa'roʎo] *m* underdevelopment

subdirector, ra [suβðirek'tor, ra] *m,f* assistant manager (*f* assistant manageress)

subdirectorio [suβðirek'torjo] *m* subdirectory

súbdito, ta ['suβðito, ta] *m,f* (*de país*) citizen

subida [su'βiða] *f* **1.** (*de precios, temperatura*) increase **2.** (*pendiente, cuesta*) hill

subir [su'βir] ◇ *vt* **1.** (*escaleras, calle, pendiente*) to go up **2.** (*montaña*) to climb **3.** (*llevar arriba*) to take up **4.** (*brazo, precio, volumen, persiana*) to raise **5.** (*ventanilla*) to close ◇ *vi* to rise ◆ **subir a** (*piso, desván*) to go up to; (*montaña, torre*) to go up; (*coche*) to get into; (*avión, barco, tren, bicicleta*) to get onto; (*cuenta, factura*) to come to ◆ **subir de** (*categoría*) to be promoted from

súbito, ta ['suβito, ta] *adj* sudden

subjetivo, va [suβxe'tiβo, βa] *adj* subjective

subjuntivo [suβxun'tiβo] *m* subjunctive

sublevar [suβle'βar] *vt* (*indignar*) to infuriate ◆ **sublevarse** *vp* to rebel

sublime [su'βlime] *adj* sublime

submarinismo [suβmari'nizmo] *m* scuba diving

submarinista [suβmari'nista] *mf* scuba diver

submarino [suβma'rino] *m* submarine

subrayar [suβra'jar] *vt* to underline

subsidio [suβ'siðjo] *m* benefit

subsistencia [suβsis'tenθja] *f* subsistence

subsuelo [suβ'swelo] *f* **1.** (*terreno*) subsoil **2.** (*Andes & RP*) (*sótano*) basement

subterráneo, a [suβte'raneo, a] ◇ *adj* underground ◇ *m* underground tunnel (*UK*), subway tunnel (*US*)

subtitulado, da [suβtitu'laðo, ða] *adj* with subtitles

subtítulo [suβ'titulo] *m* subtitle

suburbio [su'βurβjo] *m* poor suburb

subvención [suββen'θjon] *f* subsidy

sucedáneo [suθe'ðaneo] *m* substitute

suceder [suθe'ðer] *vi* to happen ◆ **suceder a** *v* + *prep* **1.** (*en un cargo, trono*) to succeed **2.** (*venir después de*) to follow

sucesión [suθe'sjon] *f* **1.** succession **2.** (*descendencia*) heirs *pl*

sucesivo, va [suθe'siβo, βa] *adj (consecutivo)* successive ● **en días sucesivos** over the next few days

suceso [su'θeso] *m* event

sucesor, ra [suθe'sor, ra] *m,f* **1.** *(en un cargo, trono)* successor **2.** *(heredero)* heir *(f heiress)*

suciedad [suθie'ðað] *f* **1.** *(cualidad)* dirtiness **2.** *(porquería)* dirt

sucio, cia ['suθio, θia] ◇ *adj* **1.** dirty **2.** *(al comer, trabajar)* messy ◇ *adv (en juego)* dirty

suculento, ta [suku'lento, ta] *adj* tasty

sucumbir [sukum'bir] *vi* **1.** *(rendirse)* to succumb **2.** *(morir)* to die

sucursal [sukur'sal] *f* branch

sudadera [suða'ðera] *f* sweatshirt

Sudáfrica [su'ðafrika] *s* South Africa

Sudamérica [suða'merika] *s* South America

sudamericano, na [suðameri'kano, na] *adj* & *m,f* South American

sudar [su'ðar] *vi* to sweat

sudeste [su'ðeste] *m* southeast

sudoeste [suðo'este] *m* southwest

sudor [su'ðor] *m* sweat

Suecia ['sueθia] *s* Sweden

sueco, ca ['sueko, ka] ◇ *adj* & *m* Swedish ◇ *m,f* Swede

suegro, gra ['sueɣro, ɣra] *m,f* father-in-law *(f mother-in-law)*

suela ['suela] *f* sole

sueldo ['sueldo] *m* salary, wages *pl*

suelo ['suelo] *m* **1.** *(piso)* floor **2.** *(superficie terrestre)* ground **3.** *(terreno)* soil **4.** *(para edificar)* land ● **en el suelo** on the ground/floor

suelto, ta ['suelto, ta] ◇ *adj* **1.** loose **2.**

(separado) separate **3.** *(calcetín, guante)* odd **4.** *(arroz)* fluffy ◇ *m (dinero)* change

sueño ['sueɲo] *m* **1.** *(acto de dormir)* sleep **2.** *(ganas de dormir)* drowsiness **3.** *(imagen mental, deseo)* dream ● **coger el sueño** to get to sleep ● **tener sueño** to be sleepy

suero ['suero] *m (en medicina)* serum

suerte ['suerte] ◇ *f* **1.** *(azar)* chance **2.** *(fortuna, casualidad)* luck **3.** *(futuro)* fate **4.** *(en el toreo)* each of the three parts of a bullfight ◇ *interj* good luck! ● **por suerte** luckily ● **tener suerte** to be lucky

suéter ['sueter] *m* sweater

suficiente [sufi'θiente] ◇ *adj* enough ◇ *m (nota)* pass

sufragio [su'fraxio] *m* suffrage

sufrido, da [su'friðo, ða] *adj* **1.** *(persona)* uncomplaining **2.** *(color)* that does not show the dirt

sufrimiento [sufri'miento] *m* suffering

sufrir [su'frir] ◇ *vt* **1.** *(accidente, caída)* to have **2.** *(persona)* to bear ◇ *vi* to suffer ● **sufrir de** to suffer from ● **sufrir del estómago** to have a stomach complaint

sugerencia [suxe'renθia] *f* suggestion

sugerir [suxe'rir] *vt* **1.** to suggest **2.** *(evocar)* to evoke

suicidio [sui'θiðjo] *m* suicide

suite [suit] *f* suite

Suiza [su'iθa] *s* Switzerland

suizo, za [su'iθo, θa] ◇ *adj* & *m,f* Swiss

sujetador [suxeta'ðor] *m* bra

sujetar [suxe'tar] *vt* **1.** *(agarrar)* to hold down **2.** *(asegurar, aguantar)* to fasten ●

sujetarse *vp (agarrarse)* to hold on

sujeto, ta [su'xeto, ta] ◇ *adj* fastened ◇ *m* **1.** subject **2.** (*despec*) (*individuo*) individual

suma ['suma] *f* **1.** (*operación*) addition **2.** (*resultado*) total **3.** (*conjunto de cosas, dinero*) sum

sumar [su'mar] *vt* to add together

sumario [su'marjo] *m* **1.** (*resumen*) summary **2.** (*de juicio*) indictment

sumergible [sumer'xiβle] *adj* waterproof

sumergirse [sumer'xirse] *vp* to plunge

suministrar [suminis'trar] *vt* to supply

suministro [sumi'nistro] *m* **1.** (*acción*) supplying **2.** (*abasto, víveres*) supply

sumiso, sa [su'miso, sa] *adj* submissive

súper ['super] ◇ *adj* (*fam*) great ◇ *m* (*fam*) supermarket ◇ *f* (*gasolina*) four-star (*UK*), ≃ premium (*US*)

superación [supera'θjon] *f* overcoming

superar [supe'rar] *vt* **1.** (*prueba, obstáculo*) to overcome **2.** (*persona*) to beat ◆ **superarse** *vp* (*mejorar*) to better o.s.

superficial [superfi'θjal] *adj* superficial

superficie [super'fiθje] *f* **1.** surface **2.** (*área*) area

superfluo, flua [su'perfluo, flua] *adj* superfluous

superior [supe'rjor] *adj* **1.** (*de arriba*) top **2.** (*excepcional*) excellent ● **superior a** (*mejor*) superior to; (*en cantidad, importancia*) greater than, superior

supermercado [supermer'kaðo] *m* supermarket

superstición [supersti'θjon] *f* superstition

supersticioso, sa [supersti'θjoso, sa] *adj* superstitious

superviviente [superβi'βjente] *mf* survivor

suplemento [suple'mento] *m* supplement

suplente [su'plente] *adj* **1.** (*médico*) locum (*UK*), doctor who temporarily fills in for another **2.** (*jugador*) substitute

supletorio [suple'torjo] *m* (*teléfono*) extension

súplica ['suplika] *f* plea

suplir [su'plir] *vt* **1.** (*falta, carencia*) to compensate for **2.** (*persona*) to replace

suponer [supo'ner] *vt* **1.** (*creer*) to suppose **2.** (*representar, implicar*) to involve **3.** (*imaginar*) to imagine

suposición [suposi'θjon] *f* assumption

supositorio [suposi'torjo] *m* suppository

suprimir [supri'mir] *vt* **1.** (*proyecto, puesto*) to axe **2.** (*anular*) to abolish **3.** (*borrar*) to delete

supuesto, ta [su'puesto, ta] ◇ *pp* ➤ suponer ◇ *adj* **1.** (*presunto*) supposed **2.** (*delincuente*) alleged **3.** (*falso*) false ◇ *m* assumption ● **por supuesto** of course

sur ['sur] *m* **1.** south **2.** (*viento*) south wind

surco ['surko] *m* **1.** (*en la tierra*) furrow **2.** (*de disco*) groove **3.** (*de piel*) line

sureño, ña [su'reno, ɲa] *adj* southern

surf ['surf] *m* surfing

surfista [sur'fista] *mf* surfer

surgir [sur'xir] *vi* **1.** (*brotar*) to spring forth **2.** (*destacar*) to rise up **3.** (*producirse*) to arise

surtido, da [sur'tiðo, ða] ◇ *adj* assorted ◇ *m* range

surtidor [surti'ðor] *m* **1.** (*de agua*) spout

2. (*de gasolina*) pump

susceptible [susθep'tiβle] *adj* (*sensible*) oversensitive • **susceptible de** liable to

suscribir [suskri'βir] *vt* **1.** (*escrito*) to sign **2.** (*opinión*) to subscribe to • **suscribirse a** *v* + *prep* to subscribe to

suscripción [suskrip'θjon] *f* subscription

suspender [suspen'der] ◇ *vt* **1.** (*interrumpir*) to adjourn **2.** (*anular*) to postpone **3.** (*examen*) to fail **4.** (*de empleo, sueldo*) to suspend **5.** (*colgar*) to hang (up) ◇ *vi* (*en un examen*) to fail

suspense [sus'pense] *m* suspense

suspenso [sus'penso] *m* fail

suspirar [suspi'rar] *vi* to sigh • **suspirar por** *v* + *prep* to long for

suspiro [sus'piro] *m* to sigh

sustancia [sus'tanθja] *f* **1.** substance **2.** (*esencia*) essence **3.** (*de alimento*) nutritional value

sustancial [sustan'θjal] *adj* substantial

sustantivo [sustan'tiβo] *m* noun

sustituir [sustitu'ir] *vt* to replace • **sustituir algo por** to replace sthg with

susto ['susto] *m* fright • **¡qué susto!** what a fright!

sustracción [sustrak'θjon] *f* **1.** (*robo*) theft **2.** (*resta*) subtraction

sustraer [sustra'er] *vt* **1.** (*robar*) to steal **2.** (*restar*) to subtract

susurrar [susu'rar] *vt* & *vi* to whisper

suyo, ya ['sujo, ja] ◇ *adj* **1.** (*de él*) his **2.** (*de ella*) hers **3.** (*de usted, ustedes*) yours **4.** (*de ellos, de ellas*) theirs ◇ *pron* • **el suyo, la suya** (*de él*) his; (*de ella*) hers; (*de usted, ustedes*) yours; (*de ellos, de*

ellas) theirs • **lo suyo** his/her *etc* thing • **un amigo suyo** a friend of his/hers *etc*

tabaco [ta'βako] *m* **1.** tobacco **2.** (*cigarrillos*) cigarettes *pl*

tábano [ta'βano] *m* horsefly

tabasco ® [ta'βasko] *m* tabasco sauce

taberna [ta'βerna] *f* country-style bar, usually cheap

tabique [ta'βike] *m* partition (wall)

tabla ['taβla] *f* **1.** (*de madera*) plank **2.** (*lista, de multiplicar*) table **3.** (*de navegar, surf*) board **4.** (*en arte*) panel • **tablas** *fpl* **1.** (*en juego*) stalemate *sg* **2.** (*escenario*) stage *sg*

tablao [ta'βlao] *m* • **tablao flamenco** flamenco show

tablero [ta'βlero] *m* board

tableta [ta'βleta] *f* **1.** (*de chocolate*) bar **2.** (*medicamento*) tablet

tablón [ta'βlon] *m* plank • **tablón de anuncios** notice (*UK*) o bulletin (*US*) board

tabú [ta'βu] *m* taboo

taburete [taβu'rete] *m* stool

tacaño, ña [ta'kaɲo, ɲa] *adj* mean

tachar [ta'tʃar] *vt* to cross out

tacho ['tatʃo] *m* (*CSur*) bin (*UK*), trash can (*US*)

tácito, ta ['taθito, ta] *adj* (*acuerdo, trato*) unwritten

taco ['tako] *m* **1.** (*para pared*) plug **2.** (*de* *billar*) cue **3.** *(de jamón, queso)* hunk **4.** *(de papel)* wad **5.** *(fam) (palabrota)* swearword **6.** *(fam) (lío)* muddle **7.** *(CAm & Méx) (tortilla)* taco

tacón [ta'kon] *m* heel

tacto ['takto] *m* **1.** *(sentido)* sense of touch **2.** *(textura)* feel **3.** *(en el trato)* tact

taekwondo [tae'kwondo] *m* tae kwon do

Taiwán [tai'wan] *s* Taiwan

tajada [ta'xaða] *f* slice ● **agarrarse una tajada** *(fam)* to get sloshed

tal [tal] ◇ *adj* such ◇ *pron* such a thing ● **tal cosa** such a thing ● **¿qué tal?** how are you doing? ● **tal vez** perhaps

taladradora [talaðra'ðora] *f* drill

taladrar [tala'ðrar] *vt* to drill

taladro [ta'laðro] *m* drill

talco ['talko] *m* talc

talento [ta'lento] *m* **1.** *(aptitud)* talent **2.** *(inteligencia)* intelligence

talgo ['talɣo] *m* Spanish intercity high-speed train

talla ['taʎa] *f* **1.** *(de vestido, calzado)* size **2.** *(estatura)* height **3.** *(de piedra preciosa)* cutting **4.** *(escultura)* sculpture

tallarines [taʎa'rines] *mpl* tagliatelle *sg*

taller [ta'ʎer] *m* **1.** *(de coches)* garage **2.** *(de trabajo manual)* workshop

tallo ['taʎo] *m* stem

talón [ta'lon] *m* **1.** heel **2.** *(cheque)* cheque **3.** *(resguardo)* stub

talonario [talo'narjo] *m* cheque book

tamaño [ta'maɲo] *m* size

también [tam'bjen] *adv* also ● **también dijo que...** she also said that ... ● **yo también** me too

tambor [tam'bor] *m* drum

tampoco [tam'poko] *adv* neither ● **yo tampoco** me neither ● **si a ti no te gusta a mí tampoco** if you don't like it, then neither do I

tampón [tam'pon] *m* **1.** *(sello)* stamp **2.** *(para la menstruación)* tampon

tan [tan] *adv* > **tanto**

tanda ['tanda] *f* **1.** *(turno)* shift **2.** *(serie)* series

tándem ['tandem] *m* **1.** *(bicicleta)* tandem **2.** *(dúo)* duo

tanga ['tanga] *m* tanga

tango ['tango] *m* tango

tanque ['tanke] *m* **1.** *(vehículo cisterna)* tanker **2.** *(de guerra)* tank

tanto, ta ['tanto, ta] ◇ *adj* **1.** *(gran cantidad)* so much, so many *pl* **2.** *(cantidad indeterminada)* so much, so many *pl* **3.** *(en comparaciones)* ● **tanto... como** as much ... as, as many ... as *pl* ● **tiene tanta suerte como tú** she's as lucky as you ◇ *adv* **1.** *(gran cantidad)* so much **2.** *(en comparaciones)* ● **tanto ... como** as much ... as ● **sabe tanto como yo** she knows as much as I do **3.** *(en locuciones)* ● **por (lo) tanto** so, therefore ● **tanto (es así) que** so much so that ◇ *pron* **1.** *(gran cantidad)* so much, so many *pl* **2.** *(igual cantidad)* as much, as many *pl* **3.** *(cantidad indeterminada)* so much, so many *pl* **4.** *(en locuciones)* ● **eran las tantas** it was very late ◇ *m* **1.** *(punto)* point **2.** *(gol)* goal **3.** *(cantidad indeterminada)* ● **un tanto** so much ● **un tanto por ciento** a percentage ● **tiene tanto dinero** he's got so much money ● **tanta gente** so many people ● **tanto ... que** so much ... that ● **tantos euros al día** so many euros a day ● **cincuenta y tantos** fifty-something, fifty-odd ● **no merece la pena disgustarse tanto** it's not worth getting so upset ● **tanto que** so much that ● **él no tiene tantos** he doesn't have so many ● **había mucha gente allí, aquí no tanta** there were a lot of people there, but not as many here ● **supongamos que vengan tantos** let's suppose so many come ● **a tantos de agosto** on such-and-such a date in August ● **marcar un tanto** to score

tanto ['tanto, ta] *m* **1.** (*punto*) point **2.** (*gol*) goal ● **un tanto** so much ● **tanto por ciento** percentage

tapa ['tapa] *f* **1.** (*de recipiente*) lid **2.** (*de libro*) cover **3.** (*de comida*) tapa **4.** (*de zapato*) heel plate ▼ **tapas variadas** selection of tapas

tapas

Tapas (or *botanas* in Latin America) are small portions of food such as olives, cold meats, seafood or omelette served in bars as an aperitif or instead of a main meal. The north of Spain and Andalusia are particularly famous for their tapas bars, where you can go from one bar to another (known as *ir de tapas*) trying out their different specialities accompanied by a small glass of red wine.

tapadera [tapaˈðeɾa] *f* **1.** (*de recipiente*) lid **2.** (*para encubrir*) front

tapar [taˈpaɾ] *vt* **1.** (*cofre, caja, botella*) to close **2.** (*olla*) to put the lid on **3.** (*encubrir*) to cover up **4.** (*en la cama*) to tuck in **5.** (*con ropa*) to wrap up ● **taparse** *vp* **1.** (*en la cama*) to tuck o.s. in **2.** (*con ropa*) to wrap up

tapete [taˈpete] *m* runner

tapia ['tapja] *f* (*stone*) wall

tapicería [tapiθeˈɾia] *f* **1.** (*tela*) upholstery **2.** (*tienda*) upholsterer's (shop)

tapiz [taˈpiθ, θes] (*pl* **-ces**) *m* tapestry

tapizado [tapiˈθaðo] *m* upholstery

tapizar [tapiˈθaɾ] *vt* to upholster

tapón [taˈpon] *m* **1.** (*de botella*) stopper **2.** (*de rosca*) top **3.** (*de bañera, fregadero*) plug **4.** (*para el oído*) earplug

taquería [takeˈɾia] *f* (*Méx*) taco restaurant

taquería

In Mexico, *taquerías* are cafés that serve traditional Mexican fare, especially *tacos*. Since the 1980s, taco bars have become very popular outside Mexico, particularly in Europe and the United States, although they are often a pale imitation of the real thing.

taquigrafía [takiɣɾaˈfia] *f* shorthand

taquilla [taˈkiʎa] *f* **1.** (*de cine, teatro*) box office **2.** (*de tren*) ticket office **3.** (*armario*) locker **4.** (*recaudación*) takings *pl*

taquillero, ra [takiˈʎeɾo, ra] ◇ *adj* who/that pulls in the crowds ◇ *m,f* ticket clerk

tara ['taɾa] *f* **1.** (*defecto*) defect **2.** (*peso*) tare

tardar [tar'ðar] ◇ *vt (tiempo)* to take ◇ *vi (retrasarse)* to be late ● el comienzo **tardará aún dos horas** it doesn't start for another two hours

tarde ['tarðe] ◇ *f* 1. *(hasta las cinco)* afternoon 2. *(después de las cinco)* evening ◇ *adv* late ● las cuatro de la **tarde** four o'clock in the afternoon ● **por la tarde** in the afternoon/evening ● **buenas tardes** good afternoon/evening

tarea [ta'rea] *f* 1. *(trabajo)* task 2. *(deberes escolares)* homework

tarifa [ta'rifa] *f* 1. *(de electricidad, etc)* charge 2. *(en transportes)* fare 3. *(lista de precios)* price list ▼ **tarifas del metro** underground fares

tarima [ta'rima] *f* platform

tarjeta [tar'xeta] *f* card ● **tarjeta de crédito** credit card ● **tarjeta de débito** debit card ● **tarjeta de embarque** boarding pass ● **tarjeta postal** postcard ● **tarjeta 10 viajes** *(en metro) underground travelcard valid for ten journeys* ▼ **tarjetas admitidas** credit cards accepted

tarro ['taro] *m* jar

tarta ['tarta] *f* 1. cake 2. *(plana, con base de pasta dura)* tart ● **tarta de la casa** *chef's special cake* ● **tarta de chocolate** chocolate cake ● **tarta helada** ice cream *gâteau* ● **tarta de Santiago** *sponge cake filled with almond paste* ● **tarta al whisky** *whisky-flavoured icecream gâteau*

tartamudo, da [tarta'muðo, ða] *m,f* stammerer

tasa ['tasa] *f* rate

tasca ['taska] *f* ≃ pub

tatuaje [tatu'axe] *m* tattoo

taurino, na [tau̯'rino, na] *adj* bullfighting *(antes de s)*

Tauro ['tau̯ro] *m* Taurus

tauromaquia [tau̯ro'makja] *f* bullfighting

taxi ['taksi] *m* taxi

taxímetro [tak'simetro] *m* taximeter

taxista [tak'sista] *mf* taxi driver

taza ['taθa] *f* 1. cup 2. *(de retrete)* bowl

tazón [ta'θon] *m* bowl

te [te] *pron* 1. *(complemento directo)* you 2. *(complemento indirecto)* (to) you 3. *(reflexivo)* yourself

té ['te] *m* tea

teatral [tea'tral] *adj* 1. *(de teatro)* theatre *(antes de s)* 2. *(afectado)* theatrical

teatro [te'atro] *m* theatre

tebeo ® [te'βeo] *m (children's)* comic book

techo ['tetʃo] *m* 1. *(de habitación, persona, avión)* ceiling 2. *(tejado)* roof

tecla ['tekla] *f* key

teclado [te'klaðo] *m* keyboard

teclear [tekle'ar] *vi (en ordenador)* to type

técnica ['teɣnika] *f* 1. technique 2. *(de ciencia)* technology

técnico, ca ['teɣniko, ka] *adj* technical

tecnología [teɣnolo'xia] *f* technology

tecnológico, ca [teɣno'loxiko, ka] *adj* technological

teja ['texa] *f* tile

tejado [te'xaðo] *m* roof

tejanos [te'xanos] *mpl* jeans

tejer [te'xer] *vt* 1. *(jersey, labor)* to knit 2. *(tela)* to weave

tejido [te'xiðo] *m* **1.** *(tela)* fabric **2.** *(del cuerpo humano)* tissue

tejo ['texo] *m* *(juego)* hopscotch

tel. *(abr de* teléfono*)* tel. *(telephone)*

tela ['tela] *f* **1.** *(tejido)* material, cloth **2.** *(lienzo)* canvas **3.** *(fam) (dinero)* dough

telaraña [tela'raɲa] *f* spider's web

tele ['tele] *f* *(fam)* telly *(UK)*, TV

telearrastre [telea'rastre] *m* ski-tow

telebanca [tele'banka] *f* telebanking

telebasura *f* junk TV

telecabina [teleka'βina] *f* cable-car

telecomunicación [telekomunika'θjon] *f* **1.** *(medio)* telecommunication **2.** *(estudios)* telecommunications

teleconferencia [telekonfe'renθja] *f* conference call

telediario [tele'ðjarjo] *m* television news

teledirigido, da [teleðiri'xiðo, ða] *adj* remote-controlled

telefax [tele'faks] *m inv* fax

teleférico [tele'feriko] *m* cable-car

telefonazo [telefo'naθo] *m* *(fam)* phone call

telefonear [telefone'ar] *vt* to phone

telefónico, ca [tele'foniko, ka] *adj* telephone *(antes de s)*

telefonillo *m* *(fam)* entryphone

telefonista [telefo'nista] *mf* telephonist

teléfono [te'lefono] *m* telephone ● **teléfono móvil** mobile telephone *(UK)*, cell telephone *(US)*

telégrafo [te'leɣrafo] *m* telegraph

telegrama [tele'ɣrama] *m* telegram ● **poner un telegrama** to send a telegram

telenovela [teleno'βela] *f* television soap opera

teleobjetivo [teleoβxe'tiβo] *m* telephoto lens

telepatía [telepa'tia] *f* telepathy

telerrealidad *f* TV reality TV

telescopio [teles'kopjo] *m* telescope

telesilla [tele'siʎa] *f* chair lift

telespectador, ra [telespekta'ðor, ra] *m,f* viewer

telesquí [teles'ki] *m* ski lift

teletaquilla *f* pay TV, pay-per-view

teletexto [tele'teksto] *m* Teletext ®

teletienda *f* home shopping

teletipo [tele'tipo] *m* teleprinter

televidente [teleβi'ðente] *mf* viewer

televisado, da [teleβi'saðo, ða] *adj* televised

televisión [teleβi'sjon] *f* television

televisor [teleβi'sor] *m* television (set)

télex ['teleks] *m inv* telex

telón [te'lon] *m* curtain

tema ['tema] *m* **1.** subject **2.** *(melodía)* theme **3.** *(lección)* topic

temática [te'matika] *f* subject matter

temático, ca [te'matiko, ka] *adj* thematic

temblar [tem'blar] *vi* **1.** to tremble **2.** *(de frío)* to shiver

temblor [tem'blor] *m* **1.** *(de persona)* trembling **2.** *(de suelo)* earthquake

temer [te'mer] *vt* to fear ● **temer por** to fear for ◆ **temerse** *vp* to fear

temor [te'mor] *m* fear

temperamento [tempera'mento] *m* temperament

temperatura [tempera'tura] *f* temperature

tempestad [tempes'taθ] *f* storm

templado, da [tem'plaðo, ða] *adj* **1.**

(líquido, comida) lukewarm **2.** *(clima)* temperate

templo ['templo] *m* **1.** *(pagano)* temple **2.** *(iglesia)* church

temporada [tempo'raða] *f* **1.** *(periodo concreto)* season **2.** *(periodo indefinido)* time **3.** *(de una actividad)* period ● **temporada** seasonal

temporal [tempo'ral] ◇ *adj* temporary ◇ *m* storm

temprano, na [tem'prano, na] *adj & adv* early

tenazas [te'naθas] *fpl* pliers

tendedero [tende'ðero] *m* clothes line

tendencia [tenden'θja] *f* tendency

tender [ten'der] *vt* **1.** *(colgar)* to hang out **2.** *(extender)* to spread **3.** *(tumbar)* to lay (out) **4.** *(cable)* to lay **5.** *(cuerda)* to stretch (out) **6.** *(entregar)* to hand **7.** tender la cama *(Amér)* to make the bed ◆ **tender a** *v + prep* to tend to ◆ **tenderse** *vp* to lie down

tenderete [tende'rete] *m* stall *(UK)*, stand *(US)*

tendero, ra [ten'dero, ra] *m,f* shopkeeper *(UK)*, storekeeper *(US)*

tendón [ten'don] *m* tendon

tenedor [tene'ðor] *m* fork

tener [te'ner]
◇ *vt* **1.** *(poseer, contener)* to have ● tiene mucho dinero she has a lot of money ● tengo dos hijos I have two children ● tener un niño *(parir)* to have a baby ● la casa tiene cuatro habitaciones the house has four bedrooms ● tiene los ojos azules she has blue eyes **2.** *(medidas, edad)* to be ● la sala tiene cuatro metros de largo the room is four

metres long ● ¿cuántos años tienes? how old are you? ● tiene diez años he's ten (years old) **3.** *(padecer, sufrir)* to have ● tener dolor de muelas/fiebre to have toothache/a temperature **4.** *(sujetar, coger)* to hold ● tiene la olla por las asas she's holding the pot by its handles ● ¡ten! here you are! **5.** *(sentir)* to be ● tener frío/calor to be cold/hot ● tener hambre/sed to be hungry/thirsty **6.** *(sentimiento)* ● nos tiene cariño he's fond of us **7.** *(mantener)* to have ● hemos tenido una discusión we've had an argument **8.** *(para desear)* to have ● que tengan unas felices fiestas have a good holiday **9.** *(deber asistir a)* to have ● hoy tengo clase I have to go to school today ● el médico no tiene consulta hoy the doctor is not seeing patients today **10.** *(valorar, considerar)* ● tener algo/a alguien por algo to think sthg/sb is sthg ● ten por seguro que lloverá you can be sure it will rain **11.** *(haber de)* ● tengo mucho que contaros I have a lot to tell you **12.** *(Amér) (llevar)* ● tengo tres años aquí I've been here three years

◇ *v aux* **1.** *(haber)* ● tiene alquilada una casa en la costa she has a rented house on the coast **2.** *(hacer estar)* ● me tienes loca you're driving me mad **3.** *(obligación)* ● tener que hacer algo to have to do sthg ● tenemos que estar a las ocho we have to be there at eight

teniente [te'njente] *m* lieutenant

tenis ['tenis] *m* tennis ● jugar al tenis to play tennis ● tenis de mesa table tennis, ping-pong

tenista [te'nista] *mf* tennis player

tenor [te'nor] *m* tenor

tensión [ten'sjon] *f* **1.** tension **2.** *(de la sangre)* blood pressure **3.** *(fuerza)* stress **4.** *(voltaje)* voltage

tenso, sa ['tenso, sa] *adj* **1.** *(persona)* tense **2.** *(objeto, cuerda)* taut

tentación [tenta'θjon] *f* temptation

tentáculo [ten'takulo] *m* tentacle

tentempié [tentem'pje] *m (bebida, comida)* snack

tenue ['tenue] *adj* **1.** *(color, luz)* faint **2.** *(tela, cortina)* fine

teñir [te'nir] *vt* to dye

teología [teolo'xia] *f* theology

teoría [teo'ria] *f* theory ● **en teoría** in theory

terapeuta [tera'peuta] *mf* therapist

tercermundista [terθermun'dista] *adj* third-world *(antes de s)*

tercero, ra [ter'θero, ra] ◇ *núm* third ◇ *m* **1.** *(persona)* third party **2.** *(piso)* third floor ➤ **sexto**

tercio ['terθjo] *m* **1.** *(tercera parte)* third

terciopelo [terθjo'pelo] *m* velvet

terco, ca ['terko, ka] *adj* stubborn

termas ['termas] *fpl* hot baths, spa *sg*

terminado, da [termi'naðo, ða] *adj* finished

terminal [termi'nal] ◇ *adj* **1.** *(enfermo)* terminal **2.** *(estación)* final ◇ *m* terminal ◇ *f* **1.** *(de aeropuerto)* terminal **2.** *(de autobús)* terminus

terminar [termi'nar] ◇ *vt* to finish ◇ *vi* **1.** to end **2.** *(tren)* to terminate ● **terminar en** to end in ● **termina en punta** it ends in a point ● **terminar por**

hacer algo to end up doing sthg

término ['termino] *m* **1.** end **2.** *(plazo)* period **3.** *(palabra)* term **4.** *(Col, Méx & Ven) (de carne)* level of cooking (of meat) ● **término municipal** district ◆ **términos** *mpl* terms

terminología [terminolo'xia] *f* terminology

termita [ter'mita] *f* termite

termo ['termo] *m* Thermos ® (flask)

termómetro [ter'mometro] *m* thermometer

termostato [termos'tato] *m* thermostat

ternera [ter'nera] *f* veal ● **ternera asada** roast veal

ternero, ra [ter'nero, ra] *m,f* calf

terno ['terno] *m (Andes, RP & Ven)* suit

ternura [ter'nura] *f* tenderness

terraplén [terra'plen] *m* embankment

terrateniente [terate'njente] *mf* landowner

terraza [te'raθa] *f* **1.** *(balcón)* balcony **2.** *(techo)* terrace roof **3.** *(de bar, restaurante, cultivo)* terrace

terremoto [tere'moto] *m* earthquake

terreno [te'reno] *m* **1.** *(suelo)* land **2.** *(parcela)* plot (of land) **3.** *(fig) (ámbito)* field

terrestre [te'restre] *adj* terrestrial

terrible [te'rible] *adj* **1.** *(que causa terror)* terrifying **2.** *(horrible)* terrible

territorio [teri'torjo] *m* territory

terrón [te'ron] *m (de azúcar)* lump

terror [te'ror] *m* terror

terrorismo [tero'rizmo] *m* terrorism

terrorista [tero'rista] *mf* terrorist

tertulia [ter'tulja] *f* **1.** *(personas)* regular meeting of people for informal discussion *of a particular issue of common interest*

tesis ['tesis] *f inv* thesis

tesoro [te'soro] *m* **1.** *(botín)* treasure **2.** *(hacienda pública)* treasury

test ['tes] *m* test

testamento [testa'mento] *m* will

testarudo, da [testa'ruðo, ða] *adj* stubborn

testículo [tes'tikulo] *m* testicle

testigo [tes'tiɣo] *m* witness

testimonio [testi'monjo] *m* **1.** *(prueba)* proof **2.** *(declaración)* testimony

teta ['teta] *f (fam)* tit

tetera [te'tera] *f* teapot

tetrabrick [tetra'βrik] *m* tetrabrick

textil [teks'til] *adj* textile

texto ['teksto] *m* **1.** text **2.** *(pasaje, fragmento)* passage

textura [teks'tura] *f* texture

ti [ti] *pron* **1.** *(después de preposición)* you **2.** *(reflexivo)* yourself

tianguis ['tjaŋgis] *m inv (Amér)* (openair) market

tibia ['tiβja] *f* shinbone

tibio, bia ['tiβjo, βja] *adj* **1.** *(cálido)* warm **2.** *(falto de calor)* lukewarm

tiburón [tiβu'ron] *m* shark

ticket ['tiket] *m* **1.** *(billete)* ticket **2.** *(recibo)* receipt

tiempo ['tjempo] *m* **1.** time **2.** *(en meteorología)* weather **3.** *(edad)* age **4.** *(en deporte)* half **5.** *(en gramática)* tense

a tiempo on time ● **al mismo tiempo que** at the same time as ● **con tiempo** in good time ● **del tiempo** *(bebida)* at room temperature ● **en otros tiempos** in a different age ● **hace tiempo** a long time ago ● **hace tiempo que no te**

veo it's a long time since I saw you ● **tener tiempo** to have time ● **todo el tiempo** *(todo el rato)* all the time; *(siempre)* always ● **tiempo libre** spare time

tienda ['tjenda] *f* **1.** shop **2.** *(para acampar)* tent ● **ir de tiendas** to go shopping ● **tienda de campaña** tent ● **tienda de comestibles** grocery (shop) ● **tienda de confecciones** clothes shop

tierno, na ['tjerno, na] *adj* **1.** tender **2.** *(pan)* fresh

tierra ['tjera] *f* **1.** land **2.** *(materia)* soil **3.** *(suelo)* ground **4.** *(patria)* homeland ● **tierra adentro** inland ● **tomar tierra** to touch down ◆ **Tierra** *f* ● **la Tierra** the Earth

tieso, sa ['tjeso, sa] *adj* **1.** *(rígido)* stiff **2.** *(erguido)* erect **3.** *(antipático)* haughty

tiesto ['tjesto] *m* flowerpot

tigre, esa ['tiɣre, esa] *m,f* tiger *(f* tigress*)*

tijeras [ti'xeras] *fpl* scissors

tila ['tila] *f* lime blossom tea

tilde ['tilde] *f* **1.** *(acento)* accent **2.** *(de ñ)* tilde

timbal [tim'bal] *m* kettledrum

timbre ['timbre] *m* **1.** *(aparato)* bell **2.** *(de voz, sonido)* tone **3.** *(sello)* stamp

tímido, da ['timiðo, ða] *adj* shy

timo ['timo] *m* swindle

timón [ti'mon] *m* **1.** rudder **2.** *(Andes) (de carro)* steering wheel

tímpano ['timpano] *m (del oído)* eardrum

tina ['tina] *f* **1.** *(vasija)* pitcher **2.** *(bañera)* bathtub

tino ['tino] *m* **1.** *(juicio)* good judgment **2.** *(moderación)* moderation

to

tinta ['tinta] *f* ink ● **en su tinta** cooked in its ink

tintero [tin'tero] *m (en pupitre)* inkwell

tinto ['tinto] *m* red wine

tintorería [tintore'ria] *f* dry cleaner's

tío, a ['tio, a] *m,f* **1.** *(pariente)* uncle *(f* aunt) **2.** *(fam) (compañero, amigo)* mate *(UK)*, buddy *(US)* **3.** *(fam) (persona)* guy *(f* girl)

tiovivo [tio'βiβo] *m* merry-go-round

típico, ca ['tipiko, ka] *adj* **1.** typical **2.** *(traje, restaurante)* traditional

tipo ['tipo] *m* **1.** *(clase)* type **2.** *(figura de mujer)* figure **3.** *(figura de hombre)* build **4.** *(fam) (individuo)* guy **5.** *(modelo)* model ● **tipo de cambio** exchange rate

tipografía [tipoɣra'fia] *f (arte)* printing

tira ['tira] *f* strip

tirabuzón [tiraβu'θon] *m* ringlet

tirada [ti'raða] *f* **1.** *(número de ventas)* circulation **2.** *(en juegos)* throw **3.** *(distancia grande)* long way

tiradero [tira'ðero] *m (Amér)* dump

tirador [tira'ðor] *m (de puerta, cajón)* handle

tiranía [tira'nia] *f* tyranny

tirano, na [ti'rano, na] *m,f* tyrant

tirante [ti'rante] *adj* **1.** *(estirado)* taut **2.** *(relación, situación)* tense ◆ **tirantes** *mpl* braces *(UK)*, suspenders *(US)*

tirar [ti'rar] ◇ *vt* **1.** *(arrojar, lanzar)* to throw **2.** *(desechar, malgastar)* to throw away **3.** *(derribar)* to knock down **4.** *(dejar caer)* to drop **5.** *(volcar)* to knock over **6.** *(derramar)* to spill **7.** *(disparar)* to fire ◇ *vi* **1.** *(atraer)* to be attractive **2.** *(desviarse)* to head **3.** *(fam) (durar)* to

keep going **4.** *(en juegos)* to have one's go ● **tirar de** to pull ● **voy tirando** I'm O.K., I suppose ▼ **tirar** pull ◆ **tirar a** *v + prep (parecerse a)* to take after ● **tirar a gris** to be greyish ◆ **tirarse** *vp* **1.** to throw o.s. **2.** *(tiempo)* to spend

tirita® [ti'rita] *f* (sticking) plaster *(UK)*, Band-Aid® *(US)*

tiritar [tiri'tar] *vi* to shiver

tiro ['tiro] *m* **1.** shot **2.** *(actividad)* shooting **3.** *(herida)* gunshot wound **4.** *(de chimenea)* draw **5.** *(de carruaje)* team

tirón [ti'ron] *m* **1.** *(estirón)* pull **2.** *(robo)* bagsnatching

tisú [ti'su] *m* lamé

títere ['titere] *m* puppet ◆ **títeres** *mpl (espectáculo)* puppet show *sg*

titular [titu'lar] ◇ *adj* official ◇ *m* headline ◇ *vt* to title ◆ **titularse** *vp* **1.** *(llamarse)* to be called **2.** *(en estudios)* to graduate

título ['titulo] *m* **1.** title **2.** *(diploma)* qualification **3.** *(licenciatura)* degree

tiza ['tiθa] *f* chalk

tlapalería [tlapale'ria] *f (Amér)* hardware shop

toalla [to'aʎa] *f* towel ● **toalla de ducha** bath towel ● **toalla de manos** hand towel

tobillo [to'βiʎo] *m* ankle

tobogán [toβo'ɣan] *m* **1.** *(en parque de atracciones)* helter-skelter *(UK)*, slide **2.** *(rampa)* slide **3.** *(en piscina)* flume *(UK)*, waterslide **4.** *(trineo)* toboggan

tocadiscos [toka'ðiskos] *m inv* record player

tocador [toka'ðor] *m* **1.** *(mueble)* dressing table **2.** *(habitación)* powder room

tocar [to'kar] ◇ *vt* **1.** to touch **2.** *(palpar)* to feel **3.** *(instrumento musical)* to play **4.** *(alarma)* to sound **5.** *(timbre, campana)* to ring **6.** *(tratar)* to touch on ◇ *vi* **1.** *(a la puerta)* to knock **2.** *(al timbre)* to ring **3.** *(estar próximo)* to border ● **te toca a ti** *(es tu turno)* it's your turn; *(es tu responsabilidad)* it's up to you ● **le tocó la mitad** he got half of it ● **le tocó el gordo** she won first prize ▼ **no tocar el género** do not touch

tocino [to'θino] *m* bacon fat ● **tocino de cielo** *dessert made of sugar and eggs*

todavía [toða'βia] *adv* still ● **todavía no** not yet

todo, da ['toðo, ða] ◇ *adj* **1.** all **2.** *(cada, cualquier)* every ◇ *pron* **1.** *(para cosas)* everything, all of them *pl* **2.** *(para personas)* everybody ◇ *m* whole ● **todo el libro** all (of) the book ● **todos los lunes** every Monday ● **tenemos de todo** we've got all sorts of things ● **ante todo** first of all ● **sobre todo** above all

toga ['toɣa] *f (de abogado, juez)* gown

toldo ['toldo] *m* **1.** *(de tienda)* awning **2.** *(de playa)* sunshade

tolerado, da [tole'raðo, ða] *adj (Esp) (película, espectáculo)* ≃ PG

tolerancia [tole'ranθja] *f* tolerance

tolerante [tole'rante] *adj* tolerant

tolerar [tole'rar] *vt* **1.** to tolerate **2.** *(sufrir)* to stand

toma ['toma] *f* **1.** *(de leche)* feed **2.** *(de agua, gas)* inlet **3.** *(de luz)* socket

tomar [to'mar] *vt* **1.** to take **2.** *(contratar)* to take on **3.** *(comida, bebida, baño, ducha)* to have **4.** *(sentir)* to acquire ●

tomar a alguien por to take sb for ● **tomar algo a mal** to take sthg the wrong way ● **¿quieres tomar algo?** *(comer, beber)* do you want anything to eat/drink? ● **tomar el fresco** to get a breath of fresh air ● **tomar el sol** to sunbathe ● **tomar prestado** to borrow

tomate [to'mate] *m* tomato

tómbola ['tombola] *f* tombola

tomillo [to'miʎo] *m* thyme

tomo ['tomo] *m* volume

tonel [to'nel] *m* barrel

tonelada [tone'laða] *f* tonne

tónica ['tonika] *f (bebida)* tonic water

tónico, ca ['toniko, ka] ◇ *adj* **1.** *(vigorizante)* revitalizing **2.** *(con acento)* tonic ◇ *m (cosmético)* skin toner

tono ['tono] *m* **1.** tone **2.** *(de color)* shade

tontería [tonte'ria] *f* **1.** *(cualidad)* stupidity **2.** *(indiscreción)* stupid thing **3.** *(cosa sin valor)* trifle

tonto, ta ['tonto, ta] *adj* **1.** stupid **2.** *(ingenuo)* innocent

tope ['tope] *m* **1.** *(punto máximo)* limit **2.** *(pieza)* block

tópico, ca ['topiko, ka] ◇ *adj (medicamento)* topical ◇ *m* **1.** *(tema recurrente)* recurring theme **2.** *(frase muy repetida)* cliché

topo ['topo] *m* mole

tórax ['toraks] *m inv* thorax

torbellino [torβe'ʎino] *m* **1.** *(de viento)* whirlwind **2.** *(de sucesos, preguntas, etc)* spate

torcer [tor'θer] ◇ *vt* **1.** *(retorcer)* to twist **2.** *(doblar)* to bend **3.** *(girar)* to turn **4.** *(inclinar)* to tilt ◇ *vi* to turn ● **torcerse** *vp* **1.** *(fracasar)* to go wrong **2.** *(no* *cumplirse*) to be frustrated ● **torcerse el brazo** to twist one's arm ● **torcerse el tobillo** to sprain one's ankle

torcido, da [tor'θiðo, ða] *adj* **1.** (*retorcido*) twisted **2.** (*doblado*) bent **3.** (*inclinado*) crooked

tordo ['torðo] *m* thrush

torear [tore'ar] ◇ *vt* **1.** (*toro, vaquilla*) to fight **2.** (*fig*) (*evitar*) to dodge **3.** (*fig*) (*burlarse de*) to mess about ◇ *vi* to fight bulls

torera [to'rera] *f* bolero (jacket)

torero, ra [to'rero, ra] *m,f* bullfighter

tormenta [tor'menta] *f* storm

tormentoso, sa [tormen'toso, sa] *adj* stormy

torneo [tor'neo] *m* tournament

tornillo [tor'niʎo] *m* screw

torniquete [torni'kete] *m* (*para hemorragia*) tourniquet

toro ['toro] *m* bull ● **toros** *mpl* **1.** (*corrida*) bullfight *sg* **2.** (*fiesta*) bullfighting *sg*

Los toros

Bullfighting remains popular in Spain and Latin America, although it is becoming increasingly controversial. Bullfights begin with the participants parading across the bullring in traditional costume. The fight has three parts: first of all, the mounted picador goads the bull with a lance; then the *banderillero* sticks barbed darts into it; finally, the *matador* performs a series of passes with his cape before

killing the bull with his sword. A bullfighter who has performed well receives the ears and tail of the bull.

torpe ['torpe] *adj* **1.** (*poco ágil*) clumsy **2.** (*poco inteligente, lento*) slow

torpedo [tor'peðo] *m* torpedo

torpeza [tor'peθa] *f* **1.** (*falta de agilidad*) clumsiness **2.** (*falta de inteligencia, lentitud*) slowness

torre ['tore] *f* **1.** tower **2.** (*de oficinas, etc*) tower block (*UK*), high-rise (*US*) **3.** (*en ajedrez*) castle, rook

torrente [to'rente] *m* torrent

torrija [to'rixa] *f* French toast

torta ['torta] *f* **1.** (*fam*) (*bofetada*) thump **2.** (*fam*) (*accidente*) bump **3.** (*Amér*) (*de verduras, de carne*) pie **4.** (*CSur & Ven*) (*dulce*) cake **5.** (*Méx*) (*de pan*) sandwich **6.** ● **ni torta** (*fam*) not a thing

tortazo [tor'taθo] *f* **1.** (*fam*) (*bofetada*) thump **2.** (*golpe fuerte*) bump

tortilla [tor'tiʎa] *f* **1.** omelette **2.** (*Méx*) (*de harina*) tortilla ● **tortilla de atún** tuna omelette ● **tortilla de champiñón** mushroom omelette ● **tortilla (a la) francesa** plain omelette ● **tortilla de gambas** prawn omelette ● **tortilla de jamón** ham omelette ● **tortilla de patatas** Spanish omelette

tórtola ['tortola] *f* turtledove

tortuga [tor'tuɣa] *f* **1.** (*terrestre*) tortoise **2.** (*marina*) turtle

torturar [tortu'rar] *vt* to torture

tos ['tos] *f* cough

toser [to'ser] *vi* to cough

tosta ['tosta] *f* piece of toast with a topping

tostada [tos'taða] *f* piece of toast

tostador [tosta'ðor] *m* toaster

tostar [tos'tar] *vt* to toast ◆ **tostarse** *vp* *(broncearse)* to get brown

total [to'tal] ◇ *adj & m* total ◇ *adv* so, anyway

totalidad [totali'ðað] *f* ● **la totalidad de** all of

tóxico, ca ['toksiko, ka] *adj* poisonous

toxicomanía [toksikoma'nia] *f* drug addiction

toxicómano, na [toksi'komano, na] *m,f* drug addict

trabajador, ra [traβaxa'ðor, ra] ◇ *adj* hard-working ◇ *m,f* worker

trabajar [traβa'xar] *vt & vi* to work ● **trabajar de** to work as ● **trabajar de canguro** to babysit

trabajo [tra'βaxo] *m* 1. work 2. *(empleo)* job 3. *(esfuerzo)* effort 4. *(en el colegio)* essay ● **trabajos manuales** arts and crafts

trabalenguas [traβa'lenguas] *m inv* tongue-twister

traca ['traka] *f* string of firecrackers

tractor [trak'tor] *m* tractor

tradición [traði'θjon] *f* tradition

tradicional [traðiθjo'nal] *adj* traditional

tradicionalmente [traðiθjo,nal'mente] *adv* traditionally

traducción [traðuk'θjon] *f* translation

traducir [traðu'θir] *vt* to translate

traductor, ra [traðuk'tor, ra] *m,f* translator

traer [tra'er] *vt* 1. *(trasladar)* to bring; *(llevar)* to carry ● **me trajo un regalo** she brought me a present ● **¿qué traes ahí?** what have you got there? 2.

(provocar, ocasionar) to bring ● **le trajo graves consecuencias** it had serious consequences for him 3. *(contener)* to have ● **el periódico trae una gran noticia** the newspaper has an important piece of news in it 4. *(llevar puesto)* to wear

◆ **traerse** *vp* ● **se las trae** *(fam)* it's got a lot to it

traficante [trafi'kante] *mf* trafficker

traficar [trafi'kar] *vi* to traffic

tráfico ['trafiko] *m* 1. *(de vehículos)* traffic 2. *(de drogas)* trafficking

tragar [tra'ɣar] ◇ *vt* 1. *(ingerir)* to swallow 2. *(fam) (devorar, consumir)* to guzzle 3. *(soportar)* to put up with ◇ *vi* to swallow ● **no tragar a alguien** *(fam)* not to be able to stand sb ● **tragarse** *vp* *(fam)* to swallow

tragedia [tra'xeðja] *f* tragedy

trágico, ca ['traxiko, ka] *adj* tragic

tragicomedia [traxiko'meðja] *f* tragi-comedy

trago ['traɣo] *m* 1. *(de líquido)* mouthful 2. *(fam) (copa)* drink 3. *(disgusto)* difficult situation

traición [trai'θjon] *f* 1. *(infidelidad)* betrayal 2. *(delito)* treason

traje ['traxe] *m* 1. *(vestido)* dress 2. *(de hombre)* suit 3. *(de chaqueta)* two-piece suit 4. *(de región, época, etc)* costume ● **traje de baño** swimsuit ● **traje (de) chaqueta** woman's two-piece suit ● **traje de luces** matador's outfit

trama ['trama] *f* 1. *(de novela, historia)* plot 2. *(maquinación)* intrigue

tramar [tra'mar] *vt* to weave

tramitar [trami'tar] *vt* 1. *(suj: autorida-*

des) to process (document) **2.** (suj: solicitante) to obtain

tramo ['tramo] m **1.** (de camino, calle) stretch **2.** (de escalera) flight (of stairs)

tramontana [tramon'tana] f north wind

tramoya [tra'moja] f (en teatro) stage machinery

tramoyista [tramo'jista] mf stage hand

trampa ['trampa] f **1.** (para cazar) trap **2.** (engaño) trick **3.** (en juego) cheating **4.** (puerta) trapdoor • **hacer trampa** to cheat

trampolín [trampo'lin] m **1.** (en piscina) diving board **2.** (en esquí) ski jump **3.** (en gimnasia) springboard

trance ['tranθe] m **1.** (momento difícil) difficult situation **2.** (estado hipnótico) trance

tranquilidad [traṅkili'ðað] f **1.** (de lugar) peacefulness **2.** (de carácter) calmness **3.** (despreocupación) peace of mind

tranquilo, la [traṅ'kilo, la] adj **1.** (lugar) peaceful **2.** (de carácter, mar, tiempo) calm **3.** (libre de preocupaciones) unworried

transbordador [tranzβorða'ðor] m ferry

transbordar [tranzβor'ðar] vt to transfer

transbordo [tranz'βorðo] m change (of train etc) • **hacer transbordo** to change

transcurrir [transku'rir] vi to take place

transeúnte [transe'unte] mf passer-by

transferencia [transfe'renθja] f transfer

transformación [transforma'θjon] f transformation

transformador [transforma'ðor] m transformer

transformar [transfor'mar] vt to transform • **transformar algo en** to turn sthg into • **transformarse** vp (cambiar) to be transformed • **transformarse en** to be converted into

transfusión [transfu'sjon] f transfusion

transición [transi'θjon] f transition

transigir [transi'xir] vi **1.** (ceder) to compromise **2.** (ser tolerante) to be tolerant

transistor [transis'tor] m transistor

tránsito ['transito] m (de vehículos) traffic

translúcido, da [tranz'luθiðo, ða] adj translucent

transmitir [tranzmi'tir] vt **1.** (difundir) to broadcast **2.** (comunicar) to pass on **3.** (contagiar) to transmit

transparente [transpa'rente] adj transparent

transportar [transpor'tar] vt to transport

transporte [trans'porte] m transport (UK), transportation (US) • **transporte público** public transport (UK), transportation (US)

transversal [tranzβer'sal] adj **1.** (atravesado) transverse **2.** (perpendicular) cross (antes de s)

tranvía [tram'bia] m tram

trapear [trape'ar] vt (Amér) to mop

trapecio [tra'peθjo] m trapeze

trapecista [trape'θista] mf trapeze artist

trapo ['trapo] m **1.** (trozo de tela) rag **2.** (para limpiar) cloth

tráquea ['trakea] *f* windpipe

tras [tras] *prep* **1.** *(detrás de)* behind **2.** *(después de)* after

trasero, ra [tra'sero, ra] ◇ *adj* back *(antes de s)* ◇ *m (fam)* backside

trasladar [trazla'ðar] *vt* **1.** *(mudar)* to move **2.** *(empleado, trabajador)* to transfer **3.** *(aplazar)* to postpone ◆ **trasladarse** *vp* **1.** *(desplazarse)* to go **2.** *(mudarse)* to move

traslado [traz'laðo] *m* **1.** *(de muebles, libros, etc)* moving **2.** *(de puesto, cargo, etc)* transfer

traspasar [traspa'sar] *vt* **1.** *(cruzar)* to cross (over) **2.** *(atravesar)* to go through **3.** *(suj: líquido)* to soak through **4.** *(negocio)* to sell (as a going concern)

traspiés [tras'pjes] *m inv* **1.** *(tropezón)* trip **2.** *(equivocación)* slip

trasplantar [trasplan'tar] *vt* to transplant

trasplante [tras'plante] *m* transplant

traste ['traste] *m (CSur) (trasero)* backside ◆ **trastes** *mpl (Andes, CAm & Méx)* things ● **lavar los traste** to do the dishes

trasto ['trasto] *m* **1.** *(objeto inútil)* piece of junk **2.** *(fig) (persona)* nuisance ◆ **trastos** *mpl (equipo)* things

tratado [tra'taðo] *m* **1.** *(acuerdo)* treaty **2.** *(escrito)* treatise

tratamiento [trata'mjento] *m* **1.** treatment **2.** *(título)* title

tratar [tra'tar] *vt* **1.** to treat **2.** *(discutir)* to discuss **3.** *(conocer)* to come into contact with ◆ **tratar de** *v + prep* **1.** *(hablar sobre)* to be about **2.** *(intentar)* to try to

tratativas [trata'tiβas] *fpl (CSur)* negotiations

trato ['trato] *m* **1.** *(de persona)* treatment **2.** *(acuerdo)* deal **3.** *(tratamiento)* dealings *pl*

trauma ['trauma] *m* trauma

través [tra'βez] ◆ **a través de** *prep* **1.** *(en espacio)* across **2.** *(en tiempo)* through

travesaño [traβe'saɲo] *m (de portería)* crossbar

travesía [traβe'sia] *f* **1.** *(calle)* cross-street **2.** *(por mar)* crossing **3.** *(por aire)* flight

travesti [tra'βesti] *m* transvestite

travieso, sa [tra'βjeso, sa] *adj* mischievous

trayecto [tra'jekto] *m* **1.** *(camino, distancia)* distance **2.** *(viaje)* journey **3.** *(ruta)* route

trayectoria [trajek'toria] *f* **1.** *(recorrido)* trajectory **2.** *(desarrollo)* path

trazado [tra'θaðo] *m* **1.** *(de carretera, canal)* course **2.** *(de edificio)* design

trazar [tra'θar] *vt* **1.** *(línea, dibujo)* to draw **2.** *(proyecto, plan)* to draw up

trazo ['traθo] *m* **1.** line **2.** *(de escritura)* stroke

trébol ['treβol] *m* **1.** *(planta)* clover **2.** *(en naipes)* club

trece ['treθe] *núm* thirteen ➤ **seis**

tregua ['treɣwa] *f* **1.** *(en conflicto)* truce **2.** *(en trabajo, estudios)* break

treinta ['treinta] *núm* thirty ➤ **seis**

tremendo, da [tre'mendo, da] *adj* **1.** *(temible)* terrible **2.** *(muy grande)* enormous **3.** *(travieso)* mischievous

tren ['tren] *m* train ● **tren de alta velocidad** high-speed train ● **tren de**

aterrizaje landing gear ● **tren de cercanías** local train ● **tren de lavado** car wash

trenza ['trenθa] *f* plait (*UK*), braid (*US*)

trepar [tre'par] *vt* to climb

tres [tres] *núm* three ➤ **seis**

tresillo [tre'siʎo] *m* **1.** (*sofá*) three-piece suite **2.** (*juego*) ombre *card game for three players*

trial [tri'al] *m* trial

triangular [triaŋgu'lar] *adj* triangular

triángulo [tri'aŋgulo] *m* triangle

tribu ['triβu] *f* tribe

tribuna [tri'βuna] *f* **1.** (*para orador*) rostrum **2.** (*para espectadores*) stand

tribunal [triβu'nal] *m* **1.** court **2.** (*en examen, oposición*) board of examiners

triciclo [tri'θiklo] *m* tricycle

trigo ['triɣo] *m* wheat

trilladora [triʎa'ðora] *f* threshing machine

trillar [tri'ʎar] *vt* to thresh

trillizos, zas [tri'ʎiθos, θas] *m,f adj* triplets

trimestral [trimes'tral] *adj* **1.** (*cada tres meses*) quarterly **2.** (*de tres meses*) three-month

trimestre [tri'mestre] *m* **1.** (*periodo*) quarter, three months *pl* **2.** (*en escuela*) term (*UK*), quarter (*US*)

trinchante [trin'tʃante] *m* **1.** (*cuchillo*) carving knife **2.** (*tenedor*) meat fork

trineo [tri'neo] *m* sledge

trío ['trio] *m* trio

tripa ['tripa] *f* **1.** (*barriga*) belly **2.** (*intestino*) gut ◆ **tripas** *fpl* (*interior*) insides

triple ['triple] ◇ *adj* triple ◇ *m* (*en*

baloncesto*) three-pointer ● **el triple de three times as much as

trípode ['tripoðe] *m* tripod

tripulación [tripula'θion] *f* crew

tripulante [tripu'lante] *mf* crew member

triste ['triste] *adj* **1.** sad **2.** (*color, luz*) pale **3.** (*insuficiente*) miserable

tristeza [tris'teθa] *f* sadness

triturar [tritu'rar] *vt* **1.** (*desmenuzar*) to grind **2.** (*mascar*) to chew

triunfal [triun'fal] *adj* triumphant

triunfar [triun'far] *vi* **1.** (*vencer*) to win **2.** (*tener éxito*) to succeed

triunfo [tri'unfo] *m* **1.** (*victoria*) triumph **2.** (*en encuentro*) victory, win

trivial [tri'βial] *adj* trivial

trizas ['triθas] *fpl* bits ● **hacer trizas** (*hacer añicos*) to smash to pieces; (*desgarrar*) to tear to shreds

trofeo [tro'feo] *m* trophy

trombón [trom'bon] *m* trombone

trompa ['trompa] *f* **1.** (*de elefante*) trunk **2.** (*instrumento*) horn ● **coger una trompa** (*fam*) to get sloshed

trompazo [trom'paθo] *m* bump

trompeta [trom'peta] *f* trumpet

tronar [tro'nar] *vi* ● **tronaba** it was thundering

tronco ['troŋko] *m* trunk ● **tronco de merluza** thick hake steak taken from the back of the fish

trono ['trono] *m* throne

tropa ['tropa] *f* **1.** (*de soldados*) troops *pl* **2.** (*de personas*) crowd ◆ **tropas** *fpl* troops

tropezar [trope'θar] *vi* **1.** to trip ● **tropezar con** to walk into

tropezón [trope'θon] *m* **1.** *(tropiezo)* trip **2.** *(de jamón, pan)* small chunk **3.** *(equivocación)* slip

tropical [tropi'kal] *adj* tropical

trópico ['tropiko] *m* tropic

tropiezo [tro'pjeθo] *m* **1.** *(tropezón)* trip **2.** *(dificultad)* obstacle **3.** *(equivocación)* slip

trotar [tro'tar] *vi* **1.** *(caballo)* to trot **2.** *(persona)* to dash around

trote ['trote] *m* **1.** *(de caballo)* trot **2.** *(trabajo, esfuerzo)* dashing around

trozo ['troθo] *m* piece ● **a trozos** in patches ● **un trozo de** a piece of

trucaje [tru'kaxe] *m* *(en cine)* trick photography

trucha ['trutʃa] *f* trout

truco ['truko] *m* **1.** *(trampa, engaño)* trick **2.** *(en cine)* special effect

trueno ['trweno] *m* **1.** *(durante tormenta)* (roll of) thunder **2.** *(de arma)* boom

trufa ['trufa] *f* truffle ● **trufas heladas** frozen chocolate truffles

tu [tu] *(pl* **tus**) *adj* your

tú [tu] *pron* you ● **hablar** o **tratar de tú a alguien** to address sb as tú

tuberculosis [tuβerku'losis] *f inv* tuberculosis

tubería [tuβe'ria] *f* pipe

tubo ['tuβo] *m* **1.** *(de agua, gas)* pipe **2.** *(recipiente)* tube ● **tubo de escape** exhaust pipe

tuerca ['twerka] *f* nut

tuerto, ta ['twerto, ta] *adj* *(sin un ojo)* one-eyed

tul ['tul] *m* tulle

tulipán [tuli'pan] *m* tulip

tullido, da [tu'ʎiðo, ða] *adj* paralysed

tumba ['tumba] *f* grave

tumbar [tum'bar] *vt* **1.** *(derribar)* to knock down **2.** *(fam)* *(suspender)* to fail ● **tumbarse** *vp* to lie down

tumbona [tum'bona] *f* **1.** *(en la playa)* deck chair **2.** *(en el jardín)* sun lounger

tumor [tu'mor] *m* tumour

tumulto [tu'multo] *m* **1.** *(disturbio)* riot **2.** *(confusión)* uproar

tuna ['tuna] *f* group of student minstrels

tuna

Tunas (also called *estudiantinas* in some parts of Latin America) are musical groups made up of students wearing the traditional dress of black capes and coloured ribbons. They wander the streets playing folk songs on traditional instruments, either for fun or to make a bit of money.

túnel ['tunel] *m* tunnel

Túnez ['tuneθ] *s (país)* Tunisia

túnica ['tunika] *f* tunic

tupido, da [tu'piðo, ða] *adj* thick

turbina [tur'βina] *f* turbine

turbio, bia ['turβjo, βja] *adj* **1.** *(líquido, agua)* cloudy **2.** *(asunto)* shady

turbulencia [turβu'lenθja] *f* turbulence

turco, ca ['turko, ka] ◇ *adj* Turkish ◇ *m,f* Turk

turismo [tu'rizmo] *m* **1.** tourism **2.** *(coche)* private car

turista [tu'rista] *mf* tourist

turistear [turiste'ar] *vi* *(Andes & Méx)* to go sightseeing *un*

turístico, ca [tu'ristiko, ka] *adj* tourist *(antes de s)*

túrmix ® ['turmiks] *f inv* blender

turno ['turno] *m* **1.** *(momento)* turn **2.** *(en el trabajo)* shift ▼ **su turno** next customer, please

Turquía [tur'kia] *s* Turkey

turrón [tu'ron] *m* sweet eaten at Christmas, made with almonds and honey

tutear [tute'ar] *vt* to address as tú ◆ **tutearse** *vp* to address one another as tú

tutor, ra [tu'tor, ra] *m,f* **1.** *(de bienes, menor)* guardian **2.** *(de curso)* class teacher

tuyo, ya ['tujo, ja] ◇ *adj* yours ◇ *pron* ● **el tuyo, la tuya** yours ● **lo tuyo** your thing ● **un amigo tuyo** a friend of yours

TV ['te'uβe] *(abr de televisión)* TV *(television)*

*u*U

UCI ['uθi] *f (abr de unidad de cuidados intensivos)* ICU *(Intensive Care Unit)*

Ud. *abrev* = **usted**

Uds. *abrev* = **ustedes**

UE *f (abr de Unión Europea)* EU *(European Union)*

úlcera ['ulθera] *f* ulcer

último, ma ['ultimo, ma] *adj* **1.** last **2.** *(más reciente)* latest **3.** *(más bajo)* bottom **4.** *(más alto)* top ● **a últimos de** at the end of ● **por último** finally ● **última llamada** last call

ultramarinos [ultrama'rinos] *m inv (tienda)* grocer's (shop) *(UK)*, grocery store *(US)*

ultravioleta [ultraβjo'leta] *adj* ultraviolet

umbral [um'bral] *m* threshold

un, una [un, 'una] ◇ *art a*, an *(antes de sonido vocálico)* ◇ *adj* ➤ **uno** ● **un hombre** a man ● **una mujer** a woman ● **un águila** an eagle

unánime [u'nanime] *adj* unanimous

UNED [u'neð] *f* Spanish open university

únicamente [,unika'mente] *adv* only

único, ca ['uniko, ka] *adj* **1.** *(solo)* only **2.** *(extraordinario)* unique **3.** *(precio)* single ● **lo único que quiero** all I want

unidad [uni'ðað] *f* **1.** unit **2.** *(unión, acuerdo)* unity

unido, da [u'niðo, ða] *adj* **1.** *(cariñosamente)* close **2.** *(físicamente)* joined

unifamiliar [unifami'ljar] *adj* detached

unificación [unifika'θjon] *f* unification

uniforme [uni'forme] ◇ *m* uniform ◇ *adj* even

unión [u'njon] *f* 1. union 2. *(coordinación, acuerdo)* unity 3. *(cariño)* closeness

unir [u'nir] *vt* 1. *(juntar)* to join 2. *(mezclar)* to mix 3. *(personas)* to unite 4. *(comunicar)* to link ◆ **unirse** *vp* to join together

unisex [uni'seks] *adj inv* unisex

universal [uniβer'sal] *adj* universal

universidad [uniβersi'ðað] *f* university

universitario, ria [uniβersi'tarjo, rja] *m,f* 1. *(estudiante)* student 2. *(licenciado)* graduate

universo [uni'βerso] *m* universe

uno, una ['uno, na]
◇ *adj* 1. *(indefinido)* one, some *pl* ◆ **un día volveré** one day I will return ◆ **unos coches** some cars 2. *(para expresar cantidades)* one ◆ **treinta y un días** thirty-one days 3. *(aproximadamente)* around, about ◆ **había unas doce personas** there were around twelve people
◇ *pron* 1. *(indefinido)* one, some *pl* ◆ **coge uno** take one ◆ **dame unas** give me some ◆ **uno de ellos** one of them ◆ **uno ... otro** one ... another, some ... others *pl* 2. *(fam) (referido a personas)* someone ◆ **ayer hablé con uno que te conoce** I spoke to someone who knows you yesterday 3. *(yo)* one 4. *(en locuciones)* ◆ **de uno en uno** one by one ◆ **uno a** o **por uno** one by one ◆ **más de uno** many people, seis

untar [un'tar] *vt* 1. *(pan, tostada)* to spread 2. *(manchar)* to smear ◆ **untarse** *vp* to smear o.s.

uña ['uɲa] *f* 1. *(de persona)* nail 2. *(de animal)* claw ◆ **hacerse las uñas** to do one's nails

uralita ® [ura'lita] *f* corrugated material made from cement and asbestos, used for roofing

uranio [u'ranjo] *m* uranium

urbanización [urβaniθa'θjon] *f* housing development

urbano, na [ur'βano, na] ◇ *adj* urban ◆ *m,f* local police officer who deals mainly with traffic offences

urgencia [ur'xenθja] *f* emergency ◆ **Urgencias** *fpl* casualty *(department) sg (UK)*, emergency room *sg (US)*

urgente [ur'xente] *adj* urgent ▼ **urgente** *(en cartas)* express

urgentemente [ur,xente'mente] *adv* urgently

urinario [uri'narjo] *m* urinal

urna ['urna] *f* 1. *(de votación)* (ballot) box 2. *(para restos mortales)* urn 3. *(de exposición)* glass case

urraca [u'raka] *f* magpie

urticaria [urti'karja] *f* nettle rash

Uruguay [uru'ɣwai] *m* ◆ **(el) Uruguay** Uruguay

uruguayo, ya [uru'ɣwajo, ja] *adj & m,f* Uruguayan

usado, da [u'saðo, ða] *adj (gastado)* worn

usar [u'sar] *vt* 1. to use 2. *(llevar)* to wear ◆ **¿qué talla usa?** what size do you take?

uso ['uso] *m* 1. use 2. *(costumbre)* custom

usted [us'teð, ðes] *(pl* **-des)** *pron* you

usual [uˈsu̯al] *adj* usual

usuario, ria [uˈsu̯arjo, rja] *m.f* user

utensilio [utenˈsiljo] *m* **1.** *(herramienta)* tool **2.** *(de cocina)* utensil

útero [ˈutero] *m* womb

útil [ˈutil] ◇ *adj* useful ◇ *m* tool

utilidad [utiliˈðað] *f* **1.** *(cualidad)* usefulness **2.** *(provecho)* use

utilitario [utiliˈtarjo] *m* small car

utilizar [utiliˈθ̟ar] *vt* to use

uva [ˈuβa] *f* grape ● **uvas de la suerte** *twelve grapes eaten for luck as midnight chimes on New Year's Eve in Spain*

UVA (*abr de* ultravioleta) UV (*ultraviolet*)

VV

vaca [ˈbaka] *f* **1.** *(animal)* cow **2.** *(carne)* beef

vacaciones [bakaˈθ̟jones] *fpl* holidays (*UK*), vacation (*US*) ● **estar de vacaciones** to be on holiday ● **ir de vacaciones** to go on holiday

vacante [baˈkante] *f* vacancy

vaciar [baθ̟iˈar] *vt* **1.** to empty **2.** *(hacer hueco)* to hollow out

vacilar [baθ̟iˈlar] *vi* **1.** *(dudar)* to hesitate **2.** *(tambalearse)* to wobble

vacío, a [baˈθ̟io, a] ◇ *adj* empty ◇ *m* **1.** *(espacio)* void **2.** *(hueco)* gap ● **envasado al vacío** vacuum-packed

vacuna [baˈkuna] *f* vaccine

vacunación [bakunaˈθ̟jon] *f* vaccination

vacunar [bakuˈnar] *vt* to vaccinate

vado [ˈbaðo] *m* **1.** *(en la calle)* lowered kerb (*UK*), entrance **2.** *(de río)* ford ▼ **vado permanente** keep clear

vagabundo, da [baɣaˈβundo, da] *m.f* tramp

vagamente [ˌbaɣaˈmente] *adv* vaguely

vagina [baˈxina] *f* vagina

vago, ga [ˈbaɣo, ɣa] *adj* **1.** *(perezoso)* lazy **2.** *(impreciso)* vague

vagón [baˈɣon] *m* *(de pasajeros)* carriage (*UK*), car (*US*)

vagoneta [baɣoˈneta] *f* cart

vaho [ˈbao] *m* **1.** *(vapor)* steam **2.** *(aliento)* breath ◆ **vahos** *mpl* inhalation *sg*

vaína [ˈbaina] *f* *(de guisantes, habas)* pod

vainilla [baiˈniʎa] *f* vanilla

vajilla [baˈxiʎa] *f* dishes

vale [ˈbale] ◇ *m* **1.** *(papel)* voucher **2.** *(Ven) (amigo)* mate (*UK*), buddy (*US*) ◇ *interj* OK!

valentía [balenˈtia] *f* bravery

valer [baˈler] ◇ *vt* **1.** *(costar)* to cost **2.** *(tener un valor de)* to be worth **3.** *(originar)* to earn ◇ *vi* **1.** *(ser eficaz, servir)* to be of use **2.** *(persona)* to be good **3.** *(ser válido)* to be valid **4.** *(estar permitido)* to be allowed ● **¿cuánto vale?** how much is it? ● **¿vale?** OK? ● **vale la pena** it's worth it ◆ **valerse de** *v + prep* to make use of

valeriana [baleˈrjana] *f* *(infusión)* valerian tea

validez [baliˈðeθ̟] *f* validity

válido, da [ˈbaliðo, ða] *adj* *(documento, ley)* valid

valiente [baˈljente] *adj* **1.** *(persona)* brave **2.** *(actitud, respuesta)* fine

valioso, sa [ba'ljoso, sa] *adj* valuable

valla ['baʎa] *f* 1. *(cercado)* fence 2. *(muro)* barrier 3. *(de publicidad)* billboard 4. *(en deporte)* hurdle

valle ['baʎe] *m* valley

valor [ba'lor] *m* 1. value 2. *(valentía)* bravery

valoración [balora'θjon] *f* *(de precio)* valuation

valorar [balo'rar] *vt* 1. *(tasar)* to value 2. *(evaluar)* to evaluate

vals ['bals] *m* waltz

válvula ['balβula] *f* valve

vanguardista [bangwar'ðista] *adj* avant-garde

vanidad [bani'ðað] *f* vanity

vanidoso, sa [bani'ðoso, sa] *adj* vain

vapor [ba'por] *m* 1. vapour 2. *(de agua)* steam 3. *(barco)* steamship ● **al vapor** steamed

vaporizador [baporiθa'ðor] *m* spray

vaquero, ra [ba'kero, ra] *adj* *(ropa)* denim ◆ **vaqueros** *mpl* *(pantalones)* jeans

vara ['bara] *f* 1. *(de árbol)* stick 2. *(de metal)* rod 3. *(de mando)* staff

variable [bari'aβle] *adj* changeable

variado, da [bari'aðo, ða] *adj* 1. *(que varía)* varied 2. *(bombones, dulces)* assorted

variar [bari'ar] ◇ *vt* 1. *(cambiar)* to change 2. *(dar variedad)* to vary ◇ *vi* ● **variar de** *(cambiar)* to change; *(ser diferente)* to be different from

varicela [bari'θela] *f* chickenpox

varices [ba'riθes] *fpl* varicose veins

variedad [barje'ðað] *f* variety ◆ **variedades** *fpl* *(espectáculo)* variety *sg*

varios, rias ['barjos, rjas] *adj pl* 1. *(algunos)* several 2. *(diversos)* various

varón [ba'ron] *m* male

varonil [baro'nil] *adj* 1. *(de varón)* male 2. *(valiente, fuerte)* manly

vasallo, lla [ba'saʎo, ʎa] *m,f* subject

vasco, ca ['basko, ka] *adj, m & f* Basque

vascohablante [baskoa'βlante], **vasco-parlante** [baskopar'lante] ◇ *adj* Basque-speaking, bascophone ◇ *mf* Basque speaker

vasija [ba'sixa] *f* container *(earthenware)*

vaso ['baso] *m* 1. glass 2. *(de plástico)* cup

vasto, ta ['basto, ta] *adj* vast

Vaticano [bati'kano] *m* ● **El Vaticano** the Vatican

vaya ['baja] ◇ *v* ➤ ir ◇ *interj* well!

Vda. *abrev* = **viuda**

Vdo. *(abr de* viudo*)* widower

vecindad [beθin'dað] *f* 1. *(vecindario)* community 2. *(alrededores)* neighbourhood

vecindario [beθin'darjo] *m* community

vecino, na [be'θino, na] ◇ *adj* neighbouring ◇ *m,f* 1. *(de una casa)* neighbour 2. *(de barrio)* resident 3. *(de pueblo)* inhabitant

vegetación [bexeta'θjon] *f* vegetation

vegetal [bexe'tal] ◇ *adj* 1. *(planta)* plant *(antes de s)* 2. *(sandwich)* salad *(antes de s)* ◇ *m* vegetable

vegetariano, na [bexeta'rjano, na] *m,f* vegetarian

vehículo [be'ikulo] *m* 1. vehicle 2. *(de infección)* carrier

veinte ['bejnte] *núm* twenty ➤ **seis**

vejez [be'xeθ] *f* old age

vejiga [be'xiɣa] *f* bladder

vela ['bela] *f* **1.** *(cirio)* candle **2.** *(de barco)* sail **3.** *(vigilia)* vigil ● **pasar la noche en vela** not to sleep all night

velcro ® ['belkro] *m* velcro ®

velero [be'lero] *m* **1.** *(más pequeño)* sailing boat **2.** *(más grande)* sailing ship

veleta [be'leta] *f* weather vane

vello ['beʎo] *m* down

velo ['belo] *m* **1.** *(prenda)* veil **2.** *(tela)* cover

velocidad [beloθi'ðað] *f* **1.** *(rapidez)* speed **2.** *(marcha)* gear ▼ **velocidad controlada por radar** speed cameras in operation

velódromo [be'loðromo] *m* cycle track

velomotor [belomo'tor] *m* moped

velorio [be'lorjo] *m* wake

veloz [be'loθ] *adj* fast

vena ['bena] *f* vein

venado [be'naðo] *m* *(carne)* venison

vencedor, ra [benθe'ðor, ra] *m,f* winner

vencejo [ben'θexo] *m* swift

vencer [ben'θer] ◇ *vt* **1.** *(rival, enemigo)* to beat **2.** *(dificultad, suj: sueño)* to overcome ◇ *vi* **1.** *(ganar)* to win **2.** *(plazo, garantía)* to expire **3.** *(pago)* to be due

vencido, da [ben'θiðo, ða] *adj* beaten ● **darse por vencido** to give in

vencimiento [benθi'mjento] *m* **1.** *(de plazo, garantía)* expiry *(UK)*, expiration *(US)* **2.** *(de pago)* due date

venda ['benda] *f* bandage

vendaje [ben'daxe] *m* bandaging

vendar [ben'dar] *vt* to bandage

vendaval [benda'βal] *m* gale

vendedor, ra [bende'ðor, ra] *m,f* seller

vender [ben'der] *vt* to sell

vendimia [ben'dimja] *f* grape harvest

vendimiador, ra [bendimja'ðor, ra] *m,f* grape picker

vendimiar [bendi'mjar] *vt* to pick *(grapes)*

veneno [be'neno] *m* poison

venenoso, sa [bene'noso, sa] *adj* poisonous

venezolano, na [beneθo'lano, na] *adj* & *m,f* Venezuelan

Venezuela [bene'θuela] *s* Venezuela

venganza [ben'ganθa] *f* revenge

vengarse [ben'garse] *vp* to take revenge

venida [be'niða] *f* **1.** *(llegada)* arrival **2.** *(regreso)* return

venir [be'nir] *vi* **1.** *(presentarse)* to come ● **vino a verme** he came to see me **2.** *(llegar)* to arrive ● **vino a las doce** he arrived at twelve o'clock **3.** *(seguir en el tiempo)* to come ● **el año que viene** next year ● **ahora viene la escena más divertida** the funniest scene comes next **4.** *(suceder)* ● **le vino una desgracia inesperada** she suffered an unexpected misfortune ● **vino la guerra** the war came **5.** *(proceder)* ● **venir de** to come from **6.** *(hallarse, estar)* to be ● **el texto viene en inglés** the text is in English **7.** *(ropa, zapatos)* ● **el abrigo le viene pequeño** the coat is too small for her ● **tus zapatos no me vienen** your shoes don't fit me **8.** *(en locuciones)* ● **¿a qué viene esto?** what do you mean by that?

◆ **venirse** *vp* *(llegar)* to come back ● **venirse abajo** *(edificio, persona)* to collapse; *(proyecto)* to fall through

venta ['benta] *f* **1.** sale **2.** *(hostal)* country inn ● **venta anticipada** advance sale ● **venta al detalle** retail ● **venta al mayor** wholesale ▼ **venta de billetes** tickets on sale here ▼ **en venta** for sale

ventaja [ben'taxa] *f* advantage

ventana [ben'tana] *f* window

ventanilla [benta'niʎa] *f* **1.** *(de oficina, banco)* counter **2.** *(de cine, etc)* ticket office **3.** *(de coche)* window

ventilación [bentila'θion] *f* ventilation

ventilador [bentila'ðor] *m* ventilator, fan

ventisca [ben'tiska] *f* blizzard

ventosa [ben'tosa] *f* sucker

ventoso, sa [ben'toso, sa] *adj* windy

ventrílocuo, cua [ben'trilokuo, kua] *m,f* ventriloquist

ver [ber]
◇ *vt* **1.** *(percibir)* to see; *(mirar)* to look at; *(televisión, partido)* to watch ● **desde casa vemos el mar** we can see the sea from our house ● **he estado viendo tu trabajo** I've been looking at your work ● **ver la televisión** to watch television **2.** *(visitar, encontrar)* to see ● **fui a ver a unos amigos** I went to see some friends **3.** *(darse cuenta de, entender)* to see ● **ya veo que estás de mal humor** I see you're in a bad mood ● **ya veo lo que pretendes** now I see what you're trying to do **4.** *(investigar)* to see ● **voy a ver si han venido** I'm going to see whether they've arrived **5.** *(juzgar)* ● **yo no lo veo tan mal** I don't think it's that bad **6.** *(en locuciones)* ● **hay que ver qué lista es** you wouldn't believe how

clever she is ● **por lo visto** o **que se ve** apparently ● **ver mundo** to see the world
◇ *vi* to see ● **a ver** let's see
◆ **verse** *vp (mirarse)* to see o.s.; *(encontrarse)* to meet, to see each other ● **desde aquí se ve el mar** you can see the sea from here

veraneante [berane'ante] *mf* holiday-maker *(UK)*, vacationer *(US)*

veranear [berane'ar] *vi* to have one's summer holiday *(UK)*, to go on summer vacation *(US)*

veraneo [bera'neo] *m* summer holidays *pl (UK)* o vacation *(US)*

veraniego, ga [bera'nieɣo, ɣa] *adj* summer *(antes de s)*

verano [be'rano] *m* summer ● **en verano** in summer

veras ['βeras] ◆ **de veras** *adv* really

verbena [ber'βena] *f* **1.** *(fiesta)* street party *(on the eve of certain saints' days)* **2.** *(planta)* verbena

verbo ['berβo] *m* verb ● **verbo auxiliar** auxiliary verb

verdad [ber'ðað] *f* truth ● **es verdad** it's true ● **de verdad** *(en serio)* really; *(auténtico)* real

verdadero, ra [berða'ðero, ra] *adj* **1.** *(cierto, real)* real **2.** *(no falso)* true

verde ['berðe] ◇ *adj inv* **1.** green **2.** *(obsceno)* blue, dirty ◇ *m* green

verdulería [berðule'ria] *f* greengrocer's *(shop)*

verdulero, ra [berðu'lero, ra] *m,f* greengrocer

verdura [ber'ðura] *f* vegetables *pl*, greens *pl* ● **verdura con patatas** starter *of boiled potatoes and vegetables, usually cabbage and green beans*

vereda [be'reða] f (*CSur & Perú*) pavement (*UK*), sidewalk (*US*)

veredicto [bere'ðikto] m verdict

vergonzoso, sa [berɣon'θoso, sa] *adj* **1.** (*persona*) bashful **2.** (*acción*) shameful

vergüenza [ber'ɣwenθa] f **1.** (*timidez*) bashfulness **2.** (*sofoco*) embarrassment **3.** (*dignidad*) pride **4.** (*pudor*) shame **5.** (*escándalo*) disgrace ● me dio vergüenza I was embarrassed

verificar [berifi'kar] *vt* **1.** (*comprobar*) to check, to verify **2.** (*confirmar*) to confirm

verja ['berxa] f (*puerta*) iron gate

vermut [ber'mut] m vermouth

verosímil [bero'simil] *adj* probable

verruga [be'ruɣa] f wart

versión [ber'sjon] f version ● versión original subtitulada original language version with subtitles

verso ['berso] m **1.** (*unidad*) line **2.** (*poema*) poem

vertedero [berte'ðero] m (*de basuras*) (rubbish) dump

verter [ber'ter] *vt* **1.** (*contenido, líquido*) to pour out **2.** (*recipiente*) to empty **3.** (*derramar*) to spill

vertical [berti'kal] *adj* vertical

vértice ['bertiθe] m vertex, apex

vertido [ber'tiðo] m (*residuo*) waste

vertiente [ber'tjente] f slope

vértigo ['bertiɣo] m **1.** (*mareo*) dizziness **2.** (*fobia*) vertigo

vestíbulo [bes'tiβulo] m **1.** (*de casa*) hall **2.** (*de hotel*) foyer, lobby (*US*)

vestido [bes'tiðo] m **1.** (*ropa*) clothes pl

2. (*prenda de mujer*) dress

vestimenta [besti'menta] f clothes pl

vestir [bes'tir] ◇ *vt* **1.** (*con ropa*) to dress **2.** (*llevar puesto*) to wear **3.** (*mantener*) to clothe ◇ *vi* to dress ● vestirse *vp* to get dressed

vestuario [bestu'arjo] m **1.** (*ropa*) wardrobe **2.** (*de gimnasio, etc*) changing room (*UK*), locker room (*US*) **3.** (*de teatro*) dressing room

veterano, na [bete'rano, na] *m,f* veteran

veterinario, ria [beteri'narjo, rja] *m,f* vet

vez ['beθ, θes] f (*pl* -ces) f **1.** time **2.** (*turno*) turn ● a veces sometimes ● ¿lo has hecho alguna vez? have you ever done it? ● cada vez más more and more ● de vez en cuando from time to time ● dos veces twice ● en vez de instead of ● muchas veces a lot, often ● otra vez again ● pocas veces hardly ever ● tres veces por día three times a day ● una vez once ● unas veces sometimes

VHS ['u'βe'at͡ʒe'ese] m VHS

vía ['bia] f **1.** (*rail*) track (*UK*) **2.** (*andén*) platform, track (*US*) **3.** (*medio de transporte*) route **4.** (*calzada, calle*) road **5.** (*medio*) channel ● en vías de in the process of ● por vía aérea/marítima by air/sea ● por vía oral orally

viaducto [bja'ðukto] m viaduct

viajar [bja'xar] *vi* to travel

viaje ['bjaxe] m **1.** (*trayecto*) journey **2.** (*excursión*) trip **3.** (*en barco*) voyage ● de viaje to go away ● ¡buen viaje! have a good trip! ● viaje de novios honeymoon

viajero, ra [bia'xero, ra] *m,f* 1. (*persona que viaja*) traveller 2. (*pasajero*) passenger

víbora [ˈbiβora] *f* viper

vibrar [biˈβrar] *vi* to vibrate

vicepresidente, ta [ˌbiθepresiˈðente, ta] *m,f* vicepresident

vichysoisse [bitʃiˈswas] *f* vichysoisse

viciarse [biˈθjarse] *vp* to get corrupted

vicio [ˈbiθjo] *m* 1. (*mala costumbre*) bad habit 2. (*inmoralidad*) vice

vicioso, sa [biˈθjoso, sa] *adj* depraved

víctima [ˈbiktima] *f* 1. victim 2. (*muerto*) casualty ● **ser víctima de** to be the victim of

victoria [bikˈtorja] *f* victory

vid [ˈbið] *f* vine

vida [ˈbiða] *f* 1. life 2. (*medios de subsistencia*) living ● **de toda la vida** (*amigo, etc*) lifelong ● **buena vida** good life ● **mala vida** vice ● **vida familiar** family life

vidente [biˈðente] *mf* clairvoyant

video [ˈbiðeo] *m* (*Amér*) video

vídeo [ˈbiðeo] *m* video

videocámara [ˌbiðeoˈkamara] *f* camcorder

videocasete [ˌbiðeokaˈsete] *m* video (tape)

videojuego [ˌbiðeoˈxweɣo] *m* video game

videovigilancia *f* video surveillance

vidriera [biˈðrjera] *f* (*de iglesia*) stained glass window

vidrio [ˈbiðrjo] *m* glass

vieira [ˈbjeira] *f* scallop

viejo, ja [ˈbjexo, xa] ◇ *adj* old ◇ *m,f* 1. (*anciano*) old man (*f* old woman) 2. (*RP*

& *Ven*) (*amigo*) mate (*UK*), buddy (*US*)

viento [ˈbjento] *m* wind ● **hace viento** it's windy

vientre [ˈbjentre] *m* stomach

viernes [ˈbjernes] *m inv* Friday ➤ **sábado** ◆ **Viernes Santo** *m* Good Friday

Vietnam [bjeðˈnam] *s* Vietnam

viga [ˈbiɣa] *f* 1. (*de madera*) beam 2. (*de hierro*) girder

vigencia [biˈxenθja] *f* 1. (*de ley, documento*) validity 2. (*de costumbre*) use

vigente [biˈxente] *adj* 1. (*ley, documento*) in force 2. (*costumbre*) in use

vigilante [bixiˈlante] *mf* guard

vigilar [bixiˈlar] *vt* 1. (*niños, bolso*) to keep an eye on 2. (*presos, banco*) to guard

vigor [biˈɣor] *m* vigour ● **en vigor** in force

vigoroso, sa [biɣoˈroso, sa] *adj* vigorous

vil [ˈbil] *adj* despicable

villancico [biʎanˈθiko] *m* Christmas carol

vinagre [biˈnaɣre] *m* vinegar

vinagreras [binaˈɣreras] *fpl* cruet set *sg*

vinagreta [binaˈɣreta] *f* ● (*salsa*) vinagreta vinaigrette ● **a la vinagreta** with vinaigrette

vinculación [binkulaˈθjon] *f* link

vincular [binkuˈlar] *vt* to link

vino [ˈbino] ◇ *v* ➤ **venir** ◇ *m* wine ● **vino blanco** white wine ● **vino de la casa** house wine ● **vino corriente** cheap wine ● **vino de mesa** table wine ● **vino de Oporto** port ● **vino rosado** rosé ● **vino tinto** red wine

viña [ˈbiɲa] *f* vineyard

violación [biola'θjon] *f (de persona)* rape

violador, ra [biola'ðor, ra] *m,f* rapist

violar [bio'lar] *vt* **1.** *(ley, acuerdo)* to break **2.** *(mujer)* to rape **3.** *(territorio)* to violate

violencia [bio'lenθja] *f* **1.** *(agresividad)* violence **2.** *(fuerza)* force **3.** *(incomodidad)* embarrassment

violento, ta [bio'lento, ta] *adj* **1.** violent **2.** *(incómodo)* awkward

violeta [bio'leta] *f* violet

violín [bio'lin] *m* violin

violinista [bioli'nista] *mf* violinist

violoncelo [biolon'tʒelo] *m* cello

VIP ['bip] *m* VIP

virgen ['birxen] *adj* **1.** *(mujer)* virgin **2.** *(cinta)* blank **3.** *(película)* new ◆ **Virgen** *f* ● **la Virgen** the Virgin Mary

Virgo ['birɣo] *s* Virgo

virtud [bir'tuð] *f* virtue ● **en virtud de** by virtue of

viruela [bi'ruela] *f* smallpox

virus ['birus] *m inv* virus

viruta [bi'ruta] *f* shaving ● **virutas de jamón** small flakes of serrano ham

visado [bi'saðo] *m* visa

víscera ['bisθera] *f* internal organ

viscosa [bis'kosa] *f* viscose

visera [bi'sera] *f* **1.** *(en gorra)* peak **2.** *(suelta)* visor

visible [bi'siβle] *adj* visible

visillos [bi'siʎos] *mpl* net *(UK)* o lace *(US)* curtains

visita [bi'sita] *f* **1.** visit **2.** *(persona)* visitor ● **hacer una visita a** to visit

visitante [bisi'tante] *mf* visitor

visitar [bisi'tar] *vt* to visit

vislumbrar [bizlum'brar] *vt* **1.** *(entrever)* to make out **2.** *(adivinar)* to get an idea of

víspera ['bispera] *f* eve

vista ['bista] *f* **1.** *(sentido)* sight **2.** *(ojos)* eyes *pl* **3.** *(panorama)* view **4.** *(perspicacia)* foresight **5.** *(juicio)* hearing ● **a primera vista** at first sight ● **a simple vista** at first sight ● **¡hasta la vista!** see you!

vistazo [bis'taθo] *m* glance ● **echar un vistazo a** to have a quick look at

visto, ta [bisto, ta] ◇ *pp* → ver ◇ *adj (pasado de moda)* old-fashioned ● **estar bien/mal visto** to be approved of/ frowned on ● **por lo visto** apparently

vistoso, sa [bis'toso, sa] *adj* eye-catching

vital [bi'tal] *adj* **1.** *(de la vida)* life *(antes de s)* **2.** *(fundamental)* vital **3.** *(con vitalidad)* lively

vitalidad [bitali'ðað] *f* vitality

vitamina [bita'mina] *f* vitamin

vitrina [bi'trina] *f* **1.** glass cabinet **2.** *(Amér) (de tienda)* (shop) window

viudo, da ['biuðo, ða] *m,f* widower *(f widow)*

viva ['biβa] *interj* hurray!

víveres ['biβeres] *mpl* supplies

vivienda [bi'βjenda] *f (casa)* dwelling

vivir [bi'βir] ◇ *vi* to live ◇ *vt* to experience ● **vivir de** to live on

vivo, va ['biβo, βa] *adj* **1.** *(dolor, ingenio)* sharp **2.** *(alive* **2.** *(dolor, ingenio)* sharp **3.** *(detallado)* vivid **4.** *(ágil, enérgico)* lively **5.** *(color)* bright

vizcaíno, na [biθka'ino, na] *adj* ● **a la vizcaína** *in a thick sauce of olive oil, onion, tomato, herbs and red peppers*

vocabulario [bokaβu'larjo] *m* vocabulary

vocación [boka'θjon] *f* vocation

vocal [bo'kal] *f* vowel

vodka ['boðka] *m* vodka

vol. (*abr de volumen*) vol. (*volume*)

volador, ra [bola'ðor, ra] *adj* flying

volante [bo'lante] ◇ *adj* flying ◇ *m* **1.** (*de coche*) steering wheel **2.** (*adorno*) frill

volar [bo'lar] ◇ *vi* **1.** to fly **2.** (*desaparecer*) to vanish ◇ *vt* to blow up

volcán [bol'kan] *m* volcano

volcánico, ca [bol'kaniko, ka] *adj* volcanic

volcar [bol'kar] ◇ *vt* **1.** (*sin querer*) to knock over **2.** (*vaciar*) to empty out ◇ *vi* **1.** (*recipiente*) to tip over **2.** (*camión, coche*) to overturn **3.** (*barco*) to capsize

voleibol [bolej'βol] *m* volleyball

voley *m* (*fam*) volleyball ● **voley-playa** beach volleyball

volquete [bol'kete] *m* dumper truck

voltaje [bol'taxe] *m* voltage

voltear [bolte'ar] *vt* **1.** (*Andes, CAm, Méx & Ven*) (*cuadro*) to turn **2.** (*Amér*) (*derramar*) to knock over ● **voltearse** *vp* (*Andes, CAm, Carib & Méx*) (*dar la vuelta*) to turn over

voltereta [bolte'reta] *f* **1.** (*en el aire*) somersault **2.** (*en el suelo*) handspring

volumen [bo'lumen] *m* volume

voluntad [bolun'taθ] *f* **1.** (*facultad, deseo*) will **2.** (*resolución*) willpower

voluntario, ria [bolun'tarjo, rja] ◇ *adj* voluntary ◇ *m,f* volunteer

voluntarioso, sa [bolunta'rjoso, sa] *adj* willing

volver [bol'βer]

◇ *vt* **1.** (*cabeza, ojos, vista*) to turn ● **volver la mirada** to look round **2.** (*lo de arriba abajo*) to turn over; (*boca abajo*) to turn upside down; (*lo de dentro fuera*) to turn inside out ● **he vuelto el abrigo** I've turned the coat inside out **3.** (*convertir*) ● **lo volvió un delincuente** it turned him into a criminal ● **me vuelve loco** it makes me mad

◇ *vi* to return ● **volver a** (*tema*) to return to ● **volver a hacer algo** to do sthg again

● **volverse** *vp* (*darse la vuelta*) to turn round; (*ir de vuelta*) to return; (*convertirse*) to become ● **volverse loco** to go mad ● **volverse atrás** (*de decisión*) to back out; (*de afirmación*) to go back on one's word

vomitar [bomi'tar] *vt* to vomit

vos ['bos] *pron* (*Andes, CAm, Carib & RP*) you

VOSE *f* (*abr de versión original subtitulada en español*) *original language version with Spanish subtitles*

vosotros, tras [bo'sotros, tras] *pron* you

votación [bota'θjon] *f* vote

votante [bo'tante] *mf* voter

votar [bo'tar] ◇ *vt* to vote for ◇ *vi* to vote

voto ['boto] *m* **1.** (*en elecciones*) vote **2.** (*en religión*) vow

voz ['boθ, θes] (*pl* **-ces**) *f* **1.** voice **2.** (*grito*) shout **3.** (*palabra*) word **4.** (*rumor*) rumour ● **en voz alta** aloud ● **en voz baja** softly

VPO *f* (*abr de vivienda de protección oficial*) *f cheap flat or house subsidized by the State*, ≃ council house (UK)

vuelo ['bwelo] *m* **1.** flight **2.** (*de un vestido*) fullness ● **vuelo chárter** charter flight ● **vuelo regular** scheduled flight ▼ **vuelos nacionales** domestic flights

vuelta ['bwelta] *f* **1.** *(movimiento, de llave)* turn **2.** *(acción)* turning **3.** *(regreso)* return **4.** *(monedas)* change **5.** *(paseo)* walk **6.** *(en coche)* drive **7.** *(cambio)* twist ● **dar la vuelta a algo** *(rodear)* to go round sthg ● **dar una vuelta** to go for a walk/drive ● **dar vueltas** to spin ● **darse la vuelta** to turn round ● **estar de vuelta** to be back ● **a la vuelta** *(volviendo)* on the way back ● **a la vuelta de la esquina** round the corner ● **a vuelta de correo** by return (of post) ▼ **vuelta al colegio** back to school

vuelto, ta ['bwelto] ◇ *pp* > **volver** ◇ *m* (*Amér*) change

vuestro, tra ['bwestro, tra] ◇ *adj* your ◇ *pron* ● **el vuestro, la vuestra** yours ● **lo vuestro** your thing ● **un amigo vuestro** a friend of yours

vulgar [bul'ɣar] *adj* **1.** *(popular)* ordinary **2.** *(no técnico)* lay **3.** *(grosero)* vulgar

*w*W

walkman ® ['walman] *m* Walkman ®
wáter ['bater] *m* toilet (*UK*), bathroom (*US*)
waterpolo [bater'polo] *m* water polo
WC *m* WC
web ['weβ] *f* ● **la web** the Web ● **una (página) web** a web site

webmaster [weβ'master] *mf* webmaster
whisky ['wiski] *m* whisky
windsurf ['winsurf] *m* windsurfing ● **hacer windsurf** to windsurf
WWW *m* (*abr de* World Wide Web) WWW (*World Wide Web*)

*x*X

xenofobia [seno'foβja] *f* xenophobia
xenófobo, ba [se'nofoβo, βa] *adj* xenophobic
xilófono [si'lofono] *m* xylophone

*y*Y

y [i] *conj* **1.** and **2.** *(pero)* and yet **3.** *(en preguntas)* what about
ya ['ja] ◇ *adv* **1.** *(ahora, refuerza al verbo)* now **2.** *(ahora mismo)* at once **3.** *(denota pasado)* already **4.** *(denota futuro)* some time soon ◇ *interj* **1.** *(expresa asentimiento)* that's it! **2.** *(expresa comprensión)* yes! ◇ *conj* ● **ya ... ya ...** whether ... or ... ● **ya que** since
yacimiento [jaθi'mjento] *m* deposit
yanqui ['jaŋki] *mf* (*despec*) Yank
yate ['jate] *m* yacht
yegua ['jeɣwa] *f* mare
yema ['jema] *f* **1.** *(de huevo)* yolk **2.** *(de*

dedo) fingertip **3.** (*de planta*) bud **4.** (*dulce*) sweet made of sugar and egg yolk, similar to marzipan

yen ['jen] *m* yen

yerbatero [jerβa'tero] *m* (*Andes*) herbalist

yerno ['jerno] *m* son-in-law

yeso ['jeso] *m* plaster

yo ['jo] *pron* I ● **soy yo** it's me ● **yo que tú/él**/*etc* if I were you/him/*etc*

yodo ['joðo] *m* iodine

yoga ['joɣa] *m* yoga

yogur [jo'ɣur] *m* yoghurt

Yugoslavia [juɣoz'laβja] *s* Yugoslavia

yunque ['junke] *m* anvil

ZZ

zafiro [θa'firo] *m* sapphire

zaguán [θa'ɣwan] *m* entrance hall

zambullida [θambu'ʎiða] *f* dive

zambullirse [θambu'ʎirse] *vp* to dive

zanahoria [θana'orja] *f* carrot

zancadilla [θanka'ðiʎa] *f* trip

zanco ['θanko] *m* stilt

zancudo [θan'kuðo] *m* (*Amér*) mosquito

zanja ['θanxa] *f* ditch

zapateado [θapate'aðo] *m* type of flamenco foot-stamping dance

zapatería [θapate'ria] *f* **1.** (*tienda*) shoe shop (*UK*) o store (*US*) **2.** (*taller*) shoemaker's (shop)

zapatero, ra [θapa'tero, ra] ◇ *m,f* cobbler ◇ *m* (*mueble*) shoe cupboard

zapatilla [θapa'tiʎa] *f* slipper ● **zapatilla de deporte** trainer (*UK*), tennis shoe (*US*)

zapato [θa'pato] *m* shoe ● **zapatos de caballero/señora** men's/women's shoes

zapeo [θa'peo] *m* channel-hopping (*UK*), channel-surfing (*US*)

zapping ['θapin] *m* channel-hopping (*UK*), channel-surfing (*US*)

zarandear [θarande'ar] *vt* to shake

zarpar [θar'par] *vi* to set sail

zarpazo [θar'paθo] *m* clawing

zarza ['θarθa] *f* bramble

zarzuela [θar'θwela] *f* **1.** (*obra musical*) light opera **2.** (*guiso*) spicy fish stew

Zarzuela

Zarzuela is a Spanish form of light opera in which singing and dancing alternate with spoken dialogue. It dates back to the 17th century and takes its name from the Zarzuela palace where it was initially performed for the Spanish court.

zinc ['θink] *m* zinc

zíper ['θiper] *m* (*CAm, Carib & Méx*) zip (*UK*), zipper (*US*)

zipizape [,θipi'θape] *m* (*fam*) squabble

zócalo ['θokalo] *m* **1.** (*del edificio*) plinth **2.** (*de muro, pared*) skirting board (*UK*), baseboard (*US*)

zodíaco [θo'ðiako] *m* zodiac

zona ['θona] *f* **1.** area, zone **2.** (*parte*) part ● **zona centro** city centre ▼ **zona de estacionamiento limitado y vigilado**

restricted parking ● zona peatonal pedestrian precinct

zona azul/zona verde

In Spain, blue lines on the road indicate an area where parking meters are in operation during certain hours. Green lines indicate parking spaces that are only free for residents. Anyone else wishing to park there pays a higher rate than for *zonas azules*, although people living within 500 to 1,000 metres get a reduced rate.

zonzo, za ['θonθo, θa] *adj (Amér)* stupid ● hacerse el zonzo to act dumb
zoo ['θoo] *m* zoo
zoología [θoolo'xia] *f* zoology

zoológico, ca [θoo'loxiko, ka] ⋄ *adj* zoological ⋄ *m* zoo
zopenco, ca [θo'penko, ka] *adj* stupid
zorra ['θora] *f (vulg) (prostituta)* whore ➢ zorro
zorro, rra ['θoro, ra] ⋄ *m,f* fox ⋄ *m (piel)* fox(fur)
zueco ['θueko] *m* clog
zumbar [θum'bar] ⋄ *vt (fam)* to thump ⋄ *vi* to buzz
zumbido [θum'biðo] *m* buzzing
zumo ['θumo] *m* juice ● zumo de fruta fruit juice ● zumo de naranja orange juice
zurcir [θur'θir] *vt* to darn
zurdo, da ['θurðo, ða] *adj* **1.** *(izquierdo)* left **2.** *(que usa la mano izquierda)* left-handed
zurrar [θu'rar] *vt* to hit

CONJUGACIÓN
DE LOS
VERBOS ESPAÑOLES

acertar :
pres ind : acierto, acertamos, etc. ● *pres subj :* acierte, acertemos, etc. ● *imperat :* acierta, acertemos, acertad, etc.

adquirir :
pres ind : adquiero, adquirimos, etc. ● *pres subj :* adquiera, adquiramos, etc. ● *imperat :* adquiere, adquiramos, adquirid, etc.

amar :
pres ind : amo, amas, ama, amamos, amáls, aman ● *imperf ind :* amaba, amabas, amaba, amábamos, amabais, amaban ● *pret indef :* amé, amaste, amó, amamos, amasteis, amaron ● *fut :* amaré, amarás, amará, amaremos, amaréis, amarán ● *cond :* amaría, amarías, amaría, amaríamos, amaríais, amarían ● *pres subj :* ame, ames, ame, amemos, améis, amen ● *imperf subj :* amara, amaras, amara, amáramos, amarais, amaran ● *imperat :* ama, ame, amemos, amad, amen ● *ger :* amando ● *partic :* amado, -da

andar :
pret indef : anduve, anduvimos, etc. ● *imperf subj :* anduviera, anduviéramos, etc.

avergonzar :
pres ind : avergüenzo, avergonzamos, etc. ● *pret indef :* avergoncé, avergonzó, avergonzamos, etc. ● *pres subj :* avergüence, avergoncemos, etc. ● *imperat :* avergüenza, avergüence, avergoncemos, avergonzad, etc.

caber :
pres ind : quepo, cabe, cabemos, etc. ● *pret indef :* cupe, cupimos, etc. ● *fut :* cabré, cabremos, etc. ● *cond :* cabría, cabríamos, etc. ● *pres subj :* quepa, quepamos, etc. ● *imperf subj :* cupiera, cupiéramos, etc. ● *imperat :* cabe, quepa, quepamos, cabed, etc.

caer :
pres ind : caigo, cae, caemos, etc. ● *pret indef :* cayó, caímos, cayeron, etc. ● *pres subj :* caiga, caigamos, etc. ● *imperf subj :* cayera, cayéramos, etc. ● *imperat :* cae, caiga, caigamos, caed, etc. ● *ger :* cayendo

conducir :
pres ind : conduzco, conduce, conducimos, etc. ● *pret indef :* conduje, condujimos, etc. ● *pres subj :* conduzca, conduzca-

3

mos, etc. • **imperf subj**: condujera, condujéramos, etc. • **imperat**: conduce, conduzca, conduzcamos, conducid, etc.

conocer:
pres ind: conozco, conoce, conocemos, etc. • *pres subj*: conozca, conozcamos, etc. • *imperat*: conoce, conozca, conozcamos, etc.

dar:
pres ind: doy, da, damos, etc. • *pret indef*: di, dio, dimos, etc. • *pres subj*: dé, demos, etc. • *imperf subj*: diera, diéramos, etc. • *imperat*: da, dé, demos, dad, etc.

decir:
pres ind: digo, dice, decimos, etc. • *pret indef*: dije, dijimos, etc. • *fut*: diré, diremos, etc.

• **cond**: diría, diríamos, etc. • **pres subj**: diga, digamos, etc. • **imperf subj**: dijera, dijéramos, etc. • **imperat**: di, diga, digamos, decid, etc. • **ger**: diciendo • **partic**: dicho, -cha

discernir:
pres ind: discierno, discernimos, etc. • *pres subj*: discierna, discernamos, etc. • *imperat*: discierne, discierna, discernamos, discernid, etc.

dormir:
pres ind: duermo, dormimos, etc. • *pret indef*: durmió, dormimos, durmieron, etc. • *pres subj*: duerma, durmamos, etc. • *imperf subj*: durmiera, durmiéramos, etc. • *imperat*: duerme, duerma, durmamos, dormid, etc. • *ger*: durmiendo

errar:
pres ind: yerro, erramos, etc. • *pres subj*: yerre, erremos, etc. • *imperat*: yerra, yerre, erremos, errad, etc.

estar:
pres ind: estoy, estás, está, estamos, estáis, están • *imperf ind*: estaba, estabas, estaba, estábamos, estabais, estaban • *pret indef*: estuve, estuviste, estuvo, estuvimos, estuvisteis, estuvieron • *fut*: estaré, estarás, estará, estaremos, estaréis, estarán • *cond*: estaría, estarías, estaría, estaríamos, estaríais, estarían • *pres subj*: esté, estés, esté, estemos, estéis, estén • *imperf subj*: estuviera, estuvieras, estuviera, estuviéramos, estuvierais, estuvieran • *imperat*: está, esté, estemos,

estad, estén ● *ger:* estando ● *partic:* estado

haber :

pres ind: he, has, ha, hemos, habéis, han ● *imperf ind:* había, habías, había, habíamos, habíais, habían ● *pret indef:* hube, hubiste, hubo, hubimos, hubisteis, hubieron ● *fut:* habré, habrás, habrá, habremos, habréis, habrán ● *cond:* habría, habrías, habría, habríamos, habríais, habrían ● *pres subj:* haya, hayas, haya, hayamos, hayáis, hayan ● *imperf subj:* hubiera, hubieras, hubiera, hubiéramos, hubierais, hubieran ● *imperat:* he, haya, hayamos, habed, hayan ● *ger:* habiendo ● *partic:* habido, -da

hacer :

pres ind: hago, hace, hacemos, etc. ● *pret indef:* hice, hizo, hicimos, etc. ● *fut:* haré, haremos, etc. ● *cond:* haría, haríamos, etc. ● *pres subj:* haga, hagamos, etc. ● *imperf subj:* hiciera, hiciéramos, etc. ● *imperat:* haz, haga, hagamos, haced, etc. ● *partic:* hecho, -cha

huir :

pres ind: huyo, huimos, etc. ● *pret indef:* huyó, huimos, huyeron, etc. ● *pres subj:* huya, huyamos, etc. ● *imperf subj:* huyera, huyéramos, etc. ● *imperat:* huye, huya, huyamos, huid, etc. ● *ger:* huyendo

ir :

pres ind: voy, va, vamos, etc. ● *pret indef:* fui, fue, fuimos, etc. ● *pres subj:* vaya, vaya-mos, etc. ● *im-*

perf subj: fuera, fuéramos, etc. ● *imperat:* ve, vaya, vayamos, id, etc. ● *ger:* yendo

lcer :

pret indef: leyó, leímos, leyeron, etc. ● *imperf subj:* leyera, leyéramos ● *ger:* leyendo

lucir :

pres ind: luzco, luce, lucimos, etc. ● *pres subj:* luzca, luzcamos, etc. ● *imperat:* luce, luzca, luzcamos, lucid, etc.

mover :

pres ind: muevo, movemos, etc. ● *pres subj:* mueva, movamos, etc. ● *imperat:* mueve, mueva, movamos, moved, etc.

nacer :

pres ind: nazco, nace, nacemos, etc. ● *pres subj:* naz-ca, nazcamos, etc.

• *imperat* : nace, nazca, nazcamos, naced, etc.

oír :
pres ind : oigo, oye, oímos, etc. • *pret indef* : oyó, oímos, oyeron, etc. • *pres subj* : oiga, oigamos, etc. • *imperf subj* : oyera, oyéramos, etc. • *imperat* : oye, oiga, oigamos, oíd, etc. • *ger* : oyendo

oler :
pres ind : huelo, olemos, etc. • *pres subj* : huela, olamos, etc. • *imperat* : huele, huela, olamos, oled, etc.

parecer :
pres ind : parezco, parece, parecemos, etc. • *pres subj* : parezca, parezcamos, etc. • *imperat* : parece, parezca, parezcamos, pareced, etc.

partir :
pres ind : parto, partes, parte, partimos, partís, parten • *imperf ind* : partía, partías, partía, partíamos, partíais, partían • *pret indef* : partí, partiste, partió, partimos, partisteis, partieron • *fut* : partiré, partirás, partirá, partiremos, partiréis, partirán • *cond* : partiría, partirías, partiría, partiríamos, partiríais, partirían • *pres subj* : parta, partas, parta, partamos, partáis, partan • *imperf subj* : partiera, partieras, partiera, partiéramos, partierais, partieran • *imperat* : parte, parta, partamos, partid, partan • *ger* : partiendo • *partic* : partido, -da

pedir :
pres ind : pido, pedimos, etc. • *pret indef* : pidió, pedimos, pidieron, etc. • *pres subj* : pida, pidamos, etc. • *imperf subj* : pidiera, pidiéramos, etc. • *imperat* : pide, pida, pidamos, pedid, etc. • *ger* : pidiendo

poder :
pres ind : puedo, podemos, etc. • *pret indef* : pude, pudimos, etc. • *fut* : podré, podremos, etc. • *cond* : podría, podríamos, etc. • *pres subj* : pueda, podamos, etc. • *imperf subj* : pudiera, pudiéramos, etc. • *imperat* : puede, pueda, podamos, poded, etc. • *ger* : pudiendo

poner :
pres ind : pongo, pone, ponemos, etc. • *pret indef* : puse, pusimos, etc. • *fut* : pondré, pondremos, etc. • *cond* : pondría,

pondríamos, etc.
● *pres subj*: ponga, pongamos, etc.
● *imperf subj*: pusiera, pusiéramos, etc. ● *imperat*: pon, ponga, pongamos, poned, etc. ●*partic*: puesto, -ta

querer :
pres ind: quiero, queremos, etc.
● *pret indef*: quise, quisimos, etc. ● *fut*: querré, querremos, etc. ● *cond*: querría, querríamos, etc.
● *pres subj*: quiera, queramos, etc.
● *imperf subj*: quisiera, quisiéramos, etc. ● *imperat*: quiere, quiera, queramos, quered, etc.

reír :
pres ind: río, reímos, etc. ● *pret indef*: rio, reímos, rieron, etc. ● *pres subj*: ría, riamos, etc. ●*imperf subj*: riera, riéramos, etc. ● *imperat*: ríe, ría, riamos, reíd, etc.
● *ger*: riendo

saber :
pres ind: sé, sabe, sabemos, etc. ● *pret indef*: supe, supimos, etc. ● *fut*: sabré, sabremos, etc. ● *cond*: sabría, sabríamos, etc. ● *pres subj*: sepa, sepamos, etc. ● *imperf subj*: supiera, supiéramos, etc. ●*imperat*: sabe, sepa, sepamos, sabed, etc.

salir :
pres ind: salgo, sale, salimos, etc. ● *fut*: saldré, saldremos, etc. ● *cond*: saldría, saldríamos, etc. ● *pres subj*: salga, salgamos, etc. ●*imperat*: sal, salga, salgamos, salid, etc.

sentir :
pres ind: siento, sentimos, etc. ●*pret indef*: sintió, sentimos, sintieron, etc. ● *pres subj*: sienta, sintamos, etc. ●*imperf subj*: sintiera, sintiéramos, etc. ● *imperat*: siente,

sienta, sintamos, sentid, etc. ● *ger*: sintiendo

ser :
pres ind: soy, eres, es, somos, sois, son ● *imperf ind*: era, eras, era, éramos, erais, eran ● *pret indef*: fui, fuiste, fue, fuimos, fuisteis, fueron ● *fut*: seré, serás, será, seremos, seréis, serán ● *cond*: sería, serías, sería, seríamos, seríais, serían ● *pres subj*: sea, seas, sea, seamos, seáis, sean ●*imperf subj*: fuera, fueras, fuera, fuéramos, fuerais, fueran ● *imperat*: sé, sea, seamos, sed, sean ● *ger*: siendo ● *partic*: sido, -da

sonar :
pres ind: sueno, sonamos, etc. ● *pres subj*: suene, sonemos, etc. ●*imperat*: suena, suene, sonemos, sonad, etc.

7

temer :
pres ind : temo,
temes, teme, teme-
mos, teméis, temen
• *imperf ind :* temía,
temías, temía,
temíamos, temíais,
temían • *pret in-
def :* temí, temiste,
temió, temimos,
temisteis, temieron
• *fut :* temeré, te-
merás, temerá, te-
meremos, temeréis,
temerán • *cond :* te-
mería, temerías, te-
mería, temeríamos,
temeríais, temerían
• *pres subj :* tema,
temas, tema, tema-
mos, temáis, teman
• *imperf subj :* te-
miera, temieras, te-
miera, temiéramos,
temierais, temieran
• *imperat :* teme,
tema, temamos, te-
med, teman • *ger :*
temiendo • *partic :*
temido, -da

tender :
pres ind : tiendo, ten-
demos, etc. • *pres
subj :* tienda, tenda-

mos, etc. • *imperat :*
tiende, tendamos,
etc.

tener :
pres ind : tengo,
tiene, tenemos, etc.
• *pret indef :* tuve,
tuvimos, etc. • *fut :*
tendré, tendremos,
etc. • *cond :* tendría,
tendríamos, etc.
• *pres subj :* ten-
ga, tengamos, etc.
• *imperf subj :* tu-
viera, tuviéramos,
etc. • *imperat :* ten,
tenga, tengamos,
tened, etc.

traer :
pres ind : traigo,
trae, traemos, etc.
• *pret indef :* tra-
je, trajimos, etc.
• *pres subj :* trai-
ga, traigamos, etc.
• *imperf subj :* tra-
jera, trajéramos, etc.
• *imperat :* trae, trai-
ga, traigamos, traed,
etc. • *ger :* trayendo

valer :
pres ind : valgo, vale,
valemos, etc. • *fut :*

valdré, valdremos,
etc. • *cond :* val-
dría, valdríamos, etc.
• *pres subj :* valga,
valgamos, etc.
• *imperat :* vale,
valga, valgamos,
valed, etc.

venir :
pres ind : vengo,
viene, venimos, etc.
• *pret indef :* vine,
vinimos, etc. • *fut :*
vendré, vendremos,
etc. • *cond :* ven-
dría, vendríamos,
etc. • *pres subj :*
venga, vengamos,
etc. • *imperf subj :*
viniera, viniéramos,
etc. • *imperat :* ven,
venga, vengamos,
venid, etc. • *ger :*
viniendo

ver :
pres ind : veo, ve,
vemos, etc. • *pret
indef :* vi, vio, vimos,
etc. • *imperf subj :*
viera, viéramos, etc.
• *imperat :* ve, vea,
veamos, ved, etc.
• *ger :* viendo, etc.
• *partic :* visto, -ta

infinitive	past tense	past participle
arise	arose	arisen
awake	awoke	awoken
be	was	been/were
bear	bore	born(e)
beat	beat	beaten
begin	began	begun
bend	bent	bent
bet	bet/betted	bet/betted
bid	bid	bid
bind	bound	bound
bite	bit	bitten
bleed	bled	bled
blow	blew	blown
break	broke	broken
breed	bred	bred
bring	brought	brought
build	built	built
burn	burnt/burned	burnt/burned
burst	burst	burst
buy	bought	bought
can	could	-
cast	cast	cast
catch	caught	caught
choose	chose	chosen
come	came	come

infinitive	past tense	past participle
cost	cost	cost
creep	crept	crept
cut	cut	cut
deal	dealt	dealt
dig	dug	dug
do	did	done
draw	drew	drawn
dream	dreamed/dreamt	dreamed/dreamt
drink	drank	drunk
drive	drove	driven
eat	ate	eaten
fall	fell	fallen
feed	fed	fed
feel	felt	felt
fight	fought	fought
find	found	found
fling	flung	flung
fly	flew	flown
forget	forgot	forgotten
freeze	froze	frozen
get	got	got
give	gave	given
go	went	gone
grind	ground	ground
grow	grew	grown

infinitive	past tense	past participle
hang	hung/hanged	hung/hanged
have	had	had
hear	heard	heard
hide	hid	hidden
hit	hit	hit
hold	held	held
hurt	hurt	hurt
keep	kept	kept
kneel	knelt/kneeled	knelt/kneeled
know	knew	known
lay	laid	laid
lead	led	led
lean	leant/leaned	leant/leaned
leap	leapt/leaped	leapt/leaped
learn	learnt/learned	learnt/learned
leave	left	left
lend	lent	lent
let	let	let
lie	lay	lain
light	lit/lighted	lit/lighted
lose	lost	lost
make	made	made
may	might	-
mean	meant	meant
meet	met	met

infinitive	past tense	past participle
mow	mowed	mown/mowed
pay	paid	paid
put	put	put
quit	quit/quitted	quit/quitted
read	read	read
rid	rid	rid
ride	rode	ridden
ring	rang	rung
rise	rose	risen
run	ran	run
saw	sawed	sawn
say	said	said
see	saw	seen
seek	sought	sought
sell	sold	sold
send	sent	sent
set	set	set
shake	shook	shaken
shall	should	-
shed	shed	shed
shine	shone	shone
shoot	shot	shot
show	showed	shown
shrink	shrank	shrunk
shut	shut	shut

infinitive	past tense	past participle
sing	sang	sung
sink	sank	sunk
sit	sat	sat
sleep	slept	slept
slide	slid	slid
sling	slung	slung
smell	smelt/smelled	smelt/smelled
sow	sowed	sown/sowed
speak	spoke	spoken
speed	sped/speeded	sped/speeded
spell	spelt/spelled	spelt/spelled
spend	spent	spent
spill	spilt/spilled	spilt/spilled
spin	spun	spun
spit	spat	spat
split	split	split
spoil	spoiled/spoilt	spoiled/spoilt
spread	spread	spread
spring	sprang	sprung
stand	stood	stood
steal	stole	stolen
stick	stuck	stuck
sting	stung	stung
stink	stank	stunk
strike	struck/stricken	struck

infinitive	past tense	past participle
swear	swore	sworn
sweep	swept	swept
swell	swelled	swollen/swelled
swim	swam	swum
swing	swung	swung
take	took	taken
teach	taught	taught
tear	tore	torn
tell	told	told
think	thought	thought
throw	threw	thrown
tread	trod	trodden
wake	woke/waked	woken/waked
wear	wore	worn
weave	wove/weaved	woven/weaved
weep	wept	wept
win	won	won
wind	wound	wound
wring	wrung	wrung
write	wrote	written

ENGLISH-SPANISH

INGLÉS-ESPAÑOL

a A

a [stressed eɪ, unstressed ə] *art* **1.** *(referring to indefinite thing, person)* un (una) ● **a friend** un amigo ● **a table** una mesa ● **an apple** una manzana ● **to be a doctor** ser médico **2.** *(instead of the number one)* ● **a hundred and twenty pounds** ciento veinte libras ● **a month ago** hace un mes ● **a thousand** mil ● **a half and a half** cuatro y medio **3.** *(in prices, ratios)* por ● **they're £2 a kilo** están a dos libras el kilo ● **three times a year** tres veces al año

AA [eɪeɪ] *n* **1.** *(UK)* (*abbr of* **Automobile Association**) asociación británica del automóvil, ≃ RACE *m* **2.** (*abbr of* **Alcoholics Anonymous**) AA *mpl*

AAA [eɪeɪeɪ] *n* *(US)* (*abbr of* **American Automobile Association**) ≃ RACE *m*

aback [əˈbæk] *adv* ● **to be taken aback** quedarse atónito(ta)

abandon [əˈbændən] *vt* abandonar

abattoir [ˈæbətwɑːʳ] *n* *(UK)* matadero *m*

abbey [ˈæbɪ] *n* abadía *f*

abbreviation [ə,briːvɪˈeɪʃn] *n* abreviatura *f*

abdomen [ˈæbdəmən] *n* abdomen *m*

abide [əˈbaɪd] *vt* ● **I can't abide him** no le aguanto ◆ **abide by** *vt insep* *(rule, law)* acatar

ability [əˈbɪlətɪ] *n* **1.** *(capability)* capacidad *f*, facultad *f* **2.** *(skill)* dotes *fpl*

able [ˈeɪbl] *adj* capaz, competente ● **to be able to do sthg** poder hacer algo

abnormal [æbˈnɔːml] *adj* anormal

aboard [əˈbɔːd] ◇ *adv* a bordo ◇ *prep* **1.** *(ship, plane)* a bordo de **2.** *(train, bus)* en

abolish [əˈbɒlɪʃ] *vt* abolir

aborigine [,æbəˈrɪdʒəni] *n* aborigen *mf* de Australia

abort [əˈbɔːt] *vt* abortar

abortion [əˈbɔːʃn] *n* aborto *m* ● **to have an abortion** abortar

about [əˈbaʊt] ◇ *adv* **1.** *(approximately)* más o menos ● **about 50** unos cincuenta ● **at about six o'clock** a eso de las seis **2.** *(referring to place)* por ahí ● **to walk about** pasearse **3.** *(on the point of)* ● **to be about to do sthg** estar a punto de hacer algo ● **it's about to rain** va a empezar a llover ◇ *prep* **1.** *(concerning)* acerca de ● **a book about Scotland** un libro sobre Escocia ● **what's it about?** ¿de qué (se) trata? ● **what about a drink?** ¿qué tal si tomamos algo? **2.** *(referring to place)* por ● **there are lots of hotels about the town** hay muchos hoteles por toda la ciudad

above [əˈbʌv] ◇ *prep* por encima de ◇ *adv* *(higher)* arriba ● **children aged ten and above** niños mayores de diez años ● **the room above** la habitación de arriba ● **above all** sobre todo

abroad [əˈbrɔːd] *adv* **1.** *(be, live, work)* en el extranjero **2.** *(go, move)* al extranjero

abrupt [əˈbrʌpt] *adj* repentino(na)

ABS [eɪbiːˈes] *n* (*abbr of* **anti-lock braking system**) ABS *m* *(anti-lock braking system)*

abscess ['æbses] *n* absceso *m*

absence ['æbsəns] *n* ausencia *f*

absent ['æbsənt] *adj* ausente

absent-minded [-'maɪndɪd] *adj* despistado(da)

absolute ['æbsəluːt] *adj* absoluto(ta)

absolutely ◊ *adv* ['æbsəluːtlɪ] (completely) absolutamente ◊ *excl* [,æbsə'luːtlɪ] ¡por supuesto!

absorb [əb'sɔːb] *vt* (liquid) absorber

absorbed [əb'sɔːbd] *adj* ● to be absorbed in a book estar absorto(ta) en un libro

absorbent [əb'sɔːbənt] *adj* absorbente

abstain [əb'steɪn] *vi* ● to abstain (from) abstenerse (de)

absurd [əb'sɜːd] *adj* absurdo(da)

ABTA ['æbtə] *n* (abbr of Association of British Travel Agents) asociación británica de agencias de viajes

abuse ◊ *n* [ə'bjuːs] 1. (insults) insultos *mpl* 2. (wrong use, maltreatment) abuso *m* ◊ *vt* [ə'bjuːz] 1. (insult) insultar 2. (use wrongly) abusar de 3. (maltreat) maltratar

abusive [ə'bjuːsɪv] *adj* insultante

AC [eɪ'siː] *n* (abbr of alternating current) CA

academic [,ækə'demɪk] ◊ *adj* (educational) académico(ca) ◊ *n* profesor *m* universitario, profesora universitaria *f*

academy [ə'kædəmɪ] *n* academia *f*

accelerate [ək'seləreɪt] *vi* acelerar

accelerator [ək'seləreɪtə] *n* acelerador *m*

accent ['æksent] *n* acento *m*

accept [ək'sept] *vt* 1. aceptar 2. (blame, responsibility) admitir

acceptable [ək'septəbl] *adj* aceptable

access ['ækses] *n* acceso *m*

accessible [ək'sesəbl] *adj* accesible

accessories [ək'sesərɪz] *npl* 1. (extras) accesorios *mpl* 2. (fashion items) complementos *mpl*

accident ['æksɪdənt] *n* 1. accidente *m* 2. (by chance) por casualidad ● by accident sin querer

accidental [,æksɪ'dentl] *adj* accidental

accident insurance *n* seguro *m* contra accidentes

accident-prone *adj* propenso(sa) a los accidentes

acclimatize [ə'klaɪmətaɪz] *vi* aclimatarse

accommodate [ə'kɒmədeɪt] *vt* alojar

accommodation [ə,kɒmə'deɪʃn] *n* alojamiento *m*

accommodations [ə,kɒmə'deɪʃnz] *npl* (US) = accommodation

accompany [ə'kʌmpənɪ] *vt* acompañar

accomplish [ə'kʌmplɪʃ] *vt* conseguir, lograr

accord [ə'kɔːd] *n* ● of one's own accord por propia voluntad

accordance [ə'kɔːdəns] *n* ● in accordance with conforme a

according to [ə'kɔːdɪŋ-] *prep* según

account [ə'kaʊnt] *n* 1. (at bank, shop) cuenta *f* 2. (spoken report) relato *m* ● to take into account tener en cuenta ● on no account bajo ningún pretexto ● on account of debido a ● account for *vt insep* 1. (explain) justificar 2. (constitute) representar

accountant [ə'kaʊntənt] *n* contable *mf* (Esp), contador *mf* (Amér)

account number n número m de cuenta

accumulate [ə'kju:mjʊleɪt] vt acumular

accurate ['ækjʊrət] adj 1. (description, report) veraz 2. (work, measurement, figure) exacto(ta)

accuse [ə'kju:z] vt ● **to accuse sb of murder** acusar a alguien de asesinato

accused [ə'kju:zd] n ● **the accused** el acusado m, la acusada f

ace [eɪs] n as m

ache [eɪk] ◇ n dolor m ◇ vi ● **my leg aches** me duele la pierna

achieve [ə'tʃi:v] vt conseguir

acid ['æsɪd] ◇ adj ácido(da) ◇ n ácido m

acid rain n lluvia f ácida

acknowledge [ək'nɒlɪdʒ] vt 1. (accept) reconocer 2. (letter) acusar recibo de

acne ['ækni] n acné m

acorn ['eɪkɔ:n] n bellota f

acoustic [ə'ku:stɪk] adj acústico(ca)

acquaintance [ə'kweɪntəns] n (person) conocido m, -da f

acquire [ə'kwaɪə'] vt adquirir

acre ['eɪkə'] n acre m

acrobat ['ækrəbæt] n acróbata mf

across [ə'krɒs] ◇ prep 1. (to, on other side of) al otro lado de 2. (from one side to the other of) de un lado a otro de ◇ adv (to other side) al otro lado ● **it's ten miles across** tiene diez millas de ancho ● **we walked across the road** cruzamos la calle ● **across from** en frente de

acrylic [ə'krɪlɪk] n acrílico m

act [ækt] ◇ vi 1. actuar 2. (behave) comportarse ◇ n 1. (action) acto m, acción f 2. POL ley f 3. (of play) acto 4. (performance) número m ● **to act as**

(serve as) hacer de

action ['ækʃn] n acción f ● **to take action** tomar medidas ● **to put a plan into action** poner un plan en marcha ● **out of action** (machine) averiado; (person) fuera de combate

action movie n película f de acción

active ['æktɪv] adj activo(va)

activity [æk'tɪvəti] n actividad f ◆ **activities** npl (leisure events) atracciones fpl

activity holiday n (UK) vacaciones organizadas con de actividades deportivas, etc

actor ['æktə'] n actor m, actriz f

actress ['æktrɪs] n actriz f

actual ['æktʃʊəl] adj 1. (exact, real) verdadero(ra) 2. (for emphasis) mismísimo(ma) 3. (final) final

actually ['æktʃʊəli] adv 1. (really) realmente 2. (in fact) la verdad es que

acupuncture ['ækjʊpʌŋktʃə'] n acupuntura f

acute [ə'kju:t] adj 1. (feeling, pain) intenso(sa) 2. (angle, accent) agudo(da)

ad [æd] n (inf) anuncio m

AD [eɪ'di:] (abbr of Anno Domini) d.C., d. de J.C. (después de Jesucristo)

adapt [ə'dæpt] ◇ vt adaptar ◇ vi adaptarse

adapter [ə'dæptə'] n 1. (for foreign plug) adaptador m 2. (for several plugs) ladrón m

add [æd] vt 1. (say in addition) añadir 2. (numbers, prices) sumar ◆ **add up** vt sep sumar ◆ **add up to** vt insep (total) venir a ser

adder ['ædə'] n víbora f

addict ['ædɪkt] *n* adicto *m*, -ta *f*

addicted [ə'dɪktɪd] *adj* ● **to be addicted to sthg** ser adicto(ta) a algo

addiction [ə'dɪkʃn] *n* adicción *f*

addition [ə'dɪʃn] *n* **1.** *(added thing)* adición *f* **2.** *(in maths)* suma *f* ● **in addition** además ● **in addition to** además de

additional [ə'dɪʃənl] *adj* adicional

additive ['ædɪtɪv] *n* aditivo *m*

address [ə'dres] ◇ *n* *(on letter)* dirección *f* ◇ *vt* **1.** *(speak to)* dirigirse a **2.** *(letter)* dirigir

giving an address

When giving addresses verbally or in writing, don't forget that the house number comes after the street name, and the postcode goes before the name of the town. When giving a phone number, the numbers are grouped together in twos or threes. For example, *986 730025* would be *novecientos ochenta y seis - setenta y tres - cero cero - veinticinco.* When giving an e-mail address verbally, note that @ is pronounced *arroba*, dot is *punto*, and all one word is *todo junto*, e.g.: *lauragarrido@terra.es* (laura garrido todo junto arroba terra punto es).

address book *n* agenda *f* de direcciones

addressee [ˌædre'siː] *n* destinatario *m*, -ria *f*

adequate ['ædɪkwət] *adj* **1.** *(sufficient)* suficiente **2.** *(satisfactory)* aceptable

adhere [əd'hɪə] *vi* ● **to adhere to** *(stick to)* adherirse a; *(obey)* observar

adhesive [əd'hiːsɪv] ◇ *adj* adhesivo(va) ◇ *n* adhesivo *m*

adjacent [ə'dʒeɪsənt] *adj* adyacente

adjective ['ædʒɪktɪv] *n* adjetivo *m*

adjoining [ə'dʒɔɪnɪŋ] *adj* contiguo(gua)

adjust [ə'dʒʌst] ◇ *vt* ajustar ◇ *vi* ● **to adjust to** adaptarse a

adjustable [ə'dʒʌstəbl] *adj* ajustable

adjustment [ə'dʒʌstmənt] *n* ajuste *m*

administration [əd,mɪnɪ'streɪʃn] *n* administración *f*

administrator [əd'mɪnɪstreɪtə'] *n* administrador *m*, -ra *f*

admire [əd'maɪə'] *vt* admirar

admission [əd'mɪʃn] *n* **1.** *(permission to enter)* admisión *f* **2.** *(entrance cost)* entrada *f* **3.** *(confession)* confesión *f*

admission charge *n* entrada *f*

admit [əd'mɪt] ◇ *vt* admitir ◇ *vi* ● **to admit to a crime** admitir un crimen ▼ **admits one** *(on ticket)* válido para una persona

adolescent [ˌædə'lesnt] *n* adolescente *mf*

adopt [ə'dɒpt] *vt* adoptar

adopted [ə'dɒptɪd] *adj* adoptivo(va)

adorable [ə'dɔːrəbl] *adj* adorable

adore [ə'dɔː'] *vt* adorar

adult ['ædʌlt] ◇ *n* adulto *m*, -ta *f* ◇ *adj* **1.** *(entertainment, films)* para adultos **2.** *(animal)* adulto(ta)

adult education *n* educación *f* para adultos

adultery [ə'dʌltəri] *n* adulterio *m*

advance [əd'vɑːns] ◇ *n* **1.** *(money)* anticipo *m* 2. *(movement)* avance *m* ◇ *adj* 1. *(warning)* previo(via) 2. *(payment)* anticipado(da) ◇ *vt* adelantar ◇ *vi* avanzar

advance booking *n* reserva *f* OR reservación *f* (*Amér*) anticipada

advanced [əd'vɑːnst] *adj* (*student, level*) avanzado(da)

advantage [əd'vɑːntɪdʒ] *n* (*benefit*) ventaja *f* ● **to take advantage of** (*opportunity, offer*) aprovechar; (*person*) aprovecharse de

adventure [əd'ventʃə'] *n* aventura *f*

adventurous [əd'ventʃərəs] *adj* (*person*) aventurero(ra)

adverb ['ædvɜːb] *n* adverbio *m*

adverse ['ædvɜːs] *adj* adverso(sa)

advert ['ædvɜːt] = **advertisement**

advertise ['ædvətaɪz] *vt* (*product, event*) anunciar

advertisement [əd'vɜːtɪsmənt] *n* anuncio *m*

advice [əd'vaɪs] *n* consejos *mpl* ● **a piece of advice** un consejo

advisable [əd'vaɪzəbl] *adj* aconsejable

advise [əd'vaɪz] *vt* aconsejar ● **to advise sb to do sthg** aconsejar a alguien que haga algo ● **to advise sb against doing sthg** aconsejar a alguien que no haga algo

advocate ◇ *n* ['ædvəkət] LAW abogado *m*, -da *f* ◇ *vt* ['ædvəkeɪt] abogar por

aerial ['eərɪəl] *n* (*UK*) antena *f*

aerobics [eə'rəʊbɪks] *n* aerobic *m*

aeroplane ['eərəpleɪn] *n* avión *m*

aerosol ['eərəsɒl] *n* aerosol *m*

affair [ə'feə'] *n* 1. *(matter)* asunto *m* 2. *(love affair)* aventura *f* (amorosa) 3. *(event)* acontecimiento *m*

affect [ə'fekt] *vt* (*influence*) afectar

affection [ə'fekʃn] *n* afecto *m*

affectionate [ə'fekʃnət] *adj* cariñoso (sa)

affluent ['æfluənt] *adj* opulento(ta)

afford [ə'fɔːd] *vt* ● **to be able to afford sthg** (*holiday, new coat*) poder permitirse algo ● **I can't afford it** no me lo puedo permitir ● **I can't afford the time** no tengo tiempo

affordable [ə'fɔːdəbl] *adj* asequible

afloat [ə'fləʊt] *adj* a flote

afraid [ə'freɪd] *adj* ● **to be afraid of** (*person*) tener miedo a; (*thing*) tener miedo de ● **I'm afraid so/not** me temo que sí/no

Africa ['æfrɪkə] *n* África

African ['æfrɪkən] ◇ *adj* africano(na) ◇ *n* africano *m*, -na *f*

African American *adj* afroamericano(na)

African American

El término *African American* se usa para referirse a los ciudadanos estadounidenses de origen africano. La mayoría de los afroamericanos son descendientes de los esclavos africanos llevados a la fuerza a América entre el siglo XVI y el XIX. Los afroamericanos están ahora completamente integrados en la sociedad estadounidense.

after ['ɑːftə'] ◇ *prep* después de ◇ *conj* después de que ◇ *adv* después ● **a quarter after ten** (*US*) las diez y cuarto

● **to be after sthg/sb** *(in search of)* buscar algo/a alguien ● **after all** *(in spite of everything)* después de todo; *(it should be remembered)* al fin y al cabo

aftereffects [ˈɑːftərɪˌfekts] *npl* efectos *mpl* secundarios

afternoon [ˌɑːftəˈnuːn] *n* tarde *f* ● **good afternoon!** ¡buenas tardes!

afternoon tea *n* ≃ merienda *f*

aftershave [ˈɑːftəʃeɪv] *n* colonia *f* para después del afeitado

aftersun [ˈɑːftəsʌn] *n* aftersún *m*

afterwards [ˈɑːftəwədz] *adv* después

again [əˈgen] *adv* de nuevo, otra vez ● **again and again** una y otra vez ● **never again** nunca jamás

against [əˈgenst] *prep* **1.** contra **2.** *(in disagreement with)* en contra de ● **to lean against sthg** apoyarse en algo ● **against the law** ilegal

age [eɪdʒ] *n* **1.** edad *f* **2.** *(old age)* vejez *f* ● **under age** menor de edad ● **I haven't seen her for ages** *(inf)* hace siglos que no la veo

aged [eɪdʒd] *adj* ● **aged eight** de ocho años de edad

age group *n* grupo *m* de edad

age limit *n* edad *f* máxima/mínima

agency [ˈeɪdʒənsɪ] *n* agencia *f*

agenda [əˈdʒendə] *n* orden *m* del día

agent [ˈeɪdʒənt] *n* agente *m*

aggression [əˈgreʃn] *n* agresividad *f*

aggressive [əˈgresɪv] *adj* agresivo(va)

agile [(UK) ˈædʒaɪl, (US) ˈædʒəl] *adj* ágil

agitated [ˈædʒɪteɪtɪd] *adj* agitado(da)

ago [əˈgəʊ] *adv* ● **a month ago** hace un mes ● **how long ago?** ¿cuánto tiempo hace?

agonizing [ˈægənaɪzɪŋ] *adj* **1.** *(delay)* angustioso(sa) **2.** *(pain)* atroz

agony [ˈægənɪ] *n* dolor *m* intenso

agree [əˈgriː] *vi* **1.** *(be in agreement)* estar de acuerdo **2.** *(consent)* acceder **3.** *(correspond)* concordar ● **it doesn't agree with me** *(food)* no me siente bien ● **to agree to sthg** acceder a algo ● **to agree to do sthg** acceder a hacer algo ● **agree on** *vt insep (time, price)* acordar

agreed [əˈgriːd] *adj* acordado(da) ● **to be agreed** *(person)* estar de acuerdo

agreement [əˈgriːmənt] *n* acuerdo *m* ● **in agreement with** de acuerdo con

agriculture [ˈægrɪkʌltʃə] *n* agricultura *f*

ahead [əˈhed] *adv* **1.** *(in front)* delante **2.** *(forwards)* adelante ● **the months ahead** los meses que vienen ● **to be ahead** *(winning)* ir ganando ● **ahead of** *(in front of)* delante de; *(in better position than)* por delante de ● **ahead of schedule** por delante de lo previsto ● **go straight ahead** sigue todo recto ● **they're two points ahead** llevan dos puntos de ventaja

aid [eɪd] ◇ *n* ayuda *f* ◇ *vt* ayudar ● **in aid of** a beneficio de ● **with the aid of** con la ayuda de

AIDS [eɪdz] *n* SIDA *m*

ailment [ˈeɪlmənt] *n* *(fml)* achaque *m*

aim [eɪm] ◇ *n* *(purpose)* propósito *m* ◇ *vt* apuntar ◇ *vi* ● **to aim (at)** apuntar (a) ● **to aim to do sthg** aspirar a hacer algo

air [eəʳ] ◇ *n* aire *m* ◇ *vt* *(room)* ventilar ◇ *adj* aéreo(a) ● **by air** *(travel)* en avión; *(send)* por avión

airbed [ˈeəbed] *n* colchón *m* de aire

airborne ['eəbɔːn] *adj* en el aire

air-conditioned [-kən'dɪʃnd] *adj* climatizado(da)

air-conditioning [-kən'dɪʃnɪŋ] *n* aire *m* acondicionado

aircraft ['eəkrɑːft] (*pl inv*) *n* avión *m*

airforce ['eəfɔːs] *n* fuerzas *fpl* aéreas

air freshener [-,freʃnə'] *n* ambientador *m*

airhostess ['eə,həʊstɪs] *n* azafata *f*, aeromoza *f* (*Amér*)

airletter ['eə,letə'] *n* aerograma *m*

airline ['eəlaɪn] *n* línea *f* aérea

airliner ['eə,laɪnə'] *n* avión *m* (grande) de pasajeros

airmail ['eəmeɪl] *n* correo *m* aéreo ● **by airmail** por avión

airplane ['eəpleɪn] *n* (*US*) avión *m*

airport ['eəpɔːt] *n* aeropuerto *m*

airsick ['eəsɪk] *adj* mareado(da) (*en avión*)

air steward *n* auxiliar *m* de vuelo, sobrecargo *mf* (*Amér*)

air stewardess *n* azafata *f*, aeromoza *f* (*Amér*)

air traffic control *n* (*people*) personal *m* de la torre de control

aisle [aɪl] *n* **1.** (*in church*) nave *f* lateral **2.** (*in plane, cinema, supermarket*) pasillo *m*

aisle seat *n* (*on plane*) asiento *m* junto al pasillo

ajar [ə'dʒɑː'] *adj* entreabierto(ta)

alarm [ə'lɑːm] ⋄ *n* alarma *f* ⋄ *vt* alarmar

alarm clock *n* despertador *m*

alarmed [ə'lɑːmd] *adj* **1.** (*anxious*) alarmado(da) **2.** (*door, car*) con alarma

alarming [ə'lɑːmɪŋ] *adj* alarmante

album ['ælbəm] *n* álbum *m*

alcohol ['ælkəhɒl] *n* alcohol *m*

alcohol-free *adj* sin alcohol

alcoholic [,ælkə'hɒlɪk] ⋄ *adj* alcohólico(ca) ⋄ *n* alcohólico *m*, -ca *f*

alcoholism ['ælkəhɒlɪzm] *n* alcoholismo *m*

alcove ['ælkəʊv] *n* hueco *m*

ale [eɪl] *n* cerveza oscura de sabor amargo y alto contenido en alcohol

alert [ə'lɜːt] ⋄ *adj* atento(ta) ⋄ *vt* alertar

A-level *n* examen necesario para acceder a la universidad

algebra ['ældʒɪbrə] *n* álgebra *f*

Algeria [æl'dʒɪərɪə] *n* Argelia

alias ['eɪlɪəs] *adv* alias

alibi ['ælɪbaɪ] *n* coartada *f*

alien ['eɪlɪən] *n* **1.** (*foreigner*) extranjero *m*, -ra *f* **2.** (*from outer space*) extraterrestre *mf*

alight [ə'laɪt] ⋄ *adj* ardiendo ⋄ *vi* (*fml*) (*from train, bus*) ● **to alight (from)** apearse (de)

align [ə'laɪn] *vt* alinear

alike [ə'laɪk] ⋄ *adj* parecido(da) ⋄ *adv* igual ● **to look alike** parecerse

alive [ə'laɪv] *adj* vivo(va)

all [ɔːl]
⋄ *adj* **1.** (*with singular noun*) todo(da) ● **all the money** todo el dinero ● **all the time** todo el rato ● **all day** todo el día **2.** (*with plural noun*) todos(das) ● **all the houses** todas las casas ● **all trains stop at Tonbridge** todos los trenes hacen parada en Tonbridge ● **all three died** los tres murieron

⋄ *adv* **1.** (*completely*) completamente ● **all alone** completamente solo **2.** (*in scores*) ● **it's two all** van empatados a dos **3.** (in phrases) ● **all but** empty casi vacío ● **all over** (finished) terminado, por todo ◇ pron **1.** (everything) todo *m*, -da *f* ● **all of the work** todo el trabajo ● **is that all?** (in shop) ¿algo más? ● **the best of all** lo mejor de todo **2.** (everybody) todos *mpl*, -das *f* ● **all of us went** fuimos todos **3.** (in phrases) ● **in all** (in total) en total ● **can I help you at all?** ¿le puedo ayudar en algo?

Allah ['ælə] *n* Alá *m*

allege [ə'ledʒ] *vt* alegar

allergic [ə'lɜːdʒɪk] *adj* ● **to be allergic to** ser alérgico(ca) a

allergy ['ælədʒɪ] *n* alergia *f*

alleviate [ə'liːvɪeɪt] *vt* aliviar

alley ['ælɪ] *n* (narrow street) callejón *m*

alligator ['ælɪɡeɪtə'] *n* caimán *m*

all-in *adj* (UK) (inclusive) con todo incluido

all-night *adj* (bar, petrol station) abierto(ta) toda la noche

allocate ['æləkeɪt] *vt* asignar

allow [ə'laʊ] *vt* **1.** (permit) permitir **2.** (time, money) contar con ● **to allow sb to do sthg** dejar a alguien hacer algo ◆ **allow for** *vt insep* contar con

allowance [ə'laʊəns] *n* **1.** (state benefit) subsidio *m* **2.** (for expenses) dietas *fpl* **3.** (US) (pocket money) dinero *m* de bolsillo

all right ◇ *adj* bien ◇ *adv* **1.** (satisfactorily) bien **2.** (yes, okay) vale

ally ['ælaɪ] *n* aliado *m*, -da *f*

almond ['ɑːmənd] *n* almendra *f*

almost ['ɔːlməʊst] *adv* casi

alone [ə'ləʊn] *adj & adv* solo(la) ● **to**

leave sb alone dejar a alguien en paz ● **to leave sthg alone** dejar algo

along [ə'lɒŋ] ◇ *prep* **1.** (towards one end of) por **2.** (alongside) a lo largo de ◇ *adv* ● **she was walking along** iba caminando ● **to bring sthg along** traerse algo ● **all along** siempre, desde el principio ● **along with** junto con

alongside [ə,lɒŋ'saɪd] ◇ *prep* junto a ◇ *adv* ● **to come alongside** ponerse al lado

aloud [ə'laʊd] *adv* en voz alta

alphabet ['ælfəbet] *n* alfabeto *m*

Alps [ælps] *npl* ● **the Alps** los Alpes

already [ɔːl'redɪ] *adv* ya

also ['ɔːlsəʊ] *adv* también

altar ['ɔːltə'] *n* altar *m*

alter ['ɔːltə'] *vt* alterar

alteration [,ɔːltə'reɪʃn] *n* alteración *f*

alternate [(UK) ɔːl'tɜːnət, (US) 'ɔːltərnət] *adj* alterno(na)

alternative [ɔːl'tɜːnətɪv] ◇ *adj* alternativo(va) ◇ *n* alternativa *f*

alternatively [ɔːl'tɜːnətɪvlɪ] *adv* o bien

although [ɔːl'ðəʊ] *conj* aunque

altitude ['æltɪtjuːd] *n* altitud *f*

altogether [,ɔːltə'ɡeðə'] *adv* **1.** (completely) completamente **2.** (in total) en total

aluminium [,æljʊ'mɪnɪəm] *n* (UK) aluminio *m*

aluminum [ə'luːmɪnəm] (US) = **aluminium**

always ['ɔːlweɪz] *adv* siempre

Alzheimer's disease ['ælts,haɪməz-] *n* (enfermedad *f* de) Alzheimer *m*

am [æm] ⊳ **be**

a.m. [eɪ'em] (abbr of ante meridiem) ●

at 2 a.m. a las dos de la mañana

amateur ['æmətə'] *n* aficionado *m*, -da *f*

amazed [ə'meɪzd] *adj* asombrado(da)

amazing [ə'meɪzɪŋ] *adj* asombroso(sa)

ambassador [æm'bæsədə'] *n* embajador *m*, -ra *f*

amber ['æmbə'] *adj* **1.** *(traffic lights)* (de color) ámbar **2.** *(jewellery)* de ámbar

ambiguous [æm'bɪgjʊəs] *adj* ambiguo(gua)

ambition [æm'bɪʃn] *n* ambición *f*

ambitious [æm'bɪʃəs] *adj* ambicioso(sa)

ambulance ['æmbjʊləns] *n* ambulancia *f*

ambush ['æmbʊʃ] *n* emboscada *f*

amenities [ə'mi:nətɪz] *npl* instalaciones *fpl*

America [ə'merɪkə] *n* América

American [ə'merɪkən] ◇ *adj* americano(na) ◇ *n (person)* americano *m*, -na *f*

amiable ['eɪmɪəbl] *adj* amable

ammunition [ˌæmjʊ'nɪʃn] *n* municiones *fpl*

amnesia [æm'ni:zɪə] *n* amnesia *f*

among(st) [ə'mʌŋ(st)] *prep* entre

amount [ə'maʊnt] *n* cantidad *f* ◆ **amount to** *vt insep (total)* ascender a

amp [æmp] *n* amperio *m* ● **a 13-amp plug** un enchufe con un fusible de 13 amperios

ample ['æmpl] *adj* más que suficiente

amplifier ['æmplɪfaɪə'] *n* amplificador *m*

amputate ['æmpjʊteɪt] *vt* amputar

Amtrak ['æmtræk] *n* organismo que regula los ferrocarriles en EEUU

amuse [ə'mju:z] *vt* **1.** *(make laugh)* divertir **2.** *(entertain)* entretener

amusement arcade [ə'mju:zmənt-] *n*

(UK) salón *m* de juegos

amusement park [ə'mju:zmənt-] *n* parque *m* de atracciones

amusements [ə'mju:zmənts] *npl* atracciones *fpl*

amusing [ə'mju:zɪŋ] *adj* divertido(da)

an [*stressed* æn, *unstressed* ən] ➤ **a**

anaemic [ə'ni:mɪk] *adj* (UK) *(person)* anémico(ca)

anaesthetic [ˌænɪs'θetɪk] *n* (UK) anestesia *f*

analgesic [ˌænæl'dʒi:zɪk] *n* analgésico *m*

analyse ['ænəlaɪz] *vt* analizar

analyst ['ænəlɪst] *n (psychoanalyst)* psicoanalista *mf*

analyze ['ænəlaɪz] (US) = **analyse**

anarchy ['ænəkɪ] *n* anarquía *f*

anatomy [ə'nætəmɪ] *n* anatomía *f*

ancestor ['ænsestə'] *n* antepasado *m*, -da *f*

anchor ['æŋkə'] *n* ancla *f*

anchovy ['æntʃəvɪ] *n* **1.** *(salted)* anchoa *f* **2.** *(fresh)* boquerón *m*

ancient ['eɪnʃənt] *adj* antiguo(gua)

and [*strong form* ænd, *weak form* ənd, ən] *conj* **1.** y **2.** *(before* i *or* hi) e ● **you and you?** ¿y tú? ● **a hundred and one** ciento uno ● **more and more** cada vez más ● **to try and do sthg** intentar hacer algo ● **to go and see** ir a ver

Andalusia [ˌændə'lu:zɪə] *n* Andalucía *f*

Andes ['ændi:z] *npl* ● **the Andes** los Andes

anecdote ['ænɪkdəʊt] *n* anécdota *f*

anemic [ə'ni:mɪk] (US) = **anaemic**

anesthetic [ˌænɪs'θetɪk] (US) = **anaesthetic**

angel ['eɪndʒl] *n* ángel *m*

anger ['æŋgə'] *n* ira *f*, furia *f*

angina [æn'dʒaɪnə] *n* angina *f* de pecho

angle ['æŋgl] *n* ángulo *m* • **at an angle** torcido

angler ['æŋglə'] *n* pescador *m*, -ra *f* (con caña)

angling ['æŋglɪŋ] *n* pesca *f* (con caña)

angry ['æŋgrɪ] *adj* **1.** (person) enfadado (da) **2.** (words, look, letter) airado(da) • **to get angry (with sb)** enfadarse (con alguien)

animal ['ænɪml] *n* animal *m*

aniseed ['ænɪsi:d] *n* anís *m*

ankle ['æŋkl] *n* tobillo *m*

annex ['æneks] *n* (building) edificio *m* anejo

anniversary [,ænɪ'vɜ:sərɪ] *n* aniversario *m*

announce [ə'naʊns] *vt* anunciar

announcement [ə'naʊnsmənt] *n* anuncio *m*

announcer [ə'naʊnsə'] *n* **1.** (on TV) presentador *m*, -ra *f* **2.** (on radio) locutor *m*, -ra *f*

annoy [ə'nɔɪ] *vt* molestar, fastidiar

annoyed [ə'nɔɪd] *adj* molesto(ta) • **to get annoyed (with)** enfadarse (con)

annoying [ə'nɔɪŋ] *adj* molesto(ta), fastidioso(sa)

annual ['ænjʊəl] *adj* anual

anonymous [ə'nɒnɪməs] *adj* anónimo (ma)

anorak ['ænəræk] *n* anorak *m*

another [ə'nʌðə'] ◇ *adj* otro *m*, otra *f* ◇ *pron* otro *m*, otra *f* • **another one** otro(otra) • **one another** el uno al otro(la una a la otra) • **they love one another** se quieren • **with one another**

el uno con el otro(la una con la otra) • **one after another** uno tras otro(una tras otra)

answer ['ɑ:nsər] ◇ *n* respuesta *f* ◇ *vt* **1.** (person, question) contestar a **2.** (letter, advert) responder a ◇ *vi* contestar • **to answer the door** abrir la puerta • **to answer the phone** coger el teléfono • **answer back** *vi* replicar

answering machine ['ɑ:nsərɪŋ-] = **answerphone**

answerphone ['ɑ:nsəfəʊn] *n* contestador *m* automático

ant [ænt] *n* hormiga *f*

Antarctic [æn'tɑ:ktɪk] *n* • **the Antarctic** el Antártico

antenna [æn'tenə] *n* (US) (aerial) antena *f*

anthem ['ænθəm] *n* himno *m*

antibiotics [,æntɪbaɪ'ɒtɪks] *npl* antibióticos *mpl*

anticipate [æn'tɪsɪpeɪt] *vt* prever

anticlimax [,æntɪ'klaɪmæks] *n* anticlímax *m inv*

anticlockwise [,æntɪ'klɒkwaɪz] *adv* (UK) en sentido contrario al de las agujas del reloj

antidote ['æntɪdəʊt] *n* antídoto *m*

antifreeze ['æntɪfri:z] *n* anticongelante *m*

antihistamine [,æntɪ'hɪstəmɪn] *n* antihistamínico *m*

antiperspirant [,æntɪ'pɜ:spərənt] *n* desodorante *m*

antique [æn'ti:k] *n* antigüedad *f*

antique shop *n* tienda *f* de antigüedades

antiseptic [,æntɪ'septɪk] *n* antiséptico *m*

antisocial [ˌæntɪ'səʊʃl] *adj* **1.** *(person)* insociable **2.** *(behaviour)* antisocial

antlers ['æntləz] *npl* cornamenta *f*

anxiety [æŋ'zaɪətɪ] *n* inquietud *f*, ansiedad *f*

anxious ['æŋkʃəs] *adj* **1.** *(worried)* preocupado(da) **2.** *(eager)* ansioso(sa)

any ['enɪ]
◇ *adj* **1.** *(in questions)* algún(una) ● have you got any money? ¿tienes (algo de) dinero? ● have you got any postcards? ¿tienes alguna postal? ● have you got any rooms? ¿tienes habitaciones libres? **2.** *(in negatives)* ningún(una) ● I haven't got any money no tengo (nada de) dinero ● we don't have any rooms no tenemos ninguna habitación **3.** *(no matter which)* cualquier ● take any one you like coge el que quieras
◇ *pron* **1.** *(in questions)* alguno *m*, -a *f* ● I'm looking for a hotel - are there any nearby? estoy buscando un hotel ¿hay alguno por aquí cerca? **2.** *(in negatives)* ninguno *m*, -na *f* ● I don't want any (of them) no quiero ninguno ● I don't want any (of it) no quiero (nada) **3.** *(no matter which one)* cualquiera ● you can sit at any of the tables puede sentarse en cualquier mesa
◇ *adv* **1.** *(in questions)* ● is that any better? ¿es así mejor? ● is there any more cheese? ¿hay más queso? ● any other questions? ¿alguna otra pregunta? **2.** *(in negatives)* ● he's not any better no se siente nada mejor ● we can't wait any longer ya no podemos esperar más

anybody ['enɪˌbɒdɪ] = anyone

anyhow ['enɪhaʊ] *adv* **1.** *(carelessly)* de cualquier manera **2.** *(in any case)* en cualquier caso **3.** *(in spite of that)* de todos modos

anyone ['enɪwʌn] *pron* **1.** *(in questions)* alguien **2.** *(any person)* cualquiera ● I don't like anyone no me gusta nadie

anything ['enɪθɪŋ] *pron* **1.** *(in questions)* algo **2.** *(no matter what)* cualquier cosa ● he didn't say anything no dijo nada

anyway ['enɪweɪ] *adv* de todos modos

anywhere ['enɪweə] *adv* **1.** *(in questions)* en/a algún sitio **2.** *(any place)* en/a cualquier sitio ● I can't find it anywhere no lo encuentro en ningún sitio ● anywhere you like donde quieras

apart [ə'pɑːt] *adv* aparte ● they're miles apart están muy separados ● to come apart romperse ● apart from *(except for)* salvo; *(as well as)* además de

apartheid [ə'pɑːtheɪt] *n* apartheid *m*

apartment [ə'pɑːtmənt] *n* piso *m (Esp)*, apartamento *m*

apathetic [ˌæpə'θetɪk] *adj* apático(ca)

ape [eɪp] *n* simio *m*

aperitif [ˌəperə'tiːf] *n* aperitivo *m*

aperture ['æpətʃə] *n (of camera)* abertura *f*

APEX ['eɪpeks] *n* **2.** *(UK) (train ticket)* billete de precio reducido no transferible que se compra con dos días de antelación

apiece [ə'piːs] *adv* cada uno(una)

apologetic [əˌpɒlə'dʒetɪk] *adj* lleno(na) de disculpas

apologize [ə'pɒlədʒaɪz] *vi* ● to apologize to sb for your behaviour pedir perdón a alguien por tu comportamiento

apology [əˈpɒlədʒɪ] *n* disculpa *f*

apostrophe [əˈpɒstrəfɪ] *n* apóstrofo *m*

appal [əˈpɔːl] *vt* horrorizar

appall [əˈpɔːl] (*US*) = appal

appalling [əˈpɔːlɪŋ] *adj* horrible

apparatus [ˌæpəˈreɪtəs] *n* aparato *m*

apparently [əˈpærəntlɪ] *adv* **1.** (*it seems*) por lo visto **2.** (*evidently*) aparentemente

appeal [əˈpiːl] ◇ *n* **1.** LAW apelación *f* **2.** (*fundraising campaign*) campaña *f* para recaudar fondos ◇ *vi* LAW apelar ● to appeal to sb (for sthg) hacer un llamamiento a alguien (para algo) ● it doesn't appeal to me no me atrae

appear [əˈpɪəʳ] *vi* **1.** (*come into view*) aparecer **2.** (*seem*) parecer **3.** (*in play, on TV*) salir **4.** (*before court*) comparecer ● it appears that parece que

appearance [əˈpɪərəns] *n* **1.** (*arrival*) aparición *f* **2.** (*look*) aspecto *m*

appendicitis [əˌpendɪˈsaɪtɪs] *n* apendicitis *f inv*

appendix [əˈpendɪks] (*pl* **-dices**) *n* apéndice *m*

appetite [ˈæpɪtaɪt] *n* apetito *m*

appetizer [ˈæpɪtaɪzəʳ] *n* aperitivo *m*

appetizing [ˈæpɪtaɪzɪŋ] *adj* apetitoso(sa)

applaud [əˈplɔːd] *vt & vi* aplaudir

applause [əˈplɔːz] *n* aplausos *mpl*

apple [ˈæpl] *n* manzana *f*

apple crumble *n* budín de manzana cubierto con una masa de harina, azúcar y mantequilla que se sirve caliente

apple juice *n* zumo *m* de manzana

(*Esp*), jugo *m* de manzana (*Amér*)

apple pie *n* pastel de hojaldre relleno de compota de manzana

apple tart *n* tarta *f* de manzana

appliance [əˈplaɪəns] *n* aparato *m* ● electrical/domestic appliance electrodoméstico *m*

applicable [əˈplɪkəbl] *adj* ● to be applicable (to) ser aplicable (a) ● if applicable si corresponde

applicant [ˈæplɪkənt] *n* solicitante *mf*

application [ˌæplɪˈkeɪʃn] *n* solicitud *f*

application form *n* impreso *m* de solicitud

apply [əˈplaɪ] ◇ *vt* **1.** (*lotion*) aplicar **2.** (*brakes*) pisar ◇ *vi* ● to apply to the bank for a loan (*make request*) solicitar un préstamo al banco ● to apply (to sb) (*be applicable*) ser aplicable (a alguien)

appointment [əˈpɔɪntmənt] *n* **1.** (*with businessman*) cita *f* **2.** (*with doctor, hairdresser*) hora *f* ● to have an appointment (with) (*businessman*) tener una cita (con); (*doctor, hairdresser*) tener hora (con) ● to make an appointment (with) (*businessman*) pedir una cita (con); (*doctor, hairdresser*) pedir hora (a) ● by appointment mediante cita

appreciable [əˈpriːʃəbl] *adj* apreciable

appreciate [əˈpriːʃɪeɪt] *vt* **1.** (*be grateful for*) agradecer **2.** (*understand*) ser consciente de **3.** (*like, admire*) apreciar

apprehensive [ˌæprɪˈhensɪv] *adj* inquieto(ta)

apprentice [əˈprentɪs] *n* aprendiz *m*, -za *f*

apprenticeship [əˈprentɪsʃɪp] *n* aprendizaje *m*

approach [əˈprəʊtʃ] ◇ n **1.** *(road)* acceso m **2.** *(to problem, situation)* enfoque m, planteamiento m ◇ vt **1.** *(come nearer to)* acercarse a **2.** *(problem, situation)* enfocar ◇ vi acercarse

appropriate [əˈprəʊprɪət] adj apropiado(da)

approval [əˈpruːvl] n **1.** *(favourable opinion)* aprobación f **2.** *(permission)* permiso m

approve [əˈpruːv] vi ● to approve of sb's behaviour ver con buenos ojos el comportamiento de alguien

approximate [əˈprɒksɪmət] adj aproximado(da)

approximately [əˈprɒksɪmətlɪ] adv aproximadamente

Apr. *(abbr of April)* abr. *(abril)*

apricot [ˈeɪprɪkɒt] n albaricoque m

April [ˈeɪprəl] n abril m ● at the beginning of April a principios de abril ● at the end of April a finales de abril ● during April en abril ● every April todos los años en abril ● in April en abril ● last April en abril del año pasado ● next April en abril del próximo año ● this April en abril de este año ● 2 April 2001 *(in letters etc)* 2 de abril de 2001

April Fools' Day n ≃ Día m de los Santos Inocentes

apron [ˈeɪprən] n delantal m

apt [æpt] adj *(appropriate)* acertado(da) ● to be apt to do sthg ser propenso(sa) a hacer algo

aquarium [əˈkweərɪəm] *(pl* -ria *)* n acuario m

Aquarius [əˈkweərɪəs] n Acuario m

aqueduct [ˈækwɪdʌkt] n acueducto m

Arab [ˈærəb] ◇ adj árabe ◇ n *(person)* árabe mf

Arabic [ˈærəbɪk] ◇ adj árabe ◇ n *(language)* árabe m

arbitrary [ˈɑːbɪtrərɪ] adj arbitrario(ria)

arc [ɑːk] n arco m

arcade [ɑːˈkeɪd] n **1.** *(for shopping)* centro m comercial **2.** *(of video games)* salón m de juegos

arch [ɑːtʃ] n arco m

archaeology [ˌɑːkɪˈɒlədʒɪ] n arqueología f

archbishop [ˌɑːtʃˈbɪʃəp] n arzobispo m

archery [ˈɑːtʃərɪ] n tiro m con arco

archipelago [ˌɑːkɪˈpeləgəʊ] n archipiélago m

architect [ˈɑːkɪtekt] n arquitecto m, -ta f

architecture [ˈɑːkɪtektʃə] n arquitectura f

archive [ˈɑːkaɪv] n archivo m

Arctic [ˈɑːktɪk] n ● the Arctic el Ártico

are [*weak form* əʳ, *strong form* ɑːʳ] ➤ be

area [ˈeərɪə] n **1.** *(region, space, zone)* zona f, área f **2.** *(surface size)* área f

area code n prefijo m *(telefónico)*

arena [əˈriːnə] n **1.** *(at circus)* pista f **2.** *(at sportsground)* campo m

aren't [ɑːnt] = are not

Argentina [ˌɑːdʒənˈtiːnə] n Argentina

Argentinian [ˌɑːdʒənˈtɪnɪən] ◇ adj argentino(na) ◇ n argentino m, -na f

argue [ˈɑːgjuː] vi ● to argue with your partner about money discutir de dinero con tu compañero ● to argue (that) sostener que

argument ['ɑːgjʊmənt] n 1. (quarrel) discusión f 2. (reason) argumento m

arid ['ærɪd] adj árido(da)

Aries ['eəriːz] n Aries m

arise [ə'raɪz] (pt **arose**, pp **arisen**) vi ● to arise (from) surgir (de)

aristocracy [,ærɪ'stɒkrəsɪ] n aristocracia f

arithmetic [ə'rɪθmətɪk] n aritmética f

arm [ɑːm] n 1. (of person, chair) brazo m 2. (of garment) manga f

arm bands npl (for swimming) brazaletes mpl (de brazos), alitas fpl (Amér)

armchair ['ɑːmtʃeəʳ] n sillón m

armed [ɑːmd] adj armado(da)

armed forces npl ● the armed forces las fuerzas armadas

armor ['ɑːmər] (US) = armour

armour ['ɑːməʳ] n (UK) armadura f

armpit ['ɑːmpɪt] n axila f

arms [ɑːmz] npl (weapons) armas fpl

army ['ɑːmɪ] n ejército m

A-road n (UK) ≃ carretera f nacional

aroma [ə'rəʊmə] n aroma m

aromatic [,ærə'mætɪk] adj aromático(ca)

arose [ə'rəʊz] pt ➤ arise

around [ə'raʊnd] ◇ adv 1. (about, round) por ahí 2. (present) por ahí/aquí ◇ prep 1. (surrounding, approximately) alrededor de 2. (to the other side of) al otro lado de 3. (near, all over) por ● around here (in the area) por aquí ● to go around the corner doblar la esquina ● to turn around volverse ● to look around (turn head) volver la mirada; (visit) visitar ● is Paul around? ¿está Paul por aquí?

arouse [ə'raʊz] vt (suspicion, interest) suscitar

arrange [ə'reɪndʒ] vt 1. (flowers, books) colocar 2. (meeting, event) organizar 3. ● we've arranged to meet at seven hemos quedado para las siete ● to arrange to go to the cinema with a friend acordar ir al cine con un amigo

arrangement [ə'reɪndʒmənt] n 1. (agreement) acuerdo m 2. (layout) disposición f ● by arrangement sólo con cita previa ● to make arrangements to do sthg hacer los preparativos para hacer algo

arrest [ə'rest] ◇ n detención f ◇ vt detener ● to be under arrest estar detenido

arrival [ə'raɪvl] n llegada f ● on arrival al llegar ● new arrival (person) recién llegado m, -da f

arrive [ə'raɪv] vi llegar ● to arrive at llegar a

arrogant ['ærəgənt] adj arrogante

arrow ['ærəʊ] n flecha f

arson ['ɑːsn] n incendio m provocado

art [ɑːt] n arte m ◆ **arts** npl (humanities) letras fpl ● the arts (fine arts) las bellas artes

artefact ['ɑːtɪfækt] n artefacto m

artery ['ɑːtərɪ] n arteria f

art gallery n 1. (commercial) galería f (de arte) 2. (public) museo m (de arte)

arthritis [ɑː'θraɪtɪs] n artritis f inv

artichoke ['ɑːtɪtʃəʊk] n alcachofa f

article ['ɑːtɪkl] n artículo m

articulate [ɑː'tɪkjʊlət] adj elocuente

artificial [,ɑːtɪ'fɪʃl] adj artificial

artist ['ɑːtɪst] n artista mf

artistic [ɑː'tɪstɪk] adj 1. (person) con sensibilidad artística 2. (design) artístico(ca)

arts centre *n* ≃ casa *f* de cultura

arty ['ɑːtɪ] *adj* (*pej*) con pretensiones artísticas

as [*unstressed* əz, *stressed* æz] ◇ *adv* (*in comparisons*) ● **as ... as** tan ... como ● he's as tall as I am es tan alto como ● **twice as big as** el doble de grande que ● **as many as** tantos como ● **as much as** tanto como ◇ *conj* **1.** (*referring to time*) mientras **2.** (*referring to manner*) como **3.** (*introducing a statement*) como **4.** (*because*) como, ya que **5.** (*in phrases*) ● **as for** en cuanto a ● **as from** a partir de ● **as if** como si ◇ *prep* **1.** (*referring to function*) como **2.** (*referring to job*) de ● **as the plane was coming in to land** cuando el avión iba a aterrizar ● **do as you like** haz lo que quieras ● **as expected** (tal) como era de esperar ● **as you know** como sabes ● **I work as a teacher** soy profesor

asap [eɪeseɪ'piː] (*abbr of as soon as possible*) *a la mayor brevedad posible*

ascent [ə'sent] *n* ascenso *m*

ascribe [ə'skraɪb] *vt* ● **to ascribe her success to luck** atribuir su éxito a la suerte

ash [æʃ] *n* **1.** (*from cigarette, fire*) ceniza *f* **2.** (*tree*) fresno *m*

ashore [ə'ʃɔː] *adv* (*be*) en tierra ● **to go ashore** desembarcar

ashtray ['æʃtreɪ] *n* cenicero *m*

Asia [(UK) 'eɪʃə, (US) 'eɪʒə] *n* Asia

Asian [(UK) 'eɪʃn, (US) 'eɪʒn] ◇ *adj* asiático(ca) ◇ *n* asiático *m*, -ca *f*

aside [ə'saɪd] *adv* a un lado ● **to move aside** apartarse

ask [ɑːsk] ◇ *vt* **1.** (*person*) preguntar **2.** (*request*) pedir **3.** (*invite*) invitar **4.** ● **to ask a question** hacer una pregunta ◇ *vi* ● **to ask about sthg** preguntar acerca de algo ● **to ask the man his name** preguntarle el nombre al señor ● **to ask her about her new job** preguntarle por su nuevo trabajo ● **to ask them to help** pedirles que ayuden ● **to ask your boss for a rise** pedir un aumento de sueldo al jefe ● **ask for** *vt insep* **1.** (*ask to talk to*) preguntar por **2.** (*request*) pedir

asleep [ə'sliːp] *adj* dormido(da) ● **to fall asleep** quedarse dormido

AS level *n* (UK) examen de asignaturas complementarias al examen de A level

asparagus [ə'spærəgəs] *n* espárragos *mpl*

aspect ['æspekt] *n* aspecto *m*

aspirin ['æsprɪn] *n* aspirina *f*

ass [æs] *n* (*animal*) asno *m*, -na *f*

assassinate [ə'sæsɪneɪt] *vt* asesinar

assault [ə'sɔːlt] ◇ *n* agresión *f* ◇ *vt* agredir

assemble [ə'sembl] ◇ *vt* (*bookcase, model*) montar ◇ *vi* reunirse

assembly [ə'semblɪ] *n* (*at school*) reunión cotidiana de todos los alumnos y profesores en el salón de actos

assembly hall *n* (*at school*) salón *m* de actos

assembly point *n* punto *m* de reunión

assert [ə'sɜːt] *vt* **1.** (*fact, innocence*) afirmar **2.** (*authority*) imponer ● **to assert o.s.** imponerse

assess [ə'ses] *vt* evaluar

assessment [ə'sesmənt] *n* evaluación *f*

asset ['æset] *n (valuable person, thing)* elemento *m* valioso

assign [ə'saɪn] *vt* ● **to assign a task to an employee** asignar una tarea a un empleado ● **to assign police officers to watch a building** asignar policías a la vigilancia de un edificio

assignment [ə'saɪnmənt] *n* **1.** *(task)* misión *f* **2.** *SCH* trabajo *m*

assist [ə'sɪst] *vt* ayudar

assistance [ə'sɪstəns] *n* ayuda *f* ● **to be of assistance (to sb)** ayudar (a alguien)

assistant [ə'sɪstənt] *n* ayudante *mf*

associate ◇ *n* [ə'səʊʃɪət] socio *m*, -cia *f* ◇ *vt* [ə'səʊʃɪeɪt] ● **to associate sthg/sb with** asociar algo/a alguien con ● **to be associated with** estar asociado con

association [ə,səʊsɪ'eɪʃn] *n* asociación *f*

assorted [ə'sɔːtɪd] *adj* surtido(da), variado(da)

assortment [ə'sɔːtmənt] *n* surtido *m*

assume [ə'sjuːm] *vt* **1.** *(suppose)* suponer **2.** *(control, responsibility)* asumir

assurance [ə'ʃʊərəns] *n* **1.** *(promise)* garantía *f* **2.** *(insurance)* seguro *m*

assure [ə'ʃʊə'] *vt* asegurar ● **to assure sb (that) ...** asegurar a alguien que ...

asterisk ['æstərɪsk] *n* asterisco *m*

asthma ['æsmə] *n* asma *f*

asthmatic [æs'mætɪk] *adj* asmático(ca)

astonished [ə'stɒnɪʃt] *adj* estupefacto(-ta), pasmado(da)

astonishing [ə'stɒnɪʃɪŋ] *adj* asombroso(sa)

astound [ə'staʊnd] *vt* asombrar, pasmar

astray [ə'streɪ] *adv* ● **to go astray** extraviarse

astrology [ə'strɒlədʒɪ] *n* astrología *f*

astronomy [ə'strɒnəmɪ] *n* astronomía *f*

at [unstressed ət, stressed æt] *prep* **1.** *(indicating place, position)* en ● **at the bottom of the hill** al pie de la colina ● **at school** en la escuela ● **at the hotel** en el hotel ● **at home** en casa ● **at my mother's** en casa de mi madre **2.** *(indicating direction)* a ● **to throw stones at a dog** tirar piedras a un perro ● **to look at a picture** mirar un cuadro ● **to smile at a neighbour** sonreír a un vecino **3.** *(indicating time)* a ● **at Christmas** en Navidades ● **at nine o'clock** a las nueve ● **at night** por la noche **4.** *(indicating rate, level, speed)* a ● **it works out at £5 each** sale a 5 libras cada uno ● **at 60 km/h** a 60 km/h **5.** *(indicating activity)* ● **to be at lunch** estar comiendo ● **I'm good/bad at maths** se me dan bien/mal las matemáticas **6.** *(indicating cause)* ● **shocked at sthg** horrorizado ante algo ● **angry at sb** enfadado con alguien ● **delighted at sthg** encantado con algo

ate [(UK) et, (US) eɪt] *pt* > **eat**

atheist ['eɪθɪɪst] *n* ateo *m*, -a *f*

athlete ['æθliːt] *n* atleta *mf*

athletics [æθ'letɪks] *n* atletismo *m*

Atlantic [ət'læntɪk] *n* ● **the Atlantic (Ocean)** el (océano) Atlántico

atlas ['ætləs] *n* atlas *m inv*

ATM [eɪtiː'em] *n (abbr of automatic or automated teller machine)* cajero automático

atmosphere ['ætməsfɪə'] *n* atmósfera *f*

atrocious [ə'trəʊʃəs] *adj* atroz

attach [ə'tætʃ] *vt* sujetar ● **to attach**

padlock to a bicycle ponerle un candado a una bicicleta

attachment [əˈtætʃmənt] *n* **1.** (device) accesorio *m* **2.** *COMPUT* anexo *m*

attack [əˈtæk] ◇ *n* ataque *m* ◇ *vt* atacar

attacker [əˈtækəʳ] *n* atacante *mf*

attain [əˈteɪn] *vt* (fml) alcanzar, conseguir

attempt [əˈtempt] ◇ *n* intento *m* ◇ *vt* intentar ● **to attempt to do sthg** intentar hacer algo

attend [əˈtend] *vt* asistir a ● **attend to** vt *insep* ocuparse de

attendance [əˈtendəns] *n* asistencia *f*

attendant [əˈtendənt] *n* **1.** (in museum) conserje *mf* **2.** (in car park) encargado *m*, -da *f*

attention [əˈtenʃn] *n* atención *f* ● **to pay attention (to)** prestar atención (a)

attic [ˈætɪk] *n* desván *m*

attitude [ˈætɪtjuːd] *n* actitud *f*

attorney [əˈtɜːnɪ] *n* (US) abogado *m*, -da *f*

attract [əˈtrækt] *vt* atraer

attraction [əˈtrækʃn] *n* **1.** atracción *f* **2.** (attractive feature) atractivo *m*

attractive [əˈtræktɪv] *adj* atractivo(va)

attribute [əˈtrɪbjuːt] *vt* ● **to attribute his success to hard work** atribuir su éxito al trabajo duro

aubergine [ˈəʊbəʒiːn] *n* (UK) berenjena *f*

auburn [ˈɔːbən] *adj* castaño rojizo

auction [ˈɔːkʃn] *n* subasta *f*

audience [ˈɔːdɪəns] *n* **1.** (of play, concert, film) público *m* **2.** (of TV, radio) audiencia *f*

audio [ˈɔːdɪəʊ] *adj* (store, department) de sonido

audio-visual [-ˈvɪʒʊəl] *adj* audiovisual

Aug. (abbr of August) ago. (agosto)

August [ˈɔːgəst] *n* agosto *m* ● **at the beginning of August** a principios de agosto ● **at the end of August** a finales de agosto ● **during August** en agosto ● **every August** todos los años en agosto ● **in August** en agosto ● **last August** en agosto del año pasado ● **next August** en agosto del próximo año ● **this August** en agosto de este año ● **2 August 2001** (in letters etc) 2 de agosto de 2001

aunt [ɑːnt] *n* tía *f*

au pair [ˌəʊˈpeəʳ] *n* au pair *f*

aural [ˈɔːrəl] *adj* auditivo(va)

Australia [ɒˈstreɪlɪə] *n* Australia

Australian [ɒˈstreɪlɪən] ◇ *adj* australiano(na) ◇ *n* (person) australiano *m*, -na *f*

Austria [ˈɒstrɪə] *n* Austria

Austrian [ˈɒstrɪən] ◇ *adj* austríaco(ca) ◇ *n* (person) austríaco *m*, -ca *f*

authentic [ɔːˈθentɪk] *adj* auténtico(ca)

author [ˈɔːθəʳ] *n* **1.** (of book, article) autor *m*, -ra *f* **2.** (by profession) escritor *m*, -ra *f*

authority [ɔːˈθɒrətɪ] *n* autoridad *f* ● **the authorities** las autoridades

authorization [ˌɔːθəraɪˈzeɪʃn] *n* autorización *f*

authorize [ˈɔːθəraɪz] *vt* autorizar ● **to authorize your son to act on your behalf** autorizar a tu hijo a que actúe en nombre tuyo

autobiography [ˌɔːtəbaɪˈɒgrəfɪ] *n* autobiografía *f*

autograph [ˈɔːtəgrɑːf] *n* autógrafo *m*

automatic [ˌɔːtəˈmætɪk] ◇ *n* (car) coche *m* automático ◇ *adj* automático(ca) ●

you will receive an **automatic** fine Vd. será multado en el acto

automatically [ˌɔːtəˈmætɪklɪ] *adv* automáticamente

automobile [ˈɔːtəməbiːl] *n* (US) coche *m*, automóvil *m*

autumn [ˈɔːtəm] *n* otoño *m* • **in (the) autumn** en otoño

auxiliary (verb) [ɔːgˈzɪljərɪ] *n* verbo *m* auxiliar

available [əˈveɪləbl] *adj* disponible

avalanche [ˈævəlɑːnʃ] *n* avalancha *f*

Ave. (*abbr of* avenue) Avda (*avenida*)

avenue [ˈævənjuː] *n* avenida *f*

average [ˈævərɪdʒ] ◇ *adj* **1.** medio(dia) **2.** (*not very good*) regular ◇ *n* media *f*, promedio *m* • **on average** por término medio

aversion [əˈvɜːʃn] *n* aversión *f*

aviation [ˌeɪvɪˈeɪʃn] *n* aviación *f*

avid [ˈævɪd] *adj* ávido(da)

avocado [ˌævəˈkɑːdəʊ] *n* (*fruit*) aguacate *m*

avoid [əˈvɔɪd] *vt* evitar • **to avoid doing sthg** evitar hacer algo

await [əˈweɪt] *vt* esperar, aguardar

awake [əˈweɪk] (*pt* awoke, *pp* awoken) ◇ *adj* despierto(ta) ◇ *vi* despertarse

award [əˈwɔːd] ◇ *n* premio *m*, galardón *m* ◇ *vt* • **to award a student a prize** otorgar un premio a un estudiante • **to award an accident victim compensation** otorgar una compensación a la víctima de un accidente

aware [əˈweər] *adj* consciente • **to be aware of** ser consciente de

away [əˈweɪ] *adv* **1.** (*move, look, turn*)

hacia otra parte **2.** (*not at home, in office*) fuera • **put your toys away!** ¡recoge tus juguetes! • **to take a knife away from an attacker** quitarle el cuchillo a un atacante • **far away** lejos • **it's 10 miles away (from here)** está a 10 millas (de aquí) • **it's two weeks away** faltan dos semanas • **to look away** apartar la vista • **to walk/drive away** alejarse • **we're going away on holiday** nos vamos de vacaciones

awesome [ˈɔːsəm] *adj* impresionante

awful [ˈɔːfəl] *adj* **1.** (*very bad*) fatal **2.** (*very great*) tremendo(da) • **how awful!** ¡qué horror!

awfully [ˈɔːflɪ] *adv* (*very*) tremendamente

awkward [ˈɔːkwəd] *adj* **1.** (*movement*) torpe **2.** (*position, situation*) incómodo(da) **3.** (*shape, size*) poco manejable **4.** (*time*) inoportuno(na) **5.** (*question, task*) difícil

awning [ˈɔːnɪŋ] *n* toldo *m*

awoke [əˈwəʊk] *pt* ➤ awake

awoken [əˈwəʊkən] *pp* ➤ awake

axe [æks] *n* hacha *f*

axle [ˈæksl] *n* eje *m*

*b***B**

BA [biːˈeɪ] (*abbr of* Bachelor of Arts) (*titular de una*) licenciatura de letras

babble [ˈbæbl] *vi* (*person*) farfullar

baby [ˈbeɪbɪ] *n* **1.** (*newborn baby*) bebé *m*

2. *(infant)* niño *m*, -ña *f* ● **to have a baby** tener un niño

baby carriage *n* (US) cochecito *m* de niños

baby food *n* papilla *f*

baby-sit *vi* cuidar a niños

baby wipe *n* toallita *f* húmeda para bebés

back [bæk] ◇ *n* **1.** *(of person)* espalda *f* **2.** *(of chair)* respaldo *m* **3.** *(of room)* fondo *m* **4.** *(of car, book)* parte *f* trasera **5.** *(of hand, banknote)* dorso *m* ◇ *adj* trasero(ra) ◇ *vi (car, driver)* dar marcha atrás ◇ *vt (support)* respaldar ◇ *adv* **1.** *(towards the back)* hacia atrás **2.** *(to previous position, state)* de vuelta ● **to get back** llegar ● **to give back** devolver ● **to put sthg back** devolver algo a su sitio ● **to stand back** apartarse ● **to write back** contestar ● **at the back of** detrás de ● **in back of** (US) detrás de ● **back to front** al revés ● **back up** ◇ *vi sep (support)* apoyar ◇ *vi (car, driver)* dar marcha atrás, meter reversa (Col & Méx)

backache ['bækeɪk] *n* dolor *m* de espalda

backbone ['bækbəʊn] *n* columna *f* vertebral

back door *n* puerta *f* trasera

backfire [,bæk'faɪə] *vi (car)* petardear

background ['bækgraʊnd] *n* **1.** *(in picture, on stage)* fondo *m* **2.** *(to situation)* trasfondo *m* **3.** *(upbringing)* origen *m*

backlog ['bæklɒg] *n* acumulación *f*

backpack ['bækpæk] *n* mochila *f*

backpacker ['bækpækə] *n* mochilero *m*, -ra *f*

back seat *n* asiento *m* trasero OR de atrás

backside [,bæk'saɪd] *n* (inf) trasero *m*

back street *n* callejuela *f* en una zona periférica y deprimida

backstroke ['bækstrəʊk] *n* espalda *f* (en natación)

backwards ['bækwədz] *adv* **1.** *(move, look)* hacia atrás **2.** *(the wrong way round)* al revés

bacon ['beɪkən] *n* tocino *m*, panceta *f* (RP), bacon *m* (Esp) ● **bacon and eggs** huevos fritos con bacon

bacteria [bæk'tɪərɪə] *npl* bacterias *fpl*

bad [bæd] *(compar* **worse**, *superl* **worst)** *adj* **1.** malo(la) **2.** *(accident, wound)* grave **3.** *(cold)* fuerte **4.** *(poor, weak)* débil ● **not bad** (bastante) bien ● **to go bad** echarse a perder

badge [bædʒ] *n* chapa *f*, botón *m* (Amér)

badger ['bædʒə] *n* tejón *m*

badly ['bædlɪ] *(compar* **worse**, *superl* **worst)** *adv* **1.** *(poorly)* mal **2.** *(seriously)* gravemente **3.** *(very much)* mucho

badly paid [-peɪd] *adj* mal pagado(da)

badminton ['bædmɪntən] *n* bádminton *m*

bad-tempered [-'tempəd] *adj* de mal genio

bag [bæg] *n* **1.** *(of paper, plastic)* bolsa *f* **2.** *(handbag)* bolso *m* (Esp), cartera *f* (Amér) **3.** *(suitcase)* maleta *f* ● **a bag of crisps** una bolsa de patatas fritas

bagel ['beɪgəl] *n* bollo de pan en forma de rosca

baggage ['bægɪdʒ] *n* equipaje *m*

baggage allowance *n* equipaje *m* permitido

baggage reclaim n (UK) recogida f de equipajes

baggy ['bægɪ] adj holgado(da)

bagpipes ['bægpaɪps] npl gaita f

bail [beɪl] n fianza f

bait [beɪt] n cebo m

bake [beɪk] ◇ vt cocer al horno ◇ n CULIN gratén m

baked [beɪkt] adj asado(da) al horno

baked beans npl alubias fpl (Esp) OR frijoles mpl (Amér) cocidas en salsa de tomate

baked potato n patata f (Esp) OR papa f (Amér) asada OR al horno (con piel)

baker ['beɪkəʳ] n panadero m, -ra f

baker's (shop) panadería f

balance ['bæləns] ◇ n 1. (of person) equilibrio m 2. (of bank account) saldo m 3. (remainder) resto m ◇ vt mantener en equilibrio

balcony ['bælkənɪ] n 1. (small) balcón m 2. (big) terraza f

bald [bɔːld] adj calvo(va)

bale [beɪl] n (of cloth, hay) fardo m

Balearic Islands [,bælɪˈærɪk-] npl Balearic Islands (las) Baleares

ball [bɔːl] n 1. (in tennis, golf, table tennis) pelota f 2. (in football) balón m 3. (in snooker, pool, of paper) bola f 4. (of wool, string) ovillo m 5. (dance) baile m ● on the ball (fig) al tanto de todo

ballerina [,bæləˈriːnə] n bailarina f

ballet ['bæleɪ] n ballet m

ballet dancer n bailarín m, -ina f

balloon [bəˈluːn] n globo m

ballot ['bælət] n votación f

ballpoint pen ['bɔːlpɔɪnt-] n bolígrafo m

ballroom ['bɔːlrʊm] n salón m de baile

ballroom dancing n baile m de salón

bamboo [bæmˈbuː] n bambú m

ban [bæn] ◇ n prohibición f ◇ vt prohibir ● to ban sb from doing sthg prohibir a alguien hacer algo

banana [bəˈnɑːnə] n plátano m

band [bænd] n 1. (pop group) grupo m 2. (military orchestra) banda f 3. (strip of paper, rubber) cinta f

bandage ['bændɪdʒ] ◇ n venda f ◇ vt vendar

B and B [biːəndbiː] abbr = bed and breakfast

bandstand ['bændstænd] n quiosco m de música

bang [bæŋ] ◇ n estruendo m ◇ vt 1. (hit loudly) golpear 2. (shut loudly) cerrar de golpe ● to bang one's head golpearse la cabeza

banger ['bæŋəʳ] n (UK) (inf) (sausage) salchicha f ● bangers and mash salchichas con puré de patatas

bangle ['bæŋgl] n brazalete m

bangs [bæŋz] npl (US) flequillo m, cerquillo m (Amér)

bank account n cuenta f bancaria

bank book n libreta f (del banco)

bank charges npl comisiones fpl bancarias

bank clerk n empleado m de banco

bank draft n giro m bancario

banjo ['bændʒəʊ] n banjo m

bank [bæŋk] n 1. (for money) banco m 2. (of river, lake) orilla f, ribera f 3. (slope) loma f

banker ['bæŋkəʳ] n banquero m, -ra f

banister ['bænɪstəʳ] n barandilla f

banker's card n tarjeta f de identificación bancaria

bank holiday n (UK) día m festivo

bank holiday

En el Reino Unido, un *bank holiday* es un día festivo. Recibe ese nombre porque los bancos no abren ese día (muchas tiendas y supermercados sí lo hacen). El número de festivos (unos 8 por año) de los que disfrutan los británicos es mucho menor que el de otros europeos.

bank manager n director m, -ra f de banco

bank note n billete m de banco

bankrupt ['bæŋkrʌpt] adj quebrado(da)

bank statement n extracto m de cuenta

banner ['bænə'] n 1. (flag) pancarta f 2. COMPUT banner m

bannister ['bænɪstə'] = banister

banquet ['bæŋkwɪt] n 1. (formal dinner) banquete m

bap [bæp] n (UK) panecillo m, bollo m

baptize [(UK) bæp'taɪz, (US) 'bæptaɪz] vt bautizar

bar [bɑː'] ◇ n 1. (pub, in restaurant, hotel) bar m 2. (counter in pub, metal rod) barra f 3. (of wood) tabla f 4. (of soap) pastilla f 5. (of chocolate) tableta f ◇ vt (obstruct) bloquear

barbecue ['bɑːbɪkjuː] ◇ n barbacoa f ◇ vt asar a la parrilla

barbed wire [bɑːbd-] n alambre m de espino

barber ['bɑːbə'] n barbero m ● **barber's** (shop) n barbería f, peluquería f

bar code n código m de barras

bare [beə'] adj 1. (feet) descalzo(za) 2. (head) descubierto(ta) 3. (arms) desnudo(da) 4. (room, cupboard) vacío(a) 5. (facts, minimum) esencial

barefoot [,beə'fʊt] adv ● **to go barefoot** ir descalzo

barely ['beəlɪ] adv apenas

bargain ['bɑːgɪn] ◇ n 1. (agreement) trato m, acuerdo m 2. (cheap buy) ganga f ◇ vi negociar ◆ **bargain for** vt insep contar con

bargain basement n sección f de oportunidades

barge [bɑːdʒ] ◇ n barcaza f ◆ **barge in** vi ● **to barge in (on sb)** interrumpir (a alguien)

bark [bɑːk] ◇ n (of tree) corteza f ◇ vi ladrar

barley ['bɑːlɪ] n cebada f

barmaid ['bɑːmeɪd] n camarera f (Esp), mesera f (Amér)

barman ['bɑːmən] (pl **-men**) n camarero m (Esp), barman m (Esp)

barn [bɑːn] n granero m

barometer [bə'rɒmɪtə'] n barómetro m

baron ['bærən] n barón m

baroque [bə'rɒk] adj barroco(ca)

barracks ['bærəks] npl cuartel m

barrage ['bærɑːʒ] n (of questions, criticism) lluvia f, alud m

barrel ['bærəl] n 1. (of beer, wine, oil) barril m 2. (of gun) cañón m

barren ['bærən] adj (land, soil) estéril

barricade [,bærɪ'keɪd] n barricada f

barrier ['bærɪə'] n barrera f

barrister ['bærɪstəʳ] n abogado m, -da f (de tribunales superiores)

bartender ['bɑːtendəʳ] n (US) camarero m, -ra f (Esp), barman m

barter ['bɑːtəʳ] vi hacer trueques

base [beɪs] ◇ n base f ◇ vt ● to base sthg on basar algo en ● to be based (company) tener la sede; (person) trabajar

baseball ['beɪsbɔːl] n béisbol m

baseball cap n gorra f de béisbol

basement ['beɪsmənt] n sótano m

bases ['beɪsiːz] pl ➤ basis

bash [bæʃ] vt (door) dar un porrazo a ● to bash one's head darse un porrazo en la cabeza

basic ['beɪsɪk] adj 1. (fundamental) básico(ca) 2. (accommodation, meal) simple ◆

basics npl ● the basics los fundamentos

basically ['beɪsɪklɪ] adv en realidad

basil ['bæzl] n albahaca f

basin ['beɪsn] n 1. (washbasin) lavabo m 2. (bowl) barreño m

basis ['beɪsɪs] (pl -ses) n base f ● on a weekly basis semanalmente ● on the basis of partiendo de

basket ['bɑːskɪt] n cesto m, cesta f

basketball ['bɑːskɪtbɔːl] n baloncesto m

basmati rice [bæz'mɑːtɪ] n arroz de origen pakistaní utilizado en muchos platos de cocina oriental

Basque [bɑːsk] ◇ adj vasco(ca) ◇ n 1. (person) vasco m, -ca f 2. (language) euskera m

Basque Country n ● the Basque Country el País Vasco, Euskadi

bass¹ [beɪs] n (singer) bajo m

bass² [bæs] n (fish) lubina f, róbalo m

bass guitar [beɪs-] n bajo m

bassoon [bə'suːn] n fagot m

bastard ['bɑːstəd] n (vulg) cabrón m, -ona f

bat [bæt] n 1. (in cricket, baseball) bate m 2. (in table tennis) paleta f 3. (animal) murciélago m

batch [bætʃ] n lote m

bath [bɑːθ] ◇ n (tub) bañera f, tina f (Amér) ◇ vt bañar ● to have a bath (UK) bañarse ◆ **baths** npl (UK) (public swimming pool) piscina f municipal

bathe [beɪð] vi bañarse

bathrobe ['bɑːθrəʊb] n 1. (for bathroom, swimming pool) albornoz m (Esp), bata f (Amér) 2. (dressing gown) bata f

bathroom ['bɑːθrʊm] n 1. (room with bath) cuarto m de baño 2. (US) (toilet) servicio m, baño m (Amér)

bathroom cabinet n armario m de aseo

bathtub ['bɑːθtʌb] n bañera f, tina f (Amér)

baton ['bætən] n 1. (of conductor) batuta f 2. (truncheon) porra f

batter ['bætəʳ] ◇ n CULIN masa f para rebozar ◇ vt (wife, child) maltratar

battered ['bætəd] adj CULIN rebozado(-da)

battery ['bætərɪ] n 1. (for radio, torch etc.) pila f 2. (for car) batería f

battery charger [-ˌtʃɑːdʒəʳ] n cargador m de pilas

battle ['bætl] n 1. (in war) batalla f 2. (struggle) lucha f

bay [beɪ] n 1. (on coast) bahía f 2. (for parking) plaza f

bay leaf *n* hoja *f* de laurel

bay window *n* ventana *f* salediza

B & B [biːəndbiː] *abbr* = **bed and breakfast**

BC [biːsiː] (*abbr of* before Christ) a.C., a. de J.C. (*antes de* J.C.)

Bcc [ˌbiːsiːˈsiː] *n* (*abbr of* blind carbon copy) Cco

be [biː] (*pt* was OR were, *pp* been)
◇ *vi* **1.** (*exist*) ser ● **there is/are** hay ● **are there any shops near here?** ¿hay alguna tienda por aquí? **2.** (*referring to location*) estar ● **the hotel is near the airport** el hotel está cerca del aeropuerto **3.** (*go, come*) estar ● **have you ever been to Ireland?** ¿has estado alguna vez en Irlanda? ● **I'll be there in five minutes** estaré ahí dentro de cinco minutos **4.** (*occur*) ser ● **the final is in May** la final es en mayo **5.** (*describing quality, permanent condition*) ser ● **he's a doctor** es médico ● **I'm British** soy británico **6.** (*describing state, temporary condition*) estar ● **I'm angry** estoy enfadado ● **I'm hot/cold** tengo calor/frío **7.** (*referring to health*) estar ● **how are you?** ¿cómo estás? ● **I'm fine** estoy bien ● **she's ill** está enferma **8.** (*referring to age*) ● **how old are you?** ¿cuántos años tienes? ● **I'm 14 (years old)** tengo 14 años (de edad) **9.** (*referring to cost*) valer, costar ● **how much is it?** ¿cuánto es? ● **it's ten pounds** son diez libras **10.** (*referring to time, dates*) ser ● **what time is it?** ¿qué hora es? ● **it's ten o'clock** son las diez ● **it's the 9th of April** estamos a 9 de abril **11.** (*referring to measurement*) ● **it's 2 metres wide/**long mide 2 metros de ancho/largo ● **he's 2 metres tall** mide 2 metros ● **I'm 60 kilos** peso 60 kilos **12.** (*referring to weather*) hacer ● **it's hot/cold** hace calor/frío ● **it's sunny/windy** hace sol/viento ● **it's going to be nice today** hoy va a hacer buen tiempo
◇ *aux vb* **1.** (*forming continuous tense*) estar ● **I'm learning French** estoy aprendiendo francés ● **we've been visiting the museum** hemos estado visitando el museo ● **I was eating when ...** estaba comiendo cuando ... **2.** (*forming passive*) ser ● **to be loved** ser amado ● **the flight was delayed** el avión se retrasó **3.** (*with infinitive to express order*) ● **all rooms are to be vacated by ten a.m.** las habitaciones han de ser desocupadas antes de las diez de la mañana **4.** (*with infinitive to express future tense*) ● **the race is to start at noon** la carrera empezará a mediodía **5.** (*in tag questions*) ● **it's cold, isn't it?** hace frío ¿no?

beach [biːtʃ] *n* playa *f*

bead [biːd] *n* **1.** cuenta *f* **2.** (*glass*) abalorio *m*

beak [biːk] *n* pico *m*

beaker [ˈbiːkər] *n* taza *f* (*sin asa*)

beam [biːm] ◇ *n* **1.** (*of light*) rayo *m* **2.** (*of wood, concrete*) viga *f* ◇ *vi* (*smile*) sonreír resplandeciente

bean [biːn] *n* **1.** (*haricot*) judía *f* (*Esp*), frijol *m* (*Amér*) **2.** (*pod*) judía *f* verde **3.** (*of coffee*) grano *m*

beansprouts [ˈbiːnsprauts] *npl* brotes *mpl* de soja (*Esp*) OR soya (*Amér*)

bear [beə'] (*pt* bore, *pp* borne) ◇ *n* (*animal*) oso *m*, osa *f* ◇ *vt* aguantar, soportar • **to bear left/right** torcer a la izquierda/derecha

bearable ['beərəbl] *adj* soportable

beard [biəd] *n* barba *f*

bearer ['beərə'] *n* **1.** (of cheque) portador *m*, -ra *f* **2.** (of passport) titular *mf*

bearing ['beəriŋ] *n* (relevance) relación *f* • **to get one's bearings** orientarse

beast [biːst] *n* bestia *f*

beat [biːt] (*pt* **beat**, *pp* **beaten**) ◇ *n* **1.** (of heart, pulse) latido *m* **2.** MUS ritmo *m* ◇ *vt* **1.** (defeat) ganar, derrotar **2.** (hit) golpear **3.** (eggs, cream) batir • **beat down** ◇ *vt sep* convencer que rebaje el precio ◇ *vi* **1.** (rain) descargar **2.** (sun) pegar fuerte • **beat up** *vt sep* dar una paliza a

beautiful ['bjuːtɪful] *adj* **1.** (in appearance, very good) precioso(sa) **2.** (person) guapo(pa)

beauty ['bjuːtɪ] *n* belleza *f*

beauty parlour *n* salón *m* de belleza

beauty spot *n* (place) bello paraje *m*

beaver ['biːvə'] *n* castor *m*

became [bɪ'keɪm] *pt* > **become**

because [bɪ'kɒz] *conj* porque • **because of** a causa de

beckon ['bekən] *vi* • **to beckon (to)** hacer señas para atraer la atención (a)

become [bɪ'kʌm] (*pt* **became**, *pp inv*) *vi* **1.** hacerse **2.** (ill, angry, cloudy) ponerse **3.** (champion, prime minister) llegar a ser • **what became of him?** ¿qué fue de él?

bed [bed] *n* **1.** (for sleeping in) cama *f* **2.** (of river, CULIN) lecho *m* **3.** (of sea) fondo *m* • **in bed** en la cama • **to get out of bed** levantarse (de la cama) • **to go to bed** irse a la cama • **to go to bed with sb** acostarse con alguien • **to make the bed** hacer la cama

bed and breakfast *n* (UK) casa privada donde se ofrece cama y desayuno a precios asequibles

---

bed and breakfast

Un *bed and breakfast* es un hostal familiar en el que el desayuno está incluido en el precio del alojamiento. Su localización está bien señalizada y hay de todos los tipos. Se encuentran no sólo en el Reino Unido sino también en los Estados Unidos, Canadá, Australia y Nueva Zelanda.

---

bedclothes ['bedkləʊðz] *npl* ropa *f* de cama

bedding ['bediŋ] *n* ropa *f* de cama

bed linen *n* sábanas *y* fundas de almohada

bedroom ['bedrʊm] *n* **1.** (en casa) dormitorio *m* **2.** (en hotel) habitación *f*

bedside table ['bedsaɪd-] *n* mesita *f* de noche

bedsit ['bed,sɪt] *n* (UK) habitación *f* alquilada con cama e instalaciones para cocinar y lavarse

bedspread ['bedspred] *n* colcha *f*

bedtime ['bedtaɪm] *n* hora *f* de dormir

bee [biː] *n* abeja *f*

beech [biːtʃ] *n* haya *f*

beef [biːf] *n* carne *f* de vaca OR res (*Amér*)

beefburger ['biːf,bɜːgə'] *n* (UK) hamburguesa *f*

beehive ['biːhaɪv] n colmena f

been [biːn] pp > be

beer [bɪəʳ] n cerveza f ● to have a couple of beers tomarse un par de cervezas

beer garden n patio m de bar

beer mat n posavasos m inv (de bar)

beetle ['biːtl] n escarabajo m

beetroot ['biːtruːt] n (UK) remolacha f

before [bɪ'fɔːʳ] ◇ adv antes ◇ prep 1. (earlier than) antes de 2. (in order) antes que 3. (fml) (in front of) frente a ◇ conj antes de ● before you leave antes de irte ● the day before el día anterior ● the week before last la semana pasada no, la anterior

beforehand [bɪ'fɔːhænd] adv con antelación

befriend [bɪ'frend] vt hacer amistad con

beg [beg] ◇ vi mendigar ◇ vt ● to beg sb to do sthg rogar a alguien que haga algo

began [bɪ'gæn] pt > begin

beggar ['begəʳ] n mendigo m, -ga f

begin [bɪ'gɪn] (pt began, pp begun) vt & vi empezar, comenzar ● to begin doing OR to do sthg empezar a hacer algo ● to begin by doing sthg empezar haciendo algo ● to begin with (firstly) de entrada; (in restaurant) de primero

beginner [bɪ'gɪnəʳ] n principiante m

beginning [bɪ'gɪnɪŋ] n comienzo m ● at the beginning of a principios de

begun [bɪ'gʌn] pp > begin

behalf [bɪ'hɑːf] n ● on behalf of en nombre de

behave [bɪ'heɪv] vi comportarse ● to behave (o.s.) (be good) portarse bien

behavior [bɪ'heɪvjəʳ] (US) = behaviour

behaviour [bɪ'heɪvjəʳ] n comportamiento m

behind [bɪ'haɪnd] ◇ adv detrás ◇ n (inf) trasero m ◇ prep (at the back of) detrás de ● to be behind sb (supporting) apoyar a alguien ● to be behind (schedule) ir retrasado ● to leave sthg behind dejarse algo (olvidado) ● to stay behind quedarse

beige [beɪʒ] adj beige (inv)

being [biːŋ] n ser m ● to come into being nacer

belated [bɪ'leɪtɪd] adj tardío(a)

belch [beltʃ] vi eructar

Belgian ['beldʒən] ◇ adj belga ◇ n belga mf

Belgian waffle n (US) gofre m (Esp), wafle m (Amér)

Belgium ['beldʒəm] n Bélgica

belief [bɪ'liːf] n 1. (faith) creencia f 2. (opinion) opinión f

believe [bɪ'liːv] ◇ vt creer ◇ vi ● to believe in creer en ● to believe in doing sthg ser partidario de hacer algo

believer [bɪ'liːvəʳ] n creyente mf

bell [bel] n 1. (of church) campana f 2. (of phone, door) timbre m

bellboy ['belbɔɪ] n botones m inv

bellow ['beləʊ] vi rugir

bell pepper n (US) pimiento m

belly ['belɪ] n (inf) barriga f

belly button n (inf) ombligo m

belong [bɪ'lɒŋ] vi (be in right place) ir ● to belong to (property) pertenecer a; (club, party) ser miembro de

belongings [bɪ'lɒŋɪŋz] npl 1. pertenencias *fpl* **2.** ● **personal belongings** efectos *mpl* personales

below [bɪˈləʊ] ◇ *prep* por debajo de ◇ *adv* **1.** (*lower down*) abajo **2.** (*in text*) más abajo ● **the flat below** el piso de abajo ● **below zero** bajo cero ◇ **children below the age of ten** niños menores de diez años

belt [belt] *n* **1.** (*for clothes*) cinturón *m* **2.** TECH correa *f*

beltway [ˈbeltweɪ] *n* (US) carretera *f* de circunvalación

bench [bentʃ] *n* banco *m*

bend [bend] (*pt & pp* bent) ◇ *n* curva *f* ◇ *vt* doblar ◇ *vi* torcerse ● **bend down** *vi* agacharse ● **bend over** *vi* inclinarse

beneath [bɪˈniːθ] ◇ *adv* debajo ◇ *prep* bajo

beneficial [ˌbenɪˈfɪʃl] *adj* beneficioso(-sa)

benefit [ˈbenɪfɪt] ◇ *n* **1.** (*advantage*) ventaja *f* **2.** (*money*) subsidio *m* ◇ *vt* beneficiar ◇ *vi* ● **to benefit (from)** beneficiarse (de) ● **for the benefit of** en atención a

benign [bɪˈnaɪn] *adj* MED benigno(na)

bent [bent] *pt & pp* ➤ **bend**

bereaved [bɪˈriːvd] *adj* desconsolado(-da)

beret [ˈbereɪ] *n* boina *f*

Bermuda shorts [bəˈmjuːdə-] *npl* bermudas *fpl*

berry [ˈberɪ] *n* baya *f*

berserk [bəˈzɜːk] *adj* ● **to go berserk** ponerse hecho(cha) una fiera

berth [bɜːθ] *n* **1.** (*for ship*) amarradero *m* **2.** (*in ship, train*) litera *f*

beside [bɪˈsaɪd] *prep* junto a ● **it's**

beside the point no viene al caso

besides [bɪˈsaɪdz] ◇ *adv* además ◇ *prep* además de

best [best] ◇ *adj & adv* mejor ◇ *n* ● **the best** el mejor(la mejor) ● **I like it best** me gusta más ● **the best thing to do is ...** lo mejor es ... ● **to make the best of it** apañárselas ● **to do one's best** hacer lo mejor que uno pueda ▼ **best before ...** consumir preferentemente antes de ... ● **at best** en el mejor de los casos ● **all the best!** (*in letter*) saludos

best man *n* padrino *m* de boda

best man

La figura del *best man*, o padrino, es típica de las bodas británicas. El *best man* suele ser un pariente o un amigo del novio, que actúa de testigo y se encarga de pronunciar un discurso durante el banquete, además de organizar la despedida de soltero del novio.

best-seller [-ˈseləʳ] *n* (*book*) éxito *m* editorial

bet [bet] (*pt & pp inv*) ◇ *n* apuesta *f* ◇ *vt* (*gamble*) apostar ◇ *vi* ● **to bet (on)** apostar (por) ● **I bet (that) you can't do it** a que no puedes hacerlo

betray [bɪˈtreɪ] *vt* traicionar

better [ˈbetəʳ] *adj & adv* mejor ● **you had better go** más vale que te vayas ● **to get better** mejorar

betting [ˈbetɪŋ] *n* apuestas *fpl*

betting shop *n* (UK) casa *f* de apuestas

between [bɪˈtwiːn] ◇ *prep* entre ◇ *adv* (in

time) entremedias ● **in between** entre; *(in space)* en medio; *(in time)* entremedias ▼ **closed between 1 and 2** cerrado de 1 a 2

beverage ['bevərɪdʒ] *n (fml)* bebida *f*

beware [bɪ'weə'] *vi* ● **to beware of** tener cuidado con ▼ **beware of the dog** cuidado con el perro

bewildered [bɪ'wɪldəd] *adj* desconcertado(da)

beyond [bɪ'jɒnd] ◇ *prep* más allá de ◇ *adv* más allá ● **to be beyond doubt** estar fuera de toda duda

biased ['baɪəst] *adj* parcial

bib [bɪb] *n (for baby)* babero *m*

bible ['baɪbl] *n* biblia *f* ● **the Bible** la Biblia

biceps ['baɪseps] *n* bíceps *m inv*

bicycle ['baɪsɪkl] *n* bicicleta *f*

bicycle path *n* camino *m* para bicicletas

bicycle pump *n* bomba *f* (de bicicleta)

bid [bɪd] *(pt & pp inv)* ◇ *n* 1. *(at auction)* puja *f* 2. *(attempt)* intento *m* ◇ *vt* pujar ◇ *vi* ● **to bid (for)** pujar (por)

bidet ['bi:deɪ] *n* bidé *m*

big [bɪg] *adj* grande ● **a big problem** un gran problema ● **my big brother** mi hermano mayor ● **how big is it?** ¿cómo es de grande?

Big Ben

El *Big Ben* es el reloj que se encuentra en la torre del parlamento británico. Sus campanadas marcan el comienzo del Año Nuevo. Cuando el parlamento se encuentra reunido, una luz brilla en cada una de las cuatro caras del reloj.

bike [baɪk] *n* 1. *(inf) (bicycle)* bici *f* 2. *(motorcycle)* moto *f*

biking ['baɪkɪŋ] *n* ● **to go biking** ir en bici

bikini [bɪ'ki:nɪ] *n* biquini *m*

bikini bottom *n* bragas *fpl* de biquini

bikini top *n* sujetador *m* de biquini

bilingual [baɪ'lɪŋgwəl] *adj* bilingüe

bill [bɪl] *n* 1. *(for meal)* cuenta *f* 2. *(for electricity, hotel room)* factura *f* 3. *(US) (bank note)* billete *m* 4. *(at cinema, theatre)* programa *m* 5. POL proyecto *m* de ley ● **can I have the bill please?** la cuenta, por favor

billboard ['bɪlbɔːd] *n* cartelera *f*

billfold ['bɪlfəʊld] *n (US)* billetera *f*, cartera *f*

billiards ['bɪljədz] *n* billar *m*

billion ['bɪljən] *n* 1. *(thousand million)* millar *m* de millones 2. *(US)* mil millones *mpl*

bin [bɪn] *n* 1. *(rubbish bin)* cubo *m* de la basura 2. *(wastepaper bin)* papelera *f* 3. *(for bread)* panera *f* 4. *(for flour)* bote *m*

bind [baɪnd] *(pt & pp* **bound**) *vt* atar

binding ['baɪndɪŋ] *n* 1. *(of book)* encuadernación *f* 2. *(for ski)* fijación *f*

bingo ['bɪŋgəʊ] *n* bingo *m*

binoculars [bɪ'nɒkjʊləz] *npl* prismáticos *mpl*

biodegradable [ˌbaɪəʊdɪ'greɪdəbl] *adj* biodegradable

biography [baɪ'ɒgrəfɪ] *n* biografía *f*

biological [ˌbaɪə'lɒdʒɪkl] *adj* biológico (ca)

biological weapon *n* arma *f* biológica

biology [baɪˈɒlədʒɪ] *n* biología *f*

biotechnology [ˌbaɪəʊtekˈnɒlədʒɪ] *n* biotecnología *f*

bioterrorism [ˌbaɪəʊˈterərɪzm] *n* bioterrorismo *m*

birch [bɜːtʃ] *n* abedul *m*

bird [bɜːd] *n* **1.** *(smaller)* pájaro *m* **2.** *(large)* ave *f* **3.** *(UK)* *(inf)* *(woman)* tía *f* *(Esp)*, chica *f*

bird-watching [-ˌwɒtʃɪŋ] *n* observación *f* de aves

Biro ® [ˈbaɪərəʊ] *n* bolígrafo *m*

birth [bɜːθ] *n* nacimiento *m* ● **by birth** de nacimiento ● **to give birth to** dar a luz

birth certificate *n* partida *f* de nacimiento

birth control *n* control *n* de natalidad

birthday [ˈbɜːθdeɪ] *n* cumpleaños *m inv* ● **happy birthday!** ¡feliz cumpleaños!

birthday card *n* tarjeta *f* de cumpleaños

birthday party *n* fiesta *f* de cumpleaños

birthplace [ˈbɜːθpleɪs] *n* lugar *m* de nacimiento

biscuit [ˈbɪskɪt] *n* **1.** *(UK)* galleta *f* **2.** *(US)* *(scone)* masa cocida al horno que se suele comer con salsa de carne

bishop [ˈbɪʃəp] *n* **1.** RELIG obispo *m* **2.** *(in chess)* alfil *m*

bistro [ˈbiːstrəʊ] *n* ≃ bar-restaurante *m*

bit [bɪt] ◇ *pt* ➤ **bite** ◇ *n* **1.** *(piece)* trozo *m* **2.** *(of drill)* broca *f* **3.** *(of bridle)* bocado *m*, freno *m* ● **a bit of** un poco de ● **a bit** un poco ● **not a bit interested** nada interesado ● **bit by bit** poco a poco

bitch [bɪtʃ] *n* **1.** *(vulg)* *(woman)* bruja *f* **2.** *(dog)* perra *f*

bite [baɪt] *(pt* **bit**, *pp* **bitten)** ◇ *n* **1.** *(when eating)* mordisco *m* **2.** *(from insect, snake)* picadura *f* ◇ *vt* **1.** *(subj: person, dog)* morder **2.** *(subj: insect, snake)* picar ● **to have a bite to eat** comer algo

bitter [ˈbɪtə^r] ◇ *adj* **1.** *(taste, food)* amargo(ga) **2.** *(lemon, grapefruit)* agrio(agria) **3.** *(cold, wind)* penetrante **4.** *(person)* resentido(da) **5.** *(argument, conflict)* enconado(da) ◇ *n* *(UK)* *(beer)* tipo de cerveza amarga

bitter lemon *n* bíter *m* de limón

bizarre [bɪˈzɑː^r] *adj* extravagante

black [blæk] ◇ *adj* **1.** negro(gra) **2.** *(coffee, tea)* solo ◇ *n* **1.** *(colour)* negro *m* **2.** *(person)* negro *m*, -gra *f* ● **black out** *vi* desmayarse

black and white *adj* en blanco y negro

blackberry [ˈblækbrɪ] *n* mora *f*

blackbird [ˈblækbɜːd] *n* mirlo *m*

blackboard [ˈblækbɔːd] *n* pizarra *f*, pizarrón *m* (*Amér*)

blackcurrant [ˌblækˈkʌrənt] *n* grosella *f* negra

black eye *n* ojo *m* morado

black ice *n* hielo transparente en el suelo

blackmail [ˈblækmeɪl] ◇ *n* chantaje *m* ◇ *vt* chantajear

blackout [ˈblækaʊt] *n* *(power cut)* apagón *m*

black pepper *n* pimienta *f* negra

black pudding *n* *(UK)* ≃ morcilla *f*

blacksmith [ˈblæksmɪθ] *n* herrero *m*

bladder [ˈblædə^r] *n* vejiga *f*

blade [bleɪd] n **1.** (of knife, saw) hoja f **2.** (of propeller, oar) aleta f **3.** (of grass) brizna f

blame [bleɪm] ◇ n culpa f ◇ vt echar la culpa a ● **to blame sb for the failure of a plan** culpar a alguien por el fracaso de un plan ● **to blame the bombings on extremists** echar la culpa de las bombas a extremistas

bland [blænd] adj soso(sa)

blank [blæŋk] ◇ adj **1.** (space, page) en blanco **2.** (cassette) virgen **3.** (expression) vacío(a) ◇ n (empty space) espacio m en blanco

blank cheque n cheque m en blanco

blanket ['blæŋkɪt] n manta f

blast [blɑːst] ◇ n **1.** (explosion) explosión f **2.** (of air, wind) ráfaga f ◇ excl (inf) ¡maldita sea! ● **at full blast** a todo trapo

blaze [bleɪz] ◇ n (fire) incendio m ◇ vi **1.** (fire) arder **2.** (sun, light) resplandecer

blazer ['bleɪzə'] n chaqueta de sport generalmente con la insignia de un equipo, colegio, etc

bleach [bliːtʃ] ◇ n lejía f, cloro m (Amér) ◇ vt **1.** (hair) decolorar **2.** (clothes) blanquear

bleak [bliːk] adj **1.** (weather) desapacible **2.** (day, city) sombrío(a)

bleed [bliːd] (pt & pp **bled**) vi sangrar

blend [blend] ◇ n (of coffee, whisky) mezcla f ◇ vt mezclar

blender ['blendə'] n licuadora f

bless [bles] vt bendecir ● **bless you!** ¡jesús!

blessing ['blesɪŋ] n bendición f

blew [bluː] pt > **blow**

blind [blaɪnd] ◇ adj ciego(ga) ◇ n (for window) persiana f ◇ npl ● **the blind** los ciegos

blind corner n curva f sin visibilidad

blindfold ['blaɪndfəʊld] ◇ n venda f (en los ojos) ◇ vt vendar los ojos a

blind spot n AUT ángulo m muerto

blink [blɪŋk] vi parpadear

blinkers ['blɪŋkəz] npl (UK) anteojeras fpl

bliss [blɪs] n gloria f

blister ['blɪstə'] n ampolla f

blizzard ['blɪzəd] n ventisca f (de nieve)

bloated ['bləʊtɪd] adj (after eating) hinchado(da)

blob [blɒb] n gota f

block [blɒk] ◇ n **1.** bloque m **2.** (US) (in town, city) manzana f ◇ vt bloquear ● **to have a blocked (up) nose** tener la nariz bloqueada ● **block up** vt sep obstruir

blockage ['blɒkɪdʒ] n obstrucción f

block capitals npl mayúsculas fpl

block of flats n (UK) bloque m de pisos (Esp), edificio m de departamentos (Amér)

bloke [bləʊk] n (UK) (inf) tipo m

blond [blɒnd] adj rubio m

blonde [blɒnd] ◇ adj rubia ◇ n rubia f

blood [blʌd] n sangre f

blood donor n donante mf de sangre

blood group n grupo m sanguíneo

blood poisoning n septicemia f

blood pressure n tensión f ● **to have high blood pressure** tener la tensión alta ● **to have low blood pressure** tener la tensión baja

bloodshot ['blʌdʃɒt] adj **1.** (eye) rojo **2.**

inyectado(da) de sangre
blood test n análisis m inv de sangre
blood transfusion n transfusión f de sangre
bloody ['blʌdɪ] ◇ adj **1.** (hands, handkerchief) ensangrentado(da) **2.** (UK) (vulg) (damn) maldito(ta) ◇ adv (UK) (vulg) acojonantemente
Bloody Mary [-'meərɪ] n (drink) Bloody Mary m, vodka con zumo de tomate
bloom [bluːm] ◇ n flor f ◇ vi florecer ● **in bloom** en flor
blossom ['blɒsəm] n flor f
blot [blɒt] n borrón m
blotch [blɒtʃ] n mancha f
blotting paper ['blɒtɪŋ-] n papel m secante
blouse [blaʊz] n blusa f
blow [bləʊ] (pt **blew**, pp **blown**) ◇ vt **1.** (subj: wind) hacer volar **2.** (whistle, trumpet) tocar **3.** (bubbles) hacer ◇ vi **1.** (wind, person) soplar **2.** (fuse) fundirse ◇ n (hit) golpe m ● **to blow one's nose** sonarse la nariz ◆ **blow up** ◇ vt sep **1.** (cause to explode) volar **2.** (inflate) inflar ◇ vi estallar
blow-dry ◇ n secado m (con secador) ◇ vt secar (con secador)
blown [bləʊn] pp ➤ **blow**
BLT [biːˈelˈtiː] n (sandwich) (abbr of bacon, lettuce and tomato) sándwich de bacon, lechuga y tomate
blue [bluː] ◇ adj **1.** (colour) azul **2.** (film) porno ◇ n azul m ◆ **blues** n MUS blues m inv
bluebell ['bluːbel] n campanilla f
blueberry ['bluːbərɪ] n arándano m
bluebottle ['bluːˌbɒtl] n moscardón m

blue cheese n queso m azul
bluff [blʌf] ◇ n (cliff) peñasco m ◇ vi farolear
blunder ['blʌndər] n metedura f de pata
blunt [blʌnt] adj **1.** (knife, pencil) desafilado(da) **2.** (fig) (person) franco(ca)
blurred [blɜːd] adj borroso(sa)
blush [blʌʃ] vi ruborizarse
blusher ['blʌʃər] n colorete m
blustery ['blʌstərɪ] adj borrascoso(sa)
board [bɔːd] ◇ n **1.** (plank) tabla f **2.** (notice board) tablón m **3.** (for games) tablero m **4.** (blackboard) pizarra f, pizarrón m (Amér) **5.** (of company) junta f directiva **6.** (hardboard) conglomerado m ◇ vt **1.** (plane, ship) embarcar en **2.** (bus) subir a ● **board and lodging** comida y habitación ● **full board** pensión completa ● **half board** media pensión ● **on board** a bordo; (plane, ship) a bordo de; (bus) dentro de
board game n juego m de tablero
boarding ['bɔːdɪŋ] n embarque m
boarding card n tarjeta f de embarque
boarding school n internado m
board of directors n junta f directiva
boast [bəʊst] vi ● **to boast (about sthg)** alardear (de algo)
boat [bəʊt] n **1.** (large) barco m **2.** (small) barca f ● **by boat** en barco
bob [bɒb] n (hairstyle) media melena f (en una capa)
bobby pin ['bɒbɪ-] n (US) horquilla f
bodice ['bɒdɪs] n cuerpo m
body ['bɒdɪ] n **1.** (of person, wine) cuerpo m **2.** (corpse) cadáver m **3.** (of car) carrocería f **4.** (organization) organismo m

bo

bodyguard ['bɒdɪɡɑːd] *n* guardaespaldas *m inv*

body piercing [-'pɪəsɪŋ] *n* piercing *m*

bodywork ['bɒdɪwɜːk] *n* carrocería *f*

bog [bɒɡ] *n* cenagal *m*

bogus ['bəʊɡəs] *adj* falso(sa)

boil [bɔɪl] ◇ *vt* **1.** *(water)* hervir **2.** *(kettle)* poner a hervir **3.** *(food)* cocer ◇ *vi* hervir ◇ *n* pústula *f*

boiled egg [bɔɪld-] *n* huevo *m* pasado por agua

boiled potatoes [bɔɪld-] *npl* patatas *fpl* (*Esp*) OR papas *fpl* (*Amér*) cocidas

boiler ['bɔɪləʳ] *n* caldera *f*

boiling (hot) ['bɔɪlɪŋ-] *adj* **1.** *(inf)* *(person)* asado(da) de calor **2.** *(weather)* abrasador(ra) **3.** *(water)* ardiendo

bold [bəʊld] *adj (brave)* audaz

Bolivia [bə'lɪvɪə] *n* Bolivia

Bolivian [bə'lɪvɪən] ◇ *adj* boliviano(na) ◇ *n* boliviano *m*, -na *f*

bollard ['bɒlɑːd] *n* (UK) *(on road)* poste *m*

bolt [bəʊlt] ◇ *n* **1.** *(on door, window)* cerrojo *m* **2.** *(screw)* tornillo *m* ◇ *vt* *(door, window)* echar el cerrojo a

bomb [bɒm] ◇ *n* bomba *f* ◇ *vt* bombardear

bombard [bɒm'bɑːd] *vt* bombardear

bomb scare *n* amenaza *f* de bomba

bond [bɒnd] *n* *(tie, connection)* lazo *m*, vínculo *m*

bone [bəʊn] *n* **1.** *(of person, animal)* hueso *m* **2.** *(of fish)* espina *f*

boned [bəʊnd] *adj* **1.** *(chicken)* deshuesado(da) **2.** *(fish)* limpio(pia)

boneless ['bəʊnləs] *adj (chicken, pork)* deshuesado(da)

bonfire ['bɒnˌfaɪəʳ] *n* hoguera *f*

bonnet ['bɒnɪt] *n* (UK) *(of car)* capó *m*, cofre *m* (*Méx*)

bonus ['bəʊnəs] (*pl* **-es**) *n* **1.** *(extra money)* paga *f* extra **2.** *(additional advantage)* beneficio *m* adicional

bony ['bəʊnɪ] *adj* **1.** *(hand, face)* huesudo(da) **2.** *(fish)* lleno(na) de espinas

boo [buː] *vi* abuchear

book [bʊk] ◇ *n* **1.** *(for reading)* libro *m* **2.** *(for writing in)* libreta *f*, cuaderno *m* **3.** *(of stamps)* librillo *m* **4.** *(of matches)* cajetilla *f* **5.** *(of tickets)* talonario *m* ◇ *vt (reserve)* reservar ◆ **book in** *vi* registrarse

bookable ['bʊkəbl] *adj (seats, flight)* reservable

bookcase ['bʊkkeɪs] *n* estantería *f*

booking ['bʊkɪŋ] *n* *(reservation)* reserva *f*, reservación *f* (*Amér*)

booking office *n* (UK) taquilla *f*

bookkeeping ['bʊkˌkiːpɪŋ] *n* contabilidad *f*

booklet ['bʊklɪt] *n* folleto *m*

bookmaker's ['bʊkˌmeɪkəz] *n* casa *f* de apuestas

bookmark ['bʊkmɑːk] *n* separador *m*

bookshelf ['bʊkʃelf] (*pl* **-shelves**) *n* **1.** *(shelf)* estante *m* **2.** *(bookcase)* estantería *f*

bookshop ['bʊkʃɒp] *n* librería *f*

bookstall ['bʊkstɔːl] *n* puesto *m* de libros

bookstore ['bʊkstɔːʳ] = bookshop

book token *n* (UK) vale *m* para comprar libros

boom [buːm] ◇ *n (sudden growth)* auge *m* ◇ *vi (voice, guns)* retumbar

boost [buːst] *vt* **1.** *(profits, production)* incrementar **2.** *(confidence, spirits)* estimular

booster ['buːstə'] *n* *(injection)* inyección *f* de revacunación

boot [buːt] *n* **1.** *(shoe)* bota *f*. *(UK)* *(of car)* maletero *m*

booth [buːð] *n* **1.** *(for telephone)* cabina *f* **2.** *(at fairground)* puesto *m*

booze [buːz] ◊ *n* *(inf)* bebida *f*, alcohol *m* ◊ *vi* *(inf)* empinar el codo

bop [bɒp] *n* *(inf)* *(dance)* • **to have a bop** mover el esqueleto

border ['bɔːdə'] *n* **1.** *(of country)* frontera *f* **2.** *(edge)* borde *m* • **the Borders** *región de Escocia que linda con Inglaterra, especialmente las zonas central y oriental*

bore [bɔː'] ◊ *pt* ➤ **bear** ◊ *n* **1.** *(person)* pelmazo *m*, -za *f* **2.** *(thing)* rollo *m* ◊ *vt* **1.** *(person)* aburrir **2.** *(hole)* horadar

bored [bɔːd] *adj* aburrido(da)

boredom ['bɔːdəm] *n* aburrimiento *m*

boring ['bɔːrɪŋ] *adj* aburrido(da)

born [bɔːn] *adj* • **to be born** nacer

borne [bɔːn] *pp* ➤ **bear**

borough ['bʌrə] *n* municipio *m*

borrow ['bɒrəʊ] *vt* • **to borrow money from a friend** tomar dinero prestado de un amigo

bosom ['bʊzəm] *n* pecho *m*

boss [bɒs] *n* jefe *m*, -fa *f* • **boss around** *vt sep* mangonear

bossy ['bɒsɪ] *adj* mandón(ona)

botanical garden [bə'tænɪkl-] *n* jardín *m* botánico

both [bəʊθ] ◊ *adj* ambos(bas) ◊ *pron* los dos *mpl*, las dos *f* ◊ *adv* • **she speaks both French and German** habla francés y alemán • **both of them/us** los dos(las dos) • **both of us** los dos(las dos)

bother ['bɒðə'] ◊ *vt* **1.** *(worry)* preocupar **2.** *(annoy, pester)* molestar ◊ *vi* molestarse ◊ *n* molestia *f* • **I can't be bothered** no tengo ganas • **it's no bother!** ¡no es molestia!

Botox ® ['bəʊtɒks] *n* Botox ® *m*

bottle ['bɒtl] *n* **1.** *(container, contents)* botella *f* **2.** *(of shampoo)* bote *m* **3.** *(of medicine)* frasco *m* **4.** *(for baby)* biberón *m*

bottle bank *n* *(UK)* contenedor *m* de vidrio *(para reciclaje)*

bottled ['bɒtld] *adj* embotellado(da) • **bottled beer** cerveza *f* de botella • **bottled water** agua *f* mineral (embotellada)

bottle opener [-,əʊpnə'] *n* abrebotellas *m inv*

bottom ['bɒtəm] ◊ *adj* **1.** *(shelf, line, object in pile)* inferior **2.** *(floor)* bajo(ja) **3.** *(last, worst)* peor ◊ *n* **1.** *(of sea, bag)* fondo *m* **2.** *(of hill, stairs, ladder)* pie *m* **3.** *(of page)* final *m* **4.** *(of glass, bin)* culo *m* **5.** *(farthest part)* final *m*, fondo *m* **6.** *(buttocks)* trasero *m*

bought [bɔːt] *pt & pp* ➤ **buy**

boulder ['bəʊldə'] *n* canto *m* rodado

bounce [baʊns] *vi* **1.** *(rebound)* rebotar **2.** *(jump)* saltar **3.** *(cheque)* ser rechazado por el banco

bouncer ['baʊnsə'] *n* *(inf)* matón *m* *(en discoteca, bar, etc)*

bouncy ['baʊnsɪ] *adj* *(person)* dinámico(ca)

bound [baʊnd] ◊ *pt & pp* ➤ **bind** ◊ *vi* ir dando saltos ◊ *adj* • **it's bound to rain**

seguro que llueve ● **to be bound for** ir rumbo a ● **to be out of bound** estar en zona prohibida

boundary ['baʊndrɪ] *n* frontera *f*

bouquet [bʊ'keɪ] *n* **1.** *(of flowers)* ramo *m* **2.** *(of wine)* buqué *m*

bout [baʊt] *n* **1.** *(of illness)* ataque *m* **2.** *(of activity)* racha *f*

boutique [buː'tiːk] *n* boutique *f*

bow¹ [baʊ] ◇ *n* **1.** *(of head)* reverencia *f* **2.** *(of ship)* proa *f* ◇ *vi* inclinarse

bow² [bəʊ] *n* **1.** *(knot)* lazo *m* **2.** *(weapon, MUS)* arco *m*

bowels ['baʊəlz] *npl* intestinos *mpl*

bowl [bəʊl] *n* **1.** *(for salad, fruit, sugar)* bol *m*, cuenco *m* **2.** *(for soup, of soup)* tazón *m* **3.** *(for washing-up)* barreño *m* **4.** *(of toilet)* taza *f* ◆ **bowls** *npl* bochas *fpl*

bowling alley ['bəʊlɪŋ-] *n* bolera *f*

bow tie [ˌbəʊ-] *n* pajarita *f* (*Esp*), corbata *f* de mono (*Amér*)

box [bɒks] ◇ *n* **1.** *(container, contents)* caja *f* **2.** *(of jewels)* estuche *m* **3.** *(on form)* casilla *f* **4.** *(in theatre)* palco *m* ◇ *vi* boxear ● **a box of chocolates** una caja de bombones

boxer ['bɒksə'] *n* boxeador *m*

boxer shorts *npl* calzoncillos *mpl* boxer

boxing ['bɒksɪŋ] *n* boxeo *m*

Boxing Day *n* el 26 de diciembre, fiesta nacional en Gran Bretaña

Boxing Day

El 26 de diciembre es un día festivo en el Reino Unido y recibe el nombre de *Boxing Day*, porque antaño en esa fecha las familias, como obsequio navideño, daban cajas con comida y bebida a sus empleados y a los comerciantes del lugar.

boxing gloves *npl* guantes *mpl* de boxeo

boxing ring *n* cuadrilátero *m*

box office *n* taquilla *f*, boletería *f* (*Amér*)

boy [bɔɪ] ◇ *n* **1.** *(male)* chico *m*, niño *m* **2.** *(son)* hijo *m* ◇ *excl* (*US*) (*inf*) ● **(oh) boy!** ¡jolín!

boycott ['bɔɪkɒt] *vt* boicotear

boyfriend ['bɔɪfrend] *n* novio *m*

boy scout *n* (boy) scout *m*

bra [brɑː] *n* sujetador *m* (*Esp*), sostén *m*

brace [breɪs] *n* *(for teeth)* aparato *m* corrector ◆ **braces** *npl* (*UK*) tirantes *mpl*

bracelet ['breɪslɪt] *n* pulsera *m*

bracken ['brækn] *n* helecho *m*

bracket ['brækɪt] *n* **1.** *(written symbol)* paréntesis *m inv* **2.** *(support)* soporte *m*

brag [bræg] *vi* fanfarronear

brain [breɪn] *n* cerebro *m*

brainy ['breɪnɪ] *adj* (*inf*) listo(ta)

braised [breɪzd] *adj* cocido(da) a fuego lento

brake [breɪk] ◇ *n* freno *m* ◇ *vi* frenar

brake light *n* luz *f* de freno

brake pad *n* pastilla *f* de frenos

brake pedal *n* pedal *m* de freno

bran [bræn] *n* salvado *m*

branch [brɑːntʃ] *n* **1.** *(of tree, subject)* rama *f* **2.** *(of bank, company)* sucursal *f* ◆ **branch off** *vi* desviarse

branch line n ramal m

brand [brænd] ◇ n marca f ◇ vt ● **to brand sb (as)** tildar a alguien (de)

brand-new adj completamente nuevo(va)

brandy ['brændɪ] n coñac m

brash [bræʃ] adj (pej) insolente

brass [brɑːs] n latón m

brass band n banda f de metal

brasserie ['bræsərɪ] n restaurante m

brassiere [(UK) 'bræsɪər, (US) brə'zɪr] n sujetador m (Esp), sostén m

brat [bræt] n (inf) mocoso m, -sa f

brave [breɪv] adj valiente

bravery ['breɪvərɪ] n valentía f

bravo [ˌbrɑː'vəʊ] excl ¡bravo!

brawl [brɔːl] n gresca f

Brazil [brə'zɪl] n Brasil m

brazil nut n nuez f de Pará

breach [briːtʃ] vt 1. (contract) incumplir 2. (confidence) abusar de

bread [bred] n pan m ● **bread and butter** pan con mantequilla

bread bin n (UK) panera f

breadboard ['bredbɔːd] n tabla f (de cortar pan)

bread box (US) = **bread bin**

breadcrumbs ['bredkrʌmz] npl pan m rallado

breaded ['bredɪd] adj empanado(da)

bread knife n cuchillo m de pan

bread roll n panecillo m

breadth [bretθ] n anchura f

break [breɪk] (pt broke, pp broken) ◇ n 1. (interruption) interrupción f 2. (in transmission) corte m 3. (in line) espacio m 4. (rest, pause) descanso m 5. SCH (playtime) recreo m ◇ vt 1. (cup, window,

record) romper 2. (machine) estropear 3. (disobey) violar, infringir 4. (fail to fulfil) incumplir 5. (journey) interrumpir 6. (news) dar ◇ vi 1. (cup, window, chair) romperse 2. (machine) estropearse 3. (dawn) romper 4. (voice) cambiar ● **without a break** sin parar ● **a lucky break** un golpe de suerte ● **to break one's leg** romperse la pierna ◆ **break down** ◇ vi (car, machine) estropearse ◇ vt sep (door, barrier) derribar ◆ **break in** vi entrar a la fuerza ◆ **break off** ◇ vt 1. (detach) partir 2. (holiday) interrumpir ◇ vi (stop suddenly) pararse, detenerse ◆ **break out** vi 1. (fire, war) desencadenarse 2. (panic) cundir ● **he broke out in a rash** le salió un sarpullido ◆ **break up** vi 1. (with spouse, partner) romper 2. (meeting) disolverse 3. (marriage) deshacerse 4. (school, pupils) terminar el curso

breakage ['breɪkɪdʒ] n rotura f

breakdown ['breɪkdaʊn] n 1. (of car) avería f 2. (in communications, negotiations) ruptura f 3. (acute depression) crisis f nerviosa

breakdown truck n (UK) camión m grúa

breakfast ['brekfəst] n desayuno m ● **to have breakfast** desayunar ● **to have sthg for breakfast** desayunar algo

breakfast cereal n cereales mpl (para desayuno)

break-in n robo m (con allanamiento de morada)

breakwater ['breɪkˌwɔːtər] n rompeolas m inv

breast [brest] n 1. (of woman) pecho m,

seno *m* **2.** *(of chicken, duck)* pechuga *f*

breastbone ['brestbəʊn] *n* esternón *m*

breast-feed *vt* dar el pecho a

breaststroke ['breststrəʊk] *n* braza *f*

breath [breθ] *n* aliento *m* ● **out of breath** sin aliento ● **to go for a breath of fresh air** salir a tomar un poco de aire ● **to take a deep breath** respirar hondo

Breathalyser ® ['breθəlaɪzə'] *n* (UK) alcoholímetro *m*

Breathalyzer ® ['breθəlaɪzər] (US) = **Breathalyser**

breathe [briːð] *vi* respirar ◆ **breathe in** *vi* aspirar ◆ **breathe out** *vi* espirar

breathtaking ['breθ,teɪkɪŋ] *adj* sobrecogedor(ra)

breed [briːd] (*pt & pp* **bred**) ◇ *n* **1.** *(of animal)* raza *f* **2.** *(of plant)* especie *f* ◇ *vt* criar ◇ *vi* reproducirse

breeze [briːz] *n* brisa *f*

breezy ['briːzɪ] *adj* ● **it's breezy** hace aire

brew [bruː] ◇ *vt* **1.** *(beer)* elaborar **2.** *(tea, coffee)* preparar ◇ *vi* *(tea, coffee)* reposar

brewery ['brʊərɪ] *n* fábrica *f* de cerveza

bribe [braɪb] ◇ *n* soborno *m* ◇ *vt* sobornar

bric-a-brac ['brɪkəbræk] *n* baratijas *fpl*

brick [brɪk] *n* ladrillo *m*

bricklayer ['brɪk,leɪə'] *n* albañil *m*

brickwork ['brɪkwɜːk] *n* enladrillado *m*

bride [braɪd] *n* novia *f*

bridegroom ['braɪdgrom] *n* novio *m*

bridesmaid ['braɪdzmeɪd] *n* dama *f* de honor

bridge [brɪdʒ] *n* **1.** *(across road, river)* puente *m* **2.** *(of ship)* puente *m* de

mando **3.** *(card game)* bridge *m*

brief [briːf] ◇ *adj* breve ◇ *vt* informar ● **in brief** en resumen ◆ **briefs** *npl* **1.** *(underpants)* calzoncillos *mpl* **2.** (UK) *(knickers)* bragas *fpl* (*Esp*), calzones *mpl* (*Amér*)

briefcase ['briːfkeɪs] *n* cartera *f*

briefly ['briːflɪ] *adv* **1.** *(for a short time)* brevemente **2.** *(in few words)* en pocas palabras

brigade [brɪ'geɪd] *n* brigada *f*

bright [braɪt] *adj* **1.** *(light)* brillante **2.** *(sun, smile)* radiante **3.** *(weather)* despejado(da) **4.** *(room)* luminoso(sa) **5.** *(colour)* vivo(va) **6.** *(colour)* listo(ta), inteligente **7.** *(idea)* genial

brilliant ['brɪljənt] *adj* **1.** *(colour)* vivo (va) **2.** *(light, sunshine)* resplandeciente **3.** *(idea, person)* genial **4.** *(inf)* (wonderful) fenomenal

brim [brɪm] *n* *(of hat)* ala *f* ● **it's full to the brim** está lleno hasta el borde

brine [braɪn] *n* salmuera *f*

bring [brɪŋ] (*pt & pp* **brought**) ◇ *vt* **1.** *(cause)* producir ● **bring along** *vt sep* traer ◆ **bring back** *vt sep* devolver ◆ **bring in** *vt sep* **1.** *(introduce)* introducir **2.** *(earn)* ganar ◆ **bring out** *vt sep* *(new product)* sacar ◆ **bring up** *vt sep* **1.** *(child)* criar **2.** *(subject)* sacar a relucir **3.** *(food)* devolver

brink [brɪŋk] *n* ● **on the brink of** al borde de

brisk [brɪsk] *adj* **1.** *(quick)* rápido(da) **2.** *(efficient)* enérgico(ca)

bristle ['brɪsl] *n* **1.** *(of brush)* cerda *f* **2.** *(on chin)* pelillo *m*

Britain ['brɪtn] *n* Gran Bretaña

British ['brɪtɪʃ] ◇ *adj* británico(ca) ◇ *npl* • **the British** los británicos

British Telecom [-'telɪkɒm] *n* principal empresa británica de telecomunicaciones

Briton ['brɪtn] *n* británico *m*, -ca *f*

brittle ['brɪtl] *adj* quebradizo(za)

broad [brɔːd] *adj* **1.** *(wide)* ancho(cha) **2.** *(wide-ranging)* amplio(plia) **3.** *(description, outline)* general **4.** *(accent)* cerrado(da)

B road *n (UK)* ≃ carretera *f* comarcal

broadband ['brɔːdbænd] *n* COMPUT banda *f* ancha

broad bean *n* haba *f* de mayo

broadcast ['brɔːdkɑːst] (*pt & pp inv*) ◇ *n* emisión *f* ◇ *vt* emitir

broadly ['brɔːdlɪ] *adv* en general • **broadly speaking** en líneas generales

broadsheet ['brɔːdʃiːt] *n (UK)* periódico serio en formato grande

broadsheet

Los *broadsheets*, llamados *broadsides* en los Estados Unidos, son los periódicos de gran tamaño, la imagen tradicional del periodismo de calidad. Muchos *broadsheets* han cambiado de formato en los últimos años, por razones prácticas, y son publicados ahora en el formato tabloide asociado tradicionalmente al periodismo sensacionalista.

broccoli ['brɒkəlɪ] *n* brócoli *m*, brécol *m*

brochure ['brəʊʃə'] *n* folleto *m*

broiled [brɔɪld] *adj (US)* a la parrilla

broke [brəʊk] ◇ *pt* ➤ **break** ◇ *adj (inf)* sin blanca *(Esp)*, sin dinero

broken ['brəʊkn] ◇ *pp* ➤ **break** ◇ *adj* **1.** *(window, glass, leg)* roto(ta) **2.** *(machine)* estropeado(da) **3.** *(English, Spanish)* macarrónico(ca)

bronchitis [brɒŋ'kaɪtɪs] *n* bronquitis *f inv*

bronze [brɒnz] *n* bronce *m*

brooch [brəʊtʃ] *n* broche *m*

brook [brʊk] *n* arroyo *m*

broom [bruːm] *n* escoba *f*

broomstick ['bruːmstɪk] *n* palo *m* de escoba

broth [brɒθ] *n* caldo *m*

brother ['brʌðə'] *n* hermano *m*

brother-in-law *n* cuñado *m*

brought [brɔːt] *pt & pp* ➤ **bring**

brow [braʊ] *n* **1.** *(forehead)* frente *f* **2.** *(eyebrow)* ceja *f*

brown [braʊn] ◇ *adj* **1.** *(earth, paint, wood)* marrón, café *(Amér)* **2.** *(hair, eyes)* castaño(ña) **3.** *(skin)* moreno(na) **4.** *(tanned)* bronceado(da) ◇ *n* marrón *m*, café *m (Amér)*

brown bread *n* pan *m* moreno

brownie ['braʊnɪ] *n* CULIN pequeño bizcocho de chocolate y nueces de forma cuadrada

Brownie ['braʊnɪ] *n* guía *f (de 7-10 años)*

brown rice *n* arroz *m* integral

brown sugar *n* azúcar *m* moreno

browse [braʊz] *vi (in shop)* mirar, curiosear • **to browse through sthg** hojear algo

browser ['braʊzə'] *n* **1.** COMPUT navegador *m* **2.** ▼ **browsers welcome** le invitamos a curiosear

bruise [bruːz] n cardenal m

brunch [brʌntʃ] n desayuno-almuerzo que se toma por la mañana tarde

brunette [bruːˈnet] n morena f

brush [brʌʃ] ◇ n **1.** (for hair, teeth) cepillo m **2.** (of artist) pincel m **3.** (for decorating) brocha f ◇ vt **1.** (floor) barrer m **2.** (clothes) cepillar **3.** (move with hand) quitar • to brush one's hair cepillarse el pelo • to brush one's teeth cepillarse los dientes

Brussels sprouts [ˈbrʌslz-] npl coles fpl de Bruselas

brutal [ˈbruːtl] adj brutal

BSc [biːesˈsiː] n (abbr of Bachelor of Science) (titular de una) licenciatura de ciencias

BT [biːˈtiː] abbr = British Telecom

bubble [ˈbʌbl] n burbuja f

bubble bath n espuma f de baño

bubble gum n chicle m (para hacer globos)

bubbly [ˈbʌblɪ] n (inf) champán m

buck [bʌk] n **1.** (US) (inf) (dollar) dólar m **2.** (male animal) macho m

bucket [ˈbʌkɪt] n cubo m

Buckingham Palace [ˈbʌkɪŋəm-] n el palacio de Buckingham

Buckingham Palace

El Palacio de Buckingham es la residencia oficial de la monarquía inglesa. El Cambio de la Guardia, que tiene lugar en la parte delantera del palacio, es una de las principales atracciones turísticas de Londres. Los turistas pueden visitar una parte del palacio por dentro.

buckle [ˈbʌkl] ◇ n hebilla f ◇ vt (fasten) abrochar (con hebilla) ◇ vi (warp) combarse

bud [bʌd] ◇ n **1.** (shoot) brote m **2.** (flower) capullo m ◇ vi brotar

Buddhist [ˈbudɪst] n budista mf

buddy [ˈbʌdɪ] n (inf) amiguete m, -ta f

budge [bʌdʒ] vi moverse

budgerigar [ˈbʌdʒərɪgɑː] n periquito m

budget [ˈbʌdʒɪt] ◇ adj (holiday, travel) económico(ca) ◇ n presupuesto m • the Budget (UK) los presupuestos del Estado ◆ budget for vt insep contar con

budgie [ˈbʌdʒɪ] n (inf) periquito m

buff [bʌf] n (inf) aficionado m, -da f

buffalo [ˈbʌfələʊ] n búfalo m

buffer [ˈbʌfə] n (on train) tope m

buffet [(UK) ˈbufeɪ, (US) bəˈfeɪ] n **1.** (meal) bufé m **2.** (cafeteria) cafetería f

buffet car [ˈbufeɪ-] n coche m restaurante (sólo mostrador)

bug [bʌg] ◇ n **1.** (insect) bicho m **2.** (inf) (mild illness) virus m inv ◇ vt (inf) (annoy) fastidiar

buggy [ˈbʌgɪ] n **1.** (UK) (pushchair) silla f de niño **2.** (US) (pram) cochecito m de niño

build [bɪld] (pt & pp built) ◇ n complexión f ◇ vt construir ◆ build up ◇ vt sep (strength, speed) ir aumentando ◇ vi acumularse

builder [ˈbɪldə] n constructor m, -ra f

building [ˈbɪldɪŋ] n edificio m

building site n solar m

building society n (UK) ≃ caja f de ahorros

built [bɪlt] pt & pp ➤ build

built-in adj empotrado(da)

built-up area *n* zona *f* urbanizada

bulb [bʌlb] *n* **1.** *(for lamp)* bombilla *f* **2.** *(of plant)* bulbo *m*

Bulgaria [bʌlˈgeərɪə] *n* Bulgaria

bulge [bʌldʒ] *vi* hacer bulto

bulk [bʌlk] *n* ● **the bulk of** la mayor parte de ● **in bulk** a granel

bulky ['bʌlkɪ] *adj* voluminoso(sa)

bull [bʊl] *n* toro *m*

bulldog ['bʊldɒg] *n* buldog *m*

bulldozer ['bʊldəʊzə'] *n* bulldozer *m*

bullet ['bʊlɪt] *n* bala *f*

bulletin ['bʊlətɪn] *n* boletín *m*

bullfight ['bʊlfaɪt] *n* corrida *f* (de toros)

bull's-eye ['bʊlz-] *n* diana *f*

bully ['bʊlɪ] ◇ *n* abusón *m*, -ona *f* ◇ *vt* intimidar

bum [bʌm] *n* **1.** *(UK) (inf) (bottom)* culo *m* **2.** *(US) (inf) (tramp)* vagabundo *m*, -da *f*

bum bag *n* *(UK)* riñonera *f*

bumblebee ['bʌmblbiː] *n* abejorro *m*

bump [bʌmp] ◇ *n* **1.** *(on surface)* bulto *m* **2.** *(on road)* bache *m* **3.** *(on head, leg)* chichón *m* **4.** *(sound, minor accident)* golpe *m* ◇ *vt* ● **to bump one's head** golpearse la cabeza ● **bump into** *vt insep* **1.** *(hit)* darse con **2.** *(meet)* toparse con

bumper ['bʌmpə'] *n* **1.** *(on car)* parachoques *m inv* **2.** *(US) (on train)* tope *m*

bumpy ['bʌmpɪ] *adj* **1.** *(road)* lleno(na) de baches **2.** *(flight, journey)* con muchas sacudidas

bun [bʌn] *n* **1.** *(cake)* bollo *m* **2.** *(bread roll)* panecillo *m* **3.** *(hairstyle)* moño *m*

bunch [bʌntʃ] *n* **1.** *(of people)* grupo *m* **2.** *(of flowers)* ramo *m* **3.** *(of grapes, bananas)* racimo *m* **4.** *(of keys)* manojo *m*

bundle ['bʌndl] *n* **1.** *(of clothes)* bulto *m* **2.** *(of notes, papers)* fajo *m*

bungalow ['bʌŋgələʊ] *n* bungalow *m*

bunion ['bʌnjən] *n* juanete *m*

bunk [bʌŋk] *n* litera *f*

bunk bed *n* litera *f*

bunker ['bʌŋkə'] *n* **1.** *(shelter)* búnquer *m* **2.** *(for coal)* carbonera *f* **3.** *(in golf)* búnker *m*

bunny ['bʌnɪ] *n* conejito *m*

buoy [(UK) bɔɪ, (US) 'buːɪ] *n* boya *f*

buoyant ['bɔɪənt] *adj* *(that floats)* boyante

BUPA ['buːpə] *n* seguro médico privado en Gran Bretaña

burden ['bɜːdn] *n* carga *f*

bureaucracy [bjʊəˈrɒkrəsɪ] *n* burocracia *f*

bureau de change [ˌbjʊərəʊdəˈʃɒndʒ] *n* casa *f* de cambio

burger ['bɜːgə'] *n* **1.** *(hamburger)* hamburguesa *f* **2.** *(made with nuts, vegetables etc)* hamburguesa vegetariana

burglar ['bɜːglə'] *n* ladrón *m*, -ona *f*

burglar alarm *n* alarma *f* antirrobo

burglarize ['bɜːgləraɪz] *(US)* = **burgle**

burglary ['bɜːglərɪ] *n* robo *m* *(de una casa)*

burgle ['bɜːgl] *vt* robar *(una casa)*

burial ['berɪəl] *n* entierro *m*

burn [bɜːn] *(pt & pp* **burnt** OR **burned)** ◇ *n* quemadura *f* ◇ *vt* quemar ◇ *vi* *(be on fire)* arder ● **to burn one's hand** quemarse la mano ● **burn down** ◇ *vt sep* incendiar ◇ *vi* incendiarse

burning (hot) ['bɜːnɪŋ-] *adj* muy caliente

Burns' Night [bɜːnz-] *n fiesta escocesa del 25 de enero*

burnt [bɜːnt] *pt & pp* ➤ **burn**

burp [bɜːp] *vi* (*inf*) eructar

burrow ['bʌrəʊ] *n* madriguera *f*

burst [bɜːst] (*pt & pp inv*) ◇ *n* (*of gunfire, applause*) estallido *m* ◇ *vt & vi* reventar • he burst into the room irrumpió en la habitación • to burst into tears romper a llorar • to burst open (*door*) abrirse de golpe

bury ['berɪ] *vt* enterrar

bus [bʌs] *n* autobús *m*, bús *m* (*Amér*) • by bus en autobús

busboy ['bʌsbɔɪ] *n* (*US*) ayudante *m* (*de camarero*)

bus conductor [-kən'dʌktə'] *n* cobrador *m*, -ra *f* de autobús

bus driver *n* conductor *m*, -ra *f* de autobús

bush [bʊʃ] *n* arbusto *m*

business ['bɪznɪs] *n* **1.** (*commerce*) negocios *mpl* **2.** (*shop, firm, trade*) negocio *m* **3.** (*things to do*) asuntos *mpl*, tareas *fpl* **4.** (*affair*) asunto *m* • mind your own business! ¡no te metas donde no te llaman! ▼ business as usual abierto como de costumbre

business card *n* tarjeta *f* de visita

business class *n* clase *f* preferente

business hours *npl* horario *m* de apertura

businessman ['bɪznɪsmæn] (*pl* **-men**) *n* hombre *m* de negocios

business studies *npl* empresariales *fpl*

businesswoman ['bɪznɪsˌwʊmən] (*pl* **-women**) *n* mujer *f* de negocios

busker ['bʌskə'] *n* (*UK*) músico *m*

callejero, música callejera *f*

bus lane *n* carril *m* de autobús

bus pass *n* abono *m* (*de autobús*)

bus shelter *n* marquesina *f* (*de parada de autobús*)

bus station *n* estación *f* de autobuses

bus stop *n* parada *f* de autobús

bust [bʌst] ◇ *n* (*of woman*) busto *m* ◇ *adj* • to go bust (*inf*) quebrar

bustle ['bʌsl] *n* bullicio *m*

bus tour *n* excursión *f* (*en autobús*)

busy ['bɪzɪ] *adj* **1.** (*person, telephone, line*) ocupado(da) **2.** (*day*) ajetreado(da) **3.** (*schedule*) lleno(na) **4.** (*street, office*) concurrido(da) • to be busy doing sthg estar ocupado haciendo algo

busy signal *n* (*US*) señal *f* de comunicando *OR* ocupado (*Amér*)

but [bʌt] ◇ *conj* pero ◇ *prep* menos • not just one but two no uno sino dos • you've done nothing but moan no has hecho más que quejarte • the last but one el penúltimo • but for de no ser por

butcher ['bʊtʃə'] *n* carnicero *m*, -ra *f* • butcher's (*shop*) carnicería *f*

butt [bʌt] *n* **1.** (*of rifle*) culata *f* **2.** (*of cigarette, cigar*) colilla *f*

butter ['bʌtə'] ◇ *n* mantequilla *f* ◇ *vt* untar con mantequilla

butter bean *n* judía *f* blanca (*Esp*), frijol *m* blanco (*Amér*)

buttercup ['bʌtəkʌp] *n* ranúnculo *m*

butterfly ['bʌtəflaɪ] *n* mariposa *f*

butterscotch ['bʌtəskɒtʃ] *n* dulce hecho hirviendo azúcar y mantequilla

buttocks ['bʌtəks] *npl* nalgas *fpl*

button ['bʌtn] *n* **1.** (*on clothing, machine*)

botón *m* 2. *(US)* *(badge)* chapa *f*, botón *m* *(Amér)*

buttonhole [ˈbʌtnhəʊl] *n* *(hole)* ojal *m*

button mushroom *n* champiñón *m* pequeño

buy [baɪ] *(pt & pp* **bought**) ◇ *vt* comprar ◇ *n* ● a good buy una buena compra ● to buy a bike for your son, to buy your son a bike comprarle una bici a tu hijo ● to buy a car from your neighbour comprarle un coche al vecino

buzz [bʌz] ◇ *vi* zumbar ◇ *n* *(inf)* *(phone call)* ● to give sb a buzz dar un telefonazo a alguien

buzzer [ˈbʌzəʳ] *n* timbre *m*

by [baɪ]
◇ *prep* 1. *(expressing cause, agent)* por ● funded by the government subvencionado por el gobierno ● a book by Joyce un libro de Joyce 2. *(expressing method, means)* ● by car/train/plane en coche/tren/avión ● by post/phone por correo/teléfono ● to pay by credit card pagar con tarjeta de crédito ● to win by cheating ganar haciendo trampa 3. *(near to, beside)* junto a ● by the sea junto al mar 4. *(past)* por delante de ● a car went by the house pasó un coche por delante de la casa 5. *(via)* por ● exit by the door on the left salgan por la puerta a la izquierda 6. *(with time)* para ● be there by nine estate allí para las nueve ● by day/night de día/noche ● by now ya 7. *(expressing quantity)* por ● prices fell by 20% los precios bajaron en un 20% ● we charge by the hour cobramos por horas 8. *(expressing meaning)* por ● what do you mean by that? ¿qué quieres decir con eso? 9. *(in division, multiplication)* por ● two metres by five dos metros por cinco 10. *(according to)* según ● by law según la ley ● it's fine by me por mí no hay problema 11. *(expressing gradual process)* ● one by one uno a uno ● day by day día a día 12. *(in phrases)* ● by mistake por equivocación ● by oneself *(alone)* solo ● he did it by himself lo hizo él solo ● by profession de profesión
◇ *adv* *(past)* ● to go/drive by pasar

bye(-bye) [baɪ(ˈbaɪ)] *excl* *(inf)* ¡hasta luego!

bypass [ˈbaɪpɑːs] *n* carretera *f* de circunvalación

CC

C [siː] *(abbr of* **Celsius, centigrade)** C *(centígrado)*

cab [kæb] *n* 1. *(taxi)* taxi *m* 2. *(of lorry)* cabina *f*

cabaret [ˈkæbəreɪ] *n* cabaret *m*

cabbage [ˈkæbɪdʒ] *n* col *f*

cabin [ˈkæbɪn] *n* 1. *(on ship)* camarote *m* 2. *(of plane)* cabina *f* 3. *(wooden house)* cabaña *f*

cabin crew *n* personal *m* de cabina

cabinet [ˈkæbɪnɪt] *n* 1. *(cupboard)* armario *m* 2. POL consejo *m* de ministros

cable [ˈkeɪbl] *n* cable *m*

cable car n teleférico m

cable television n televisión f por cable

cactus ['kæktəs] (pl **-tuses** OR **-ti**) n cactus m inv

Caesar salad [ˌsiːzə-] n ensalada verde con anchoas, aceitunas, queso parmesano y croutons

cafe ['kæfeɪ] n cafetería f

cafeteria [ˌkæfɪ'tɪərɪə] n cantina f

cafetière [kæf'tjeə'] n cafetera f de émbolo

caffeine ['kæfiːn] n cafeína f

cage [keɪdʒ] n jaula f

cagoule [kə'guːl] n (UK) chubasquero m

Cajun ['keɪdʒən] adj cajún

Cajun

Los *cajuns* son los habitantes de Luisiana descendientes de inmigrantes franceses. Los *cajuns* se habían establecido inicialmente en Canadá, de donde fueron deportados más tarde a Luisiana. Hablan una forma arcaica de francés, tienen una cultura tradicional muy rica y son conocidos por su deliciosa cocina picante.

cake [keɪk] n 1. (sweet) pastel m 2. (savoury) medallón m empanado 3. (of soap) pastilla f

calculate ['kælkjʊleɪt] vt calcular

calculator ['kælkjʊleɪtə'] n calculadora f

calendar ['kælɪndə'] n calendario m

calf [kɑːf] (pl **calves**) n 1. (of cow)

ternero m, -ra f 2. (part of leg) pantorrilla f

call [kɔːl] ◇ n 1. (visit) visita f 2. (phone call, at airport) llamada f 3. (of bird) reclamo m ◇ vt 1. llamar 2. (meeting, elections, strike) convocar 3. (flight) anunciar ◇ vi (phone) llamar ● to call at (visit) pasarse (por) ● to be called llamarse ● what is he called? ¿cómo se llama? ● could I have a call for eight o'clock? por favor, llámeme a las ocho ● on call (nurse, doctor) de guardia ● she called my name me llamó ● to pay sb a call hacer una visita a alguien ● this train calls at ... este tren para en ... ● who's calling? ¿de parte de quién?

call back ◇ vt sep llamar (más tarde) ◇ vi 1. (phone again) llamar (más tarde) 2. (visit again) volver a pasarse ◆ **call for** vt insep 1. (come to fetch) ir a buscar 2. (demand) pedir 3. (require) requerir ◆ **call on** vt insep (visit) visitar ● to call on the government to take action pedirle al gobierno que actúe ◆ **call out** ◇ vt sep 1. (name, winner) anunciar 2. (doctor, fire brigade) llamar ◇ vi gritar ◆ **call up** vt sep 1. MIL llamar a filas a 2. (telephone) llamar (por teléfono)

call box n teléfono f telefónica

caller ['kɔːlə'] n 1. (visitor) visita f 2. (on phone) persona f que llama

calm [kɑːm] ◇ adj 1. (person) tranquilo(la) 2. (sea) en calma 3. (weather, day) apacible ◇ vt calmar ◆ **calm down** ◇ vt sep calmar ◇ vi calmarse

calorie ['kælərɪ] n caloría f

calves [kɑːvz] pl ➤ **calf**

camcorder ['kæmˌkɔːdə'] n cámara f de vídeo

came [keɪm] *pt* ➤ come

camel ['kæml] *n* camello *m*

camera ['kæmərə] *n* cámara *f*

cameraman ['kæmərəmæn] (*pl* **-men**) *n* cámara *m*

camera shop *n* tienda *f* de fotografía

camisole ['kæmɪsəʊl] *n* picardías *m inv* (*Esp*), camisola *f*

camp [kæmp] ◇ *n* **1.** (*for holidaymakers*) *colonia de vacaciones para toda la familia, con parque de atracciones, etc* **2.** (*for soldiers*) campamento *m* **3.** (*for prisoners*) campo *m* ◇ *vi* acampar

campaign [kæm'peɪn] ◇ *n* campaña *f* ◇ *vi* ● **to campaign (for/against)** hacer campaña (a favor de/contra)

camp bed *n* (*UK*) cama *f* de campaña

camper ['kæmpə'] *n* **1.** (*person*) campista *mf* **2.** (*van*) caravana *f*

camping ['kæmpɪŋ] *n* ● **to go camping** ir de camping

camping stove *n* cocina *f* de camping

campsite ['kæmpsaɪt] *n* camping *m*

campus ['kæmpəs] (*pl* **-es**) *n* campus *m inv*

can¹ [kæn] *n* (*container*) lata *f*

can² [*weak form* kən, *strong form* kæn, *conditional and preterite form* **could**] *aux vb* **1.** poder **2.** (*know how to*) saber **5.** (*expressing occasional occurrence*) ● **it can get cold at night** a veces hace frío por la noche ● **can you help me?** ¿puedes ayudarme? ● **I can see the sea** veo el mar ● **can you drive?** ¿sabes conducir? ● **I can speak Spanish** hablo español ● **can I speak to the manager?** ¿puedo hablar con el director? ● **can you tell me the time?** ¿me puedes decir

la hora? ● **I could do it** podría hacerlo ● **they could be lost** puede que se hayan perdido

Canada ['kænədə] *n* Canadá

Canadian [kə'neɪdɪən] ◇ *adj* canadiense ◇ *n* canadiense *mf*

canal [kə'næl] *n* canal *m*

canapé ['kænəpeɪ] *n* canapé *m*

Canaries [kə'neərɪz] *npl* ● **the Canaries** (las islas) Canarias

Canary Islands [kə'neərɪ-] *npl* ● **the Canary Islands** (las islas) Canarias

cancel ['kænsl] *vt* cancelar

cancellation [ˌkænsə'leɪʃn] *n* cancelación *f*

cancer ['kænsə'] *n* cáncer *m*

Cancer ['kænsə'] *n* Cáncer *m*

candidate ['kændɪdət] *n* **1.** (*for parliament, job*) candidato *m*, -ta *f* **2.** (*in exam*) examinando *m*, -da *f*

candle ['kændl] *n* vela *f*

candlelit dinner ['kændllɪt-] *n* cena *f* a la luz de las velas

candy ['kændɪ] *n* (*US*) **1.** (*confectionery*) golosinas *fpl*, dulces *mpl* (*Amér*) **2.** (*sweet*) caramelo *m*, dulce *m* (*Amér*)

cane [keɪn] *n* **1.** (*for walking*) bastón *m* **2.** (*stick*) vara *f* **3.** (*for furniture, baskets*) caña *f*

canister ['kænɪstə'] *n* **1.** (*for tea*) bote *m* **2.** (*for gas*) bombona *f*

cannabis ['kænəbɪs] *n* canabis *m*

canned [kænd] *adj* (*food, drink*) en lata

cannot ['kænɒt] = can not

canoe [kə'nu:] *n SPORT* piragua *f*

canoeing [kə'nu:ɪŋ] *n* piragüismo *m*

canopy ['kænəpɪ] *n* (*over bed etc*) dosel *m*

can't [kɑ:nt] = cannot

canteen [kæn'ti:n] *n* cantina *f*

canvas ['kænvəs] *n* (for tent, bag) lona *f*

cap [kæp] *n* **1.** (hat) gorra *f* **2.** (without peak) gorro *m* **3.** (of pen) capuchón *m* **4.** (of bottle) tapón *m* **5.** (contraceptive) diafragma *m*

capable ['keɪpəbl] *adj* (competent) competente, hábil ● **to be capable of doing sthg** ser capaz de hacer algo

capacity [kə'pæsɪtɪ] *n* **1.** (ability) habilidad *f*, facultad *f* **2.** (of stadium, theatre) capacidad *f*

cape [keɪp] *n* **1.** (of land) cabo *m* **2.** (cloak) capa *f*

capers ['keɪpəz] *npl* alcaparras *fpl*

capital ['kæpɪtl] *n* **1.** (of country) capital *f* **2.** (money) capital *m* **3.** (letter) mayúscula *f*

capital punishment *n* pena *f* capital

cappuccino [ˌkæpʊ'tʃi:nəʊ] *n* capuchino *m*

Capricorn ['kæprɪkɔːn] *n* Capricornio *m*

capsicum ['kæpsɪkəm] *n* pimiento *m*

capsize [kæp'saɪz] *vi* volcar

capsule ['kæpsju:l] *n* cápsula *f*

captain ['kæptɪn] *n* capitán *m*, -ana *f*

caption ['kæpʃn] *n* pie *m*, leyenda *f*

capture ['kæptʃə'] *vt* **1.** (person, animal) capturar **2.** (town, castle) tomar

car [kɑː'] *n* **1.** (motorcar) coche *m*, carro *m* (Amér) **2.** (railway wagon) vagón *m*

carafe [kə'ræf] *n* vasija sin mango para servir vino y agua

car alarm *n* alarma *f* antirrobo (en un coche)

caramel ['kærəmel] *n* **1.** (sweet) caramelo hecho con leche y azúcar **2.** (burnt sugar) azúcar *m* quemado

carat ['kærət] *n* quilate *m* ● **24-carat gold** oro de 24 quilates

caravan ['kærəvæn] *n* (UK) caravana *f*

caravanning ['kærəvænɪŋ] *n* (UK) ● **to go caravanning** ir de vacaciones en caravana

caravan site *n* (UK) camping *m* para caravanas

carbohydrate [ˌkɑːbəʊ'haɪdreɪt] *n* hidrato *m* de carbono

carbon ['kɑːbən] *n* carbono *m*

carbon dioxide [ˌdaɪ'ɒksaɪd] *n* dióxido *m* de carbono

car boot sale *n* (UK) mercadillo de objetos usados exhibidos en el maletero del coche

carburetor [ˌkɑːbə'retə'] (US) = **carburettor**

carburettor [ˌkɑːbə'retə'] *n* (UK) carburador *m*

car crash *n* accidente *m* de tráfico

card [kɑːd] *n* **1.** tarjeta *f* **2.** (postcard) postal *f* **3.** (playing card) carta *f*, naipe *m* **4.** (cardboard) cartulina *f* ● **cards** (game) las cartas

cardboard ['kɑːdbɔːd] *n* cartón *m*

cardiac arrest [ˌkɑːdɪæk-] *n* paro *m* cardíaco

cardigan ['kɑːdɪgən] *n* cárdigan *m*

cardphone ['kɑːdfəʊn] *n* (UK) teléfono *m* de tarjeta

care [keə'] ◇ *n* (attention) cuidado *m* ◇ *vi* (mind) ● **I don't care** no me importa ● **to take care of** (look after) cuidar de; (deal with) encargarse de ● **would you care to ...?** (fml) ¿le importaría ...? ● **to take care to do sthg** tener cuidado de hacer algo ● **take care!** (goodbye)

¡cuídate! ● **with care** con cuidado ▼ **handle with care** frágil ● **to care about** *(think important)* preocuparse por; *(person)* tener aprecio a

career [kəˈrɪəʳ] n carrera f

carefree [ˈkeəfriː] adj despreocupado(-da)

careful [ˈkeəfʊl] adj **1.** *(cautious)* cuidadoso(sa) **2.** *(driver)* prudente **3.** *(thorough)* esmerado(da) ● **be careful!** ¡ten cuidado!

carefully [ˈkeəflɪ] adv **1.** *(cautiously)* cuidadosamente **2.** *(drive)* con prudencia **3.** *(thoroughly)* detenidamente, con atención

careless [ˈkeələs] adj **1.** *(inattentive)* descuidado(da) **2.** *(unconcerned)* despreocupado(da)

caretaker [ˈkeəˌteɪkəʳ] n *(UK)* *(of school, flats)* conserje mf

car ferry n transbordador m de coches

cargo [ˈkɑːgəʊ] *(pl* -es OR -s) n cargamento m

car hire n *(UK)* alquiler m de coches

Caribbean [*(UK)* ˌkærɪˈbiːən *(US)* kəˈrɪbɪən] n ● **the Caribbean** el Caribe

caring [ˈkeərɪŋ] adj solícito(ta)

carnation [kɑːˈneɪʃn] n clavel m

carnival [ˈkɑːnɪvl] n carnaval m

carousel [ˌkærəˈsel] n **1.** *(for luggage)* cinta f transportadora **2.** *(US)* *(merry-go-round)* tiovivo m *(Esp)*, carrusel m

car park n *(UK)* aparcamiento m *(Esp)*, estacionamiento m *(Amér)*

carpenter [ˈkɑːpəntəʳ] n carpintero m, -ra f

carpentry [ˈkɑːpəntrɪ] n carpintería f

carpet [ˈkɑːpɪt] n **1.** *(not fitted)* alfombra f **2.** *(fitted)* moqueta f

carport [ˈkɑːpɔːt] n *(US)* cochera f

car rental n *(US)* alquiler m de coches

carriage [ˈkærɪdʒ] n **1.** *(UK)* *(of train)* vagón m **2.** *(horse-drawn)* carruaje m

carriageway [ˈkærɪdʒweɪ] n *(UK)* carril m

carrier (bag) [ˈkærɪəʳ-] n *(UK)* bolsa f *(de papel o plástico)*

carrot [ˈkærət] n zanahoria f

carrot cake n pastel de bizcocho hecho con zanahoria rallada y cubierto con azúcar glaseado

carry [ˈkærɪ] ◇ vt **1.** llevar **2.** *(disease)* transmitir ◇ vi *(voice, sound)* oírse a lo lejos ◆ **carry on** ◇ vi continuar ◇ vt insep **1.** *(continue)* continuar **2.** *(conduct)* mantener ● **to carry on doing sthg** seguir haciendo algo ◆ **carry out** vt sep **1.** *(perform)* llevar a cabo **2.** *(fulfil)* cumplir

carrycot [ˈkærɪkɒt] n *(UK)* moisés m inv

carryout [ˈkærɪaʊt] n comida f para llevar

carsick [ˈkɑːˌsɪk] adj mareado(da) *(en coche)*

cart [kɑːt] n **1.** *(for transport)* carro m **3.** *(US)* *(in supermarket)* carrito m

carton [ˈkɑːtn] n cartón m, envase m

cartoon [kɑːˈtuːn] n **1.** *(film)* dibujos mpl animados **2.** *(drawing)* chiste m *(en viñeta)*

cartridge [ˈkɑːtrɪdʒ] n **1.** *(for gun)* cartucho m **2.** *(for pen)* recambio m

carve [kɑːv] vt **1.** *(wood, stone)* tallar **2.** *(meat)* cortar, trinchar

carvery [ˈkɑːvərɪ] n *(UK)* *restaurante donde se sirve un bufé de carne que se* *trincha delante del cliente*

car wash *n* lavado *m* de coches

case [keɪs] *n* **1.** (*UK*) (*suitcase*) maleta *f* **2.** (*container*) estuche *m* **3.** (*instance, patient*) caso *m* **4.** LAW (*trial*) pleito *m* ● **in any case** de todas formas ● **in case of** en caso de ● (*just*) **in case** por si acaso ● **in that case** en ese caso

cash [kæʃ] ◇ *n* **1.** (*coins, notes*) efectivo *m* **2.** (*money in general*) dinero *m* ◇ *vt* ● **to cash a cheque** cobrar un cheque ● **to pay cash** pagar en efectivo

cashback ['kæʃbæk] *n* (*UK*) opción de sacar dinero de la cuenta en el momento de pagar alguna compra con una tarjeta de débito

cash desk *n* caja *f*

cash dispenser [-dɪ'spensə'] *n* (*UK*) cajero *m* automático

cashew (nut) ['kæʃuː-] *n* anacardo *m*

cashier [kæ'ʃɪə'] *n* cajero *m*, -ra *f*

cashless ['kæʃlɪs] *adj* ● **cashless society** sin dinero

cashmere [kæʃ'mɪə'] *n* cachemir *m*

cashpoint ['kæʃpɔɪnt] *n* (*UK*) cajero *m* automático

cash register *n* caja *f* (registradora)

casino [kə'siːnəʊ] (*pl* **-s**) *n* casino *m*

casserole ['kæsərəʊl] *n* (*stew*) guiso *m*

casserole (dish) cacerola *f*

cassette [kæ'set] *n* casete *m*, cinta *f*

cassette recorder *n* casete *m*

cast [kɑːst] (*pt & pp inv*) ◇ *n* **1.** (*actors*) reparto *m* **2.** (*for broken bone*) escayola *f* (*Esp*), yeso *m* ◇ *vt* **1.** (*shadow, light*) proyectar **2.** (*look*) echar **3.** (*vote*) emitir ● **to cast doubt on** poner en duda ◆ **cast off** *vi* (*boat, ship*) soltar amarras

caster sugar *n* (*UK*) azúcar *m* extrafino

Castile [kæs'tiːl] *n* Castilla

castle ['kɑːsl] *n* **1.** (*building*) castillo *m* **2.** (*in chess*) torre *f*

casual ['kæʒʊəl] *adj* **1.** (*relaxed*) despreocupado(da) **2.** (*offhand*) superficial **3.** (*clothes*) informal ● **casual work** trabajo eventual

casualty ['kæʒʊəltɪ] *n* víctima *f* ● **casualty (department)** (*UK*) urgencias *fpl*

cat [kæt] *n* gato *m*

Catalan ['kætə,læn] ◇ *adj* catalán(ana) ◇ *n* **1.** (*person*) catalán *m*, -ana *f* **2.** (*language*) catalán *m*

catalog ['kætəlɒg] (*US*) = **catalogue**

catalogue ['kætəlɒg] *n* catálogo *m*

Catalonia [,kætə'ləʊnɪə] *n* Cataluña

Catalonian [,kætə'ləʊnɪən] *adj* catalán(ana)

catapult ['kætəpʌlt] *n* tirachinas *m inv*

cataract ['kætərækt] *n* (*in eye*) catarata *f*

catarrh [kə'tɑː'] *n* catarro *m*

catastrophe [kə'tæstrəfɪ] *n* catástrofe *f*

catch [kætʃ] (*pt & pp* **caught**) ◇ *vt* **1.** coger, agarrar (*Amér*) **2.** (*fish*) pescar **3.** (*bus, train, plane, taxi*) coger, tomar (*Amér*) **4.** (*hear*) coger, escuchar (*Amér*) **5.** (*attract*) despertar ◇ *vi* (*become hooked*) engancharse ◇ *n* **1.** (*of window, door*) pestillo *m* **2.** (*snag*) pega *f* ◆ **catch up** ◇ *vt sep* alcanzar ◇ *vi* ● **to catch up (with)** ponerse a la misma altura (que)

catching ['kætʃɪŋ] *adj* (*inf*) contagioso(sa)

category ['kætəgərɪ] *n* categoría *f*

cater ['keɪtə'] ◆ **cater for** vt insep **1.** (UK) (needs, tastes) atender a, satisfacer **2.** (anticipate) contar con

caterpillar ['kætəpɪlə'] n oruga f

cathedral [kə'θi:drəl] n catedral f

Catholic ['kæθlɪk] ◇ adj católico(ca) ◇ n católico m, -ca f

Catseyes ® ['kætsaɪz] npl (UK) catafaros mpl

cattle ['kætl] npl ganado m (vacuno)

caught [kɔ:t] pt & pp ➤ catch

cauliflower ['kɒlɪˌflaʊə'] n coliflor f

cauliflower cheese n coliflor en salsa bechamel con queso

cause [kɔ:z] ◇ n **1.** causa f **2.** (justification) motivo m ◇ vt causar ◆ **to cause sb to do sthg** hacer que alguien haga algo

causeway ['kɔ:zweɪ] n carretera f elevada

caution ['kɔ:ʃn] n **1.** (care) cautela f **2.** (warning) amonestación f

cautious ['kɔ:ʃəs] adj cauteloso(sa)

cave [keɪv] n cueva f ◆ **cave in** vi hundirse, derrumbarse

caviar(e) ['kævɪɑ:'] n caviar m

cavity ['kævətɪ] n (in tooth) caries f inv

CD [si:'di:] n (abbr of compact disc) CD m (compact disc)

CD player n reproductor m de CD

CD-ROM [si:di:'rɒm] n (abbr of compact disc read-only memory) CD-ROM m (compact disc read-only memory)

cease [si:s] ◇ vt (fml) suspender ◇ vi (fml) cesar

ceasefire ['si:sˌfaɪə'] n alto m el fuego, cese m del fuego (Amér)

ceilidh ['keɪlɪ] n baile popular en Escocia e Irlanda

ceiling ['si:lɪŋ] n techo m

celebrate ['selɪbreɪt] ◇ vt celebrar ◇ vi ◆ **let's celebrate** ¡hay que celebrarlo!

celebration [ˌselɪ'breɪʃn] n (event) festejo m ◆ **celebrations** npl (festivities) conmemoraciones fpl

celebrity [sɪ'lebrətɪ] n (person) celebridad f

celeriac [sɪ'lerɪæk] n apio m nabo

celery ['selərɪ] n apio m

cell [sel] n **1.** (of plant, body) célula f **2.** (in prison) celda f

cellar ['selə'] n sótano m

cello ['tʃeləʊ] n violoncelo m

Cellophane ® ['seləfeɪn] n celofán ® m

cell phone n (US) teléfono m móvil (Esp), celular m (Amér)

Celsius ['selsɪəs] adj centígrado(da)

cement [sɪ'ment] n cemento m

cemetery ['semɪtrɪ] n cementerio m

cent [sent] n centavo m

center ['sentə'] (US) = **centre**

centigrade ['sentɪgreɪd] adj centígrado(da) ◆ **five degrees centigrade** cinco grados centígrados (centígrados)

centimeter ['sentɪˌmi:tər] (US) = **centimetre**

centimetre ['sentɪˌmi:tə'] n (UK) centímetro m

centipede ['sentɪpi:d] n ciempiés m inv

central ['sentrəl] adj **1.** (in the middle) central **2.** (near town centre) céntrico(ca)

central heating n calefacción f central

central locking [-'lɒkɪŋ] n cierre m centralizado

central reservation n (UK) mediana f, camellón m (Amér)

centre ['sentə'] ◇ n (UK) centro m ◇ adj (UK) central ● the centre of attention el centro de atención

century ['sentʃʊrɪ] n siglo m

ceramic [sɪ'ræmɪk] adj de cerámica ◆

ceramics npl cerámicas fpl

cereal ['sɪərɪəl] n (breakfast food) cereales mpl

ceremony ['serɪmənɪ] n ceremonia f

certain ['sɜːtn] adj 1. (sure) seguro(ra) 2. (particular) cierto(ta) ● she's certain to be late seguro que llega tarde ● to be certain of sthg estar seguro de algo ● to make certain (that) asegurarse de que

certainly ['sɜːtnlɪ] adv desde luego

certificate [sə'tɪfɪkət] n 1. (of studies, medical) certificado m 2. (of birth) partida f de nacimiento

certify ['sɜːtɪfaɪ] vt (declare true) certificar

chain [tʃeɪn] ◇ n cadena f ◇ vt to chain a bike to a lamppost encadenar una bici a una farola

chain store n tienda f de una cadena

chair [tʃeə'] n silla f

chair lift n telesilla f

chairman ['tʃeəmən] (pl -men) n presidente m, -ta f

chairperson ['tʃeə,pɜːsn] n presidente m, -ta f

chairwoman ['tʃeə,wʊmən] (pl -women) n presidenta f

chalet ['ʃæleɪ] n chalé m

chalk [tʃɔːk] n 1. (for writing) tiza f, gis m (Méx) 2. (substance) creta f ● a piece of chalk una tiza

chalkboard ['tʃɔːkbɔːd] n (US) pizarra f,

pizarrón m (Amér)

challenge ['tʃælɪndʒ] ◇ n desafío m ◇ vt (question) poner en tela de juicio ● to challenge sb to a fight desafiar a alguien a una pelea

chamber ['tʃeɪmbə'] n (room) cámara f

chambermaid ['tʃeɪmbəmeɪd] n camarera f

champagne [,ʃæm'peɪn] n champán m

champion ['tʃæmpjən] n (of competition) campeón m, -ona f

championship ['tʃæmpjənʃɪp] n campeonato m

chance [tʃɑːns] ◇ n 1. (luck) azar m 2. (possibility) posibilidad f 3. (opportunity) oportunidad f ◇ vt to chance it (inf) arriesgarse ● to take a chance correr un riesgo ● by chance por casualidad ● on the off chance por si acaso

Chancellor of the Exchequer [,tʃɑːnsələrəvðəɪks'tʃekə'] n ministro m de economía y hacienda en Gran Bretaña

chandelier [,ʃændə'lɪə'] n lámpara f de araña

change [tʃeɪndʒ] ◇ n 1. cambio m 2. (coins) suelto m (Esp), cambio m ◇ vt 1. cambiar 2. (job) cambiar de ◇ vi 1. (become different) cambiar 2. (on bus, train) hacer transbordo 3. (change clothes) cambiarse ● a change of clothes una muda ● do you have change for a pound? ¿tienes cambio de una libra? ● for a change para variar ● to get changed cambiarse ● to change money cambiar dinero ● to change a nappy cambiar un pañal ● to change a wheel cambiar una rueda ● to change trains/planes cambiar de tren/avión ● all

change! *(on train)* ¡cambio de tren!

changeable [ˈtʃeɪndʒəbl] *adj (weather)* variable

change machine *n* máquina *f* de cambio

changing room [ˈtʃeɪndʒɪŋ-] *n* **1.** *(for sport)* vestuario *m*, vestidor *m* (*Amér*) **2.** *(UK) (in shop)* probador *m*

channel [ˈtʃænl] *n* canal *m* ● **the (English) Channel** el Canal de la Mancha

Channel Islands *npl* ● **the Channel Islands** las islas del Canal de la Mancha

Channel Tunnel *n* ● **the Channel Tunnel** el túnel del Canal de la Mancha

chant [tʃɑːnt] *vt* **1.** *RELIG* cantar **2.** *(words, slogan)* corear

chaos [ˈkeɪɒs] *n* caos *m inv*

chaotic [keɪˈɒtɪk] *adj* caótico(ca)

chap [tʃæp] *n (UK) (inf)* chico *m*, tío *m* (*Esp*)

chapatti [tʃəˈpætɪ] *n tipo de pan ázimo de origen indio*

chapel [ˈtʃæpl] *n* capilla *f*

chapped [tʃæpt] *adj* agrietado(da)

chapter [ˈtʃæptəʳ] *n* capítulo *m*

character [ˈkærəktəʳ] *n* **1.** carácter *m* **2.** *(in film, book, play)* personaje *m* **3.** *(inf) (person, individual)* tipo *m*

characteristic [ˌkærəktəˈrɪstɪk] ◇ *adj* característico(ca) ◇ *n* característica *f*

charcoal [ˈtʃɑːkəʊl] *n (for barbecue)* carbón *m* (vegetal)

charge [tʃɑːdʒ] ◇ *n* **1.** *(price)* tarifa *f* **2.** *LAW* cargo *m* ◇ *vt* **1.** *(money, customer)* cobrar **2.** *LAW* acusar **3.** *(battery)* cargar

◇ *vi (ask money)* cobrar ● **she charged in** entró en tromba ● **to be in charge (of)** ser el encargado (de) ● **to take charge (of)** hacerse cargo (de) ● **extra charge** suplemento *m* ● **free of charge** gratis ● **there is no charge for service** el servicio está incluido

chargrilled [ˈtʃɑːgrɪld] *adj* asado(da) a la parrilla

charity [ˈtʃærətɪ] *n (organization)* organización *f* benéfica ● **to give to charity** hacer donaciones a organizaciones benéficas

charity shop *n (UK) tienda de objetos usados cuyas ventas se destinan a organizaciones benéficas*

charm [tʃɑːm] ◇ *n (attractiveness)* encanto *m* ◇ *vt* encantar, hechizar

charming [ˈtʃɑːmɪŋ] *adj* encantador(ra)

chart [tʃɑːt] *n (diagram)* gráfico *m* ● **the charts** la lista de éxitos

chartered accountant [ˌtʃɑːtəd-] *n* contable *m* colegiado, contable colegiada *f*

charter flight [ˈtʃɑːtə-] *n* vuelo *m* chárter

chase [tʃeɪs] ◇ *n* persecución *f* ◇ *vt* perseguir

chat [tʃæt] ◇ *n* charla *f* ◇ *vi* charlar ● **to have a chat (with)** charlar (con) ◆ **chat up** *vt sep (UK) (inf)* ligarse

chat room *n COMPUT* chat *m*, sala *f* de charla

chat show *n (UK)* programa *m* de entrevistas

chatty [ˈtʃætɪ] *adj* **1.** *(letter)* informal **2.** *(person)* hablador(ra), dicharachero (ra)

chauffeur ['ʃəʊfəʳ] *n* chófer *mf*

cheap [tʃiːp] *adj* **1.** *(inexpensive)* barato (ta) **2.** *(pej) (low-quality)* de mala calidad

cheap day return *n (UK)* billete de ida y vuelta más barato que se ha de utilizar en el día y después de las 9.15

cheaply ['tʃiːplɪ] *adv* barato

cheat [tʃiːt] ◇ *n* tramposo *m*, -sa *f* ◇ *vi* hacer trampa ◇ *vt* ● to cheat sb out of their inheritance estafarle la herencia a alguien

Chechnya ['tʃetʃnɪə] *n* Chechenia *f*

check [tʃek] ◇ *n* **1.** *(inspection)* inspección *f* **2.** *(US) (bill)* cuenta *f* **3.** *(US) (tick)* señal *f* *(de visto bueno)* **4.** *(US)* = **cheque** ◇ *vt* **1.** *(inspect)* revisar **2.** *(verify)* comprobar ◇ *vi* ● to check for sthg comprobar algo ● to check on stng comprobar algo ● to check with sb consultar con alguien ◆ **check in** ◇ *vt sep (luggage)* facturar, documentar *(Méx)* ◇ *vi* **1.** *(at hotel)* registrarse **2.** *(at airport)* facturar, documentar *(Méx)* ◆ **check off** *vt sep* ir comprobando *(en una lista)* ◆ **check out** *vi* dejar el hotel ◆ **check up** *vi* ● to check up (on) informarse (acerca de)

checked [tʃekt] *adj* a cuadros

checkers ['tʃekəz] *n (US)* damas *fpl*

check-in desk *n* mostrador *m* OR documentación *f (Méx)* de facturación

checking account *n (US)* cuenta *f* corriente

checkout ['tʃekaʊt] *n* caja *f*

checkpoint ['tʃekpɔɪnt] *n* control *m*

checkroom ['tʃekrʊm] *n (US)* guardarropa *m*

checkup ['tʃekʌp] *n* chequeo *m*

cheddar ['tʃedəʳ] *n* cheddar *m*

cheek [tʃiːk] *n* mejilla *f* ● what a cheek! *(UK)* ¡qué cara!

cheeky ['tʃiːkɪ] *adj (UK)* descarado(da)

cheer [tʃɪəʳ] ◇ *n* aclamación *f* ◇ *vi* gritar con entusiasmo

cheerful ['tʃɪəfʊl] *adj* alegre

cheerio [ˌtʃɪərɪˈəʊ] *excl (UK) (inf)* ¡hasta luego!

cheers [tʃɪəz] *excl* **1.** *(when drinking)* ¡salud! **2.** *(UK) (inf) (thank you)* ¡gracias!

cheese [tʃiːz] *n* queso *m*

cheeseboard ['tʃiːzbɔːd] *n (cheese and biscuits)* tabla *f* de quesos

cheeseburger ['tʃiːzˌbɜːgəʳ] *n* hamburguesa *f* con queso

cheesecake ['tʃiːzkeɪk] *n* tarta *f* de queso *(fresco, sin hornear)*

chef [ʃef] *n* jefe *m* de cocina

chef's special *n* especialidad *f* de la casa

chemical ['kemɪkl] ◇ *adj* químico(ca) ◇ *n* sustancia *f* química

chemist ['kemɪst] *n* **1.** *(UK) (pharmacist)* farmacéutico *m*, -ca *f* **2.** *(scientist)* químico *m*, -ca *f* ● **chemist's** *(UK) (shop)* farmacia *f*

chemistry ['kemɪstrɪ] *n* química *f*

cheque [tʃek] *n (UK)* cheque *m* ● to pay by cheque pagar con cheque

chequebook ['tʃekbʊk] *n* talonario *m* de cheques

cheque card *n* tarjeta *f* de identificación bancaria

cherry ['tʃerɪ] *n* cereza *f*

chess [tʃes] *n* ajedrez *m*

chest [tʃest] *n* **1.** *(of body)* pecho *m* **2.** *(box)* arca *f*

chestnut ['tʃesnʌt] ◇ *n* castaña *f* ◇ *adj (colour)* castaño(ña)

chest of drawers *n* cómoda *f*

chew [tʃuː] ◇ *vt* masticar ◇ *n (UK) (sweet)* gominola *f*

chewing gum ['tʃuːɪŋ-] *n* chicle *m*

chic [ʃiːk] *adj* elegante

chicken ['tʃɪkɪn] *n* 1. *(bird)* gallina *f* 2. *(meat)* pollo *m*

chickenpox ['tʃɪkɪnpɒks] *n* varicela *f*

chickpea ['tʃɪkpiː] *n* garbanzo *m*

chicory ['tʃɪkərɪ] *n* achicoria *f*

chief [tʃiːf] ◇ *adj* 1. *(highest-ranking)* jefe(fa) 2. *(main)* principal ◇ *n* jefe *m*, -fa *f*

chiefly ['tʃiːflɪ] *adv* 1. *(mainly)* principalmente 2. *(especially)* por encima de todo

child [tʃaɪld] *(pl* children) *n* 1. *(young boy, girl)* niño *m*, -ña *f* 2. *(son, daughter)* hijo *m*, -ja *f*

child abuse *n* maltrato *m* de niños

child benefit *n subsidio pagado a todas las familias británicas por cada hijo*

childhood ['tʃaɪldhʊd] *n* infancia *f*

childish ['tʃaɪldɪʃ] *adj (pej) (immature)* infantil

childminder ['tʃaɪld,maɪndəᶠ] *n (UK)* niñera *f (durante el día)*

children ['tʃɪldrən] *pl* > **child**

child seat *n* asiento *m* de seguridad para niños

Chile ['tʃɪlɪ] *n* Chile

Chilean ['tʃɪlɪən] ◇ *adj* chileno(na) ◇ *n* chileno *m*, -na *f*

chill [tʃɪl] ◇ *n (illness)* resfriado *m* ◇ *vt* enfriar • there's a chill in the air hace un poco de fresco

chilled [tʃɪld] *adj* frío(a) ▼ serve chilled sírvase muy frío

chilli ['tʃɪlɪ] *(pl* -ies) *n (UK)* 1. *(vegetable)* guindilla *f (Esp)*, chile *m*, ají *m (Amér)* 2. *(dish)* = chilli con carne

chilli con carne [-kɒn'kɑːnɪ] *n (UK) picadillo de carne en una salsa picante de guindilla con cebolla, tomate y judías pintas*

chilly ['tʃɪlɪ] *adj* frío(a)

chimney ['tʃɪmnɪ] *n* chimenea *f*

chimneypot ['tʃɪmnɪpɒt] *n* cañón *m* de chimenea

chimpanzee [,tʃɪmpən'ziː] *n* chimpancé *mf*

chin [tʃɪn] *n* barbilla *f*

china ['tʃaɪnə] *n (material)* porcelana *f*

China ['tʃaɪnə] *n* la China

Chinese [,tʃar'niːz] ◇ *adj* chino(na) ◇ *n (language)* chino *m* ◇ *npl* • the Chinese los chinos • a Chinese restaurant un restaurante chino

chip [tʃɪp] ◇ *n* 1. *(small piece)* pedacito *m* 2. *(mark)* mella *f* 3. *(counter)* ficha *f* 4. COMPUT chip *m* ◇ *vt* desportillar ◆

chips *npl* 1. *(UK) (French fries)* patatas *fpl* fritas *(de sartén)* 2. *(US) (crisps)* patatas *fpl* fritas *(de bolsa)*

chiropodist [kɪ'rɒpədɪst] *n* podólogo *m*, -ga *f*

chives [tʃaɪvz] *npl* cebollino *m*, cebolleta *f*

chlorine ['klɔːriːn] *n* cloro *m*

choc-ice ['tʃɒkaɪs] *n (UK) tipo de bombón helado en forma de bloque y sin palo*

chocolate ['tʃɒkələt] ◇ *n* 1. *(food, drink)* chocolate *m* 2. *(sweet)* bombón *m* ◇ *adj* de chocolate

chocolate biscuit n (UK) galleta f de chocolate

choice [tʃɔɪs] ◇ n **1.** (option) elección f **2.** (person or thing chosen) opción f **3.** (variety) variedad f ◇ adj de primera calidad ▼ **pizzas with the topping of your choice** elija los ingredientes de su pizza

choir ['kwaɪəʳ] n coro m

choke [tʃəʊk] ◇ n AUT estárter m ◇ vt asfixiar ◇ vi **1.** (on fishbone etc) atragantarse **2.** (to death) asfixiarse

cholera ['kɒlərə] n cólera m

choose [tʃuːz] (pt **chose**, pp **chosen**) vt & vi elegir ● **to choose to do sthg** decidir hacer algo

chop [tʃɒp] ◇ n (of meat) chuleta f ◇ vt cortar ◆ **chop down** vt sep talar, cortar ◆ **chop up** vt sep picar

chopper ['tʃɒpəʳ] n (inf) (helicopter) helicóptero m

chopping board ['tʃɒpɪŋ-] n (UK) tabla f de cocina

choppy ['tʃɒpɪ] adj picado(da)

chopsticks ['tʃɒpstɪks] npl palillos mpl (chinos)

chord [kɔːd] n acorde m

chore [tʃɔːʳ] n tarea f

chorus ['kɔːrəs] n **1.** (part of song) estribillo m **2.** (group of singers, dancers) coro m

chose [tʃəʊz] pt ➤ **choose**

chosen ['tʃəʊzn] pp ➤ **choose**

Christ [kraɪst] n Cristo m

christen ['krɪsn] vt (baby) bautizar

Christian ['krɪstʃən] ◇ adj cristiano(na) ◇ n cristiano m, -na f

Christian name n nombre m de pila

Christmas ['krɪsməs] n **1.** (day) Navidad f **2.** (period) Navidades fpl ● **Happy Christmas!** ¡Felices Navidades!

Christmas card n tarjeta f de Navidad

Christmas carol [-'kærəl] n villancico m

Christmas Day n día m de Navidad

Christmas Eve n Nochebuena f

Christmas pudding n pudín de frutas que se come caliente el día de Navidad

Christmas tree n árbol m de Navidad

chrome [krəʊm] n cromo m

chuck [tʃʌk] vt (inf) **1.** (throw) tirar **2.** (UK) (boyfriend, girlfriend) dar paseo, dejar ◆ **chuck away** vt sep tirar

chunk [tʃʌŋk] n trozo m

church [tʃɜːtʃ] n iglesia f ● **to go to church** ir a misa

churchyard ['tʃɜːtʃjɑːd] n cementerio m

chute [ʃuːt] n vertedor m

cider ['saɪdəʳ] n sidra f

cigar [sɪ'gɑːʳ] n puro m

cigarette [ˌsɪgə'ret] n cigarrillo m

cigarette lighter n mechero m (Esp), encendedor m

cinema ['sɪnəmə] n cine m

cinnamon ['sɪnəmən] n canela f

circle ['sɜːkl] ◇ n **1.** círculo m **2.** (in theatre) anfiteatro m ◇ vt **1.** (draw circle around) rodear con un círculo **2.** (move round) dar vueltas alrededor de ◇ vi dar vueltas

circuit ['sɜːkɪt] n **1.** (track) circuito m **2.** (lap) vuelta f

circular ['sɜːkjʊləʳ] ◇ adj circular ◇ n circular f

circulation [ˌsɜːkjʊ'leɪʃn] n **1.** (of blood) circulación f **2.** (of newspaper, magazine) tirada f

circumstances ['sɜːkəmstənsɪz] *npl* circunstancias *fpl* ● **in** OR **under the circumstances** dadas las circunstancias

circus ['sɜːkəs] *n* circo *m*

cistern ['sɪstən] *n* (*of toilet*) cisterna *f*

citizen ['sɪtɪzn] *n* **1.** (*of country*) ciudadano *m*, -na *f* **2.** (*of town*) habitante *mf*

city ['sɪtɪ] *n* ciudad *f* ● **the City** (*UK*) la City

city centre *n* (*UK*) centro *m* de la ciudad

city council *n* (*US*) consejo *m* municipal

city hall *n* (*US*) ayuntamiento *m*

civilian [sɪ'vɪljən] *n* civil *mf*

civilized ['sɪvɪlaɪzd] *adj* **1.** (*society*) civilizado(da) **2.** (*person, evening*) agradable

civil rights [ˌsɪvl-] *npl* derechos *mpl* civiles

civil servant [ˌsɪvl-] *n* funcionario *m*, -ria *f*

civil service [ˌsɪvl-] *n* administración *f* pública

civil war [ˌsɪvl-] *n* guerra *f* civil

cl [siːˈel] (*abbr of* centilitre) cl (*centilitro*)

claim [kleɪm] ◇ *n* **1.** (*assertion*) afirmación *f*, declaración *f* **2.** (*demand*) demanda *f*, reivindicación *f* **3.** (*for insurance*) reclamación *f* ◇ *vt* **1.** (*allege*) afirmar **2.** (*demand*) reclamar **3.** (*credit, responsibility*) reivindicar ◇ *vi* (*on insurance*) reclamar

claimant ['kleɪmənt] *n* (*of benefit*) solicitante *mf*

claim form *n* impreso *m* de solicitud

clam [klæm] *n* almeja *f*

clamp [klæmp] ◇ *n* (*UK*) (*for car*) cepo *m* ◇ *vt* (*car*) poner un cepo a

clap [klæp] *vi* aplaudir

claret ['klærət] *n* burdeos *m inv*

clarinet [ˌklærə'net] *n* clarinete *m*

clash [klæʃ] ◇ *n* **1.** (*noise*) estruendo *m* **2.** (*confrontation*) enfrentamiento *m* ◇ *vi* **1.** (*colours*) desentonar **2.** (*event, date*) coincidir

clasp [klɑːsp] ◇ *n* cierre *m* ◇ *vt* agarrar

class [klɑːs] ◇ *n* clase *f* ◇ *vt* ● **to class cocaine as a hard drug** clasificar la cocaína como droga dura

classic ['klæsɪk] ◇ *adj* (*typical*) clásico(-ca) ◇ *n* clásico *m*

classical ['klæsɪkl] *adj* clásico(ca)

classical music *n* música *f* clásica

classification [ˌklæsɪfɪ'keɪʃn] *n* clasificación *f*

classified ads [ˌklæsɪfaɪd-] *npl* anuncios *mpl* por palabras

classroom ['klɑːsrʊm] *n* aula *f*

claustrophobic [ˌklɔːstrə'fəʊbɪk] *adj* claustrofóbico(ca)

claw [klɔː] *n* **1.** (*of bird, cat, dog*) garra *f* **2.** (*of crab, lobster*) pinza *f*

clay [kleɪ] *n* arcilla *f*

clean [kliːn] ◇ *adj* **1.** limpio(pia) **2.** (*page*) en blanco **3.** (*driving licence*) sin sanciones ◇ *vt* limpiar ● **to clean one's teeth** lavarse los dientes

cleaner ['kliːnə'] *n* **1.** (*person*) hombre *m* de la limpieza, mujer de la limpieza *f* **2.** (*substance*) producto *m* de limpieza

cleanse [klenz] *vt* limpiar

cleanser ['klenzə'] *n* tónico *m*

clear [klɪə'] ◇ *adj* **1.** claro(ra) **2.** (*road, view, sky*) despejado(da) ◇ *vt* **1.** (*remove obstructions from*) limpiar, despejar **2.**

(jump over) saltar **3.** *(declare not guilty)* declarar inocente **4.** *(authorize)* aprobar **5.** *(cheque)* compensar ◇ *vi* **1.** *(weather, fog)* despejarse ● **to be clear (about sthg)** entender (algo) ● **to be clear of sthg** *(not touching)* no estar en contacto con algo ● **to clear one's throat** carraspear ● **to clear the table** quitar la mesa ◆ **clear up** ◇ *vt sep* **1.** *(room, toys)* ordenar **2.** *(problem, confusion)* aclarar ◇ *vi* **1.** *(weather)* despejarse **2.** *(tidy up)* recoger

clearance ['klɪərəns] *n* **1.** *(authorization)* permiso *m* **2.** *(free distance)* distancia *f* de seguridad **3.** *(for take-off)* autorización *f* (para despegar)

clearing ['klɪərɪŋ] *n* claro *m*

clearly ['klɪəlɪ] *adv* **1.** claramente **2.** *(obviously)* obviamente

clementine ['kleməntaɪn] *n* clementina *f*

clerk [(UK) klɑːk, (US) klɜːrk] *n* **1.** *(in office)* oficinista *mf* **2.** *(US)* *(in shop)* dependiente *m*, -ta *f*

clever ['klevər] *adj* **1.** *(person)* listo(ta) **2.** *(idea, device)* ingenioso(sa)

click [klɪk] ◇ *n* chasquido *m* ◇ *vi* *(make sound)* hacer clic

client ['klaɪənt] *n* cliente *m*, -ta *f*

cliff [klɪf] *n* acantilado *m*

climate ['klaɪmɪt] *n* clima *m*

climax ['klaɪmæks] *n* clímax *m inv*

climb [klaɪm] ◇ *vt* **1.** *(tree)* trepar a **2.** *(ladder)* subir **3.** *(mountain)* escalar ◇ *vi* **1.** *(person)* ascender **2.** *(plane)* subir ◆ **climb down** ◇ *vt insep* **1.** *(tree, mountain)* descender de **2.** *(ladder)* bajar ◇ *vi* bajar ◆ **climb up** *vt insep* **1.** *(tree)* trepar a **2.** *(ladder)* subir **3.** *(mountain)* escalar

climber ['klaɪmər] *n* *(person)* escalador *m*, -ra *f*

climbing ['klaɪmɪŋ] *n* montañismo *m* ● **to go climbing** ir de montañismo

climbing frame *n* *(UK)* barras de metal para trepar los niños

clingfilm ['klɪŋfɪlm] *n* *(UK)* film *m* de plástico adherente

clinic ['klɪnɪk] *n* clínica *f*

clip [klɪp] ◇ *n* **1.** *(fastener)* clip *m* **2.** *(film, programme)* fragmento *m* ◇ *vt* **1.** *(fasten)* sujetar **2.** *(cut)* recortar **3.** *(ticket)* picar

cloak [kləʊk] *n* capa *f*

cloakroom ['kləʊkrʊm] *n* **1.** *(for coats)* guardarropa *m* **2.** *(UK)* *(toilet)* servicios *mpl*, baños *mpl*

clock [klɒk] *n* **1.** *(for telling time)* reloj *m* **2.** *(mileometer)* cuentakilómetros *m inv* ● **round the clock** día y noche

clockwise ['klɒkwaɪz] *adv* en el sentido de las agujas del reloj

clog [klɒg] ◇ *n* zueco *m* ◇ *vt* obstruir

close¹ [kləʊs] ◇ *adj* **1.** *(near)* cercano(na) **2.** *(friend)* íntimo(ma) **3.** *(relation, family)* cercano(na) **4.** *(contact, cooperation, link)* estrecho(cha) **5.** *(resemblance)* grande **6.** *(examination)* detallado(da) **7.** *(race, contest)* reñido(da) ◇ *adv* cerca ● **close by** cerca ● **close to** *(near)* cerca de ● **close to tears** a punto de llorar

close² [kləʊz] ◇ *vt* cerrar ◇ *vi* **1.** *(door, jar, eyes)* cerrarse **2.** *(shop, office)* cerrar **3.** *(deadline, offer, meeting)* terminar ◆ **close down** *vt sep* & *vi* cerrar (definitivamente)

closed [kləʊzd] *adj* cerrado(da)

closely ['kləʊslɪ] *adv* **1.** *(related, involved)*

estrechamente **2.** (follow, examine) atentamente

closet ['klɒzɪt] n (US) (cupboard) armario m, closet m (Amér)

close-up ['kləʊs-] n primer plano m

closing time ['kləʊzɪŋ-] n hora f de cierre

clot [klɒt] n (of blood) coágulo m

cloth [klɒθ] n **1.** (fabric) tela f **2.** (piece of cloth) trapo m

clothes [kləʊðz] npl ropa f

clothesline ['kləʊðzlaɪn] n cuerda f para tender la ropa

clothes peg n (UK) pinza f (para la ropa)

clothespin ['kləʊðzpɪn] (US) = **clothes peg**

clothes shop n (UK) tienda f de ropa

clothing ['kləʊðɪŋ] n ropa f

clotted cream [,klɒtɪd-] n nata muy espesa típica de Cornualles

cloud [klaʊd] n nube f

cloudy ['klaʊdɪ] adj **1.** (sky, day) nublado(da) **2.** (liquid) turbio(bia)

clove [kləʊv] n (of garlic) diente •

cloves npl (spice) clavos mpl

clown [klaʊn] n payaso m

club [klʌb] n **1.** (organization) club m **2.** (nightclub) ≃ sala f de fiestas (abierta sólo por la noche) **3.** (stick) garrote m

clubs npl (in cards) tréboles mpl

clubbing ['klʌbɪŋ] n • **to go clubbing** (inf) ir de disco

club class n clase f club

club sandwich n sandwich m de tres pisos

club soda n (US) soda f

clue [klu:] n **1.** (information) pista f **2.** (in crossword) clave f • **I haven't got a clue** no tengo ni idea

clumsy ['klʌmzɪ] adj (person) torpe

clutch [klʌtʃ] ◇ n **1.** (on car, motorbike) embrague m, clutch m (Amér) **2.** (clutch pedal) pedal m de embrague OR clutch m (Amér) ◇ vt agarrar

cm [si:'em] (abbr of **centimetre**) cm (centímetro)

c/o [si:'əʊ] (abbr of **care of**) c/d (en casa de)

Co. [kəʊ] (abbr of **company**) Cía (compañía)

coach [kəʊtʃ] n **1.** (UK) (bus) autocar m (Esp), autobus m **2.** (UK) (of train) vagón m **3.** SPORT entrenador m, -ra f

coach station n (UK) estación f de autocares (Esp) OR autobuses

coach trip n (UK) excursión f en autocar (Esp) OR autobus

coal [kəʊl] n carbón m

coal mine n mina f de carbón

coarse [kɔ:s] adj **1.** (rough) áspero(ra) **2.** (vulgar) ordinario(ria)

coast [kəʊst] n costa f

coaster ['kəʊstə'] n posavasos m inv

coastguard ['kəʊstgɑ:d] n **1.** (person) guardacostas mf inv **2.** (organization) guardacostas m

coastline ['kəʊstlaɪn] n litoral m

coat [kəʊt] ◇ n **1.** (garment) abrigo m **2.** (of animal) pelaje m ◇ vt • **to coat sthg (with)** rebozar algo (en)

coat hanger n percha f

coating ['kəʊtɪŋ] n **1.** (of chocolate) baño m **2.** (on surface) capa f • **with a coating of breadcrumbs** rebozado en pan rallado

cobbles ['kɒblz] npl adoquines mpl

cobweb ['kɒbweb] n telaraña f

Coca-Cola® [ˌkəʊkəˈkəʊlə] n Coca-Cola® f

cocaine [kəʊˈkeɪn] n cocaína f

cock [kɒk] n (male chicken) gallo m

cockles ['kɒklz] npl berberechos mpl

cockpit ['kɒkpɪt] n cabina f

cockroach ['kɒkrəʊtʃ] n cucaracha f

cocktail ['kɒkteɪl] n cóctel m

cocktail party n cóctel m

cock-up n (UK) (inf) ● to make a cock-up of sthg jorobar algo

cocoa ['kəʊkəʊ] n (drink) chocolate m

coconut ['kəʊkənʌt] n coco m

cod [kɒd] (pl inv) n bacalao m

code [kəʊd] n 1. (system) código m 2. (dialling code) prefijo m

coeducational [ˌkəʊedjuːˈkeɪʃənl] adj mixto(ta)

coffee ['kɒfi] n café m ● black/white coffee café solo/con leche ● ground/instant coffee café molido/instantáneo

coffee bar n cafetería f (en aeropuerto, etc)

coffee break n descanso en el trabajo, por la mañana y por la tarde

coffeepot ['kɒfɪpɒt] n cafetera f

coffee shop n (café) cafetería f

coffee table n mesita f baja

coffin ['kɒfɪn] n ataúd m

cog(wheel) ['kɒg(wiːl)] n rueda f dentada

coil [kɔɪl] ◇ n 1. (of rope) rollo m 2. (UK) (contraceptive) DIU m ◇ vt enrollar

coin [kɔɪn] n moneda f

coincide [ˌkəʊɪnˈsaɪd] vi ● to coincide (with) coincidir (con)

coincidence [kəʊˈɪnsɪdəns] n coincidencia f

Coke® [kəʊk] n Coca-Cola® f

colander ['kʌləndə'] n colador m

cold [kəʊld] ◇ adj frío(a) ◇ n 1. (illness) resfriado m 2. (low temperature) frío m ● I'm cold tengo frío ● it's cold hace frío ● to get cold enfriarse ● to catch (a) cold resfriarse

cold calling n llamadas fpl en frío

cold cuts (US) = **cold meats**

cold meats npl fiambres mpl

coleslaw ['kəʊlslɔː] n ensalada de col, zanahoria, cebolla y mayonesa

colic ['kɒlɪk] n cólico m

collaborate [kəˈlæbəreɪt] vi colaborar

collapse [kəˈlæps] vi 1. (building, tent) desplomarse 2. (person) sufrir un colapso

collar ['kɒlə'] n 1. (of shirt, coat) cuello m 2. (of dog, cat) collar m

collarbone ['kɒləbəʊn] n clavícula f

colleague ['kɒliːg] n colega mf

collect [kəˈlekt] ◇ vt 1. (gather) reunir 2. (as a hobby) coleccionar 3. (go and get) recoger 4. (money) recaudar ◇ vi acumularse ◇ adv (US) ● to call (sb) collect llamar (a alguien) a cobro revertido

collection [kəˈlekʃn] n 1. colección f 2. (of money) recaudación f 3. (of mail) recogida f

collector [kəˈlektə'] n (as a hobby) coleccionista mf

college ['kɒlɪdʒ] n 1. (school) instituto m, escuela f 2. (UK) (of university) colegio universitario que forma parte de ciertas *universidades* **3.** *(US)* *(university)* universidad *f*

collide [kə'laɪd] *vi* ● **to collide (with)** colisionar (con)

collision [kə'lɪʒn] *n* colisión *f*

cologne [kə'ləʊn] *n* colonia *f*

Colombia [kə'lɒmbɪə] *n* Colombia

Colombian [kə'lɒmbɪən] ◇ *adj* colombiano(na) ◇ *n* colombiano *m*, -na *f*

colon ['kəʊlən] *n* GRAM dos puntos *mpl*

colony ['kɒlənɪ] *n (country)* colonia *f*

color ['kʌlər] *(US)* = **colour**

colour ['kʌlər] ◇ *n (UK)* color *m* ◇ *adj (photograph, film)* en color ◇ *vt* **1.** *(hair)* teñir **2.** *(food)* colorear ◆ **colour in** *vt sep* colorear

colour-blind *adj* daltónico(ca)

colourful ['kʌləfʊl] *adj* **1.** *(picture, garden, scenery)* de vivos colores **2.** *(fig) (person, place)* pintoresco(ca)

colouring ['kʌlərɪŋ] *n* **1.** *(of food)* colorante *m* **2.** *(complexion)* tez *f*

colouring book *n* libro *m* de colorear

colour supplement *n* suplemento *m* en color

colour television *n* televisión *f* en color

column ['kɒləm] *n* columna *f*

coma ['kəʊmə] *n* coma *m*

comb [kəʊm] ◇ *n* peine *m* ◇ *vt* ● **to comb one's hair** peinarse (el pelo)

combination [ˌkɒmbɪ'neɪʃn] *n* combinación *f*

combine [kəm'baɪn] *vt* ● **to combine sthg (with)** combinar algo (con)

come [kʌm] *(pt* came, *pp inv) vi* **1.** *(move)* venir ● **we came by taxi** vinimos en taxi ● **come here!** ¡ven

aquí! **2.** *(arrive)* llegar ● **they still haven't come** todavía no han llegado ▼ **coming soon** próximamente **3.** *(in order)* ● **to come first/last** *(in race)* llegar el primero/el último; *(in exam)* quedar el primero/el último **4.** *(reach)* ● **the water comes up to my ankles** el agua me llega hasta los tobillos **5.** *(become)* ● **to come loose** aflojarse ● **to come undone** deshacerse **6.** *(be sold)* venir ● **they come in packs of six** vienen en paquetes de seis

◆ **come across** *vt insep* encontrarse con

◆ **come along** *vi (progress)* ir; *(arrive)* venir ● **come along!** ¡venga!

◆ **come apart** *vi (book, clothes)* deshacerse

◆ **come back** *vi (return)* volver

◆ **come down** *vi (price)* bajar

◆ **come down with** *vt insep (illness)* coger, agarrar *(Amér)*

◆ **come from** *vt insep (person)* ser de; *(noise, product)* venir de

◆ **come in** *vi (enter)* entrar; *(arrive)* llegar; *(tide)* crecer ● **come in!** ¡adelante!

◆ **come off** *vi (become detached)* desprenderse; *(succeed)* salir bien

◆ **come on** *vi (progress)* ir; *(improve)* mejorar ● **come on!** ¡venga!

◆ **come out** *vi* salir; *(film)* estrenarse; *(stain)* quitarse

◆ **come over** *vi (visit)* venir

◆ **come round** *vi (visit)* venir; *(regain consciousness)* volver en sí

◆ **come to** *vt insep (subj: bill)* ascender a

◆ **come up** *vi (go upstairs)* subir; *(be mentioned, arise)* surgir; *(sun, moon)* salir

◆ **come up with** *vt insep* ● **she came up**

with a brilliant idea se le ocurrió una idea estupenda

comedian [kə'mi:djən] *n* humorista *mf*

comedy ['kɒmədɪ] *n* **1.** *(TV programme, film, play)* comedia *f* **2.** *(humour)* humor *m*

comfort ['kʌmfət] ◇ *n* **1.** comodidad *f* **2.** *(consolation)* consuelo *m* ◇ *vt* consolar

comfortable ['kʌmftəbl] *adj* **1.** cómodo(da) **2.** *(after illness, operation)* en estado satisfactorio **3.** *(financially)* acomodado(da)

comforter ['kʌmfətər] *n* (US) edredón *m*

comic ['kɒmɪk] ◇ *adj* cómico(ca) ◇ *n* **1.** *(person)* humorista *mf* **2.** *(adult magazine)* cómic *m* **3.** *(children's magazine)* tebeo *m* (*Esp*), revista *f* de historietas

comical ['kɒmɪkl] *adj* cómico(ca)

comic strip *n* tira *f* cómica

comma ['kɒmə] *n* coma *f*

command [kə'mɑːnd] ◇ *n* **1.** *(order)* orden *f* **2.** *(mastery)* dominio *m* ◇ *vt* **1.** *(order)* ordenar **2.** *(be in charge of)* estar al mando de

commander [kə'mɑːndər] *n* comandante *m*

commemorate [kə'meməreit] *vt* conmemorar

commence [kə'mens] *vi* *(fml)* comenzar

comment ['kɒment] ◇ *n* comentario *m* ◇ *vi* hacer comentarios

commentary ['kɒməntrɪ] *n* *(on TV, radio)* comentario *m*

commentator ['kɒmənteɪtər] *n* *(on TV, radio)* comentarista *mf*

commerce ['kɒmɜːs] *n* comercio *m*

commercial [kə'mɜːʃl] ◇ *adj* comercial ◇ *n* anuncio *m* *(televisivo o radiofónico)*, comercial *m* (*Amér*)

commercial break *n* pausa *f* para la publicidad

commission [kə'mɪʃn] *n* comisión *f*

commit [kə'mɪt] *vt* *(crime, sin)* cometer ● **to commit o.s. (to sthg)** comprometerse (a algo) ● **to commit suicide** suicidarse

committee [kə'mɪtɪ] *n* comité *m*

commodity [kə'mɒdətɪ] *n* producto *m*

common ['kɒmən] ◇ *adj* **1.** común **2.** *(pej) (vulgar)* ordinario(ria) ◇ *n* (UK) *(land)* zona de hierba abierta accesible a todo el mundo ● **in common** en común

commonly ['kɒmənlɪ] *adv* *(generally)* generalmente

common sense *n* sentido *m* común

Commonwealth ['kɒmənwelθ] *n* Commonwealth *f*

communal ['kɒmjonl] *adj* comunal

communicate [kə'mju:nɪkeɪt] *vi* ● **to communicate (with)** comunicarse (con)

communication [kə,mju:nɪ'keɪʃn] *n* comunicación *f*

communication cord *n* (UK) alarma *f* *(de un tren o metro)*

communist ['kɒmjonɪst] *n* comunista *mf*

community [kə'mju:nətɪ] *n* comunidad *f*

community centre *n* centro *m* social

commute [kə'mju:t] *vi* viajar diariamente al lugar de trabajo, especialmente en tren

commuter [kə'mju:tər] *n* persona que

viaja diariamente al lugar de trabajo, especialmente en tren

compact ◇ *adj* [kəm'pækt] compacto(ta) ◇ *n* ['kɒmpækt] **1.** *(for make-up)* polvera *f* **2.** *(US) (car)* utilitario *m* *(Esp)*, coche *m* de compact

compact disc [,kɒmpækt-] *n* disco *m* compacto

compact disc player [,kɒmpækt-] *n* compact *m* (disc)

company ['kʌmpəni] *n* compañía *f* ● **to keep sb company** hacer compañía a alguien

company car *n* coche *m* de la empresa

comparatively [kəm'pærətɪvli] *adv* relativamente

compare [kəm'peəʳ] *vt* ● **to compare sthg (with)** comparar algo (con) ● **compared with** en comparación con

comparison [kəm'pærɪsn] *n* comparación *f* ● **in comparison with** en comparación con

compartment [kəm'pɑːtmənt] *n* compartimiento *m*

compass ['kʌmpəs] *n* brújula *f* ● **(a pair of) compasses** (un) compás

compatible [kəm'pætəbl] *adj* compatible

compensate ['kɒmpenseit] ◇ *vt* compensar ◇ *vi* ● **to compensate for sthg** compensar algo ● **to compensate sb for the damage** compensar a alguien por los daños

compensation [,kɒmpen'seiʃn] *n* *(money)* indemnización *f*

compete [kəm'piːt] *vi* competir ● **to compete with sb** competir con otras teams for the cup competir por la copa contra otros diez equipos

competent ['kɒmpɪtənt] *adj* competente

competition [,kɒmpɪ'tɪʃn] *n* **1.** *SPORT* competición *f* *(Esp)*, competencia *f* *(Amér)* **2.** *(of writing, music etc)* concurso *m* **3.** *(rivalry)* competencia *f* ● **the competition** la competencia

competitive [kəm'petətɪv] *adj* competitivo(va)

competitor [kəm'petɪtəʳ] *n* **1.** *(in race, contest)* participante *mf* **2.** *(in game show)* concursante *mf* **3.** *COMM* competidor *m*, -ra *f*

complain [kəm'plein] *vi* ● **to complain (about)** quejarse (de)

complaint [kəm'pleint] *n* **1.** *(statement)* queja *f* **2.** *(illness)* dolencia *f*

complement ['kɒmplɪ,ment] *vt* complementar

complete [kəm'pliːt] ◇ *adj* **1.** *(whole)* completo(ta) **2.** *(finished)* terminado(da) **3.** *(change, disaster)* total **4.** *(idiot)* consumado(da) ◇ *vt* **1.** *(finish)* terminar **2.** *(a form)* rellenar **3.** *(make whole)* completar ● **complete with** con

completely [kəm'pliːtli] *adv* completamente

complex ['kɒmpleks] ◇ *adj* complejo(ja) ◇ *n* complejo *m*

complexion [kəm'plekʃn] *n* *(of skin)* cutis *m* *inv*

complicated ['kɒmplɪkeitɪd] *adj* complicado(da)

compliment ◇ *n* ['kɒmplɪmənt] cumplido *m* ◇ *vt* ['kɒmplɪment] felicitar

complimentary [,kɒmplɪ'mentəri] *adj* **1.** *(seat, ticket)* gratuito(ta) **2.** *(words, person)* halagador(ra)

compose [kəm'pəʊz] *vt* componer ● **to be composed of** estar compuesto de

composed [kəm'pəʊzd] *adj* tranquilo(la)

composer [kəm'pəʊzə^r] *n* compositor *m*, -ra *f*

composition [ˌkɒmpə'zɪʃn] *n (essay)* redacción *f*

compound ['kɒmpaʊnd] *n* **1.** *(substance)* compuesto *m* **2.** *(word)* palabra *f* compuesta

comprehensive [ˌkɒmprɪ'hensɪv] *adj* amplio(plia)

comprehensive (school) *n (UK) instituto de enseñanza media no selectiva en Gran Bretaña*

comprise [kəm'praɪz] *vt* comprender

compromise ['kɒmprəmaɪz] *n* arreglo *m*, acuerdo *m*

compulsory [kəm'pʌlsərɪ] *adj* obligatorio(ria)

computer [kəm'pju:tə^r] *n* ordenador *m* (*Esp*), computadora *f* (*Amér*)

computer game *n* videojuego *m*

computer-generated [-'dʒenəreɪtɪd] *adj* generado(da) por ordenador (*Esp*) OR computadora (*Amér*)

computerized [kəm'pju:təraɪzd] *adj* informatizado(da)

computer-literate *adj* competente en el uso de ordenadores (*Esp*) OR computadoras (*Amér*)

computer operator *n* operador *m*, -ra *f* de ordenador (*Esp*) OR computadora (*Amér*)

computer programmer [-'prəʊgræmə^r] *n* programador *m*, -ra *f* (de ordenadores)

computing [kəm'pju:tɪŋ] *n* informática *f*

con [kɒn] *n (inf) (trick)* timo *m*, estafa *f* ● **all mod cons** (*UK*) con todas las comodidades

conceal [kən'si:l] *vt* ocultar

conceited [kən'si:tɪd] *adj (pej)* engreído(da)

concentrate ['kɒnsəntreɪt] ◇ *vi* concentrarse ◇ *vt* ● **to be concentrated** *(in one place)* concentrarse ◇ **to concentrate on sthg** concentrarse en algo

concentrated ['kɒnsəntreɪtɪd] *adj* concentrado(da)

concentration [ˌkɒnsən'treɪʃn] *n* concentración *f*

concern [kən'sɜ:n] ◇ *n* **1.** *(worry)* preocupación *f* **2.** *(matter of interest)* asunto *m* **3.** *COMM* empresa *f* ◇ *vt* **1.** *(be about)* tratar de **2.** *(worry)* preocupar **3.** *(involve)* concernir ● **to be concerned about** estar preocupado por ● **to be concerned with** tratar de ● **to concern o.s. with sthg** preocuparse por algo ● **as far as I'm concerned** por lo que a mí respecta

concerned [kən'sɜ:nd] *adj* preocupado(da)

concerning [kən'sɜ:nɪŋ] *prep* acerca de

concert ['kɒnsət] *n* concierto *m*

concession [kən'seʃn] *n (reduced price)* descuento *m*

concise [kən'saɪs] *adj* conciso(sa)

conclude [kən'klu:d] ◇ *vt (fml)* concluir ◇ *vi (fml) (end)* concluir

conclusion [kən'klu:ʒn] *n* **1.** *(decision)* conclusión *f* **2.** *(end)* final *m*

concrete ['kɒŋkri:t] ◇ *adj* **1.** *(building, path)* de hormigón, concreto *m* (*Amér*)

2. *(idea, plan)* concreto(ta) ◇ *n* hormigón *m*

concussion [kən'kʌʃn] *n* conmoción *f* cerebral

condensation [ˌkɒndenˈseɪʃn] *n* *(on window)* vaho *m*

condition [kənˈdɪʃn] *n* **1.** *(state)* estado *m* **2.** *(proviso)* condición *f* **3.** *(illness)* afección *f* ● **to be out of condition** no estar en forma ● **on condition that** a condición de que ● **conditions** *npl* *(circumstances)* condiciones *fpl*

conditioner [kənˈdɪʃnəʳ] *n* suavizante *m* *(Esp)*, enjuague *m* *(Amér)*

condo [ˈkɒndəʊ] *(US)* *(inf)* = **condominium**

condom [ˈkɒndəm] *n* condón *m*

condominium [ˌkɒndəˈmɪnɪəm] *n* *(US)* apartamento *m*, condominio *m* *(Amér)*

conduct ◇ *vt* [kənˈdʌkt] **1.** *(investigation, business)* llevar a cabo **2.** MUS dirigir ◇ *n* [ˈkɒndʌkt] *(fml)* conducta *f* ● **to conduct o.s.** *(fml)* comportarse

conductor [kənˈdʌktəʳ] *n* **1.** MUS director *m*, -ra *f* **2.** *(on bus)* cobrador *m*, -ra *f* **3.** *(US)* *(on train)* revisor *m*, -ra *f*

cone [kəʊn] *n* **1.** *(shape, on roads)* cono *m* **2.** *(UK)* *(for ice cream)* cucurucho *m*, barquillo *m*

confectioner's sugar [kənˈfekʃnəʳz-] *n* *(US)* azúcar *m* glas

confectionery [kənˈfekʃnərɪ] *n* dulces *mpl*

conference [ˈkɒnfərəns] *n* conferencia *f*, congreso *m*

confess [kənˈfes] *vi* ● **to confess (to sthg)** confesar *(algo)*

confession [kənˈfeʃn] *n* confesión *f*

confidence [ˈkɒnfɪdəns] *n* **1.** *(self-assu-*

rance) seguridad *f* (en sí mismo) **2.** *(trust)* confianza *f* ● **to have confidence in** tener confianza en

confident [ˈkɒnfɪdənt] *adj* **1.** *(self-assured)* seguro de sí mismo(segura de sí misma) **2.** *(certain)* seguro(ra)

confined [kənˈfaɪnd] *adj* limitado(da)

confirm [kənˈfɜːm] *vt* confirmar

confirmation [ˌkɒnfəˈmeɪʃn] *n* confirmación *f*

conflict ◇ *n* [ˈkɒnflɪkt] conflicto *m* ◇ *vi* [kənˈflɪkt] ● **to conflict (with)** estar en desacuerdo (con)

conform [kənˈfɔːm] *vi* ● **to conform (to)** ajustarse (a)

confuse [kənˈfjuːz] *vt* confundir ● **to confuse kindness with weakness** confundir amabilidad con debilidad

confused [kənˈfjuːzd] *adj* confuso(sa)

confusing [kənˈfjuːzɪŋ] *adj* confuso(sa)

confusion [kənˈfjuːʒn] *n* confusión *f*

congested [kənˈdʒestɪd] *adj* *(street)* congestionado(da)

congestion [kənˈdʒestʃn] *n* *(traffic)* congestión *f*

congratulate [kənˈgrætjʊleɪt] *vt* ● **to congratulate the team on its success** felicitar al equipo por su éxito

congratulations [kənˌgrætjʊˈleɪʃənz] *excl* ¡enhorabuena!

congregate [ˈkɒŋgrɪgeɪt] *vi* congregarse

Congress [ˈkɒŋgres] *n* *(US)* el Congreso

Congress

El Congreso estadounidense está formado por dos cámaras: el Senado (o Cámara Alta) y la Cámara de

Representantes. Su sede es el Capitolio, en Washington. Cada estado elige dos senadores. La Cámara de Representantes tiene 435 diputados. Para que una ley sea aprobada, tiene que pasar por las dos cámaras.

conifer ['kɒnɪfə'] *n* conífera *f*

conjunction [kən'dʒʌŋkʃn] *n* GRAM conjunción *f*

conjurer ['kʌndʒərə'] *n* prestidigitador *m*, -ra *f*

connect [kə'nekt] ◇ *vt* **1.** conectar **2.** *(caller on phone)* comunicar, poner ◇ *vi* ● **to connect with** *(train, plane)* enlazar con ● **to connect one event with another** *(associate)* relacionar un acontecimiento con otro

connecting flight [kə'nektɪŋ-] *n* vuelo *m* de enlace

connection [kə'nekʃn] *n* **1.** *(link)* conexión *f* **2.** *(train, plane)* enlace *m* ● **a bad connection** *(on phone)* mala línea ● **a loose connection** *(in machine)* un hilo suelto ● **in connection with** con relación a

conquer ['kɒŋkə'] *vt* conquistar

conscience ['kɒnʃəns] *n* conciencia *f*

conscientious [ˌkɒnʃɪ'enʃəs] *adj* concienzudo(da)

conscious ['kɒnʃəs] *adj* **1.** *(awake)* consciente **2.** *(deliberate)* deliberado(da) ● **to be conscious of** ser consciente de

consent [kən'sent] *n* consentimiento *m*

consequence ['kɒnsɪkwəns] *n* *(result)* consecuencia *f*

consequently ['kɒnsɪkwəntlɪ] *adv* por consiguiente

conservation [ˌkɒnsə'veɪʃn] *n* conservación *f*

conservative [kən'sɜːvətɪv] *adj* conservador(ra) ● **Conservative** ◇ *adj* conservador(ra) ◇ *n* conservador *m*, -ra *f*

conservatory [kən'sɜːvətrɪ] *n* pequeña habitación acristalada aneja a la casa

consider [kən'sɪdə'] *vt* considerar ● **to consider doing sthg** pensarse si hacer algo

considerable [kən'sɪdrəbl] *adj* considerable

consideration [kənˌsɪdə'reɪʃn] *n* consideración *f* ● **to take sthg into consideration** tener algo en cuenta

considering [kən'sɪdərɪŋ] *prep* teniendo en cuenta

consist [kən'sɪst] ● **consist in** *vt insep* consistir en ● **consist of** *vt insep* consistir en

consistent [kən'sɪstənt] *adj* **1.** *(coherent)* coherente **2.** *(worker, performance)* constante

consolation [ˌkɒnsə'leɪʃn] *n* consuelo *m*

console ['kɒnsəʊl] *n* consola *f*

consonant ['kɒnsənənt] *n* consonante *f*

conspicuous [kən'spɪkjʊəs] *adj* visible

constable ['kʌnstəbl] *n* (UK) policía *mf*

constant ['kɒnstənt] *adj* constante

constantly ['kɒnstəntlɪ] *adv* *(all the time)* constantemente

constipated ['kɒnstɪpeɪtɪd] *adj* estreñido(da)

constitution [ˌkɒnstɪ'tjuːʃn] *n* *(health)* constitución *f*

construct [kən'strʌkt] *vt* construir

construction [kən'strʌkʃn] *n* construcción *f* ▼ **under construction** en construcción

consul ['kɒnsəl] *n* cónsul *mf*

consulate ['kɒnsjʊlət] *n* consulado *m*

consult [kən'sʌlt] *vt* consultar

consultant [kən'sʌltənt] *n* (UK) (doctor) especialista *mf*

consume [kən'sju:m] *vt* consumir

consumer [kən'sju:məʳ] *n* consumidor *m*, -ra *f*

contact ['kɒntækt] ◇ *n* contacto *m* ◇ *vt* ponerse en contacto con ● **in contact with** en contacto con

contact lens *n* lentilla *f* (Esp), lente *m* de contacto (Amér)

contagious [kən'teɪdʒəs] *adj* contagioso(sa)

contain [kən'teɪn] *vt* contener

container [kən'teɪnəʳ] *n* (box etc) envase *m*

contaminate [kən'tæmɪneɪt] *vt* contaminar

contemporary [kən'tempərərɪ] ◇ *adj* contemporáneo(a) ◇ *n* contemporáneo *m*, -a *f*

contend [kən'tend] ● **contend with** *vt insep* afrontar

content ◇ *adj* [kən'tent] contento(ta) ◇ *n* ['kɒntent] (of vitamins, fibre etc) contenido *m* ● **contents** *npl* **1.** (things inside) contenido *m* **2.** (at beginning of book) índice *m* (de materias)

contest ◇ *n* ['kɒntest] **1.** (competition) competición *f*, concurso *m* **2.** (struggle) contienda *f* ◇ *vt* [kən'test] **1.** (election, seat) presentarse como candidato a **2.** (decision, will) impugnar

context ['kɒntekst] *n* contexto *m*

continent ['kɒntɪnənt] *n* continente *m* ● **the Continent** (UK) la Europa continental

continental [,kɒntɪ'nentl] *adj* (UK) (European) de la Europa continental

continental breakfast *n* desayuno *m* continental

continental quilt *n* (UK) edredón *m*

continual [kən'tɪnjʊəl] *adj* continuo (nua)

continually [kən'tɪnjʊəlɪ] *adv* continuamente

continue [kən'tɪnju:] *vt & vi* continuar ● **to continue doing sthg** continuar haciendo algo ● **to continue with sthg** continuar con algo

continuous [kən'tɪnjʊəs] *adj* continuo (nua)

continuously [kən'tɪnjʊəslɪ] *adv* continuamente

contraception [,kɒntrə'sepʃn] *n* anticoncepción *f*

contraceptive [,kɒntrə'septɪv] *n* anticonceptivo *m*

contract ◇ *n* ['kɒntrækt] contrato *m* ◇ *vt* [kən'trækt] (fml) (illness) contraer

contradict [,kɒntrə'dɪkt] *vt* contradecir

contrary ['kɒntrərɪ] *n* ● **on the contrary** al contrario

contrast ◇ *n* ['kɒntrɑːst] contraste *m* ◇ *vt* [kən'trɑːst] contrastar ● **in contrast to** a diferencia de

contribute [kən'trɪbju:t] ◇ *vt* (help, money) contribuir ◇ *vi* ● **to contribute to** contribuir a

contribution [,kɒntrɪ'bju:ʃn] *n* contribución *f*

control [kən'trəʊl] ◇ *n* control *m* ◇ *vt* **1.**

controlar 2. *(restrict)* restringir ● **to be in control** estar al mando ● **out of control** fuera de control ● **under control** bajo control ◆ **controls** *npl* **2.** *(of plane)* mandos *mpl*

control tower *n* torre *f* de control

controversial [ˌkɒntrə'vɜːʃl] *adj* controvertido(da)

convenience [kən'viːnjəns] *n* **1.** *(convenient nature)* conveniencia *f* **2.** *(convenient thing)* comodidad *f* ● **at your convenience** cuando le venga bien

convenient [kən'viːnjənt] *adj* **1.** *(suitable)* conveniente **2.** *(well-situated)* bien situado(da) ● **would tomorrow be convenient?** ¿le viene bien mañana?

convent ['kɒnvənt] *n* convento *m*

conventional [kən'venʃənl] *adj* convencional

conversation [ˌkɒnvə'seɪʃn] *n* conversación *f*

conversion [kən'vɜːʃn] *n* **1.** *(change)* conversión *f* **2.** *(to building)* reforma *f*

convert [kən'vɜːt] *vt* convertir ● **to convert sthg into** convertir algo en

converted [kən'vɜːtɪd] *adj* (barn, loft) acondicionado(da)

convertible [kən'vɜːtəbl] *n* descapotable *m*, convertible *m* (*Amér*)

convey [kən'veɪ] *vt* **1.** *(fml)* *(transport)* transportar **2.** *(idea, impression)* transmitir

convict ◇ *n* ['kɒnvɪkt] presidiario *m*, -ria *f* ◇ *vt* [kən'vɪkt] ● **to convict sb (of)** declarar a alguien culpable (de)

convince [kən'vɪns] *vt* ● **to convince sb of the truth** convencer a alguien de la verdad ● **to convince sb to do sthg**

convencer a alguien para que haga algo

convoy ['kɒnvɔɪ] *n* convoy *m*

cook [kʊk] ◇ *n* cocinero *m*, -ra *f* ◇ *vt* **1.** *(meal)* preparar **2.** *(food)* cocinar, guisar ◇ *vi* **1.** *(person)* cocinar, guisar **2.** *(food)* cocerse, hacerse

cookbook ['kʊkˌbʊk] = **cookery book**

cooker ['kʊkə*ʳ*] *n* (*UK*) cocina *f* (aparato), estufa *f* (*Col & Méx*)

cookery ['kʊkərɪ] *n* cocina *f* (arte)

cookery book *n* (*UK*) libro *m* de cocina

cookie ['kʊkɪ] *n* **1.** *(US)* galleta *f* **2.** *COMPUT* cookie *m*

cooking ['kʊkɪŋ] *n* cocina *f*

cooking apple *n* manzana *f* para asar

cooking oil *n* aceite *m* para cocinar

cool [kuːl] ◇ *adj* **1.** *(temperature)* fresco(-ca) **2.** *(calm)* tranquilo(la) **3.** *(unfriendly)* frío(a) **4.** *(inf)* *(great)* chachi (*Esp*), sensacional ◇ *vt* refrescar ◆ **cool down** *vi* **1.** *(become colder)* enfriarse **2.** *(become calmer)* calmarse

cooperate [kəʊ'ɒpəreɪt] *vi* cooperar

cooperation [kəʊˌɒpə'reɪʃn] *n* cooperación *f*

cooperative [kəʊ'ɒpərətɪv] *adj* dispuesto(ta) a cooperar

coordinates [kəʊ'ɔːdɪnəts] *npl* (clothes) conjuntos *mpl*

cope [kəʊp] *vi* ● **to cope with** (problem, situation) hacer frente a; (work) poder con

copilot ['kəʊˌpaɪlət] *n* copiloto *mf*

copper ['kɒpə*ʳ*] *n* **1.** *(metal)* cobre *m* **2.**

copy ['kɒpɪ] ◇ *n* **1.** copia *f* **2.** *(of newspaper, book)* ejemplar *m* ◇ *vt* **1.**

(duplicate) hacer una copia de **2.** *(imitate)* copiar

cord(uroy) [ˈkɔːd(ərɔɪ)] *n* pana *f*

core [kɔːˀ] *n (of fruit)* corazón *m*

coriander [ˌkɒrɪˈændəˀ] *n* cilantro *m*

cork [kɔːk] *n (in bottle)* corcho *m*

corkscrew [ˈkɔːkskruː] *n* sacacorchos *m inv*

corn [kɔːn] *n* **1.** *(UK) (crop)* cereal *m* **2.** *(US) (maize)* maíz *m* **3.** *(on foot)* callo *m*

corned beef [ˌkɔːnd-] *n* carne de vaca cocinada y enlatada

corner [ˈkɔːnəˀ] *n* **1.** *(outside angle, bend in road)* esquina *f* **2.** *(inside angle)* rincón *m* **3.** *(in football)* córner *m* ● **it's just around the corner** está a la vuelta de la esquina

corner shop *n (UK)* pequeña tienda de ultramarinos de barrio

cornflakes [ˈkɔːnfleɪks] *npl* copos *mpl* de maíz

corn-on-the-cob [-ˈkɒb] *n* mazorca *f*

corporal [ˈkɔːpərəl] *n* cabo *mf*

corpse [kɔːps] *n* cadáver *m*

correct [kəˈrekt] ◇ *adj* correcto(ta) ◇ *vt* corregir

correction [kəˈrekʃn] *n* corrección *f*

correspond [ˌkɒrɪˈspɒnd] *vi* ● **to correspond (to)** *(match)* concordar (con) ● **to correspond (with)** *(exchange letters)* cartearse (con)

corresponding [ˌkɒrɪˈspɒndɪŋ] *adj* correspondiente

corridor [ˈkɒrɪdɔːˀ] *n* pasillo *m*

corrugated iron [ˈkɒrəɡeɪtɪd-] *n* chapa *f* ondulada

corrupt [kəˈrʌpt] *adj* corrupto(ta)

cosmetics [kɒzˈmetɪks] *npl* cosméticos *mpl*

cost [kɒst] *(pt & pp inv)* ◇ *n* coste *m* ◇ *vt* costar ● **how much does it cost?** ¿cuánto cuesta?

Costa Rica [ˌkɒstəˈriːkə] *n* Costa Rica

Costa Rican [ˌkɒstəˈriːkən] ◇ *adj* costarricense ◇ *n* costarricense *mf*

costly [ˈkɒstlɪ] *adv (expensive)* costoso(sa)

costume [ˈkɒstjuːm] *n* traje *m*

cosy [ˈkəʊzɪ] *adj (UK) (room, house)* acogedor(ra)

cot [kɒt] *n* **1.** *(UK) (for baby)* cuna *f* **2.** *(US) (camp bed)* cama *f* plegable

cottage [ˈkɒtɪdʒ] *n* casita *f* de campo

cottage cheese *n* requesón *m*

cottage pie *n (UK)* pastel de carne de vaca picada y cebollas con una capa de puré de patatas cocinado al horno

cotton [ˈkɒtn] ◇ *adj (dress, shirt)* de algodón ◇ *n* **1.** *(cloth)* algodón *m* **2.** *(thread)* hilo *m* (de algodón)

cotton wool *n (UK)* algodón *m* (hidrófilo)

couch [kaʊtʃ] *n* **1.** *(sofa)* sofá *m* **2.** *(at doctor's)* camilla *f*

couchette [kuːˈʃet] *n* **1.** *(bed on train)* litera *f* **2.** *(seat on ship)* butaca *f*

cough [kɒf] ◇ *n* tos *f* ◇ *vi* toser ● **to have a cough** tener tos

cough mixture *n (UK)* jarabe *m* para la tos

could [kʊd] *pt* ➤ **can**

couldn't [ˈkʊdnt] = **could not**

could've [ˈkʊdəv] = **could have**

council [ˈkaʊnsl] *n* **1.** *(of town)* ayuntamiento *m* **2.** *(of county)* ≃ diputación *f* **3.** *(organization)* consejo *m*

council house *n (UK)* ≃ casa *f* de protección oficial

councillor ['kaʊnsələʳ] *n (UK)* concejal *mf*

council tax *n (UK)* ≃ contribución *f* urbana

count [kaʊnt] ◇ *vt* & *vi* contar ◇ *n* *(nobleman)* conde *m* ◆ **count on** *vt insep* contar con

counter ['kaʊntəʳ] *n* **1.** *(in shop)* mostrador *m* **2.** *(in bank)* ventanilla *f* **3.** *(in board game)* ficha *f*

counterclockwise [ˌkaʊntə'klɒkwaɪz] *adv (US)* en sentido opuesto a las agujas del reloj

counterfoil ['kaʊntəfɔɪl] *n* matriz *f (Esp)*, talón *m (Amér)*

countess ['kaʊntɪs] *n* condesa *f*

country ['kʌntrɪ] ◇ *n* **1.** *(state)* país *m* **2.** *(countryside)* campo *m* **3.** *(population)* pueblo *m* ◇ *adj* campestre

country and western *n* música *f* country

country house *n* casa *f* de campo

country road *n* camino *m* vecinal

countryside ['kʌntrɪsaɪd] *n* campo *m*

county ['kaʊntɪ] *n* **1.** *(in Britain)* condado *m* **2.** *(in US)* división administrativa de un estado en EEUU

couple ['kʌpl] *n* pareja *f* ◆ **a couple (of)** un par (de)

coupon ['kuːpɒn] *n* cupón *m*

courage ['kʌrɪdʒ] *n* valor *m*

courgette [kɔː'ʒet] *n (UK)* calabacín *m*

courier ['kʊrɪəʳ] *n* **1.** *(for holidaymakers)* guía *mf* **2.** *(for delivering letters)* mensajero *m*, -ra *f*

course [kɔːs] *n* **1.** curso *m* **2.** *(of meal)* plato *m* **3.** *(of treatment, injections)* tratamiento *m* **4.** *(for golf)* campo *m* (de golf) ◆ **of course** por supuesto, claro ◆ **of course not** claro que no ◆ **in the course of** en el curso de

court [kɔːt] *n* **1.** LAW *(building, room)* juzgado *m* **2.** SPORT cancha *f* **3.** *(of king, queen)* corte *f*

court shoes *npl (UK)* zapatos de señora *de tacón alto y sin adornos*

courtyard ['kɔːtjɑːd] *n* patio *m*

cousin ['kʌzn] *n* primo *m*, -ma *f*

cover ['kʌvəʳ] ◇ *n* **1.** *(soft covering)* funda *f* **2.** *(lid)* tapa *f* **3.** *(of book, magazine)* cubierta *f* **4.** *(blanket)* manta *f* **5.** *(insurance)* cobertura *f* ◇ *vt* **1.** cubrir **2.** *(travel)* recorrer **3.** *(apply to)* afectar **4.** *(discuss)* abarcar ◆ **to be covered in** estar cubierto de ◆ **to cover the body with a blanket** cubrir el cuerpo con una manta ◆ **to take cover** refugiarse ◆ **cover up** *vt sep* **1.** *(put cover on)* cubrir **2.** *(facts, truth)* encubrir

cover charge *n* precio *m* del cubierto

cover note *n (UK)* póliza *f* provisional

cow [kaʊ] *n* vaca *f*

coward ['kaʊəd] *n* cobarde *mf*

cowboy ['kaʊbɔɪ] *n* vaquero *m*

crab [kræb] *n* cangrejo *m*

crack [kræk] ◇ *n* **1.** *(in cup, glass, wood)* grieta *f* **2.** *(gap)* rendija *f* ◇ *vt* **1.** *(cup, glass, wood)* agrietar, rajar **2.** *(nut, egg)* cascar **3.** *(inf) (joke)* contar **4.** *(whip)* chasquear ◇ *vi* agrietarse, rajarse

cracker ['krækəʳ] *n* **1.** *(biscuit)* galleta *f* salada **2.** *(UK) (for Christmas)* tubo *con sorpresa típico de Navidades que produ-*

ce un pequeño restallido al ser abierto
cradle ['kreɪdl] *n* cuna *f*
craft [krɑːft] *n* 1. *(skill, trade)* oficio *m* 2. *(boat: pl inv)* embarcación *f*
craftsman ['krɑːftsmən] *(pl* -men) *n* artesano *m*
cram [kræm] *vt* ● to cram sthg into embutir algo en ● to be crammed with estar atestado de
cramp [kræmp] *n* calambres *mpl* ● stomach cramps retortijones *mpl*
cranberry ['krænbərɪ] *n* arándano *m* (agrio)
cranberry sauce *n* salsa de arándanos agrios que se suele comer con pavo
crane [kreɪn] *n (machine)* grúa *f*
crap [kræp] ◇ *adj (vulg)* de mierda ◇ *n (vulg) (excrement)* mierda *f*
crash [kræʃ] ◇ *n* 1. *(accident)* colisión *f* 2. *(noise)* estruendo *m* ◇ *vt (car)* estrellar ◇ *vi* 1. *(two vehicles)* chocar 2. *(into wall, ground)* estrellarse ◆ **crash into** *vt insep* estrellarse contra
crash helmet *n* casco *m* protector
crash landing *n* aterrizaje *m* forzoso
crate [kreɪt] *n* caja *f (para embalaje o transporte)*
crawl [krɔːl] ◇ *vi* 1. *(baby)* gatear 2. *(person, insect)* arrastrarse 3. *(traffic)* ir a paso de tortuga ◇ *n (swimming stroke)* crol *m*
crayfish ['kreɪfɪʃ] *(pl inv) n* 1. *(freshwater)* cangrejo *m* de río *f* 2. *(sea)* cigala *f*
crayon ['kreɪɒn] *n* 1. lápiz *m* de color 2. *(wax)* lápiz *m* de cera
craze [kreɪz] *n* moda *f*
crazy ['kreɪzɪ] *adj* loco(ca) ● to be crazy about estar loco por

crazy golf *n (UK)* minigolf *m*, golfito *m (Amér)*
cream [kriːm] ◇ *n* 1. *(food)* nata *f (Esp)*, crema *f (Amér)* 2. *(for face, burns)* crema *f* ◇ *adj (in colour)* crema *(inv)*
cream cheese *n* queso *m* cremoso *(Esp)*, queso *m* crema *(Amér)*
cream tea *n (UK)* merienda de té con bollos, nata cuajada y mermelada
creamy ['kriːmɪ] *adj* cremoso(sa)
crease [kriːs] *n* arruga *f*
creased [kriːst] *adj* arrugado(da)
create [kriːˈeɪt] *vt* 1. *(make)* crear 2. *(impression, interest)* producir
creative [kriːˈeɪtɪv] *adj* creativo(va)
creature ['kriːtʃəʳ] *n* criatura *f*
crèche [kreʃ] *n (UK)* guardería *f*
credit ['kredɪt] *n* 1. *(praise)* mérito *m* 2. *(money, for studies)* crédito *m* ● to be in credit estar con saldo acreedor ◆ **credits** *npl (of film)* rótulos *mpl* de crédito, créditos *mpl*
credit card *n* tarjeta *f* de crédito ● to pay by credit card pagar con tarjeta de crédito ▼ all major credit cards accepted se aceptan las principales tarjetas de crédito
creek [kriːk] *n* 1. *(inlet)* cala *f* 2. *(US) (river)* riachuelo *m*
creep [kriːp] *(pt & pp* crept) ◇ *vi* arrastrarse ◇ *n (inf) (groveller)* pelotillero *m*, -ra *f (Esp)*, adulador *m*, -ra *f*
cremate [krɪˈmeɪt] *vt* incinerar
crematorium [ˌkreməˈtɔːrɪəm] *n* crematorio *m*
crepe [kreɪp] *n (thin pancake)* crepe *f*
crept [krept] *pt & pp* ➤ creep
cress [kres] *n* berro *m*

crest [krest] n **1.** (of hill) cima f **2.** (of wave) cresta f **3.** (emblem) blasón m
crew [kru:] n (of ship, plane) tripulación f
crew neck n cuello m redondo
crib [krɪb] n (US) (cot) cuna f
cricket ['krɪkɪt] n **1.** (game) críquet m **2.** (insect) grillo m
crime [kraɪm] n **1.** (serious offence) crimen m **2.** (less serious offence) delito m **3.** (illegal activity) delincuencia f
criminal ['krɪmɪnl] ◇ adj criminal ◇ n **1.** (serious) criminal mf **2.** (less serious) delincuente mf ● **criminal offence** delito m
cripple ['krɪpl] ◇ vt dejar inválido
crisis ['kraɪsɪs] (pl **crises**) n crisis f
crisp [krɪsp] adj crujiente ◆ **crisps** npl (UK) patatas fpl (Esp) OR papas fpl (Amér) fritas (de bolsa)
crispy ['krɪspɪ] adj crujiente
critic ['krɪtɪk] n (reviewer) crítico m, -ca f
critical ['krɪtɪkl] adj **1.** crítico(ca) **2.** (very serious, dangerous) grave
criticize ['krɪtɪsaɪz] vt criticar
crockery ['krɒkərɪ] n vajilla f
crocodile ['krɒkədaɪl] n cocodrilo m
crocus ['krəʊkəs] (pl **-es**) n azafrán m (flor)
crooked ['krʊkɪd] adj torcido(da)
crop [krɒp] n **1.** (kind of plant) cultivo m **2.** (harvest) cosecha f ◆ **crop up** vi surgir
cross [krɒs] ◇ adj enfadado(da) ◇ n **1.** cruz f **2.** (mixture) mezcla f ◇ vt cruzar ◇ vi cruzarse ◆ **cross out** vt sep tachar ◆ **cross over** vt insep cruzar
crossbar ['krɒsbɑːʳ] n **1.** (of goal) larguero m **2.** (of bicycle) barra f

cross-Channel ferry n ferry que hace la travesía del Canal de la Mancha
cross-country (running) n cross m
crossing ['krɒsɪŋ] n **1.** (on road) cruce m **2.** (sea journey) travesía f
crossroads ['krɒsrəʊdz] (pl inv) n cruce m
crosswalk ['krɒswɔːk] n (US) paso m (Esp) OR cruce m (Amér) de peatones
crossword (puzzle) ['krɒswɜːd-] n crucigrama m
crotch [krɒtʃ] n entrepierna f
crouton ['kruːtɒn] n cuscurro m, crutón m
crow [krəʊ] n cuervo m
crowbar ['krəʊbɑːʳ] n palanca f
crowd [kraʊd] n **1.** (large group of people) multitud f **2.** (at match) público m
crowded ['kraʊdɪd] adj atestado(da)
crown [kraʊn] n **1.** corona f **2.** (of head) coronilla f
Crown Jewels npl joyas de la corona británica
crucial ['kruːʃl] adj crucial
crude [kruːd] adj **1.** (rough) tosco(ca) **2.** (rude) ordinario(ria)
cruel [krʊəl] adj cruel
cruelty ['krʊəltɪ] n crueldad f
cruet (set) ['kruːɪt-] n vinagreras fpl
cruise [kruːz] ◇ n crucero m ◇ vi (car, plane, ship) ir a velocidad de crucero
cruiser ['kruːzəʳ] n crucero m
crumb [krʌm] n miga f
crumble ['krʌmbl] ◇ n (UK) compota de fruta cubierta con una masa de harina, azúcar y mantequilla que se sirve caliente ◇ vi **1.** (building, cliff) desmoronarse **2.** (cheese) desmenuzarse

crumpet ['krʌmpɪt] n (UK) bollo que se come tostado y con mantequilla

crunchy ['krʌntʃɪ] adj crujiente

crush [krʌʃ] vt **1.** (flatten) aplastar **2.** (garlic, ice) triturar

crust [krʌst] n corteza f

crusty ['krʌstɪ] adj crujiente

crutch [krʌtʃ] n **1.** (stick) muleta f **2.** (UK) (between legs) = crotch

cry [kraɪ] ◇ n grito m ◇ vi **1.** (weep) llorar **2.** (shout) gritar ◆ **cry out** vi gritar

crystal ['krɪstl] n cristal m

cub [kʌb] n (animal) cachorro m

Cuba ['kju:bə] n Cuba

Cuban ['kju:bən] ◇ adj cubano(na) ◇ n cubano m, -na f

cube [kju:b] n **1.** (shape) cubo m **2.** (of sugar) terrón m **3.** (of ice) cubito m

cubicle ['kju:bɪkl] n **1.** (at swimming pool) caseta f **2.** (in shop) probador m

Cub (Scout) explorador de entre 8 y 11 años

cuckoo ['kuku:] n cuclillo m

cucumber ['kju:kʌmbə'] n pepino m

cuddle ['kʌdl] n abrazo m

cuddly toy ['kʌdlɪ-] n (UK) muñeco m de peluche

cue [kju:] n (in snooker, pool) taco m

cuff [kʌf] n **1.** (of sleeve) puño m **2.** (US) (of trousers) vuelta f

cuff links npl gemelos mpl

cuisine [kwɪ'zi:n] n cocina f

cul-de-sac ['kʌldəsæk] n callejón m sin salida

cult [kʌlt] ◇ n culto m ◇ adj de culto

cultivate ['kʌltɪveɪt] vt cultivar

cultivated ['kʌltɪveɪtɪd] adj (person) culto(ta)

cultural ['kʌltʃərəl] adj cultural

culture ['kʌltʃə'] n cultura f

cumbersome ['kʌmbəsəm] adj aparatoso(sa)

cumin ['kju:mɪn] n comino m

cunning ['kʌnɪŋ] adj astuto(ta)

cup [kʌp] n **1.** (for drinking, cupful) taza f **2.** (trophy, competition, of bra) copa f

cupboard ['kʌbəd] n armario m

curator [,kjʊə'reɪtə'] n director m, -ra f (de museo, biblioteca, etc)

curb [kɜ:b] (US) = kerb

curd cheese [,kɜ:d-] n requesón m

cure [kjʊə'] ◇ n cura f ◇ vt curar

curious ['kjʊərɪəs] adj curioso(sa)

curl [kɜ:l] ◇ n (of hair) rizo m ◇ vt (hair) rizar

curler ['kɜ:lə'] n rulo m

curly ['kɜ:lɪ] adj rizado(da)

currant ['kʌrənt] n pasa f de Corinto

currency ['kʌrənsɪ] n (money) moneda f

current ['kʌrənt] ◇ adj actual ◇ n corriente f

current account n (UK) cuenta f corriente

current affairs npl temas mpl de actualidad

currently ['kʌrəntlɪ] adv actualmente

curriculum [kə'rɪkjələm] n temario m, plan m de estudios

curriculum vitae [-'vi:taɪ] n (UK) currículum m (vitae)

curried ['kʌrɪd] adj al curry

curry ['kʌrɪ] n curry m

curse [kɜ:s] vi maldecir

cursor ['kɜ:sə'] n cursor m

curtain ['kɜ:tn] n **1.** (in house) cortina f **2.** (in theatre) telón m

curve [kɜːv] ◇ *n* curva *f* ◇ *vi* torcer

curved [kɜːvd] *adj* curvo(va)

cushion ['kʊʃn] *n* cojín *m*

custard ['kʌstəd] *n* natillas *fpl*

custom ['kʌstəm] *n* (*tradition*) costumbre *f* ▼ thank you for your custom gracias por su visita

customary ['kʌstəmrɪ] *adj* habitual

customer ['kʌstəmə'] *n* (*of shop*) cliente *m, -ta f*

customer services *n* (*department*) servicio *m* de atención al cliente

customs ['kʌstəmz] *n* aduana *f* ● to go through customs pasar por la aduana

customs duty *n* derechos *mpl* de aduana

customs officer *n* empleado *m, -da f* de aduana

cut [kʌt] (*pt & pp inv*) ◇ *n* 1. corte *m* 2. (*reduction*) reducción *f*, recorte *m* ◇ *vt* 1. cortar 2. (*reduce*) reducir ◇ *vi* (*knife, scissors*) cortar ● cut and blow-dry corte y peinado ● to cut one's finger cortarse el dedo ● to cut one's nails cortarse las uñas ● to cut o.s. cortarse ● to have one's hair cut cortarse el pelo ● to cut the grass cortar el césped ● to cut sthg open abrir algo (*cortándolo*) ◆ cut back *vi* ● to cut back on sthg reducir algo ◆ cut down *vt sep* (*tree*) talar ◆ cut down on *vt insep* ● to cut down on sweets comer menos golosinas ◆ cut off *vt sep* (*remove, disconnect*) cortar ● I've been cut off (*on phone*) me han desconectado ● to be cut off (*isolated*) estar aislado ◆ cut out ◇ *vt sep* (*newspaper article, photo*) recortar ◇ *vi* (*engine*) calarse (*Esp*),

pararse ● to cut out smoking dejar de fumar ● cut it out! (*inf*) ¡basta ya! ◆ cut up *vt sep* desmenuzar

cute [kjuːt] *adj* mono(na)

cut-glass *adj* de cristal labrado

cutlery ['kʌtlərɪ] *n* cubertería *f*

cutlet ['kʌtlɪt] *n* 1. (*of meat*) chuleta *f* 2. (*of nuts, vegetables*) ≃ croqueta *f*

cut-price *adj* de oferta

cutting ['kʌtɪŋ] *n* (*UK*) (*from newspaper*) recorte *m*

CV [ˌsiːˈviː] *n* (*UK*) (*abbr of curriculum vitae*) CV *m* (*curriculum vitae*)

cwt *abbr* = **hundredweight**

cycle ['saɪkl] ◇ *n* 1. (*bicycle*) bicicleta *f* 2. (*series*) ciclo *m* ◇ *vi* ir en bicicleta

cycle hire *n* alquiler *m* de bicicletas

cycle lane *n* carril-bici *m*

cycle path *n* camino *m* para bicicletas

cycling ['saɪklɪŋ] *n* ciclismo *m* ● to go cycling ir en bicicleta

cycling shorts *npl* pantalones *mpl* de ciclista

cyclist ['saɪklɪst] *n* ciclista *mf*

cylinder ['sɪlɪndə'] *n* 1. (*container*) bombona *f* (*Esp*), tanque *m* 2. (*in engine*) cilindro *m*

cynical ['sɪnɪkl] *adj* cínico(ca)

Czech [tʃek] ◇ *adj* checo(ca) ◇ *n* 1. (*person*) checo *m, -ca f* 2. (*language*) checo *m*

Czech Republic *n* ● the Czech Republic la República Checa

dab [dæb] *vt (ointment, cream)* aplicar una pequeña cantidad de

dad [dæd] *n (inf)* papá *m*

daddy ['dædɪ] *n (inf)* papá *m*

daddy longlegs [-'lɒŋlegz] *(pl inv) n* típula *f*

daffodil ['dæfədɪl] *n* narciso *m*

daft [dɑːft] *adj (UK) (inf)* tonto(ta)

daily ['deɪlɪ] ◇ *adj* diario(ria) ◇ *adv* diariamente ◇ *n* ● **a daily** *(newspaper)* un diario

dairy ['deərɪ] *n* **1.** *(on farm)* vaquería *f* **2.** *(shop)* lechería *f*

dairy product *n* producto *m* lácteo

daisy ['deɪzɪ] *n* margarita *f*

dam [dæm] *n* presa *f*

damage ['dæmɪdʒ] ◇ *n* **1.** *(physical harm)* daño *m* **2.** *(fig) (to reputation, chances)* perjuicio *m* ◇ *vt* **1.** *(house, car)* dañar **2.** *(back, leg)* hacerse daño en, lastimarse *(Amér)* **3.** *(fig) (reputation, chances)* perjudicar

damn [dæm] ◇ *excl (inf)* ¡maldita sea! ◇ *adj (inf)* maldito(ta) ◇ *n* ● **I don't give a damn** me importa un rábano

damp [dæmp] ◇ *adj* húmedo(da) ◇ *n* humedad *f*

dance [dɑːns] ◇ *n* baile *m* ◇ *vi* bailar ● **to have a dance** bailar

dance floor *n* pista *f* de baile

dancer ['dɑːnsə'] *n* bailarín *m*, -ina *f*

dancing ['dɑːnsɪŋ] *n* baile *m* ● **to go dancing** ir a bailar

dandelion ['dændɪlaɪən] *n* diente *m* de león

dandruff ['dændrʌf] *n* caspa *f*

Dane [deɪn] *n* danés *m*, -esa *f*

danger ['deɪndʒə'] *n* peligro *m* ● **in danger** en peligro

dangerous ['deɪndʒərəs] *adj* peligroso (sa)

Danish ['deɪnɪʃ] ◇ *adj* danés(esa) ◇ *n (language)* danés *m*

dare [deə'] *vt* ● **to dare to do sthg** atreverse a hacer algo ● **he dared me to dive in** me desafió a que me tirara de cabeza ● **how dare you!** ¿cómo te atreves?

daring ['deərɪŋ] *adj* atrevido(da)

dark [dɑːk] ◇ *adj* **1.** oscuro(ra) **2.** *(day, weather)* sombrío(a) ◇ *n* ● **after dark** después del anochecer ● **the dark** la oscuridad

dark chocolate *n* chocolate *m* amargo

darkness ['dɑːknɪs] *n* oscuridad *f*

darling ['dɑːlɪŋ] *n (term of affection)* querido *m*, -da *f*

dart [dɑːt] *n* dardo *m* ● **darts** *n (game)* dardos *mpl*

dartboard ['dɑːtbɔːd] *n* diana *f*

dash [dæʃ] ◇ *n* **1.** *(of liquid)* gotas *fpl* **2.** *(in writing)* guión *m* ◇ *vi* ir de prisa

dashboard ['dæʃbɔːd] *n* salpicadero *m (Esp)*, tablero *m* de mandos

data ['deɪtə] *n* datos *mpl*

database ['deɪtəbeɪs] *n* base *f* de datos

data protection *n* COMPUT protección *m* de datos

date [deɪt] ◇ n **1.** *(day)* fecha f **2.** *(meeting)* cita f **3.** *(US) (person)* pareja f *(con la que sale)* **4.** *(fruit)* dátil m ◇ vt **1.** *(cheque, letter)* fechar **2.** *(person)* salir con ◇ vi *(become unfashionable)* pasar de moda ● what's the date? ¿qué fecha es? ● to have a date with sb tener una cita con alguien

date of birth n fecha f de nacimiento

daughter ['dɔːtər] n hija f

daughter-in-law n nuera f

dawn [dɔːn] n amanecer m

day [deɪ] n día m ● what day is it today? ¿qué día es hoy? ● what a lovely day! ¡qué día más bonito! ● to have a day off tomarse un día libre ● to have a day out ir de excursión ● by day de día ● the day after tomorrow pasado mañana ● the day before el día anterior ● the day before yesterday anteayer ● the following day el día siguiente ● have a nice day! ¡adiós y gracias!

daylight ['deɪlaɪt] n luz f del día

day return n *(UK)* billete de ida y vuelta para un día

dayshift ['deɪʃɪft] n turno m de día

daytime ['deɪtaɪm] n día m

day-to-day adj cotidiano(na)

day trip n excursión f *(de un día)*

dazzle ['dæzl] vt deslumbrar

DC [diːˈsiː] *(abbr of direct current)* CC *(corriente continua)*

dead [ded] ◇ adj **1.** *(not alive)* muerto(ta) **2.** *(not lively)* sin vida **3.** *(telephone, line)* cortado(da) **4.** *(battery)* descargado(da) ◇ adv **1.** *(precisely)* justo **2.** *(inf) (very)* la mar de ● it's dead ahead está justo

enfrente ▾ **dead slow** al paso

dead end n *(street)* callejón m sin salida

deadline ['dedlaɪn] n fecha f límite

deaf [def] ◇ adj sordo(da) ◇ npl ● the deaf los sordos

deal [diːl] *(pt & pp* **dealt)** ◇ n *(agreement)* trato m ◇ vt *(cards)* repartir ● to be a good/bad deal estar bien/mal de precio ● a great deal of mucho ● it's a deal! ¡trato hecho! ● deal in vt insep comerciar en ● **deal with** vt insep **1.** *(handle)* hacer frente a **2.** *(be about)* tratar de

dealer ['diːlər] n **1.** COMM comerciante mf **2.** *(in drugs)* traficante mf *(que vende)*

dealt [delt] pt & pp ➤ **deal**

dear [dɪər] ◇ adj **1.** *(loved)* querido(da) **2.** *(expensive)* caro(ra) ◇ n ● my dear querido m, -da f ● Dear Sir Muy señor mío ● Dear Madam Estimada señora ● Dear John Querido John ● oh dear! ¡vaya por Dios!

death [deθ] n muerte f

debate [dɪˈbeɪt] ◇ n debate m ◇ vt *(wonder)* pensar, considerar

debit ['debɪt] ◇ n debe m ◇ vt ● to debit sb's account with an amount deducir una cantidad de la cuenta de alguien

debit card n tarjeta f de débito

debt [det] n deuda f ● to be in debt tener deudas

Dec. *(abbr of* December) dic. *(diciembre)*

decaff ['diːkæf] n *(inf)* descafeinado m

decaffeinated [dɪˈkæfɪneɪtɪd] adj descafeinado(da)

decanter [dɪˈkæntər] n licorera f

decay [dɪˈkeɪ] ◇ *n* **1.** *(of building, wood)* deterioro *m* **2.** *(of tooth)* caries *f inv* ◇ *vi* descomponerse

deceive [dɪˈsiːv] *vt* engañar

decelerate [ˌdiːˈseləreɪt] *vi* desacelerar

December [dɪˈsembəʳ] *n* diciembre *m*
● **at the beginning of December** a principios de diciembre ● **at the end of December** a finales de diciembre ● **during December** en diciembre ● **every December** todos los años en diciembre ● **in December** en diciembre ● **last December** en diciembre del año pasado ● **next December** en diciembre del próximo año ● **this December** en diciembre de este año ● **2 December 2001** *(in letters etc)* 2 de diciembre de 2001

decent [ˈdiːsnt] *adj* **1.** decente **2.** *(kind)* amable

decide [dɪˈsaɪd] *vt* & *vi* decidir ● **decide to do sthg** decidir hacer algo ● **decide on** *vt insep* decidirse por

decimal [ˈdesɪml] *adj* decimal, punto *m* decimal

decimal point *n* coma *f* decimal

decision [dɪˈsɪʒn] *n* decisión *f* ● **to make a decision** tomar una decisión

decisive [dɪˈsaɪsɪv] *adj* **1.** *(person)* decidido(da) **2.** *(event, factor)* decisivo(va)

deck [dek] *n* **1.** *(of ship)* cubierta *f* **2.** *(of bus)* piso *m* **3.** *(of cards)* baraja *f*

deckchair [ˈdektʃeəʳ] *n* tumbona *f* (*Esp*), silla *f* de playa

declare [dɪˈkleəʳ] *vt* declarar ● **declare that** declarar que ▼ **goods to declare** *cartel que indica la ruta para personas con objetos que declarar en la*

aduana ▼ **nothing to declare** *cartel que indica la ruta para personas sin objetos que declarar en la aduana*

decline [dɪˈklaɪn] ◇ *n* declive *m* ◇ *vi* **1.** *(get worse)* disminuir **2.** *(refuse)* rehusar

decorate [ˈdekəreɪt] *vt* **1.** *(with wallpaper)* empapelar **2.** *(with paint)* pintar **3.** *(make attractive)* decorar

decoration [ˌdekəˈreɪʃn] *n* **1.** *(wallpaper, paint, furniture)* decoración *f* **2.** *(decorative object)* adorno *m*

decorator [ˈdekəreɪtəʳ] *n* **1.** *(painter)* pintor *m*, -ra *f* **2.** *(paperhanger)* empapelador *m*, -ra *f*

decrease ◇ *n* [ˈdiːkriːs] disminución *f* ◇ *vi* [dɪˈkriːs] disminuir

dedicated [ˈdedɪkeɪtɪd] *adj* dedicado(-da)

deduce [dɪˈdjuːs] *vt* deducir

deduct [dɪˈdʌkt] *vt* deducir

deduction [dɪˈdʌkʃn] *n* deducción *f*

deep [diːp] ◇ *adj* **1.** profundo(da) **2.** *(colour)* intenso(sa) **3.** *(breath, sigh)* hondo(da) **4.** *(voice)* grave ◇ *adv* hondo ● **it's two metres deep** tiene dos metros de profundidad

deep end *n* *(of swimming pool)* parte *f* honda

deep freeze *n* congelador *m*

deep-fried [-ˈfraɪd] *adj* frito(ta) en aceite abundante

deep-pan *adj* de masa doble

deer [dɪəʳ] *n* *(pl inv)* ciervo *m*

defeat [dɪˈfiːt] ◇ *n* derrota *f* ◇ *vt* derrotar

defect [ˈdiːfekt] *n* defecto *m*

defective [dɪˈfektɪv] *adj* defectuoso(sa)

defence [dɪˈfens] *n* *(UK)* defensa *f*

defend [dɪ'fend] *vt* defender

defense [dɪ'fens] (*US*) = **defence**

deficiency [dɪ'fɪʃnsɪ] *n* (lack) deficiencia *f*

deficit ['defɪsɪt] *n* déficit *m inv*

define [dɪ'faɪn] *vt* definir

definite ['defɪnɪt] *adj* 1. (answer, plans) definitivo(va) 2. (improvement) claro(ra) 3. (person) concluyente ● it's not definite no es seguro

definite article *n* artículo *m* definido

definitely ['defɪnɪtlɪ] *adv* (certainly) sin duda alguna

definition [defɪ'nɪʃn] *n* (of word) definición *f*

deflate [dɪ'fleɪt] *vt* (tyre) desinflar

deflect [dɪ'flekt] *vt* desviar

defogger [ˌdiː'fɒgər] *n* (*US*) luneta *f* térmica

deformed [dɪ'fɔːmd] *adj* deforme

defrost [ˌdiː'frɒst] *vt* 1. (food, fridge) descongelar 2. (*US*) (demist) desempañar

degree [dɪ'griː] *n* 1. grado *m* 2. (qualification) ≃ licenciatura *f* ● to have a degree in sthg ser licenciado(da) en algo

dehydrated [ˌdiːhaɪ'dreɪtɪd] *adj* deshidratado(da)

de-ice [dɪ'aɪs] *vt* descongelar

de-icer [diː'aɪsər] *n* descongelante *m*

dejected [dɪ'dʒektɪd] *adj* abatido(da)

delay [dɪ'leɪ] ◇ *n* retraso *m* ◇ *vt* retrasar ◇ *vi* retrasarse ● without delay sin demora

delayed [dɪ'leɪd] *adj* ● to be delayed ir con retraso ● our train was delayed by two hours nuestro tren llegó con dos horas de retraso

delegate ◇ *n* ['delɪgət] delegado *m*, -da *f* ◇ *vt* ['delɪgeɪt] (person) delegar

delete [dɪ'liːt] *vt* borrar

deli ['delɪ] *n* (inf) (abbr of delicatessen) ≃ charcutería *f*

deliberate [dɪ'lɪbərət] *adj* (intentional) deliberado(da)

deliberately [dɪ'lɪbərətlɪ] *adv* (intentionally) deliberadamente

delicacy ['delɪkəsɪ] *n* (food) manjar *m*

delicate ['delɪkət] *adj* 1. delicado(da) 2. (object, china) frágil 3. (taste, smell) suave

delicatessen [ˌdelɪkə'tesn] *n* ≃ charcutería *f*

delicious [dɪ'lɪʃəs] *adj* delicioso(sa)

delight [dɪ'laɪt] ◇ *n* (feeling) gozo *m* ◇ *vt* encantar ● to take (a) delight in doing sthg deleitarse haciendo algo

delighted [dɪ'laɪtɪd] *adj* encantado(da)

delightful [dɪ'laɪtfʊl] *adj* encantador(ra)

deliver [dɪ'lɪvər] *vt* 1. (goods, letters, newspaper) entregar 2. (speech, lecture) pronunciar 3. (baby) traer al mundo

delivery [dɪ'lɪvərɪ] *n* 1. (of goods, letters) entrega *f* 2. (birth) parto *m*

delude [dɪ'luːd] *vt* engañar

de-luxe [də'lʌks] *adj* de lujo

demand [dɪ'mɑːnd] ◇ *n* 1. demanda *f* 2. (requirement) requisito *m* ◇ *vt* 1. (request forcefully) exigir 2. (require) requerir ● to demand to do sthg exigir hacer algo ● in demand solicitado

demanding [dɪ'mɑːndɪŋ] *adj* absorbente

demerara sugar [deməˈreərə-] *n* (*UK*) azúcar *m* moreno

demist [ˌdiː'mɪst] *vt* (*UK*) desempañar

demister [ˌdiːˈmɪstə^r] n (UK) luneta f térmica

democracy [dɪˈmɒkrəsɪ] n democracia f

Democrat [ˈdeməkræt] n (US) demócrata mf

democratic [deməˈkrætɪk] adj democrático(ca)

demolish [dɪˈmɒlɪʃ] vt (building) demoler

demonstrate [ˈdemənstreɪt] ◇ vt 1. (prove) demostrar 2. (machine, appliance) hacer una demostración de ◇ vi manifestarse

demonstration [demənˈstreɪʃn] n 1. (protest) manifestación f 2. (of machine, proof) demostración f

denial [dɪˈnaɪəl] n negación f

denim [ˈdenɪm] n tela f vaquera, mezclilla f (Chile & Méx) ◆ **denims** npl vaqueros mpl

denim jacket n cazadora f vaquera (Esp), chaqueta f vaquera

Denmark [ˈdenmɑːk] n Dinamarca

dense [dens] adj (crowd, smoke, forest) denso(sa)

dent [dent] n abolladura f

dental [ˈdentl] adj dental

dental floss [-flɒs] n hilo m dental

dental surgeon n odontólogo m, -ga f

dental surgery n (UK) (place) clínica f dental

dentist [ˈdentɪst] n dentista mf ● **to go to the dentist's** ir al dentista

dentures [ˈdentʃəz] npl dentadura f postiza

deny [dɪˈnaɪ] vt 1. (declare untrue) negar 2. (refuse) denegar

deodorant [diːˈəʊdərənt] n desodorante m

depart [dɪˈpɑːt] vi salir ● **this train will depart from platform 3** este tren efectuará su salida de la vía 3

department [dɪˈpɑːtmənt] n 1. departamento m 2. (of government) ministerio m

department store n grandes almacenes mpl

departure [dɪˈpɑːtʃə^r] n salida f ▼ departures salidas

departure lounge n 1. (at airport) sala f de embarque 2. (at coach station) vestíbulo m de salidas

depend [dɪˈpend] vi ● **it depends** depende ◆ **depend on** vt insep 1. (be decided by) depender de 2. (rely on) confiar en ● **depending on** dependiendo de

dependable [dɪˈpendəbl] adj fiable

deplorable [dɪˈplɔːrəbl] adj deplorable

deport [dɪˈpɔːt] vt deportar

deposit [dɪˈpɒzɪt] ◇ n 1. (in bank) ingreso m (Esp), depósito m 2. (part-payment) entrada f (Esp), depósito m 3. (against damage) depósito m 4. (substance) sedimento m ◇ vt 1. (put down) depositar 2. (money in bank) ingresar

deposit account n (UK) cuenta f de ahorro a plazo fijo

depot [ˈdiːpəʊ] n (US) (for buses, trains) terminal f

depressed [dɪˈprest] adj deprimido(da)

depressing [dɪˈpresɪŋ] adj deprimente

depression [dɪˈpreʃn] n depresión f

deprive [dɪˈpraɪv] vt ● **to deprive sb of a right** privar a alguien de un derecho

depth [depθ] *n* profundidad *f* • **I'm out of my depth** *(when swimming)* he perdido pie; *(fig)* *(unable to cope)* no puedo • **depth of field** profundidad de campo

deputy ['depjʊtɪ] *adj* suplente • **deputy head** subdirector *m*, -a *f*

derailment [dɪ'reɪlmənt] *n* descarrilamiento *m*

derelict ['derəlɪkt] *adj* abandonado(da)

descend [dɪ'send] ◇ *vt* descender por ◇ *vi* descender

descendant [dɪ'sendənt] *n* descendiente *mf*

descent [dɪ'sent] *n* **1.** *(going down)* descenso *m* **2.** *(downward slope)* pendiente *f*

describe [dɪ'skraɪb] *vt* describir

description [dɪ'skrɪpʃn] *n* descripción *f*

desert ◇ *n* ['dezət] desierto *m* ◇ *vt* [dɪ'zɜːt] abandonar

deserted [dɪ'zɜːtɪd] *adj* desierto(ta)

deserve [dɪ'zɜːv] *vt* merecer

design [dɪ'zaɪn] ◇ *n* diseño *m* ◇ *vt* diseñar • **to be designed for** estar diseñado para

designer [dɪ'zaɪnər] ◇ *n* diseñador *m*, -ra *f* ◇ *adj (clothes, sunglasses)* de marca

desirable [dɪ'zaɪərəbl] *adj* deseable

desire [dɪ'zaɪər] ◇ *n* deseo *m* ◇ *vt* desear • **it leaves a lot to be desired** deja mucho que desear

desk [desk] *n* **1.** *(in home, office)* escritorio *m* **2.** *(in school)* pupitre *m* **3.** *(at airport, station, hotel)* mostrador *m*

desktop ['desktɒp] *n* COMPUT escritorio *m*

desktop publishing *n* autoedición *f* de textos

despair [dɪ'speər] *n* desesperación *f*

despatch [dɪ'spætʃ] = dispatch

desperate ['desprət] *adj* desesperado (da) • **to be desperate for sthg** necesitar algo desesperadamente

despicable [dɪ'spɪkəbl] *adj* despreciable

despise [dɪ'spaɪz] *vt* despreciar

despite [dɪ'spaɪt] *prep* a pesar de

dessert [dɪ'zɜːt] *n* postre *m*

dessertspoon [dɪ'zɜːtspuːn] *n* **1.** *(spoon)* cuchara *f* de postre **2.** *(spoonful)* cucharada *f* (de postre)

destination [,destɪ'neɪʃn] *n* destino *m*

destroy [dɪ'strɔɪ] *vt* destruir

destruction [dɪ'strʌkʃn] *n* destrucción *f*

detach [dɪ'tætʃ] *vt* separar

detached house [dɪ'tætʃt-] *n* casa *f* individual

detail ['diːteɪl] *n* **1.** *(minor point)* detalle *m* **2.** *(facts, information)* detalles *mpl* • **in detail** detalladamente • **details** *npl (facts)* información *f*

detailed ['diːteɪld] *adj* detallado(da)

detect [dɪ'tekt] *vt* detectar

detective [dɪ'tektɪv] *n* detective *mf* • **a detective story** una novela policíaca

detention [dɪ'tenʃn] *n* SCH castigo de permanecer en la escuela después de clase

detergent [dɪ'tɜːdʒənt] *n* detergente *m*

deteriorate [dɪ'tɪərɪəreɪt] *vi* deteriorarse

determination [dɪ,tɜːmɪ'neɪʃn] *n* determinación *f*

determine [dɪ'tɜːmɪn] *vt* determinar

determined [dɪ'tɜːmɪnd] *adj* decidido (da) • **to be determined to do sthg** estar decidido a hacer algo

deterrent [dɪ'terənt] *n* fuerza *f* disuasoria

detest [dɪ'test] *vt* detestar

detour ['diː,tʊəʳ] *n* desvío *m*

deuce [djuːs] *excl (in tennis)* cuarenta iguales

devastate ['devəsteɪt] *vt* devastar

develop [dɪ'veləp] ◇ *vt* **1.** *(idea, company)* desarrollar **2.** *(land)* urbanizar **3.** *(film)* revelar **4.** *(machine, method)* elaborar **5.** *(illness)* contraer **6.** *(habit, interest)* adquirir ◇ *vi (evolve)* desarrollarse

developing country [dɪ'veləpɪŋ-] país *m* en vías de desarrollo

development [dɪ'veləpmənt] *n* **1.** *(growth)* desarrollo *m* **2.** *(new event)* (nuevo) acontecimiento *m* ● **a housing development** *(US)* una urbanización

device [dɪ'vaɪs] *n* dispositivo *m*

devil ['devl] *n* diablo *m* ● **what the devil ...?** *(inf)* ¿qué demonios ...?

devise [dɪ'vaɪz] *vt* diseñar

devolution [devə'luːʃn] *n (UK)* traspaso de competencias del gobierno central a asambleas legislativas autónomas

devoted [dɪ'vəʊtɪd] *adj* dedicado(da), leal

dew [djuː] *n* rocío *m*

diabetes [,daɪə'biːtiːz] *n* diabetes *f inv*

diabetic [,daɪə'betɪk] ◇ *adj* **1.** *(person)* diabético(ca) **2.** *(chocolate)* para diabéticos ◇ *n* diabético *m*, -ca *f*

diagnosis [,daɪəg'nəʊsɪs] *(pl* **-oses)** *n* diagnóstico *m*

diagonal [daɪ'ægənl] *adj* diagonal

diagram ['daɪəgræm] *n* diagrama *m*

dial ['daɪəl] ◇ *n* **1.** *(of telephone, radio)*

dial *m* **2.** *(of clock)* esfera *f* ◇ *vt* marcar, discar *(Amér)*

dialling code ['daɪəlɪŋ-] *n (UK)* prefijo *m* (telefónico)

dialling tone ['daɪəlɪŋ-] *n (UK)* señal *f* de llamada

dial tone *(US)* = **dialling tone**

diameter [daɪ'æmɪtəʳ] *n* diámetro *m*

diamond ['daɪəmənd] *n* diamante *m* ◆ **diamonds** *npl (in cards)* diamantes *mpl*

diaper ['daɪpəʳ] *n (US)* pañal *m*

diarrhea *(US)* = **diarrhoea**

diarrhoea [,daɪə'rɪə] *n (UK)* diarrea *f*

diary ['daɪərɪ] *n* **1.** *(for appointments)* agenda *f* **2.** *(journal)* diario *m*

dice [daɪs] *(pl inv)* *n* dado *m*

diced [daɪst] *adj* cortado(da) en cuadraditos

dictate [dɪk'teɪt] *vt* dictar

dictation [dɪk'teɪʃn] *n* dictado *m*

dictator [dɪk'teɪtəʳ] *n* dictador *m*, -ra *f*

dictionary [dɪk'ʃənrɪ] *n* diccionario *m*

did [dɪd] *pt* > **do**

die [daɪ] *(cont* **dying)** *vi* morir ● **to be dying for sthg** *(inf)* morirse por algo ● **to be dying to do sthg** *(inf)* morirse por hacer algo ◆ **die away** *vi* desvanecerse ◆ **die out** *vi* extinguirse

diesel ['diːzl] *n* **1.** *(fuel)* gasóleo *m* **2.** *(car)* vehículo *m* diesel

diet ['daɪət] ◇ *n* **1.** *(for slimming, health)* dieta *f*, régimen *m* **2.** *(food eaten)* dieta *f* ◇ *vi* estar a régimen ◇ *adj* bajo(ja) en calorías

diet Coke® *n* Coca-Cola ® *f* light

differ ['dɪfəʳ] *vi* ● **to differ (from)** *(be dissimilar)* ser distinto (de); *(disagree)* discrepar (de)

difference ['dɪfrəns] *n* diferencia *f* ● it makes no difference da lo mismo ● a difference of opinion un desacuerdo

different ['dɪfrənt] *adj* distinto(ta) ● to be different (from) ser distinto (de)

differently ['dɪfrəntlɪ] *adv* de otra forma

difficult ['dɪfɪkəlt] *adj* difícil

difficulty ['dɪfɪkəltɪ] *n* dificultad *f*

dig [dɪg] (*pt & pp* dug) ◇ *vt* 1. *(hole, tunnel)* excavar 2. *(garden, land)* cavar ◇ *vi* cavar ◆**dig out** *vt sep* sacar ◆**dig up** *vt sep* desenterrar

digest [dɪ'dʒest] *vt* digerir

digestion [dɪ'dʒestʃn] *n* digestión *f*

digestive (biscuit) [dɪ'dʒestɪv-] *n (UK) galleta hecha con harina integral*

digit ['dɪdʒɪt] *n* 1. *(figure)* dígito *m* 2. *(finger, toe)* dedo *m*

digital ['dɪdʒɪtl] *adj* digital

digital radio *n* radio f digital

dill [dɪl] *n* eneldo *m*

dilute [daɪ'luːt] *vt* diluir

dim [dɪm] ◇ *adj* 1. *(light)* tenue 2. *(room)* sombrío(a) 3. *(inf) (stupid)* torpe ◇ *vt* atenuar

dime [daɪm] *n (US) moneda de diez centavos*

dimensions [dɪ'menʃnz] *npl* 1. *(measurements)* dimensiones *fpl* 2. *(extent)* dimensión *f*

din [dɪn] *n* estrépito *m*

dine [daɪn] *vi* cenar ◆**dine out** *vi* cenar fuera

diner ['daɪnər] *n* 1. *(US) (restaurant)* restaurante *m* económico 2. *(person)* cliente *mf (en un restaurante)*

dinghy ['dɪŋgɪ] *n* bote *m*

dingy ['dɪndʒɪ] *adj* lóbrego(ga)

dining car ['daɪnɪŋ-] *n* vagón *m* restaurante

dining hall ['daɪnɪŋ-] *n* SCH comedor *m*

dining room ['daɪnɪŋ-] *n* comedor *m*

dinner ['dɪnər] *n* 1. *(at lunchtime)* almuerzo *m* 2. *(in evening)* cena *f* ● to have dinner *(at lunchtime)* almorzar; *(in evening)* cenar

dinner jacket *n* esmoquin *m*

dinner party *n* cena *f (de amigos en casa)*

dinner set *n* vajilla *f*

dinner suit *n* traje *m* de esmoquin

dinnertime ['dɪnətaɪm] *n* 1. *(at lunchtime)* hora *f* del almuerzo 2. *(in evening)* hora de la cena

dinosaur ['daɪnəsɔːr] *n* dinosaurio *m*

dip [dɪp] ◇ *n* 1. *(in road, land)* pendiente *f* 2. *(food)* salsa *f* ◇ *vt (into liquid)* mojar ◇ *vi* descender ligeramente ● to have a dip darse un chapuzón ● to dip one's headlights *(UK)* poner las luces de cruce

diploma [dɪ'pləʊmə] *n* diploma *m*

dipstick ['dɪpstɪk] *n* varilla *f (para medir el nivel) del aceite*

direct [dɪ'rekt] ◇ *adj* directo(ta) ◇ *vt* 1. *(give directions to)* indicar el camino a ◇ *adv* directamente

direction [dɪ'rekʃn] *n* dirección *f* ● to ask for directions pedir señas ◆**directions** *npl (instructions)* instrucciones *fpl (de uso)*

directly [dɪ'rektlɪ] *adv* 1. *(exactly)* directamente 2. *(soon)* pronto

director [dɪ'rektər] *n* director *m*, -ra *f*

directory [dɪ'rektərɪ] *n* guía *f* (telefónica)

directory assistance *n* (*US*) servicio *m* de información telefónica

directory enquiries *n* (*UK*) servicio *m* de información telefónica

dirt [dɜːt] *n* 1. suciedad *f* 2. (*earth*) tierra *f*

dirty ['dɜːtɪ] *adj* 1. sucio(cia) 2. (*joke*) verde

disability [ˌdɪsə'bɪlɪtɪ] *n* minusvalía *f*

disabled [dɪs'eɪbld] ◇ *adj* minusválido(da) ◇ *npl* ● **the disabled** los minusválidos ▼ **disabled toilet** aseo para minusválidos

disadvantage [ˌdɪsəd'vɑːntɪdʒ] *n* desventaja *f*

disagree [ˌdɪsə'griː] *vi* (*people*) discrepar ● **to disagree with sb** (**about**) no estar de acuerdo con alguien (sobre) ● **those mussels disagreed with me** los mejillones me sentaron mal

disagreement [ˌdɪsə'griːmənt] *n* 1. (*argument*) discusión *f* 2. (*dissimilarity*) discrepancia *f*

disappear [ˌdɪsə'pɪə^r] *vi* desaparecer

disappearance [ˌdɪsə'pɪərəns] *n* desaparición *f*

disappoint [ˌdɪsə'pɔɪnt] *vt* decepcionar

disappointed [ˌdɪsə'pɔɪntɪd] *adj* decepcionado(da)

disappointing [ˌdɪsə'pɔɪntɪŋ] *adj* decepcionante

disappointment [ˌdɪsə'pɔɪntmənt] *n* decepción *f*

disapprove [ˌdɪsə'pruːv] *vi* ● **to disapprove of** censurar

disarmament [dɪs'ɑːməmənt] *n* desarme *m*

disaster [dɪ'zɑːstə^r] *n* desastre *m*

disastrous [dɪ'zɑːstrəs] *adj* desastroso(sa)

disc [dɪsk] *n* 1. (*UK*) (*circular object, record*) disco *m* 2. (*CD*) disco compacto ● **to slip a disc** sufrir una hernia discal

discard [dɪ'skɑːd] *vt* desechar

discharge [dɪs'tʃɑːdʒ] *vt* 1. (*prisoner*) poner en libertad 2. (*patient*) dar de alta 3. (*soldier*) licenciar 4. (*liquid, smoke, gas*) emitir

discipline ['dɪsɪplɪn] *n* disciplina *f*

disc jockey *n* pinchadiscos *mf inv* (*Esp*), disc jockey *mf*

disco ['dɪskəu] *n* 1. (*place*) discoteca *f* 2. (*event*) baile *m*

discoloured [dɪs'kʌləd] *adj* descolorido(da)

discomfort [dɪs'kʌmfət] *n* (*pain*) malestar *m*

disconnect [ˌdɪskə'nekt] *vt* 1. (*unplug*) desenchufar 2. (*telephone, gas supply, pipe*) desconectar

discontinued [ˌdɪskən'tɪnjuːd] *adj* (*product*) que ya no se fabrica

discount [dɪs'kaunt] *n* descuento *m*

discover [dɪ'skʌvə^r] *vt* descubrir

discovery [dɪ'skʌvərɪ] *n* descubrimiento *m*

discreet [dɪ'skriːt] *adj* discreto(ta)

discrepancy [dɪ'skrepənsɪ] *n* discrepancia *f*

discriminate [dɪ'skrɪmɪneɪt] *vi* ● **to discriminate against sb** discriminar a alguien

discrimination [dɪˌskrɪmɪ'neɪʃn] *n* discriminación *f*

discuss [dɪ'skʌs] *vt* discutir

discussion [dɪ'skʌʃn] *n* discusión *f*

disease [dɪ'ziːz] *n* enfermedad *f*

disembark [ˌdɪsɪm'bɑːk] *vi* desembarcar

disgrace [dɪs'greɪs] *n* vergüenza *f* ● it's a disgrace! ¡es una vergüenza!

disgraceful [dɪs'greɪsfʊl] *adj* vergonzoso(sa)

disguise [dɪs'gaɪz] ◇ *n* disfraz *m* ◇ *vt* disfrazar ● in disguise disfrazado

disgust [dɪs'gʌst] ◇ *n* asco *m* ◇ *vt* asquear

disgusting [dɪs'gʌstɪŋ] *adj* asqueroso(sa)

dish [dɪʃ] *n* 1. *(container)* fuente *f* 2. *(food)* plato *m* 3. *(US) (plate)* plato ● to do the dishes fregar los platos ▼ dish of the day plato del día ◆ dish up *vt sep* servir

dishcloth ['dɪʃklɒθ] *n* trapo *m* de fregar los platos

disheveled [dɪ'ʃevəld] *(US)* = dishevelled

dishevelled [dɪ'ʃevəld] *adj (UK) (person)* desaliñado(da)

dishonest [dɪs'ɒnɪst] *adj* deshonesto(ta)

dish towel *n (US)* paño *m* de cocina

dishwasher ['dɪʃˌwɒʃə'] *n (machine)* lavavajillas *m inv*

dishwashing liquid ['dɪʃˌwɒʃɪŋ-] *n (US)* lavavajillas *m inv*

disinfectant [ˌdɪsɪn'fektənt] *n* desinfectante *m*

disintegrate [dɪs'ɪntɪgreɪt] *vi* desintegrarse

disk [dɪsk] *n* 1. *(US)* = disc 2. COMPUT

disquete *m*, disco *m*

disk drive *n* disquetera *f*

dislike [dɪs'laɪk] ◇ *n (poor opinion)* aversión *f* ◇ *vt* tener aversión a ● to take a dislike to cogerle manía a

dislocate ['dɪsləkeɪt] *vt* dislocar

dismal ['dɪzml] *adj* 1. *(weather, place)* sombrío(a) 2. *(terrible)* lamentable

dismantle [dɪs'mæntl] *vt* desmontar

dismay [dɪs'meɪ] *n* consternación *f*

dismiss [dɪs'mɪs] *vt* 1. *(not consider)* desechar 2. *(from job)* despedir 3. *(from classroom)* echar

disobedient [ˌdɪsə'biːdjənt] *adj* desobediente

disobey [ˌdɪsə'beɪ] *vt* desobedecer

disorder [dɪs'ɔːdə'] *n* 1. *(confusion)* desorden *m* 2. *(violence)* disturbios *mpl* 3. *(illness)* afección *f*

disorganized [dɪs'ɔːgənaɪzd] *adj* desorganizado(da)

dispatch [dɪs'pætʃ] *vt* enviar

dispense [dɪs'pens] ◆ dispense with *vt insep* prescindir de

dispenser [dɪs'pensə'] *n* máquina *f* expendedora

dispensing chemist [dɪ'spensɪŋ-] *n (UK)* 1. *(person)* farmacéutico *m*, -ca *f* 2. *(shop)* farmacia *f*

disperse [dɪ'spɜːs] ◇ *vt* dispersar ◇ *vi* dispersarse

display [dɪ'spleɪ] ◇ *n* 1. *(of goods in window)* escaparate *m* 2. *(public event)* demostración *f* 3. *(readout)* pantalla *f* ◇ *vt* 1. *(goods, information)* exponer 2. *(feeling, quality)* mostrar ● on display expuesto

displeased [dɪs'pliːzd] *adj* disgustado(da)

disposable [dɪˈspəʊzəbl] *adj* desechable

diposable camera *n* cámara *m* desechable

dispute [dɪˈspjuːt] ◇ *n* **1.** *(argument)* disputa *f* **2.** *(industrial)* conflicto *m* ◇ *vt* cuestionar

disqualify [ˌdɪsˈkwɒlɪfaɪ] *vt* descalificar • he has been disqualified from driving *(UK)* se le ha retirado el permiso de conducir

disregard [ˌdɪsrɪˈgɑːd] *vt* hacer caso omiso de

disrupt [dɪsˈrʌpt] *vt* trastornar

disruption [dɪsˈrʌpʃn] *n* trastorno *m*

dissatisfied [ˌdɪsˈsætɪsfaɪd] *adj* descontento(ta)

dissolve [dɪˈzɒlv] ◇ *vt* disolver ◇ *vi* disolverse

dissuade [dɪˈsweɪd] *vt* • to dissuade sb from doing sthg disuadir a alguien de hacer algo

distance [ˈdɪstəns] *n* distancia *f* • from a distance desde lejos • in the distance a lo lejos

distant [ˈdɪstənt] *adj* **1.** lejano(na) **2.** *(reserved)* distante

distilled water [dɪˈstɪld-] *n* agua *f* destilada

distillery [dɪˈstɪlərɪ] *n* destilería *f*

distinct [dɪˈstɪŋkt] *adj* **1.** *(separate)* distinto(ta) **2.** *(noticeable)* notable

distinction [dɪˈstɪŋkʃn] *n* **1.** *(difference)* distinción *f* **2.** *(mark for work)* sobresaliente *m*

distinctive [dɪˈstɪŋktɪv] *adj* característico(ca)

distinguish [dɪˈstɪŋgwɪʃ] *vt* distinguir • to distinguish one thing from another

distinguir una cosa de otra

distorted [dɪˈstɔːtɪd] *adj* **1.** *(figure, shape)* deformado(da) **2.** *(sound)* distorsionado(da)

distract [dɪˈstrækt] *vt* distraer

distraction [dɪˈstrækʃn] *n* distracción *f*

distress [dɪˈstres] *n* **1.** *(pain)* dolor *m* **2.** *(anxiety)* angustia *f*

distressing [dɪˈstresɪŋ] *adj* angustioso(sa)

distribute [dɪˈstrɪbjuːt] *vt* distribuir

distributor [dɪˈstrɪbjʊtəʳ] *n* **1.** COMM distribuidor *m*, -ra *f* **2.** AUT delco *m*

district [ˈdɪstrɪkt] *n* **1.** *(region)* región *f* **2.** *(of town)* distrito *m*

district attorney *n* (US) fiscal *mf* (del distrito)

disturb [dɪˈstɜːb] *vt* **1.** *(interrupt)* molestar **2.** *(worry)* inquietar **3.** *(move)* mover ▼ do not disturb no molestar

disturbance [dɪˈstɜːbəns] *n* **1.** *(riot)* disturbio *m* **2.** *(small altercation)* altercado *m*

ditch [dɪtʃ] *n* zanja *f*

ditto [ˈdɪtəʊ] *adv* ídem

divan [dɪˈvæn] *n* diván *m*

dive [daɪv] *(pt (US)* **-d** OR **dove**, *(UK)* **-d)** ◇ *n* *(of swimmer)* zambullida *f*, clavado *m* *(Amér)* ◇ *vi* **1.** *(from divingboard, rock)* zambullirse, echarse un clavado *(Amér)* **2.** *(under water)* bucear **3.** *(bird, plane)* bajar en picada **4.** *(rush)* lanzarse

diver [ˈdaɪvəʳ] *n* **1.** *(from divingboard, rock)* saltador *m*, -ra *f*, clavadista *mf* *(Amér)* **2.** *(under water)* buceador *m*, -ra *f*

diversion [daɪˈvɜːʃn] *n* **1.** *(of traffic)* desvío *m* **2.** *(amusement)* diversión *f*

divert [daɪˈvɜːt] vt **1.** (traffic, river) desviar **2.** (attention) distraer

divide [dɪˈvaɪd] vt **1.** dividir **2.** (share out) repartir ● **divide up** vt sep **1.** (into two parts) dividir **2.** (share out) repartir

diving [ˈdaɪvɪŋ] n **1.** (from divingboard, rock) salto m **2.** (under water) buceo m ● **to go diving** bucear

divingboard [ˈdaɪvɪŋbɔːd] n trampolín m

division [dɪˈvɪʒn] n división f

divorce [dɪˈvɔːs] ◇ n divorcio m ◇ vt ● **to get divorced** divorciarse de

divorced [dɪˈvɔːst] adj divorciado(da)

DIY [diːaɪˈwaɪ] n (UK) (abbr of do-it-yourself) bricolaje m

dizzy [ˈdɪzɪ] adj mareado(da)

DJ [ˈdiːdʒeɪ] n (abbr of disc jockey) pinchadiscos mf inv (Esp), discjockey mf

DNA [diːenˈeɪ] n (abbr of deoxyribonucleic acid) ADN m (ácido desoxirribonucleico)

do [duː] (pt **did**, pp **done** pl **dos**)
◇ aux vb **1.** (in negatives) ● **don't do that!** ¡no hagas eso! ● **she didn't listen** no hizo caso **2.** (in questions) ● **do you like it?** ¿te gusta? ● **how do you do it?** ¿cómo se hace? **3.** (referring to previous verb) ● **I eat more than you do** yo como más que tú ● **do you smoke? - yes, I do/no, I don't** ¿fumas? - sí/no **4.** (in question tags) ● **so, you like Scotland, do you?** así que te gusta Escocia ¿no?
◇ vt **1.** (gen) hacer ● **to do one's homework** hacer los deberes ● **what can I do for you?** ¿en qué puedo servirle? ● **to do one's hair** peinarse ● **to do one's teeth** lavarse los dientes ● **to do damage** hacer daño ● **the rest will do you good** el descanso te sentará bien **2.** (have as job) ● **what do you do?** ¿a qué te dedicas? **3.** (provide, offer) hacer ● **we do pizzas for under £4** vendemos pizzas a menos de 4 libras **4.** (study) hacer **5.** (subj: vehicle) ir a **6.** (inf) (visit) recorrer
◇ vi **1.** (behave, act) hacer ● **do as I say** haz lo que te digo **2.** (progress, get on) ir ● **I did well/badly** me fue bien/mal **3.** (be sufficient) valer ● **will £5 do?** ¿llegará con cinco libras? **4.** (in phrases) ● **how do you do?** (greeting) ¿cómo está usted?; (answer) mucho gusto ● **what has that got to do with it?** ¿y eso qué tiene que ver?
◇ n (party) fiesta f ● **dos and don'ts** normas fpl de conducta
● **do out of** vt sep (inf) timar
● **do up** vt sep (shirt, buttons) abrochar; (shoes, laces) atar; (zip) subir; (decorate) renovar; (wrap up) envolver
● **do with** vt insep ● **I could do with a drink** no me vendría mal una copa
● **do without** vt insep pasar sin

dock [dɒk] ◇ n **1.** (for ships) muelle m **2.** LAW banquillo m (de los acusados) ◇ vi atracar

doctor [ˈdɒktə] n **1.** (of medicine) médico m, -ca f **2.** (academic) doctor m, -ra f ● **to go to the doctor's** ir al médico

document [ˈdɒkjʊmənt] n documento m

documentary [ˌdɒkjʊˈmentərɪ] n documental m

Dodgems ® ['dɒdʒəmz] *npl* (*UK*) coches *mpl* de choque

dodgy ['dɒdʒɪ] *adj* (*UK*) (*inf*) **1.** (*plan, car*) poco fiable **2.** (*health*) delicado(da)

does [*weak form* dəz, *strong form* dʌz] ➤ **do**

doesn't ['dʌznt] = does not

dog [dɒg] *n* perro *m*

dog food *n* comida *f* para perros

doggy bag ['dɒgɪ-] *n* bolsa que da el restaurante para llevarse las sobras

do-it-yourself *n* bricolaje *m*

dole [dəʊl] *n* ● to be on the dole (*UK*) estar parado (*Esp*), estar cobrando subsidio de desempleo

doll [dɒl] *n* muñeca *f*

dollar ['dɒləʳ] *n* dólar *m*

dolphin ['dɒlfɪn] *n* delfín *m*

dome [dəʊm] *n* cúpula *f*

domestic [də'mestɪk] *adj* **1.** (*of house, family*) doméstico(ca) **2.** (*of country*) nacional

domestic appliance *n* electrodoméstico *m*

domestic flight *n* vuelo *m* nacional

dominate ['dɒmɪneɪt] *vt* dominar

dominoes ['dɒmɪnəʊz] *n* dominó *m*

donate [də'neɪt] *vt* donar

donation [də'neɪʃn] *n* donación *f*

done [dʌn] ◇ *pp* ➤ **do** ◇ *adj* **1.** (*finished*) listo(ta) **2.** (*cooked*) hecho(cha) (*Esp*), cocido(da)

donkey ['dɒŋkɪ] *n* burro *m*

don't [dəʊnt] = do not

door [dɔːʳ] *n* puerta *f*

doorbell ['dɔːbel] *n* timbre *m*

doorknob ['dɔːnɒb] *n* pomo *m*, perilla *f* (*Amér*)

doorman ['dɔːmən] (*pl* **-men**) *n* portero *m*

doormat ['dɔːmæt] *n* felpudo *m*

doormen ['dɔːmən] *pl* ➤ **doorman**

doorstep ['dɔːstep] *n* **1.** (*in front of door*) peldaño *m* de la puerta **2.** (*UK*) (*piece of bread*) rebanada de pan muy gruesa

doorway ['dɔːweɪ] *n* portal *m*

dope [dəʊp] *n* **1.** (*inf*) (*any illegal drug*) droga *f* **2.** (*marijuana*) maría *f* (*Esp*), hierba *f*

dormitory ['dɔːmɪtrɪ] *n* dormitorio *m*

Dormobile ® ['dɔːməˌbiːl] *n* (*UK*) autocaravana *f*, cámper *m*

dosage ['dəʊsɪdʒ] *n* dosis *f inv*

dose [dəʊs] *n* **1.** (*amount*) dosis *f inv* **2.** (*of illness*) ataque *m*

dot [dɒt] *n* punto *m* ● on the dot (*fig*) en punto

dotted line ['dɒtɪd-] *n* línea *f* de puntos

double ['dʌbl] ◇ *adj* doble ◇ *n* **1.** (*twice the amount*) el doble **2.** (*alcohol*) doble *m* ◇ *vt* doblar ◇ *vi* doblarse ◇ *adv* ● it's double the size es el doble de grande ● to bend sthg double doblar algo ● a double whisky un whisky doble ● double three, four, two (*reading out a number*) treinta y tres, cuarenta y dos ● it's spelt with a double s se escribe con dos eses ● doubles *n* dobles *mpl*

double bed *n* cama *f* de matrimonio

double-breasted [-'brestɪd] *adj* cruzado(da)

double-click ◇ *vt COMPUT* hacer doble clic en ◇ *vi COMPUT* hacer doble clic ◇ *n COMPUT* doble clic *m*

double cream *n* (*UK*) nata *f* enriquecida (*Esp*), crema *f* doble (*Amér*)

double-decker (bus) [-'dekə^r] *n* autobús *m* de dos pisos

double doors *npl* puerta *f* de dos hojas

double-glazing [-'gleɪzɪŋ] *n* (UK) doble acristalamiento *m*

double room *n* habitación *f* doble

doubt [daʊt] ◇ *n* duda *f* ◇ *vt* (distrust) dudar de ● **I doubt it** lo dudo ● **I doubt she'll be there** dudo que esté ahí ● **to be in doubt** (person) estar dudando; (matter, outcome) ser incierto ● **no doubt** sin duda

doubtful ['daʊtfʊl] *adj* (uncertain) dudoso(sa) ● **it's doubtful that ... es** improbable que ...

dough [dəʊ] *n* masa *f*

doughnut ['dəʊnʌt] *n* **1.** (without hole) buñuelo *m* **2.** (with hole) dónut® *m* (Esp), rosquilla *f*

dove¹ [dʌv] *n* (bird) paloma *f*

dove² [dəʊv] *pt* (US) ➤ **dive**

down [daʊn]
◇ *adv* **1.** (towards the bottom) (hacia) abajo ● **down here/there** aquí/allí abajo ● **to fall down** caer **2.** (along) I'm going down to the shops voy a acercarme a las tiendas **3.** (downstairs) abajo ● **I'll come down later** bajaré más tarde **4.** (southwards) hacia el sur ● **we're going down to London** vamos a bajar a Londres **5.** (in writing) ● **to write sthg down** apuntar algo **6.** (in phrases) ● **to go down with** (illness) pillar
◇ *prep* **1.** (towards the bottom of) ● **they ran down the hill** corrieron cuesta abajo **2.** (along) por ● **I was walking**

down the street iba andando por la calle
◇ *adj* (inf) (depressed) deprimido(da)
◇ *n* (feathers) plumón *m*
● **downs** *npl* (UK) montes en el sur de Inglaterra

downhill [,daʊn'hɪl] *adv* cuesta abajo

Downing Street ['daʊnɪŋ-] *n* Downing Street *m*

Downing Street

El número 10 de Downing Street, en el centro de Londres, es la residencia oficial del Primer Ministro británico. En el número 11 se encuentra la residencia del Ministro de Hacienda. Con frecuencia, *Downing Street* se usa como sinónimo del "gobierno británico".

downpour ['daʊnpɔː^r] *n* chaparrón *m*

downstairs [,daʊn'steəz] ◇ *adj* de abajo ◇ *adv* abajo ● **to go downstairs** bajar (la escalera)

downtown ◇ *adj* [,daʊntaʊn] (US) céntrico(ca) ◇ *adv* [,daʊn'taʊn] (US) **1.** (live) en el centro **2.** (go) al centro ● **downtown New York** el centro de Nueva York

down under *adv* (UK) (inf) en/a Australia

downwards ['daʊnwədz] *adv* hacia abajo

doz. *abbr* = **dozen**

doze [dəʊz] *vi* dormitar

dozen ['dʌzn] *n* docena *f* ● **a dozen eggs** una docena de huevos

Dr (*abbr of* **Doctor**) Dr. (*Doctor*)

drab [dræb] *adj* (*clothes, wallpaper*) deslustrado(da)

draft [drɑːft] *n* **1.** (*early version*) borrador *m* **2.** (*money order*) giro *m* **3.** (*US*) = **draught**

drafty [drɑːftɪ] (*US*) = **draughty**

drag [dræg] ◇ *vt* arrastrar ◇ *vi* (*along ground*) arrastrarse ● **what a drag!** (*inf*) ¡qué rollo! ◆ **drag on** *vi* ser interminable

dragonfly [drægnflaɪ] *n* libélula *f*

drain [dreɪn] ◇ *n* **1.** (*sewer*) desagüe *m* **2.** (*grating in street*) sumidero *m*, resumidero *m* (*Amér*) ◇ *vt* (*tank, radiator*) vaciar ◇ *vi* (*vegetables, washing-up*) escurrirse

draining board [dreɪnɪŋ-] *n* (*UK*) escurridero *m*

drainpipe [dreɪmpaɪp] *n* tubo *m* de desagüe

drama [drɑːmə] *n* **1.** (*play, excitement*) drama *m* **2.** (*art*) teatro *m*

dramatic [drə'mætɪk] *adj* (*impressive*) dramático(ca)

drank [dræŋk] *pt* ➢ **drink**

drapes [dreɪps] *npl* (*US*) cortinas *fpl*

drastic [dræstɪk] *adj* **1.** (*extreme*) drástico(ca) **2.** (*change, improvement*) radical

drastically [dræstɪklɪ] *adv* drásticamente

draught [drɑːft] *n* (*UK*) (*of air*) corriente *f* de aire

draught beer *n* (*UK*) cerveza *f* de barril

draughts [drɑːfts] *n* (*UK*) damas *fpl*

draughty [drɑːftɪ] *adj* (*UK*) ● **it's draughty** hay corriente

draw [drɔː] (*pt* **drew**, *pp* **drawn**) ◇ *vt* **1.**
(*picture, map*) dibujar **2.** (*line*) trazar **3.** (*pull*) tirar de **4.** (*attract*) atraer **5.** (*comparison*) señalar **6.** (*conclusion*) llegar a ◇ *vi* **1.** (*with pen, pencil*) dibujar **2.** (*UK*) *SPORT* empatar ◇ *n* **1.** (*UK*) *SPORT* (*result*) empate *m* **2.** (*lottery*) sorteo *m* ● **to draw the curtains** (*open*) descorrer las cortinas; (*close*) correr las cortinas ◆ **draw out** *vt sep* (*money*) sacar ◆ **draw up** ◇ *vt sep* (*list, plan*) preparar ◇ *vi* (*car, bus*) pararse

drawback [drɔːbæk] *n* desventaja *f*

drawer [drɔːʳ] *n* cajón *m*

drawing [drɔːɪŋ] *n* dibujo *m*

drawing pin *n* (*UK*) chincheta *f*

drawing room *n* cuarto *m* de estar

drawn [drɔːn] *pp* ➢ **draw**

dreadful [dredfʊl] *adj* terrible

dream [driːm] ◇ *n* sueño *m* ◇ *vt* **1.** (*when asleep*) soñar **2.** (*imagine*) imaginar ◇ *vi* ● **to dream (of)** soñar (con) ● **a dream house** una casa de ensueño

dress [dres] ◇ *n* **1.** (*for woman, girl*) vestido *m* **2.** (*clothes*) traje *m* ◇ *vt* **1.** (*person, baby*) vestir **2.** (*wound*) vendar **3.** (*salad*) aliñar ◇ *vi* **1.** (*get dressed*) vestirse **2.** (*in particular way*) vestir ● **to be dressed in** ir vestido de ● **to get dressed** vestirse ◆ **dress up** *vi* **1.** (*in costume*) disfrazarse **2.** (*in best clothes*) engalanarse

dress circle *n* piso *m* principal

dresser [dresəʳ] *n* **1.** (*UK*) (*for crockery*) aparador *m* **2.** (*US*) (*chest of drawers*) cómoda *f*

dressing [dresɪŋ] *n* **1.** (*for salad*) aliño *m*, aderezo *m* **2.** (*for wound*) vendaje *m*

dressing gown *n* bata *f*

dressing room *n* vestuario *m*, vestidor *m*

dressing table *n* tocador *m*

dressmaker ['dres,meɪkə'] *n* modisto *m*, -ta *f*

dress rehearsal *n* ensayo *m* general

drew [druː] *pt* ➤ draw

dribble ['drɪbl] *vi* **1.** (liquid) gotear **2.** (baby) babear

drier ['draɪə'] = dryer

drift [drɪft] ◇ *n* (of snow) ventisquero *m* ◇ *vi* **1.** (in wind) dejarse llevar por el viento **2.** (in water) dejarse llevar por el agua

drill [drɪl] ◇ *n* **1.** (tool) taladro *m* **2.** (of dentist) fresa *f* ◇ *vt* (hole) taladrar

drink [drɪŋk] (pt **drank**, pp **drunk**) ◇ *n* **1.** (of water, tea etc) bebida *f* **2.** (alcoholic) copa *f* ◇ *vt* & *vi* beber ● **to have a drink** tomar una copa ● **would you like a drink?** ¿quieres beber algo?

drinkable ['drɪŋkəbl] *adj* **1.** (safe to drink) potable **2.** (wine) agradable

drinking water ['drɪŋkɪŋ-] *n* agua *f* potable

drip [drɪp] ◇ *n* **1.** (drop) gota *f* **2.** MED gotero *m* ◇ *vi* gotear

drip-dry *adj* de lava y pon

dripping (wet) ['drɪpɪŋ-] *adj* empapado(da)

drive [draɪv] (pt **drove**, pp **driven**) ◇ *n* **1.** (journey) viaje *m* (en coche) **2.** (in front of house) camino *m* (de entrada) ◇ *vt* **1.** (car, bus, train) conducir **2.** (take in car) llevar (en coche) **3.** (operate, power) impulsar ◇ *vi* **1.** (drive car) conducir **2.** (travel in car) ir en coche ● **to drive sb to do sthg** llevar a alguien a hacer algo ● **to go for a drive** dar una vuelta en coche ● **to drive sb mad** volver loco a alguien

drivel ['drɪvl] *n* tonterías *fpl*

driven ['drɪvn] *pp* ➤ drive

driver ['draɪvə'] *n* **1.** (of car, bus) conductor *m*, -ra *f* **2.** (of train) maquinista *mf*

driver's license (US) = driving licence

driveway ['draɪvweɪ] *n* camino *m* de entrada

driving lesson ['draɪvɪŋ-] *n* clase *f* de conducir

driving licence ['draɪvɪŋ-] *n* (UK) permiso *m* (Esp) OR licencia *f* de conducir

driving test ['draɪvɪŋ-] *n* examen *m* de conducir

drizzle ['drɪzl] *n* llovizna *f*

drop [drop] ◇ *n* **1.** (drip, small amount) gota *f* **2.** (distance down) caída *f* **3.** (decrease) descenso *m* **4.** (in wages) disminución *f* ◇ *vt* **1.** (let fall) dejar caer **2.** (reduce) reducir **3.** (from vehicle) dejar **4.** (omit) omitir ◇ *vi* **1.** (fall) caer **2.** (decrease) disminuir **3.** (price, temperature) bajar ● **to drop a hint** lanzar una indirecta ● **to drop sb a line** escribir unas líneas a alguien ◆ **drop in** *vi* (inf) ● **to drop in on sb** pasarse por casa de alguien ◆ **drop off** ◇ *vt sep* (from vehicle) dejar ◇ *vi* **1.** (fall asleep) quedarse dormido **2.** (fall off) desprenderse ◆ **drop out** *vi* **1.** (of college) abandonar los estudios **2.** (of race) retirarse

drought [draʊt] *n* sequía *f*

drove [drəʊv] *pt* ➤ drive

drown [draʊn] *vi* ahogarse

drug [drʌg] ◇ n **1.** *MED* medicamento m **2.** *(stimulant)* droga f ◇ vt drogar

drug addict n drogadicto m, -ta f

druggist ['drʌgɪst] n *(US)* farmacéutico m, -ca f

drum [drʌm] n **1.** *MUS* tambor m **2.** *(container)* bidón m ◆ **drums** npl *(in pop music)* batería f

drummer ['drʌmər] n *(in pop music)* batería mf

drumstick ['drʌmstɪk] n *(of chicken)* pata f

drunk [drʌŋk] ◇ pp ➤ **drink** ◇ adj borracho(cha) ◇ n borracho m, -cha f ● **to get drunk** emborracharse

dry [draɪ] ◇ adj **1.** seco(ca) **2.** *(day)* sin lluvia ◇ vt secar ◇ vi secarse ● **to dry o.s.** secarse ● **to dry one's hair** secarse el pelo ● **to dry one's hands** secarse las manos ◆ **dry up** vi **1.** *(become dry)* secarse **2.** *(dry the dishes)* secarse

dry-clean vt limpiar en seco

dry cleaner's n tintorería f

dryer ['draɪər] n **1.** *(for clothes)* secadora f **2.** *(for hair)* secador m

DTP [di:ti:'pi:] n *(abbr of desktop publishing)* autoed. f *(autoedición)*

dual carriageway ['dju:əl-] n *(UK)* autovía f

dubbed [dʌbd] adj *(film)* doblado(da)

dubious ['dju:bjəs] adj *(suspect)* sospechoso(sa)

duchess ['dʌtʃɪs] n duquesa f

duck [dʌk] ◇ n **1.** *(bird)* pato m, -ta f **2.** *(food)* pato m ◇ vi agacharse

due [dju:] adj *(bill, rent)* pagadero(ra) ● **when is the train due?** ¿cuándo debería llegar el tren? ● **the money due to me**

el dinero que se me debe ● **in due course** a su debido tiempo ● **due to** debido a

duet [dju:'et] n dúo m

duffel bag ['dʌfl-] n morral m

duffel coat ['dʌfl-] n trenca f

dug [dʌg] pt & pp ➤ **dig**

duke [dju:k] n duque m

dull [dʌl] adj **1.** *(boring)* aburrido(da) **2.** *(not bright)* torpe **3.** *(weather)* gris **4.** *(pain)* sordo(da)

dumb [dʌm] adj **1.** *(inf)* *(stupid)* estúpido(da) **2.** *(unable to speak)* mudo(da)

dummy ['dʌmɪ] n **1.** *(UK)* *(for baby)* chupete m, chupón m *(Amér)* **2.** *(for clothes)* maniquí m

dump [dʌmp] ◇ n **1.** *(for rubbish)* vertedero m, basural m *(Amér)* **2.** *(place)* tugurio m ◇ vt **1.** *(drop carelessly)* dejar **2.** *(get rid of)* deshacerse de

dumpling ['dʌmplɪŋ] n bola de masa que se guisa al vapor con carne y verduras

dune [dju:n] n duna f

dungarees [ˌdʌŋgəˈriːz] npl **1.** *(UK)* *(for work)* mono m *(Esp)*, overol m *(Amér)* **2.** *(fashion item)* pantalones mpl de peto **3.** *(US)* *(jeans)* vaqueros de tela gruesa utilizados para trabajar

dungeon ['dʌndʒən] n mazmorra f

duo ['dju:əʊ] n ● **with a duo of sauces** con dos salsas distintas

duplicate ['dju:plɪkət] n copia f

during ['djʊərɪŋ] prep durante

dusk [dʌsk] n crepúsculo m

dust [dʌst] ◇ n polvo m ◇ vt quitar el polvo a, sacudir *(Amér)*

dustbin ['dʌstbɪn] n *(UK)* cubo m de la basura

dustcart ['dʌstkɑːt] *n* (UK) camión *m* de la basura

duster ['dʌstə'] *n* trapo *m* (de quitar el polvo)

dustman ['dʌstmən] (*pl* -men) *n* (UK) basurero *m*

dustpan ['dʌstpæn] *n* recogedor *m*

dusty ['dʌsti] *adj* lleno(na) de polvo

Dutch [dʌtʃ] ◇ *adj* holandés(esa) ◇ *n* (*language*) holandés *m* ◇ *npl* ● the Dutch los holandeses

Dutchman ['dʌtʃmən] (*pl* -men) *n* holandés *m*

Dutchwoman ['dʌtʃˌwʊmən] (*pl* -women) *n* holandesa *f*

duty ['djuːti] *n* **1.** (*moral obligation*) deber *m* **2.** (*tax*) impuesto *m* ● to be on duty estar de servicio ● to be off duty no estar de servicio ◆ duties *npl* (*job*) tareas *fpl*

duty chemist's *n* farmacia *f* de guardia

duty-free ◇ *adj* libre de impuestos ◇ *n* (*article*) artículo *m* libre de impuestos

duvet ['duːveɪ] *n* (UK) edredón *m*

DVD [diːviːˈdiː] *noun* (*abbr of* Digital Video or Versatile Disc) DVD m (*Disco Versátil Digital*)

DVD player *n* reproductor *m* de DVD

DVD-ROM [diːviːdiːˈrɒm] *noun* (*abbr of* Digital Video or Versatile Disc read only memory) DVD-ROM m (*Disco Versátil Digital Read-Only Memory*)

dwarf [dwɔːf] (*pl* dwarves) *n* enano *m*, -na *f*

dwelling ['dwelɪŋ] *n* (*fml*) morada *f*

dye [daɪ] ◇ *n* tinte *m* ◇ *vt* teñir

dying ['daɪŋ] *cont* ➤ die

dynamite ['daɪnəmaɪt] *n* dinamita *f*

dynamo ['daɪnəməʊ] (*pl* -s) *n* dínamo *f*

dyslexic [dɪsˈleksɪk] *adj* disléxico(ca)

*e*E

E (*abbr of east*) E (*este*)

E111 [iːwʌnɪˈlevn] *n* (UK) E111 *m* impreso para obtener asistencia médica en otros países de la Unión Europea

each [iːtʃ] ◇ *adj* cada ◇ *pron* cada uno *m*, cada una *f* ● each one cada uno(cada una) ● each of them cada uno(cada una) ● each other el uno al otro ● they hate each other se odian ● we know each other nos conocemos ● one each uno cada uno(uno cada uno) ● one of each uno de cada

eager ['iːgə'] *adj* **1.** (*pupil*) entusiasta **2.** (*expression*) de entusiasmo ● to be eager to do sthg estar deseoso(sa) de hacer algo

eagle ['iːgl] *n* águila *f*

ear [ɪə'] *n* **1.** (*of person, animal*) oreja *f* **2.** (*of corn*) espiga *f*

earache ['ɪəreɪk] *n* ● to have earache tener dolor de oídos

earl [ɜːl] *n* conde *m*

early ['ɜːli] ◇ *adj* temprano(na) ◇ *adv* temprano ● early last year a principios del año pasado ● early morning la madrugada ● it arrived an hour early llegó con una hora de adelanto ● at the earliest como muy pronto ●

early on al principio ● **to have an early night** irse a la cama temprano

earn [ɜːn] vt **1.** *(money)* ganar **2.** *(praise, success)* ganarse ● **to earn a living** ganarse la vida

earnings ['ɜːnɪŋz] npl ingresos mpl

earphones ['ɪəfəʊnz] npl auriculares mpl, audífonos mpl

earplugs ['ɪəplʌgz] npl tapones mpl para los oídos

earrings ['ɪərɪŋz] npl pendientes mpl *(Esp)*, aretes mpl *(Amér)*

earth [ɜːθ] ◇ n **1.** tierra f **2.** *(UK) (electrical connection)* toma f de tierra ◇ vt *(UK)* conectar a tierra ● **how on earth ...?** ¿cómo demonios ...?

earthenware ['ɜːθnweə] adj de loza

earthquake ['ɜːθkweɪk] n terremoto m

ease [iːz] ◇ n facilidad f ◇ vt **1.** *(pain)* aliviar **2.** *(problem)* atenuar ● **at ease** cómodo ● **with ease** con facilidad ● **ease off** vi **1.** *(pain)* calmarse **2.** *(rain)* amainar

easily ['iːzɪlɪ] adv **1.** *(without difficulty)* fácilmente **2.** *(by far)* sin lugar a dudas

east [iːst] ◇ n este m ◇ adv **1.** *(fly, walk)* hacia el este **2.** *(be situated)* al este ● **in the east of England** al este de Inglaterra ● **the East** *(Asia)* el Oriente

eastbound ['iːstbaʊnd] adj con dirección este

Easter ['iːstə] n **1.** *(day)* Domingo m de Pascua **2.** *(period)* Semana f Santa

eastern ['iːstən] adj del este ● **Eastern** adj *(Asian)* oriental

Eastern Europe n Europa del Este

eastwards ['iːstwədz] adv hacia el este

easy ['iːzɪ] adj **1.** *(not difficult)* fácil **2.**

(without problems) cómodo(da) ● **to take it easy** *(relax)* relajarse

easygoing [ˌiːzɪ'gəʊɪŋ] adj tranquilo(la)

eat [iːt] *(pt* **ate**, *pp* **eaten**) vt & vi comer ● **eat out** vi comer fuera

ebony ['ebənɪ] n ébano m

e-business ['iːbɪznɪs] n negocio m electrónico

EC [ˌiː'siː] n *(abbr of* European Community) CE f *(Comunidad Europea)*

e-cash ['iːkæʃ] n dinero m electrónico

eccentric [ɪk'sentrɪk] adj excéntrico(ca)

echo ['ekəʊ] *(pl* **-es**) ◇ n eco m ◇ vi resonar

eco-friendly [ˌiːkəʊ-] adj que no daña el ambiente

ecological [ˌiːkə'lɒdʒɪkl] adj ecológico(ca)

ecology [ɪ'kɒlədʒɪ] n ecología f

e-commerce ['iːkɒmɜːs] n *(U)* comercio m electrónico

economic [ˌiːkə'nɒmɪk] adj **1.** *(relating to the economy)* económico(ca) **2.** *(profitable)* rentable ● **economics** n economía f

economical [ˌiːkə'nɒmɪkl] adj económico(ca)

economize [ɪ'kɒnəmaɪz] vi economizar

economy [ɪ'kɒnəmɪ] n economía f

economy class n clase f turista

economy size adj de tamaño económico

ecstasy ['ekstəsɪ] n éxtasis m inv

Ecuador ['ekwədɔː] n Ecuador m

Ecuadorian [ˌekwə'dɔːrən] adj ecuatoriano(na) ◇ n ecuatoriano m, -na f

eczema ['eksɪmə] n eccema m

edge [edʒ] n **1.** *(border)* borde m **2.** *(of*

table, coin, ruler) canto *m* **3.** *(of knife)* filo *m*

edible ['edɪbl] *adj* comestible

Edinburgh ['edɪnbrə] *n* Edimburgo

Edinburgh Festival *n* ● **the Edinburgh Festival** el festival de Edimburgo

edition [ɪ'dɪʃn] *n* edición *f*

editor ['edɪtə^r] *n* **1.** *(of newspaper, magazine)* director *m*, -ra *f* **2.** *(of book)* autor *m*, -ra *f* de la edición, redactor *m*, -ra *f* **3.** *(of film, TV programme)* montador *m*, -ra *f (Esp)*, editor *m*, -ra *f*

editorial [ˌedɪ'tɔːrɪəl] *n* editorial *m*

educate ['edʒʊkeɪt] *vt* educar

education [ˌedʒʊ'keɪʃn] *n* **1.** *(field)* enseñanza *f* **2.** *(process or result of teaching)* educación *f*

eel [iːl] *n* anguila *f*

effect [ɪ'fekt] *n* efecto *m* ● **to put sthg into effect** hacer entrar algo en vigor ● **to take effect** *(medicine)* hacer efecto; *(law)* entrar en vigor

effective [ɪ'fektɪv] *adj* **1.** *(successful)* eficaz **2.** *(law, system)* operativo(va)

effectively [ɪ'fektɪvlɪ] *adv* **1.** *(successfully)* eficazmente **2.** *(in fact)* de hecho

efficient [ɪ'fɪʃənt] *adj* eficiente

effort ['efət] *n* esfuerzo *m* ● **to make an effort to do sthg** hacer un esfuerzo por hacer algo ● **it's not worth the effort** no merece la pena

e.g. *adv* p. ej.

egg [eg] *n* huevo *m*

egg cup *n* huevera *f*

egg mayonnaise *n* relleno de bocadillo consistente en huevo duro triturado con mayonesa

eggplant ['egplɑːnt] *n (US)* berenjena *f*

egg white *n* clara *f* (de huevo)

egg yolk *n* yema *f* (de huevo)

Egypt ['iːdʒɪpt] *n* Egipto

eiderdown ['aɪdədaʊn] *n (UK)* edredón *m*

eight [eɪt] *num* ocho ● **to be eight (years old)** tener ocho años (de edad) ● **it's eight (o'clock)** son las ocho ● **a hundred and eight** ciento ocho ● **eight Hill St** Hill St, número ocho ● **it's minus eight (degrees)** hay ocho grados bajo cero ● **eight out of ten** ocho sobre diez

eighteen [ˌeɪ'tiːn] *num* dieciocho

eighteenth [ˌeɪ'tiːnθ] *num* decimoctavo(va)

eighth [eɪtθ] ◇ *num adj* octavo(va) ◇ *pron* octavo *m*, -va *f* ◇ *num n (fraction)* octavo *m* ◇ *num adv* octavo ● **an eighth (of)** la octava parte (de) ● **the eighth (of September)** el ocho (de septiembre)

eightieth ['eɪtɪɪθ] *num* octogésimo(ma)

eighty ['eɪtɪ] *num* ochenta

Eire ['eərə] *n* Eire

either¹ ['aɪðə^r, 'iːðə^r] *adj* ● **either book will do** cualquiera de los dos libros vale

either² ['aɪðə^r, 'iːðə^r] *pron* ● **I'll take either (of them)** me llevaré cualquiera (de los dos) ● **I don't like either (of them)** no me gusta ninguno (de los dos)

either³ ['aɪðə^r, 'iːðə^r] *adv* ● **I can't either** yo tampoco (puedo) ● **either ... or** o ... o ● **I don't speak either French or Spanish** no hablo ni francés ni español ● **on either side** a ambos lados

eject [ɪ'dʒekt] vt (cassette) expulsar

elaborate [ɪ'læbrət] elaborado(da)

elastic [ɪ'læstɪk] n elástico m

elastic band n (UK) goma f (elástica)

elbow ['elbəʊ] n codo m

elder ['eldə'] adj mayor

elderly ['eldəlɪ] ◇ adj anciano(na) ◇ npl • the elderly los ancianos

eldest ['eldɪst] adj mayor

elect [ɪ'lekt] vt (by voting) elegir

election [ɪ'lekʃn] n elección f

electric [ɪ'lektrɪk] adj eléctrico(ca)

electrical goods [ɪ'lektrɪkl-] npl electrodomésticos mpl

electric blanket n manta f eléctrica

electric drill n taladro m eléctrico

electric fence n cercado m electrificado

electrician [ˌɪlek'trɪʃn] n electricista mf

electricity [ˌɪlek'trɪsətɪ] n electricidad f

electric shock n descarga f eléctrica

electrocute [ɪ'lektrəkjuːt] vt electrocutar

electronic [ˌɪlek'trɒnɪk] adj electrónico(ca)

elegant ['elɪgənt] adj elegante

element ['elɪmənt] n 1. (part, chemical) elemento m 2. (degree) toque m, matiz m 3. (of fire, kettle) resistencia f • the elements los elementos

elementary [ˌelɪ'mentərɪ] adj elemental

elephant ['elɪfənt] n elefante m

elevator ['elɪveɪtə'] n (US) ascensor m

eleven [ɪ'levn] ◇ num adj once ◇ num n once m inv • to be eleven (years old) tener once años (de edad) • it's eleven (o'clock) son las once • a

hundred and eleven ciento once • eleven Hill St Hill St, número once • it's minus eleven (degrees) hay once grados bajo cero

eleventh [ɪ'levnθ] ◇ num adj undécimo(ma) ◇ pron undécimo m, -ma f ◇ num n (fraction) undécimo m ◇ num adv undécimo • an eleventh (of) la undécima parte (de) • the eleventh (of September) el undécimo (de septiembre)

eligible ['elɪdʒəbl] adj elegible

eliminate [ɪ'lɪmɪneɪt] vt eliminar

Elizabethan [ɪˌlɪzə'biːθn] adj isabelino(na)

elm [elm] n olmo m

El Salvador [ˌel'sælvədɔː'] n El Salvador

else [els] adv • I don't want anything else no quiero nada más • anything else? ¿algo más? • everyone else todos los demás(todas las demás) • nobody else nadie más • nothing else nada más • somebody else otra persona • something else otra cosa • somewhere else a/en otra parte • what else? ¿qué más? • who else? ¿quién más? • or else si no

elsewhere [els'weə'] adv a/en otra parte

e-mail ['iːmeɪl] ◇ n 1. (system) correo m electrónico, email m 2. (message) mensaje m (de correo) electrónico, mail m, email m ◇ vt • to e-mail sb mandarle a alguien un mensaje (de correo) electrónico • I'll e-mail the details to you te enviaré los detalles por correo electrónico

e-mails

You can start an e-mail (colloquially known as *un emilio* in Spanish) with formal phrases such as *Sra. Caravaca:* or *Estimado Sr. Hernández:*. However, in the majority of contexts less formal phrases are preferred, for example: *Querido Gustavo:*, *Hola, Carmen:* or *¿Qué tal, Pedro?* Remember that unlike in English, these phrases are followed by a colon and not a comma. You can end a formal e-mail with *Cordialmente*, but it is more usual to sign off with informal phrases like *Saludos, Abrazos, Nos vemos* or *Hasta pronto*. For close friends and family, you can also use *Besos* or *Besitos*.

e-mail address *n* dirección *f* de correo electrónico (*Esp*), dirección *f* electrónica (*Amér*)

embankment [ɪm'bæŋkmənt] *n* **1.** *(next to river)* dique *m* **2.** *(next to road, railway)* terraplén *m*

embark [ɪm'bɑːk] *vi (board ship)* embarcar

embarrass [ɪm'bærəs] *vt* avergonzar

embarrassed [ɪm'bærəst] *adj* ● **I was embarrassed** me daba vergüenza OR pena (*Amér*)

embarrassing [ɪm'bærəsɪŋ] *adj* embarazoso(sa), penoso(sa)

embarrassment [ɪm'bærəsmənt] *n* vergüenza *f*, pena *f* (*Amér*)

embassy ['embəsɪ] *n* embajada *f*

emblem ['embləm] *n* emblema *m*

embrace [ɪm'breɪs] *vt* abrazar

embroidered [ɪm'brɔɪdəd] *adj* bordado(da)

embroidery [ɪm'brɔɪdərɪ] *n* bordado *m*

emerald ['emərəld] *n* esmeralda *f*

emerge [ɪ'mɜːdʒ] *vi* **1.** *(from place)* salir **2.** *(fact, truth)* salir a la luz

emergency [ɪ'mɜːdʒənsɪ] ◇ *n* emergencia *f* ◇ *adj* de emergencia ● **in an emergency** en caso de emergencia

emergency exit *n* salida *f* de emergencia

emergency landing *n* aterrizaje *m* forzoso

emergency services *npl* servicios *mpl* de emergencia

emigrate ['emɪgreɪt] *vi* emigrar

emit [ɪ'mɪt] *vt* emitir

emotion [ɪ'məʊʃn] *n* emoción *f*

emotional [ɪ'məʊʃənl] *adj* emotivo(va)

emphasis ['emfəsɪs] *(pl* **-ases)** *n* énfasis *m inv*

emphasize ['emfəsaɪz] *vt* enfatizar, subrayar

empire ['empaɪəʳ] *n* imperio *m*

employ [ɪm'plɔɪ] *vt* emplear

employed [ɪm'plɔɪd] *adj* empleado(da)

employee [ɪm'plɔɪiː] *n* empleado *m*, -da *f*

employer [ɪm'plɔɪəʳ] *n* patrono *m*, -na *f*

employment [ɪm'plɔɪmənt] *n* empleo *m*

employment agency *n* agencia *f* de trabajo

empty ['emptɪ] ◇ *adj* **1.** vacío(a) **2.** *(threat, promise)* vano(na) ◇ *vt* vaciar

EMU [iːem'juː] *n* (*abbr of* **European Monetary Union**) UME *f* (*Unión mone-*

taria europea)

emulsion (paint) [ɪˈmʌlʃn-] n pintura f mate

enable [ɪˈneɪbl] vt ● to enable sb to do sthg permitir a alguien hacer algo

enamel [ɪˈnæml] n esmalte m

enclose [ɪnˈkləʊz] vt 1. (surround) rodear 2. (with letter) adjuntar

enclosed [ɪnˈkləʊzd] adj (space) cerrado(da)

encounter [ɪnˈkaʊntər] vt encontrarse con

encourage [ɪnˈkʌrɪdʒ] vt (person) animar ● to encourage sb to do sthg animar a alguien a hacer algo

encouragement [ɪnˈkʌrɪdʒmənt] n aliento m, ánimo m

encrypt [enˈkrɪpt] vt COMPUT codificar

encyclopedia [ɪnˌsaɪkləˈpiːdjə] n enciclopedia f

end [end] ◇ n 1. fin m 2. (furthest point) extremo m 3. (of finger, toe) punta f ◇ vt terminar ◇ vi acabarse ● to come to an end acabarse ● to put an end to sthg poner fin a algo ● for days on end día tras día ● in the end al final ● to make ends meet llegar al final de mes ● at the end of (street, garden) al final de ● at the end of April a finales de abril ● end up vi acabar, terminar ● to end up doing sthg acabar por hacer algo

endangered species [ɪnˈdeɪndʒəd-] n especie f en peligro

ending [ˈendɪŋ] n 1. (of story, film) final m 2. GRAM terminación f

endive [ˈendaɪv] n 1. (curly) endibia f 2. (chicory) achicoria f

endless [ˈendlɪs] adj interminable

endorsement [ɪnˈdɔːsmənt] n (UK) (of driving licence) nota de sanción en el carné de conducir

endurance [ɪnˈdjʊərəns] n resistencia f

endure [ɪnˈdjʊər] vt soportar

enemy [ˈenɪmɪ] n enemigo m, -ga f

energy [ˈenədʒɪ] n energía f

enforce [ɪnˈfɔːs] vt hacer cumplir

engaged [ɪnˈɡeɪdʒd] adj 1. (to be married) prometido(da) 2. (UK) (phone) ocupado(da), comunicando (Esp) 3. (toilet) ocupado(da) ● to get engaged prometerse

engaged tone n (UK) señal f de comunicar OR ocupado

engagement [ɪnˈɡeɪdʒmənt] n 1. (to marry) compromiso m 2. (appointment) cita f

engagement ring n anillo m de compromiso

engine [ˈendʒɪn] n 1. (of vehicle) motor m 2. (of train) máquina f

engineer [ˌendʒɪˈnɪər] n ingeniero m, -ra f

engineering [ˌendʒɪˈnɪərɪŋ] n ingeniería f

engineering works npl (on railway line) trabajos mpl de mejora en la línea

England [ˈɪŋɡlənd] n Inglaterra f

English [ˈɪŋɡlɪʃ] ◇ adj inglés(esa) ◇ n (language) inglés m ◇ npl ● the English los ingleses

English breakfast n desayuno m inglés

English Channel n ● the English Channel el Canal de la Mancha

Englishman ['ɪŋglɪʃmən] (*pl* **-men**) *n* inglés *m*

Englishwoman ['ɪŋglɪʃˌwumən] (*pl* **-women**) *n* inglesa *f*

engrave [ɪn'greɪv] *vt* grabar

engraving [ɪn'greɪvɪŋ] *n* grabado *m*

enjoy [ɪn'dʒɔɪ] *vt* ● I enjoyed the film me gustó la película ● I enjoy swimming me gusta nadar ● to enjoy o.s. divertirse ● enjoy your meal! ¡que aproveche!

enjoyable [ɪn'dʒɔɪəbl] *adj* agradable

enjoyment [ɪn'dʒɔɪmənt] *n* placer *m*

enlargement [ɪn'lɑːdʒmənt] *n* (*of photo*) ampliación *f*

enormous [ɪ'nɔːməs] *adj* enorme

enough [ɪ'nʌf] *adj, pron & adv* bastante ● enough time bastante tiempo ● is that enough? ¿es bastante? ● it's not big enough no es lo bastante grande ● to have had enough (of) estar harto (de)

enquire [ɪn'kwaɪəʳ] *vi* informarse

enquiry [ɪn'kwaɪərɪ] *n* 1. (*question*) pregunta *f* 2. (*investigation*) investigación *f* ▼ Enquiries Información

enquiry desk *n* información *f*

enrol [ɪn'rəʊl] *vi* (*UK*) matricularse, inscribirse

enroll [ɪn'rəʊl] (*US*) = enrol

en suite bathroom [ɒn'swiːt-] *n* baño *m* adjunto

ensure [ɪn'ʃʊəʳ] *vt* asegurar

ENT [iːen'tiː] *n* (*abbr of* Ear, Nose and Throat) otorrinolaringología *f*

entail [ɪn'teɪl] *vt* conllevar

enter ['entəʳ] ◇ *vt* 1. (*room, building*) entrar en 2. (*plane, bus*) subir a 3. (*college*) matricularse a, inscribirse en 4. (*army*) alistarse en 5. (*competition*) presentarse a 6. (*on form*) escribir ◇ *vi* 1. (*come in*) entrar 2. (*in competition*) presentarse, participar

enterprise ['entəpraɪz] *n* empresa *f*

entertain [ˌentə'teɪn] *vt* (*amuse*) entretener

entertainer [ˌentə'teɪnəʳ] *n* artista *mf*

entertaining [ˌentə'teɪnɪŋ] *adj* entretenido(da)

entertainment [ˌentə'teɪnmənt] *n* 1. (*amusement*) diversión *f* 2. (*show*) espectáculo *m*

enthusiasm [ɪn'θjuːzɪæzm] *n* entusiasmo *m*

enthusiast [ɪn'θjuːzɪæst] *n* entusiasta *mf*

enthusiastic [ɪnˌθjuːzɪ'æstɪk] *adj* entusiasta

entire [ɪn'taɪəʳ] *adj* entero(ra)

entirely [ɪn'taɪəlɪ] *adv* enteramente

entitle [ɪn'taɪtl] *vt* ● to entitle sb to sthg dar a alguien derecho a algo ● to entitle sb to do sthg autorizar a alguien a hacer algo

entrance ['entrəns] *n* entrada *f*

entrance fee *n* precio *m* de entrada

entry ['entrɪ] *n* 1. entrada *f* 2. (*in competition*) respuesta *f* ▼ no entry prohibido el paso

envelope ['envələʊp] *n* sobre *m*

envelopes

When addressing envelopes in Spanish, the house number comes after the street name and the postcode goes before the name of the town. For flats, you write the number of the floor followed by the flat number, e.g. 5º 2ª (fifth floor, flat no. 2). A typical address might be: *c/ Trapiche nº 177 5º 2ª, 29600 Marbella, MÁLAGA*. In this example, *c/* is the abbreviation for *calle*, *nº 177* is the main door number for the block of flats, *29600* is the postcode and *MÁLAGA* is the province (written in capitals).

envious ['enviəs] *adj* envidioso(sa)
environment [in'vaiərənmənt] *n (surroundings)* entorno *m* ● **the environment** el medio ambiente
environmental [in,vaiərən'mentl] *adj* medioambiental
environmentally friendly [in,vaiərən-'mentəli-] *adj* ecológico(ca)
envy ['envi] *vt* envidiar
epic ['epik] *n* epopeya *f*
epidemic [,epi'demik] *n* epidemia *f*
epileptic [,epi'leptik] *adj* epiléptico(ca)
episode ['episəud] *n* episodio *m*
equal ['iːkwəl] ◇ *adj* igual ◇ *vt (number)* ser igual a ● **to be equal to** ser igual a
equality [iː'kwɒləti] *n* igualdad *f*
equalize ['iːkwəlaiz] *vi* marcar el empate
equally ['iːkwəli] *adv* **1.** igualmente **2.** *(pay, treat)* equitativamente **3.** *(share)* por igual
equation [i'kweiʒn] *n* ecuación *f*
equator [i'kweitə'] *n* ● **the equator** el ecuador
equip [i'kwip] *vt* ● **to equip sb with** proveer a alguien (de) ● **to equip sthg**

with equipar algo (con)
equipment [i'kwipmənt] *n* equipo *m*
equipped [i'kwipt] *adj* ● **to be equipped with** estar provisto(ta) de
equivalent [i'kwivələnt] ◇ *adj* equivalente ◇ *n* equivalente *m*
ER [iː'ɑː'] *n (US) (abbr of emergency room)* urgencias *fpl*
erase [i'reiz] *vt* borrar
eraser [i'reizə'] *n* goma *f* de borrar
erect [i'rekt] ◇ *adj (person, posture)* erguido(da) ◇ *vt* **1.** *(tent)* montar **2.** *(monument)* erigir
erotic [i'rɒtik] *adj* erótico(ca)
errand ['erənd] *n* recado *m*
erratic [i'rætik] *adj* irregular
error ['erə'] *n* error *m*
escalator ['eskəleitə'] *n* escalera *f* mecánica
escalope ['eskələp] *n* escalope *m*
escape [i'skeip] ◇ *n* **1.** *(flight)* fuga *f* **2.** *(of gas, water)* escape *m* ◇ *vi* ● **to escape (from)** *(prison, danger)* escaparse (de); *(leak)* fugarse (de)
escort ◇ *n* ['eskɔːt] *(guard)* escolta *f* ◇ *vt* [i'skɔːt] escoltar
especially [i'speʃəli] *adv* especialmente
esplanade [,esplə'neid] *n* paseo *m* marítimo
essay ['esei] *n* **1.** *(at school)* redacción *f* **2.** *(at university)* trabajo *m*
essential [i'senʃl] *adj* esencial ● **essentials** *npl* ● **the (bare) essentials** lo (mínimo) indispensable
essentially [i'senʃəli] *adv* esencialmente
establish [i'stæbliʃ] *vt* **1.** *(set up, create)* establecer **2.** *(fact, truth)* verificar

establishment [ɪˈstæblɪʃmənt] n (business) establecimiento m

estate [ɪˈsteɪt] n **1.** (land in country) finca f **2.** (UK) (for housing) urbanización f **3.** (UK) (car) = estate car

estate agent n (UK) agente m inmobiliario, agente f inmobiliaria

estate car n (UK) coche m familiar, coche m ranchera, camioneta f (Amér)

estimate ◇ n [ˈestɪmət] **1.** (guess) estimación f **2.** (for job) presupuesto m ◇ vt [ˈestɪmeɪt] calcular

estuary [ˈestjʊərɪ] n estuario m

etc. (abbr of etcetera) etc. (etcétera)

ethnic minority [ˈeθnɪk-] n minoría f étnica

EU [iːˈjuː] n (abbr of European Union) UE f (Unión Europea) ● **EU policy** directriz f de la UE

euro [ˈjʊərə] n euro m

Eurocheque [ˈjʊərəʊˌtʃek] n eurocheque m

Europe [ˈjʊərəp] n Europa f

European [ˌjʊərəˈpɪən] ◇ adj europeo(a) ◇ n europeo m, -a f

European Central Bank n Banco m Central Europeo

European Commission n Comisión f Europea

Eurostar ® [ˈjʊərəʊstɑːʳ] n Eurostar ® m

euro zone n zona f del euro

evacuate [ɪˈvækjʊeɪt] vt evacuar

evade [ɪˈveɪd] vt eludir

eve [iːv] n ● **on the eve of** en la víspera de

even [ˈiːvn] ◇ adj **1.** (uniform) constante, uniforme **2.** (level, flat) llano(na), liso

(sa) **3.** (equal) igualado(da) **4.** (number) par ◇ adv **1.** (emphasizing surprise) hasta ● **2.** (in comparisons) aun ● **to break even** acabar sin ganar ni perder ● **even so** aun así ● **even though** aunque ● **not even** ni siquiera

evening [ˈiːvnɪŋ] n **1.** (from 5 p.m. to 8 p.m.) tarde f **2.** (from 9 p.m. onwards) noche f **3.** (event) velada f ● **good evening!** ¡buenas tardes!, ¡buenas noches! ● **in the evening** por la tarde, por la noche

evening classes npl clases fpl nocturnas

evening dress n **1.** (formal clothes) traje m de etiqueta **2.** (woman's garment) traje de noche

evening meal n cena f

event [ɪˈvent] n **1.** (occurrence) suceso m **2.** SPORT prueba f ● **in the event of** (fml) en caso de

eventual [ɪˈventʃʊəl] adj final, definitivo(va)

eventually [ɪˈventʃʊəlɪ] adv finalmente

ever [ˈevəʳ] adv **1.** (at any time) alguna vez **2.** (in negatives) nunca ● **I don't ever do that** no hago eso nunca ● **the best I've ever seen** lo mejor que nunca he visto ● **he was ever so angry** (UK) estaba muy enfadado ● **for ever** (eternally) para siempre ● **we've been waiting for ever** hace siglos que esperamos ● **hardly ever** casi nunca ● **ever since** desde entonces, desde, desde que

every [ˈevrɪ] adj cada ● **every day** cada día ● **every other day** un día sí y otro no ● **one in every ten** uno de cada diez ● we make every effort ... hacemos todo lo posible ... ● **every so often** de vez en cuando

everybody ['evrɪ,bɒdɪ] = everyone

everyday ['evrɪdeɪ] adj diario(ria)

everyone ['evrɪwʌn] pron todo el mundo, todos mpl, -das f

everyplace ['evrɪ,pleɪs] (US) = everywhere

everything ['evrɪθɪŋ] pron todo

everywhere ['evrɪweə] adv 1. (be, search) por todas partes 2. (with verbs of motion) a todas partes ● **everywhere you go** por todas partes

evidence ['evɪdəns] n 1. (proof) prueba f 2. LAW declaración f

evident ['evɪdənt] adj evidente

evidently ['evɪdəntlɪ] adv 1. (apparently) aparentemente 2. (obviously) evidentemente

evil ['iːvl] ◇ adj malvado(da) ◇ n mal m

ex [eks] n (inf) ex mf

exact [ɪg'zækt] adj exacto(ta) ● **exact fare ready please** tenga listo el precio exacto del billete

exactly [ɪg'zæktlɪ] ◇ adv exactamente ◇ excl ¡exacto!

exaggerate [ɪg'zædʒəreɪt] vt & vi exagerar

exaggeration [ɪg,zædʒə'reɪʃn] n exageración f

exam [ɪg'zæm] n examen m ● **to take an exam** examinarse, presentarse a un examen

examination [ɪg,zæmɪ'neɪʃn] n 1. (exam) examen m 2. MED reconocimiento m

examine [ɪg'zæmɪn] vt 1. (inspect) examinar 2. (consider carefully) considerar 3.

MED reconocer

example [ɪg'zɑːmpl] n ejemplo m ● **for example** por ejemplo

exceed [ɪk'siːd] vt 1. (be greater than) exceder 2. (go beyond) rebasar

excellent ['eksələnt] adj excelente

except [ɪk'sept] prep & conj salvo ● **except for** aparte de ▼ **except for access** cartel que indica que el tránsito no está permitido ▼ **except for loading** salvo carga y descarga

exception [ɪk'sepʃn] n excepción f

exceptional [ɪk'sepʃnəl] adj excepcional

excerpt ['eksɜːpt] n extracto m, pasaje m

excess [ɪk'ses] (before noun ['ekses]) ◇ adj excedente ◇ n exceso m

excess baggage n exceso m de equipaje

excess fare n (UK) suplemento m

excessive [ɪk'sesɪv] adj excesivo(va)

exchange [ɪks'tʃeɪndʒ] ◇ n 1. (of telephones) central f telefónica 2. (of students) intercambio m ◇ vt intercambiar ● **to be on an exchange** estar de intercambio

exchange rate n tipo m de cambio

excited [ɪk'saɪtɪd] adj emocionado(da)

excitement [ɪk'saɪtmənt] n emoción f ● **excitements** (exciting things) emociones fpl

exciting [ɪk'saɪtɪŋ] adj emocionante

exclamation mark [,eksklə'meɪʃn-] n signo m de admiración

exclamation point [,eksklə'meɪʃn-] (US) = exclamation mark

exclude [ɪk'skluːd] vt excluir

excluding [ɪkˈskluːdɪŋ] *prep* excepto, con excepción de

exclusive [ɪkˈskluːsɪv] ◇ *adj* **1.** *(high-class)* selecto(ta) **2.** *(sole)* exclusivo(va) ◇ *n* exclusiva *f* ● **exclusive of** excluyendo

excursion [ɪkˈskɜːʃn] *n* excursión *f*

excuse ◇ *n* [ɪkˈskjuːs] excusa *f* ◇ *vt* [ɪkˈskjuːz] **1.** *(forgive)* perdonar **2.** *(let off)* dispensar ● **excuse me!** *(attracting attention)* ¡perdone!; *(trying to get past)* ¿me deja pasar, por favor?; *(as apology)* perdone

ex-directory *adj* (UK) que no figura en la guía telefónica

execute [ˈeksɪkjuːt] *vt* ejecutar

executive [ɪgˈzekjʊtɪv] ◇ *adj* (desk, suite) para ejecutivos ◇ *n* (person) ejecutivo *m*, -va *f*

exempt [ɪgˈzempt] *adj* ● **exempt (from)** exento(ta) (de)

exemption [ɪgˈzempʃn] *n* exención *f*

exercise [ˈeksəsaɪz] *n* ejercicio *m* ◇ *vi* hacer ejercicio ● **to do exercises** hacer ejercicio

exercise book *n* cuaderno *m* de ejercicios

exert [ɪgˈzɜːt] *vt* ejercer

exhaust [ɪgˈzɔːst] ◇ *vt* agotar ◇ *n* ● **exhaust (pipe)** tubo *m* de escape

exhausted [ɪgˈzɔːstɪd] *adj* agotado(da)

exhibit [ɪgˈzɪbɪt] ◇ *n* (in museum, gallery) objeto *m* expuesto ◇ *vt* (in exhibition) exponer

exhibition [ˌeksɪˈbɪʃn] *n* (of art) exposición *f*

exist [ɪgˈzɪst] *vi* existir

existence [ɪgˈzɪstəns] *n* existencia *f* ● **to be in existence** existir

existing [ɪgˈzɪstɪŋ] *adj* existente

exit [ˈeksɪt] ◇ *n* salida *f* ◇ *vi* salir

exotic [ɪgˈzɒtɪk] *adj* exótico(ca)

expand [ɪkˈspænd] *vi* **1.** *(in size)* extenderse, expandirse **2.** *(in number)* aumentarse, ampliarse

expect [ɪkˈspekt] *vt* esperar ● **to expect to do sthg** esperar hacer algo ● **I expect you to get to work on time** *(require)* espero que llegues al trabajo puntual ● **to be expecting** *(be pregnant)* estar embarazada

expedition [ˌekspɪˈdɪʃn] *n* **1.** *(to explore etc)* expedición *f* **2.** *(short outing)* salida *f*

expel [ɪkˈspel] *vt* *(from school)* expulsar

expense [ɪkˈspens] *n* gasto *m* ● **at the expense of** a costa de ● **expenses** *npl* *(of business person)* gastos *mpl*

expensive [ɪkˈspensɪv] *adj* caro(ra)

experience [ɪkˈspɪərɪəns] ◇ *n* experiencia *f* ◇ *vt* experimentar

experienced [ɪkˈspɪərɪənst] *adj* experimentado(da)

experiment [ɪkˈsperɪmənt] ◇ *n* experimento *m* ◇ *vi* experimentar

expert [ˈekspɜːt] ◇ *adj* experto(ta) ◇ *n* experto *m*, -ta *f*

expire [ɪkˈspaɪər] *vi* caducar

expiry date [ɪkˈspaɪərɪ-] *n* fecha *f* de caducidad

explain [ɪkˈspleɪn] *vt* explicar

explanation [ˌekspləˈneɪʃn] *n* explicación *f*

explode [ɪkˈspləʊd] *vi* estallar

exploit [ɪkˈsplɔɪt] *vt* explotar

explore [ɪkˈsplɔːr] *vt* explorar

explosion [ɪkˈspləʊʒn] *n* explosión *f*

explosive [ɪk'spləʊsɪv] *n* explosivo *m*

export ◇ *n* ['ekspɔːt] exportación *f* ◇ *vt* [ɪk'spɔːt] exportar

exposed [ɪk'spəʊzd] *adj* (place) al descubierto

exposure [ɪk'spəʊʒəʳ] *n* 1. exposición *f* 2. MED hipotermia *f*

express [ɪk'spres] ◇ *adj* 1. (letter, delivery) urgente 2. (train) rápido(da) ◇ *n* (train) expreso *m* ◇ *vt* expresar ◇ *adv* urgente

expression [ɪk'spreʃn] *n* expresión *f*

expresso [ɪk'spresəʊ] *n* café *m* exprés

expressway [ɪk'spresweɪ] *n* (US) autopista *f*

extend [ɪk'stend] ◇ *vt* 1. (visa, permit) prorrogar 2. (road, railway) prolongar 3. (hand) tender ◇ *vi* (stretch) extenderse

extension [ɪk'stenʃn] *n* 1. (of building) ampliación *f* 2. (for phone, permit, essay) extensión *f*

extension cord (US) = extension lead

extension lead [-liːd] *n* (UK) alargador *m*, extensión *f*

extensive [ɪk'stensɪv] *adj* 1. (damage, area) extenso(sa) 2. (selection) amplio(-plia)

extent [ɪk'stent] *n* (of damage, knowledge) extensión *f* • **to a certain extent** hasta cierto punto • **to what extent ...?** ¿hasta qué punto ... ?

exterior [ɪk'stɪərɪəʳ] ◇ *adj* exterior ◇ *n* (of car, building) exterior *m*

external [ɪk'stɜːnl] *adj* externo(na)

extinct [ɪk'stɪŋkt] *adj* extinto(ta)

extinction [ɪk'stɪŋkʃn] *n* extinción *f*

extinguish [ɪk'stɪŋgwɪʃ] *vt* 1. (fire) extinguir 2. (cigarette) apagar

extinguisher [ɪk'stɪŋgwɪʃəʳ] *n* extintor *m*

extortionate [ɪk'stɔːʃnət] *adj* exorbitante

extra ['ekstrə] ◇ *adj* 1. (additional) extra *inv* 2. (spare) de más ◇ *n* 1. (bonus) paga *f* extraordinaria 2. (optional thing) extra *m* ◇ *adv* (more) más • **an extra special** **offer** una oferta muy especial • **be** **extra careful** ten mucho cuidado • **I** **need some extra help** necesito más ayuda • **extra charge** suplemento *m* • **extra large** extra-grande • **extras** *npl* (in price) suplementos *mpl*

extract ◇ *n* ['ekstrækt] 1. (of yeast, malt) extracto *m* 2. (from book, opera) fragmento *m* ◇ *vt* [ɪk'strækt] (tooth) extraer

extraordinary [ɪk'strɔːdnrɪ] *adj* extraordinario(ria)

extravagant [ɪk'strævəgənt] *adj* 1. (wasteful) derrochador(ra) 2. (expensive) exorbitante

extreme [ɪk'striːm] ◇ *adj* extremo(ma) ◇ *n* extremo *m*

extremely [ɪk'striːmlɪ] *adv* extremadamente

extrovert ['ekstrəvɜːt] *n* extrovertido *m*, -da *f*

eye [aɪ] ◇ *n* ojo *m* ◇ *vt* mirar detenidamente • **to keep an eye on** vigilar

eyebrow ['aɪbraʊ] *n* ceja *f*

eyeglasses ['aɪglɑːsɪz] *npl* (US) (fml) gafas *fpl* (Esp), anteojos *mpl* (Amér)

eyelash ['aɪlæʃ] *n* pestaña *f*

eyelid ['aɪlɪd] *n* párpado *m*

eyeliner ['aɪ,laɪnəʳ] *n* lápiz *m* de ojos, delineador *m*

eye shadow *n* sombra *f* de ojos
eyesight ['aɪsaɪt] *n* vista *f*
eye test *n* prueba *f* de visión
eyewitness [,aɪ'wɪtnɪs] *n* testigo *mf* presencial

F [ef] (*abbr of* Fahrenheit) F (*fahrenheit*)
fab [fæb] *adj* (*inf*) genial
fabric ['fæbrɪk] *n* (*cloth*) tejido *m*
fabulous ['fæbjʊləs] *adj* fabuloso(sa)
facade [fə'sɑːd] *n* fachada *f*
face [feɪs] *n* 1. cara *f* 2. (*of clock, watch*) esfera *f* ◇ *vt* 1. (*look towards*) mirar a 2. (*confront, accept*) hacer frente a 3. (*cope with*) soportar ● **to be faced with** enfrentarse con ● **face up to** *vt insep* hacer frente a
facecloth ['feɪsklɒθ] *n* toalla *f* de cara
facial ['feɪʃl] *n* limpieza *f* de cutis
facilitate [fə'sɪlɪteɪt] *vt* (*fml*) facilitar
facilities [fə'sɪlɪtiz] *npl* instalaciones *fpl*
facsimile [fæk'sɪmɪlɪ] *n* facsímil *m*
fact [fækt] *n* 1. (*established truth*) hecho *m* 2. (*piece of information*) dato *m* ● **in fact** (*in reality*) en realidad; (*moreover*) de hecho
factor ['fæktə'] *n* 1. (*condition*) factor *m* 2. (*of suntan lotion*) factor *m* (de protección solar) ● **factor ten suntan lotion** bronceador *m* con factor de protección diez

factory ['fæktərɪ] *n* fábrica *f*
faculty ['fækltɪ] *n* (*at university*) facultad *f*
fade [feɪd] *vi* 1. (*light, sound*) irse apagando 2. (*flower*) marchitarse 3. (*jeans, wallpaper*) descolorarse
faded ['feɪdɪd] *adj* (*jeans*) desteñido(da)
fag [fæg] *n* (*UK*) (*inf*) (*cigarette*) pitillo *m*, tabaco *m*
Fahrenheit ['færənhaɪt] *adj* Fahrenheit (*inv*)
fall [fɔːl] ◇ *vt* (*exam*) suspender (*Esp*), reprobar (*Amér*) ◇ *vi* 1. (*not succeed*) fracasar 2. (*in exam*) suspender, reprobar (*Amér*) 3. (*engine*) fallar ● **to fail to do sthg** (*not do*) no hacer algo
failing ['feɪlɪŋ] ◇ *n* defecto *m* ◇ *prep* ● failing that en su defecto
failure ['feɪljə'] *n* 1. fracaso *m* 2. (*unsuccessful person*) fracasado *m*, -da *f* ● **failure to comply with the regulations** el incumplimiento de las normas
faint [feɪnt] ◇ *adj* 1. (*sound, colour*) débil 2. (*outline*) impreciso(sa) 3. (*dizzy*) mareado(da) ◇ *vi* desmayarse ● **I haven't the faintest idea** no tengo la más mínima idea
fair [feə'] ◇ *adj* 1. (*just*) justo(ta) 2. (*quite large*) considerable 3. (*quite good*) bastante bueno(na) 4. SCH satisfactorio (ria) 5. (*hair, person*) rubio(bia) 6. (*skin*) blanco(ca) 7. (*weather*) bueno(na) ◇ *n* feria *f* ● **fair enough!** ¡vale!
fairground ['feəgraʊnd] *n* recinto *m* de la feria
fair-haired [-'heəd] *adj* rubio(bia)
fairly ['feəlɪ] *adv* (*quite*) bastante
fairy ['feərɪ] *n* hada *f*

fairy tale *n* cuento *m* de hadas
faith [feɪθ] *n* fe *f*
faithfully ['feɪθfʊlɪ] *adv* • Yours faithfully le saluda atentamente
fake [feɪk] ◇ *n (false thing)* falsificación *f*
◇ *vt (signature, painting)* falsificar
fall [fɔːl] *(pt* **fell***, pp* **fallen***)* ◇ *vi* 1. caer
2. *(lose balance)* caerse 3. *(decrease)* bajar
◇ *n* 1. *(accident)* caída *f* 2. *(decrease)* descenso *m* 3. *(of snow)* nevada *f* 4. *(US) (autumn)* otoño *m* • **to fall asleep** dormirse • **to fall ill** ponerse enfermo
• **to fall in love** enamorarse ◆**falls** *npl (waterfall)* cataratas *fpl* ◆**fall behind** *vi (with work, rent)* retrasarse ◆**fall down** *vi (lose balance)* caerse • **fall off** *vi* 1. *(person)* caerse 2. *(handle, branch)* desprenderse ◆**fall out** *vi (argue)* pelearse
• **my tooth fell out** se me cayó un diente ◆ **fall over** *vi* caerse ◆ **fall through** *vi* fracasar
false [fɔːls] *adj* 1. falso(sa) 2. *(artificial)* postizo(za)
false alarm *n* falsa alarma *f*
false teeth *npl* dentadura *f* postiza
fame [feɪm] *n* fama *f*
familiar [fə'mɪljə'] *adj* 1. *(known)* familiar 2. *(informal)* demasiado amistoso(sa) • **to be familiar with** *(know)* estar familiarizado(da) con
family ['fæmlɪ] ◇ *n* familia *f* ◇ *adj* 1. *(large)* familiar 2. *(film, holiday)* para toda la familia
family planning clinic [-'plænɪŋ-] *n* clínica *f* de planificación familiar
family room *n* 1. *(at hotel)* habitación *f* familiar
famine ['fæmɪn] *n* hambruna *f*

famished ['fæmɪʃt] *adj (inf)* muerto(ta) de hambre
famous ['feɪməs] *adj* famoso(sa)
fan [fæn] *n* 1. *(held in hand)* abanico *m* 2. *(electric)* ventilador *m* 3. *(enthusiast)* admirador *m*, -ra *f* 4. *(supporter)* aficionado *m*, -da *f*
fan belt *n* correa *f* OR banda *f (Méx)* del ventilador
fancy ['fænsɪ] ◇ *adj* 1. *(elaborate)* recargado(da) 2. *(food)* elaborado(da) ◇ *vt (UK) (inf)* **I fancy an ice cream** me apetece tomar un helado • **he fancies Jane** le gusta Jane • **fancy (that)!** ¡fíjate!
fancy dress *n* disfraz *m*
fantastic [fæn'tæstɪk] *adj* fantástico(ca)
fantasy ['fæntəsɪ] *n* fantasía *f*
FAQ [fak] *n* COMPUT *(abbr of* frequently asked questions) fichero *m* de preguntas frecuentes
far [fɑː'] *(compar* **further** OR **farther***, superl* **furthest** OR **farthest***)* ◇ *adv* 1. *(in distance, time)* lejos 2. *(in degree)* mucho ◇ *adj* 1. *(end)* extremo(ma) 2. *(side)* opuesto(ta) • **have you come far?** ¿vienes de lejos? • **how far is it?** ¿está lejos? • **how far is it to London?** ¿cuánto hay de aquí a Londres? • **as far as** *(place)* hasta • **as far as I'm concerned** por lo que se refiere • **as far as I know** que yo sepa • **far better** mucho mejor • **by far** con mucho • **it's far too difficult** es demasiado difícil • **so far** hasta ahora • **to go too far** pasarse
farce [fɑːs] *n* farsa *f*
fare [feə'] ◇ *n* 1. *(on bus, train etc)* precio

m del billete **2.** (*frml*) (*food*) comida *f* ◇ *vi* ● she fared well le fue bien

Far East *n* ● the Far East el Lejano Oriente

farm [fɑːm] *n* granja *f*

farmer [ˈfɑːməʳ] *n* agricultor *m*, -ra *f*

farmhouse [ˈfɑːmhaʊs] (*pl* -hauzɪz]) *n* caserío *m*

farming [ˈfɑːmɪŋ] *n* agricultura *f*

farmland [ˈfɑːmlænd] *n* tierras *fpl* de labranza

farmyard [ˈfɑːmjɑːd] *n* corral *m*

farther [ˈfɑːðəʳ] *compar* > far

farthest [ˈfɑːðəst] *superl* > far

fascinating [ˈfæsɪneɪtɪŋ] *adj* fascinante

fascination [ˌfæsɪˈneɪʃn] *n* fascinación *f*

fashion [ˈfæʃn] *n* **1.** (*trend, style*) moda *f* **2.** (*manner*) manera *f* ● to be in fashion estar de moda ● to be out of fashion estar pasado de moda

fashionable [ˈfæʃnəbl] *adj* de moda

fashion show *n* desfile *m* de moda

fast [fɑːst] ◇ *adj* **1.** (*quick*) rápido(da) **2.** (*clock, watch*) adelantado(da) ◇ *adv* **1.** (*quickly*) rápidamente **2.** (*securely*) firmemente ● fast asleep profundamente dormido ● a fast train un tren rápido

fasten [ˈfɑːsn] *vt* **1.** (*belt, coat*) abrochar **2.** (*two things*) sujetar

fastener [ˈfɑːsnəʳ] *n* **1.** (*of window, box*) cierre *m* **2.** (*of dress*) corchete *m*

fast food *n* comida *f* rápida

fat [fæt] ◇ *adj* **1.** (*person*) gordo(da) **2.** (*meat*) con mucha grasa ◇ *n* **1.** grasa *f* **2.** (*for cooking*) manteca *f*

fatal [ˈfeɪtl] *adj* (*accident, disease*) mortal

fat-free *adj* sin grasa

---

father [ˈfɑːðəʳ] *n* padre *m*

Father Christmas *n* (*UK*) Papá *m* Noel

father-in-law *n* suegro *m*

fattening [ˈfætnɪŋ] *adj* que engorda

fatty [ˈfætɪ] *adj* graso(sa)

faucet [ˈfɔːsɪt] *n* (*US*) grifo *m* (*Esp*), llave *f*

fault [fɔːlt] *n* **1.** (*responsibility*) culpa *f* **2.** (*flaw*) defecto *m* **3.** (*in machine*) fallo *m* ● it's your fault tú tienes la culpa

faulty [ˈfɔːltɪ] *adj* defectuoso(sa)

favor [ˈfeɪvəʳ] (*US*) = favour

favour [ˈfeɪvəʳ] ◇ *n* (*UK*) (*kind act*) favor *m* ◇ *vt* (*prefer*) preferir ● to be in favour of estar a favor de ● to do sb a favour hacerle un favor a alguien

favorable [ˈfeɪvrəbl] (*US*) = favourable

favorite [ˈfeɪvrət] (*US*) = favourite

favorites [ˈfeɪvrɪts] *n* COMPUT favoritos *mpl*

favourable [ˈfeɪvrəbl] *adj* (*UK*) favorable

favourite [ˈfeɪvrɪt] ◇ *adj* (*UK*) favorito (ta) ◇ *n* favorito *m*, -ta *f*

fawn [fɔːn] *adj* beige *inv*

fax [fæks] ◇ *n* fax *m inv* ◇ *vt* **1.** (*document*) enviar por fax **2.** (*person*) enviar un fax a

fear [fɪəʳ] ◇ *n* **1.** (*sensation*) miedo *m* **2.** (*thing feared*) temor *m* ◇ *vt* (*be afraid of*) temer ● for fear of por miedo a

feast [fiːst] *n* banquete *m*

feather [ˈfeðəʳ] *n* pluma *f*

feature [ˈfiːtʃəʳ] ◇ *n* **1.** (*characteristic*) característica *f* **2.** (*of face*) rasgo *m* **3.** (*in newspaper*) artículo *m* de fondo **4.** (*on radio, TV*) programa *m* especial ◇ *vt* (*subj: film*) estar protagonizado por

feature film *n* largometraje *m*

Feb [feb] (*abbr of* February) feb. *(febrero)*

February ['februəri] *n* febrero *m* ● **at the beginning of February** a principios de febrero ● **at the end of February** a finales de febrero ● **during February** en febrero ● **every February** todos los años en febrero ● **in February** en febrero ● **last February** en febrero del año pasado ● **next February** en febrero del próximo año ● **this February** en febrero de este año ● **2 February 2001** *(in letters etc)* 2 de febrero de 2001

fed [fed] *pt & pp* ▷ **feed**

fed up *adj* harto(ta) ● **to be fed up with** estar harto de

fee [fi:] *n* 1. *(for entry)* precio *m* 2. *(for service)* tarifa *f* 3. *(of doctor, lawyer)* honorarios *mpl*

feeble ['fi:bəl] *adj (weak)* débil

feed [fi:d] *(pt & pp* **fed**) *vt* 1. *(person, animal)* dar de comer a 2. *(insert)* introducir

feel [fi:l] *(pt & pp* **felt**) ⋄ *vt* 1. *(touch)* tocar 2. *(experience)* sentir 3. *(think)* pensar que ⋄ *vi* 1. *(tired, ill, better)* encontrarse 2. *(sad, angry, safe)* sentirse ⋄ *n (of material)* tacto *m* ● **my nose feels cold** tengo la nariz fría ● **to feel cold** tener frío ● **to feel hungry** tener hambre ● **I feel like a cup of tea** me apetece una taza de té ● **to feel up to doing sthg** sentirse con ánimos de hacer algo

feeling ['fi:lɪŋ] *n* 1. *(emotion)* sentimiento *m* 2. *(sensation)* sensación *f* 3. *(belief)* impresión *f* ● **to hurt sb's feelings** herir los sentimientos de alguien

feet [fi:t] *pl* ▷ **foot**

fell [fel] ⋄ *pt* ▷ **fall** ⋄ *vt* talar

fellow ['feləu] ⋄ *n (man)* tío *m* ⋄ *adj* ● **my fellow students** mis compañeros de clase

felt [felt] ⋄ *pt & pp* ▷ **feel** ⋄ *n* fieltro *m*

felt-tip pen *n* rotulador *m*, marcador *m (Amér)*

female ['fi:meɪl] ⋄ *adj* 1. *(animal)* hembra 2. *(person)* femenino(na) ⋄ *n* hembra *f*

feminine ['femɪnɪn] *adj* femenino(na)

feminist ['femɪnɪst] *n* feminista *mf*

fence [fens] *n* valla *f*

fencing ['fensɪŋ] *n* SPORT esgrima *f*

fend [fend] *vi* ● **to fend for o.s.** valerse por sí mismo(ma)

fender ['fendə'] *n* 1. *(for fireplace)* guardafuego *m* 2. *(US) (on car)* guardabarros *m inv*

fennel ['fenl] *n* hinojo *m*

fern [fɜ:n] *n* helecho *m*

ferocious [fə'rəuʃəs] *adj* feroz

ferry ['feri] *n* ferry *m*

fertile ['fɜ:taɪl] *adj* fértil

fertilizer ['fɜ:tɪlaɪzə'] *n* abono *m*

festival ['festəvl] *n* 1. *(of music, arts etc)* festival *m* 2. *(holiday)* día *m* festivo

feta cheese ['fetə-] *n* queso blando de origen griego fabricado con leche de oveja

fetch [fetʃ] *vt* 1. *(person)* ir a buscar 2. *(object)* traer 3. *(be sold for)* alcanzar

fete [feɪt] *n* fiesta al aire libre

fever ['fi:və'] *n* fiebre *f* ● **to have a fever** tener fiebre

feverish ['fi:vərɪʃ] *adj* febril

few [fju:] ⋄ *adj* pocos(cas) ⋄ *pron* pocos

mpl, -cas *fpl* ● **few people** poca gente ● **a few** algunos, -nas *fpl*, unos pocos *mpl*, unas pocas *fpl* ● **quite a few** bastantes

fewer ['fju:ə^r] *adj & pron* menos

fiancé [fɪ'ɒnseɪ] *n* prometido *m*

fiancée [fɪ'ɒnseɪ] *n* prometida *f*

fib [fɪb] *n (inf)* bola *f*, mentira *f*

fiber ['faɪbə^r] *(US)* = **fibre**

fibre ['faɪbə^r] *n (UK)* fibra *f*

fibreglass ['faɪbəɡlɑːs] *n* fibra *f* de vidrio

fickle ['fɪkl] *adj* voluble

fiction ['fɪkʃn] *n* ficción *f*

fiddle ['fɪdl] ◇ *n (violin)* violín *m* ◇ *vi* ● **to fiddle with sthg** juguetear con algo

fidget ['fɪdʒɪt] *vi* moverse inquietamente

field [fiːld] *n* campo *m*

field glasses *npl* prismáticos *mpl*

fierce [fɪəs] *adj* **1.** *(animal, person)* feroz **2.** *(storm, heat)* fuerte

fifteen [fɪf'tiːn] *num* quince

fifteenth [ˌfɪf'tiːnθ] *num* decimoquinto(ta)

fifth [fɪfθ] ◇ *num adj* quinto(ta) ◇ *pron* quinto *m*, -ta *f* ◇ *num n (fraction)* quinto *m* ◇ *num adv* quinto ● **a fifth (of)** la quinta parte (de) ● **the fifth (of September)** el cinco (de septiembre)

fiftieth ['fɪftɪəθ] *num* quincuagésimo(-ma)

fifty ['fɪftɪ] *num* cincuenta

fig [fɪɡ] *n* higo *m*

fight [faɪt] *(pt & pp* **fought**) ◇ *n* **1.** *(physical clash, argument)* pelea *f* **2.** *(struggle)* lucha *f* ◇ *vt* **1.** *(enemy, crime, illness)* luchar contra **2.** *(in punch-up)*

pelearse con ◇ *vi* **1.** *(in war, struggle)* luchar **2.** *(quarrel)* discutir ● **to have a fight with sb** pelearse con alguien ◆ **fight back** *vi* defenderse ◆ **fight off** *vt sep* **1.** *(attacker)* rechazar **2.** *(illness)* sanar de

fighting ['faɪtɪŋ] *n* **1.** *(at football match, in streets)* violencia *f* **2.** *(in war)* combate *m*

figure [(UK) 'fɪɡə^r, (US) 'fɪɡjər] *n* **1.** *(number, statistic)* cifra *f* **2.** *(shape of body)* tipo *m* **3.** *(outline of person)* figura *f* **4.** *(diagram)* gráfico *m* ◆ **figure out** *vt sep (answer)* dar con ● **I can't figure out how to do it** no sé cómo hacerlo

file [faɪl] ◇ *n* **1.** *(document holder)* carpeta *f* **2.** *(information on person)* expediente *m* **3.** COMPUT fichero *m*, archivo *m* **4.** *(tool)* lima *f* ◇ *vt* **1.** *(complaint, petition)* presentar **2.** *(nails)* limar ● **in single file** en fila india

filing cabinet ['faɪlɪŋ-] *n* archivador *m*

fill [fɪl] *vt* **1.** *(make full)* llenar **2.** *(hole)* rellenar **3.** *(role)* desempeñar **4.** *(tooth)* empastar ◆ **fill in** *vt sep (form)* rellenar ◆ **fill out** *vt sep* = **fill in** ◆ **fill up** *vt sep* llenar (hasta el tope) ● **fill her up!** *(with petrol)* ¡llénelo!

filled roll ['fɪld-] *n* bocadillo *m (de bollo)*

fillet ['fɪlɪt] *n* filete *m*

fillet steak *n* filete *m* de carne de vaca

filling ['fɪlɪŋ] ◇ *n* **1.** *(of cake, sandwich)* relleno *m* **2.** *(in tooth)* empaste *m* ◇ *adj* que llena mucho

filling station *n* estación *f* de servicio, gasolinera *f*

film [fɪlm] ◇ *n* película *f* ◇ *vt* rodar

film star *n* estrella *f* de cine

filter ['fɪltər] n filtro m

filthy ['fɪlθɪ] adj (very dirty) sucísimo(-ma)

fin [fɪn] n 1. (of fish) aleta f 2. (US) (of swimmer) aleta f

final ['faɪnl] ◇ adj 1. (last) último(ma) 2. (decision, offer) definitivo(va) ◇ n final f

finalist ['faɪnlɪst] n finalista mf

finally ['faɪnəlɪ] adv 1. (at last) por fin 2. (lastly) finalmente

finance ◇ n ['faɪnæns] 1. (money) fondos mpl 2. (management of money) finanzas fpl ◇ vt [faɪ'næns] financiar • **finances** npl finanzas fpl

financial [fɪ'nænʃl] adj financiero(ra)

find [faɪnd] (pt & pp **found**) ◇ vt 1. encontrar 2. (find out) enterarse de ◇ n hallazgo m • **to find the time to do sthg** encontrar tiempo para hacer algo ◆ **find out** ◇ vt sep (fact, truth) averiguar ◇ vi • **to find out about sthg** averiguar algo

fine [faɪn] ◇ adj 1. (good) bueno(na) 2. (food, wine) excelente 3. (thin) fino(na) ◇ adv 1. (thinly) finamente 2. (well) bien ◇ n multa f ◇ vt multar ◇ excl vale • **I'm fine** estoy bien • **it's fine** está bien

fine art n bellas artes fpl

finger ['fɪŋɡər] n dedo m

fingernail ['fɪŋɡəneɪl] n uña f de la mano

fingertip ['fɪŋɡətɪp] n yema f del dedo

finish ['fɪnɪʃ] ◇ n 1. (end) final m 2. (on furniture) acabado m ◇ vt & vi acabar • **to finish doing sthg** terminar de hacer algo ◆ **finish off** vt sep 1. (complete) acabar del todo 2. (eat or drink) acabar ◆ **finish up** vi acabar • **to finish up doing**

sthg acabar haciendo algo

Finland ['fɪnlənd] n Finlandia

Finn [fɪn] n finlandés m, -esa f

Finnish ['fɪnɪʃ] ◇ adj finlandés(esa) ◇ n (language) finlandés m

fir [fɜːr] n abeto m

fire ['faɪər] ◇ n 1. fuego m 2. (uncontrolled) incendio m 3. (device) estufa f ◇ vt 1. (gun) disparar 2. (from job) despedir • **on fire** en llamas • **to catch fire** prender fuego • **to make a fire** encender un fuego

fire alarm n alarma f antiincendios

fire brigade n (UK) cuerpo m de bomberos

fire department (US) = **fire brigade**

fire engine n coche m de bomberos

fire escape n escalera f de incendios

fire exit n salida f de incendios

fire extinguisher n extintor m

fire hazard n • **it's a fire hazard** podría causar un incendio

fireman ['faɪəmən] (pl -men) n bombero m

fireplace ['faɪəpleɪs] n chimenea f

fire regulations npl ordenanzas fpl en caso de incendio

fire station n parque m (Esp) OR estación f de bomberos

firewall ['faɪəwɔːl] n COMPUT cortafuegos m inv

firewood ['faɪəwʊd] n leña f

firework display ['faɪəwɜːk-] n espectáculo m de fuegos artificiales

fireworks ['faɪəwɜːks] npl fuegos mpl artificiales

firm [fɜːm] ◇ adj firme ◇ n firma f, empresa f

first [fɜːst] ◇ *adj* primero(ra) ◇ *adv* **1.** primero **2.** *(for the first time)* por primera vez ◇ *n* *(event)* acontecimiento *m* sin precedentes ◇ *pron* ● **the first** el primero ● **first (gear)** primera *f* (marcha) ● **first thing (in the morning)** a primera hora (de la mañana) ● **for the first time** por primera vez ● **the first of January** el uno de enero ● **at first** al principio ● **first of all** antes de nada

first aid *n* primeros auxilios *mpl*

first-aid kit *n* botiquín *m* (de primeros auxilios)

first class *n* **1.** *(mail)* correo que se *distribuye el día siguiente* **2.** *(on train, plane, ship)* primera clase *f*

first-class *adj* **1.** *(stamp)* para la UE o distribución al día siguiente **2.** *(ticket)* de primera (clase) **3.** *(very good)* de primera

first floor *n* **1.** *(UK)* *(floor above ground floor)* primer piso *m* **2.** *(US)* *(ground floor)* bajo *m* *(Esp)*, planta *f* baja

firstly [ˈfɜːstlɪ] *adv* en primer lugar

First World War *n* ● **the First World War** la Primera Guerra Mundial

fish [fɪʃ] *(pl inv)* ◇ *n* **1.** *(animal)* pez *m* **2.** *(food)* pescado *m* ◇ *vi* pescar

fish and chips *n* filete de pescado *blanco rebozado, con patatas fritas*

fishcake [ˈfɪʃkeɪk] *n* tipo de croqueta de *pescado*

fisherman [ˈfɪʃəmən] *(pl -men)* *n* pescador *m*

fish farm *n* piscifactoría *f*

fish fingers *npl* *(UK)* palitos *mpl* de *pescado*

fishing [ˈfɪʃɪŋ] *n* pesca *f* ● **to go fishing** ir de pesca

fishing boat *n* barco *m* de pesca

fishing rod *n* caña *f* de pescar

fishmonger's [ˈfɪʃˌmʌŋgəz] *n* *(UK)* *(shop)* pescadería *f*

fish sticks *(US)* = **fish fingers**

fist [fɪst] *n* puño *m*

fit [fɪt] ◇ *adj* *(healthy)* en forma ◇ *vt* **1.** *(be right size for)* sentar bien a **2.** *(a lock, kitchen, bath)* instalar **3.** *(insert)* insertar ◇ *vi* **1.** *(clothes, shoes)* estar bien de talla **2.** *(in space)* caber ◇ *n* ataque *m* ● **to be fit for sthg** ser apto(ta) para algo ● **fit to eat** apto para el consumo ● **it's a good fit** sienta bien ● **it doesn't fit** no cabe ● **to get fit** ponerse en forma ● **to keep fit** mantenerse en forma ◆ **fit in** ◇ *vt sep* *(find time to do)* hacer un hueco ◇ *vi* *(belong)* encajar

fitness [ˈfɪtnɪs] *n* *(health)* estado *m* físico

fitted carpet [ˌfɪtəd-] *n* *(UK)* moqueta *f* *(Esp)*, alfombra *f* de pared a pared

fitted sheet [ˌfɪtəd-] *n* *(UK)* sábana *f* ajustable

fitting room [ˈfɪtɪŋ-] *n* probador *m*

five [faɪv] ◇ *num adj* cinco ◇ *num n* cinco *m inv* ● **to be five (years old)** tener cinco años (de edad) ● **it's five (o'clock)** son las cinco ● **a hundred and five** ciento cinco ● **five Hill St** Hill St, número cinco ● **it's minus five (degrees)** hay cinco grados bajo cero ● **five out of ten** cinco sobre diez

fiver [ˈfaɪvə] *n* *(UK)* *(inf)* **1.** *(£5)* cinco libras *fpl* **2.** *(£5 note)* billete *m* de cinco libras

fix [fɪks] *vt* **1.** *(attach, decide on)* fijar **2.**

(mend) reparar **3.** (drink, food) preparar ◆ **have you fixed anything for tonight?** ¿tienes planes para esta noche? ◆ **fix up** vt sep ● **to fix sb up with a lift home** buscarle a alguien alguien que le lleve a casa

fixture ['fıkstʃə'] n SPORT encuentro m ● **fixtures and fittings** instalaciones fpl domésticas

fizzy ['fızı] adj gaseoso(sa)

flag [flæg] n bandera f

flake [fleık] ◇ n (of snow) copo m ◇ vi descamarse

flame [fleım] n llama f

flammable ['flæməbl] adj inflamable

flan [flæn] n tarta f

flannel ['flænl] n **1.** (material) franela f **2.** (UK) (for washing face) toalla f de cara ◆ **flannels** npl pantalones mpl de franela

flap [flæp] ◇ n **1.** (of envelope, pocket) solapa f **2.** (of tent) puerta f ◇ vt (wings) batir

flapjack ['flæpdʒæk] n (UK) torta f de avena

flare [fleə'] n (signal) bengala f

flared [fleəd] adj acampanado(da)

flash [flæʃ] ◇ n **1.** (of light) destello m **2.** (for camera) flash m ◇ vi (light) destellar ● **a flash of lightning** un relámpago ● **to flash one's headlights** dar las luces

flashlight ['flæʃlaɪt] n (US) linterna f

flask [flɑ:sk] n **1.** (Thermos) termo m **2.** (hip flask) petaca f

flat [flæt] ◇ adj **1.** (level) llano(na) **2.** (battery) descargado(da) **3.** (drink) muerto(ta), sin gas **4.** (rate, fee) único(ca) ◇ n (UK) piso m (Esp), apartamento m ◇ adv ● **to lie flat** estar extendido ● **a flat (tyre)** un pinchazo ● **flat out** a toda velocidad

flatter ['flætə'] vt adular

flavor ['fleɪvər] (US) = flavour

flavour ['fleɪvə'] n (UK) sabor m

flavoured ['fleɪvəd] adj de sabores

flavouring ['fleɪvərɪŋ] n aroma m

flaw [flɔ:] n fallo m

flea [fli:] n pulga f

flea market n mercado de objetos curiosos y de segunda mano, ≃ rastro m (Esp)

fleece [fli:s] n (downy material) vellón m

fleet [fli:t] n flota f

Fleet Street

La calle Fleet, en el centro de Londres, ha estado asociada al periodismo desde el siglo XVI. Hasta la década de 1980, era la sede de la mayoría de los periódicos nacionales. El nombre de *Fleet Street* se usa muchas veces como sinónimo de "la prensa británica".

Flemish ['flemɪʃ] ◇ adj flamenco(ca) ◇ n (language) flamenco m

flesh [fleʃ] n **1.** (of person, animal) carne f **2.** (of fruit, vegetable) pulpa f

flew [flu:] pt ➤ fly

flex [fleks] n (UK) cable m

flexible ['fleksəbl] adj flexible

flick [flık] vt **1.** (a switch) apretar **2.** (with finger) golpear rápidamente ◆ **flick through** vt insep hojear rápidamente

flies [flaɪz] npl (UK) bragueta f

flight [flaɪt] n vuelo m ● **a flight (o**

stairs) un tramo (de escaleras)

flight attendant *n* auxiliar *mf* de vuelo, sobrecargo *mf*

flimsy ['flɪmzɪ] *adj* **1.** *(object)* frágil, poco sólido(da) **2.** *(clothes)* ligero(ra)

fling [flɪŋ] *(pt & pp* **flung)** *vt* arrojar

flint [flɪnt] *n (of lighter)* piedra *f*

flip-flop [flɪp-] *n* chancleta *f*

flipper ['flɪpə'] *n* aleta *f*

flirt [flɜːt] *vi* ● **to flirt (with sb)** coquetear (con alguien)

float [fləʊt] ◇ *n* **1.** *(for swimming)* flotador *m* **2.** *(for fishing)* corcho *m* **3.** *(in procession)* carroza *f* **4.** *(drink)* bebida con una bola de helado flotando ◇ *vi* flotar

flock [flɒk] *n* **1.** *(of birds)* bandada *f* **2.** *(of sheep)* rebaño *m* ◇ *vi (people)* acudir en masa

flood [flʌd] ◇ *n* inundación *f* ◇ *vt* inundar ◇ *vi* desbordarse

floodlight ['flʌdlaɪt] *n* foco *m*

floor [flɔː'] *n* **1.** *(of room)* suelo *m* **2.** *(storey)* piso *m* **3.** *(of nightclub)* pista *f* de baile

floorboard ['flɔːbɔːd] *n* tabla *f* del suelo

flop [flɒp] *n (inf)* fracaso *m*

floppy disk ['flɒpɪ-] *n* floppy disk *m*

floral ['flɔːrəl] *adj (pattern)* floreado(da)

Florida Keys ['flɒrɪdə-] *npl* ● **the Florida Keys** las Florida Keys

florist's ['flɒrɪsts] *n (shop)* floristería *f*, florería *f (Amér)*

flour ['flaʊə'] *n* harina *f*

flow [fləʊ] ◇ *n* corriente *f* ◇ *vi* correr

flower ['flaʊə'] *n* flor *f*

flowerbed ['flaʊəbed] *n* arriate *m*

flowerpot ['flaʊəpɒt] *n* tiesto *m (Esp)*, maceta *f*

flown [fləʊn] *pp* ➤ **fly**

fl oz *abbr* = **fluid ounce**

flu [fluː] *n* gripe *f*

fluent ['fluːənt] *adj* ● **to be fluent in/to speak fluent Spanish** dominar el español

fluff [flʌf] *n* pelusa *f*

flume [fluːm] *n* tobogán *m* acuático

flung [flʌŋ] *pt & pp* ➤ **fling**

flunk [flʌŋk] *vt (US) (inf)* catear *(Esp)*, reprobar *(Amér)*

fluorescent [flʊə'resənt] *adj* fluorescente

flush [flʌʃ] ◇ *vi (toilet)* funcionar ◇ *vt* ● **to flush the toilet** tirar de la cadena

flute [fluːt] *n* flauta *f*

fly [flaɪ] *(pt* **flew,** *pp* **flown)** ◇ *n* **1.** *(insect)* mosca *f* **2.** *(of trousers)* bragueta *f* ◇ *vt* **1.** *(plane, helicopter)* pilotar **2.** *(travel by)* volar con **3.** *(transport)* transportar en avión ◇ *vi* **1.** volar **2.** *(pilot a plane)* pilotar **3.** *(flag)* ondear

fly-drive *n (UK)* paquete turístico que incluye vuelo y coche alquilado

flying ['flaɪɪŋ] ● **I like flying** me gusta ir en avión

flyover ['flaɪˌəʊvə'] *n (UK)* paso *m* elevado

flysheet ['flaɪʃiːt] *n* doble techo *m*

FM [ef'em] *n (abbr of frequency modulation)* FM *f (frecuencia modulada)*

foal [fəʊl] *n* potro *m*

foam [fəʊm] *n* **1.** *(bubbles)* espuma *f* **2.** *(foam rubber)* gomaespuma *f*

focus ['fəʊkəs] ◇ *n (of camera)* foco *m* ◇ *vi (with camera, binoculars)* enfocar ● **in focus** enfocado ● **out of focus** desenfocado

fog [fɒg] *n* niebla *f*

fogbound ['fɒgbaʊnd] *adj (airport)* cerrado(da) a causa de la niebla

foggy ['fɒgɪ] *adj (weather)* brumoso(sa)

fog lamp *n* faro *m* antiniebla

foil [fɔɪl] *n* papel *m* de aluminio

fold [fəʊld] ◇ *n* pliegue *m* ◇ *vt* 1. *(paper, material)* doblar 2. *(wrap)* envolver ● **to fold one's arms** cruzarse de brazos ◆ **fold up** *vi* plegarse

folder ['fəʊldə'] *n* carpeta *f*

foliage ['fəʊlɪɪdʒ] *n* follaje *m*

folk [fəʊk] ◇ *npl (people)* gente *f* ◇ *n* ● **folk (music)** folk *m* ◆ **folks** *npl (inf) (relatives)* familia *f*

follow ['fɒləʊ] ◇ *vt* 1. seguir 2. *(understand)* comprender ◇ *vi* 1. *(go behind)* ir detrás 2. *(in time)* seguir 3. *(understand)* comprender ● **followed by** seguido de ● **as follows** como sigue ◆ **follow on** *vi* ir detrás

following ['fɒləʊɪŋ] ◇ *adj* siguiente ◇ *prep* tras

fond [fɒnd] *adj* ● **to be fond of** *(person)* tener cariño a; *(thing)* ser aficionado (da) a

fondue ['fɒndu:] *n* fondue *f*

food [fu:d] *n* 1. *(nourishment)* comida *f* 2. *(type of food)* alimento *m*

food poisoning [-,pɔɪznɪŋ] *n* intoxicación *f* alimenticia

food processor [-,prəʊsesə'] *n* robot *m* de cocina *(Esp)*, procesador *m* de cocina

foodstuffs ['fu:dstʌfs] *npl* comestibles *mpl*

fool [fu:l] ◇ *n* 1. *(idiot)* tonto *m*, -ta *f* 2. *(pudding)* mousse de nata y fruta ◇ *vt* engañar

foolish ['fu:lɪʃ] *adj* tonto(ta)

foot [fʊt] *(pl* **feet)** *n* 1. pie *m* 2. *(of animal, wardrobe, tripod)* pata *f* ● **by foot** a pie ● **on foot** a pie

football ['fʊtbɔ:l] *n* 1. *(UK) (soccer)* fútbol *m* 2. *(US) (American football)* fútbol americano 3. *(UK) (in soccer)* balón *m* (de fútbol) 4. *(US) (in American football)* balón (de fútbol americano)

footballer ['fʊtbɔ:lə'] *n (UK)* futbolista *mf*

football pitch *n (UK)* campo *m* de fútbol

footbridge ['fʊtbrɪdʒ] *n* pasarela *f*

footpath ['fʊtpɑ:θ] *n* sendero *m*

footprint ['fʊtprɪnt] *n* huella *f*

footstep ['fʊtstep] *n* paso *m*

footwear ['fʊtweə'] *n* calzado *m*

for [fɔ:'] *prep* 1. *(expressing intention, purpose, destination)* para ● **this book is for you** este libro es para ti ● **what did you do that for?** ¿por qué hiciste eso? ● **what's it for?** ¿para qué es? ● **to go for a walk** dar un paseo ● **for sale** se vende ● **a ticket for Edinburgh** un billete para Edimburgo ● **the train for London** el tren de Londres 2. *(expressing reason)* por ● **a town famous for its wine** una ciudad famosa por sus vinos ● **the reason for it** el motivo de ello 3. *(during)* durante ● **I've lived here for ten years** llevo diez años viviendo aquí ● **we've lived here for years** vivimos aquí desde hace años ● **we talked for hours** estuvimos hablando durante horas y horas 4. *(by, before)* para ● **be there for 8 p.m.** estate allí para las ocho de la tarde 5. *(on the occasion of)* por • **what's for dinner?** ¿qué hay de cena? • **for the first time** por primera vez **6.** *(on behalf of)* por • **to work for sb** trabajar para alguien **7.** *(with time and space)* para • **there's no room/time for it** no hay sitio/tiempo para eso **8.** *(expressing distance)* • **road works for 20 miles** obras por espacio de 20 millas • **we walked for miles** andamos millas y millas **9.** *(expressing price)* por • **I bought it for five pounds** lo compré por cinco libras • **they sell for a pound** se venden a una libra **10.** *(expressing meaning)* • **what's the Spanish for boy?** ¿cómo se dice "boy" en español? **11.** *(with regard to)* por • **it's cold for summer** para ser verano, hace frío • **I'm sorry for them** me dan pena **12.** *(introducing more information)* para • **it's too far for us to walk** nos queda demasiado lejos para ir andando • **it's time for dinner** es hora de cenar

forbid [fə'bɪd] *(pt* **-bade,** *pp* **-bidden)** *vt* prohibir • **I forbid you to go there** te prohibo que vayas ahí

forbidden [fə'bɪdn] *adj* prohibido(da)

force [fɔːs] *n* fuerza *f* ◇ *vt* forzar • **to force sb to do sthg** forzar a alguien a hacer algo • **to force one's way through** abrirse camino • **the forces** las fuerzas armadas

ford [fɔːd] *n* vado *m*

forecast ['fɔːkɑːst] *n* pronóstico *m*

forecourt ['fɔːkɔːt] *n* patio *m*

forefinger ['fɔːˌfɪŋɡəʳ] *n* dedo *m* índice

foreground ['fɔːɡraʊnd] *n* primer plano *m*

forehead ['fɔːhed] *n* frente *f*

foreign ['fɒrən] *adj* extranjero(ra)

foreign currency *n* divisa *f*

foreigner ['fɒrənəʳ] *n* extranjero *m*, -ra *f*

foreign exchange *n* divisas *fpl*

Foreign Secretary *n* (UK) ministro *m*, -tra *f* de Asuntos Exteriores

foreman ['fɔːmən] *(pl* **-men)** *n* capataz *m*

forename ['fɔːneɪm] *n* (fml) nombre *m* de pila

foresee [fɔː'siː] *(pt* **saw,** *pp* **-seen)** *vt* prever

forest ['fɒrɪst] *n* bosque *m*

forever [fə'revəʳ] *adv* **1.** *(eternally)* para siempre **2.** *(continually)* siempre

forgave [fə'ɡeɪv] *pt* ➤ **forgive**

forge [fɔːdʒ] *vt* falsificar

forgery ['fɔːdʒərɪ] *n* falsificación *f*

forget [fə'ɡet] *(pt* **-got,** *pp* **-gotten)** ◇ *vt* olvidar ◇ *vi* olvidarse • **to forget about sthg** olvidar de algo • **to forget how to do sthg** olvidar cómo se hace algo • **to forget to do sthg** olvidarse de hacer algo • **forget it!** ¡no importa!

forgetful [fə'ɡetfʊl] *adj* olvidadizo(za)

forgive [fə'ɡɪv] *(pt* **-gave,** *pp* **-given)** *vt* perdonar

forgot [fə'ɡɒt] *pt* ➤ **forget**

forgotten [fə'ɡɒtn] *pp* ➤ **forget**

fork [fɔːk] *n* **1.** *(for eating with)* tenedor *m* **2.** *(for gardening)* horca *f* **3.** *(of road, path)* bifurcación *f*

form [fɔːm] ◇ *n* **1.** *(type, shape)* forma *f* **2.** *(piece of paper)* impreso *m* **3.** (UK) SCH clase *f* ◇ *vt* formar ◇ *vi* formarse • **off form** en baja forma • **on form** en forma • **to form part of** formar parte de

formal ['fɔːml] *adj* formal

formality [fɔː'mælətɪ] *n* formalidad *f* • **it's just a formality** es una pura formalidad

format ['fɔːmæt] *n* formato *m*

former ['fɔːmə'] ◊ *adj* **1.** *(previous)* antiguo(gua) **2.** *(first)* primero(ra) ◊ *pron* **the former** el primero(la primera)

formerly ['fɔːməlɪ] *adv* previamente, antiguamente

formula ['fɔːmjʊlə] *(pl* **-as** OR **-ae)** *n* fórmula *f*

fort [fɔːt] *n* fortaleza *f*

forthcoming [fɔːθ'kʌmɪŋ] *adj (future)* próximo(ma)

fortieth ['fɔːtɪɪθ] *num* cuadragésimo (ma)

fortnight ['fɔːtnaɪt] *n (UK)* quincena *f*

fortunate ['fɔːtʃnət] *adj* afortunado(da)

fortunately ['fɔːtʃnətlɪ] *adv* afortunadamente

fortune ['fɔːtʃuːn] *n* **1.** *(money)* fortuna *f* **2.** *(luck)* suerte *f* • **it costs a fortune** *(inf)* cuesta un riñón

forty ['fɔːtɪ] *num* cuarenta

forward ['fɔːwəd] ◊ *adv* hacia adelante ◊ *n* delantero *m*, -ra *f* ◊ *vt* reenviar • **to look forward to** esperar (con ilusión)

forwarding address ['fɔːwədɪŋ-] *n* nueva dirección *f* para reenvío del correo

forward slash *n* barra *f* inclinada *(hacia delante)*

fought [fɔːt] *pt* & *pp* ➤ **fight**

foul [faʊl] ◊ *adj (unpleasant)* asqueroso(sa) ◊ *n* falta *f*

found [faʊnd] ◊ *pt* & *pp* ➤ **find** ◊ *vt* fundar

foundation (cream) [faʊn'deɪʃn-] *n* base *f* (hidratante)

foundations [faʊn'deɪʃnz] *npl* cimientos *mpl*

fountain ['faʊntɪn] *n* fuente *f*

fountain pen *n* pluma *f*, pluma *f* fuente *(Amér)*

four [fɔː'] ◊ *num adj* cuatro ◊ *num n* cuatro *m inv* • **to be four (years old)** tener cuatro años (de edad) • **it's four (o'clock)** son las cuatro • **a hundred and four** ciento cuatro • **four Hill St** Hill St, número cuatro • **it's minus four (degrees)** hay cuatro grados bajo cero • **four out of ten** cuatro sobre diez

fourteen [ˌfɔː'tiːn] *num* catorce

fourteenth [ˌfɔː'tiːnθ] *num* decimocuarto(ta)

fourth [fɔːθ] ◊ *num adj* cuarto(ta) ◊ *pron* cuarto *m*, -ta *f* ◊ *num n (fraction)* cuarto *m* ◊ *num adv* cuarto • **a fourth (of)** la cuarta parte (de) • **the fourth (of September)** el cuarto (de septiembre)

Fourth of July

El 4 de julio, también conocido como Día de la Independencia, es la fiesta nacional de los Estados Unidos. En ella se conmemora la firma de la Declaración de Independencia en 1776. Por todo el país hay fiestas, desfiles y castillos de fuegos artificiales.

four-wheel drive *n* coche *m* con tracción a las cuatro ruedas

fowl [faul] (*pl inv*) *n* volatería *f*

fox [foks] *n* zorro *m*

foyer ['fɔɪeɪ] *n* vestíbulo *m*

fraction ['frækʃn] *n* fracción *f*

fracture ['fræktʃəʳ] ◇ *n* fractura *f* ◇ *vt* fracturar, romper

fragile ['frædʒaɪl] *adj* frágil

fragment ['frægmənt] *n* fragmento *m*

fragrance ['freɪgrəns] *n* fragancia *f*

frail [freɪl] *adj* débil

frame [freɪm] ◇ *n* 1. (*of window, photo, door*) marco *m* 2. (*of glasses*) montura *f* 3. (*of tent, bicycle, bed*) armazón *m* ◇ *vt* (*photo, picture*) enmarcar

France [fra:ns] *n* Francia *f*

frank [fræŋk] *adj* franco(ca)

frankfurter ['fræŋkfɜ:təʳ] *n* salchicha *f* de Francfort

frankly ['fræŋklɪ] *adv* francamente

frantic ['fræntɪk] *adj* frenético(ca)

fraud [frɔːd] *n* (*crime*) fraude *m*

freak [friːk] ◇ *adj* estrafalario(ria) ◇ *n* (*inf*) (*fanatic*) fanático *m*, -ca *f*

freckles ['freklz] *npl* pecas *fpl*

free [friː] ◇ *adj* 1. libre 2. (*costing nothing*) gratis *inv* ◇ *vt* (*prisoner*) liberar ◇ *adv* (*without paying*) gratis ● **for free** gratis ● **free of charge** gratis ● **to be free to do sthg** ser libre de hacer algo

freedom ['friːdəm] *n* libertad *f*

freefone ['friːfəun] *n* (*UK*) teléfono *m* gratuito

free gift *n* obsequio *m*

free house *n* (*UK*) pub no controlado por una compañía cervecera

free kick *n* tiro *m* libre

freelance ['friːlɑːns] *adj* autónomo (ma)

freely ['friːlɪ] *adv* 1. (*available*) fácilmente 2. (*speak*) francamente 3. (*move*) libremente

free period *n* hora *f* libre

freepost ['friːpəust] *n* (*UK*) franqueo *m* pagado

free-range *adj* de granja

free time *n* tiempo *m* libre

freeway ['friːweɪ] *n* (*US*) autopista *f*

freeze [friːz] (*pt* **froze**, *pp* **frozen**) ◇ *vt* congelar ◇ *vi* helarse ◇ *impers vb* helar

freezer ['friːzəʳ] *n* 1. (*deep freeze*) arcón *m* congelador 2. (*part of fridge*) congelador *m*

freezing ['friːzɪŋ] *adj* helado(da) ● **it's freezing** hace un frío cortante

freezing point *n* ● **below freezing point** bajo cero

freight [freɪt] *n* (*goods*) mercancías *fpl*

French [frentʃ] ◇ *adj* francés(esa) ◇ *n* (*language*) francés *m* ◇ *npl* ● **the French** los franceses

French bean *n* judía *f* verde

French bread *n* pan *m* de barra

French dressing *n* 1. (*in UK*) vinagreta *f* 2. (*in US*) salsa *f* rosa

French fries *npl* patatas *fpl* (*Esp*) OR papas *fpl* (*Amér*) fritas

Frenchman ['frentʃmən] (*pl* -**men**) *n* francés *m*

French windows *npl* puertaventanas *fpl*

Frenchwoman ['frentʃwʊmən] (*pl* -**women**) *n* francesa *f*

frequency ['friːkwənsɪ] *n* frecuencia *f*

frequent ['friːkwənt] *adj* frecuente

frequently ['fri:kwəntlɪ] *adv* frecuentemente

fresh [freʃ] *adj* **1.** fresco(ca) **2.** *(bread)* del día **3.** *(coffee)* recién hecho **4.** *(refreshing)* refrescante **5.** *(water)* dulce **6.** *(developments, instructions, start)* nuevo(va) **7.** *(news)* reciente ● **to get some fresh air** tomar el aire

freshen ['freʃn] ● **freshen up** *vi* refrescarse

freshly ['freʃlɪ] *adv* recién

fresh orange (juice) *n* zumo *m* de naranja

Fri *(abbr of Friday)* viernes

Friday ['fraɪdɪ] *n* viernes *m inv* ● **it's Friday** es viernes ● **Friday morning** el viernes por la mañana ● **on Fridays** el viernes ● **on Fridays** los viernes ● **last Friday** el viernes pasado ● **this Friday** este viernes ● **next Friday** el viernes de la semana que viene ● **Friday week, a week on Friday** del viernes en ocho días

fridge [frɪdʒ] *n* nevera *f*, refrigerador *m*

fried egg [fraɪd-] *n* huevo *m* frito

fried rice [fraɪd-] *n* arroz frito, mezclado a veces con huevo, carne o verduras, servido como acompañamiento de platos chinos

friend [frend] *n* amigo *m*, -ga *f* ● **to be friends with** sb ser amigo de alguien ● **to make friends with** sb hacerse amigo de alguien

friendly ['frendlɪ] *adj (kind)* amable ● **to be friendly with** sb ser amigo(ga) de alguien

friendship ['frendʃɪp] *n* amistad *f*

fries [fraɪz] = French fries

fright [fraɪt] *n* terror *m* ● **to give sb a fright** darle un susto a alguien

frighten ['fraɪtn] *vt* asustar

frightened ['fraɪtnd] *adj* asustado(da) ● **I'm frightened we won't finish me temo que no vamos a acabar** ● **to be frightened of** tener miedo a

frightening ['fraɪtnɪŋ] *adj* aterrador(ra)

frilly ['frɪlɪ] *adj* con volantes

fringe [frɪndʒ] *n* **1.** *(UK) (of hair)* flequillo *m*, cerquillo *m (Amér)* **2.** *(of clothes, curtain etc)* fleco *m*

frisk [frɪsk] *vt* cachear

fritter ['frɪtə'] *n* buñuelo *m*

fro [frəʊ] *adv* > **to**

frog [frɒg] *n* rana *f*

from [frɒm] *prep* **1.** *(expressing origin, source)* de ● **I'm from Spain** soy de España ● **I bought it from a supermarket** lo compré en un supermercado ● **the train from Manchester** el tren *(procedente)* de Manchester **2.** *(expressing removal, separation)* de ● **away from home** fuera de casa ● **the policeman took the knife (away) from the man** el policía le quitó el cuchillo al hombre ● **10% will be deducted from the total** se descontará un 10% del total **3.** *(expressing distance)* de ● **five miles from London** a cinco millas de Londres **4.** *(expressing position)* desde ● **from here you can see the valley** desde aquí se ve el valle **5.** *(expressing starting point)* desde ● **from now on** de ahora en adelante ● **open from nine to five** abierto de nueve a cinco ● **tickets are from £10** hay entradas desde 10 libras **6.** *(expressing change)* de ● **the price has gone up from**

£1 to £2 el precio ha subido de 1 a 2 libras **7.** *(expressing range)* ● **it could take from two to six months** podría tardar entre dos y seis meses **8.** *(as a result of)* de ● **I'm tired from walking** estoy cansado de haber andado tanto **9.** *(expressing protection)* de ● **sheltered from the wind** resguardado del viento **10.** *(in comparisons)* ● **different from** diferente a

fromage frals [ˌfɹɒmɑːʒ'fɹeɪ] *n* tipo de queso fresco

front [frʌnt] ◇ *adj* delantero(ra) ◇ *n* **1.** *(foremost part)* parte *f* delantera **2.** *(of building)* fachada *f* **3.** *(of weather)* frente *m* **4.** *(by the sea)* paseo *m* marítimo ● **in front** delante, adelante *(Amér)* ● **to be in front** ir ganando ● **in front of** delante de

front door *n* puerta *f* principal

frontier [frʌn'tɪəʳ] *n* frontera *f*

front page *n* portada *f*, primera plana *f*

front seat *n* asiento *m* delantero

frost [frɒst] *n* **1.** *(on ground)* escarcha *f* **2.** *(cold weather)* helada *f*

frosty ['frɒstɪ] *adj (morning, weather)* de helada

froth [frɒθ] *n* espuma *f*

frown [fraʊn] ◇ *n* ceño *m* ◇ *vi* fruncir el ceño

froze [frəʊz] *pt* ➤ **freeze**

frozen [frəʊzn] ◇ *pp* ➤ **freeze** ◇ *adj* **1.** helado(da) **2.** *(food)* congelado(da)

fruit [fruːt] *n* fruta *f* ● **a piece of fruit** una fruta ● **fruits of the forest** frutas del bosque

fruit cake *n* pastel de pasas y frutas confitadas

fruit juice *n* zumo *m (Esp)* OR jugo *m (Amér)* de fruta

fruit machine *n (UK)* máquina *f* tragaperras *(Esp)* OR tragamonedas *(Amér)*

fruit salad *n* macedonia *f (de frutas)*

frustrating [frʌ'streɪtɪŋ] *adj* frustrante

frustration [frʌ'streɪʃn] *n* frustración *f*

fry [fraɪ] *vt* freír

frying pan ['fraɪɪŋ-] *n* sartén *f*

ft *abbr* = **foot, feet**

fudge [fʌdʒ] *n* caramelo fabricado con leche, azúcar y mantequilla

fuel [fjʊəl] *n* combustible *m*

fuel pump *n* surtidor *m* de gasolina

fulfil [fʊl'fɪl] *vt (UK)* **1.** *(promise, duty, conditions)* cumplir **2.** *(need)* satisfacer **3.** *(role)* desempeñar

fulfill [fʊl'fɪl] *(US)* = **fulfil**

full [fʊl] ◇ *adj* **1.** *(filled)* lleno(na) **2.** *(complete)* completo(ta) **3.** *(maximum)* máximo(ma) **4.** *(busy)* atareado(da) **5.** *(flavour)* rico(ca) ◇ *adv* de lleno ● **I'm full (up)** estoy lleno ● **full of** lleno de ● **in full** íntegramente

full board *n (UK)* pensión *f* completa

full-cream milk *n (UK)* leche *f* entera

full-length *adj (skirt, dress)* largo(ga) *(hasta los pies)*

full moon *n* luna *f* llena

full stop *n (UK)* punto *m*

full-time ◇ *adj* de jornada completa ◇ *adv* a tiempo completo

fully ['fʊlɪ] *adv (completely)* completamente

fumble ['fʌmbl] *vi* ● **to fumble for sthg** buscar algo a tientas

fun [fʌn] *n (amusement)* diversión *f* ● **it's good fun** es muy divertido ● **for**

fun de broma • **to have fun** divertirse • **to make fun of** burlarse de

function ['fʌŋkʃn] ◇ n 1. *(role)* función f 2. *(formal event)* acto m ◇ vi funcionar

fund [fʌnd] ◇ n fondo m ◇ vt financiar ◆ **funds** npl fondos mpl

fundamental [ˌfʌndə'mentl] adj fundamental

funeral ['fju:nərəl] n funeral m

funfair ['fʌnfeə'] n parque m de atracciones

funky ['fʌŋkɪ] adj *(inf)* *(music)* funky *(inv)*

funnel ['fʌnl] n 1. *(for pouring)* embudo m 2. *(on ship)* chimenea f

funny ['fʌnɪ] adj 1. *(person)* gracioso(sa) 2. *(thing)* divertido(da) 3. *(strange)* raro(ra) • **to feel funny** *(ill)* sentirse raro

fur [fɜː'] n 1. *(on animal)* pelaje m 2. *(garment)* piel f

furious ['fjʊərɪəs] adj furioso(sa)

furnished ['fɜːnɪʃt] adj amueblado(da)

furnishings ['fɜːnɪʃɪŋz] npl mobiliario m

furniture ['fɜːnɪtʃə'] n muebles mpl • **a piece of furniture** un mueble

furry ['fɜːrɪ] adj peludo(da)

further ['fɜːðə'] ◇ compar ➤ **far** ◇ adv 1. *(in distance)* más lejos 2. *(more)* más ◇ adj *(additional)* otro(otra) • **until further notice** hasta nuevo aviso

furthermore [ˌfɜːðə'mɔː'] adv además

furthest ['fɜːðɪst] ◇ superl ➤ **far** ◇ adj *(most distant)* más lejano(na) ◇ adv *(in distance)* más lejos

fuse [fjuːz] ◇ n 1. *(of plug)* fusible m 2. *(on bomb)* mecha f ◇ vi 1. *(plug)* fundirse 2. *(electrical device)* estropearse

fuse box n caja f de fusibles

fuss [fʌs] n 1. *(agitation)* jaleo m 2. *(complaints)* quejas fpl

fussy ['fʌsɪ] adj *(person)* quisquilloso (sa)

future ['fjuːtʃə'] ◇ n futuro m ◇ adj futuro(ra) • **in future** de ahora en adelante

g G

g *(abbr of gram)* g *(gramo)*

gable ['geɪbl] n aguilón m

gadget ['gædʒɪt] n artilugio m

Gaelic ['geɪlɪk] n gaélico m

gag [gæg] n *(inf)* *(joke)* chiste m

gain [geɪn] ◇ vt 1. *(get more of)* ganar 2. *(achieve)* conseguir 3. *(subj: clock, watch)* adelantarse ◇ vi *(get benefit)* beneficiarse ◇ n 1. *(improvement)* mejora f 2. *(profit)* ganancia f

gale [geɪl] n vendaval m

gallery ['gælərɪ] n 1. *(for art etc)* galería f 2. *(at theatre)* gallinero m

gallon ['gælən] n 1. *(in UK)* = 4,546 litros, galón m 2. *(in US)* = 3,785 litros, galón m

gallop ['gæləp] vi galopar

gamble ['gæmbl] ◇ n riesgo m ◇ vi *(bet money)* apostar

gambling ['gæmblɪŋ] n juego m *(de dinero)*

game [geɪm] n 1. juego m 2. *(of football, tennis, cricket)* partido m 3. *(of chess,* *cards, snooker*) partida f **4.** *(wild animals, meat)* caza f ◆ **games** ◇ n *(UK)* SCH deportes mpl ◇ npl *(sporting event)* juegos mpl

game show n programa m concurso

gammon ['gæmən] n *(UK)* jamón m

gang [gæŋ] n **1.** *(of criminals)* banda f **2.** *(of friends)* pandilla f

gangster ['gæŋstə'] n gángster m

gaol [dʒeɪl] *(UK)* = **jail**

gap [gæp] n **1.** *(space)* hueco m **2.** *(of time)* intervalo m **3.** *(difference)* discordancia f

gap year n *(UK)* año libre que algunos estudiantes se toman antes de entrar en la universidad, frecuentemente para viajar

garage ['gærɑːʒ, 'gærɪdʒ] n **1.** *(for keeping car)* garaje m, garage m *(Amér)* **2.** *(for petrol)* gasolinera f **3.** *(for repairs)* taller m *(de reparaciones)* **4.** *(UK) (for selling cars)* concesionario m *(de automóviles)*

garbage ['gɑːbɪdʒ] n *(US) (refuse)* basura f

garbage can n *(US)* cubo m de la basura

garbage truck n *(US)* camión m de la basura

garden ['gɑːdn] ◇ n jardín m ◇ vi trabajar en el jardín ◆ **gardens** npl *(public park)* jardines mpl

garden centre n *(UK)* centro m de jardinería

gardener ['gɑːdnə'] n jardinero m, -ra f

gardening ['gɑːdnɪŋ] n jardinería f

garden peas npl guisantes mpl

garlic ['gɑːlɪk] n ajo m

garlic bread n pan untado con mantequilla y ajo y cocido al horno

garlic butter n mantequilla f con ajo

garment ['gɑːmənt] n *(fml)* prenda f *(de vestir)*

garnish ['gɑːnɪʃ] ◇ n **1.** *(herbs, vegetables)* adorno m **2.** *(sauce)* guarnición f ◇ vt adornar

gas [gæs] n **1.** gas m **2.** *(US) (petrol)* gasolina f

gas cooker n *(UK)* cocina f OR estufa f *(Col & Méx)* de gas

gas cylinder n bombona f OR tanque m de gas

gas fire n estufa f de gas

gasket ['gæskɪt] n junta f *(de culata)*

gas mask n máscara f antigás

gasoline ['gæsəliːn] n *(US)* gasolina f

gasp [gɑːsp] vi *(in shock, surprise)* ahogar un grito

gas pedal n *(US)* acelerador m

gas station n *(US)* gasolinera f

gas stove = **gas cooker**

gas tank n *(US)* depósito m OR tanque m de gasolina

gasworks ['gæswɜːks] *(pl inv)* n fábrica f de gas

gate [geɪt] n **1.** *(to garden, field)* puerta f **2.** *(at airport)* puerta f de embarque

gâteau ['gætəʊ] *(pl -x)* n *(UK)* tarta f *(con nata)*

gateway ['geɪtweɪ] n entrada f

gather ['gæðə'] ◇ vt **1.** *(collect)* recoger **2.** *(speed)* ganar **3.** *(understand)* deducir ◇ vi reunirse

gaudy ['gɔːdɪ] adj chillón(ona)

gauge [geɪdʒ] ◇ n **1.** *(for measuring)* indicador m **2.** *(of railway track)* ancho *m* de vía ◇ *vt* (*calculate*) calibrar

gauze [gɔ:z] *n* gasa *f*

gave [geɪv] *pt* > **give**

gay [geɪ] *adj* (*homosexual*) homosexual

gaze [geɪz] *vi* • **to gaze at** mirar fijamente

GB [dʒi:'bi:] (*abbr of* Great Britain) GB *f* (*Gran Bretaña*)

GCSE [dʒi:si:es'i:] *n* (*abbr of* General Certificate of Secondary Education) examen final de enseñanza media en Gran Bretaña

gear [gɪə'] *n* 1. (*wheel*) engranaje *m* 2. (*speed*) marcha *f*, velocidad *f* 3. (*equipment, clothes*) equipo *m* 4. (*belongings*) cosas *fpl* • **in gear** con una marcha metida

gearbox ['gɪəbɒks] *n* caja *f* de cambios OR velocidades

gear lever *n* (*UK*) palanca *f* de cambios

gear shift (*US*) = **gear lever**

gear stick (*UK*) = **gear lever**

geese [gi:s] *pl* > **goose**

gel [dʒel] *n* 1. (*for hair*) gomina *f*, gel *m* 2. (*for shower*) gel *m* (de ducha)

gelatine [ˌdʒelə'ti:n] *n* gelatina *f*

gem [dʒem] *n* piedra *f* preciosa

Gemini ['dʒemɪnaɪ] *n* Géminis *m inv*

gender ['dʒendə'] *n* género *m*

general ['dʒenərəl] ◇ *adj* general ◇ *n* general *m* • **in general** (*as a whole*) en general; (*usually*) generalmente

general anaesthetic *n* (*UK*) anestesia *f* general

general election *n* elecciones *fpl* generales

generally ['dʒenərəlɪ] *adv* en general

general practitioner [-præk'tɪʃənə'] *n* médico *m*, -ca *f* de cabecera

general store *n* (*US*) tienda *f* de ultramarinos

generate ['dʒenəreɪt] *vt* generar

generation [ˌdʒenə'reɪʃn] *n* generación *f*

generator ['dʒenəreɪtə'] *n* generador *m*

generosity [ˌdʒenə'rɒsətɪ] *n* generosidad *f*

generous ['dʒenərəs] *adj* generoso(sa)

genetically [dʒɪ'netɪklɪ] *adv* genéticamente • **genetically modified** transgénico(ca), modificado genéticamente

genitals ['dʒenɪtlz] *npl* genitales *mpl*

genius ['dʒi:njəs] *n* genio *m*

gentle ['dʒentl] *adj* 1. (*careful*) cuidadoso(sa) 2. (*kind*) dulce, amable 3. (*movement, breeze*) suave

gentleman ['dʒentlmən] (*pl* **-men**) *n* 1. (*man*) señor *m* 2. (*well-behaved man*) caballero *m* ▼ **gentlemen** caballeros

gently ['dʒentlɪ] *adv* (*carefully*) con cuidado

gents [dʒents] *n* (*UK*) caballeros *mpl*

genuine ['dʒenjʊɪn] *adj* 1. (*authentic*) auténtico(ca) 2. (*sincere*) sincero(ra)

geographical [dʒɪə'græfɪkl] *adj* geográfico(ca)

geography [dʒɪ'ɒgrəfɪ] *n* geografía *f*

geology [dʒɪ'ɒlədʒɪ] *n* geología *f*

geometry [dʒɪ'ɒmətrɪ] *n* geometría *f*

Georgian ['dʒɔ:dʒən] *adj* georgiano(na)

geranium [dʒɪ'reɪnjəm] *n* geranio *m*

German ['dʒɜ:mən] ◇ *adj* alemán(ana) ◇ *n* 1. (*person*) alemán *m*, -ana *f* 2. (*language*) alemán *m*

German measles *n* rubéola *f*

Germany ['dʒɜːmənɪ] *n* Alemania

germs [dʒɜːmz] *npl* microbios *mpl*

gesture ['dʒestʃəʳ] *n (movement)* gesto *m*

get [get] ((*UK*) *pt & pp* **got**, (*US*) *pt* **got**, *pp* **gotten**)

◇ *vt* 1. *(obtain)* conseguir ● I got some crisps from the shop compré unas patatas fritas en la tienda ● she got a job consiguió un trabajo ● I get a lot of enjoyment from it me gusta mucho (hacerlo) 2. *(receive)* recibir ● I got a book for Christmas me regalaron un libro por Navidades 3. *(means of transport)* coger, tomar *(Amér)* ● let's get a taxi ¡vamos a coger un taxi! 4. *(fetch)* traer ● could you get me the boss? *(in shop)* ¿puedo ver al jefe?; *(on phone)* ¿puede ponerme con el jefe? ● get me a drink tráeme algo de beber 5. *(illness)* coger, agarrar *(Amér)* ● I've got a cold tengo un catarro 6. *(cause to become, do)* ● to get sthg done mandar hacer algo ● I'll get him to call you haré que le llame ● can I get my car repaired here? ¿pueden arreglarme el coche aquí? ● to get sthg ready preparar algo 7. *(move)* ● to get sthg out sacar algo ● I can't get it through the door no puedo meterlo por la puerta 8. *(understand)* entender ● to get a joke coger un chiste 9. *(time, chance)* tener ● we didn't get the chance to see everything no tuvimos la oportunidad de verlo todo 10. *(phone)* contestar 11. *(in phrases)* ● you get a lot of rain here in winter aquí llueve mucho en invierno

◇ *vi* 1. *(become)* ponerse ● it's getting late se está haciendo tarde ● to get dark oscurecer ● to get lost perderse ● to get ready prepararse ● get lost! *(inf)* ¡vete a la porra! 2. *(into particular state, position)* meterse ● how do you get to Luton from here? ¿cómo se puede ir a Luton desde aquí? ● to get into the car meterse en el coche 3. *(arrive)* llegar ● when does the train get here? ¿a qué hora llega el tren? 4. *(in phrases)* ● to get to do sthg llegar a hacer algo

◇ *aux vb* ● to get delayed retrasarse ● to get killed resultar muerto

◆ **get back** *vi (return)* volver

◆ **get in** *vi (arrive)* llegar; *(enter)* entrar

◆ **get off** *vi (leave train, bus)* bajarse; *(depart)* salir

◆ **get on** *vi (enter train, bus)* subirse; *(in relationship)* llevarse ● how are you getting on? ¿cómo te va?

◆ **get out** *vi (of car, bus, train)* bajarse

◆ **get through** *vi (on phone)* conseguir comunicar

◆ **get up** *vi* levantarse

get-together *n (inf)* reunión *f*

ghastly ['gɑːstlɪ] *adj (inf) (very bad)* horrible

gherkin ['gɜːkɪn] *n* pepinillo *m*

ghetto blaster ['getəʊˌblɑːstəʳ] *n (inf)* radiocasete portátil de gran tamaño y potencia

ghost [gəʊst] *n* fantasma *m*

giant ['dʒaɪənt] ◇ *adj* gigantesco(ca) ◇ *n (in stories)* gigante *m*

giblets ['dʒɪblɪts] *npl* menudillos *mpl*

giddy ['gɪdɪ] *adj (dizzy)* mareado(da)

gift [gɪft] *n* 1. *(present)* regalo *m* 2.

(talent) don m

gifted ['gɪftɪd] adj **1.** *(talented)* dotado (da) **2.** *(very intelligent)* superdotado(da)

gift shop n tienda f de souvenirs

gift voucher n *(UK)* vale m *(para canjear por un regalo)*

gig [gɪg] n *(inf)* concierto m *(de música pop)*

gigabyte [gɪgəˈbaɪt] n gigabyte m

gigantic [dʒaɪˈgæntɪk] adj gigantesco (ca)

giggle ['gɪgl] vi reírse a lo tonto

gimmick ['gɪmɪk] n reclamo m

gin [dʒɪn] n ginebra f ● **gin and tonic** gin tonic m

ginger ['dʒɪndʒə'] ◇ n jengibre m ◇ adj *(colour)* rojizo(za)

ginger ale n ginger-ale m

ginger beer n refresco de jengibre con bajo contenido en alcohol

gingerbread ['dʒɪndʒəbred] n pan m de jengibre

gipsy ['dʒɪpsɪ] n gitano m, -na f

giraffe [dʒɪˈrɑːf] n jirafa f

girl [gɜːl] n **1.** *(child, daughter)* niña f **2.** *(young woman)* chica f

girlfriend ['gɜːlfrend] n **1.** *(of boy, man)* novia f **2.** *(of girl, woman)* amiga f

Girl Guide n *(UK)* exploradora f

Girl Scout *(US)* = **Girl Guide**

giro ['dʒaɪrəʊ] *(pl* -s*)* n *(UK)* *(system)* giro m

give [gɪv] *(pt* gave, *pp* given*)* vt **1.** dar **2.** *(a laugh, look)* echar **3.** *(attention)* prestar **4.** *(time)* dedicar ● **to give sb a sweet** dar un caramelo a alguien ● **to give sb a present** dar un regalo a alguien ● **to give sth a push** empujar

algo ● **to give sb a kiss** dar un beso a alguien ● **give or take** más o menos ●
give way ceda el paso ● **give away** vt sep **1.** *(get rid of)* regalar **2.** *(reveal)* revelar ●
give back vt sep devolver ● **give in** vi ceder ● **give off** vt insep despedir ● **give out** vt sep *(distribute)* repartir ● **give up** vt sep *(seat)* ceder ◇ vi **1.** *(stop smoking)* dejar de fumar **2.** *(admit defeat)* darse por vencido ● **to give up cigarettes** OR **smoking** dejar de fumar

given name ['gɪvn-] n *(US)* nombre m de pila

glacier ['glæsjə'] n glaciar m

glad [glæd] adj contento(ta) ● **to be glad to do sth** tener mucho gusto en hacer algo

gladly ['glædlɪ] adv *(willingly)* con mucho gusto

glamorous ['glæmərəs] adj atractivo (va)

glance [glɑːns] ◇ n vistazo m ◇ vi ● **to glance (at)** echar un vistazo (a)

gland [glænd] n glándula f

glandular fever ['glændjʊlə-] n *(UK)* mononucleosis f inv infecciosa

glare [gleə'] vi **1.** *(person)* lanzar una mirada asesina **2.** *(sun, light)* brillar

glass [glɑːs] ◇ n **1.** *(material)* cristal m **2.** *(container, glassful)* vaso m ◇ adj de cristal ● **glasses** npl gafas fpl

glassware ['glɑːsweə'] n cristalería f

glider ['glaɪdə'] n planeador m

glimpse [glɪmps] vt vislumbrar

glitter ['glɪtə'] vi relucir

global warming [ˌgləʊbl'wɔːmɪŋ] n calentamiento m de la atmósfera

globe [gləʊb] n *(with map)* globo m

(terráqueo) ● **the globe** (*Earth*) la Tierra

gloomy ['glu:mɪ] *adj* **1.** (*room, day*) oscuro(ra) **2.** (*person*) melancólico(ca)

glorious ['glɔːrɪəs] *adj* **1.** (*weather, sight*) espléndido(da) **2.** (*victory, history*) glorioso(sa)

glory ['glɔːrɪ] *n* gloria *f*

gloss [glɒs] *n* (*shine*) brillo *m* ● **gloss (paint)** pintura *f* de esmalte

glossary ['glɒsərɪ] *n* glosario *m*

glossy ['glɒsɪ] *adj* (*magazine, photo*) de papel satinado

glove [glʌv] *n* guante *m*

glove compartment *n* guantera *f*

glow [gləʊ] ◇ *n* fulgor *m* ◇ *vi* brillar, lucir

glucose ['glu:kəʊs] *n* glucosa *f*

glue [glu:] ◇ *n* pegamento *m* ◇ *vt* pegar

GM [dʒi:'em] *adj* (*abbr of genetically modified*) transgénico(ca) ● **GM foods/products** alimentos/productos *mpl* transgénicos

GMT [dʒi:em'ti:] *n* (*abbr of Greenwich Mean Time*) hora *f* del meridiano del Greenwich

gnat [næt] *n* mosquito *m*

gnaw [nɔː] *vt* roer

GNVQ [dʒi:envi:'kju:] *n* (*UK*) (*abbr of general national vocational qualification*) curso de formación profesional de dos años

go [gəʊ] (*pt* **went**, *pp* **gone**, *pl* **goes**) ◇ *vi* **1.** (*move, travel, attend*) ir ● **to go home** irse a casa ● **to go to Spain** ir a España ● **to go by bus** ir en autobús ● **to go to church/school** ir a misa/la escuela ● **to go for a walk** ir a dar una

vuelta ● **to go and do sthg** ir a hacer algo ● **to go shopping** ir de compras ● **where does this path go?** ¿adónde lleva este camino? **2.** (*leave*) irse; (*bus*) salir ● **it's time to go** ya es hora de irse ● **go away!** ¡largo de aquí! **3.** (*become*) ponerse ● **she went pale** se puso pálida ● **the milk has gone sour** la leche se ha cortado **4.** (*expressing intention, probability, certainty*) ● **to be going to do sthg** ir a hacer algo **5.** (*function*) funcionar ● **the car won't go** el coche no funciona **6.** (*stop working*) estropearse ● **the fuse has gone** se ha fundido el plomo **7.** (*pass*) pasar **8.** (*progress*) ir ● **to go well** ir bien ● **how's it going?** ¿qué tal te va? **9.** (*bell, alarm*) sonar **10.** (*match, be appropriate*) ● **to go with** ir bien con **11.** (*be sold*) venderse ▼ **everything must go** liquidación total **12.** (*fit*) caber **13.** (*belong*) ir **14.** (*in phrases*) ● **go on!** ¡venga! ● **to let go of sthg** soltar algo ● **to go** (*US*) (*to take away*) para llevar ● **there are three weeks to go** faltan tres semanas ◇ *n* **1.** (*turn*) turno *m* ● **it's your go** te toca a ti **2.** (*attempt*) jugada *f* ● **to have a go at sthg** probar algo ▼ **50p a go** a 50 peniques la jugada

◆ **go ahead** *vi* (*take place*) tener lugar ● **go ahead!** ¡adelante!

◆ **go back** *vi* volver

◆ **go down** *vi* (*price, standard*) bajar; (*sun*) ponerse; (*tyre*) deshincharse

◆ **go down with** *vt insep* (*inf*) pillar, pescar

◆ **go in** *vi* entrar

◆ **go off** *vi* (*alarm, bell*) sonar; (*food*)

estropearse; *(milk)* cortarse; *(stop operating)* apagarse

◆ **go on** *vi (happen)* ocurrir, pasar; *(start operating)* encenderse ● **to go on doing sthg** seguir haciendo algo

◆ **go out** *vi (leave house)* salir; *(light, fire, cigarette)* apagarse ● **to go out (with sb)** salir (con alguien) ● **to go out for a meal** cenar fuera

◆ **go over** *vt insep (check)* repasar

◆ **go round** *vi (revolve)* girar ● **there isn't enough to go round** no hay bastante para todos

◆ **go through** *vt insep (experience)* pasar (por); *(spend)* gastar; *(search)* registrar

◆ **go up** *vi (increase)* subir

◆ **go with** *vt insep (be included with)* venir con

◆ **go without** *vt insep* pasar sin

goal [gəʊl] *n* **1.** *(posts)* portería *f* **2.** *(point scored)* gol *m* **3.** *(aim)* objetivo *m*

goalkeeper ['gəʊlˌkiːpəʳ] *n* portero *m*, -ra *f*

goalpost ['gəʊlpəʊst] *n* poste *m* (de la portería)

goat [gəʊt] *n* cabra *f*

gob [gɒb] *n (UK) (inf) (mouth)* pico *m*

god [gɒd] *n* dios *m* ◆ **God** *n* Dios *m*

goddaughter ['gɒdˌdɔːtəʳ] *n* ahijada *f*

godfather ['gɒdˌfɑːðəʳ] *n* padrino *m*

godmother ['gɒdˌmʌðəʳ] *n* madrina *f*

gods [gɒdz] *npl* ● **the gods** *(UK) (inf) (in theatre)* el gallinero

godson ['gɒdsʌn] *n* ahijado *m*

goes [gəʊz] ➤ **go**

goggles ['gɒglz] *npl* **1.** *(for swimming)* gafas *fpl (Esp)* OR anteojos *mpl (Amér)* submarinas **2.** *(for skiing)* gafas *fpl (Esp)*

OR anteojos *mpl (Amér)* de esquí

going ['gəʊɪŋ] *adj (available)* disponible ● **the going rate** el precio actual

go-kart [-kɑːt] *n (UK)* kart *m*

gold [gəʊld] ◇ *n* oro *m* ◇ *adj* de oro

goldfish ['gəʊldfɪʃ] *(pl inv) n* pez *m* de colores

gold-plated [-'pleɪtɪd] *adj* chapado(da) en oro

golf [gɒlf] *n* golf *m*

golf ball *n* pelota *f* de golf

golf club *n* **1.** *(place)* club *m* de golf **2.** *(piece of equipment)* palo *m* de golf

golf course *n* campo *m* de golf

golfer ['gɒlfəʳ] *n* jugador *m*, -ra *f* de golf

gone [gɒn] ◇ *pp* ➤ **go** ◇ *prep (UK)* it's gone ten ya pasa de las diez

good [gʊd] *(compar* **better**, *superl* **best**) ◇ *adj* bueno(na) ◇ *n* el bien ● **that's very good of you** es muy amable por tu parte ● **be good!** ¡pórtate bien! ● **to have a good time** pasarlo bien ● **I'm good at maths** se me dan bien las matemáticas ● **a good ten minutes** diez minutos por lo menos ● **in good time** a tiempo de sobra ● **for good** para siempre ● **for the good of** en bien de ● **a walk will do you good** un paseo te sentará bien ● **it's no good** *(there's no point)* no vale la pena ● **good afternoon!** ¡buenas tardes! ● **good evening!** *(in the evening)* ¡buenas tardes!; *(at night)* ¡buenas noches! ● **good morning!** ¡buenos días! ● **good night!** ¡buenas noches! ◆ **goods** *npl* productos *mpl*

goodbye [ˌgʊd'baɪ] *excl* ¡adiós!

Good Friday *n* Viernes *m inv* Santo

good-looking [-'lʊkɪŋ] *adj* guapo(pa)
goose [guːs] (*pl* **geese**) *n* ganso *m*
gooseberry ['gʊzbərɪ] *n* grosella *f* espinosa
gorge [gɔːdʒ] *n* desfiladero *m*
gorgeous ['gɔːdʒəs] *adj* (*day, meal, countryside*) magnífico(ca) ● **to be gorgeous** (*inf*) (*good-looking*) estar buenísimo(ma)
gorilla [gə'rɪlə] *n* gorila *mf*
gossip ['gɒsɪp] ◇ *n* (*talk*) cotilleo *m* ◇ *vi* cotillear
gossip column *n* ecos *mpl* OR crónica *f* de sociedad
got [gɒt] *pt* & *pp* ≻ **get**
gotten ['gɒtn] *pp* (*US*) ≻ **get**
goujons ['guːdʒɒnz] *npl* fritos *mpl* (rebozados)
goulash ['guːlæʃ] *n* gulasch *m*
gourmet ['gʊəmeɪ] ◇ *n* gastrónomo *m*, -ma *f* ◇ *adj* para gastrónomos
govern ['gʌvən] *vt* gobernar
government ['gʌvnmənt] *n* gobierno *m*
gown [gaʊn] *n* (*dress*) vestido *m* (de noche)
GP [dʒiː'piː] *n* (*abbr of* general practitioner) *médico de cabecera*
grab [græb] *vt* **1.** (*grasp*) agarrar **2.** (*snatch away*) arrebatar
graceful ['greɪsfʊl] *adj* elegante
grade [greɪd] *n* **1.** (*quality*) clase *f* **2.** (*in exam*) nota *f*, calificación *f* **3.** (*US*) (*year at school*) curso *m*
grade crossing *n* (*US*) paso *m* a nivel
gradient ['greɪdjənt] *n* pendiente *f*
gradual ['grædʒʊəl] *adj* paulatino(na)
gradually ['grædʒʊəlɪ] *adv* paulatinamente

graduate ◇ *n* ['grædʒʊət] **1.** (*from university*) licenciado *m*, -da *f* **2.** (*US*) (*from high school*) ≃ bachiller *mf* ◇ *vi* ['grædʒʊeɪt] **1.** (*from university*) licenciarse **2.** (*US*) (*from high school*) ≃ obtener el título de bachiller
graduation [grædʒʊ'eɪʃn] *n* (*ceremony*) graduación *f*
graffiti [grə'fiːtɪ] *n* pintadas *fpl*, graffiti *mpl*
grain [greɪn] *n* **1.** (*seed, granule*) grano *m* **2.** (*crop*) cereales *mpl*
gram [græm] *n* gramo *m*
grammar ['græmə^r] *n* gramática *f*
grammar school *n* (*in UK*) colegio *m* de enseñanza secundaria tradicional para alumnos de 11 a 18 años, con examen de acceso
gramme [græm] = **gram**
gran [græn] *n* (*UK*) (*inf*) abuelita *f*
grand [grænd] ◇ *adj* (*impressive*) grandioso(sa) ◇ *n* (*inf*) **1.** (£1,000) mil libras *fpl* **2.** ($1,000) mil dólares *mpl*
grandchild ['græntʃaɪld] (*pl* **-children**) *n* nieto *m*, -ta *f*
granddad ['grændæd] *n* (*inf*) abuelito *m*
granddaughter ['græn,dɔːtə^r] *n* nieta *f*
grandfather ['grænd,fɑːðə^r] *n* abuelo *m*
grandma ['grænmɑː] *n* (*inf*) abuelita *f*
grandmother ['græn,mʌðə^r] *n* abucla *f*
grandpa ['grænpɑː] *n* (*inf*) abuelito *m*
grandparents ['græn,peərənts] *npl* abuelos *mpl*
grandson ['grænsʌn] *n* nieto *m*
granite ['grænɪt] *n* granito *m*
granny ['grænɪ] *n* (*inf*) abuelita *f*
grant [grɑːnt] ◇ *n* **1.** (*for study*) beca *f* **2.** POL subvención *f* ◇ *vt* (*fml*) (*give*)

conceder ● **to take sthg/sb for granted** no saber apreciar algo/a alguien por lo que vale

grape [greɪp] *n* uva *f*

grapefruit ['greɪpfruːt] *n* pomelo *m* (*Esp*), toronja *f* (*Amér*)

grapefruit juice *n* zumo *m* de pomelo, jugo *m* de toronja (*Amér*)

graph [grɑːf] *n* gráfico *m*

graph paper *n* papel *m* cuadriculado

grasp [grɑːsp] *vt* **1.** (*grip*) agarrar **2.** (*understand*) entender

grass [grɑːs] *n* **1.** (*plant*) hierba *f*, pasto *m* (*Amér*) **2.** (*lawn*) césped *m*, pasto *m* (*Amér*) ▾ **keep off the grass** prohibido pisar el césped

grasshopper ['grɑːsˌhɒpə'] *n* saltamontes *m inv*

grate [greɪt] *n* parrilla *f*

grated ['greɪtɪd] *adj* rallado(da)

grateful ['greɪtfʊl] *adj* agradecido(da)

grater ['greɪtə'] *n* rallador *m*

gratitude ['grætɪtjuːd] *n* agradecimiento *m*

gratuity [grə'tjuːɪtɪ] *n* (*fml*) propina *f*

grave[1] [greɪv] ◇ *adj* (*mistake, news, concern*) grave ◇ *n* tumba *f*

grave[2] [grɑːv] *adj* (*accent*) grave

gravel ['grævl] *n* gravilla *f*

graveyard ['greɪvjɑːd] *n* cementerio *m*

gravity ['grævətɪ] *n* gravedad *f*

gravy ['greɪvɪ] *n* salsa *f* de carne

gray [greɪ] (*US*) = **grey**

graze [greɪz] *vt* (*injure*) rasguñar

grease [griːs] *n* grasa *f*

greaseproof paper ['griːspruːf-] *n* papel *m* de cera

greasy ['griːsɪ] *adj* **1.** (*tools, clothes, food*) grasiento(ta) **2.** (*skin, hair*) graso(sa)

great [greɪt] *adj* **1.** grande **2.** (*very good*) estupendo(da) ● **great success** gran éxito ● **(that's) great!** ¡genial! ● **to have a great time** pasarlo genial

Great Britain *n* Gran Bretaña

great-grandfather *n* bisabuelo *m*

great-grandmother *n* bisabuela *f*

greatly ['greɪtlɪ] *adv* enormemente

Greece [griːs] *n* Grecia

greed [griːd] *n* **1.** (*for food*) glotonería *f* **2.** (*for money*) codicia *f*

greedy ['griːdɪ] *adj* **1.** (*for food*) glotón(ona) **2.** (*for money*) codicioso(sa)

Greek [griːk] ◇ *adj* griego(ga) ◇ *n* **1.** (*person*) griego *m*, -ga *f* **2.** (*language*) griego *m*

green [griːn] ◇ *adj* **1.** verde **2.** (*inf*) (*inexperienced*) novato(ta) ◇ *n* **1.** (*colour*) verde *m* **2.** (*in village*) pequeña zona de hierba accesible a todo el mundo **3.** (*on golf course*) green *m* ◆ **greens** *npl* (*vegetables*) verduras *fpl*

green beans *npl* judías *fpl* verdes

green card *n* **1.** (*UK*) (*for car*) seguro de automóvil para viajar al extranjero **2.** (*US*) (*work permit*) permiso *m* de residencia y trabajo (*para EEUU*)

green card

El *Green Card* es el permiso de trabajo emitido por las autoridades estadounidenses. Cualquier persona que quiera trabajar legalmente en los Estados Unidos necesita uno. El proceso para conseguirlo es largo y complicado. A pesar de su nombre, el permiso ya no es de color verde.

green channel n pasillo en la aduana para la gente sin artículos que declarar

greengage ['gri:ngeɪdʒ] n ciruela f claudia

greengrocer's ['gri:n,grəʊsəz] n (UK) (shop) verdulería f

greenhouse ['gri:nhaʊs] n invernadero m

greenhouse effect n efecto m invernadero

green light n luz f verde

green pepper n pimiento m verde

Greens [gri:nz] npl ● the Greens los Verdes

green salad n ensalada f verde

greet [gri:t] vt (say hello to) saludar

greeting ['gri:tɪŋ] n saludo m

grenade [grə'neɪd] n granada f

grew [gru:] pt > grow

grey [greɪ] ◇ adj 1. (in colour) gris 2. (weather) nublado(da) ◇ n gris m ● he's going grey le están saliendo canas

greyhound ['greɪhaʊnd] n galgo m

grid [grɪd] n 1. (grating) reja f 2. (on map etc) cuadrícula f

grief [gri:f] n pena f, aflicción f ● to come to grief (plan) ir al traste

grieve [gri:v] vi ● to grieve for llorar por

grill [grɪl] ◇ n 1. (on cooker) grill m 2. (for open fire, part of restaurant) parrilla f 3. (beefburger) hamburguesa f ◇ vt asar a la parrilla

grille [grɪl] n AUT rejilla f

grilled [grɪld] adj asado(da) a la parrilla

grim [grɪm] adj 1. (expression) adusto(ta) 2. (news, reality) deprimente

grimace ['grɪməs] n mueca f

grimy ['graɪmɪ] adj mugriento(ta)

grin [grɪn] ◇ n sonrisa f (amplia) ◇ vi sonreír (ampliamente)

grind [graɪnd] (pt & pp **ground**) vt (pepper, coffee) moler

grip [grɪp] ◇ vt (hold) agarrar ◇ n 1. (of tyres) adherencia f 2. (handle) asidero m ● to have a grip on sthg agarrar algo

gristle ['grɪsl] n cartílago m

groan [grəʊn] ◇ n gemido m ◇ vi 1. (in pain) gemir 2. (complain) quejarse

groceries ['grəʊsərɪz] npl comestibles mpl

grocer's ['grəʊsəz] n (UK) (shop) tienda f de comestibles

grocery ['grəʊsərɪ] n (shop) tienda f de comestibles

groin [grɔɪn] n ingle f

groove [gru:v] n ranura f

grope [grəʊp] vi ● to grope around for sthg buscar algo a tientas

gross [grəʊs] adj (weight, income) bruto(ta)

grossly ['grəʊslɪ] adv (extremely) enormemente

grotty ['grɒtɪ] adj (UK) (inf) cochambroso(sa)

ground [graʊnd] ◇ pt & pp > **grind** ◇ n 1. (surface of earth) suelo m 2. (soil) tierra f 3. SPORT campo m ◇ adj (coffee) molido(da) ◇ vt ● to be grounded (plane) tener que permanecer en tierra; (US) (child) no poder salir por estar castigado; (US) (electrical connection) estar conectado a tierra • **below ground** bajo tierra ♦ **grounds** *npl* **1.** *(of building)* jardines *mpl* **2.** *(of coffee)* poso *m* **3.** *(reason)* razones *fpl*

ground floor *n* (UK) planta *f* baja

groundsheet ['graʊndʃiːt] *n* (UK) lona *f* impermeable *(para tienda de campaña)*

group [gruːp] *n* grupo *m*

grouse [graʊs] *(pl inv)* *n* urogallo *m*

grovel ['grɒvl] *vi (be humble)* humillarse

grow [grəʊ] *(pt* **grew***, pp* **grown***)* ◇ *vi* **1.** crecer **2.** *(become)* volverse ◇ *vt* **1.** *(plant, crop)* cultivar **2.** *(beard)* dejarse crecer ♦ **grow up** *vi* hacerse mayor

growl [graʊl] *vi (dog)* gruñir

grown [grəʊn] *pp* > **grow**

grown-up ◇ *adj* adulto(ta) ◇ *n* persona *f* mayor

growth [grəʊθ] *n* **1.** *(increase)* aumento *m* **2.** *MED* bulto *m*

grub [grʌb] *n (inf) (food)* papeo *m*

grubby ['grʌbɪ] *adj* mugriento(ta)

grudge [grʌdʒ] ◇ *n* rencor *m* ◇ *vt* • **she grudges him his success** siente rencor por su éxito

grueling ['gruːəlɪŋ] *(US)* = **gruelling**

gruelling ['gruːəlɪŋ] *adj* (UK) agotador(ra)

gruesome ['gruːsəm] *adj* horripilante

grumble ['grʌmbl] *vi* refunfuñar

grumpy ['grʌmpɪ] *adj (inf)* cascarrabias *(inv)*

grunt [grʌnt] *vi* gruñir

guarantee [ˌgærən'tiː] ◇ *n* garantía *f* ◇ *vt* garantizar

guard [gɑːd] ◇ *n* **1.** *(of prisoner etc)* guardia *mf* **2.** *(UK) (on train)* jefe *m* de tren **3.** *(protective cover)* protector *m* ◇ *vt*

(watch over) guardar • **to be on one's guard** estar en guardia

Guatemala [ˌgwɑːtə'mɑːlə] *n* Guatemala

Guatemalan [ˌgwɑːtə'mɑːlən] ◇ *adj* guatemalteco(ca) ◇ *n* guatemalteco *m*, -ca *f*

guess [ges] ◇ *n* suposición *f* ◇ *vt* adivinar ◇ *vi* suponer • **I guess (so)** me imagino (que sí)

guest [gest] *n* **1.** *(in home)* invitado *m*, -da *f* **2.** *(in hotel)* huésped *mf*

guesthouse ['gesthaʊs] *n* casa *f* de huéspedes

guestroom ['gestrʊm] *n* cuarto *m* de los huéspedes

guidance ['gaɪdəns] *n* orientación *f*

guide [gaɪd] ◇ *n* **1.** *(for tourists)* guía *mf* **2.** *(guidebook)* guía *f* ◇ *vt* guiar ♦ **Guide** *n* (UK) exploradora *f*

guidebook ['gaɪdbʊk] *n* guía *f*

guide dog *n* (UK) perro *m* de lazarillo

guided tour ['gaɪdɪd-] *n* visita *f* guiada

guidelines ['gaɪdlaɪnz] *npl* directrices *fpl*

guilt [gɪlt] *n* **1.** *(feeling)* culpa *f* **2.** *LAW* culpabilidad *f*

guilty ['gɪltɪ] *adj* culpable

guinea pig ['gɪnɪ-] *n* conejillo *m* de Indias

guitar [gɪ'tɑː] *n* guitarra *f*

guitarist [gɪ'tɑːrɪst] *n* guitarrista *mf*

gulf [gʌlf] *n (of sea)* golfo *m* ♦ **Gulf War** *n* • **the Gulf War** la Guerra del Golfo

gull [gʌl] *n* gaviota *f*

gullible ['gʌləbl] *adj* ingenuo(nua)

gulp [gʌlp] *n* trago *m*

gum [gʌm] n **1.** *(chewing gum, bubble gum)* chicle m **2.** *(adhesive)* pegamento m ◆
gums npl *(in mouth)* encías fpl

gun [gʌn] n **1.** *(pistol)* pistola f **2.** *(rifle)* escopeta f **3.** *(cannon)* cañón m

gunfire ['gʌnfaɪə'] n disparos mpl

gunshot ['gʌnʃɒt] n tiro m

gust [gʌst] n ráfaga f

gut [gʌt] n *(inf) (stomach)* buche m, barriga f ◆ **guts** npl *(inf)* **1.** *(intestines)* tripas fpl **2.** *(courage)* agallas fpl

gutter ['gʌtə'] n **1.** *(beside road)* cuneta f **2.** *(of house)* canalón m *(Esp)*, canaleta f

guy [gaɪ] n *(inf) (man)* tío m *(Esp)*, tipo m ◆ **guys** npl *(inf) (people)* tíos mpl *(Esp)*, gente f

Guy Fawkes Night [-'fɔːks-] n *(UK)* el 5 de noviembre

Guy Fawkes Night

El 5 de noviembre, los británicos conmemoran el fracaso del intento de volar el parlamento por parte de Guy Fawkes, en 1605, que habría acabado con la vida del rey. En pueblos y ciudades se queman grandes hogueras, a la cuales se arrojan muñecos que representan a Guy Fawkes.

guy rope n cuerda f *(de tienda de campaña)*

gym [dʒɪm] n **1.** *(place)* gimnasio m **2.** *(school lesson)* gimnasia f

gymnast ['dʒɪmnæst] n gimnasta mf

gymnastics [dʒɪm'næstɪks] n gimnasia f

gym shoes npl zapatillas fpl de gimnasia

gynecologist [ˌgaɪnə'kɒlədʒɪst] *(US)* = **gynaecologist**

gynaecologist [ˌgaɪnə'kɒlədʒɪst] n *(UK)* ginecólogo m, -ga f

gypsy ['dʒɪpsɪ] = **gipsy**

*h*H

H *(abbr of hot)* C. *(en grifo)* *(abbr of hospital)* H.

habit ['hæbɪt] n costumbre f

hacksaw ['hæksɔː] n sierra f para metales

had [hæd] pt & pp ➤ **have**

haddock ['hædək] *(pl inv)* n eglefino m

hadn't ['hædnt] = **had not**

haggis ['hægɪs] n plato típico escocés hecho con las asaduras del cordero, harina de avena y especias

haggle ['hægl] vi regatear

hail [heɪl] ◇ n granizo m ◇ impers vb • it's hailing está granizando

hailstone ['heɪlstəʊn] n granizo m

hair [heə'] n **1.** pelo m **2.** *(on skin)* vello m • to have one's hair cut cortarse el pelo • to wash one's hair lavarse el pelo

hairband ['heəbænd] n turbante m *(banda elástica)*

hairbrush ['heəbrʌʃ] n cepillo m *(del pelo)*

hairclip ['heəklıp] *n* prendedor *m* (del pelo)

haircut ['heəkʌt] *n* (style) corte *m* (de pelo) ● **to have a haircut** cortarse el pelo

hairdo ['heəduː] *n* (*pl* **-s**) peinado *m*

hairdresser ['heə,dresə'] *n* peluquero *m*, -ra *f* ● **hairdresser's** (salon) peluquería *f* ● **to go to the hairdresser's** ir a la peluquería

hairdryer ['heə,draɪə'] *n* secador *m* (del pelo)

hair gel *n* gomina *f*

hairgrip ['heəgrɪp] *n* (UK) horquilla *f*

hairpin bend ['heəpɪn-] *n* (UK) curva *f* muy cerrada

hair remover [-rɪ,muːvə'] *n* depilatorio *m*

hair slide *n* (UK) prendedor *m*

hairspray ['heəspreɪ] *n* laca *f* (para el pelo)

hairstyle ['heəstaɪl] *n* peinado *m*

hairy ['heərɪ] *adj* peludo(da)

half [(UK) hɑːf, (US) hæf] (*pl* **halves**) ◇ *n* **1.** (50%) mitad *f* **2.** (of match) tiempo *m* **3.** (UK) (half pint) media pinta *f* **4.** (child's ticket) billete *m* medio ◇ *adj* medio(dia) ◇ *adv* ● **half cooked** a medio cocinar ● **half full** medio lleno ● **I'm half Scottish** soy medio escocés ● **four and a half** cuatro y medio ● **half past seven** las siete y media ● **half as big as** la mitad de grande que ● **an hour and a half** una hora y media ● **half an hour** media hora ● **half a dozen** media docena ● **half price** a mitad de precio

half board *n* (UK) media pensión *f*

half-day *n* media jornada *f*

half fare *n* medio billete *m* (Esp), medio boleto *m* (Amér)

half portion *n* media ración *f*

half-price *adj* a mitad de precio

half term *n* (UK) semana de vacaciones escolares a mitad de cada trimestre

half time *n* descanso *m*

halfway [hɑːf'weɪ] *adv* ● **halfway between** a mitad de camino entre ● **halfway through the film** a mitad de la película

halibut ['hælɪbət] (*pl inv*) *n* halibut *m*

hall [hɔːl] *n* **1.** (of house) vestíbulo *m* **2.** (large room) sala *f* **3.** (building) pabellón *m* **4.** (country house) mansión *f*

hallmark ['hɔːlmɑːk] *n* (on silver, gold) contraste *m*

hallo [hə'ləʊ] (UK) = **hello**

hall of residence *n* (UK) colegio *m* mayor (Esp), residencia *f* universitaria

Halloween [,hæləʊ'iːn] *n* el 31 de octubre

Halloween

Halloween se celebra el 31 de octubre. Las fiestas de *Halloween*, a las que hay que ir disfrazado, son muy populares. También es tradicional que grupos de niños pequeños, disfrazados de brujas y fantasmas, vayan de puerta en puerta pidiendo dinero o caramelos.

halt [hɔːlt] ◇ *vi* detenerse ◇ *n* ● **to come to a halt** detenerse

halve [(UK) hɑːv, (US) hæv] *vt* **1.** (reduce

by half) reducir a la mitad **2.** *(divide in two)* partir por la mitad

halves [(UK) hɑːvz, (US) hævz] *pl* ➤ **half**

ham [hæm] *n* jamón *m*

hamburger ['hæmbɜːgə'] *n* **1.** *(beefburger)* hamburguesa *f* **2.** *(US) (mince)* carne *f* picada *(Esp)* OR molida

hamlet ['hæmlɪt] *n* aldea *f*

hammer ['hæmə'] ◇ *n* martillo *m* ◇ *vt (nail)* clavar

hammock ['hæmək] *n* hamaca *f*

hamper ['hæmpə'] *n* cesta *f*

hamster ['hæmstə'] *n* hámster *m*

hamstring ['hæmstrɪŋ] *n* tendón *m* de la corva

hand [hænd] *n* **1.** mano *f* **2.** *(of clock, watch, dial)* aguja *f* ● **to give sb a hand** echar una mano a alguien ● **to get out of hand** hacerse incontrolable ● **by hand** a mano ● **in hand** *(time)* de sobra ● **on the one hand** por una parte ● **on the other hand** por otra parte ● **hand in** *vt sep* entregar ◆ **hand out** *vt sep* repartir ◆ **hand over** *vt sep (give)* entregar

handbag ['hændbæg] *n* bolso *m (Esp)*, cartera *f*

handbasin ['hændbeisn] *n (UK)* lavabo *m*

handbook ['hændbʊk] *n* manual *m*

handbrake ['hændbreik] *n (UK)* freno *m* de mano

hand cream *n (UK)* crema *f* de manos

handcuffs ['hændkʌfs] *npl* esposas *fpl*

handful ['hændfʊl] *n (amount)* puñado *m*

handheld PC [hænd'held-] *n* ordenador *m* de bolsillo

handicap ['hændɪkæp] *n* **1.** *(physical, mental)* incapacidad *f* **2.** *(disadvantage)* desventaja *f*

handicapped ['hændɪkæpt] ◇ *adj* disminuido(da) ◇ *npl* ● **the handicapped** los minusválidos

handkerchief ['hæŋkətʃɪf] *(pl* **-chiefs** OR **-chieves)** *n* pañuelo *m*

handle ['hændl] ◇ *n* **1.** *(round)* pomo *m* **2.** *(long)* manilla *f* **3.** *(of knife, pan)* mango *m* **4.** *(of suitcase)* asa *f* ◇ *vt* **1.** *(touch)* tocar **2.** *(deal with)* encargarse de ● **handle with care** frágil

handlebars ['hændlbɑːz] *npl* manillar *m*, manubrio *m (Amér)*

hand luggage *n* equipaje *m* de mano

handmade [ˌhænd'meid] *adj* hecho (cha) a mano

handout ['hændaʊt] *n (leaflet)* hoja *f* informativa

handrail ['hændreil] *n* barandilla *f*

handset ['hændset] *n* auricular *m (de teléfono)* ▼ **please replace the handset** *mensaje que avisa que el teléfono está descolgado*

handshake ['hændʃeik] *n* apretón *m* de manos

handsome ['hænsəm] *adj (man)* guapo

handstand ['hændstænd] *n* pino *m*

handwriting ['hænd,raitɪŋ] *n* letra *f*

handy ['hændɪ] *adj* **1.** *(useful)* práctico(-ça) **2.** *(good with one's hands)* mañoso(sa) **3.** *(near)* a mano ● **to come in handy** *(inf)* venir de maravilla

hang [hæŋ] *(pt & pp* **hung** OR **hanged)** ◇ *vt* **1.** *(on hook, wall etc)* colgar **2.** *(pt & pp* **hanged)** *(execute)* ahorcar ◇ *vi (be suspended)* colgar ◇ *n* ● **to get the hang**

of sthg *(inf)* coger el tranquilo a algo
◆ **hang about** *vi (UK) (inf)* pasar el rato
◆ **hang around** *(inf)* = **hang about** ◆
hang down *vi* caer, estar colgado ◆
hang on *vi (inf) (wait)* esperar ◆ **hang
out** *vt sep* tender ◇ *vi (inf) (spend time)*
pasar el rato ◆ **hang up** *vi (on phone)*
colgar

hanger ['hæŋə'] *n* percha *f (Esp)*,
gancho *m (Amér)*

hang gliding [-'glaɪdɪŋ] *n* vuelo *m* con
ala delta

hangover ['hæŋ,əʊvə'] *n* resaca *f*

hankie ['hæŋkɪ] *n (inf)* pañuelo *m*

happen ['hæpən] *vi* pasar ● **I happened
to be alone** dio la casualidad de que
estaba solo

happily ['hæpɪlɪ] *adv (luckily)* afortunadamente

happiness ['hæpɪnɪs] *n* felicidad *f*

happy ['hæpɪ] *adj* feliz ● **to be happy
about sthg** *(satisfied)* estar contento(ta)
con algo ● **to be happy to do sthg**
estar muy dispuesto(ta) a hacer algo ●
to be happy with sthg estar contento
con algo ● **Happy Birthday!** ¡Feliz
Cumpleaños! ● **Happy Christmas!**
¡Feliz Navidad! ● **Happy New Year!**
¡Feliz Año Nuevo!

happy hour *n (inf) tiempo en que las
bebidas se venden a precio reducido en
un bar*

harassment ['hærəsmənt] *n* acoso *m*

harbor ['hɑːrbər] *(US)* = **harbour**

harbour ['hɑːbə'] *n (UK)* puerto *m*

hard [hɑːd] *adj* **1.** duro(ra) **2.** *(difficult,
strenuous)* difícil **3.** *(blow, push, frost)*
fuerte ◇ *adv* **1.** *(try, work, rain)* mucho

2. *(listen)* atentamente **3.** *(hit)* con
fuerza

hardback ['hɑːdbæk] *n* edición *f* en
pasta dura

hardboard ['hɑːdbɔːd] *n* aglomerado *m*

hard-boiled egg [-bɔɪld-] *n* huevo *m*
duro

hardcover ['hɑːrd,kʌvər] *n (US)* edición
f en pasta dura

hard disk *n* disco *m* duro

hardly ['hɑːdlɪ] *adv* apenas ● **hardly
ever** casi nunca

hardship ['hɑːdʃɪp] *n* **1.** *(difficult conditions)* privaciones *fpl* **2.** *(difficult circumstance)* dificultad *f*

hard shoulder *n (UK)* arcén *m*

hard up *adj (inf)* sin un duro

hardware ['hɑːdweə'] *n* **1.** *(tools, equipment)* artículos *mpl* de ferretería **2.**
COMPUT hardware *m*

hardwearing [,hɑːd'weərɪŋ] *adj (UK)*
resistente

hardworking [,hɑːd'wɜːkɪŋ] *adj* trabaja-
dor(ra)

hare [heə'] *n* liebre *f*

harm [hɑːm] ◇ *n* daño *m* ◇ *vt* **1.** *(person)*
hacer daño a **2.** *(object)* dañar **3.**
(chances, reputation) perjudicar

harmful ['hɑːmfʊl] *adj* perjudicial

harmless ['hɑːmlɪs] *adj* inofensivo(va)

harmonica [hɑː'mɒnɪkə] *n* armónica
f

harmony ['hɑːmənɪ] *n* armonía *f*

harness ['hɑːnɪs] *n* **1.** *(for horse)* arreos
mpl **2.** *(for child)* andadores *mpl*

harp [hɑːp] *n* arpa *f*

harsh [hɑːʃ] *adj* **1.** *(conditions, winter)*
duro(ra) **2.** *(cruel)* severo(ra) **3.** *(weath-*

he

er, *climate)* inclemente **4.** *(sound, voice)* áspero(ra)

harvest ['hɑːvɪst] *n* cosecha *f*

has [weak form həz, strong form hæz]
➤ **have**

hash browns [hæʃ-] *npl* patatas cortadas en trozos y fritas en forma de bola

hasn't ['hæznt] = **has not**

hassle ['hæsl] *n* **1.** *(inf) (problems)* jaleo *m* **2.** *(annoyance)* fastidio *m*

hastily ['heɪstɪlɪ] *adv (rashly)* a la ligera

hasty ['heɪstɪ] *adj* **1.** *(hurried)* precipitado(da) **2.** *(rash)* irreflexivo(va)

hat [hæt] *n* sombrero *m*

hatch [hætʃ] ◇ *n (for serving food)* ventanilla *f* ◇ *vi (egg)* romperse

hatchback ['hætʃˌbæk] *n* coche *m* con puerta trasera

hatchet ['hætʃɪt] *n* hacha *f*

hate [heɪt] ◇ *n* odio *m* ◇ *vt* odiar ● **to hate doing sthg** odiar hacer algo

hatred ['heɪtrɪd] *n* odio *m*

haul [hɔːl] ◇ *vt* arrastrar ◇ *n* ● **a long haul** un buen trecho

haunted ['hɔːntɪd] *adj (house)* encantado(da)

have [hæv] *(pt & pp* **had)**
◇ *aux vb* **1.** *(to form perfect tenses)* haber ● **I have finished** he terminado ● **have you been there? - No, I haven't** ¿has estado allí? - No ● **we had already left** ya nos habíamos ido **2.** *(must)* ● **to have (got) to do sthg** tener que hacer algo ● **do you have to pay?** ¿hay que pagar?

◇ *vt* **1.** *(possess)* ● **to have (got)** tener ● **do you have** OR **have you got a double room?** ¿tiene una habitación doble? ●

she has (got) brown hair tiene el pelo castaño **2.** *(experience)* tener ● **to have a cold** tener catarro ● **to have a good time** pasarlo bien **3.** *(replacing other verbs)* ● **to have breakfast** desayunar ● **to have dinner** cenar ● **to have lunch** comer ● **to have a drink** tomar algo ● **to have a shower** ducharse ● **to have a swim** ir a nadar ● **to have a walk** dar un paseo **4.** *(feel)* tener ● **I have no doubt about it** no tengo ninguna duda **5.** *(invite)* ● **to have sb round for dinner** invitar a alguien a cenar **6.** *(cause to be)* ● **to have sthg done** hacer que se haga algo ● **to have one's hair cut** cortarse el pelo **7.** *(be treated in a certain way)* ● **I've had my wallet stolen** me han robado la cartera

havoc ['hævək] *n* estragos *mpl*

hawk [hɔːk] *n* halcón *m*

hawker ['hɔːkə] *n* vendedor *m*, -ra *f* ambulante

hay [heɪ] *n* heno *m*

hay fever *n* alergia *f* primaveral

haystack ['heɪˌstæk] *n* almiar *m*

hazard ['hæzəd] *n* riesgo *m*

hazardous ['hæzədəs] *adj* arriesgado(da)

hazard warning lights *npl (UK)* luces *fpl* de emergencia

haze [heɪz] *n* neblina *f*

hazel ['heɪzl] *adj* avellanado

hazelnut ['heɪzlˌnʌt] *n* avellana *f*

hazy ['heɪzɪ] *adj (misty)* neblinoso(sa)

he [hiː] *pron* él ● **he's tall** (él) es alto

head [hed] ◇ *n* **1.** cabeza *f* **2.** *(of queue, page, letter)* principio *m* **3.** *(of table, bed)* cabecera *f* **4.** *(of company, department,* *school)* director *m*, -ra *f* **5.** *(of beer)* espuma ◇ *vt* estar a la cabeza de ◇ *vi* dirigirse hacia ● £10 a head diez libras por persona ● heads or tails? ¿cara o cruz? ◆ **head for** *vt insep (place)* dirigirse a

headache ['hedeɪk] *n (pain)* dolor *m* de cabeza ● I have a headache me duele la cabeza

head band *n (US)* turbante *m (banda elástica)*

heading ['hedɪŋ] *n* encabezamiento *m*

headlamp ['hedlæmp] *(UK)* = **headlight**

headlight ['hedlaɪt] *n* faro *m*

headline ['hedlaɪn] *n* titular *m*

headmaster [,hed'mɑːstə*] *n (UK)* director *m* (de colegio)

headmistress [,hed'mɪstrɪs] *n (UK)* directora *f* (de colegio)

head of state *n* jefe *m*, -fa *f* de estado

headphones ['hedfəʊnz] *npl* auriculares *mpl*

headquarters [,hed'kwɔːtəz] *npl* sede *f* central

headrest ['hedrest] *n* apoyacabezas *m inv*

headroom ['hedrʊm] *n (under bridge)* altura *f* libre

headscarf ['hedskɑːf] *(pl* **-scarves)** *n* pañoleta *f*

head start *n* ventaja *f (desde el comienzo)*

head teacher *n* director *m*, -ra *f* (de colegio)

head waiter *n* jefe *m* (de camareros)

heal [hiːl] ◇ *vt* curar ◇ *vi* cicatrizar

health [helθ] *n* salud *f* ● to be in good

health tener buena salud ● to be in poor health tener mala salud ● your (very) good health! ¡a tu salud!

health center *(US)* = **health centre**

health centre *n (UK)* centro *m* de salud

health food *n* alimentos *mpl* naturales

health food shop *n* tienda *f* de alimentos naturales

health insurance *n* seguro *m* médico

healthy ['helθɪ] *adj* **1.** *(person, skin)* sano(na) **2.** *(good for one's health)* saludable

heap [hiːp] *n* montón *m* ● heaps of *(inf)* montones de

hear [hɪə*] *(pt & pp* **heard)** ◇ *vt* **1.** oír **2.** LAW ver ◇ *vi* oír ● to hear about sthg enterarse de algo ● to hear from sb tener noticias de alguien ● to hear of o heard of haber oído hablar de

hearing ['hɪərɪŋ] *n* **1.** *(sense)* oído *m* **2.** *(at court)* vista *f* ● to be hard of hearing ser duro de oído

hearing aid *n* audífono *m*

heart [hɑːt] *n* corazón *m* ● to know sthg (off) by heart saberse algo de memoria ● to lose heart desanimarse ◆ **hearts** *npl (in cards)* corazones *mpl*

heart attack *n* infarto *m*

heartbeat ['hɑːtbiːt] *n* latido *m*

heartburn ['hɑːtbɜːn] *n* ardor *m* de estómago

heart condition *n* ● to have a heart condition padecer del corazón

hearth [hɑːθ] *n* chimenea *f*

hearty ['hɑːtɪ] *adj (meal)* abundante

heat [hiːt] *n* **1.** calor *m* **2.** *(specific temperature)* temperatura *f* ◆ **heat up** *vt sep* calentar

heater ['hi:tə'] *n* calentador *m*

heath [hi:θ] *n* brezal *m*

heather ['heðə'] *n* brezo *m*

heating ['hi:tɪŋ] *n* calefacción *f*

heat wave *n* ola *f* de calor

heave [hi:v] *vt* **1.** (*push*) empujar **2.** (*pull*) tirar de

Heaven ['hevn] *n* el cielo

heavily ['hevɪlɪ] *adv* mucho

heavy ['hevɪ] *adj* **1.** (*in weight*) pesado (da) **2.** (*rain, fighting, traffic*) intenso(sa) **3.** (*losses, defeat*) grave **4.** (*food*) indigesto(ta) ● **how heavy is it?** ¿cuánto pesa? ● **to be a heavy smoker** fumar mucho

heavy cream *n* (*US*) nata *f* para montar (*Esp*), crema *f* doble (*Amér*)

heavy goods vehicle *n* (*UK*) vehículo *m* pesado

heavy industry *n* industria *f* pesada

heavy metal *n* heavy metal *m*

heckle ['hekl] *vt* reventar

hectic ['hektɪk] *adj* ajetreado(da)

hedge [hedʒ] *n* seto *m*

hedgehog ['hedʒhɒg] *n* erizo *m*

heel [hi:l] *n* **1.** (*of person*) talón *m* **2.** (*of shoe*) tacón *m*, taco *m* (*CSur*)

hefty ['heftɪ] *adj* **1.** (*person*) fornido(da) **2.** (*fine*) considerable

height [haɪt] *n* **1.** altura *f* **2.** (*of person*) estatura *f* **3.** (*peak period*) punto *m* álgido ● **what height is it?** ¿cuánto mide?

heir [eə'] *n* heredero *m*

heiress ['eərɪs] *n* heredera *f*

held [held] *pt & pp* ➤ **hold**

helicopter ['helɪkɒptə'] *n* helicóptero *m*

Hell [hel] *n* el infierno

he'll [hi:l] = **he will**

hello [hə'ləʊ] *excl* **1.** (*as greeting*) ¡hola! **2.** (*when answering phone*) ¡diga!, ¡bueno! (*Amér*) **3.** (*when phoning, to attract attention*) ¡oiga!

helmet ['helmɪt] *n* casco *m*

help [help] ◇ *n* ayuda *f* ◇ *vt* & *vi* ayudar ◇ *excl* ¡socorro! ● **I can't help it** no puedo evitarlo ● **let me help you (to) carry that** déjame que te ayude a llevar eso ● **help yourself (to some more)** sírvete (más) ● **can I help you?** (*in shop*) ¿en qué puedo servirle? ◆ **help out** *vi* echar una mano

help desk *n* mostrador *m* de ayuda

helper ['helpə'] *n* **1.** (*assistant*) ayudante *mf* **2.** (*US*) (*cleaner*) mujer *f* de la limpieza

helpful ['helpfʊl] *adj* **1.** (*person*) atento (ta), servicial **2.** (*useful*) útil

helping ['helpɪŋ] *n* ración *f*

helpless ['helplɪs] *adj* (*person*) indefenso(sa)

hem [hem] *n* dobladillo *m*

hemophiliac [ˌhi:mə'fɪliæk] *n* hemofílico *m*

hemorrhage ['hemərɪdʒ] *n* hemorragia *f*

hen [hen] *n* (*chicken*) gallina *f*

hepatitis [ˌhepə'taɪtɪs] *n* hepatitis *f inv*

her [hɜː'] ◇ *adj* su, sus *pl* ◇ *pron* **1.** (*know her*) la conozco ● **it's her** es ella ● **send it to her** envíaselo ● **tell her to come** dile que venga ● **he's worse than her** él es peor que ella

herb [hɜːb] *n* hierba *f*

herbal tea ['hɜːbl-] *n* infusión *f*

herd [hɜːd] *n* **1.** (*of sheep*) rebaño *m* **2.**

(of cattle) manada *f*

here [hɪə'] *adv* aquí ● **here's your book** aquí tienes tu libro ● **here you are** aquí tienes

heritage ['herɪtɪdʒ] *n* patrimonio *m*

hernia ['hɜ:njə] *n* hernia *f*

hero ['hɪərəʊ] *(pl* **-es)** *n* héroe *m*

heroin ['herəʊɪn] *n* heroína *f*

heroine ['herəʊɪn] *n* heroína *f*

heron ['herən] *n* garza *f* real

herring ['herɪŋ] *n* arenque *m*

hers [hɜ:z] *pron* suyo *m*, -ya *f*, suyos *mpl*, -yas *fpl* ● **a friend of hers** un amigo suyo

herself [hɜ:'self] *pron* **1.** *(reflexive)* se **2.** *(after prep)* sí misma ● **she did it herself** lo hizo ella sola

hesitant ['hezɪtənt] *adj* indeciso(sa)

hesitate ['hezɪteɪt] *vi* vacilar

hesitation [ˌhezɪ'teɪʃn] *n* vacilación *f*

heterosexual [ˌhetərəʊ'sekʃʊəl] ◇ *adj* heterosexual ◇ *n* heterosexual *mf*

hey [eɪtʃdʒɪːv'iː] *excl (inf)* ¡eh!, ¡oye!

HGV *abbr (UK)* **= heavy goods vehicle**

hi [haɪ] *excl (inf)* ¡hola!

hiccup ['hɪkʌp] *n* ● **to have (the) hiccups** tener hipo

hide [haɪd] *(pt* hid, *pp* hidden) ◇ *vt* **1.** esconder **2.** *(truth, feelings)* ocultar ◇ *vi* esconderse ◇ *n (of animal)* piel *f*

hideous ['hɪdɪəs] *adj* horrible

hi-fi ['haɪfaɪ] *n* equipo *m* de alta fidelidad

high [haɪ] ◇ *adj* **1.** alto(ta) **2.** *(winds)* fuerte **3.** *(good)* bueno(na) **4.** *(position, rank)* elevado(da) **5.** *(inf) (from drugs)* flipado(da) *(Esp)*, drogado(da) ◇ *n (weather front)* zona *f* de altas presiones ◇ *adv* alto ● **how high is it?** ¿cuánto mide? ● **it's 10 metres high** mide 10 metros de alto

high chair *n* silla *f* alta

high-class *adj* de categoría

Higher ['haɪə'] *n* examen al final de la enseñanza secundaria en Escocia

higher education *n* enseñanza *f* superior

high heels *npl* tacones *mpl* altos

high jump *n* salto *m* de altura

Highland Games ['haɪlənd-] *npl* festival típico de Escocia

Highlands ['haɪləndz] *npl* ● **the Highlands** las tierras altas del norte de Escocia

highlight ['haɪlaɪt] ◇ *n (best part)* mejor parte ◇ *vt (emphasize)* destacar ● **highlights** *npl* **1.** *(of football match etc)* momentos *mpl* más interesantes **2.** *(in hair)* mechas *fpl*, reflejos *mpl*

highly ['haɪlɪ] *adv* **1.** *(extremely)* enormemente **2.** *(very well)* muy bien

high-pitched [-'pɪtʃt] *adj* agudo(da)

high-rise building *n* rascacielos *m inv*

high school *n* ≃ instituto *m* de bachillerato

high season *n* temporada *f* alta

high-speed train *n* tren *m* de alta velocidad

high street *n (UK)* calle *f* mayor *(Esp)* OR principal

high tide *n* marea *f* alta

highway ['haɪweɪ] *n* **1.** *(US) (between towns)* autopista *f* **2.** *(UK) (any main road)* carretera *f*

Highway Code *n* (*UK*) código *m* de la circulación

hijack ['haɪdʒæk] *vt* secuestrar

hijacker ['haɪdʒækə'] *n* secuestrador *m*, -ra *f*

hike [haɪk] ◇ *n* caminata *f* ◇ *vi* ir de excursión

hiking ['haɪkɪŋ] *n* ● **to go hiking** ir de excursión

hilarious [hɪ'leərɪəs] *adj* desternillante

hill [hɪl] *n* colina *f*

hillwalking ['hɪlwɔːkɪŋ] *n* senderismo *m*

hilly ['hɪlɪ] *adj* montañoso(sa)

him [hɪm] *pron* ● **I know him** le conozco, lo conozco ● **it's him** es él ● **send it to him** envíaselo ● **tell him to come** dile que venga ● **she's worse than him** ella es peor que él

himself [hɪm'self] *pron* **1.** (*reflexive*) se **2.** (*after prep*) sí mismo ● **he did it himself** lo hizo él solo

hinder ['hɪndə'] *vt* estorbar

Hindu ['hɪnduː] (*pl* **-s**) ◇ *adj* hindú ◇ *n* (*person*) hindú *mf*

hinge [hɪndʒ] *n* bisagra *f*

hint [hɪnt] ◇ *n* **1.** (*indirect suggestion*) indirecta *f* **2.** (*piece of advice*) consejo *m* **3.** (*slight amount*) asomo *m* ◇ *vi* ● **to hint at sthg** insinuar algo

hip [hɪp] *n* cadera *f*

hippopotamus [,hɪpə'pɒtəməs] *n* hipopótamo *m*

hippy ['hɪpɪ] *n* hippy *mf*

hire ['haɪə'] *vt* alquilar ● **for hire** (*taxi*) libre ▼ **boats for hire** se alquilan barcos ● **hire out** *vt sep* alquilar

hire car *n* (*UK*) coche *m* de alquiler

hire purchase *n* (*UK*) compra *f* a plazos

his [hɪz] ◇ *adj* su, sus *pl* ◇ *pron* suyo *m*, -ya *f*, suyos *mpl*, -yas *fpl* ● **a friend of his** un amigo suyo

historical [hɪ'stɒrɪkəl] *adj* histórico(ca)

history ['hɪstərɪ] *n* **1.** historia *f* **2.** (*record*) historial *m*

hit [hɪt] (*pt & pp inv*) ◇ *vt* **1.** (*strike on purpose*) pegar **2.** (*collide with*) chocar contra **3.** (*bang*) golpearse **4.** (*a target*) alcanzar ◇ *n* **1.** (*record, play, film*) éxito *m* **2.** COMPUT visita *f*, hit *m*

hit-and-run *adj* (*accident*) en que el conductor se da a la fuga

hitch [hɪtʃ] ◇ *n* obstáculo *m* ◇ *vi* hacer autoestop ◇ *vt* ● **to hitch a lift** conseguir que le lleven a uno en coche

hitchhike ['hɪtʃhaɪk] *vi* hacer autoestop

hitchhiker ['hɪtʃhaɪkə'] *n* autoestopista *mf*

hive [haɪv] *n* (*of bees*) colmena *f*

HIV-positive [eɪtʃaɪviː-] *adj* seropositivo(va)

hoarding ['hɔːdɪŋ] *n* (*UK*) (*for adverts*) valla *f* publicitaria

hoarse [hɔːs] *adj* ronco(ca)

hoax [həʊks] *n* engaño *m*

hob [hɒb] *n* (*UK*) encimera *f*

hobby ['hɒbɪ] *n* hobby *m*

hockey ['hɒkɪ] *n* **1.** (*on grass*) hockey *m* (*sobre hierba*) **2.** (*US*) (*ice hockey*) hockey *m* sobre hielo

hoe [həʊ] *n* azada *f*

Hogmanay ['hɒgməneɪ] *n* (*Scot*) Nochevieja *f*

Hogmanay

En Escocia la Nochevieja se llama *Hogmanay*. Lo tradicional ese día es visitar a los amigos y vecinos justo después de la medianoche, para desearles un feliz año. Hoy en día también se organizan grandes fiestas para dar la bienvenida al Año Nuevo.

hold [həʊld] (pt & pp **held**) ◇ vt **1.** (in hand, arms etc) tener cogido OR agarrado (Amér) **2.** (keep in position) sujetar **3.** (organize) celebrar **4.** (contain) contener **5.** (number of people) tener cabida para **6.** (possess) poseer ◇ vi **1.** (weather, luck) mantenerse **2.** (offer) seguir en pie **3.** (on telephone) esperar ◇ n (of ship, aircraft) bodega f ● **to have a hold on sthg** agarrar algo ● **to hold sb prisoner** tener a alguien como prisionero ● **hold the line, please** no cuelgue, por favor ● **to put sb on hold** poner a alguien en espera ◆ **hold back** vt sep **1.** (restrain) contener **2.** (keep secret) ocultar ◆ **hold on** vi **1.** (wait) esperar **2.** (on telephone) no colgar ● **to hold on to sthg** (grip) agarrarse a algo ◆ **hold out** vt sep (extend) extender ◆ **hold up** vt sep (delay) retrasar

holdall ['həʊldɔːl] n (UK) bolsa f de viaje

holder ['həʊldə'] n **1.** (of passport, licence) titular mf **2.** (container) soporte m

holdup ['həʊldʌp] n (delay) retraso m

hole [həʊl] n **1.** agujero m **2.** (in ground, in golf) hoyo m

holiday ['hɒlɪdeɪ] ◇ n **1.** (UK) (period of time) vacaciones fpl **2.** (day off) fiesta f, día m festivo ◇ vi (UK) veranear, ir de vacaciones ● **to be on holiday** estar de vacaciones ● **to go on holiday** ir de vacaciones

holidays

Al contrario de lo que ocurre en el mundo hispanohablante, los días de los santos patronos no son festivos en el Reino Unido. En los Estados Unidos, además de los festivos nacionales, en los que se conmemoran fechas históricas o a personajes célebres, cada estado tiene sus propios días festivos.

holidaymaker ['hɒlɪdɪˌmeɪkə'] n (UK) turista mf

holiday pay n (UK) sueldo m de vacaciones

Holland ['hɒlənd] n Holanda

hollow ['hɒləʊ] adj hueco(ca)

holly ['hɒlɪ] n acebo m

holy ['həʊlɪ] adj (sacred) sagrado(da), santo(ta)

home [həʊm] ◇ n **1.** (house) casa f **2.** (own country) tierra f **3.** (one's family) hogar m **4.** (for old people) residencia f de ancianos ◇ adv **1.** (to one's house) a casa **2.** (in one's house) en casa ◇ adj **1.** (not foreign) nacional **2.** (cooking) casero(ra) ● **at home** en casa ● **make yourself at home** estás como en casa ● **to go home** ir a casa ● **home address** domicilio m particular ● **home num-**

ber número *m* particular

home help *n* (*UK*) asistente que ayuda en las tareas domésticas a enfermos y ancianos

homeless ['həʊmlɪs] *npl* ● **the homeless** los sin hogar

homemade [,həʊm'meɪd] *adj* casero(ra)

homeopathic [,həʊmɪəʊ'pæθɪk] *adj* homeopático(ca)

Home Secretary *n* (*UK*) Ministro *m* del Interior

homesick ['həʊmsɪk] *adj* ● **to be homesick** tener morriña

homework ['həʊmwɜːk] *n* deberes *mpl*

homosexual [,həmə'sekʃʊəl] ◇ *adj* homosexual ◇ *n* homosexual *mf*

Honduran [hɒn'djʊərən] ◇ *adj* hondureño(ña) ◇ *n* hondureño *m*, -ña *f*

Honduras [hɒn'djʊərəs] *n* Honduras

honest ['ɒnɪst] *adj* **1.** (*trustworthy*) honrado(da) **2.** (*frank*) sincero(ra)

honestly ['ɒnɪstlɪ] *adv* **1.** (*truthfully*) honradamente **2.** (*frankly*) sinceramente

honey ['hʌnɪ] *n* miel *f*

honeymoon ['hʌnɪmuːn] *n* luna *f* de miel

honor ['ɒnər] (*US*) = **honour**

honour ['ɒnə] *n* (*UK*) honor *m*

honourable ['ɒnrəbl] *adj* honorable

hood [hʊd] *n* **1.** (*of jacket, coat*) capucha *f* **2.** (*on convertible car*) capota *f* **3.** (*US*) (*car bonnet*) capó *m*, cofre *m* (*Méx*)

hoof [huːf] *n* **1.** (*of horse*) casco *m* **2.** (*of cow, goat*) pezuña *f*

hook [hʊk] *n* **1.** (*for picture, coat*) gancho *m* **2.** (*for fishing*) anzuelo *m* ● **off the hook** (*telephone*) descolgado

hooligan ['huːlɪgən] *n* gamberro *m*, -rra *f*

hoop [huːp] *n* aro *m*

hoot [huːt] *vi* (*driver*) sonar

Hoover ® ['huːvər] *n* (*UK*) aspiradora *f*

hop [hɒp] *vi* saltar a la pata coja

hope [həʊp] ◇ *n* esperanza *f* ◇ *vi* esperar que ● **to hope for sthg** esperar algo ● **to hope to do sthg** esperar hacer algo ● **I hope so** espero que sí

hopeful ['həʊpfʊl] *adj* (*optimistic*) optimista

hopefully ['həʊpfʊlɪ] *adv* (*with luck*) con suerte

hopeless ['həʊplɪs] *adj* **1.** (*inf*) (*useless*) inútil **2.** (*without any hope*) desesperado(da)

horizon [hə'raɪzn] *n* horizonte *m*

horizontal [,hɒrɪ'zɒntl] *adj* horizontal

horn [hɔːn] *n* **1.** (*of car*) claxon *m* **2.** (*on animal*) cuerno *m*

horoscope ['hɒrəskəʊp] *n* horóscopo *m*

horrible ['hɒrəbl] *adj* horrible

horrid ['hɒrɪd] *adj* **1.** (*person*) antipático(ca) **2.** (*place*) horroroso(sa)

horrific [hɒ'rɪfɪk] *adj* horrendo(da)

hors d'oeuvres [ɔː'dɜːvr] *npl* entremeses *mpl*

horse [hɔːs] *n* caballo *m*

horseback ['hɔːsbæk] *n* ● **on horseback** a caballo

horse chestnut *n* castaña *f* de Indias

horsepower ['hɔːs,paʊər] *n* caballos *mpl* de vapor

horse racing *n* carreras *fpl* de caballos

horseradish (sauce) ['hɔːs,rædɪʃ-] *n* salsa picante de rábano silvestre, que se suele servir con rosbif

horse riding n (UK) equitación f

horseshoe ['hɔːʃuː] n herradura f

hose [həʊz] n manguera f

hose(pipe) ['həʊzpaɪp] n manguera f

hosiery ['həʊzɪərɪ] n medias fpl y calcetines

hospitable [hɒ'spɪtəbl] adj hospitalario(ria)

hospital ['hɒspɪtl] n hospital m ● **in hospital** en el hospital

hospitality [,hɒspɪ'tælətɪ] n hospitalidad f

host [həʊst] n 1. (of party, event) anfitrión m, -ona f 2. (of show, TV programme) presentador m, -ra f

hostage ['hɒstɪdʒ] n rehén m

hostel ['hɒstl] n (youth hostel) albergue m

hostess ['həʊstes] n 1. (on plane) azafata f, aeromoza f (Amér) 2. (of party, event) anfitriona f

host family n familia f de acogida

hostile [(UK) 'hɒstaɪl, (US) 'hɒstl] adj hostil

hostility [hɒ'stɪlətɪ] n hostilidad f

hot [hɒt] adj 1. caliente 2. (spicy) picante ● **to be hot** (person) tener calor ● **it's hot** (weather) hace calor

hot chocolate n chocolate m (bebida)

hot-cross bun n bollo con pasas y dibujo en forma de cruz que se come en Semana Santa

hot dog n perrito m caliente

hotel [həʊ'tel] n hotel m

hot line n teléfono m rojo

hotplate ['hɒtpleɪt] n calentador m

hot-water bottle n bolsa f de agua caliente

hour ['aʊə] n hora f ● **I've been waiting for hours** llevo horas esperando

hourly ['aʊəlɪ] ◇ adj por hora ◇ adv 1. (pay, charge) por hora 2. (depart) cada hora

house ◇ n [haʊs] 1. casa f 2. SCH división de los alumnos de una escuela para actividades extra-académicas ◇ vt [haʊz] (person) alojar

household ['haʊshəʊld] n hogar m

housekeeping ['haʊs,kiːpɪŋ] n quehaceres mpl domésticos

House of Commons n Cámara f de los Comunes

House of Lords n Cámara f de los Lores

Houses of Parliament npl (UK) Parlamento m británico

Houses of Parliament

El Parlamento británico se reúne en el Palacio de Westminster. Contiene dos cámaras: la de los Comunes y la de los Lores. La primera está formada por diputados elegidos democráticamente. La de los Lores está formada por miembros nombrados por el gobierno, y por representantes de la aristocracia británica.

housewife ['haʊswaɪf] (pl -wives) n ama f de casa

house wine n vino m de la casa

housework ['haʊswɜːk] n quehaceres mpl domésticos

housing ['haʊzɪŋ] n (houses) vivienda f

housing estate n (UK) *urbanización de viviendas de protección oficial*

housing project (US) = **housing estate**

hovercraft ['hɒvəkrɑːft] n *aerodeslizador* m

hoverport ['hɒvəpɔːt] n *terminal* f *de aerodeslizador*

how [haʊ] adv **1.** *(asking about way or manner)* cómo ● **how does it work?** ¿cómo funciona? ● **tell me how to do it** dime cómo se hace **2.** *(asking about health, quality, event)* cómo ● **how are you?** ¿cómo estás? ● **how are you doing?** ¿qué tal estás? ● **how are things?** ¿cómo van las cosas? ● **how do you do?** *(greeting)* ¿cómo está usted?; *(answer)* mucho gusto ● **how is your room?** ¿qué tal es tu habitación? **3.** *(asking about degree, amount)* ● **how far?** ¿a qué distancia? ● **how long?** ¿cuánto tiempo? ● **how many?** ¿cuántos? ● **how much?** ¿cuánto? ● **how much is it?** ¿cuánto es? **4.** *(in phrases)* ● **how about a drink?** ¿qué tal si tomamos algo? ● **how lovely!** ¡qué precioso!

however [haʊ'evəʳ] adv *(nevertheless)* sin embargo ● **however hard I try** por mucho que lo intente ● **however easy it may be** por muy fácil que sea

howl [haʊl] vi **1.** *(dog)* aullar **2.** *(person)* gritar **3.** *(wind)* bramar

HP [eɪtʃ'piː] abbr **(UK)** = **hire purchase** = **horsepower**

HQ [eɪtʃ'kjuː] abbr = **headquarters**

hubcap ['hʌbkæp] n *tapacubos* m inv

hug [hʌg] ◇ vt abrazar ◇ n ● **to give sb**

a hug abrazar a alguien

huge [hjuːdʒ] adj enorme

hum [hʌm] vi **1.** *(bee, machine)* zumbar **2.** *(person)* canturrear

human ['hjuːmən] ◇ adj humano(na) ◇ n ● **human (being)** ser m humano

humanities [hjuː'mænətiz] npl humanidades fpl

human rights npl *derechos* mpl *humanos*

humble ['hʌmbl] adj humilde

humid ['hjuːmɪd] adj húmedo(da)

humidity [hjuː'mɪdətɪ] n humedad f

humiliating [hjuː'mɪlɪeɪtɪŋ] adj humillante

humiliation [hjuː,mɪlɪ'eɪʃn] n humillación f

hummus ['hʊməs] n *puré de garbanzos, ajo y pasta de sésamo*

humor ['hjuːmər] (US) = **humour**

humorous ['hjuːmərəs] adj humorístico(ca)

humour ['hjuːməʳ] n (UK) humor m ● **a sense of humour** un sentido del humor

hump [hʌmp] n **1.** *(bump)* montículo m **2.** *(of camel)* joroba f

hunch [hʌntʃ] n presentimiento m

hundred ['hʌndrəd] num cien ● **a hundred** cien ● **a hundred and ten** ciento diez

hundredth ['hʌndrətθ] num centésimo(ma)

hung [hʌŋ] pt & pp ➤ **hang**

Hungarian [hʌŋ'geərɪən] ◇ adj húngaro(ra) ◇ n **1.** *(person)* húngaro m, -ra f **2.** *(language)* húngaro m

Hungary ['hʌŋgərɪ] n Hungría

hunger ['hʌŋgəʳ] n hambre f

hungry ['hʌŋgrɪ] *adj* hambriento(ta) ● **to be hungry** tener hambre

hunt [hʌnt] ◇ *n* (UK) (for foxes) caza *f* (del zorro) ◇ *vt* (animals) cazar ◇ *vi* (for animals) cazar ● **to hunt (for sthg)** (search) buscar (algo)

hunting ['hʌntɪŋ] *n* **1.** (for animals) caza *f* **2.** (UK) (for foxes) caza del zorro

hurl [hɜːl] *vt* arrojar

hurricane ['hʌrɪkən] *n* huracán *m*

hurry ['hʌrɪ] ◇ *vt* (person) meter prisa a ◇ *vi* apresurarse ◇ *n* ● **to be in a hurry** tener prisa ● **to do sthg in a hurry** hacer algo de prisa ◆ **hurry up** *vi* darse prisa

hurt [hɜːt] (*pt & pp inv*) ◇ *vt* **1.** hacerse daño en, lastimarse (*Amér*) **2.** (*emotionally*) herir ◇ *vi* doler ● **my arm hurts** me duele el brazo ● **to hurt o.s.** hacerse daño

husband ['hʌzbənd] *n* marido *m*

hustle ['hʌsl] *n* ● **hustle and bustle** bullicio *m*

hut [hʌt] *n* cabaña *f*

hyacinth ['haɪəsɪnθ] *n* jacinto *m*

hydrofoil ['haɪdrəfɔɪl] *n* hidrofoil *m*

hygiene ['haɪdʒiːn] *n* higiene *f*

hygienic [haɪ'dʒiːnɪk] *adj* higiénico(ca)

hymn [hɪm] *n* himno *m*

hyperlink ['haɪpəlɪŋk] *n* hiperenlace *m*, hipervínculo *m*

hypermarket ['haɪpə,mɑːkɪt] *n* hipermercado *m*

hyphen ['haɪfn] *n* guión *m*

hypocrite ['hɪpəkrɪt] *n* hipócrita *mf*

hypodermic needle [,haɪpə'dɜːmɪk-] *n* aguja *f* hipodérmica

hysterical [hɪs'terɪkl] *adj* **1.** histérico (ca) **2.** (*inf*) (*very funny*) tronchante

i I

I [aɪ] *pron* yo ● **I'm a doctor** soy médico

ice [aɪs] *n* **1.** hielo *m* **2.** (*ice cream*) helado *m*

iceberg ['aɪsbɜːg] *n* iceberg *m*

iceberg lettuce *n* lechuga *f* iceberg

ice-cold *adj* helado(da)

ice cream *n* helado *m*

ice cube *n* cubito *m* de hielo

ice hockey *n* hockey *m* sobre hielo

Iceland ['aɪslənd] *n* Islandia

ice lolly *n* (UK) polo *m* (*Esp*), paleta *f* helada

ice rink *n* pista *f* de hielo

ice skates *npl* patines *mpl* de cuchilla

ice-skating *n* patinaje *m* sobre hielo ● **to go ice-skating** ir a patinar

icicle ['aɪsɪkl] *n* carámbano *m*

icing ['aɪsɪŋ] *n* glaseado *m*

icing sugar *n* (UK) azúcar *m* glas

icy ['aɪsɪ] *adj* helado(da)

I'd [aɪd] = I would, I had

ID [aɪ'diː] *n* (*abbr of* identification) documentos *mpl* de identificación

ID card *n* carné *m* de identidad

idea [aɪ'dɪə] *n* idea *f* ● **I've no idea** no tengo ni idea

ideal [aɪ'dɪəl] ◇ *adj* ideal ◇ *n* ideal *m*

ideally [aɪ'dɪəlɪ] *adv* **1.** idealmente **2.** (*suited*) perfectamente

identical [aɪ'dentɪkl] *adj* idéntico(ca)

identification [aɪ,dentɪfɪ'keɪʃn] *n* identificación *f*

identify [aɪˈdentɪfaɪ] *vt* identificar

identity [aɪˈdentɪtɪ] *n* identidad *f*

idiom [ˈɪdɪəm] *n (phrase)* locución *f*

idiot [ˈɪdɪət] *n* idiota *mf*

idle [ˈaɪdl] ◇ *adj* **1.** *(lazy)* perezoso(sa) **2.** *(not working)* parado(da) ◇ *vi (engine)* estar en punto muerto

idol [ˈaɪdl] *n (person)* ídolo *m*

idyllic [ɪˈdɪlɪk] *adj* idílico(ca)

i.e. [aɪˈiː] *(abbr of id est)* i.e. *(id est)*

if [ɪf] *conj* si ● **if I were you** yo que tú ● **if not** *(otherwise)* si no

ignition [ɪgˈnɪʃn] *n* AUT ignición *f*

ignorant [ˈɪgnərənt] *adj (pej)* ignorante ● **to be ignorant of** desconocer

ignore [ɪgˈnɔːʳ] *vt* ignorar

ill [ɪl] *adj* **1.** enfermo(ma) **2.** *(bad)* malo(la)

I'll [aɪl] = **I will, I shall**

illegal [ɪˈliːgl] *adj* ilegal

illegible [ɪˈledʒəbl] *adj* ilegible

illegitimate [ˌɪlɪˈdʒɪtɪmət] *adj* ilegítimo(ma)

illiterate [ɪˈlɪtərət] *adj* analfabeto(ta)

illness [ˈɪlnɪs] *n* enfermedad *f*

illuminate [ɪˈluːmɪneɪt] *vt* iluminar

illusion [ɪˈluːʒn] *n* **1.** *(false idea)* ilusión *f* **2.** *(visual)* ilusión óptica

illustration [ˌɪləˈstreɪʃn] *n* ilustración *f*

I'm [aɪm] = **I am**

image [ˈɪmɪdʒ] *n* imagen *f*

imaginary [ɪˈmædʒɪnrɪ] *adj* imaginario(ria)

imagination [ɪˌmædʒɪˈneɪʃn] *n* imaginación *f*

imagine [ɪˈmædʒɪn] *vt* **1.** imaginar **2.** *(suppose)* imaginarse que

imitate [ˈɪmɪteɪt] *vt* imitar

imitation [ˌɪmɪˈteɪʃn] ◇ *n* imitación *f* ◇ *adj* de imitación

immaculate [ɪˈmækjʊlət] *adj* **1.** *(very clean)* inmaculado(da) **2.** *(perfect)* impecable

immature [ˌɪməˈtjʊəʳ] *adj* inmaduro(ra)

immediate [ɪˈmiːdjət] *adj (without delay)* inmediato(ta)

immediately [ɪˈmiːdjətlɪ] ◇ *adv (at once)* inmediatamente ◇ *conj (UK)* en cuanto

immense [ɪˈmens] *adj* inmenso(sa)

immersion heater [ɪˈmɜːʃn-] *n* calentador *m* de inmersión

immigrant [ˈɪmɪgrənt] *n* inmigrante *mf*

immigration [ˌɪmɪˈgreɪʃn] *n* inmigración *f*

imminent [ˈɪmɪnənt] *adj* inminente

immune [ɪˈmjuːn] *adj* ● **to be immune to** MED ser inmune a

immunity [ɪˈmjuːnətɪ] *n* MED inmunidad *f*

immunize [ˈɪmjuːnaɪz] *vt* inmunizar

impact [ˈɪmpækt] *n* impacto *m*

impair [ɪmˈpeəʳ] *vt* **1.** *(sight)* dañar **2.** *(ability)* mermar **3.** *(movement)* entorpecer

impatient [ɪmˈpeɪʃnt] *adj* impaciente ● **to be impatient to do sthg** estar impaciente por hacer algo

imperative [ɪmˈperətɪv] *n* imperativo *m*

imperfect [ɪmˈpɜːfɪkt] *n* imperfecto *m*

impersonate [ɪmˈpɜːsəneɪt] *vt (for amusement)* imitar

impertinent [ɪmˈpɜːtɪnənt] *adj* impertinente

implement ◇ *n* [ˈɪmplɪmənt] herramienta *f* ◇ *vt* [ˈɪmplɪment] llevar a cabo

implication [ˌɪmplɪˈkeɪʃn] *n (conse-*

quence) consecuencia f

imply [ɪm'plaɪ] *vt* (*suggest*) insinuar

impolite [ˌɪmpə'laɪt] *adj* maleducado (da)

import ◇ *n* ['ɪmpɔːt] importación f ◇ *vt* [ɪm'pɔːt] importar

importance [ɪm'pɔːtns] *n* importancia f

important [ɪm'pɔːtnt] *adj* importante

impose [ɪm'pəʊz] ◇ *vt* imponer ◇ *vi* abusar • **to impose sthg on** imponer algo a

impossible [ɪm'pɒsəbl] *adj* **1.** imposible **2.** (*person, behaviour*) inaguantable

impractical [ɪm'præktɪkl] *adj* poco práctico(ca)

impress [ɪm'pres] *vt* impresionar

impression [ɪm'preʃn] *n* impresión f

impressive [ɪm'presɪv] *adj* impresionante

improbable [ɪm'prɒbəbl] *adj* improbable

improper [ɪm'prɒpə] *adj* **1.** (*incorrect, illegal*) indebido(da) **2.** (*rude*) indecoroso(sa)

improve [ɪm'pruːv] *vt & vi* mejorar ◆ **improve on** *vt insep* mejorar

improvement [ɪm'pruːvmənt] *n* **1.** mejora f **2.** (*to home*) reforma f

improvise ['ɪmprəvaɪz] *vi* improvisar

impulse ['ɪmpʌls] *n* impulso m • **on impulse** sin pensárselo dos veces

impulsive [ɪm'pʌlsɪv] *adj* impulsivo(va)

in [ɪn]

◇ *prep* **1.** (*expressing location, position*) en • **it comes in a box** viene en una caja • **in the bedroom** en la habitación • **in Scotland** en Escocia • **in the sun** al sol • **in here/there** aquí/allí dentro •

in the middle en el medio • **I'm not in the photo** no estoy en la foto **2.** (*participating in*) en • **who's in the play?** ¿quién actúa? **3.** (*expressing arrangement*) • **in a row** en fila • **they come in packs of three** vienen en paquetes de tres **4.** (*with time*) en • **in April** en abril • **in the afternoon** por la tarde • **in the morning** por la mañana • **at ten o'clock in the morning** a las diez de la mañana • **in 1994** en 1994 • **it'll be ready in an hour** estará listo en una hora • **they're arriving in two weeks** llegarán dentro de dos semanas **5.** (*expressing means*) en • **in writing** por escrito • **they were talking in English** estaban hablando en inglés • **write in ink** escribe a bolígrafo **6.** (*wearing*) de • **the man in the suit** el hombre del traje **7.** (*expressing condition*) en • **in good health** bien de salud • **to be in pain** tener dolor • **in ruins** en ruinas • **a rise in prices** una subida de precios • **to be 50 metres in length** medir 50 metros de largo • **she's in her twenties** tiene unos veintitantos años **8.** (*with numbers*) • **one in ten** uno de cada diez **9.** (*with colours*) • **it comes in green or blue** viene en verde o en azul **10.** (*with superlatives*) de • **the best in the world** el mejor del mundo

◇ *adv* **1.** (*inside*) dentro • **you can go in now** puedes entrar ahora **2.** (*at home, work*) • **she's not in** no está • **to stay in** quedarse en casa **3.** (*train, bus, plane*) • **the train's not in yet** el tren todavía no ha llegado **4.** (*tide*) • **the tide is in** la marea está alta

◇ *adj (inf) (fashionable)* de moda

inability [ˌməˈbɪlətɪ] *n* ● **inability (to do sthg)** incapacidad *f* (de hacer algo)

inaccessible [ˌɪnəkˈsesəbl] *adj* inaccesible

inaccurate [ɪnˈækjʊrət] *adj* incorrecto (ta)

inadequate [ɪnˈædɪkwət] *adj (insufficient)* insuficiente

inappropriate [ˌɪnəˈprəʊprɪət] *adj* impropio(pia)

inauguration [ɪˌnɔːɡjʊˈreɪʃn] *n* **1.** *(of leader)* investidura *f* **2.** *(of building)* inauguración *f*

inbox [ˈɪnbɒks] *n* COMPUT buzón *m* de entrada

Inc. [ɪŋk] *(abbr of Incorporated)* ≃ S.A. (*Sociedad Anónima*)

incapable [ɪnˈkeɪpəbl] *adj* ● **to be incapable of doing sthg** ser incapaz de hacer algo

incense [ˈɪnsens] *n* incienso *m*

incentive [ɪnˈsentɪv] *n* incentivo *m*

inch [ɪntʃ] *n* = 2,5 cm pulgada *f*

incident [ˈɪnsɪdənt] *n* incidente *m*

incidentally [ˌɪnsɪˈdentəlɪ] *adv* por cierto

incline [ˈɪnklaɪn] *n* pendiente *f*

inclined [ɪnˈklaɪnd] *adj (sloping)* inclinado(da) ● **to be inclined to do sthg** tener tendencia a hacer algo

include [ɪnˈkluːd] *vt* incluir

included [ɪnˈkluːdɪd] *adj* incluido(da) ● **to be included in sthg** estar incluido en algo

including [ɪnˈkluːdɪŋ] *prep* inclusive

inclusive [ɪnˈkluːsɪv] *adj* ● **from the 8th to the 16th inclusive** del ocho al dieciseis inclusive ● **inclusive of VAT** incluido IVA

income [ˈɪnkʌm] *n* ingresos *mpl*

income support *n (UK) subsidio para personas con muy bajos ingresos o desempleados sin derecho a subsidio de paro*

income tax *n* impuesto *m* sobre la renta

incoming [ˈɪnˌkʌmɪŋ] *adj (train, plane)* que efectúa su llegada ▼ **incoming calls** only *cartel que indica que sólo se pueden recibir llamadas en un teléfono*

incompetent [ɪnˈkɒmpɪtənt] *adj* incompetente

incomplete [ˌɪnkəmˈpliːt] *adj* incompleto(ta)

inconsiderate [ˌɪnkənˈsɪdərət] *adj* desconsiderado(da)

inconsistent [ˌɪnkənˈsɪstənt] *adj* inconsecuente

incontinent [ɪnˈkɒntɪnənt] *adj* incontinente

inconvenient [ˌɪnkənˈviːnjənt] *adj* **1.** *(time)* inoportuno(na) **2.** *(place)* mal situado(da) ● **tomorrow's inconvenient** mañana no me viene bien

incorporate [ɪnˈkɔːpəreɪt] *vt* incorporar

incorrect [ˌɪnkəˈrekt] *adj* incorrecto(ta)

increase ◇ *n* [ˈɪnkriːs] aumento *m* ◇ *vt* & *vi* [ɪnˈkriːs] aumentar ● **an increase in sthg** un aumento en algo

increasingly [ɪnˈkriːsɪŋlɪ] *adv* cada vez más

incredible [ɪnˈkredəbl] *adj* increíble

incredibly [ɪnˈkredəblɪ] *adv* increíblemente

incur [ɪnˈkɜː^r] *vt* incurrir en

indecisive [ˌɪndɪˈsaɪsɪv] *adj* indeciso(sa)
indeed [ɪnˈdiːd] *adv* **1.** *(for emphasis)* verdaderamente **2.** *(certainly)* ciertamente
indefinite [ɪnˈdefɪnɪt] *adj* **1.** *(time, number)* indefinido(da) **2.** *(answer, opinion)* impreciso(sa)
indefinitely [ɪnˈdefɪnɪtlɪ] *adv* *(closed, delayed)* indefinidamente
independence [ˌɪndɪˈpendəns] *n* independencia *f*
independent [ˌɪndɪˈpendənt] *adj* independiente
independently [ˌɪndɪˈpendəntlɪ] *adv* independientemente
independent school *n (UK)* colegio *m* privado
index [ˈɪndeks] *n* **1.** *(of book)* índice *m* **2.** *(in library)* catálogo *m*
index finger *n* dedo *m* índice
India [ˈɪndjə] *n* India
Indian [ˈɪndjən] ◇ *adj* indio(dia) *(de India)* ◇ *n* indio *m*, -dia *f (de India)* ● Indian restaurant restaurante indio
Indian Ocean *n* océano *m* Índico
indicate [ˈɪndɪkeɪt] *vt & vi* indicar
indicator [ˈɪndɪkeɪtə*] *n (UK)* AUT intermitente *m*
indifferent [ɪnˈdɪfrənt] *adj* indiferente
indigestion [ˌɪndɪˈdʒestʃn] *n* indigestión *f*
indigo [ˈɪndɪgəʊ] *adj* añil
indirect [ˌɪndɪˈrekt] *adj* indirecto(ta)
individual [ˌɪndɪˈvɪdʒʊəl] ◇ *adj* **1.** *(tuition, case)* particular **2.** *(portion)* individual ◇ *n* individuo *m*
individually [ˌɪndɪˈvɪdʒʊəlɪ] *adv* individualmente

Indonesia [ˌɪndəˈniːzjə] *n* Indonesia
indoor [ˈɪndɔː*] *adj* **1.** *(swimming pool)* cubierto(ta) **2.** *(sports)* en pista cubierta
indoors [ˌɪnˈdɔːz] *adv* dentro
indulge [ɪnˈdʌldʒ] *vi* ● to indulge in sthg permitirse algo
industrial [ɪnˈdʌstrɪəl] *adj* industrial
industrial estate *n (UK)* polígono *m* industrial *(Esp)*, zona *m* industrial
industry [ˈɪndəstrɪ] *n* industria *f*
inedible [ɪnˈedɪbl] *adj* no comestible
inefficient [ˌɪnɪˈfɪʃnt] *adj* ineficaz
inequality [ˌɪnɪˈkwɒlətɪ] *n* desigualdad *f*
inevitable [ɪnˈevɪtəbl] *adj* inevitable
inevitably [ɪnˈevɪtəblɪ] *adv* inevitablemente
inexpensive [ˌɪnɪkˈspensɪv] *adj* barato (ta)
infamous [ˈɪnfəməs] *adj* infame
infant [ˈɪnfənt] *n* **1.** *(baby)* bebé *m* **2.** *(young child)* niño *m* pequeño, niña pequeña *f*
infant school *n (UK)* colegio *m* preescolar
infatuated [ɪnˈfætjʊeɪtɪd] *adj* ● to be infatuated with estar encaprichado(da) con
infected [ɪnˈfektɪd] *adj* infectado(da)
infectious [ɪnˈfekʃəs] *adj* contagioso(sa)
inferior [ɪnˈfɪərɪə*] *adj* inferior
infinite [ˈɪnfɪnət] *adj* infinito(ta)
infinitely [ˈɪnfɪnətlɪ] *adv* infinitamente
infinitive [ɪnˈfɪnɪtɪv] *n* infinitivo *m*
infinity [ɪnˈfɪnətɪ] *n* infinito *m*
infirmary [ɪnˈfɜːmərɪ] *n* hospital *m*
inflamed [ɪnˈfleɪmd] *adj* inflamado(da)
inflammation [ˌɪnfləˈmeɪʃn] *n* inflamación *f*

inflatable [ɪnˈfleɪtəbl] *adj* hinchable (*Esp*), inflable

inflate [ɪnˈfleɪt] *vt* inflar

inflation [ɪnˈfleɪʃn] *n* inflación f

inflict [ɪnˈflɪkt] *vt* infligir

in-flight *adj* de a bordo

influence [ˈɪnfluəns] ◇ *vt* influenciar ◇ *n* ● **influence (on)** influencia f (en)

inform [ɪnˈfɔːm] *vt* informar

informal [ɪnˈfɔːml] *adj (occasion, dress)* informal

information [ˌɪnfəˈmeɪʃn] *n* información f ● **a piece of information** un dato

information desk *n* información f

information superhighway [-ˈsuːpəˌhaɪweɪ] *n* COMPUT superautopista f de la información

information office *n* oficina f de información

informative [ɪnˈfɔːmətɪv] *adj* informativo(va)

infuriating [ɪnˈfjʊərɪeɪtɪŋ] *adj* exasperante

ingenious [ɪnˈdʒiːnjəs] *adj* ingenioso (sa)

ingredient [ɪnˈgriːdjənt] *n* ingrediente m

inhabit [ɪnˈhæbɪt] *vt* habitar

inhabitant [ɪnˈhæbɪtənt] *n* habitante mf

inhale [ɪnˈheɪl] *vi* respirar

inhaler [ɪnˈheɪləʳ] *n* inhalador m

inherit [ɪnˈherɪt] *vt* heredar

inhibition [ˌɪnhɪˈbɪʃn] *n* inhibición f

initial [ɪˈnɪʃl] ◇ *adj* inicial ◇ *vt* poner las iniciales a ◆ **initials** npl iniciales fpl

initially [ɪˈnɪʃəlɪ] *adv* inicialmente

initiative [ɪˈnɪʃətɪv] *n* iniciativa f

injection [ɪnˈdʒekʃn] *n* inyección f

injure [ˈɪndʒəʳ] *vt* **1.** herir **2.** *(leg, arm)* lesionarse ● **to injure o.s.** hacerse daño

injured [ˈɪndʒəd] *adj* herido(da)

injury [ˈɪndʒərɪ] *n* lesión f

ink [ɪŋk] *n* tinta f

inland ◇ *adj* [ˈɪnlənd] interior ◇ *adv* [ɪnˈlænd] hacia el interior

Inland Revenue *n (UK)* ≃ Hacienda f

inn [ɪn] *n (UK)* posada que ofrece comida y alojamiento

inner [ˈɪnəʳ] *adj (on inside)* interior

inner city *n* núcleo m urbano

inner tube *n* cámara f (de aire)

innocence [ˈɪnəsns] *n* inocencia f

innocent [ˈɪnəsənt] *adj* inocente

inoculate [ɪˈnɒkjʊleɪt] *vt* ● **to inoculate sb against smallpox** inocular a alguien contra la viruela

inoculation [ɪˌnɒkjʊˈleɪʃn] *n* inoculación f

input [ˈɪnpʊt] *(pt & pp inv* OR **-ted)** *vt* COMPUT entrar

inquire [ɪnˈkwaɪəʳ] = **enquire**

inquiry [ɪnˈkwaɪərɪ] = **enquiry**

insane [ɪnˈseɪn] *adj* demente

insect [ˈɪnsekt] *n* insecto m

insect repellent [-rəˈpelənt] *n* loción f antiinsectos

insensitive [ɪnˈsensətɪv] *adj* insensible

insert [ɪnˈsɜːt] *vt* introducir

inside [ɪnˈsaɪd] ◇ *prep* dentro de ◇ *adv* **1.** *(be, remain)* dentro **2.** *(go, run)* adentro ◇ *adj* interior ◇ *n* ● **the inside** *(interior)* el interior; *AUT (in UK)* el carril de la izquierda; *AUT (in Europe, US)* el carril de la derecha ● **inside out** *(clothes)* al revés

inside lane n 1. AUT (in UK) carril m de la izquierda 2. (in Europe, US) carril m de la derecha

inside leg n (UK) medida f de la entrepierna

insight ['ɪnsaɪt] n (glimpse) idea f

insignificant [ˌɪnsɪɡ'nɪfɪkənt] adj insignificante

insinuate [ɪn'sɪnjʊeɪt] vt insinuar

insist [ɪn'sɪst] vi insistir ● **to insist on doing sthg** insistir en hacer algo

insole ['ɪnsəʊl] n plantilla f

insolent ['ɪnsələnt] adj insolente

insomnia [ɪn'sɒmnɪə] n insomnio m

inspect [ɪn'spekt] vt examinar

inspection [ɪn'spekʃn] n examen m

inspector [ɪn'spektəʳ] n 1. (on bus, train) revisor m, -ra f 2. (in police force) inspector m, -ra f

inspiration [ˌɪnspə'reɪʃn] n 1. (quality) inspiración f 2. (source of inspiration) fuente f de inspiración

install [ɪn'stɔːl] vt (equipment) instalar

installment [ɪn'stɔːlmənt] (US) = **instalment**

instalment [ɪn'stɔːlmənt] n (UK) 1. (payment) plazo m 2. (episode) episodio m

instance ['ɪnstəns] n ejemplo m ● **for instance** por ejemplo

instant ['ɪnstənt] ◇ adj instantáneo (nea) ◇ n instante m

instant coffee n café m instantáneo

instead [ɪn'sted] adv en cambio ● **instead of** en vez de

instep ['ɪnstep] n empeine m

instinct ['ɪnstɪŋkt] n instinto m

institute ['ɪnstɪtjuːt] n instituto m

institution [ˌɪnstɪ'tjuːʃn] n (organization) institución f

instructions [ɪn'strʌkʃnz] npl (for use) instrucciones fpl

instructor [ɪn'strʌktəʳ] n monitor m, -ra f

instrument ['ɪnstrʊmənt] n instrumento m

insufficient [ˌɪnsə'fɪʃnt] adj insuficiente

insulating tape ['ɪnsjʊleɪtɪŋ-] n (UK) cinta f aislante

insulation [ˌɪnsjʊ'leɪʃn] n aislamiento m

insulin ['ɪnsjʊlɪn] n insulina f

insult ◇ n ['ɪnsʌlt] insulto m ◇ vt [ɪn'sʌlt] insultar

insurance [ɪn'ʃʊərəns] n seguro m

insurance certificate n certificado m de seguro

insurance company n compañía f de seguros

insurance policy n póliza f de seguros

insure [ɪn'ʃʊəʳ] vt asegurar

insured [ɪn'ʃʊəd] adj ● **to be insured** estar asegurado(da)

intact [ɪn'tækt] adj intacto(ta)

intellectual [ˌɪntə'lektjʊəl] ◇ adj intelectual ◇ n intelectual mf

intelligence [ɪn'telɪdʒəns] n (cleverness) inteligencia f

intelligent [ɪn'telɪdʒənt] adj inteligente

intend [ɪn'tend] vt ● **it's intended as a handbook** está pensado como un manual ● **to intend to do sthg** tener la intención de hacer algo

intense [ɪn'tens] adj intenso(sa)

intensity [ɪn'tensɪtɪ] n intensidad f

intensive [ɪn'tensɪv] adj intensivo(va)

intensive care n cuidados mpl intensivos

intent [ɪnˈtent] *adj* ● **to be intent on doing sthg** estar empeñado(da) en hacer algo

intention [ɪnˈtenʃn] *n* intención *f*

intentional [ɪnˈtenʃənl] *adj* deliberado (da)

intentionally [ɪnˈtenʃənəlɪ] *adv* deliberadamente

interchange [ˈɪntətʃeɪndʒ] *n* (on motorway) cruce *m*

Intercity ® [ˌɪntəˈsɪtɪ] *n* tren rápido de largo recorrido

intercom [ˈɪntəkɒm] *n* portero *m* automático (*Esp*) OR eléctrico

interest [ˈɪntrəst] ◇ *n* interés *m* ◇ *vt* interesar ● **to take an interest in sthg** interesarse en algo

interested [ˈɪntrəstɪd] *adj* interesado(-da) ● **to be interested in sthg** estar interesado en algo

interesting [ˈɪntrəstɪŋ] *adj* interesante

interest rate *n* tipo *m* (*Esp*) OR tasa *f* de interés

interfere [ˌɪntəˈfɪəʳ] *vi* (meddle) entrometerse ● **to interfere with sthg** (damage) interferir en algo

interference [ˌɪntəˈfɪərəns] *n* (on TV, radio) interferencia *f*

interior [ɪnˈtɪərɪəʳ] ◇ *adj* interior ◇ *n* interior *m*

intermediate [ˌɪntəˈmiːdjət] *adj* intermedio(dia)

intermission [ˌɪntəˈmɪʃn] *n* descanso *m*

internal [ɪnˈtɜːnl] *adj* 1. (not foreign) nacional 2. (on the inside) interno(na)

internal flight *n* vuelo *m* nacional

Internal Revenue Service *n* (US) ≃ Hacienda *f*

international [ˌɪntəˈnæʃənl] *adj* internacional

international flight *n* vuelo *m* internacional

Internet [ˈɪntənet] *n* ● **the Internet** el (*Esp*) OR la (*Amér*) Internet ● **on the Internet** en Internet

Internet café *n* cibercafé *m*

Internet Service Provider *n* Proveedor *m* de Acceso a Internet, Proveedor *m* de Servicios Internet

interpret [ɪnˈtɜːprɪt] *vi* hacer de intérprete

interpreter [ɪnˈtɜːprɪtəʳ] *n* intérprete *mf*

interrogate [ɪnˈterəgeɪt] *vt* interrogar

interrupt [ˌɪntəˈrʌpt] *vt* interrumpir

intersection [ˌɪntəˈsekʃn] *n* intersección *f*

interval [ˈɪntəvl] *n* 1. intervalo *m* 2. (UK) (at cinema, theatre) intermedio *m*

intervene [ˌɪntəˈviːn] *vi* 1. (person) intervenir 2. (event) interponerse

interview [ˈɪntəvjuː] ◇ *n* entrevista *f* ◇ *vt* entrevistar

interviewer [ˈɪntəvjuːəʳ] *n* entrevistador *m*, -ra *f*

intestine [ɪnˈtestɪn] *n* intestino *m*

intimate [ˈɪntɪmət] *adj* íntimo(ma)

intimidate [ɪnˈtɪmɪdeɪt] *vt* intimidar

into [ˈɪntʊ] *prep* 1. (inside) en 2. (against) con 3. (concerning) en relación con ● **4 into 20 goes 5** (times) veinte entre cuatro a cinco ● **to translate into Spanish** traducir al español ● **to change into sthg** transformarse en algo ● **I'm into music** (inf) lo mío es la música

intolerable [ɪnˈtɒlərəbl] *adj* intolerable

intransitive [ɪn'trænzətɪv] *adj* intransitivo(va)

intricate ['ɪntrɪkət] *adj* intrincado(da)

intriguing [ɪn'triːgɪŋ] *adj* intrigante

introduce [,ɪntrə'djuːs] *vt* presentar ● I'd like to introduce you to Fred me gustaría presentarte a Fred

introduction [,ɪntrə'dʌkʃn] *n* **1.** *(to book, programme)* introducción *f* **2.** *(to person)* presentación *f*

introverted ['ɪntrəvɜːtɪd] *adj* introvertido(da)

intruder [ɪn'truːdər] *n* intruso *m*, -sa *f*

intuition [,ɪntju:'ɪʃn] *n* intuición *f*

invade [ɪn'veɪd] *vt* invadir

invalid ⋄ *adj* [ɪn'vælɪd] nulo(la) ⋄ *n* ['ɪnvəlɪd] inválido *m*, -da *f*

invaluable [ɪn'væljuəbl] *adj* inestimable

invariably [ɪn'veərɪəblɪ] *adv* siempre

invasion [ɪn'veɪʒn] *n* invasión *f*

invent [ɪn'vent] *vt* inventar

invention [ɪn'venʃn] *n* invención *f*

inventory ['ɪnvəntrɪ] *n* **1.** *(list)* inventario *m* **2.** *(US) (stock)* existencias *fpl*

inverted commas [ɪn'vɜːtɪd-] *npl (UK)* comillas *fpl*

invest [ɪn'vest] ⋄ *vt* invertir ⋄ *vi* ● to invest in sthg invertir en algo

investigate [ɪn'vestɪgeɪt] *vt* investigar

investigation [ɪn,vestɪ'geɪʃn] *n* investigación *f*

investment [ɪn'vestmənt] *n* inversión *f*

invisible [ɪn'vɪzɪbl] *adj* invisible

invitation [,ɪnvɪ'teɪʃn] *n* invitación *f*

invite [ɪn'vaɪt] *vt* invitar ● to invite sb to do sthg invitar a alguien a hacer algo ● to invite sb round invitar a alguien a casa

invoice ['ɪnvɔɪs] *n* factura *f*

involve [ɪn'vɒlv] *vt (entail)* conllevar ● what does it involve? ¿qué implica? ● to be involved in a scheme estar metido en una intriga ● to be involved in an accident verse envuelto en un accidente

involved [ɪn'vɒlvd] *adj* ● what is involved? ¿qué supone?

inwards ['ɪnwədz] *adv* hacia dentro

IOU [aɪəʊ'juː] *n (abbr of I owe you)* pagaré *m*

IQ [aɪ'kjuː] *n (abbr of intelligence quotient)* CI *m (coeficiente de inteligencia)*

Iran [ɪ'rɑːn] *n* Irán *m*

Iraq [ɪ'rɑːk] *n* Irak *m*

Ireland ['aɪələnd] *n* Irlanda *f*

iris ['aɪərɪs] *(pl -es) n (flower)* lirio *m*

Irish ['aɪrɪʃ] ⋄ *adj* irlandés(esa) ⋄ *n (language)* irlandés *m* ⋄ *npl* ● the Irish los irlandeses

Irish coffee *n* café *m* irlandés

Irishman ['aɪrɪʃmən] *(pl -men) n* irlandés *m*

Irishwoman ['aɪrɪʃ,wʊmən] *(pl -women) n* irlandesa *f*

iron ['aɪən] ⋄ *n* **1.** *(for clothes)* plancha *f* **2.** *(metal, golf club)* hierro *m* ⋄ *vt* planchar

ironic [aɪ'rɒnɪk] *adj* irónico(ca)

ironing board ['aɪənɪŋ-] *n* tabla *f* de planchar

ironmonger's ['aɪən,mʌŋgəz] *n (UK)* ferretería *f*

irrelevant [ɪ'reləvənt] *adj* irrelevante

irresistible [,ɪrɪ'zɪstəbl] *adj* irresistible

irrespective [,ɪrɪ'spektɪv] ◆ **irrespective**

of *prep* con independencia de
irresponsible [ˌɪrɪˈspɒnsəbl] *adj* irresponsable
irrigation [ˌɪrɪˈgeɪʃn] *n* riego *m*
irritable [ˈɪrɪtəbl] *adj* irritable
irritate [ˈɪrɪteɪt] *vt* irritar
irritating [ˈɪrɪteɪtɪŋ] *adj* irritante
IRS [aɪɑːˈres] *n* (US) (abbr of Internal Revenue Service) ≃ Hacienda *f*
is [ɪz] ➤ be
Islam [ˈɪzlɑːm] *n* islam *m*
island [ˈaɪlənd] *n* **1.** (in water) isla *f* **2.** (in road) isleta *f*
isle [aɪl] *n* isla *f*
isolated [ˈaɪsəleɪtɪd] *adj* aislado(da)
ISP [aɪesˈpiː] *n* abbr of Internet Service Provider
Israel [ˈɪzreɪəl] *n* Israel
issue [ˈɪʃuː] ◇ *n* **1.** (problem, subject) cuestión *f* **2.** (of newspaper, magazine) edición *f* ◇ *vt* **1.** (statement) hacer público **2.** (passport, document) expedir **3.** (stamps, bank notes) emitir
it [ɪt] *pron* **1.** (referring to specific thing: subj) él *m*, ella *f*; (direct object) lo *m*, la *f*; (indirect object) le *mf* ● **it's big** es grande ● **she hit it** lo golpeó ● **give it to me** dámelo **2.** (nonspecific) ello ● **it's nice here** se está bien aquí ● **I can't remember it** no me acuerdo (de ello) ● **tell me about it** cuéntamelo ● **it's me** soy yo ● **who is it?** ¿quién es? **3.** (used impersonally) ● **it's hot** hace calor ● **it's six o'clock** son las seis ● **it's Sunday** es domingo
Italian [ɪˈtæljən] ◇ *adj* italiano(na) ◇ *n* **1.** (person) italiano *m*, -na *f* **2.** (language) italiano *m* ● **Italian restaurant** restau-

rante italiano
Italy [ˈɪtəlɪ] *n* Italia
itch [ɪtʃ] *vi* ● **my arm is itching** me pica el brazo
item [ˈaɪtəm] *n* **1.** artículo *m* **2.** (on agenda) asunto *m* ● **a news item** una noticia
itemized bill [ˈaɪtəmaɪzd-] *n* factura *f* detallada
its [ɪts] *adj* su, sus *pl*
it's [ɪts] = it is, it has
itself [ɪtˈself] *pron* **1.** (reflexive) se **2.** (after prep) sí mismo(ma) ● **the house itself is fine** la casa en sí está bien
I've [aɪv] = I have
ivory [ˈaɪvərɪ] *n* marfil *m*
ivy [ˈaɪvɪ] *n* hiedra *f*

Ivy League

El *Ivy League* es un grupo formado por ocho universidades privadas del noreste de los Estados Unidos que gozan de un gran prestigio tanto académico como social. La más conocida de las ocho universidades es la de Harvard, la universidad más prestigiosa del país.

jab [dʒæb] *n* (UK) (inf) (injection) pinchazo *m*
jack [dʒæk] *n* **1.** (for car) gato *m* **2.**

(playing card) ≃ sota *f*

jacket ['dʒækɪt] *n* **1.** *(garment)* chaqueta *f* **2.** *(of book)* sobrecubierta *f* **3.** *(US) (of record)* cubierta *f* **4.** *(UK) (of potato)* piel *f (Esp)*, cáscara *f (Amér)*

jacket potato *n (UK)* patata *f* asada con piel *(Esp)*, papa *f* asada con cáscara *(Amér)*

jack-knife *vi* derrapar la parte delantera

Jacuzzi ® [dʒə'ku:zɪ] *n* jacuzzi ® *m*

jade [dʒeɪd] *n* jade *m*

jail [dʒeɪl] *n* cárcel *f*

jam [dʒæm] ◇ *n* **1.** *(food)* mermelada *f* **2.** *(of traffic)* atasco *m* **3.** *(inf) (difficult situation)* apuro *m* ◇ *vt (pack tightly)* apiñar ◇ *vi* atascarse ● **the roads are jammed** las carreteras están atascadas

jam-packed [-'pækt] *adj (inf)* a tope

Jan. [dʒæn] *(abbr of January)* ene. *(enero)*

January ['dʒænjʊərɪ] *n* enero *m* ● **at the beginning of January** a principios de enero ● **at the end of January** a finales de enero ● **during January** en enero ● **every January** todos los años en enero ● **in January** en enero ● **last January** en enero del año pasado ● **next January** en enero del próximo año ● **this January** en enero de este año ● **2 January 2001** *(in letters etc)* 2 de enero de 2001

Japan [dʒə'pæn] *n* Japón *m*

Japanese [,dʒæpə'ni:z] ◇ *adj* japonés(esa) ◇ *n (language)* japonés *m* ◇ *npl* ● **the Japanese** los japoneses

jar [dʒɑ:'] *n* tarro *m*

javelin ['dʒævlɪn] *n* jabalina *f*

jaw [dʒɔ:] *n (of person)* mandíbula *f*

jazz [dʒæz] *n* jazz *m*

jealous ['dʒeləs] *adj* celoso(sa)

jeans [dʒi:nz] *npl* vaqueros *mpl*

Jeep ® [dʒi:p] *n* jeep *m*

Jello ® ['dʒeləʊ] *n (US)* gelatina *f*

jelly ['dʒelɪ] *n* **1.** *(UK) (dessert)* gelatina *f* **2.** *(US) (jam)* mermelada *f*

jellyfish ['dʒelɪfɪʃ] *(pl inv)* *n* medusa *f*

jeopardize ['dʒepədaɪz] *vt* poner en peligro

jerk [dʒɜ:k] *n* **1.** *(movement)* movimiento *m* brusco **2.** *(inf) (idiot)* idiota *mf*

jersey ['dʒɜ:zɪ] *(pl -s)* *n (UK) (garment)* jersey *m*

jet [dʒet] *n* **1.** *(aircraft)* reactor *m* **2.** *(of liquid, gas)* chorro *m* **3.** *(outlet)* boquilla *f*

jet lag *n* jet lag *m*

jet-ski *n* moto *f* acuática

jetty ['dʒetɪ] *n* embarcadero *m*

Jew [dʒu:] *n* judío *m*, -a *f*

jewel ['dʒu:əl] *n* piedra *f* preciosa ◆ **jewels** *npl (jewellery)* joyas *fpl*

jeweler's ['dʒu:ələz] *(US)* = **jeweller's**

jeweller's ['dʒu:ələz] *n (UK) (shop)* joyería *f*

jewellery ['dʒu:əlrɪ] *n (UK)* joyas *fpl*

jewelry ['dʒu:əlrɪ] *(US)* = **jewellery**

Jewish ['dʒu:ɪʃ] *adj* judío(a)

jigsaw (puzzle) ['dʒɪgsɔ:-] *n* puzzle *m (Esp)*, rompecabezas *m*

jingle ['dʒɪŋgl] *n (of advert)* sintonía *f* (de anuncio)

job [dʒɒb] *n* **1.** trabajo *m* **2.** *(function)* cometido *m* ● **to lose one's job** perder el trabajo

job centre *n (UK)* oficina *f* de empleo

jockey ['dʒɒkɪ] *(pl -s)* *n* jockey *mf*

jog [dʒɒg] ◇ *vt* (bump) golpear ligeramente ◇ *vi* hacer footing ◇ *n* ● **to go for a jog** hacer footing

jogging ['dʒɒgɪŋ] *n* footing *m* ● **to go jogging** hacer footing

join [dʒɔɪn] *vt* 1. (club, organization) hacerse socio de 2. (fasten together) unir, juntar 3. (come together with, participate in) unirse a 4. (connect) conectar ◆ **join in** ◇ *vt insep* participar en ◇ *vi* participar

joint [dʒɔɪnt] ◇ *adj* 1. (responsibility, effort) compartido(da) 2. (bank account, ownership) conjunto(ta) ◇ *n* 1. (of body) articulación *f* 2. (of meat) corte *m* 3. (in structure) juntura *f*

joke [dʒəʊk] ◇ *n* chiste *m* ◇ *vi* bromear

joker ['dʒəʊkə'] *n* (playing card) comodín *m*

jolly ['dʒɒlɪ] ◇ *adj* (cheerful) alegre ◇ *adv* (UK) (inf) muy

jolt [dʒəʊlt] *n* sacudida *f*

jot [dʒɒt] ◆ **jot down** *vt sep* apuntar

journal ['dʒɜːnl] *n* 1. (magazine) revista *f* 2. (diary) diario *m*

journalist ['dʒɜːnəlɪst] *n* periodista *mf*

journey ['dʒɜːnɪ] (pl -s) *n* viaje *m*

joy [dʒɔɪ] *n* (happiness) alegría *f*

joypad ['dʒɔɪpæd] *n* (of video game) mando *m*

joyrider ['dʒɔɪraɪdə'] *n* persona que se pasea en un coche robado y luego lo abandona

joystick ['dʒɔɪstɪk] *n* (of video game) joystick *m*

judge [dʒʌdʒ] ◇ *n* juez *mf* ◇ *vt* 1. (competition) juzgar 2. (evaluate) calcular

judg(e)ment ['dʒʌdʒmənt] *n* 1. juicio *m* 2. LAW fallo *m*

judo ['dʒuːdəʊ] *n* judo *m*

jug [dʒʌg] *n* jarra *f*

juggernaut ['dʒʌgənɔːt] *n* (UK) camión *m* grande

juggle ['dʒʌgl] *vi* hacer malabarismo

juice [dʒuːs] *n* 1. zumo *m* (Esp), jugo *m* (Amér) 2. (from meat) jugo *m*

juicy ['dʒuːsɪ] *adj* (food) jugoso(sa)

jukebox ['dʒuːkbɒks] *n* máquina *f* de discos

Jul. (abbr of July) jul. (julio)

July [dʒuːˈlaɪ] *n* julio *m* ● **at the beginning of July** a principios de septiembre ● **at the end of July** a finales de julio ● **during July** en julio ● **every July** todos los años en julio ● **in July** en julio ● **last July** en julio del año pasado ● **next July** en julio del próximo año ● **this July** en julio de este año ● **2 July 2001** (in letters etc) 2 de julio de 2001

jumble sale ['dʒʌmbl-] *n* (UK) rastrillo *m* benéfico

jumbo ['dʒʌmbəʊ] *adj* (inf) 1. (pack) familiar 2. (sausage, sandwich) gigante

jumbo jet *n* jumbo *m*

jump [dʒʌmp] ◇ *n* salto *m* ◇ *vi* 1. (through air) saltar 2. (with fright) sobresaltarse 3. (increase) aumentar de golpe ◇ *vt* (US) (train, bus) montarse sin pagar en ● **to jump the queue** (UK) colarse

jumper ['dʒʌmpə'] *n* 1. (UK) (pullover) jersey *m* (Esp), suéter *m* 2. (US) (dress) pichi *m* (Esp), jumper *m* (Amér)

jumper cables *npl* (US) cables *mpl* de empalme

jump leads *npl* (*UK*) cables *mpl* de empalme

Jun. (*abbr of* June) jun. (*junio*)

junction ['dʒʌŋk∫n] *n* **1.** (*of roads*) cruce *m* **2.** (*of railway lines*) empalme *m*

June [dʒuːn] *n* junio *m* ● **at the beginning of June** a principios de septiembre ● **at the end of June** a finales de junio ● **during June** en junio ● **every June** todos los años en junio ● **in June** en junio ● **last June** en junio del año pasado ● **next June** en junio del próximo año ● **this June** en junio de este año ● **2 June 2001** (*in letters etc*) 2 de junio de 2001

jungle ['dʒʌŋgl] *n* selva *f*

junior ['dʒuːnjə] ◇ *adj* **1.** (*of lower rank*) de rango inferior **2.** (*after name*) júnior (*inv*) ◇ *n* ● **she's my junior** es más joven que yo

junior school *n* (*UK*) escuela *f* primaria

junk [dʒʌŋk] *n* (*inf*) (*unwanted things*) trastos *mpl*

junk food *n* (*inf*) comida preparada poco nutritiva o saludable

junkie ['dʒʌŋkı] *n* (*inf*) yonqui *mf*

junk shop *n* tienda *f* de objetos de segunda mano

jury ['dʒʊərı] *n* jurado *m*

just [dʒʌst] ◇ *adj* justo(ta) ◇ *adv* **1.** (*exactly*) justamente **2.** (*only*) sólo ● **I'm just coming** ahora voy ● **we were just leaving** justo íbamos a salir ● **just a bit more** un poco más ● **just as good** igual de bueno ● **just over an hour** poco más de una hora ● **passengers just arriving** los pasajeros

que acaban de llegar ● **to be just about to do sthg** estar a punto de hacer algo ● **to have just done sthg** acabar de hacer algo ● **just about** casi (*only*) **just** (*almost not*) por los pelos ● **just a minute!** ¡un minuto!

justice ['dʒʌstıs] *n* justicia *f*

justify ['dʒʌstıfaı] *vt* justificar

jut [dʒʌt] ◆ **jut out** *vi* sobresalir

juvenile ['dʒuːvənaıl] *adj* **1.** (*young*) juvenil **2.** (*childish*) infantil

*k***K**

kangaroo [ˌkæŋgə'ruː] (*pl* -s) *n* canguro *m*

karaoke [ˌkærı'əʊkı] *n* karaoke *m*

karate [kə'rɑːtı] *n* kárate *m*

kebab [kı'bæb] *n* (*UK*) **1.** (*shish kebab*) pincho *m* moruno **2.** (*doner kebab*) pan árabe relleno de ensalada y carne de cordero, con salsa

keel [kiːl] *n* quilla *f*

keen [kiːn] *adj* **1.** (*enthusiastic*) entusiasta **2.** (*eyesight, hearing*) agudo(da) ● **to be keen on** (*UK*) ser aficionado(da) a ● **to be keen to do sthg** (*UK*) tener ganas de hacer algo

keep [kiːp] (*pt & pp* kept) ◇ *vt* **1.** (*change, book, object loaned*) quedarse con **2.** (*job, old clothes*) conservar **3.** (*store, not tell*) guardar **4.** (*cause to remain*) mantener **5.** (*promise*) cumplir

6. (*appointment*) acudir a **7.** (*delay*) retener **8.** (*record, diary*) llevar ◇ *vi* **1.** (*food*) conservarse **2.** (*remain*) mantenerse ● **to keep (on) doing sthg** (*do continuously*) seguir haciendo algo; (*do repeatedly*) no dejar de hacer algo ● **to keep sb from doing sthg** impedir a alguien hacer algo ● **keep back!** ¡atrás! ● **to keep clear (of)** mantenerse alejado (de) ▼ **keep in lane!** *señal que advierte a los conductores que se mantengan en el carril* ▼ **keep left** ¡circula por la izquierda! ▼ **keep off the grass!** no pisar la hierba ▼ **keep out!** prohibida la entrada ▼ **keep your distance!** *señal que incita a mantener la distancia de prudencia* ◆ **keep up** ◇ *vt sep* mantener ◇ *vi* (*maintain pace, level etc*) mantener el ritmo

keep-fit *n* (*UK*) ejercicios *mpl* de mantenimiento

kennel ['kenl] *n* caseta *f* del perro

kept [kept] *pt & pp* ➤ **keep**

kerb [kɜːb] *n* (*UK*) bordillo *m*

kerosene ['kerəsiːn] *n* (*US*) queroseno *m*

ketchup ['ketʃəp] *n* catsup *m*

kettle ['ketl] *n* tetera *f* para hervir ● **to put the kettle on** (*UK*) poner a hervir la tetera

key [kiː] ◇ *n* **1.** (*for lock*) llave *f* **2.** (*of piano, typewriter*) tecla *f* **3.** (*of map*) clave *f* ◇ *adj* clave (*inv*)

keyboard ['kiːbɔːd] *n* teclado *m*

keyhole ['kiːhəʊl] *n* ojo *m* de la cerradura

keypad ['kiːpæd] *n* teclado *m*

key ring *n* llavero *m*

kg (*abbr of* **kilogram**) kg (*kilogramo*)

kick [kik] ◇ *n* (*of foot*) patada *f* ◇ *vt* (*with foot*) dar una patada

kickoff ['kikɒf] *n* saque *m* inicial

kid [kid] ◇ *n* **1.** (*inf*) (*child*) crío *m*, -a *f* **2.** (*young person*) chico *m*, -ca *f* ◇ *vi* bromear

kidnap ['kidnæp] *vt* secuestrar

kidnaper ['kidnæpər] (*US*) = **kidnapper**

kidnapper ['kidnæpəʳ] *n* (*UK*) secuestrador *m*, -ra *f*

kidney ['kidni] (*pl* **-s**) *n* riñón *m*

kidney bean *n* judía *f* pinta

kill [kil] *vt* matar ● **my feet are killing me!** ¡los pies me están matando!

killer ['kiləʳ] *n* asesino *m*, -na *f*

kilo ['kiːləʊ] (*pl* **-s**) *n* kilo *m*

kilogram ['kiːlə,græm] *n* kilogramo *m*

kilometer [ki'lɒmitər] *n* (*US*) = **kilometre**

kilometre ['kilə,miːtəʳ] *n* (*UK*) kilómetro *m*

kilt [kilt] *n* falda *f* escocesa

kind [kaind] ◇ *adj* amable ◇ *n* tipo *m* ● **kind of** (*inf*) un poco, algo

kindergarten ['kində,gɑːtn] *n* jardín *m* de infancia

kindly ['kaindli] *adv* ● **would you kindly ...?** ¿sería tan amable de ...?

kindness ['kaindnis] *n* amabilidad *f*

king [kiŋ] *n* rey *m*

kingfisher ['kiŋ,fiʃəʳ] *n* martín *m* pescador

king prawn *n* langostino *m*

king-size bed *n* cama *f* gigante

kiosk ['kiːɒsk] *n* **1.** (*for newspapers etc*) quiosco *m* **2.** (*UK*) (*phone box*) cabina *f*

ki

152

kipper ['kɪpə'] n arenque m ahumado

kiss [kɪs] ◇ n beso m ◇ vt besar

kiss of life n boca a boca m inv

kit [kɪt] n 1. (UK) (set, clothes) equipo m 2. (for assembly) modelo m para armar

kitchen ['kɪtʃɪn] n cocina f

kitchen unit n módulo m de cocina

kite [kaɪt] n (toy) cometa f

kitesurfing ['kaɪtsɜːfɪŋ] n kitesurf m, modalidad de surf que se practica colgado de una especie de cometa

kitten ['kɪtn] n gatito m

kitty ['kɪtɪ] n (for regular expenses) fondo m común

kiwi fruit ['kiːwiː-] n kiwi m

Kleenex ® ['kliːneks] n kleenex ® m (inv)

km (abbr of kilometre) km (kilómetro)

km/h (abbr of kilometres per hour) km/h (kilómetros por hora)

knack [næk] ● I've got the knack (of it) he cogido el tranquillo

knackered ['nækəd] adj (UK) (inf) hecho(cha) polvo

knapsack ['næpsæk] n mochila f

knee [niː] n rodilla f

kneecap ['niːkæp] n rótula f

kneel [niːl] (pt & pp knelt) vi 1. (be on one's knees) estar de rodillas 2. (go down on one's knees) arrodillarse

knew [njuː] > know

knickers ['nɪkəz] npl (UK) (underwear) bragas fpl (Esp), calzones mpl (Amér)

knife [naɪf] (pl knives) n cuchillo m

knight [naɪt] n 1. (in history) caballero m 2. (in chess) caballo m

knit [nɪt] vt tejer

knitted ['nɪtɪd] adj de punto, tejido(da)

knitting ['nɪtɪŋ] n 1. (thing being knitted) punto m (Esp), tejido m 2. (activity) labor f de punto (Esp), tejido m

knitting needle n aguja f de hacer punto (Esp), aguja f de tejer

knitwear ['nɪtweə'] n género m de punto

knives [naɪvz] pl > knife

knob [nɒb] n 1. (on door etc) pomo m, perilla f (Amér) 2. (on machine) botón m

knock [nɒk] ◇ n (at door) golpe m ◇ vt 1. (hit) golpear 2. (one's head, leg) golpearse ◇ vi (at door etc) llamar ◆ **knock down** vt sep 1. (UK) (pedestrian) atropellar 2. (building) derribar 3. (price) bajar ◆ **knock out** vt sep 1. (make unconscious) dejar sin conocimiento 2. (of competition) eliminar ◆ **knock over** vt sep 1. (glass, vase) volcar 2. (UK) (pedestrian) atropellar

knocker ['nɒkə'] n (on door) aldaba f

knot [nɒt] n nudo m

know [nəʊ] (pt knew, pp known) vt 1. (have knowledge of) saber 2. (language) saber hablar 3. (person, place) conocer ● to get to know sb llegar a conocer a alguien ● to know about sthg (understand) saber de algo; (have heard) saber algo ● to know how to do sthg saber hacer algo ● to know of conocer ● to be known as ser conocido como ● to let sb know sthg avisar a alguien de algo ● you know (for emphasis) ¿sabes?

knowledge ['nɒlɪdʒ] n conocimiento m ● to my knowledge que yo sepa

known [nəʊn] pp > know

knuckle ['nʌkl] n 1. (of hand) nudillo m

2. *(of pork)* jarrete *m*

Koran [kɒˈrɑːn] *n* ● **the Koran** el Corán

kph *(abbr of kilometres per hour)* k.p.h. *(kilómetros por hora)*

lL

l *(abbr of litre)* l. *(litro)*

L *(abbr of learner)* placa *f* de la L

lab [læb] *n (inf)* laboratorio *m*

label [ˈleɪbl] *n* etiqueta *f*

labor [ˈleɪbər] *(US)* = **labour**

Labor Day *n (US)* día *m* del Trabajador

Labor Day

El día del Trabajador se celebra en los Estados Unidos el primero de septiembre. Las playas y otros destinos turísticos se llenan de gente que sale a disfrutar los últimos días del verano. Esta fecha marca también la vuelta al colegio.

laboratory [(UK) ləˈbɒrətrɪ, (US) ˈlæbrəˌtɔːrɪ] *n* laboratorio *m*

labour [ˈleɪbər] *n (UK) (work)* trabajo *m* ● **in labour** MED de parto

labourer [ˈleɪbərər] *n (UK)* obrero *m*, -ra *f*

Labour Party *n (UK)* partido *m* Laborista

labour-saving *adj (UK)* que ahorra trabajo

lace [leɪs] *n* **1.** *(material)* encaje *m* **2.** *(for shoe)* cordón *m*

lace-ups *npl* zapatos *mpl* con cordones

lack [læk] ◇ *n* falta *f* ◇ *vt* carecer de ◇ *vi* ● **to be lacking** faltar

lacquer [ˈlækər] *n* laca *f*

lad [læd] *n (UK) (inf)* chaval *m (Esp)*, muchacho *m*

ladder [ˈlædər] *n* **1.** *(for climbing)* escalera *f* (de mano) **2.** *(UK) (in tights)* carrera *f*

ladies [ˈleɪdɪz] *n (UK)* lavabo *m* de señoras

ladies' room *(US)* = **ladies**

ladieswear [ˈleɪdɪzˌweər] *n (fml)* ropa *f* de señoras

ladle [ˈleɪdl] *n* cucharón *m*

lady [ˈleɪdɪ] *n* **1.** *(woman)* señora *f* **2.** *(woman of high status)* dama *f*

ladybird [ˈleɪdɪbɜːd] *n (UK)* mariquita *f*

ladybug [ˈleɪdɪbʌg] *n (US)* = **ladybird**

lag [læg] *vi* retrasarse ● **to lag behind** *(move more slowly)* rezagarse

lager [ˈlɑːgər] *n* cerveza *f* rubia

lagoon [ləˈguːn] *n* laguna *f*

laid [leɪd] *pt & pp* > **lay**

lain [leɪn] *pp* > **lie**

lake [leɪk] *n* lago *m*

lamb [læm] *n* cordero *m*

lamb chop *n* chuleta *f* de cordero

lame [leɪm] *adj* cojo(ja)

lamp [læmp] *n* **1.** *(light)* lámpara *f* **2.** *(in street)* farola *f*

lamppost [ˈlæmppəʊst] *n* farol *m*

lampshade [ˈlæmpʃeɪd] *n* pantalla *f*

land [lænd] ◇ *n* **1.** tierra *f* **2.** *(property)* tierras *fpl* ◇ *vi* **1.** *(plane)* aterrizar **2.** *(passengers)* desembarcar **3.** *(fall)* caer

landing [ˈlændɪŋ] *n* **1.** *(of plane)* aterrizaje *m* **2.** *(on stairs)* rellano *m*

landlady ['lænd,leɪdɪ] *n* **1.** *(of house)* casera *f* **2.** *(UK) (of pub)* dueña *f*

landlord ['lændlɔ:d] *n* **1.** *(of house)* casero *m* **2.** *(UK) (of pub)* dueño *m*

landmark ['lændmɑ:k] *n* punto *m* de referencia

landscape ['lændskeɪp] *n* paisaje *m*

landslide ['lændslaɪd] *n (of earth, rocks)* desprendimiento *m* de tierras

lane [leɪn] *n* **1.** *(in town)* calleja *f* **2.** *(in country, on road)* camino *m* ▼ **get in lane** señal que advierte a los conductores que tomen el carril adecuado

language ['læŋgwɪdʒ] *n* **1.** *(of a people, country)* idioma *m* **2.** *(system of communication, words)* lenguaje *m*

lap [læp] *n* **1.** *(of person)* regazo *m* **2.** *(of race)* vuelta *f*

lapel [lə'pel] *n* solapa *f*

lapse [læps] *vi (passport, membership)* caducar

lard [lɑ:d] *n* manteca *f* de cerdo

larder ['lɑ:dər] *n (UK)* despensa *f*

large [lɑ:dʒ] *adj* grande

largely ['lɑ:dʒlɪ] *adv* en gran parte

large-scale *adj* de gran escala

lark [lɑ:k] *n* alondra *f*

laryngitis [,lærɪn'dʒaɪtɪs] *n* laringitis *f inv*

lasagne [lə'zænjə] *n* lasaña *f*

laser ['leɪzə'] *n* láser *m*

lass [læs] *n (UK) (inf)* chavala *f*

last [lɑ:st] ◇ *adj* último(ma) ◇ *adv* **1.** *(most recently)* por última vez **2.** *(at the end)* en último lugar ◇ *pron* ▪ **the last to come** el último en venir ▪ **the last but one** el penúltimo(la penúltima) ▪ **the time before last** la penúltima vez ▪ **last year** el año pasado ▪ **the last year** el año pasado ▪ **at last** por fin

lastly ['lɑ:stlɪ] *adv* por último

last-minute *adj* de última hora

latch [lætʃ] *n* pestillo *m* ▪ **to be on the latch** tener el pestillo echado

late [leɪt] ◇ *adj* **1.** *(not on time)* con retraso **2.** *(after usual time)* tardío(a) **3.** *(dead)* difunto(ta) ◇ *adv* **1.** *(not on time)* con retraso **2.** *(after usual time)* tarde ▪ **in late June** a finales de junio ▪ **in the late afternoon** al final de la tarde ▪ **late in June** a finales de junio ▪ **to be (running) late** ir con retraso

lately ['leɪtlɪ] *adv* últimamente

late-night *adj* de última hora, de noche

later ['leɪtə'] ◇ *adj* posterior ◇ *adv* ▪ **later (on)** más tarde ▪ **at a later date** en una fecha posterior

latest ['leɪtɪst] *adj* ▪ **the latest fashion** la última moda ▪ **the latest** lo último ▪ **at the latest** como muy tarde

lather ['lɑ:ðə'] *n* espuma *f*

Latin ['lætɪn] *n* latín *m*

Latin America *n* América Latina

Latin American ◇ *adj* latinoamericano(na) ◇ *n* latinoamericano *m*, -na *f*

latitude ['lætɪtju:d] *n* latitud *f*

latter ['lætə'] *n* ▪ **the latter** éste *m*, -ta *f*

laugh [lɑ:f] ◇ *n* risa *f* ◇ *vi* reírse ▪ **to have a laugh** *(UK) (inf)* pasarlo bomba ◆ **laugh at** *vt insep* reírse de

laughter ['lɑ:ftə'] *n* risa *f*

launch [lɔ:ntʃ] *vt* **1.** *(boat)* botar **2.** *(new product)* lanzar

laund(e)rette [lɔ:n'dret] *n* lavandería *f*

Laundromat ['lɔːndrəmæt] *n* (US) = laund(e)rette

laundry ['lɔːndrɪ] *n* **1.** *(washing)* ropa *f* sucia **2.** *(place)* lavandería *f*

lavatory ['lævətrɪ] *n* servicio *m*

lavender ['lævəndə'] *n* lavanda *f*

lavish ['lævɪʃ] *adj* *(meal, decoration)* espléndido(da)

law [lɔː] *n* **1.** ley *f* **2.** *(study)* derecho *m* ● **the law** LAW *(set of rules)* la ley ● **to be against the law** estar en contra de la ley

lawn [lɔːn] *n* césped *m*

lawnmower ['lɔːn̩məʊə'] *n* cortacésped *m*

lawyer ['lɔːjə'] *n* abogado *m*, -da *f*

laxative ['læksətɪv] *n* laxante *m*

lay [leɪ] *(pt & pp* **laid**) ⋄ *pt* > **lie** ⋄ *vt* **1.** *(place)* colocar **2.** *(egg)* poner ● **to lay the table** (UK) poner la mesa ◆ **lay off** *vt sep (worker)* despedir ◆ **lay on** *vt sep* (UK) *(provide)* proveer ◆ **lay out** *vt sep (display)* disponer

lay-by *(pl* **lay-bys)** *n* (UK) área *f* de descanso

layer ['leɪə'] *n* capa *f*

layman ['leɪmən] *(pl* **-men**) *n* lego *m*, -ga *f*

layout ['leɪaʊt] *n* *(of building, streets)* trazado *m*

lazy ['leɪzɪ] *adj* perezoso(sa)

lb *(abbr of* pound) libra *f*

lead¹ [liːd] *(pt & pp* **led**) ⋄ *vt* **1.** *(take)* llevar **2.** *(be in charge of)* estar al frente de **3.** *(be in front of)* encabezar ⋄ *vi* **1.** (UK) *(for dog)* correa *f* **2.** (UK) *(cable)* cable *m* ● **to lead sb to do sthg** llevar a alguien a hacer algo ● **to lead to** *(go to)* conducir

a; *(result in)* llevar a ● **to lead the way** guiar ● **to be in the lead** llevar la delantera

lead² [led] ⋄ *n* **1.** *(metal)* plomo *m* **2.** *(for pencil)* mina *f* ⋄ *adj* de plomo

leaded petrol ['ledɪd-] *n* (UK) gasolina *f* con plomo

leader ['liːdə'] *n* líder *mf*

leadership ['liːdəʃɪp] *n* *(position of leader)* liderazgo *m*

lead-free [led-] *adj* sin plomo

leading ['liːdɪŋ] *adj* *(most important)* destacado(da)

lead singer [liːd-] *n* cantante *mf (de un grupo)*

leaf [liːf] *(pl* **leaves**) *n* *(of tree)* hoja *f*

leaflet ['liːflɪt] *n* folleto *m*

league [liːg] *n* liga *f*

leak [liːk] ⋄ *n* **1.** *(hole)* agujero *m* **2.** *(of gas, water)* escape *m* ⋄ *vi* *(roof, tank)* tener goteras

lean [liːn] *(pt & pp* **leant** OR **-ed**) ⋄ *adj* **1.** *(meat)* magro(gra) **2.** *(person, animal)* delgado y musculoso (delgada y musculosa) ⋄ *vi* *(bend)* inclinarse ⋄ *vt* ● **to lean a ladder against a wall** apoyar una escalera contra una pared ● **to lean on** apoyarse en ● **to lean forward** inclinarse hacia delante ● **to lean over** inclinarse

leap [liːp] *(pt & pp* **leapt** OR **-ed**) *vi* saltar

leap year *n* año *m* bisiesto

learn [lɜːn] *(pt & pp* **learnt** OR **-ed**) *vt* aprender ● **to learn (how) to do sthg** aprender a hacer algo ● **to learn about sthg** *(hear about)* enterarse de algo; *(study)* aprender algo

learner (driver) ['lɜ:nəʳ] n conductor m principiante

learnt [lɜ:nt] pt & pp > **learn**

lease [li:s] ◇ n arriendo m ◇ vt arrendar ● **to lease a house from sb** arrendar una casa de alguien ● **to lease a house to sb** arrendar una casa a alguien

leash [li:ʃ] n correa f

least [li:st] ◇ adj & adv menos ◇ pron ● **(the) least** menos ● **I have least food** soy la que menos comida tiene ● **I like him least** él es el que menos me gusta ● **he paid (the) least** es el que menos pagó ● **it's the least you could do** es lo menos que puedes hacer ● **at least** (with quantities, numbers) por lo menos; (to indicate an advantage) al menos

leather ['leðəʳ] n piel f ◆ **leathers** npl cazadora y pantalón de cuero utilizados por motociclistas

leave [li:v] (pt & pp **left**) ◇ vt 1. dejar 2. (go away from) salir de 3. (not take away) dejarse ◇ vi 1. (person) marcharse 2. (train, bus etc) salir ◇ n (time off work) permiso m ● **to leave a message** dejar un mensaje ◆ **leave behind** vt sep (not take away) dejar ◆ **leave out** vt sep omitir

leaves [li:vz] pl > **leaf**

Lebanon ['lebənən] n Líbano

lecture ['lektʃəʳ] n 1. (at university) clase f 2. (at conference) conferencia f

lecturer ['lektʃərəʳ] n profesor m, -ra f (de universidad)

lecture theatre n (UK) aula f

led [led] pt & pp > **lead**

ledge [ledʒ] n (of window) alféizar m

leek [li:k] n puerro m

left [left] ◇ pt & pp > **leave** ◇ adj (not right) izquierdo(da) ◇ adv a la izquierda ◇ n izquierda f ● **on the left** a la izquierda ● **there are none left** no queda ninguno (más)

left-hand adj izquierdo(da)

left-hand drive n vehículo m con el volante a la izquierda

left-handed [-'hændɪd] adj 1. (person) zurdo(da) 2. (implement) para zurdos

left-luggage locker n (UK) consigna f automática

left-luggage office n (UK) consigna f

left-wing adj de izquierdas

leg [leg] n 1. (of person) pierna f 2. (of animal, table, chair) pata f 3. (of trousers) pernera f ● **leg of lamb** pierna de cordero

legal ['li:gl] adj legal

legal aid n ayuda financiera para personas que no poseen posibilidades económicas para pagar a un abogado

legal holiday n (US) día m festivo

legalize ['li:gəlaɪz] vt legalizar

legal system n sistema m jurídico

legend ['ledʒənd] n leyenda f

leggings ['legɪŋz] npl mallas fpl

legible ['ledʒɪbl] adj legible

legislation [,ledʒɪs'leɪʃn] n legislación f

legitimate [lɪ'dʒɪtɪmət] adj legítimo (ma)

leisure [(UK)'leʒəʳ, (US) 'li:ʒər] n ocio m

leisure centre n (UK) centro m deportivo y cultural

lemon ['lemən] n limón m

lemonade [,lemə'neɪd] n 1. (UK) gaseosa f 2. (US) limonada f

lemon curd [-kɜ:d] n (UK) dulce para

untar hecho con limón, huevos, mante-quilla y azúcar

lemon juice *n* zumo *m* (Esp) OR jugo *m* (Amér) de limón

lemon sole *n* platija *f*

lemon tea *n* té *m* con limón

lend [lend] (*pt & pp* **lent**) *vt* prestar ● can you lend me some money? ¿me podrías prestar dinero?

length [leŋθ] *n* **1.** (*in distance*) longitud *f* **2.** (*in time*) duración *f* **3.** (*of swimming pool*) largo *m*

lengthen [ˈleŋθən] *vt* alargar

lens [lenz] *n* **1.** (*of camera*) objetivo *m* **2.** (*of glasses*) lente *f* **3.** (*contact lens*) lentilla *f* (Esp), lente *m* de contacto (Amér)

lent [lent] *pt & pp* ➤ **lend**

Lent [lent] *n* Cuaresma *f*

lentils [ˈlentlz] *npl* lentejas *fpl*

Leo [ˈliːəʊ] *n* Leo *m*

leopard [ˈlepəd] *n* leopardo *m*

leopard-skin *adj* estampado(da) en piel de leopardo

leotard [ˈliːətɑːd] *n* body *m*

leper [ˈlepə] *n* leproso *m*, -sa *f*

lesbian [ˈlezbɪən] ◇ *adj* lesbiano(na) ◇ *n* lesbiana *f*

less [les] *adj, adv & pron* menos ● less than 20 menos de 20 ● I eat less than her yo como menos que ella

lesson [ˈlesn] *n* (*class*) clase *f*

let [let] (*pt & pp inv*) *vt* **1.** (*allow*) dejar **2.** (UK) (*rent out*) alquilar ● **to let sb do sthg** dejar hacer algo a alguien ● **to let go of sthg** soltar algo ● **to let sb have sthg** prestar algo a alguien ● **to let sb know sthg** avisar a alguien de

algo ● **let's go!** ¡vamos! ▼ **to let** (UK) se alquila ◆ **let in** *vt sep* dejar entrar ◆ **let off** *vt sep* (UK) (*not punish*) perdonar ● **she let me off doing it** me dejó no hacerlo ● **can you let me off at the station?** ¿puede dejarme en la estación? ◆ **let out** *vt sep* (*allow to go out*) dejar salir

letdown [ˈletdaʊn] *n* (*inf*) desilusión *f*

lethargic [ləˈθɑːdʒɪk] *adj* aletargado (da)

letter [ˈletə] *n* **1.** (*written message*) carta *f* **2.** (*of alphabet*) letra *f*

letters

In Spanish letters, the date is written in full on the right-hand side e.g.: *12 de febrero de 2006*. Formal letters to people whose name you don't know begin with *Muy Sr. Mío* for men and *Muy Sra. Mía* for women, or *Muy Sres. Míos* if you don't know whether they are male or female. If you know the person's surname, then you use *Apreciado Sr. X* or *Distinguida Sra. X*. Letters to friends begin with *Querido/a* plus the person's first name, e.g. *Querida Pilar*. All these introductions are followed by a colon rather than a comma. The following phrases are used to conclude a formal letter: *Reciba un cordial saludo; Le saluda atentamente; Cordialmente; Atentamente*. Phrases for signing off letters to friends include: *Afectuosos saludos, Un abra-*

zo and *Un fuerte abrazo*, while letters to even closer friends or family members can end with *Con todo mi cariño*, *Besos* or *Un beso muy cariñoso*. All these phrases are followed by a comma.

letterbox ['letəbɒks] *n (UK)* buzón *m*

letter carrier *n (US)* cartero *m*, -ra *f*

lettuce ['letɪs] *n* lechuga *f*

leuk(a)emia [luːˈkiːmɪə] *n* leucemia *f*

level ['levl] ◇ *adj (horizontal)* plano(na) ◇ *n* **1.** nivel *m* **2.** *(storey)* planta *f* ● to be level with *(in height)* estar a nivel de; *(in standard)* estar al mismo nivel que

level crossing *n (UK)* paso *m* a nivel

lever [*(UK)*ˈliːvə^r, *(US)* ˈlevər] *n* palanca *f*

liability [ˌlaɪəˈbɪlɪtɪ] *n (responsibility)* responsabilidad *f*

liable ['laɪəbl] *adj* ● to be liable to do sthg tener tendencia a hacer algo ● to be liable for sthg ser responsable de algo

liaise [lɪˈeɪz] *vi* ● to liaise with mantener contacto con

liar ['laɪə^r] *n* mentiroso *m*, -sa *f*

liberal ['lɪbərəl] *adj* **1.** *(tolerant)* liberal **2.** *(generous)* generoso(sa)

Liberal Democrat Party *n* partido *m* demócrata liberal

liberate ['lɪbəreɪt] *vt* liberar

liberty ['lɪbətɪ] *n* libertad *f*

Libra ['liːbrə] *n* Libra *f*

librarian [laɪˈbreərɪən] *n* bibliotecario *m*, -ria *f*

library ['laɪbrərɪ] *n* biblioteca *f*

Libya ['lɪbɪə] *n* Libia *f*

lice [laɪs] *npl* piojos *mpl*

licence ['laɪsəns] *n (UK)* permiso *m*

license ['laɪsəns] ◇ *vt* autorizar ◇ *n (US)* = **licence**

licensed ['laɪsənst] *adj (UK) (restaurant, bar)* autorizado(da) para vender bebidas alcohólicas

licensing hours ['laɪsənsɪŋ-] *npl (UK)* horario en que se autoriza la venta de bebidas alcohólicas al público en un pub

lick [lɪk] *vt* lamer

lid [lɪd] *n (cover)* tapa *f*

lie [laɪ] ◇ *n* mentira *f* ◇ *vi (pt* lay, *pp* lain, *cont* lying) **1.** *(pt & pp* lied) *(tell lie)* mentir **2.** *(be horizontal)* estar echado **3.** *(lie down)* echarse **4.** *(be situated)* encontrarse ● to tell lies contar mentiras ● to lie about sthg mentir respecto a algo ◆lie down *vi* acostarse

lieutenant [*(UK)* lefˈtenənt, *(US)* luːˈtenənt] *n* teniente *m*

life [laɪf] *(pl* lives) *n* vida *f*

life assurance *n (UK)* seguro *m* de vida

life belt *n* salvavidas *m inv*

lifeboat ['laɪfbəʊt] *n* **1.** *(launched from shore)* bote *m* salvavidas **2.** *(launched from ship)* lancha *f* de salvamento

lifeguard ['laɪfgɑːd] *n* socorrista *mf*

life jacket *n* chaleco *m* salvavidas

lifelike ['laɪflaɪk] *adj* realista

life preserver [-prɪˈzɜːvər] *n (US)* **1.** *(life belt)* salvavidas *m inv* **2.** *(life jacket)* chaleco *m* salvavidas

life-size *adj* de tamaño natural

lifespan ['laɪfspæn] *n* vida *f*

lifestyle ['laɪfstaɪl] *n* estilo *m* de vida

lift [lɪft] ◇ *n (UK) (elevator)* ascensor *m* ◇

vt (*raise*) levantar ◇ *vi* (*fog*) despejarse ● **to give sb a lift** llevar a alguien (*en automóvil*) ◆ **lift up** *vt sep* levantar

light [laɪt] (*pt & pp* **lit** OR **-ed**) ◇ *adj* **1.** ligero(ra) **2.** (*in colour*) claro(ra) **3.** (*rain*) fino(na) ◇ *n* **1.** luz *f* **2.** (*for cigarette*) fuego *m* ◇ *vt* **1.** (*fire, cigarette*) encender **2.** (*room, stage*) iluminar ● **have you got a light?** ¿tienes fuego? ◆ **to set light to sthg** prender fuego a algo ◆ **lights** (*traffic lights*) semáforo *m* ◆ **light up** ◇ *vt sep* (*house, road*) iluminar ◇ *vi* (*inf*) (*light a cigarette*) encender un cigarrillo

light bulb *n* bombilla *f*

lighter ['laɪtə'] *n* mechero *m* (*Esp*), encendedor *m*

light-hearted [-'hɑːtɪd] *adj* alegre

lighthouse ['laɪthaʊs] *n* faro *m*

lighting ['laɪtɪŋ] *n* iluminación *f*

light meter *n* contador *m* OR medidor *m* (*Amér*) de la luz

lightning ['laɪtnɪŋ] *n* relámpagos *mpl*

lightweight ['laɪtweɪt] *adj* (*clothes, object*) ligero(ra)

like [laɪk] ◇ *prep* **1.** como **2.** (*typical of*) típico de ◇ *vt* (*want*) querer ● **I like beer** me gusta la cerveza ● **I like them** me gustan ● **I like doing it** me gusta hacerlo ● **what's it like?** ¿cómo es? ◆ **like that** así ● **like this** así ● **he looks like his father** se parece a su padre ◆ **I'd like to come** me gustaría venir ● **I'd like to sit down** quisiera sentarme ● **I'd like a drink** me apetece tomar algo

likelihood ['laɪklɪhʊd] *n* probabilidad *f*

likely ['laɪklɪ] *adj* probable

likeness ['laɪknɪs] *n* (*similarity*) parecido *m*

likewise ['laɪkwaɪz] *adv* del mismo modo

lilac ['laɪlək] *adj* lila (*inv*)

Lilo® ['laɪləʊ] (*pl* **-s**) *n* (*UK*) colchoneta *f*

lily ['lɪlɪ] *n* azucena *f*

lily of the valley *n* lirio *m* de los valles

limb [lɪm] *n* miembro *m*

lime [laɪm] *n* (*fruit*) lima *f* ● **lime** (*juice*) refresco *m* de lima

limestone ['laɪmstəʊn] *n* piedra *f* caliza

limit ['lɪmɪt] ◇ *n* límite *m* ◇ *vt* limitar ● **the city limits** los límites de la ciudad

limited ['lɪmɪtɪd] *adj* limitado(da)

limp [lɪmp] ◇ *adj* flojo(ja) ◇ *vi* cojear

line [laɪn] ◇ *n* **1.** línea *f* **2.** (*row*) fila *f* **3.** (*US*) (*queue*) cola *f* **4.** (*of words on page*) renglón *m* **5.** (*of poem, song*) verso *m* **6.** (*for fishing*) sedal *m* **7.** (*for washing, rope*) cuerda *f* **8.** (*railway track*) vía *f* **9.** (*of business, work*) especialidad *f* **10.** (*type of food*) surtido *m* ◇ *vt* (*coat, drawers*) forrar ◆ **in line** (*aligned*) alineado(da) ◆ **it's a bad line** hay interferencias ● **the line is engaged** está comunicando ◆ **to drop sb a line** (*inf*) escribir unas letras a alguien ◆ **to stand in line** (*US*) hacer cola ◆ **line up** ◇ *vt sep* (*arrange*) planear ◇ *vi* alinearse

lined [laɪnd] *adj* (*paper*) de rayas

linen ['lɪnɪn] *n* **1.** (*cloth*) lino *m* **2.** (*tablecloths, sheets*) ropa *f* blanca

liner ['laɪnə'] *n* (*ship*) transatlántico *m*

linesman ['laɪnzmən] (*pl* **-men**) *n* juez *mf* de línea

linger ['lɪŋgə'] *vi (in place)* rezagarse
lingerie ['lænʒərɪ] *n* lencería *f*
lining ['laɪnɪŋ] *n* forro *m*
link [lɪŋk] ◇ *n* **1.** *(connection)* conexión *f* **2.** *(between countries, companies)* vínculo *m* ◇ *vt (connect)* conectar ◆ **rail link** *n* enlace *m* ferroviario ◆ **road link** *n* conexión de carreteras
lino ['laɪnəʊ] *n (UK)* linóleo *m*
lion ['laɪən] *n* león *m*
lioness ['laɪənes] *n* leona *f*
lip [lɪp] *n* labio *m*
lip salve [-sælv] *n* protector *m* labial
lipstick ['lɪpstɪk] *n* barra *f* de labios, lápiz *m* labial *(Amér)*
liqueur [lɪ'kjʊə'] *n* licor *m*
liquid ['lɪkwɪd] *n* líquido *m*
liquor ['lɪkər] *n (US)* bebida *f* alcohólica
liquor store *n (US) tienda de bebidas alcohólicas para llevar*
liquorice ['lɪkərɪs] *n* regaliz *m*
lisp [lɪsp] *n* ceceo *m*
list [lɪst] ◇ *n* lista *f* ◇ *vt* hacer una lista de
listen ['lɪsn] *vi* ◆ **to listen (to)** *(to person, sound, radio)* escuchar; *(to advice)* hacer caso (de)
listener ['lɪsnə'] *n (to radio)* oyente *mf*
lit [lɪt] *pt & pp* ➤ **light**
liter ['liːtər] *(US)* = **litre**
literally ['lɪtərəlɪ] *adv* literalmente
literary ['lɪtərərɪ] *adj* literario(ria)
literature ['lɪtrətʃə'] *n* **1.** literatura *f* **2.** *(printed information)* folletos *mpl* informativos
litre ['liːtə'] *n (UK)* litro *m*
litter ['lɪtə'] *n* basura *f*

litterbin ['lɪtəbɪn] *n (UK)* papelera *f (en la calle)*
little ['lɪtl] ◇ *adj* **1.** pequeño(ña) **2.** *(distance, time)* corto(ta) **3.** *(not much)* poco(ca) ◇ *adv* poco ◇ *pron* ● **I have very little** tengo muy poco ● **as little as possible** lo menos posible ● **little by little** poco a poco ● **a little** un poco ● **a little sugar** un poco de azúcar ● **a little while** un rato
little finger *n* meñique *m*
live¹ [lɪv] *vi* vivir ● **to live with sb** vivir con alguien ◆ **live together** *vi* vivir juntos
live² [laɪv] ◇ *adj* **1.** *(alive)* vivo(va) **2.** *(programme, performance)* en directo **3.** *(wire)* cargado(da) ◇ *adv* en directo
lively ['laɪvlɪ] *adj* **1.** *(person)* vivaz **2.** *(place, atmosphere)* animado(da)
liver ['lɪvə'] *n* hígado *m*
lives [laɪvz] *pl* ➤ **life**
living ['lɪvɪŋ] ◇ *adj (alive)* vivo(va) ◇ *n* ● **to earn a living** ganarse la vida ● **what do you do for a living?** ¿en qué trabajas?
living room *n* sala *f* de estar
lizard ['lɪzəd] *n* lagartija *f*
load [ləʊd] ◇ *n (thing carried)* carga *f* ◇ *vt* cargar ● **loads of** *(inf)* un montón de
loaf [ləʊf] *(pl loaves) n* ● **loaf (of bread)** barra *f* de pan
loan [ləʊn] ◇ *n* préstamo *m* ◇ *vt* prestar
loathe [ləʊð] *vt* detestar
loaves [ləʊvz] *pl* ➤ **loaf**
lobby ['lobɪ] *n (hall)* vestíbulo *m*
lobster ['lobstə'] *n* langosta *f*
local ['ləʊkl] ◇ *adj* local ◇ *n* **1.** *(inf) (local person)* vecino *m* (del lugar). **2.** *(UK)*

(pub) ≃ bar *m* del barrio **3.** *(US) (bus)* autobús *m* urbano **4.** *(US) (train)* tren *m* de cercanías

local anaesthetic *n* *(UK)* anestesia *f* local

local call *n* llamada *f* urbana

local government *n* administración *f* local

locate [*(UK)* ləʊ'keɪt, *(US)* 'ləʊkeɪt] *vt* *(find)* localizar ◆ **to be located** estar situado

location [ləʊ'keɪʃn] *n* *(place)* situación *f*

loch [lɒk] *n* lago *m*

lock [lɒk] ◇ *n* **1.** *(on door, drawer)* cerradura *f* **2.** *(for bike)* candado *m* **3.** *(on canal)* esclusa *f* ◇ *vt* **1.** *(fasten with key)* cerrar con llave **2.** *(keep safely)* poner bajo llave ◇ *vi (become stuck)* bloquearse ◆ **lock in** *vt sep (accidentally)* dejar encerrado ◆ **lock out** *vt sep (accidentally)* dejar fuera accidentalmente ◆ **lock up** ◇ *vt sep (imprison)* encarcelar ◇ *vi* cerrar con llave

locker ['lɒkə'] *n* taquilla *f*, locker *m* *(Amér)*

locker room *n* vestuario *m* *(con taquillas)*

locket ['lɒkɪt] *n* guardapelo *m*

locum ['ləʊkəm] *n* interino *m*, -na *f*

lodge [lɒdʒ] ◇ *n* *(for hunters, skiers)* refugio *m* ◇ *vi* alojarse

lodger ['lɒdʒə'] *n* *(UK)* huésped *mf*

lodgings ['lɒdʒɪŋz] *npl* habitación *f* alquilada

loft [lɒft] *n* **1.** desván *m* **2.** *(US) (apartment)* apartamento convertido de un almacén

log [lɒg] *n* tronco *m* ◆ **log on** *vi* COMPUT

acceder OR entrar al sistema ◆ **log off** *vi* COMPUT salir del sistema

logic ['lɒdʒɪk] *n* lógica *f*

logical ['lɒdʒɪkl] *adj* lógico(ca)

logo ['ləʊgəʊ] *n* *(pl -s)* logotipo *m*

loin [lɔɪn] *n* lomo *m*

loiter ['lɔɪtə'] *vi* merodear

London ['lʌndən] *n* Londres

Londoner ['lʌndənə'] *n* londinense *mf*

lonely ['ləʊnlɪ] *adj* **1.** *(person)* solo(la) **2.** *(place)* solitario(ria)

long [lɒŋ] ◇ *adj* largo(ga) ◇ *adv* mucho *(tiempo)* ● **it's 2 metres long** mide 2 metros de largo ● **it's two hours long** dura dos horas ● **how long is it?** *(in distance)* ¿cuánto mide (de largo)?; *(in time)* ¿cuánto tiempo dura? ● **a long time** mucho tiempo ● **all day long** todo el día ● **as long as** mientras (que) ● **for long** mucho tiempo ● **I'm no longer interested** ya no me interesa ● **so long!** *(inf)* ¡hasta luego! ◆ **long for** *vt insep* desear vivamente

long-distance call *n* conferencia *f* *(telefónica)* *(Esp)*, llamada *f* de larga distancia

long drink *n* combinado de alcohol y refresco

long-haul *adj* de larga distancia

longitude ['lɒndʒɪtjuːd] *n* longitud *f*

long jump *n* salto *m* de longitud

long-life *adj* *(UK)* de larga duración

longsighted [,lɒŋ'saɪtɪd] *adj* *(UK)* présbita

long-term *adj* a largo plazo

longwearing [,lɒŋ'weərɪŋ] *adj* *(US)* duradero(ra)

loo [luː] *n* *(pl -s)* *n* *(UK)* *(inf)* váter *m*

(*Esp*), baño *m* (*Amér*)

look [lʊk] ◇ *n* **1.** (*act of looking*) mirada *f* **2.** (*appearance*) aspecto *m* ◇ *vi* **1.** (*with eyes, search*) mirar **2.** (*seem*) parecer ● **you don't look well** no tienes muy buen aspecto ● **to have a look** (*see*) echar un vistazo; (*search*) buscar ● **(good) looks** atractivo *m* (*físico*) ● **I'm just looking** (*in shop*) solamente estoy mirando ● **look out!** ¡cuidado! ◆ **look after** *vt insep* **1.** (*person*) cuidar de **2.** (*matter, arrangements*) encargarse de ◆ **look at** *vt insep* **1.** (*observe*) mirar **2.** (*examine*) examinar ◆ **look for** *vt insep* buscar ◆ **look forward to** *vt insep* esperar (con ilusión) ◆ **look out for** *vt insep* estar atento a ◆ **look round** ◇ *vt insep* **1.** (*city, museum*) visitar **2.** (*shop*) mirar ◇ *vi* volver la cabeza ◆ **look up** *vt sep* (*in dictionary, phone book*) buscar

loony ['luːnɪ] *n* (*inf*) chiflado *m*, -da *f*

loop [luːp] *n* lazo *m*

loose [luːs] *adj* **1.** (*not fixed firmly*) flojo(ja) **2.** (*sweets, sheets of paper*) suelto(ta) **3.** (*clothes*) ancho(cha)

loosen ['luːsn] *vt* aflojar

lop-sided [-'saɪdɪd] *adj* ladeado(da)

lord [lɔːd] *n* (*member of nobility*) lord *m*, título de nobleza británica

lorry ['lɒrɪ] *n* (*UK*) camión *m*

lorry driver *n* (*UK*) camionero *m*, -ra *f*

lose [luːz] (*pt & pp* **lost**) ◇ *vt* **1.** perder **2.** (*subj: watch, clock*) atrasarse ◇ *vi* perder ● **to lose weight** adelgazar

loser ['luːzə'] *n* (*in contest*) perdedor *m*, -ra *f*

loss [lɒs] *n* pérdida *f*

lost [lɒst] ◇ *pt & pp* ➤ **lose** ◇ *adj* perdido(da) ● **to get lost** (*lose way*) perderse

lost-and-found office *n* (*US*) oficina *f* de objetos perdidos

lost property office *n* (*UK*) oficina *f* de objetos perdidos

lot [lɒt] *n* **1.** (*group of things*) grupo *m* **2.** (*at auction*) lote *m* **3.** (*US*) (*car park*) aparcamiento *m* (*Esp*), estacionamiento *m* (*Amér*) ● **a lot** (*large amount*) mucho *m*, -cha *f*, muchos *mpl*, -chas *fpl*; (*to a great extent, often*) mucho ● **a lot of time** mucho tiempo ● **a lot of problems** muchos problemas ● **lots (of)** mucho *m*, -cha *f*, muchos *mpl*, -chas *fpl* ● **the lot** (*everything*) todo

lotion ['ləʊʃn] *n* loción *f*

lottery ['lɒtərɪ] *n* lotería *f*

loud [laʊd] *adj* **1.** (*voice, music, noise*) alto(ta) **2.** (*colour, clothes*) chillón(ona)

loudspeaker [,laʊd'spiːkə'] *n* altavoz *m*

lounge [laʊndʒ] *n* **1.** (*in house*) salón *m* **2.** (*at airport*) sala *f* de espera

lounge bar *n* (*UK*) salón-bar *m*

lousy ['laʊzɪ] *adj* (*inf*) (*poor-quality*) cochambroso(sa)

lout [laʊt] *n* gamberro *m*, -rra *f* (*Esp*), patán *m*

love [lʌv] ◇ *n* **1.** amor *m* **2.** (*strong liking*) pasión *f* **3.** (*in tennis*) cero *m* ◇ *vt* querer ● **I love music** me encanta la música ● **I'd love a coffee** un café me vendría estupendamente ● **I love playing tennis** me encanta jugar al tenis ● **to be in love (with)** estar enamorado (de) ● **(with) love from** (*in letter*) un abrazo (de)

love affair n aventura f amorosa

lovely ['lʌvlɪ] adj **1.** (very beautiful) guapísimo(ma) **2.** (very nice) precioso(sa)

lover ['lʌvə'] n amante mf

loving ['lʌvɪŋ] adj cariñoso(sa)

low [ləʊ] ◇ adj **1.** bajo(ja) **2.** (quality, opinion) malo(la) **3.** (sound, note) grave **4.** (supply) escaso(sa) **5.** (depressed) deprimido(da) ◇ n (area of low pressure) zona f de baja presión (atmosférica) ● **we're low on petrol** se está terminando la gasolina

low-alcohol adj bajo(ja) en alcohol

low-calorie adj bajo(ja) en calorías

low-cut adj escotado(da)

lower ['ləʊə'] ◇ adj inferior ◇ vt **1.** (move downwards) bajar **2.** (reduce) reducir

lower sixth n (UK) primer curso de enseñanza secundaria pre-universitaria para alumnos de 17 años que preparan sus A-levels

low-fat adj de bajo contenido graso

low tide n marea f baja

loyal ['lɔɪəl] adj leal

loyalty ['lɔɪəltɪ] n lealtad f

lozenge ['lɒzɪndʒ] n (sweet) caramelo m para la tos

L-plate n (UK) placa f de la L (de prácticas)

Ltd (UK) (abbr of limited) ≃ S.A. (Sociedad Anónima)

lubricate ['luːbrɪkeɪt] vt lubricar

luck [lʌk] n suerte f ● **bad luck** mala suerte ● **good luck!** ¡buena suerte! ● **with luck** con un poco de suerte

luckily ['lʌkɪlɪ] adv afortunadamente

lucky ['lʌkɪ] adj **1.** (person, escape)

afortunado(da) **2.** (event, situation) oportuno(na) **3.** (number, colour) de la suerte ● **to be lucky** tener suerte

ludicrous ['luːdɪkrəs] adj ridículo(la)

lug [lʌg] vt (inf) arrastrar

luggage ['lʌgɪdʒ] n equipaje m

luggage compartment n maletero m (en tren)

luggage locker n consigna f automática

luggage rack n (on train) redecilla f (para equipaje)

lukewarm ['luːkwɔːm] adj tibio(bia)

lull [lʌl] n intervalo m

lullaby ['lʌləbaɪ] n nana f

luminous ['luːmɪnəs] adj luminoso(sa)

lump [lʌmp] n **1.** (of coal, mud, butter) trozo m **2.** (of sugar) terrón m **3.** (on body) bulto m

lump sum n suma f global

lumpy ['lʌmpɪ] adj **1.** (sauce) grumoso (sa) **2.** (mattress) lleno(na) de bultos

lunatic ['luːnətɪk] n (pej) loco m, -ca f

lunch [lʌntʃ] n comida f, almuerzo m ● **to have lunch** comer, almorzar

lunch hour n hora f del almuerzo

lunchtime ['lʌntʃtaɪm] n hora f del almuerzo

lung [lʌŋ] n pulmón m

lunge [lʌndʒ] vi ● **to lunge at** arremeter contra

lure [ljʊə'] vt atraer con engaños

lurk [lɜːk] vi (person) estar al acecho

lush [lʌʃ] adj exuberante

lust [lʌst] n (sexual desire) lujuria f

Luxembourg ['lʌksəmbɜːg] n Luxemburgo

luxurious [lʌg'ʒʊərɪəs] adj lujoso(sa)

luxury ['lʌkʃərɪ] ◇ *adj* de lujo ◇ *n* lujo *m*

lying ['laɪɪŋ] *cont* ➤ lie

lyrics ['lɪrɪks] *npl* letra *f*

m M

m ◇ (*abbr of* metre) m (*metro*) ◇ *abbr* = mile

M (UK) (*abbr of* motorway) A (*autopista*); (*abbr of* medium) M (*mediano*)

MA [em'eɪ] *n* (*abbr of* Master of Arts) *máster en letras*

mac [mæk] *n* (UK) (*inf*) gabardina *f*

macaroni [,mækə'rəʊnɪ] *n* macarrones *mpl*

machine [mə'ʃi:n] *n* máquina *f*

machinegun [mə'ʃi:ngʌn] *n* ametralladora *f*

machinery [mə'ʃi:nərɪ] *n* maquinaria *f*

machine-washable *adj* lavable a máquina

mackerel ['mækrəl] (*pl inv*) *n* caballa *f*

mackintosh ['mækɪntɒʃ] *n* (UK) gabardina *f*

mad [mæd] *adj* **1.** loco(ca) **2.** (*angry*) furioso(sa) **3.** (*uncontrolled*) desenfrenado(da) ● **to be mad about** (*inf*) (*like a lot*) estar loco por ● **like mad** (*run*) como un loco

Madam ['mædəm] *n* señora *f*

made [meɪd] *pt* & *pp* ➤ make

made-to-measure *adj* hecho(cha) a medida

madness ['mædnɪs] *n* locura *f*

magazine [,mægə'zi:n] *n* revista *f*

maggot ['mægət] *n* gusano *m* (*larva*)

magic ['mædʒɪk] *n* magia *f*

magician [mə'dʒɪʃn] *n* (*conjurer*) prestidigitador *m*, -ra *f*

magistrate ['mædʒɪstreɪt] *n* magistrado *m*, -da *f*

magnet ['mægnɪt] *n* imán *m*

magnetic [mæg'netɪk] *adj* magnético (ca)

magnificent [mæg'nɪfɪsənt] *adj* magnífico(ca)

magnifying glass ['mægnɪfaɪɪŋ-] *n* lupa *f*

mahogany [mə'hɒgənɪ] *n* caoba *f*

maid [meɪd] *n* (*servant*) criada *f*

maiden name ['meɪdn-] *n* nombre *m* de soltera

mail [meɪl] ◇ *n* **1.** (*letters*) correspondencia *f* **2.** (*system*) correo *m* ◇ *vt* (US) enviar por correo

mailbox ['meɪlbɒks] *n* (US) buzón *m*

mailing list ['meɪlɪŋ-] *n* COMPUT lista m de correo

mailman ['meɪlmən] (*pl* -men) *n* (US) cartero *m*

mail order *n* pedido *m* por correo

main [meɪn] *adj* principal

main course *n* plato *m* principal

mainland ['meɪnlənd] *n* ● **the mainland** el continente

main line *n* línea *f* férrea principal

mainly ['meɪnlɪ] *adv* principalmente

main road *n* carretera *f* principal

mains [meɪnz] *npl* ● **the mains** (UK) (*for electricity*) la red eléctrica; (*for gas, water*) la tubería principal

main street *n* (US) calle *f* principal

maintain [meɪn'teɪn] *vt* mantener

maintenance ['meɪntənəns] *n* **1.** *(of car, machine)* mantenimiento *m* **2.** *(money)* pensión *f* de manutención

maisonette [ˌmeɪzə'net] *n* (UK) piso *m* dúplex

maize [meɪz] *n* (UK) maíz *m*

major ['meɪdʒə'] ◇ *adj* **1.** *(important)* importante **2.** *(most important)* principal ◇ *n* MIL comandante *m* ◇ *vi* (US) ● **to major in** especializarse en

Majorca [mə'jɔːkə, mə'dʒɔːkə] *n* Mallorca

majority [mə'dʒɒrətɪ] *n* mayoría *f*

major road *n* carretera *f* principal

make [meɪk] *(pt & pp* **made)**
◇ *vt* **1.** *(produce, construct)* hacer ● **to be made of** estar hecho de ● **to make lunch/supper** hacer la comida/cena ● **made in Japan** fabricado en Japón **2.** *(perform, do)* hacer ● **to make a mistake** cometer un error ● **to make a phone call** hacer una llamada **3.** *(cause to be, do)* hacer ● **to make sb sad** poner triste a alguien ● **to make sb happy** hacer feliz a alguien ● **the ice made her slip** el hielo le hizo resbalar ● **to make sb do sthg** *(force)* obligar a alguien a hacer algo **4.** *(amount to, total)* hacer ● **that makes £5** eso hace 5 libras **5.** *(calculate)* calcular ● **I make it seven o'clock** calculo que serán las siete **6.** *(money)* ganar; *(profit)* obtener; *(loss)* sufrir **7.** *(inf)* *(arrive in time for)* ● **I don't think we'll make the 10 o'clock train** no creo que lleguemos para el tren de las diez **8.** *(friend, enemy)* hacer **9.** *(have qualities for)* ser ● **this would make a**

lovely bedroom esta habitación sería preciosa como dormitorio **10.** *(bed)* hacer **11.** *(in phrases)* ● **to make do** arreglárselas ● **to make good** *(compensate for)* indemnizar ● **to make it** *(arrive in time)* llegar a tiempo; *(be able to go)* poder ir
◇ *n* *(of product)* marca *f*

● **make out** *vt sep* *(form)* rellenar; *(cheque, receipt)* extender; *(see)* divisar; *(hear)* entender

● **make up** *vt sep* *(invent)* inventar; *(comprise)* formar; *(difference)* cubrir

● **make up for** *vt insep* compensar

makeover ['meɪkəʊvə'] *n* **1.** *(person)* cambio *m* de imagen **2.** *(building, area)* remodelación *f*

makeshift ['meɪkʃɪft] *adj* improvisado (da)

make-up *n* maquillaje *m*

malaria [mə'leərɪə] *n* malaria *f*

Malaysia [mə'leɪzɪə] *n* Malasia

male [meɪl] ◇ *adj* **1.** *(person)* masculino(na) **2.** *(animal)* macho ◇ *n* *(animal)* macho *m*

malfunction [mæl'fʌŋkʃn] *vi* *(fml)* funcionar mal

malignant [mə'lɪgnənt] *adj* *(disease, tumour)* maligno(na)

mall [mɔːl] *n* zona *f* comercial peatonal

mallet ['mælɪt] *n* mazo *m*

maltreat [ˌmæl'triːt] *vt* maltratar

malt whisky *n* whisky *m* de malta

mammal ['mæml] *n* mamífero *m*

man [mæn] *(pl* **men)** ◇ *n* **1.** hombre *m* **2.** *(mankind)* el hombre ◇ *vt* ● **the lines are manned 24 hours a day** las líneas están abiertas las 24 horas

manage ['mænɪdʒ] ◇ vt **1.** *(company, business)* dirigir **2.** *(suitcase, job, food)* poder con ◇ vi *(cope)* arreglárselas ● **can you manage Friday?** ¿te viene bien el viernes? ● **to manage to do sthg** conseguir hacer algo

management ['mænɪdʒmənt] n **1.** *(people in charge)* dirección f **2.** *(control, running)* gestión f

manager ['mænɪdʒəʳ] n **1.** *(of business, bank)* director m, -ra f **2.** *(of shop)* jefe m, -fa f **3.** *(of sports team)* ≃ entrenador m, -ra f

managing director ['mænɪdʒɪŋ-] n director m, -ra f general

mandarin ['mændərɪn] n *(fruit)* mandarina f

mane [meɪn] n crin f

maneuver [mə'nu:vər] *(US)* = **manoeuvre**

mangetout [,mɒnʒ'tu:] n *(UK)* vaina de guisante tierna que se come entera

mangle ['mæŋgl] vt aplastar

mango ['mæŋgəʊ] *(pl* -es OR -s*)* n mango m

Manhattan [mæn'hætən] n Manhattan

manhole ['mænhəʊl] n registro m *(de alcantarillado)*

maniac ['meɪnɪæk] n *(inf) (wild person)* maníaco m, -ca f

manicure ['mænɪkjʊəʳ] n manicura f

manifold ['mænɪfəʊld] n colector m

manipulate [mə'nɪpjʊleɪt] vt **1.** *(person)* manipular **2.** *(machine, controls)* manejar

mankind [,mæn'kaɪnd] n la humanidad

manly ['mænlɪ] adj varonil

man-made adj artificial

manner ['mænəʳ] n *(way)* manera f ●

manners npl modales mpl

manoeuvre [mə'nu:vəʳ] ◇ n *(UK)* maniobra f ◇ vt *(UK)* maniobrar

manor ['mænəʳ] n casa f solariega

mansion ['mænʃn] n casa f solariega

manslaughter ['mæn,slɔ:təʳ] n homicidio m no premeditado

mantelpiece ['mæntlpi:s] n repisa f de la chimenea

manual ['mænjʊəl] ◇ adj manual ◇ n manual m

manufacture [,mænjʊ'fæktʃəʳ] ◇ n fabricación f ◇ vt fabricar

manufacturer [,mænjʊ'fæktʃərəʳ] n fabricante mf

manure [mə'njʊəʳ] n estiércol m

many ['menɪ] *(compar* more, *superl* most*)* ◇ adj muchos(chas) ◇ pron muchos mpl, -chas fpl ● **as many as ...** tantos(tas) como ... ● **twice as many as** el doble que ● **how many?** ¿cuántos (tas?) ● **so many** tantos(tas) ● **too many** demasiados(das)

map [mæp] n **1.** *(of town)* plano m **2.** *(of country)* mapa m

maple syrup ['meɪpl-] n jarabe de arce que se come con crepes etc

Mar. *(abbr of* March*)* mar. *(marzo)*

marathon ['mærəθn] n maratón m

marble ['mɑ:bl] n **1.** *(stone)* mármol m **2.** *(glass ball)* canica f

march [mɑ:tʃ] ◇ n *(demonstration)* manifestación f ◇ vi *(walk quickly)* dirigirse resueltamente

March [mɑ:tʃ] n marzo m ● **at the beginning of March** a principios de marzo ● **at the end of March** a finales de marzo ● **during March** en marzo ● **every March** todos los años en marzo ● **in March** en marzo ● **last March** en marzo del año pasado ● **next March** en marzo del próximo año ● **this March** en marzo de este año ● **2 March 2001** *(in letters etc)* 2 de marzo de 2001

mare [meə'] *n* yegua *f*

margarine [ˌmɑːdʒə'riːn] *n* margarina *f*

margin ['mɑːdʒɪn] *n* margen *m*

marina [mə'riːnə] *n* puerto *m* deportivo

marinated ['mærɪneɪtɪd] *adj* marinado (da)

marital status ['mærɪtl-] *n* estado *m* civil

mark [mɑːk] ◇ *n* **1.** marca *f* **2.** SCH nota *f* ◇ *vt* **1.** *(blemish)* manchar **2.** *(put symbol on)* marcar **3.** *(correct)* corregir **4.** *(show position of)* señalar ● *(gas)* **mark five** *(UK)* número cinco (del horno)

marker pen ['mɑːkə-] *n* rotulador *m*, marcador *m* (*Amér*)

market ['mɑːkɪt] *n* mercado *m*

marketing ['mɑːkɪtɪŋ] *n* marketing *m*

marketplace ['mɑːkɪtpleɪs] *n* mercado *m*

markings ['mɑːkɪŋz] *npl (on road)* marcas *fpl* viales

marmalade ['mɑːməleɪd] *n* mermelada *f* (de frutos cítricos)

marquee [mɑː'kiː] *n* carpa *f*

marriage ['mærɪdʒ] *n* **1.** *(event)* boda *f*. **2.** *(time married)* matrimonio *m*

married ['mærɪd] *adj* casado(da) ● **to get married** casarse

marrow ['mærəʊ] *n (UK) (vegetable)* calabacín *m* grande

marry ['mærɪ] ◇ *vt* casarse con ◇ *vi* casarse

marsh [mɑːʃ] *n (area)* zona *f* pantanosa

martial arts [ˌmɑːʃl-] *npl* artes *fpl* marciales

marvellous ['mɑːvələs] *adj (UK)* maravilloso(sa)

marvelous ['mɑːvələs] *(US)* = **marvellous**

marzipan ['mɑːzɪpæn] *n* mazapán *m*

mascara [mæs'kɑːrə] *n* rímel *m*

masculine ['mæskjʊlɪn] *adj* **1.** masculino(na) **2.** *(woman)* hombruno(na)

mashed potatoes [mæʃt-] *npl* puré *m* de patatas *(Esp)* OR papas *(Amér)*

mask [mɑːsk] *n* máscara *f*

masonry ['meɪsnrɪ] *n* ● **falling masonry** materiales que se desprenden de un edificio

mass [mæs] *n* **1.** *(large amount)* montón *m* **2.** RELIG misa *f* ● **masses (of)** *(inf)* montones (de)

massacre ['mæsəkə'] *n* masacre *f*

massage [*(UK)* 'mæsɑːʒ, *(US)* mə'sɑːʒ] *n* masaje *m* ◇ *vt* dar masajes a

masseur [mæ'sɜː'] *n* masajista *m*

masseuse [mæ'sɜːz] *n* masajista *f*

massive ['mæsɪv] *adj* enorme

mast [mɑːst] *n (on boat)* mástil *m*

master ['mɑːstə'] ◇ *n* **1.** *(at primary school)* maestro *m* **2.** *(at secondary school)* profesor *m* **3.** *(of servant, dog)* amo *m* ◇ *vt (skill, language)* dominar

masterpiece ['mɑːstəpiːs] *n* obra *f* maestra

mat [mæt] *n* **1.** *(small rug)* esterilla *f*, tapete *m (Col & Méx)* **2.** *(for plate)* salvamanteles *m inv* **3.** *(for glass)* posavasos *m inv*

match [mætʃ] ◇ *n* **1.** (*for lighting*) cerilla *f* (*Esp*), fósforo *m* **2.** (*game*) partido *m* ◇ *vt* **1.** (*in colour, design*) hacer juego con **2.** (*be the same as*) coincidir con **3.** (*be as good as*) competir con ◇ *vi* (*in colour, design*) hacer juego

matchbox ['mætʃbɒks] *n* caja *f* de cerillas (*Esp*) OR fósforos

matching ['mætʃɪŋ] *adj* a juego

mate [meɪt] ◇ *n* (*UK*) (*inf*) colega *mf* ◇ *vi* aparearse

material [mə'tɪərɪəl] *n* **1.** (*substance*) material *m* **2.** (*cloth*) tela *f* **3.** (*information*) información *f* ◆ **materials** *npl* ● writing materials objetos *mpl* de escritorio

maternity leave [mə'tɜːnɪt-] *n* baja *f* por maternidad

maternity ward [mə'tɜːnɪt-] *n* sala *f* de maternidad

math [mæθ] (*US*) = maths

mathematics [,mæθə'mætɪks] *n* matemáticas *fpl*

maths [mæθs] *n* (*UK*) mates *fpl*

matinée ['mætɪneɪ] *n* **1.** (*at cinema*) primera sesión *f* **2.** (*at theatre*) función *f* de tarde

matt [mæt] *adj* mate

matter ['mætə'] ◇ *n* **1.** (*issue, situation*) asunto *m* **2.** (*physical material*) materia *f* ◇ *vi* ● winning is all that matters lo único que importa es ganar ● it doesn't matter no importa ● no matter what happens pase lo que pase ● there's something the matter with my car algo le pasa a mi coche ● what's the matter? ¿qué pasa? ● as a matter of course rutinariamente ● as

a matter of fact en realidad

mattress ['mætrɪs] *n* colchón *m*

mature [mə'tjʊə'] *adj* **1.** (*person, behaviour*) maduro(ra) **2.** (*cheese*) curado(da) **3.** (*wine*) añejo(ja)

mauve [məʊv] *adj* malva (*inv*)

max. [mæks] (*abbr of* maximum) máx. (*máximo*)

maximum ['mæksɪməm] ◇ *adj* máximo(ma) ◇ *n* máximo *m*

may [meɪ] *aux vb* **1.** (*expressing possibility*) poder ● it may rain puede que llueva ● they may have got lost puede que se hayan perdido **2.** (*expressing permission*) ● may I smoke? ¿puedo fumar? ● you may sit, if you wish puede sentarse si lo desea **3.** (*when conceding a point*) ● it may be a long walk, but it's worth it puede que sea una caminata, pero merece la pena

May [meɪ] *n* mayo *m* ● at the beginning of May a principios de mayo ● at the end of May a finales de mayo ● during May en mayo ● every May todos los años en mayo ● in May en mayo ● last May en mayo del año pasado ● next May en mayo del próximo año ● this May en mayo de este año ● 2 May 2006 (*in letters etc*) 2 de mayo de 2006

maybe ['meɪbiː] *adv* quizás

mayonnaise [,meɪə'neɪz] *n* mayonesa *f*

mayor [meə'] *n* alcalde *m*

mayoress ['meərɪs] *n* esposa *f* del alcalde

maze [meɪz] *n* laberinto *m*

MD [em'diː] *n* (*abbr of* Managing Director*) director *m*, -ra *f* gerente

me [mi:] *pron* me ● she knows me me conoce ● it's me soy yo ● send it to me envíamelo ● tell me dime ● he's worse than me él aún es peor que yo ● with me conmigo ● without me sin mí

meadow ['medəʊ] *n* prado *m*

meal [mi:l] *n* comida *f*

mealtime ['mi:ltaɪm] *n* hora *f* de comer

mean [mi:n] (*pt & pp* **meant**) ◇ *adj* **1.** *(miserly)* tacaño(ña) **2.** *(unkind)* mezquino(na) ◇ *vt* **1.** *(signify, matter)* significar **2.** *(intend)* querer decir **3.** *(be a sign of)* indicar ● I mean it hablo en serio ● to mean to do sthg pensar hacer algo ● I didn't mean to hurt you no quería hacerte daño ● to be meant to do sthg deber hacer algo ● it's meant to be good dicen que es bueno

meaning ['mi:nɪŋ] *n* **1.** *(of word, phrase)* significado *m* **2.** *(intention)* sentido *m*

meaningless ['mi:nɪŋlɪs] *adj* *(irrelevant)* sin importancia

means [mi:nz] (*pl inv*) ◇ *n* *(method)* medio *m* ◇ *npl* *(money)* medios *mpl* ● by all means! ¡por supuesto! ● by means of por medio de

meant [ment] *pt & pp* > **mean**

meantime ['mi:n,taɪm] ● in the meantime *adv* mientras tanto

meanwhile ['mi:n,waɪl] *adv* mientras tanto

measles ['mi:zlz] *n* sarampión *m*

measure ['meʒə'] ◇ *vt* medir ◇ *n* medida *f* ● the room measures 10 m² la habitación mide 10 m²

measurement ['meʒəmənt] *n* medida *f* ● **measurements** *npl* *(of person)* medidas *fpl*

meat [mi:t] *n* carne *f* ● red meat carnes rojas ● white meat carnes blancas

meatball ['mi:tbɔːl] *n* albóndiga *f*

mechanic [mɪ'kænɪk] *n* mecánico *m*, -ca *f*

mechanical [mɪ'kænɪkl] *adj* *(device)* mecánico(ca)

mechanism ['mekənɪzm] *n* mecanismo *m*

medal ['medl] *n* medalla *f*

media ['mi:djə] *n* or *npl* ● the media los medios de comunicación

Medicaid, Medicare ['medɪkeɪd, 'medɪkeə'] *n* (US) *un seguro de enfermedad a los pobres, ancianos y minusválidos*

Medicaid/Medicare

El *Medicaid* es un programa de asistencia sanitaria que las autoridades estadounidenses ofrecen a los ciudadanos con pocos ingresos. Otro programa, el *Medicare*, está dirigido a las personas de más de 65 años y se financia a través de contribuciones mensuales.

medical ['medɪkl] ◇ *adj* médico(ca) ◇ *n* chequeo *m* (médico)

medication [,medɪ'keɪʃn] *n* medicación *f*

medicine ['medsɪn] *n* **1.** *(substance)* medicamento *m* **2.** *(science)* medicina *f*

medicine cabinet *n* botiquín *m*

medieval [,medɪ'iːvl] *adj* medieval

mediocre [,miːdɪ'əʊkə'] *adj* mediocre

Mediterranean [,medɪtə'reɪnjən] *n* ●

the Mediterranean el Mediterráneo ● the Mediterranean (Sea) el (Mar) Mediterráneo

medium ['miːdjəm] *adj* **1.** (*middle-sized*) mediano(na) **2.** (*wine*) suave, semi **3.** (*sherry*) medium

medium-dry *adj* semiseco(ca)

medium-sized [-saɪzd] *adj* de tamaño mediano

medley ['medlɪ] *n* CULIN selección f

meet [miːt] (*pt & pp* **met**) ◇ *vt* **1.** (*by arrangement*) reunirse con **2.** (*by chance*) encontrarse con **3.** (*get to know*) conocer **4.** (*go to collect*) ir a buscar **5.** (*need, requirement*) satisfacer **6.** (*cost, expenses*) cubrir ◇ *vi* **1.** (*by arrangement*) reunirse **2.** (*by chance*) encontrarse **3.** (*get to know each other*) conocerse **4.** (*intersect*) unirse ● meet me at the bar espérame en el bar ◆ **meet up** *vi* reunirse ◆ **meet with** *vt insep* **1.** (*problems, resistance*) encontrarse con **2.** (*US*) (*by arrangement*) reunirse con

meeting ['miːtɪŋ] *n* (*for business*) reunión f

meeting point *n* punto m de encuentro

megabyte ['megabaɪt] *n* megabyte m

melody ['melədɪ] *n* melodía f

melon ['melən] *n* melón m

melt [melt] *vi* derretirse

member ['membə'] *n* **1.** (*of group, party, organization*) miembro mf **2.** (*of club*) socio m, -cia f

Member of Congress *n* miembro mf del Congreso (*de EEUU*)

Member of Parliament *n* diputado m, -da f (*del parlamento británico*)

membership ['membəʃɪp] *n* **1.** (*state of being a member*) afiliación f **2.** (*members*) miembros mpl **3.** (*of club*) socios mpl

memorial [mɪ'mɔːrɪəl] *n* monumento m conmemorativo

memorize ['meməraɪz] *vt* memorizar

memory ['memərɪ] *n* **1.** (*ability to remember, of computer*) memoria f **2.** (*thing remembered*) recuerdo m

men [men] *pl* ➤ man

menacing ['menəsɪŋ] *adj* amenazador(ra)

mend [mend] *vt* arreglar

menopause ['menəpɔːz] *n* menopausia f

men's room *n* (*US*) servicio m OR baño m de caballeros

menstruate ['menstrʊeɪt] *vi* menstruar

menswear ['menzweə'] *n* confección f de caballeros

mental ['mentl] *adj* mental

mentally handicapped ['mentlɪ-] ◇ *adj* disminuido m psíquico, disminuida psíquica *f* ◇ *npl* ● the mentally handicapped los disminuidos psíquicos

mentally ill ['mentlɪ-] *adj* ● to be mentally ill ser un enfermo mental (ser una enferma mental)

mention ['menʃn] *vt* mencionar ● don't mention it! ¡no hay de qué!

menu ['menjuː] *n* menú m ● children's menu menú infantil

merchandise ['mɜːtʃəndaɪz] *n* géneros mpl

merchant marine [ˌmɜːtʃəntmə'riːn] (*US*) = merchant navy

merchant navy [ˌmɜːtʃənt-] *n* (*UK*) marina f mercante

mercury ['mɜ:kjʊrɪ] *n* mercurio *m*

mercy ['mɜ:sɪ] *n* compasión *f*

mere [mɪə²] *adj* simple ● **a mere two pounds** tan sólo dos libras

merely ['mɪəlɪ] *adv* solamente

merge [mɜ:dʒ] *vi (combine)* mezclarse ▼ **merge** *(US)* cartel que indica que los coches que acceden a un autopista deben entrar en el carril de la derecha

merger ['mɜ:dʒə²] *n* fusión *f*

meringue [mə²ræŋ] *n* merengue *m*

merit ['merɪt] *n* **1.** mérito *m* **2.** *(in exam)* ≃ notable *m*

merry ['merɪ] *adj* **1.** *(cheerful)* alborozado(da) *m* **2.** *(inf) (tipsy)* achispado(da) ● **Merry Christmas!** ¡Feliz Navidad!

merry-go-round *n* tiovivo *m (Esp)*, carrusel *m*

mess [mes] *n* **1.** *(untidiness)* desorden *m* **2.** *(difficult situation)* lío *m* ● **in a mess** *(untidy)* desordenado ◆ **mess about** *vi* **1.** *(inf) (have fun)* divertirse **2.** *(behave foolishly)* hacer el tonto ● **to mess about with sthg** *(interfere)* manosear algo ◆ **mess up** *vt sep (inf) (ruin, spoil)* estropear

message ['mesɪdʒ] *n* mensaje *m*

messenger ['mesɪndʒə²] *n* mensajero *m*, -ra *f*

messy ['mesɪ] *adj* desordenado(da)

met [met] *pt & pp* ➤ **meet**

metal ['metl] ◇ *adj* metálico(ca) ◇ *n* metal *m*

metalwork ['metəlwɜ:k] *n (craft)* metalistería *f*

meter ['mi:tə²] *n* **1.** *(device)* contador *m*, medidor *m (Amér)* **2.** *(US)* = **metre**

method ['meθəd] *n* método *m*

methodical [mɪ'θɒdɪkl] *adj* metódico(ca)

meticulous [mɪ'tɪkjʊləs] *adj* meticuloso(sa)

metre ['mi:tə²] *n (UK)* metro *m*

metric ['metrɪk] *adj* métrico(ca)

Mexican ['meksɪkn] ◇ *adj* mejicano(na) *(Esp)*, mexicano(na) ◇ *n* mejicano *m*, -na *f (Esp)*, mexicano *m*, -na *f*

Mexico ['meksɪkəʊ] *n* Méjico *m (Esp)*, México

mg *(abbr of* milligram*)* mg *(miligramo)*

miaow [mi:'aʊ] *vi (UK)* maullar

mice [maɪs] *pl* ➤ **mouse**

microchip ['maɪkrəʊtʃɪp] *n* microchip *m*

microphone ['maɪkrəfəʊn] *n* micrófono *m*

microscope ['maɪkrəskəʊp] *n* microscopio *m*

microwave (oven) ['maɪkrəweɪv-] *n* microondas *m inv*

midday [,mɪd'deɪ] *n* mediodía *m*

middle ['mɪdl] ◇ *n* **1.** *(in space)* centro *m* **2.** *(in time)* medio *m* ◇ *adj* del medio ● **in the middle of the road** en (el) medio de la carretera ● **in the middle of April** a mediados de abril ● **to be in the middle of doing sthg** estar haciendo algo

middle aged *adj* de mediana edad

middle-class *adj* de clase media

Middle East *n* ● **the Middle East** el Oriente Medio

middle name *n* segundo nombre *m* (de pila) *(en un nombre compuesto)*

midge [mɪdʒ] *n* mosquito *m*

midget ['mɪdʒɪt] *n* enano *m*, -na *f*

midnight ['mɪdnaɪt] *n* medianoche *f*

midsummer ['mɪd'sʌmə^r] *n* pleno verano *m*

midway [ˌmɪd'weɪ] *adv* **1.** *(in space)* a medio camino **2.** *(in time)* a la mitad

midweek ◇ *adj* ['mɪdwi:k] de entre semana ◇ *adv* [mɪd'wi:k] entre semana

midwife ['mɪdwaɪf] *(pl* **-wives)** *n* comadrona *f*

midwinter ['mɪd'wɪntə^r] *n* pleno invierno *m*

midwives ['mɪdwaɪvz] *pl* ➢ midwife

might [maɪt]
◇ *aux vb* **1.** *(expressing possibility)* poder ● I suppose they might still come supongo que aún podrían venir **2.** *(fml) (expressing permission)* ● might I have a few words? ¿podría hablarle un momento? **3.** *(when conceding a point)* ● it might be expensive, but it's good quality puede que sea caro, pero es de buena calidad **4.** *(would)* ● I'd hoped you might come too esperaba que tú vinieras también
◇ *n* fuerzas *fpl*

migraine ['mi:greɪn, 'maɪgreɪn] *n* jaqueca *f*

mild [maɪld] ◇ *adj* **1.** *(taste, weather, detergent)* suave **2.** *(illness, discomfort)* leve **3.** *(slight)* ligero(ra) **4.** *(person, nature)* apacible ◇ *n (UK)* cerveza *f* de sabor suave

mile [maɪl] *n* milla *f* ● it's miles away está muy lejos

mileage ['maɪlɪdʒ] *n* distancia *f* en millas, ≃ kilometraje *m*

mileometer [maɪ'lɒmɪtə^r] *n (UK)* cuentamillas *m inv*, ≃ cuentakilómetros *m inv*

military ['mɪlɪtrɪ] *adj* militar

milk [mɪlk] ◇ *n* leche *f* ◇ *vt (cow)* ordeñar

milk chocolate *n* chocolate *m* con leche

milkman ['mɪlkmən] *(pl* **-men)** *n* lechero *m*

milk shake *n* batido *m*, malteada *f (Amér)*

milky ['mɪlkɪ] *adj (drink)* con mucha leche

mill [mɪl] *n* **1.** *(flour-mill)* molino *m* **2.** *(for grinding)* molinillo *m* **3.** *(factory)* fábrica *f*

millennium [mɪ'lenɪəm] *n* milenio *m*

milligram ['mɪlɪgræm] *n* miligramo *m*

milliliter ['mɪlɪˌli:tər] *(US)* = millilitre

millilitre ['mɪlɪˌli:tə^r] *n (UK)* mililitro *m*

millimeter ['mɪlɪˌmi:tər] *(US)* = millimetre

millimetre ['mɪlɪˌmi:tə^r] *n (UK)* milímetro *m*

million ['mɪljən] *n* millón *m* ● millions of *(fig)* millones de

millionaire [ˌmɪljə'neə^r] *n* millonario *m*, -ria *f*

mime [maɪm] *vi* hacer mímica

min. [mɪn] *(abbr of* minute) min. *(minuto)*; *(abbr of* minimum) mín. *(mínimo)*

mince [mɪns] *n (UK)* carne *f* picada

mincemeat ['mɪnsmi:t] *n* **1.** *(sweet filling)* dulce de fruta confitada con especias **2.** *(mince)* carne *f* picada *(Esp)* OR molida

mince pie *n* pastelillo navideño de pasta quebrada, rellena de fruta confitada y especias

mind [maɪnd] ◇ *n* **1.** mente *f* **2.** *(memory)*

memoria f ◇ vt *(look after)* cuidar de ◇ vi ● **do you mind if ...?** ¿le importa si ...? ● **I don't mind** *(it won't disturb me)* no me molesta; *(I'm indifferent)* me da igual ● **it slipped my mind** se me olvidó ● **state of mind** estado m de ánimo ● **to my mind** en mi opinión ● **to bear sthg in mind** tener algo en cuenta ● **to change one's mind** cambiar de opinión ● **to have sthg in mind** tener algo en mente ● **to have sthg on one's mind** estar preocupado por algo ● **do you mind the noise?** ¿te molesta el ruido? ● **to make one's mind up** decidirse ● **I wouldn't mind a drink** no me importaría tomar algo ▼ **mind the gap!** *(UK)* advertencia a los pasajeros de tener cuidado con el hueco entre el andén y el metro ▼ **mind the step** cuidado con el escalón ● **never mind!** *(don't worry)* ¡no importa!

mine¹ [maɪn] *pron* mío m, -a f ● **a friend of mine** un amigo mío

mine² *n* mina f

miner ['maɪnə'] *n* minero m, -ra f

mineral ['mɪnərəl] *n* mineral m

mineral water *n* agua f mineral

minestrone [ˌmɪnɪ'strəʊnɪ] *n* minestrone f

miniature ['mɪnətʃə'] ◇ *adj* en miniatura ◇ *n (bottle of alcohol)* botellín m *(de bebida alcohólica)*

minibar ['mɪnɪbɑː'] *n* minibar m

minibus ['mɪnɪbʌs] *(pl* **-es)** *n* microbús m

minicab ['mɪnɪkæb] *n (UK)* radiotaxi m

minimal ['mɪnɪml] *adj* mínimo(ma)

minimum ['mɪnɪməm] ◇ *adj* mínimo

(ma) ◇ *n* mínimo m

miniskirt ['mɪnɪskɜːt] *n* minifalda f

minister ['mɪnɪstə'] *n* **1.** *(in government)* ministro m, -tra f **2.** *(in Church)* pastor m

ministry ['mɪnɪstrɪ] *n (of government)* ministerio m

minor ['maɪnə'] ◇ *adj* menor ◇ *n (fml)* menor mf de edad

Minorca [mɪ'nɔːkə] *n* Menorca f

minority [maɪ'nɒrətɪ] *n* minoría f

minor road *n* carretera f secundaria

mint [mɪnt] *n* **1.** *(sweet)* caramelo m de menta **2.** *(plant)* menta f

minus ['maɪnəs] *prep (in subtraction)* menos ● **it's minus 10°C** estamos a 10°C bajo cero

minuscule ['mɪnəskjuːl] *adj* minúsculo(la)

minute¹ ['mɪnɪt] *n* minuto m ● **any minute** en cualquier momento ● **just a minute!** ¡espera un momento!

minute² [maɪ'njuːt] *adj* diminuto(ta)

minute steak [ˌmɪnɪt-] *n* filete muy fino que se hace rápido al cocinarlo

miracle ['mɪrəkl] *n* milagro m

miraculous [mɪ'rækjʊləs] *adj* milagroso(sa)

mirror ['mɪrə'] *n* **1.** *(on wall, hand-held)* espejo m **2.** *(on car)* retrovisor m

misbehave [ˌmɪsbɪ'heɪv] *vi* portarse mal

miscarriage [ˌmɪs'kærɪdʒ] *n* aborto m *(natural)*

miscellaneous [ˌmɪsə'leɪnjəs] *adj* diverso(sa)

mischievous ['mɪstʃɪvəs] *adj* travieso(sa)

misconduct [ˌmɪs'kɒndʌkt] *n* mala conducta f

miser ['maɪzə^r] *n* avaro *m*, -ra *f*

miserable ['mɪzrəbl] *adj* 1. *(unhappy)* infeliz 2. *(depressing, small)* miserable 3. *(weather)* horrible

misery ['mɪzərɪ] *n* 1. *(unhappiness)* desdicha *f* 2. *(poor conditions)* miseria *f*

misfire [,mɪs'faɪə^r] *vi (car)* no arrancar

misfortune [mɪs'fɔːtʃuːn] *n (bad luck)* mala suerte *f*

mishap ['mɪshæp] *n* contratiempo *m*

misjudge [,mɪs'dʒʌdʒ] *vt* 1. *(distance, amount)* calcular mal 2. *(person, character)* juzgar mal

mislay [,mɪs'leɪ] *(pt & pp* **-laid)** *vt* extraviar

mislead [,mɪs'liːd] *(pt & pp* **-led)** *vt* engañar

miss [mɪs] ◇ *vt* 1. perder 2. *(not notice)* no ver 3. *(regret absence of)* echar de menos 4. *(appointment)* faltar a 5. *(programme)* perderse ◇ *vi* fallar ● **you can't miss it** no tiene pérdida ● **miss out** ◇ *vt sep* pasar por alto ◇ *vi* ● **to miss out on sthg** perderse algo

Miss [mɪs] *n* señorita *f*

missile [(*UK*) 'mɪsaɪl, (*US*) 'mɪsl] *n* 1. *(weapon)* misil *m* 2. *(thing thrown)* proyectil *m*

missing ['mɪsɪŋ] *adj (lost)* perdido(da) ● **to be missing** *(not there)* faltar

missing person *n* desaparecido *m*, -da *f*

mission ['mɪʃn] *n* misión *f*

missionary ['mɪʃənrɪ] *n* misionario *m*, -ria *f*

mist [mɪst] *n* neblina *f*

mistake [mɪ'steɪk] *(pt* **-took,** *pp* **-taken)** ◇ *n* error *m* ◇ *vt (misunderstand)* malentender ● **by mistake** por error

● **to make a mistake** equivocarse ● **I always mistake him for his brother** siempre lo confundo con su hermano

Mister ['mɪstə^r] *n* señor *m*

mistook [mɪ'stʊk] *pp* ➤ **mistake**

mistress ['mɪstrɪs] *n* 1. *(lover)* amante *f* 2. *(UK) (primary teacher)* maestra *f* 3. *(UK) (secondary teacher)* profesora *f*

mistrust [,mɪs'trʌst] *vt* desconfiar de

misty ['mɪstɪ] *adj* neblinoso(sa)

misunderstanding [,mɪsʌndə'stændɪŋ] *n* malentendido *m*

misuse [,mɪs'juːs] *n* uso *m* indebido

mitten ['mɪtn] *n* manopla *f*

mix [mɪks] ◇ *vt* mezclar ◇ *vi (socially)* alternar ◇ *n (for cake, sauce)* mezcla *f* ● **to mix the butter with the flour** mezclar la mantequilla con la harina ● **mix up** *vt sep* 1. *(confuse)* confundir 2. *(put into disorder)* mezclar

mixed [mɪkst] *adj (school)* mixto(ta)

mixed grill *n (UK)* parrillada mixta de carne, champiñones y tomate

mixed salad *n* ensalada *f* mixta

mixed vegetables *npl* selección *f* de verduras

mixer ['mɪksə^r] *n* 1. *(for food)* batidora *f* 2. *(drink)* bebida no alcohólica que se mezcla con las bebidas alcohólicas

mixture ['mɪkstʃə^r] *n* mezcla *f*

mix-up *n (inf)* confusión *f*

ml *(abbr of* millilitre) ml *(mililitro)*

mm *(abbr of* millimetre) mm *(milímetro)*

MMR [,emem'ɑː^r] *n* MED *(abbr of* measles, mumps & rubella) triple *f* vírica

moan [məʊn] *vi* 1. *(in pain, grief)* gemir 2. *(inf) (complain)* quejarse

mobile ['məʊbaɪl] *adj* móvil

mobile phone *n* (*UK*) teléfono *m* móvil (*Esp*), celular *m* (*Amér*)

mock [mɒk] ◇ *adj* fingido(da) ◇ *vt* burlarse de ◇ *n* (*UK*) (*exam*) simulacro *m* de examen

mode [məʊd] *n* modo *m*

model ['mɒdl] *n* **1.** modelo *m* **2.** (*small copy*) maqueta *f* **3.** (*fashion model*) modelo *mf*

moderate ['mɒdərət] *adj* moderado(da)

modern ['mɒdən] *adj* moderno(na)

modernized ['mɒdənaɪzd] *adj* modernizado(da)

modern languages *npl* lenguas *fpl* modernas

modest ['mɒdɪst] *adj* **1.** modesto(ta) **2.** (*price*) módico(ca) **3.** (*increase, improvement*) ligero(ra)

modify ['mɒdɪfaɪ] *vt* modificar

mohair ['məʊheə'] *n* mohair *m*

moist [mɔɪst] *adj* húmedo(da)

moisture ['mɔɪstʃə'] *n* humedad *f*

moisturizer ['mɔɪstʃəraɪzə'] *n* crema *f* hidratante

molar ['məʊlə'] *n* muela *f*

mold [məʊld] (*US*) = **mould**

mole [məʊl] *n* **1.** (*animal*) topo *m* **2.** (*spot*) lunar *m*

molest [mə'lest] *vt* **1.** (*child*) abusar sexualmente **2.** (*woman*) acosar

mom [mɒm] *n* (*US*) (*inf*) mamá *f*

moment ['məʊmənt] *n* momento *m* ● **at the moment** en este momento ● **for the moment** de momento

Mon. (*abbr of* Monday) lun. (*lunes*)

monarchy ['mɒnəki] *n* ● **the monarchy** la familia real

monastery ['mɒnəstrɪ] *n* monasterio *m*

Monday ['mʌndɪ] *n* lunes *m inv* ● **it's Monday** es lunes ● **Monday morning** el lunes por la mañana ● **on Monday** el lunes ● **on Mondays** los lunes ● **last Monday** el lunes pasado ● **this Monday** este lunes ● **next Monday** el lunes de la semana que viene ● **Monday week, a week on Monday** del lunes en ocho días

money ['mʌnɪ] *n* dinero *m*

money bell *n* riñonera *f*

money order *n* giro *m* postal

mongrel ['mʌŋgrəl] *n* perro *m* cruzado

monitor ['mɒnɪtə'] ◇ *n* (*computer screen*) monitor *m* ◇ *vt* (*check, observe*) controlar

monk [mʌŋk] *n* monje *m*

monkey ['mʌŋkɪ] (*pl* **monkeys**) *n* mono *m*

monkfish ['mʌŋkfɪʃ] *n* rape *m*

monopoly [mə'nɒpəlɪ] *n* monopolio *m*

monorail ['mɒnəʊreɪl] *n* monorraíl *m* (*Esp*), monorriel *m* (*Amér*)

monotonous [mə'nɒtənəs] *adj* monótono(na)

monsoon [mɒn'su:n] *n* monzón *m*

monster ['mɒnstə'] *n* monstruo *m*

month [mʌnθ] *n* mes *m* ● **every month** cada mes ● **in a month's time** en un mes

monthly ['mʌnθlɪ] ◇ *adj* mensual ◇ *adv* mensualmente

monument ['mɒnjʊmənt] *n* monumento *m*

mood [mu:d] *n* humor *m* ● **to be in a (bad) mood** estar de mal humor ● **to be in a good mood** estar de buen humor

moody ['muːdɪ] *adj* **1.** *(bad-tempered)* malhumorado(da) **2.** *(changeable)* de humor variable

moon [muːn] *n* luna *f*

moonlight ['muːnlaɪt] *n* luz *f* de luna

moor [mɔːʳ] ◇ *n* (UK) páramo *m* ◇ *vt* amarrar

mop [mɒp] ◇ *n* (for floor) fregona *f* (Esp), trapeador *m* (Amér) ◇ *vt* (floor) pasar la fregona *por* (Esp), trapear (Amér) ◆ **mop up** *vt sep* (clean up) limpiar

moped ['məʊped] *n* ciclomotor *m*

moral ['mɒrəl] ◇ *adj* moral ◇ *n* (lesson) moraleja *f*

morality [mə'rælɪt] *n* moralidad *f*

more [mɔːʳ]
◇ *adj* **1.** (a larger amount of) más ● **there are more tourists than usual** hay más turistas que de costumbre **2.** (additional) más ● **are there any more cakes?** ¿hay más pasteles? ● **there's no more wine** no hay más vino ● **have some more rice** come un poco más de arroz **3.** (in phrases) más ● **more and more** cada vez más
◇ *adv* **1.** (in comparatives) más ● **it's more difficult than before** es más difícil que antes ● **speak more clearly** habla con más claridad **2.** (to a greater degree) más ● **we ought to go to the cinema more** deberíamos ir más al cine **3.** (longer) más ● **I don't go there any more** ya no voy más allí **4.** (again) ● **once more** una vez más **5.** (in phrases) ● **more or less** más o menos ● **we'd be more than happy to help** estaríamos encantados de ayudarle
◇ *pron* **1.** (a larger amount) más ● **I've got more than you** tengo más que tú ● **more than 20 types of pizza** más de 20 clases de pizzas **2.** (an additional amount) más ● **is there any more?** ¿hay más?

moreover [mɔːˈrəʊvəʳ] *adv* (fml) además

morning ['mɔːnɪŋ] *n* mañana *f* ● **two o'clock in the morning** las dos de la mañana ● **good morning!** ¡buenos días! ● **in the morning** (early in the day) por la mañana; (tomorrow morning) mañana por la mañana

morning-after pill *n* píldora *f* del día siguiente

morning sickness *n* náuseas *fpl* de por la mañana

Morocco [mə'rɒkəʊ] *n* Marruecos

moron ['mɔːrɒn] *n* (inf) imbécil *mf*

mortgage ['mɔːgɪdʒ] *n* hipoteca *f*

mosaic [mə'zeɪk] *n* mosaico *m*

mosque [mɒsk] *n* mezquita *f*

mosquito [mə'skiːtəʊ] (pl -es) *n* mosquito *m*

mosquito net *n* mosquitero *m*

moss [mɒs] *n* musgo *m*

most [məʊst]
◇ *adj* **1.** (the majority of) la mayoría de ● **most people** la mayoría de la gente **2.** (the largest amount of) más ● **I drank (the) most beer** yo fui el que bebió más cerveza
◇ *adv* **1.** (in superlatives) más ● **the most expensive hotel** el hotel más caro **2.** (to the greatest degree) más ● **I like this one most** éste es el que más me gusta **3.** (fml) (very) muy ● **we would be most grateful** les agradeceríamos mucho

◇ *pron* **1.** *(the majority)* la mayoría ● **most of the villages** la mayoría de los pueblos ● **most of the time** la mayor parte del tiempo **2.** *(the largest amount)* ● **she earns (the) most** es la que más gana **3.** *(in phrases)* ● **at most** como máximo ● **to make the most of sthg** aprovechar algo al máximo

mostly ['məʊstlɪ] *adv* principalmente

MOT [eməʊ'tiː] *n* (UK) *(test)* revisión anual obligatoria para todos los coches de más de tres años, ≃ ITV f

motel [məʊ'tel] *n* motel m

moth [mɒθ] *n* polilla f

mother ['mʌðə'] *n* madre f

mother-in-law *n* suegra f

mother-of-pearl *n* nácar m

motif [məʊ'tiːf] *n* motivo m

motion ['məʊʃn] ◇ *n (movement)* movimiento m ◇ *vi* ● **to motion to sb** hacer una señal a alguien

motionless ['məʊʃənlɪs] *adj* inmóvil

motivate ['məʊtɪveɪt] *vt* motivar

motive ['məʊtɪv] *n* motivo m

motor ['məʊtə'] *n* motor m

motorbike ['məʊtəbaɪk] *n* (UK) moto f

motorboat ['məʊtəbəʊt] *n* lancha f motora

motorcar ['məʊtəkɑː'] *n* (UK) automóvil m

motorcycle ['məʊtəsaɪkl] *n* motocicleta f

motorcyclist ['məʊtəsaɪklɪst] *n* motociclista mf

motorist ['məʊtərɪst] *n* automovilista mf

motor racing *n* automovilismo m (deporte)

motorway ['məʊtəweɪ] *n* (UK) autopista f

motto ['mɒtəʊ] *(pl* **-s***) n* lema m

mould [məʊld] ◇ *n* (UK) **1.** *(shape)* molde m **2.** *(substance)* moho m ◇ *vt* (UK) moldear

mound [maʊnd] *n* **1.** *(hill)* montículo m **2.** *(pile)* montón m

mount [maʊnt] ◇ *n* **1.** *(for photo)* marco m **2.** *(mountain)* monte m ◇ *vt* **1.** *(horse)* montar en **2.** *(photo)* enmarcar ◇ *vi (increase)* aumentar

mountain ['maʊntɪn] *n* montaña f

mountain bike *n* bicicleta f de montaña

mountaineer [,maʊntɪ'nɪə'] *n* montañero m, -ra f

mountaineering [,maʊntɪ'nɪərɪŋ] *n* ● **to go mountaineering** hacer montañismo

mountainous ['maʊntɪnəs] *adj* montañoso(sa)

Mount Rushmore [-'rʌʃmɔː'] *n* el monte Rushmore

mourning ['mɔːnɪŋ] *n* ● **to be in mourning** estar de luto

mouse [maʊs] *(pl* **mice***) n* ratón m

mouse mat (UK)**, mouse pad** (US) *n* alfombrilla f

moussaka [muː'sɑːkə] *n plato griego de berenjenas, tomate, salsa de queso y carne picada*

mousse [muːs] *n* **1.** *(food)* mousse m **2.** *(for hair)* espuma f

moustache [mə'stɑːʃ] *n* (UK) bigote m

mouth [maʊθ] *n* **1.** boca f **2.** *(of river)* desembocadura f

mouthful ['maʊθfʊl] *n* **1.** *(of food)*

bocado m **2.** *(of drink)* trago m

mouthpiece ['maʊθpiːs] n **1.** *(of telephone)* micrófono m **2.** *(of musical instrument)* boquilla f

mouthwash ['maʊθwɒʃ] n elixir m bucal

move [muːv] ◇ n **1.** *(change of house)* mudanza f **2.** *(movement)* movimiento m **3.** *(in games)* jugada f **4.** *(turn to play)* turno m **5.** *(course of action)* medida f ◇ vt **1.** *(shift)* mover **2.** *(emotionally)* conmover ◇ vi *(shift)* moverse ● **to move (house)** mudarse ● **to make a move** *(leave)* irse ◆ **move along** vi hacerse a un lado ◆ **move in** vi *(to house)* instalarse ◆ **move off** vi *(train, car)* ponerse en marcha ◆ **move on** vi *(after stopping)* reanudar la marcha ◆ **move out** vi *(from house)* mudarse ◆ **move over** vi hacer sitio ◆ **move up** vi hacer sitio

movement ['muːvmənt] n movimiento m

movie ['muːvɪ] n película f

movie theater n *(US)* cine m

moving ['muːvɪŋ] adj *(emotionally)* conmovedor(ra)

mow [məʊ] vt ● **to mow the lawn** cortar el césped

mozzarella [ˌmɒtsə'relə] n mozzarella f

MP abbr *(UK)* = Member of Parliament

MP3 [ˌempiː'θriː] n *(abbr of MPEG-1 Audio Layer-3)* MP3 m

mph *(abbr of miles per hour)* millas fpl por hora

Mr ['mɪstə'] n *(abbr of Mister)* Sr. *(Señor)*

Mrs ['mɪsɪz] n *(abbr of Mistress)* Sra. *(Señora)*

MRSA [ˌeməː'resˈeɪ] n MED *(abbr of methicillin resistant Staphylococcus aureus)* MRSA m

Ms [mɪz] n *(abbr of Miss OR Mrs)* abreviatura que se utiliza delante del apellido cuando no se quiere decir el estado civil de la mujer

MSc [emesˈsiː] n *(abbr of Master of Science)* título postuniversitario de dos años en ciencias

MSP [emesˈpiː] n *(UK)* abbr of Member of the Scottish Parliament

much [mʌtʃ] *(compar* **more,** *superl* **most)**

◇ adj mucho(cha) ● **I haven't got much money** no tengo mucho dinero ● **as much food as you can eat** tanta comida como puedas comer ● **how much time is left?** ¿cuánto tiempo queda? ● **they have so much money** tienen tanto dinero ● **we have too much food** tenemos demasiada comida

◇ adv mucho ● **it's much better** es mucho mejor ● **he's much too good** es demasiado bueno ● **I like it very much** me gusta muchísimo ● **it's not much good** no vale mucho ● **thank you very much** muchas gracias ● **we don't go there much** no vamos mucho allí

◇ pron mucho ● **I haven't got much** no tengo mucho ● **as much as you like** tanto como quieras ● **how much is it?** ¿cuánto es? ● **you've got so much** tienes tanto ● **you've got too much** tienes demasiado

muck [mʌk] n mugre f ◆ **muck about** vi

(UK) (inf) hacer el indio ◆ **muck up** vt sep (inf) fastidiar

mud [mʌd] n barro m

muddle ['mʌdl] n ● **to be in a muddle** estar hecho un lío

muddy ['mʌdɪ] adj lleno(na) de barro

mud flap n (US) = mudguard

mudguard ['mʌdɡɑːd] n guardabarros m inv

muesli ['mjuːzlɪ] n muesli m

muffin ['mʌfɪn] n 1. (UK) (roll) panecillo m 2. (cake) especie de bollo que se come caliente

muffler ['mʌflə'] n (US) (silencer) silenciador m

mug [mʌɡ] n (cup) tanque m, taza f grande (cilíndrica) ◇ vt asaltar

mugging ['mʌɡɪŋ] n atraco m

muggy ['mʌɡɪ] adj bochornoso(sa)

mule [mjuːl] n mula f

multicoloured ['mʌltɪˌkʌləd] adj multicolor

multiple ['mʌltɪpl] adj múltiple

multiplex cinema ['mʌltɪpleks-] n multicine m

multiplication [ˌmʌltɪplɪ'keɪʃn] n multiplicación f

multiply ['mʌltɪplaɪ] ◇ vt multiplicar ◇ vi multiplicarse

multistorey (car park) [ˌmʌltɪ'stɔːrɪ-] n (UK) aparcamiento m de muchas plantas (Esp), estacionamiento m de varios pisos (Amér)

multivitamin [(UK)'mʌltɪvɪtəmɪn, (US) 'mʌltɪvaɪtəmɪn] n multivitamina f

mum [mʌm] n (UK) (inf) mamá f

mummy ['mʌmɪ] n (UK) (inf) (mother) mamá f

mumps [mʌmps] n paperas fpl

munch [mʌntʃ] vt masticar

municipal [mjuː'nɪsɪpl] adj municipal

mural ['mjʊərəl] n mural m

murder ['mɜːdə'] ◇ n asesinato m ◇ vt asesinar

murderer ['mɜːdərə'] n asesino m, -na f

muscle ['mʌsl] n músculo m

museum [mjuː'ziːəm] n museo m

mushroom ['mʌʃrʊm] n 1. (small and white) champiñón m 2. (darker and flatter) seta f

music ['mjuːzɪk] n música f

musical ['mjuːzɪkl] ◇ adj 1. (connected with music) musical 2. (person) con talento para la música ◇ n musical m

musical instrument n instrumento m musical

musician [mjuː'zɪʃn] n músico m, -ca f

Muslim ['mʊzlɪm] ◇ adj musulmán (ana) ◇ n musulmán m, -ana f

mussels ['mʌslz] npl mejillones mpl

must [mʌst] ◇ aux vb deber, tener que ◇ n (inf) ● **it's a must** no te lo puedes perder ● **I must go** debo irme ● **the room must be vacated by ten** la habitación debe dejarse libre para las diez ● **you must have seen it** tienes que haberlo visto ● **you must see that film** no te puedes perder esa película ● **you must be joking!** estás de broma ¿no?

mustache ['mʌstæʃ] (US) = moustache

mustard ['mʌstəd] n mostaza f

mustn't ['mʌsənt] = must not

mutter ['mʌtə'] vt musitar

mutual ['mjuːtʃʊəl] adj 1. (feeling) mutuo(tua) **2.** *(friend, interest)* común

muzzle ['mʌzl] *n (for dog)* bozal *m*

my [maɪ] *adj* mi, mis *pl*

myself [maɪ'self] *pron* **1.** *(reflexive)* me **2.** *(after prep)* mí mismo(ma) ● I did it myself lo hice yo solo

mysterious [mɪ'stɪərɪəs] *adj* misterioso(sa)

mystery ['mɪstərɪ] *n* misterio *m*

myth [mɪθ] *n* mito *m*

*n*N

N *(abbr of north)* N *(norte)*

nag [næg] *vt* regañar

nail [neɪl] ◇ *n* **1.** *(of finger, toe)* uña *f* **2.** *(metal)* clavo *m* ◇ *vt (fasten)* clavar

nailbrush ['neɪlbrʌʃ] *n* cepillo *m* de uñas

nail file *n* lima *f* de uñas

nail scissors *npl* tijeras *fpl* para las uñas

nail varnish *n (UK)* esmalte *m* de uñas

nail varnish remover [-rə'muːvə'] *n (UK)* quitaesmaltes *m inv*

naive [naɪ'iːv] *adj* ingenuo(nua)

naked ['neɪkɪd] *adj (person)* desnudo(da)

name [neɪm] ◇ *n* **1.** nombre *m* **2.** *(surname)* apellido *m* **3.** *(reputation)* reputación *f* ◇ *vt (date, price)* fijar ● they named him John le pusieron John de nombre ● first name nombre ● last name apellido ● what's your name? ¿cómo te llamas? ● my name is ... me llamo ...

namely ['neɪmlɪ] *adv* a saber

nanny ['nænɪ] *n* **1.** *(childminder)* niñera *f* **2.** *(UK) (inf) (grandmother)* abuelita *f*

nap [næp] *n* ● to have a nap echar una siesta

napkin ['næpkɪn] *n* servilleta *f*

nappy ['næpɪ] *n (UK)* pañal *m*

narcotic [nɑː'kɒtɪk] *n* narcótico *m*

narrow ['nærəʊ] ◇ *adj (road, gap)* estrecho(cha) ◇ *vi (road, gap)* estrecharse

narrow-minded [-'maɪndɪd] *adj* estrecho(cha) de miras

nasty ['nɑːstɪ] *adj* **1.** *(spiteful)* malintencionado(da) **2.** *(accident, fall)* grave **3.** *(unpleasant)* desagradable

nation ['neɪʃn] *n* nación *f*

national ['næʃənl] ◇ *adj* nacional ◇ *n* súbdito *m*, -ta *f*

national anthem *n* himno *m* nacional

National Health Service *n (UK)* *organismo gestor de la salud pública en Gran Bretaña*

National Health Service (NHS)

El *National Health Service* es el sistema público de asistencia sanitaria del Reino Unido. La asistencia es universal y gratuita, aunque se paga una pequeña cantidad de dinero por las medicinas. Las consultas con el dentista o el oftalmólogo se pagan aparte.

● **National Insurance** *n (UK) (contributions)* ≃ Seguridad *f* Social

National Insurance (NI)

En el Reino Unido todos los trabajadores tienen que cotizar a la Seguridad Social (*National Insurance*). Todos los afiliados a la Seguridad Social reciben un número, llamado *National Insurance Number*, sin el cual no se puede trabajar legalmente en el país.

nationality [ˌnæʃəˈnælətɪ] *n* nacionalidad *f*

National Lottery *n* (UK) ● the National Lottery la Lotería Nacional

national park *n* parque *m* nacional

nationwide [ˈneɪʃənwaɪd] *adj* a escala nacional

native [ˈneɪtɪv] ◇ *adj* 1. (country) natal 2. (customs) originario(ria) 3. (population) indígeno(na) ◇ *n* natural *mf* ● a native speaker of English un hablante nativo de inglés

Native American

Native American es el término usado en los Estados Unidos para referirse a los indios que ya vivían en el continente antes de la colonización. Muchos de estos indios han salido de las reservas y se han integrado completamente en la sociedad americana. Otros continúan viviendo en las reservas.

NATO [ˈneɪtəʊ] *n* (abbr of North Atlantic Treaty Organization) OTAN *f* (Organización del Tratado del Atlántico Norte)

natural [ˈnætʃrəl] *adj* 1. (ability, charm) natural 2. (swimmer, actor) nato(ta)

natural gas *n* gas *m* natural

naturally [ˈnætʃrəlɪ] *adv* (of course) naturalmente

natural yoghurt *n* yogur *m* natural

nature [ˈneɪtʃəʳ] *n* naturaleza *f*

nature reserve *n* reserva *f* natural

naughty [ˈnɔːtɪ] *adj* (child) travieso(sa)

nausea [ˈnɔːzɪə] *n* náusea *f*

navigate [ˈnævɪgeɪt] *vi* 1. (in boat, plane) dirigir 2. (in car) guiar

navy [ˈneɪvɪ] ◇ *n* (ships) armada *f* ◇ *adj* ● navy (blue) azul marino

NB [en'biː] (abbr of nota bene) N.B. (nota bene)

near [nɪəʳ] ◇ *adv* cerca ◇ *adj* 1. (place, object) cerca 2. (relation) cercano(na) ◇ *prep* ● near (to) (edge, object, place) cerca de ● in the near future en el futuro próximo

nearby [nɪəˈbaɪ] ◇ *adv* cerca ◇ *adj* cercano(na)

nearly [ˈnɪəlɪ] *adv* casi

nearsighted [ˈnɪəsaɪtəd] *adj* (US) miope

neat [niːt] *adj* 1. (writing, work) bien hecho(cha) 2. (room) ordenado(da) 3. (whisky, vodka etc) solo(la) 4. (US) (very good) genial

neatly [ˈniːtlɪ] *adv* 1. (placed, arranged) cuidadosamente, con pulcritud 2. (written) con buena letra

necessarily [ˌnesəˈserɪlɪ (UK), ˈnesəsrəlɪ] *adv* ● not necessarily no necesariamente

necessary [ˈnesəsrɪ] *adj* necesario(ria) ● it is necessary to do it es necesario hacerlo

necessity [nɪ'sesətɪ] *n* necesidad *f* ◆ *conj* ● neither do I yo tampoco ●
necessities *npl* artículos *mpl* de primera necesidad

neck [nek] *n* **1.** *(of person, jumper, shirt)* cuello *m* **2.** *(of animal)* pescuezo *m*

necklace ['neklɪs] *n* **1.** *(long)* collar *m* **2.** *(short)* gargantilla *f*

nectarine ['nektərɪn] *n* nectarina *f*

need [niːd] ◇ *n* necesidad *f* ◇ *vt* necesitar ● to need to do sthg *(require)* necesitar hacer algo; *(be obliged)* tener que hacer algo

needle ['niːdl] *n* aguja *f*

needlework ['niːdlwɜːk] *n* SCH costura *f*

needn't ['niːdənt] = need not

needy ['niːdɪ] *adj* necesitado(da)

negative ['negətɪv] ◇ *adj* negativo(va) ◇ *n* **1.** *(in photography)* negativo *m* **2.** GRAM negación *f*

neglect [nɪ'glekt] *vt* *(child, garden, work)* descuidar

negligence ['neglɪdʒəns] *n* negligencia *f*

negotiations [nɪˌgəʊʃɪ'eɪʃnz] *npl* negociaciones *fpl*

negro ['niːgrəʊ] *(pl* -es*) n* negro *m*, -gra *f*

neighbor ['neɪbər] *(US)* = neighbour

neighbour ['neɪbər] *n* *(UK)* vecino *m*, -na *f*

neighbourhood ['neɪbəhʊd] *n* barrio *m*

neighbouring ['neɪbərɪŋ] *adj* vecino(na)

neither ['naɪðər, 'niːðər]
◇ *adj* ● neither bag is big enough ninguna de las dos bolsas es bastante grande
◇ *pron* ● neither of us ninguno *m* de nosotros, ninguna de nosotras *f*

neither ... nor ... ni ... ni ...

neon light ['niːɒn-] *n* luz *f* de neón

nephew ['nefjuː] *n* sobrino *m*

nerve [nɜːv] *n* **1.** *(in body)* nervio *m* **2.** *(courage)* coraje *m* ● what a nerve! ¡qué caradura!

nervous ['nɜːvəs] *adj* **1.** *(tense by nature)* nervioso(sa) **2.** *(apprehensive)* aprensivo(va) **3.** *(uneasy)* preocupado(da)

nervous breakdown *n* crisis *f inv* nerviosa

nest [nest] *n* nido *m*

net [net] ◇ *n* **1.** red *f* **2.** ● the Net la Red ◇ *adj* neto(ta)

netball ['netbɔːl] *n* deporte parecido al baloncesto femenino

Netherlands ['neðələndz] *npl* ● the Netherlands los Países Bajos

nettle ['netl] *n* ortiga *f*

network ['netwɜːk] *n* **1.** *(of streets, trains)* red *f* **2.** RADIO & TV cadena *f*

neurotic [ˌnjʊə'rɒtɪk] *adj* neurótico(ca)

neutral ['njuːtrəl] ◇ *adj* **1.** *(country, person)* neutral **2.** *(in colour)* incoloro(ra) ◇ *n* AUT ● in neutral en punto muerto

never ['nevər] *adv* nunca ● I've never been to Berlin no he estado nunca en Berlín ● she's never late (ella) nunca llega tarde ● never mind! ¡no importa!

nevertheless [ˌnevəðə'les] *adv* sin embargo

new [njuː] *adj* nuevo(va)

newly ['njuːlɪ] *adv* recién

news [njuːz] *n* noticias *fpl* ● a piece of news una noticia

newsagent ['nju:zeɪdʒənt] *n* (UK) (shop) ≃ quiosco *m* de periódicos

newspaper ['nju:z,peɪpə'] *n* periódico *m*

New Year *n* Año *m* Nuevo

New Year's Day *n* día *m* de Año Nuevo

New Year's Eve *n* Nochevieja *f*

New Zealand [-'zi:lənd] *n* Nueva Zelanda

next [nekst] ◇ *adj* **1.** (in the future, following) próximo(ma) **2.** (room, house) de al lado ◇ *adv* **1.** (afterwards) después **2.** (on next occasion) la próxima vez ● **when does the next bus leave?** ¿a qué hora sale el próximo autobús? ● **next year/Monday** el año/el lunes que viene ● **next to** (by the side of) junto a ● **the week after next** la semana que viene no, la otra

next door *adv* en la casa de al lado

next of kin [-kɪn] *n* pariente *m* más próximo, pariente más próxima *f*

NHS *abbr* (UK) = **National Health Service**

nib [nɪb] *n* plumilla *f*

nibble ['nɪbl] *vt* mordisquear

Nicaragua [,nɪkə'rægjuə] *n* Nicaragua

Nicaraguan [,nɪkə'rægjuən] ◇ *adj* nicaragüense ◇ *n* nicaragüense *mf*

nice [naɪs] *adj* **1.** (pleasant) agradable **2.** (pretty) bonito(ta) **3.** (kind) amable ● **to have a nice time** pasarlo bien ● **nice to see you!** ¡encantado(da) de verle!

nickel ['nɪkl] *n* **1.** (metal) níquel *m* **2.** (US) (coin) moneda *f* de cinco centavos

nickname ['nɪkneɪm] *n* apodo *m*

niece [niːs] *n* sobrina *f*

night [naɪt] *n* **1.** (time when asleep) noche

f **2.** (evening) tarde *f* ● **at night** de noche ● **by night** por la noche ● **last night** anoche

nightclub ['naɪtklʌb] *n* ≃ sala *f* de fiestas (abierta sólo por las noches)

nightdress ['naɪtdres] *n* camisón *m*

nightie ['naɪtɪ] *n* (inf) camisón *m*

nightlife ['naɪtlaɪf] *n* vida *f* nocturna

nightly ['naɪtlɪ] *adv* cada noche

nightmare ['naɪtmeə'] *n* pesadilla *f*

night safe *n* (UK) caja *f* nocturna (en un banco)

night school *n* escuela *f* nocturna

nightshift ['naɪtʃɪft] *n* turno *m* de noche

nil [nɪl] *n* SPORT cero *m*

Nile [naɪl] *n* ● **the Nile** el Nilo

nine [naɪn] ◇ *num adj* nueve *inv* ◇ *num n* nueve *m inv* ● **to be nine** (years old) tener nueve años (de edad) ● **it's nine** (o'clock) son las nueve ● **a hundred and nine** ciento nueve ● **nine Hill St** Hill St, número nueve ● **it's minus nine** (degrees) hay nueve grados bajo cero ● **nine out of ten** nueve sobre diez

nineteen [,naɪn'tiːn] *num* diecinueve ● **nineteen ninety-five** mil novecientos noventa y cinco

nineteenth [,naɪn'tiːnθ] *num* decimonoveno(na)

ninetieth ['naɪntɪəθ] *num* nonagésimo(-ma)

ninety ['naɪntɪ] *num* noventa

ninth [naɪnθ] ◇ *num adj* noveno(na) ◇ *pron* noveno *m* ● *na f* ◇ *num n* (fraction) noveno *m* ◇ *num adv* noveno ● **a ninth** (of) la novena parte (de) ● **the ninth**

(of September) el nueve (de septiembre)

nip [nɪp] *vt (pinch)* pellizcar

nipple ['nɪpl] *n* **1.** *(of breast)* pezón *m* **2.** *(US) (of bottle)* tetilla *f*

no [nəʊ] ◇ *adv* no ◇ *adj* ninguno(na) ◇ *n* no *m* ● I've got no time no tengo tiempo ● I've got no money left no me queda (ningún) dinero

noble ['nəʊbl] *adj* noble

nobody ['nəʊbədɪ] *pron* nadie

nod [nɒd] *vi (in agreement)* asentir con la cabeza

noise [nɔɪz] *n* ruido *m*

noisy ['nɔɪzɪ] *adj* ruidoso(sa)

nominate ['nɒmɪneɪt] *vt* proponer

nonalcoholic [ˌnɒnælkə'hɒlɪk] *adj* sin alcohol

none [nʌn] *pron* ninguno *m*, -na *f* ● there's none left no queda nada

nonetheless [ˌnʌnðə'les] *adv* no obstante

nonfiction [ˌnɒn'fɪkʃn] *n* no ficción *f*

non-iron *adj* que no necesita plancha

nonsense ['nɒnsəns] *n* tonterías *fpl*

nonsmoker [ˌnɒn'sməʊkə'] *n* no fumador *m*, -ra *f*

nonstick [ˌnɒn'stɪk] *adj* antiadherente

nonstop [ˌnɒn'stɒp] ◇ *adj* **1.** *(talking, arguing)* continuo(nua) **2.** *(flight)* sin escalas ◇ *adv* **1.** *(run, rain)* sin parar **2.** *(fly, travel)* directamente

noodles ['nuːdlz] *npl* fideos *mpl*

noon [nuːn] *n* mediodía *m*

no one = **nobody**

nor [nɔː'] *conj* tampoco ● nor do I yo tampoco, neither

normal ['nɔːml] *adj* normal

normally ['nɔːməlɪ] *adv* normalmente

north [nɔːθ] ◇ *n* norte *m* ◇ *adv* **1.** *(fly, walk)* hacia el norte **2.** *(be situated)* al norte ● in the north of England en el norte de Inglaterra

North America *n* Norteamérica

northbound ['nɔːθbaʊnd] *adj* con dirección norte

northeast [ˌnɔːθ'iːst] *n* nordeste *m*

northern ['nɔːðən] *adj* del norte

Northern Ireland *n* Irlanda del Norte

North Pole *n* Polo *m* Norte

North Sea *n* Mar *m* del Norte

northwards ['nɔːθwədz] *adv* hacia el norte

northwest [ˌnɔːθ'west] *n* noroeste *m*

Norway ['nɔːweɪ] *n* Noruega

Norwegian [nɔː'wiːdʒən] ◇ *adj* noruego(ga) ◇ *n* **1.** *(person)* noruego *m*, -ga *f* **2.** *(language)* noruego *m*

nose [nəʊz] *n* **1.** *(of person)* nariz *f* **2.** *(of animal)* hocico *m* **3.** *(of plane, rocket)* morro *m*

nosebleed ['nəʊzbliːd] *n* ● he had a nosebleed le sangraba la nariz

nostril ['nɒstrəl] *n* **1.** *(of person)* ventana *f* de la nariz **2.** *(of animal)* orificio *m* nasal

nosy ['nəʊzɪ] *adj* fisgón(ona)

not [nɒt] *adv* no ● she's not there no está allí ● I hope not espero que no ● not yet todavía no ● not at all *(pleased, interested)* en absoluto; *(in reply to thanks)* no hay de qué

notably ['nəʊtəblɪ] *adv* especialmente

note [nəʊt] ◇ *n* **1.** nota *f* **2.** *(UK) (bank note)* billete *m* ◇ *vt* **1.** *(notice)* notar **2.**

(write down) anotar ● **to take notes** tomar apuntes

notebook ['nəʊtbʊk] *n* libreta *f*

noted ['nəʊtɪd] *adj* célebre

notepaper ['nəʊtpeɪpəʳ] *n* papel *m* de escribir *(para cartas)*

nothing ['nʌθɪŋ] *pron* nada ● **he did nothing** no hizo nada ● **nothing new/interesting** nada nuevo/interesante ● **for nothing** *(for free)* gratis; *(in vain)* para nada

notice ['nəʊtɪs] *vt* notar *n* **1.** *(written announcement)* anuncio *m* **2.** *(warning)* aviso *m* ● **to take notice of** hacer caso de ● **to hand in one's notice** presentar la dimisión

noticeable ['nəʊtɪsəbl] *adj* perceptible

notice board *n* (UK) tablón *m* (Esp) OR tablero *m* de anuncios

notion ['nəʊʃn] *n* noción *f*

notorious [nəʊ'tɔːrɪəs] *adj* de mala reputación

nougat ['nuːgɑː] *n* turrón de frutos secos y frutas confitadas

nought [nɔːt] *n* cero *m*

noun [naʊn] *n* nombre *m*, sustantivo *m*

nourishment ['nʌrɪʃmənt] *n* alimento *m*

Nov. *(abbr of* **November)** nov. *(noviembre)*

novel ['nɒvl] *n* novela *f* *adj* original

novelist ['nɒvəlɪst] *n* novelista *mf*

November [nə'vembəʳ] *n* noviembre *m* ● **at the beginning of November** a principios de septiembre ● **at the end of November** a finales de noviembre ● **during November** en noviembre ● **every November** todos los años en noviembre ● **in November** en no-

viembre ● **last November** en noviembre del año pasado ● **next November** en noviembre del próximo año ● **this November** en noviembre de este año ● **2 November 2001** *(in letters etc)* 2 de noviembre de 2001

now [naʊ] ◇ *adv* ahora ◇ *conj* ● **now (that)** ahora que ● **just now** ahora mismo ● **right now** *(at the moment)* en este momento; *(immediately)* ahora mismo ● **by now** ya ● **from now on** de ahora en adelante

nowadays ['naʊədeɪz] *adv* hoy en día

nowhere ['nəʊweəʳ] *adv* en ninguna parte

nozzle ['nɒzl] *n* boquilla *f*

nuclear ['njuːklɪəʳ] *adj* nuclear

nude [njuːd] *adj* desnudo(da)

nudge [nʌdʒ] *vt* dar un codazo a

nuisance ['njuːsns] *n* ● **it's a real nuisance!** ¡es una lata! ● **he's such a nuisance!** ¡es tan pelma!

numb [nʌm] *adj* **1.** *(person)* entumecido(da) **2.** *(leg, arm)* dormido(da)

number ['nʌmbəʳ] ◇ *n* número *m* ◇ *vt (give number to)* numerar

telephone numbers

The international dialling code for calling Britain from Spain is *0044*. The code for the US is *001*. The emergency number for the local police is *092*, but the emergency services all have different numbers: *080* for the fire brigade, *061* for the ambulance service and *112* for other emergencies. Phone cards for public phone booths can be bought from newspaper stands (*quioscos*) and tobacconists (*estancos*).

numberplate ['nʌmbəpleɪt] *n* (*UK*) matrícula *f*, placa *f* (*Amér*)

numeral ['nju:mərəl] *n* número *m*

numerous ['nju:mərəs] *adj* numeroso (sa)

nun [nʌn] *n* monja *f*

nurse [nɜ:s] ◇ *n* enfermera *f* ◇ *vt* (*look after*) cuidar de • **male nurse** enfermero *m*

nursery ['nɜ:sərɪ] *n* **1.** (*in house*) cuarto *m* de los niños **2.** (*childcare*) guardería *f* **3.** (*for plants*) vivero *m*

nursery (school) *n* escuela *f* de párvulos, guardería *f*

nursery slope *n* (*UK*) pista *f* para principiantes

nursing ['nɜ:sɪŋ] *n* (*profession*) enfermería *f*

nut [nʌt] *n* **1.** (*to eat*) nuez *f* (*frutos secos en general*) **2.** (*of metal*) tuerca *f*

nutcrackers ['nʌt,krækəz] *npl* cascanueces *m inv*

nutmeg ['nʌtmeg] *n* nuez *f* moscada

NVQ [envi:'kju:] *n* (*abbr of National Vocational Qualification*) en Gran Bretaña, una titulación profesional orientada a personas que ya forman parte del mundo laboral

nylon ['naɪlɒn] ◇ *n* nylon *m* ◇ *adj* de nylon

O O

o' [ə] *abbr* = **of**

oak [əʊk] ◇ *n* roble *m* ◇ *adj* de roble

OAP [əʊeɪ'pi:] *abbr* (*UK*) = **old age pensioner**

oar [ɔ:ʳ] *n* remo *m*

oatcake ['əʊtkeɪk] *n* galleta *f* de avena

oath [əʊθ] *n* (*promise*) juramento *m*

oatmeal ['əʊtmi:l] *n* harina *f* de avena

oats [əʊts] *npl* avena *f*

obedient [ə'bi:djənt] *adj* obediente

obey [ə'beɪ] *vt* obedecer

object ◇ *n* ['ɒbdʒɪkt] **1.** objeto *m* **2.** GRAM objeto *m*, complemento *m* ◇ *vi* [ɒb'dʒekt] • **to object (to)** oponerse (a)

objection [əb'dʒekʃn] *n* objeción *f*

objective [əb'dʒektɪv] *n* objetivo *m*

obligation [,ɒblɪ'geɪʃn] *n* obligación *f*

obligatory [ə'blɪgətrɪ] *adj* obligatorio (ria)

oblige [ə'blaɪdʒ] *vt* • **to oblige sb to do sthg** obligar a alguien a hacer algo

oblique [ə'bli:k] *adj* oblicuo (cua)

oblong ['ɒblɒŋ] ◇ *adj* rectangular ◇ *n* rectángulo *m*

obnoxious [əb'nɒkʃəs] *adj* detestable

oboe ['əʊbəʊ] *n* oboe *m*

obscene [əb'si:n] *adj* obsceno (na)

obscure [əb'skjʊəʳ] *adj* **1.** (*difficult to understand*) oscuro (ra) **2.** (*not well-known*) desconocido (da)

observant [əb'zɜ:vnt] *adj* observador (ra)

observation [ˌɒbzə'veɪʃn] *n* observación *f*

observe [əb'zɜːv] *vt* observar

obsessed [əb'sest] *adj* obsesionado(da)

obsession [əb'seʃn] *n* obsesión *f*

obsolete ['ɒbsəliːt] *adj* obsoleto(ta)

obstacle ['ɒbstəkl] *n* obstáculo *m*

obstinate ['ɒbstənət] *adj* obstinado(da)

obstruct [əb'strʌkt] *vt* (road, path) obstruir

obstruction [əb'strʌkʃn] *n* (in road, path) obstáculo *m*

obtain [əb'teɪn] *vt* obtener

obtainable [əb'teɪnəbl] *adj* asequible

obvious ['ɒbvɪəs] *adj* obvio(via)

obviously ['ɒbvɪəslɪ] *adv* 1. (of course) evidentemente 2. (clearly) claramente

occasion [ə'keɪʒn] *n* 1. (instance) vez *f* 2. (important event) acontecimiento *m* 3. (opportunity) ocasión *f*

occasional [ə'keɪʒənl] *adj* esporádico (ca)

occasionally [ə'keɪʒnəlɪ] *adv* de vez en cuando

occupant ['ɒkjʊpənt] *n* 1. (of house) inquilino *m*, -na *f* 2. (of car, plane) ocupante *mf*

occupation [ˌɒkjʊ'peɪʃn] *n* 1. (job) empleo *m* 2. (pastime) pasatiempo *m*

occupied ['ɒkjʊpaɪd] *adj* (toilet) ocupado(da)

occupy ['ɒkjʊpaɪ] *vt* 1. ocupar 2. (building) habitar

occur [ə'kɜːʳ] *vi* 1. (happen) ocurrir 2. (exist) encontrarse

occurrence [ə'kʌrəns] *n* acontecimiento *m*

ocean ['əʊʃn] *n* océano *m* ● **the ocean** (US) (sea) el mar

o'clock [ə'klɒk] *adv* ● **it's one o'clock** es la una ● **it's two o'clock** son las dos ● **at one/two o'clock** a la una/las dos

Oct. (abbr of October) oct. (octubre)

October [ɒk'təʊbəʳ] *n* octubre *m* ● **at the beginning of October** a principios de octubre ● **at the end of October** a finales de octubre ● **during October** en octubre ● **every October** todos los años en octubre ● **in October** en octubre ● **last October** en octubre del año pasado ● **next October** en octubre del próximo año ● **this October** en octubre de este año ● **2 October 2001** (in letters etc) 2 de octubre de 2001

octopus ['ɒktəpəs] *n* pulpo *m*

odd [ɒd] *adj* 1. (strange) raro(ra) 2. (number) impar 3. (not matching) sin pareja 4. (occasional) ocasional ● **sixty odd miles** sesenta y pico millas ● **some odd bits of paper** algunos que otros cachos de papel ● **odd jobs** chapuzas *fpl*

odds [ɒdz] *npl* 1. (in betting) apuestas *fpl* 2. (chances) probabilidades *fpl* ● **odds and ends** chismes *mpl*

odor ['əʊdəʳ] (US) = **odour**

odour ['əʊdəʳ] *n* (UK) olor *m*

of [ɒv] *prep* 1. (gen) de ● **the handle of the door** el pomo de la puerta ● **fear of spiders** miedo a las arañas ● **he died of cancer** murió de cáncer ● **the city of Glasgow** la ciudad de Glasgow ● **that was very kind of you** fue muy amable por tu parte 2. (describing amounts, contents) de ● **a piece of cake**

un trozo de pastel ● **a glass of beer** un vaso de cerveza ● **a fall of 20%** un descenso del 20% **3.** *(made from)* de ● **it's made of wood** es de madera **4.** *(referring to time)* de ● **the summer of 1969** el verano de 1969 ● **the 26th of August** el 26 de agosto **5.** *(US)* *(in telling the time)* ● **it's ten of four** son las cuatro menos diez

off [ɒf]

◇ *adv* **1.** *(away)* ● **to drive/walk off** alejarse ● **to get off** *(bus, train etc)* bajarse ● **we're off to Austria next week** nos vamos a Austria la semana que viene **2.** *(expressing removal)* ● **to take sthg off** *(clothes, shoes)* quitarse algo; *(lid, wrapper)* quitar algo; *(money)* descontar algo **3.** *(so as to stop working)* ● **to turn sthg off** *(TV, radio, engine)* apagar algo; *(tap)* cerrar algo **4.** *(expressing distance or time away)* ● **it's a long way off** *(in distance)* está muy lejos **5.** *(not at work)* libre ● **I'm taking a week off** voy a tomar una semana libre ● **she's off ill** está enferma **6.** *(expressing completion)* ● **to finish sthg off** terminar algo

◇ *prep* **1.** *(away from)* ● **to get off sthg** bajarse de algo ● **she fell off the chair** se cayó de la silla **2.** *(indicating removal)* ● **take the lid off the jar** quita la tapa del tarro ● **we'll take £20 off the price** le descontaremos 20 libras del precio **3.** *(adjoining)* ● **it's just off the main road** está al lado de la carretera principal **3.** *(absent from)* ● **to be off work** no estar en el trabajo **5.** *(inf)* *(from)* ● **I bought it off her** se lo

compré *(a ella)* **6.** *(inf)* *(no longer liking)* ● **I'm off my food** no me apetece comer

◇ *adj* **1.** *(meat, cheese)* pasado(da); *(milk)* cortado(da); *(beer)* agrio(agria) **2.** *(not working)* apagado(da); *(tap)* cerrado(da) **3.** *(cancelled)* cancelado(da) **4.** *(not available)* ● **the soup's off** no hay sopa

offence [ə'fens] *n* *(UK)* **1.** *(crime)* delito *m* **2.** *(upset)* ofensa *f*

offend [ə'fend] *vt* ofender

offender [ə'fendə^r] *n* delincuente *mf*

offense [ə'fens] *(US)* = **offence**

offensive [ə'fensɪv] *adj* *(insulting)* ofensivo(va)

offer ['ɒfə^r] ◇ *n* oferta *f* ◇ *vt* ofrecer ● **on offer** *(available)* disponible; *(reduced)* en oferta ● **to offer to do sthg** ofrecerse a hacer algo ● **he offered her a drink** le ofreció una bebida

office ['ɒfɪs] *n* **1.** oficina *f* **2.** *(US)* *(building)* bloque *m* *(Esp)* OR edificio *m* de oficinas

office block *n* *(UK)* bloque *m* *(Esp)* OR edificio *m* de oficinas

officer ['ɒfɪsə^r] *n* **1.** *(MIL)* oficial *mf* **2.** *(policeman)* agente *mf* de policía

official [ə'fɪʃl] ◇ *adj* oficial ◇ *n* *(of government)* funcionario *m*, -ria *f*

officially [ə'fɪʃəlɪ] *adv* oficialmente

off-licence *n* *(UK)* tienda de bebidas alcohólicas para llevar

off-peak *adj* de tarifa reducida

off-season *n* temporada *f* baja

offshore ['ɒfʃɔː'] *adj* *(breeze)* costero (ra)

off side *n* **1.** *(for right-hand drive)* lado *m*

izquierdo **2.** (for left-hand drive) lado derecho

off-the-peg adj (UK) confeccionado (da)

often ['ɒfn, 'ɒftn] adv a menudo, con frecuencia ● **how often do the buses run?** ¿cada cuánto tiempo pasan los autobuses? ● **every so often** cada cierto tiempo

oh [əʊ] excl ¡ah!, ¡oh!

oil [ɔɪl] n **1.** aceite m **2.** (fuel) petróleo m

oil rig n plataforma f petrolífera

oily ['ɔɪlɪ] adj **1.** (cloth, hands) grasiento(ta) **2.** (food) aceitoso(sa)

ointment ['ɔɪntmənt] n pomada f

OK [,əʊ'keɪ] ◇ adv **1.** (inf) (expressing agreement) vale **2.** (Esp), okey (Amér) **2.** (satisfactorily, well) bien ◇ adj (inf) ● **is that OK with you?** ¿te parece bien? ● **everyone's OK** todos están bien ● **the film was OK** la película estuvo bien

okay [,əʊ'keɪ] = **OK**

old [əʊld] adj **1.** viejo(ja) **2.** (former) antiguo(gua) ● **how old are you?** ¿cuántos años tienes? ● **I'm 36 years old** tengo 36 años ● **to get old** hacerse viejo

old age n vejez f

old age pensioner n (UK) pensionista mf

olive ['ɒlɪv] n aceituna f

olive oil n aceite m de oliva

Olympic Games [ə'lɪmpɪk-] npl Juegos mpl Olímpicos

omelette ['ɒmlɪt] n tortilla f ● **mushroom omelette** tortilla de champiñones

ominous ['ɒmɪnəs] adj siniestro(tra)

omit [ə'mɪt] vt omitir

on [ɒn]
◇ prep **1.** (indicating position) en; (on top of) en, sobre ● **it's on the table** está en la mesa ● **it's on the floor** está en el suelo ● **a picture on the wall** un cuadro en la pared ● **the exhaust on the car** el tubo de escape del coche ● **on the left/right** a la izquierda/derecha ● **we stayed on a farm** estuvimos en una granja ● **on the banks of the river** a orillas del río ● **the instructions on the packet** las instrucciones en el paquete **2.** (with forms of transport) ● **on the train/plane** en el tren/avión ● **to get on a bus** subirse a un autobús **3.** (expressing means, method) en ● **on foot** a pie ● **to lean on one's elbows** apoyarse en los codos ● **on the radio** en la radio ● **on TV** en la televisión ● **it runs on unleaded petrol** funciona con gasolina sin plomo **4.** (about) sobre, acerca de ● **a book on Germany** un libro sobre Alemania **5.** (expressing time) ● **on arrival** al llegar ● **on Tuesday** el martes ● **on Tuesdays** los martes ● **on 25th August** el 25 de agosto **6.** (with regard to) en, sobre ● **a tax on imports** un impuesto sobre las importaciones ● **the effect on Britain** el impacto en Gran Bretaña **7.** (describing activity, state) ● **on holiday** de vacaciones ● **on offer** (reduced) en oferta ● **on sale** en venta **8.** (in phrases) ● **do you have any money on you?** ¿llevas dinero? ● **the drinks are on me** (a las copas) invito yo
◇ adv **1.** (in place, covering) ● **put the lid on** pon la tapa ● **to put one's clothes**

on vestirse **2.** *(film, play, programme)* ● what's on at the cinema? ¿qué ponen en el cine? **3.** *(with transport)* ● **to get on** subirse **4.** *(functioning)* ● **to turn stng on** *(TV, radio, engine)* encender algo; *(tap)* abrir algo **5.** *(taking place)* ● the match is already on ya ha empezado el partido **6.** *(indicating continuing action)* ● **to keep on doing stng** seguir haciendo algo ● **to drive on** seguir conduciendo **7.** *(in phrases)* ● **have you anything on tonight?** ¿haces algo esta noche?
◇ *adj (TV, radio, light, engine)* encendido(da); *(tap)* abierto(ta) ● **is the game on?** ¿se va a celebrar el partido?

once [wʌns] ◇ *adv* **1.** *(one time)* una vez **2.** *(in the past)* en otro tiempo ◇ *conj* una vez que ● **at once** *(immediately)* inmediatamente; *(at the same time)* a la vez ● **for once** por una vez ● **once a month** una vez al mes ● **once more** *(one more time)* una vez más; *(again)* otra vez

oncoming [ˈɒnˌkʌmɪŋ] *adj (traffic)* que viene en dirección contraria

one [wʌn] ◇ *num* uno(una) ◇ *adj (only)* único(ca) ◇ *pron (fml) (you)* uno *m*, una *f* ● **the green one** el verde(la verde) ● **I want a blue one** quiero uno azul ● **thirty-one** treinta y uno ● **a hundred and one** ciento uno ● **one fifth** un quinto ● **that one** ése *m*, ésa *f* ● **this one** éste *m*, -ta *f* ● **which one?** ¿cuál? ● **the one I told you about** aquél que te conté ● **one of my friends** uno de mis amigos ● **one day** *(in past)* un día; *(in future)* algún día

oneself [wʌnˈself] *pron* **1.** *(reflexive)* se **2.** *(after prep)* uno mismo *m*, una misma *f* ● **to wash oneself** lavarse

one-way *adj* **1.** *(street)* de dirección única **2.** *(ticket)* de ida

onion [ˈʌnjən] *n* cebolla *f*

online [ˈɒnˈlaɪn] *adj* COMPUT on-line

online banking *n* COMPUT banca *f* online

online shopping *n* COMPUT compras *fpl* online

only [ˈəʊnlɪ] ◇ *adj* único(ca) ◇ *adv* sólo ● **an only child** hijo único ● **I only want one** sólo quiero uno ● **we've only just arrived** acabamos de llegar ● **there's only just enough** apenas hay lo justo ● **not only** no sólo ▼ **members only** miembros sólo

onto [ˈɒntuː] *prep (with verbs of movement)* encima de, sobre ● **to get onto sb** *(telephone)* ponerse en contacto con alguien

onward [ˈɒnwəd] ◇ *adv* = **onwards** ◇ *adj* ● **your onward journey** el resto de su viaje

onwards [ˈɒnwədz] *adv (forwards)* adelante ● **from now onwards** de ahora en adelante ● **from October onwards** de octubre en adelante

opal [ˈəʊpl] *n* ópalo *m*

opaque [əʊˈpeɪk] *adj* opaco(ca)

open [ˈəʊpn] ◇ *adj* **1.** abierto(ta) **2.** *(honest)* sincero(ra) ◇ *vt* **1.** abrir **2.** *(start)* dar comienzo a ◇ *vi* **1.** *(door, window, lock)* abrirse **2.** *(shop, office, bank)* abrir **3.** *(start)* dar comienzo ● **are you open at the weekend?** ¿abres el fin de semana? ● **wide open** abierto de par en par ● **in the open (air)** al aire libre ●

open onto *vt insep* dar a ◆ **open up** *vi* abrir

open-air *adj* al aire libre

opening ['əʊpnɪŋ] *n* **1.** *(gap)* abertura *f* **2.** *(beginning)* comienzo *m* **3.** *(opportunity)* oportunidad *f*

opening hours *npl* horario *m* de apertura

open-minded [-'maɪndɪd] *adj* sin prejuicios

open-plan *adj* de plano abierto

Open University *n* (UK) universida *f* a distancia

opera ['ɒprə] *n* ópera *f*

opera house *n* teatro *m* de la ópera

operate ['ɒpəreɪt] ◇ *vt* *(machine)* hacer funcionar ◇ *vi* *(work)* funcionar ● **to operate on sb** operar a alguien

operating room ['ɒpəreɪtɪŋ-] *n* (US) = **operating theatre**

operating theatre ['ɒpəreɪtɪŋ-] *n* (UK) quirófano *m*

operation [ˌɒpə'reɪʃn] *n* operación *f* ● **to be in operation** *(law, system)* estar en vigor ● **to have an operation** operarse

operator ['ɒpəreɪtər] *n* (on phone) operador *m*, -ra *f*

opinion [ə'pɪnjən] *n* opinión *f* ● **in my opinion** en mi opinión

opponent [ə'pəʊnənt] *n* **1.** SPORT contrincante *mf* **2.** *(of idea, policy, party)* adversario *m*, -ria *f*

opportunity [ˌɒpə'tjuːnətɪ] *n* oportunidad *f*

oppose [ə'pəʊz] *vt* oponerse a

opposed [ə'pəʊzd] *adj* ● **to be opposed to** oponerse a

opposite ['ɒpəzɪt] ◇ *adj* **1.** *(facing)* de enfrente **2.** *(totally different)* opuesto(ta) ◇ *prep* enfrente de ◇ *n* ● **the opposite (of)** lo contrario (de)

opposition [ˌɒpə'zɪʃn] *n* **1.** *(objections)* oposición *f* **2.** SPORT oponentes *mf pl* ● **the Opposition** la oposición

opt [ɒpt] *vt* ● **to opt to do sthg** optar por hacer algo

optician's [ɒp'tɪʃnz] *n* (shop) óptica *f*

optimist ['ɒptɪmɪst] *n* optimista *mf*

optimistic [ˌɒptɪ'mɪstɪk] *adj* optimista

option ['ɒpʃn] *n* opción *f*

optional ['ɒpʃənl] *adj* opcional

or [ɔːr] *conj* **1.** o, u *(before o or ho)* **2.** *(after negative)* ni ● **I can't read or write** no sé (ni) leer ni escribir

oral ['ɔːrəl] ◇ *adj* **1.** *(spoken)* oral **2.** *(of the mouth)* bucal ◇ *n* examen *m* oral

orange ['ɒrɪndʒ] ◇ *adj* naranja *(inv)* ◇ *n* naranja *f*

orange juice *n* zumo *m* (Esp) OR jugo *m* (Amér) de naranja

orange squash *n* (UK) naranjada *f*

orbit ['ɔːbɪt] *n* órbita *f*

orchard ['ɔːtʃəd] *n* huerto *m*

orchestra ['ɔːkɪstrə] *n* orquesta *f*

ordeal [ɔː'diːl] *n* calvario *m*

order ['ɔːdər] ◇ *n* **1.** *(sequence, neatness, discipline)* orden *m* **2.** *(command, in restaurant)* orden *f* **3.** COMM pedido *m* ◇ *vt* **1.** *(command)* ordenar **2.** *(food, drink, taxi)* pedir **3.** COMM encargar ◇ *vi* *(in restaurant)* pedir ● **in order to** para ● **out of order** *(not working)* estropeado ● **in working order** en funcionamiento ● **to order sb to do sthg** ordenar a alguien que haga algo

order form *n* hoja *f* de pedido

ordinary ['ɔːdənrɪ] *adj* corriente

oregano [ˌɒrɪ'ɡɑːnəʊ] *n* orégano *m*

organ ['ɔːɡən] *n* órgano *m*

organic [ɔː'ɡænɪk] *adj* orgánico(ca)

organization [ˌɔːɡənaɪ'zeɪʃn] *n* organización *f*

organize ['ɔːɡənaɪz] *vt* organizar

organizer ['ɔːɡənaɪzə'] *n* **1.** (*person*) organizador *m*, -ra *f* **2.** (*diary*) agenda *f* **3.** (*electronic*) agenda *f* electrónica

orient ['ɔːrɪent] *vt* (*US*) ● **to orient o.s.** orientarse

oriental [ˌɔːrɪ'entl] *adj* oriental

orientate ['ɔːrɪenteɪt] *vt* ● **to orientate o.s.** orientarse

origin ['ɒrɪdʒɪn] *n* origen *m*

original [ə'rɪdʒənl] *adj* **1.** (*first*) originario(ria) **2.** (*novel*) original

originally [ə'rɪdʒənəlɪ] *adv* originalmente

originate [ə'rɪdʒəneɪt] *vi* ● **to originate (from)** nacer (de)

ornament ['ɔːnəmənt] *n* adorno *m*

ornamental [ˌɔːnə'mentl] *adj* ornamental

orphan ['ɔːfn] *n* huérfano *m*, -na *f*

orthodox ['ɔːθədɒks] *adj* ortodoxo(xa)

ostentatious [ˌɒsten'teɪʃəs] *adj* ostentoso(sa)

ostrich ['ɒstrɪtʃ] *n* avestruz *m*

other ['ʌðə'] ◇ *adj* otro(otra) ◇ *adv* ● **other than** excepto ● **the other (one)** el otro(la otra) ● **the other day** el otro día ● **one after the other** uno después del otro ● **others** *pron* (*additional ones*) otros *mpl*, otras *f* ● **the others** (*remaining ones*) los demás (las demás), los otros (las otras)

otherwise ['ʌðəwaɪz] *adv* **1.** (*or else*) sino **2.** (*apart from that*) por lo demás **3.** (*differently*) de otra manera

otter ['ɒtə'] *n* nutria *f*

ought [ɔːt] *aux vb* deber ● **it ought to be ready** debería de estar listo ● **you ought to do it** deberías hacerlo

ounce [aʊns] *n* = 28,35g, onza *f*

our ['aʊə'] *adj* nuestro(tra)

ours ['aʊəz] *pron* nuestro *m*, -tra *f* ● **a friend of ours** un amigo nuestro

ourselves [aʊə'selvz] *pron* **1.** (*reflexive*) nos **2.** (*after prep*) nosotros *mpl* mismos, nosotras mismas *f* ● **we did it ourselves** lo hicimos nosotros mismos

out [aʊt]
◇ *adj* (*light, cigarette*) apagado(da)
◇ *adv* **1.** (*outside*) fuera ● **to get out (of)** (*car*) bajar (de) ● **to go out (of)** salir (de) ● **it's cold out today** hace frío fuera hoy **2.** (*not at home, work*) fuera ● **to go out** salir ● **to go out** fuera **3.** (*extinguished*) ● **put your cigarette out** apaga tu cigarrillo **4.** (*expressing removal*) ● **to take sthg out (of)** sacar algo (de) ● **to pour sthg out** (*liquid*) echar algo **5.** (*outwards*) hacia fuera ● **to stick out** sobresalir **6.** (*expressing exclusion*) fuera ● **keep out** prohibida la entrada **7.** ● **to be out** (*of game, competition*) perder **8.** (*in phrases*) ● **stay out of the sun** no te pongas al sol ● **made out of wood** (*hecho*) de madera ● **five out of ten women** cinco de cada diez mujeres ● **I'm out of cigarettes** no tengo (más) cigarrillos

outbreak ['aʊtbreɪk] *n* **1.** (*of war*) comienzo *m* **2.** (*of illness*) epidemia *f*

outburst ['aʊtbɜːst] *n* explosión *f*

outcome ['aʊtkʌm] *n* resultado *m*

outdated [ˌaʊt'deɪtɪd] *adj* anticuado (da)

outdo [ˌaʊt'duː] *vt* aventajar

outdoor ['aʊtdɔːʳ] *adj* (swimming pool, activities) al aire libre

outdoors [aʊt'dɔːz] *adv* al aire libre

outer ['aʊtəʳ] *adj* exterior

outer space *n* el espacio exterior

outfit ['aʊtfɪt] *n* (clothes) traje *m*

outing ['aʊtɪŋ] *n* excursión *f*

outlet ['aʊtlet] *n* (pipe) desagüe *m* ▼ **no outlet** (US) señal que indica que una carretera no tiene salida

outline ['aʊtlaɪn] *n* 1. (shape) contorno *m* 2. (description) esbozo *m*

outlook ['aʊtlʊk] *n* 1. (for future) perspectivas *fpl* 2. (of weather) pronóstico *m* 3. (attitude) enfoque *m*

out-of-date *adj* 1. (old-fashioned) anticuado(da) 2. (passport, licence) caducado(da), vencido(da) (Amér)

outpatients' (department) ['aʊtˌpeɪʃnts-] *n* departamento *m* de pacientes externos

output ['aʊtpʊt] *n* 1. (of factory) producción *f* 2. COMPUT (printout) impresión *f*

outrage ['aʊtreɪdʒ] *n* (cruel act) atrocidad *f*

outrageous [aʊt'reɪdʒəs] *adj* (shocking) indignante

outright [ˌaʊt'raɪt] *adv* 1. (tell, deny) categóricamente 2. (own) totalmente

outside ◇ *adv* [ˌaʊt'saɪd] fuera, afuera (Amér) ◇ *prep* [aʊt'saɪd] fuera de, afuera de (Amér) ◇ *adj* ['aʊtsaɪd] 1. (exterior)

exterior 2. (help, advice) independiente ◇ *n* ['aʊtsaɪd] ● **the outside** (of building, car, container) el exterior; AUT (in UK) carril *m* de adelantamiento; AUT (in Europe, US) carril lento ● **an outside line** una línea exterior ● **outside of** (US) (on the outside of) fuera de; (apart from) aparte de

outside lane *n* 1. (in UK) carril *m* de adelantamiento 2. (in Europe, US) carril *m* lento

outsize ['aʊtsaɪz] *adj* (clothes) de talla grande

outskirts ['aʊtskɜːts] *npl* afueras *fpl*

outsource ['aʊtsɔːs] *vt* subcontratar

outsourcing ['aʊtsɔːsɪŋ] *n* subcontratación *f*

outstanding [ˌaʊt'stændɪŋ] *adj* 1. (remarkable) destacado(da) 2. (problem, debt) pendiente

outward ['aʊtwəd] *adj* 1. (journey) de ida 2. (external) visible

outwards ['aʊtwədz] *adv* hacia afuera

oval ['əʊvl] *adj* oval

ovation [əʊ'veɪʃn] *n* ovación *f*

oven ['ʌvn] *n* horno *m*

oven glove *n* (UK) guante *m* de horno

ovenproof ['ʌvnpruːf] *adj* refractario (ria)

oven-ready *adj* listo(ta) para hornear

over ['əʊvəʳ]
◇ *prep* 1. (above) encima de ● **a lamp over the table** una lámpara encima de la mesa 2. (across) por encima de ● **to walk over sthg** cruzar algo (andando) ● **it's just over the road** está mismo enfrente 3. (covering) sobre ● **to smear the cream over the wound** untar la

herida con la crema **4.** *(more than)* más de ● **it cost over £1,000** costó más de mil libras **5.** *(during)* durante ● **over the past two years** en los dos últimos años **6.** *(with regard to)* sobre ● **an argument over the price** una discusión sobre el precio

◇ *adv* **1.** *(downwards)* ● **to fall over** caerse ● **to push sthg over** empujar algo **2.** *(referring to position, movement)* ● **to drive/walk over** cruzar ● **over here** aquí ● **over there** allí **3.** *(round to other side)* ● **to turn sthg over** dar la vuelta a algo **4.** *(more)* ● **children aged 12 and over** niños de 12 años en adelante **5.** *(remaining)* ● **to be (left) over** quedar **6.** *(to one's house)* ● **to invite sb over for dinner** invitar a alguien a cenar **7.** *(in phrases)* ● **all over** *(finished)* terminado(da); *(throughout)* por todo

◇ *adj (finished)* ● **to be over** haber terminado

overall ◇ *adv* [,əʊvə'rɔːl] en conjunto ◇ *n* ['əʊvərɔːl] **1.** *(UK) (coat)* guardapolvo *m* **2.** *(US) (boiler suit) (Esp)*, overol *m (Amér)* ● **how much does it cost overall?** ¿cuánto cuesta en total? ◆ **overalls** *npl* **1.** *(UK) (boiler suit)* mono *m (Esp)*, overol *m (Amér)* **2.** *(US) (dungarees)* pantalones *mpl* de peto

overboard ['əʊvəbɔːd] *adv (from ship)* por la borda

overbooked [,əʊvə'bʊkt] *adj* ● **to be overbooked** tener overbooking

overcame [,əʊvə'keɪm] *pt* > **overcome**

overcast [,əʊvə'kɑːst] *adj* cubierto(ta)

overcharge [,əʊvə'tʃɑːdʒ] *vt* cobrar en exceso

overcoat ['əʊvəkəʊt] *n* abrigo *m*

overcome [,əʊvə'kʌm] *(pt* **-came**, *pp* **-come)** *vt (defeat)* vencer

overcooked [,əʊvə'kʊkt] *adj* demasiado hecho(cha) *(Esp)*, sobrecocido(da)

overcrowded [,əʊvə'kraʊdɪd] *adj* atestado(da)

overdo [,əʊvə'duː] *(pt* **-did**, *pp* **-done)** *vt (exaggerate)* exagerar ● **to overdo it** exagerar

overdone [,əʊvə'dʌn] ◇ *pp* > **overdo** ◇ *adj (food)* demasiado hecho(cha) *(Esp)*, sobrecocido(da)

overdose ['əʊvədəʊs] *n* sobredosis *f inv*

overdraft ['əʊvədrɑːft] *n* **1.** *(money owed)* saldo *m* deudor **2.** *(credit limit)* descubierto *m*

overdue [,əʊvə'djuː] *adj* **1.** *(bus, flight)* retrasado(da) **2.** *(rent, payment)* vencido(da)

over easy *adj (US) (egg)* frito(ta) por ambos lados

overexposed [,əʊvərɪk'spəʊzd] *adj* sobreexpuesto(ta)

overflow ◇ *vi* [,əʊvə'fləʊ] desbordarse ◇ *n* ['əʊvəfləʊ] *(pipe)* cañería *f* de desagüe

overgrown [,əʊvə'grəʊn] *adj* cubierto(ta) de matojos

overhaul [,əʊvə'hɔːl] *n (of machine, car)* revisión *f*

overhead ◇ *adj* ['əʊvəhed] aéreo(a) ◇ *adv* [,əʊvə'hed] por lo alto

overhead locker *n* maletero *m* superior

overhear [,əʊvə'hɪə(r)] *(pt & pp* **-heard)** *vt* oír por casualidad

overheat [,əʊvə'hiːt] *vi* recalentarse

overland ['əʊvəlænd] *adv* por vía terrestre

overlap [əʊvə'læp] *vi* superponerse

overleaf [əʊvə'li:f] *adv* al dorso

overload [əʊvə'ləʊd] *vt* sobrecargar

overlook ◇ *vt* [əʊvə'lʊk] **1.** (*subj: building, room*) dar a **2.** (*miss*) pasar por alto ◇ *n* ['əʊvəlʊk] • **(scenic) overlook** (*US*) mirador *m*

overnight [*adv* əʊvə'naɪt, *adj* 'əʊvənaɪt] ◇ *adv* **1.** (*during the night*) durante la noche **2.** (*until next day*) toda la noche ◇ *adj* (*train, journey*) de noche

overnight bag *n* bolso *m* de fin de semana

overpass ['əʊvəpɑːs] *n* (*US*) paso *m* elevado

overpowering [əʊvə'paʊərɪŋ] *adj* arrollador(ra)

oversaw [əʊvə'sɔː] *pt* ➤ oversee

overseas ◇ *adv* [əʊvə'siːz] **1.** (*go*) al extranjero **2.** (*live*) en el extranjero ◇ *adj* ['əʊvəsiːz] **1.** (*holiday, branch*) en el extranjero **2.** (*student*) extranjero(ra)

oversee [əʊvə'siː] (*pt* -**saw**, *pp* -**seen**) *vt* supervisar

overshoot [əʊvə'ʃuːt] (*pt & pp* -**shot**) *vt* pasarse

oversight ['əʊvəsaɪt] *n* descuido *m*

oversleep [əʊvə'sliːp] (*pt & pp* -**slept**) *vi* dormirse, no despertarse a tiempo

overtake [əʊvə'teɪk] (*pt* -**took**, *pp* -**taken**) *vt & vi* (*UK*) adelantar ▼ **no overtaking** prohibido adelantar

overtime ['əʊvətaɪm] *n* horas *fpl* extra

overtook [əʊvə'tʊk] *pt* ➤ overtake

overture ['əʊvə,tjʊə] *n* MUS obertura *f*

overturn [əʊvə'tɜːn] *vi* volcar

overweight [əʊvə'weɪt] *adj* gordo(da)

overwhelm [əʊvə'welm] *vt* abrumar

owe [əʊ] *vt* deber • **you owe me £50** me debes 50 libras • **owing to** debido a

owl [aʊl] *n* búho *m*

own [əʊn] ◇ *adj* propio(pia) ◇ *vt* poseer ◇ *pron* • **my own** el mío(la mía) • **her own** la suya • **his own** el suyo • **on my own** solo(la) • **to get one's own back** tomarse la revancha ✦ **own up** *vi* • **to own up (to sthg)** confesar (algo)

owner ['əʊnə] *n* propietario *m*, -ria *f*

ownership ['əʊnəʃɪp] *n* propiedad *f*

ox [ɒks] (*pl* **oxen**) *n* buey *m*

Oxbridge ['ɒksbrɪdʒ] *n* las universidades de Oxford y Cambridge

Oxbridge

Oxbridge es un término que combina las palabras Oxford y Cambridge, y que se usa para referirse a las dos universidades británicas más prestigiosas. Son universidades que se destacan por su calidad de enseñanza y de investigación. Para entrar en ellas hay que pasar por un riguroso proceso de selección.

oxtail soup ['ɒksteɪl-] *n* sopa *f* de rabo de buey

oxygen ['ɒksɪdʒən] *n* oxígeno *m*

oyster ['ɔɪstə] *n* ostra *f*

oz *abbr* = ounce

ozone-friendly ['əʊzəʊn-] *adj* ~ daña la capa de ozono

*p*P

p [pi:] *abbr* **1.** = penny, pence **2.** (*abbr of* page) pág.

pace [peɪs] *n* paso *m*

pacemaker ['peɪsˌmeɪkə'] *n* (*for heart*) marcapasos *m inv*

Pacific [pə'sɪfɪk] *n* ● the Pacific (Ocean) el océano Pacífico

pacifier ['pæsɪfaɪə'] *n* (*US*) (*for baby*) chupete *m*, chupón *m* (*Amér*)

pacifist ['pæsɪfɪst] *n* pacifista *mf*

pack [pæk] ◇ *n* **1.** (*packet*) paquete *m* **2.** (*of crisps*) bolsa *f* **3.** (*UK*) (*of cards*) baraja *f* **4.** (*rucksack*) mochila *f* ◇ *vt* **1.** (*suitcase, bag*) hacer **2.** (*clothes, camera etc*) empaquetar ◇ *vi* hacer la maleta **3.** (*to package*) empaquetar ◇ *vi* hacer la maleta ● a pack of lies una sarta de mentiras ● they packed all their possessions into the van metieron todas sus posesiones en la furgoneta ● to pack one's bags hacerse la maletas ◆ **pack up** *vi* **1.** (*pack suitcase*) hacer las maletas **2.** (*tidy up*) recoger **3.** (*UK*) (*inf*) (*machine, car*) fastidiarse, fdescomponerse (*Amér*)

package ['pækɪdʒ] ◇ *n* paquete *m* ◇ *vt* envasar

packa~~...~~**iday** *n* (*UK*) vacaciones ~~...~~cluido

~~...~~dʒɪŋ] *n* embalaje *m*

~~...~~(crowded*) repleto(ta)

~~...~~UK*) almuerzo prepa-

~~...~~olegio, trabajo etc

packet ['pækɪt] *n* paquete *m* ● it cost a packet (*UK*) (*inf*) costó un dineral

packing ['pækɪŋ] *n* (*material*) embalaje *m* ● to do one's packing hacer el equipaje

pad [pæd] *n* **1.** (*of paper*) bloc *m* **2.** (*of cloth, cotton wool*) almohadilla *f* ● shoulder pads hombreras *fpl*

padded ['pædɪd] *adj* acolchado(da)

padded envelope *n* sobre *m* acolchado

paddle ['pædl] ◇ *n* (*pole*) pala *f* ◇ *vi* **1.** (*UK*) (*wade*) pasear por la orilla **2.** (*in canoe*) remar

paddling pool ['pædlɪŋ-] *n* (*in park*) estanque *m* para chapotear

padlock ['pædlɒk] *n* candado *m*

page [peɪdʒ] ◇ *n* página *f* ◇ *vt* **1.** (*on public system*) llamar por megafonía **2.** (*on pager*) contactar a alguien en el buscapersonas **3.** ▼ paging Mr Hill llamando a Mr Hill

pager [peɪdʒə'] *n* buscapersonas *m*, bíper *m* (*Méx*)

paid [peɪd] ◇ *pt* & *pp* > **pay** ◇ *adj* pagado(da)

pain [peɪn] *n* **1.** (*physical*) dolor *m* **2.** (*emotional*) pena *f* ● to be in pain sufrir dolor ● he's such a pain! (*inf*) ¡es un plasta! ◆ **pains** *npl* (*trouble*) esfuerzos *mpl*

painful ['peɪnfʊl] *adj* doloroso(sa) ● my leg is painful me duele la pierna

painkiller ['peɪnˌkɪlə'] *n* calmante *m*

paint [peɪnt] ◇ *n* pintura *f* ◇ *vt* & *vi* pintar ● to paint one's nails pintarse las uñas ◆ **paints** *npl* (*tubes, pots etc*) pinturas *fpl*

paintbrush ['peɪntbrʌʃ] n 1. (of decorator) brocha f 2. (of artist) pincel m
painter ['peɪntə'] n pintor m, -ra f
painting ['peɪntɪŋ] n 1. (picture) cuadro m 2. (artistic activity, trade) pintura f
pair [peə'] n (of two things) par m ● in pairs por pares ● a pair of pliers unos alicates ● a pair of scissors unas tijeras ● a pair of shorts unos pantalones cortos ● a pair of tights un par de medias ● a pair of trousers unos pantalones
pajamas [pə'dʒɑːməz] (US) = pyjamas
Pakistan [(UK) ˌpɑːkɪ'stɑːn, (US) ˌpækɪ'stæn] n Paquistán
Pakistani [(UK) ˌpɑːkɪ'stɑːnɪ, (US) ˌpækɪ'stænɪ] ◇ adj paquistaní ◇ n paquistaní mf
pakora [pə'kɔːrə] npl verduras rebozadas muy fritas y picantes, al estilo indio
pal [pæl] n (inf) colega mf
palace ['pælɪs] n palacio m
palatable ['pælətəbl] adj sabroso(sa)
palate ['pælət] n paladar m
pale [peɪl] adj 1. (not bright) claro(ra) 2. (skin) pálido(da)
pale ale n tipo de cerveza rubia
palm [pɑːm] n (of hand) palma f ● palm (tree) palmera f
palpitations [ˌpælpɪ'teɪʃnz] npl palpitaciones fpl
pamphlet ['pæmflɪt] n folleto m
pan [pæn] n cazuela f
Panama [ˌpænə'mɑː] n Panamá
Panamanian [ˌpænə'meɪnjən] ◇ adj panameño(ña) ◇ n panameño m, -ña f
pancake ['pænkeɪk] n crepe f
panda ['pændə] n panda m

pane [peɪn] n cristal m
panel ['pænl] n 1. (of wood, on TV, radio) panel m 2. (group of experts) equipo m
paneling ['pænəlɪŋ] (US) = panelling
panelling ['pænəlɪŋ] n (UK) paneles mpl
panic ['pænɪk] (pt & pp -ked, cont -king) ◇ n pánico m ◇ vi aterrarse
panniers ['pænɪəz] npl (for bicycle) bolsas fpl para equipaje
panoramic [ˌpænə'ræmɪk] adj panorámico(ca)
pant [pænt] vi jadear
panties ['pæntɪz] npl (inf) bragas fpl (Esp), calzones mpl (Amér)
pantomime ['pæntəmaɪm] n (UK) musical humorístico infantil de Navidades
pantry ['pæntrɪ] n despensa f
pants [pænts] npl 1. (UK) (underwear) calzoncillos mpl 2. (US) (trousers) pantalones mpl
panty hose ['pæntɪ-] npl (US) medias fpl
paper ['peɪpə'] ◇ n 1. (material) papel m 2. (newspaper) periódico m 3. (exam) examen m ◇ adj de papel ◇ vt empapelar ● a piece of paper (sheet) un papel; (scrap) un trozo de papel ◆ **papers** npl (documents) documentación f
paperback ['peɪpəbæk] n libro m en rústica
paper bag n bolsa f de papel
paperboy ['peɪpəbɔɪ] n repartidor m de periódicos
paper clip n clip m
papergirl ['peɪpəgɜːl] n repartidora f de periódicos
paper shop n (UK) ≃ quiosco m de periódicos

paperweight ['peɪpəweɪt] *n* pisapapeles *m inv*

paprika ['pæprɪkə] *n* pimentón *m*

paracetamol [,pærə'si:təmɒl] *n* paracetamol *m*

parachute ['pærəʃu:t] *n* paracaídas *m inv*

parade [pə'reɪd] *n* 1. *(procession)* desfile *m*

paradise ['pærədaɪs] *n* paraíso *m*

paraffin ['pærəfɪn] *n* parafina *f*

paragraph ['pærəgrɑ:f] *n* párrafo *m*

Paraguay ['pærəgwaɪ] *n* (el) Paraguay

Paraguayan [,pærə'gwaɪən] ◇ *adj* paraguayo(ya) ◇ *n* paraguayo *m*, -ya *f*

parallel ['pærəlel] *adj* ● **parallel (to)** paralelo(la)(a)

paralysed ['pærəlaɪzd] *adj (UK)* paralizado(da)

paralyzed ['pærəlaɪzd] *(US)* = **paralysed**

paramedic [,pærə'medɪk] *n* auxiliar *m* sanitario, auxiliar sanitaria *f*

paranoid ['pærənɔɪd] *adj* paranoico(ca)

parasite ['pærəsaɪt] *n* 1. *(animal)* parásito *m* 2. *(pej) (person)* parásito *m*, -ta *f*

parasol ['pærəsɒl] *n* sombrilla *f*

parcel ['pɑ:sl] *n* paquete *m*

parcel post *n* servicio *m* de paquete postal

pardon ['pɑ:dn] *excl* ● **pardon?** ¿perdón? ¿perdón? ● **pardon (me)!** ¡perdone! ● **I beg your pardon!** *(apologizing)* ¡le ruego me perdone! ● **I beg your pardon?** *(asking for repetition)* ¿cómo dice?

parents ['peərənts] *npl* padres *mpl*

parish ['pærɪʃ] *n* 1. *(of church)* parroquia *f* 2. *(village area)* municipio *m*

park [pɑ:k] ◇ *n* parque *m* ◇ *vt & vi* aparcar *(Esp)*, estacionar *(Amér)*

park and ride *n* aparcamiento en las afueras de la ciudad en donde hay autobuses al centro

parking ['pɑ:kɪŋ] *n* aparcamiento *m (Esp)*, estacionamiento *m (Amér)*

parking brake *n (US)* freno *m* de mano

parking lot *n (US)* aparcamiento *m* (al aire libre), estacionamiento *m (Amér)*

parking meter *n* parquímetro *m*

parking space *n* sitio *m* (para aparcar)

parking ticket *n* multa *f* por aparcamiento *(Esp)* OR estacionamiento *m (Amér)* indebido

parkway ['pɑ:kweɪ] *n (US)* avenida *f* (con zona ajardinada en el medio)

parliament ['pɑ:ləmənt] *n* parlamento *m*

Parmesan (cheese) [pɑ:mɪ'zæn-] *n* parmesano *m*

parrot ['pærət] *n* loro *m*

parsley ['pɑ:slɪ] *n* perejil *m*

parsnip ['pɑ:snɪp] *n* chirivía *f*

parson ['pɑ:sn] *n* párroco *m*

part [pɑ:t] ◇ *n* 1. parte *f* 2. *(of machine, car)* pieza *f* 3. *(in play, film)* papel *m* 4. *(US) (in hair)* raya *f* ◇ *adv* en parte ◇ *vi (couple)* separarse ● **in this part of France** en esta parte de Francia ● **to form part of** formar parte de ● **to play a part in** desempeñar un papel en ● **to take part in** tomar parte en ● **for my part** por mi parte ● **for the most part** en su mayoría ● **in these parts** por aquí

partial ['pɑ:ʃl] *adj (not whole)* parcial ●

to be partial to sthg ser aficionado(da) a algo

participant [pɑːˈtɪsɪpənt] *n* participante *mf*

participate [pɑːˈtɪsɪpeɪt] *vi* ● **to participate (in)** participar (en)

particular [pəˈtɪkjʊləʳ] *adj* **1.** *(specific, fussy)* particular **2.** *(special)* especial ● **in particular** en particular ◆ **nothing in particular** nada en particular ◆ **particulars** *npl (details)* datos *mpl* personales

particularly [pəˈtɪkjʊləlɪ] *adv* especialmente

parting [ˈpɑːtɪŋ] *n (UK)* (in hair) raya *f*

partition [pɑːˈtɪʃn] *n (wall)* tabique *m*

partly [ˈpɑːtlɪ] *adv* en parte

partner [ˈpɑːtnəʳ] *n* **1.** pareja *f* **2.** COMM socio *m*, -cia *f*

partnership [ˈpɑːtnəʃɪp] *n* asociación *f*

partridge [ˈpɑːtrɪdʒ] *n* perdiz *f*

part-time *adj & adv* a tiempo parcial

party [ˈpɑːtɪ] *n* **1.** *(for fun)* fiesta *f* **2.** POL partido *m* **3.** *(group of people)* grupo *m* ● **to have a party** hacer una fiesta

pass [pɑːs] ◇ *vt* **1.** pasar **2.** *(house, entrance etc)* pasar por delante de **3.** *(person in street)* cruzarse con **4.** *(test, exam)* aprobar **5.** *(overtake)* adelantar **6.** *(law)* aprobar ◇ *vi* **1.** pasar **2.** *(overtake)* adelantar **3.** *(in test, exam)* aprobar ◇ *n* **1.** *(document, SPORT)* pase *m* **2.** *(in mountain)* desfiladero *m* **3.** *(in exam)* aprobado *m* ● **please pass me the salt** pásame la sal, por favor ◆ **pass by** ◇ *vt insep (building, window etc)* pasar por ◇ *vi* pasar cerca ◆ **pass on** *vt sep* transmitir ◆ **pass out** *vi (faint)* desmayarse ◆ **pass up** *vt sep (opportunity)* dejar pasar

passable [ˈpɑːsəbl] *adj* **1.** *(road)* transitable **2.** *(satisfactory)* pasable

passage [ˈpæsɪdʒ] *n* **1.** *(corridor)* pasadizo *m* **2.** *(in book)* pasaje *m* **3.** *(sea journey)* travesía *f*

passageway [ˈpæsɪdʒweɪ] *n* pasadizo *m*

passenger [ˈpæsɪndʒəʳ] *n* pasajero *m*, -ra *f*

passerby [pɑːsəˈbaɪ] *n* transeúnte *mf*

passing place [ˈpɑːsɪŋ-] *n (for cars)* apartadero *m*

passion [ˈpæʃn] *n* pasión *f*

passionate [ˈpæʃənət] *adj* apasionado(da)

passive [ˈpæsɪv] *n* pasiva *f*

passport [ˈpɑːspɔːt] *n* pasaporte *m*

passport control *n* control *m* de pasaportes

passport photo *n* foto *f* de pasaporte

password [ˈpɑːswɜːd] *n* contraseña *f*

past [pɑːst] ◇ *adj* **1.** *(at earlier time)* anterior **2.** *(finished)* terminado(da) **3.** *(last)* último(ma) **4.** *(former)* antiguo(gua) ◇ *prep* **1.** *(further than)* más allá de **2.** *(in front of)* por delante de, por enfrente de *(Amér)* ◇ *n* pasado *m* ◇ *adv* ● **to run past** pasar corriendo ● **past (tense)** pasado ● **the past month** el mes pasado ● **twenty past four** las cuatro y veinte ● **in the past** en el pasado

pasta [ˈpæstə] *n* pasta *f*

paste [peɪst] *n* **1.** *(spread)* paté *m* **2.** *(glue)* engrudo *m*

pastel [ˈpæstl] *n* pastel *m*

pasteurized [ˈpɑːstʃəraɪzd] *adj* pasteurizado(da)

pastille [ˈpæstɪl] *n* pastilla *f*

pastime ['pɑːstaɪm] n pasatiempo m

pastry ['peɪstrɪ] n 1. (for pie) pasta f 2. (cake) pastel m

pasture ['pɑːstʃə] n pasto m

pat [pæt] vt golpear ligeramente

patch [pætʃ] n 1. (for clothes) remiendo m 2. (of colour, damp, for eye) parche m 3. (for skin) esparadrapo m • a bad patch (fig) un mal momento

pâté ['pæteɪ] n paté m

patent [(UK) 'peɪtənt, (US) 'pætənt] n patente f

path [pɑːθ] n (in garden, park, country) camino m

pathetic [pə'θetɪk] adj (pej) (useless) inútil

patience ['peɪʃns] n 1. (quality) paciencia f 2. (UK) (card game) solitario m

patient ['peɪʃnt] ◇ adj paciente ◇ n paciente mf

patio ['pætɪəʊ] n patio m

patriotic [(UK) ˌpætrɪ'ɒtɪk, (US) ˌpeɪtrɪ'ɒtɪk] adj patriótico(ca)

patrol [pə'trəʊl] ◇ vt patrullar ◇ n patrulla f

patrol car n coche m patrulla

patron ['peɪtrən] n (fml) (customer) cliente mf ▼ patrons only sólo para clientes

patronizing ['pætrənaɪzɪŋ] adj condesciente

pattern ['pætn] n 1. (of shapes, colours) diseño m 2. (for sewing) patrón m

patterned ['pætənd] adj estampado(da)

pause [pɔːz] ◇ n pausa f ◇ vi 1. (when speaking) hacer una pausa 2. (in activity) detenerse

pavement ['peɪvmənt] n 1. (UK) (beside road) acera f 2. (US) (roadway) calzada f

pavilion [pə'vɪljən] n pabellón m

paving stone ['peɪvɪŋ-] n losa f

pavlova [pæv'ləʊvə] n postre de merengue relleno de fruta y nata montada

paw [pɔː] n pata f

pawn [pɔːn] ◇ vt empeñar ◇ n (in chess) peón m

pay [peɪ] (pt & pp paid) ◇ vt pagar ◇ vi 1. (give money) pagar 2. (be profitable) ser rentable ◇ n paga f • have you paid the waiter for the drinks? ¿le has pagado las bebidas al camarero? • to pay money into an account ingresar dinero en una cuenta • to pay attention (to) prestar atención (a) • to pay sb a visit hacer una visita a alguien • to pay by credit card pagar con tarjeta de crédito ◆ pay back vt sep 1. (money) devolver 2. (person) devolver el dinero a ◆ pay for vt insep pagar ◆ pay in vt sep ingresar (Esp), depositar (Amér) ◆ pay out vt sep (money) pagar ◆ pay up vi pagar

payable ['peɪəbl] adj (bill) pagadero(ra) • payable to (cheque) a favor de

payment ['peɪmənt] n pago m

pay-per-view adj (television, distributor) de pago (Esp), pago (Amér)

payphone ['peɪfəʊn] n teléfono m público

pay television, pay TV n televisión f de pago (Esp) OR paga (Amér)

PC [piː'siː] n 1. (abbr of personal computer) ordenador personal m PC m 2. (UK) (abbr of police constable) policía mf

PDF [piːdiː'ef] n (abbr of portable document format) PDF m

PE *abbr* = physical education

pea [pi:] *n* guisante *m* (*Esp*), arveja *m*

peace [pi:s] *n* paz *f* ● **to leave sb in peace** dejar a alguien en paz ● **peace and quiet** tranquilidad *f*

peaceful ['pi:sful] *adj* **1.** (place, day, feeling) tranquilo(la) **2.** (demonstration) pacífico(ca)

peach [pi:tʃ] *n* melocotón *m* (*Esp*), durazno *m* (*Amér*)

peacock ['pi:kɒk] *n* pavo *m* real

peak [pi:k] *n* **1.** (of mountain) pico *m* **2.** (of hat) visera *f* **3.** (fig) (highest point) apogeo *m*

peak hours *npl* horas *fpl* punta (*Esp*) OR pico (*Amér*)

peak rate *n* (on telephone) tarifa *f* de hora punta (*Esp*) OR pico (*Amér*)

peanut ['pi:nʌt] *n* cacahuete *m* (*Esp*), maní *m* (*Amér*)

peanut butter *n* manteca *f* de cacahuete (*Esp*), mantequilla *f* de maní (*Amér*)

pear [peə'] *n* pera *f*

pearl [pɜ:l] *n* perla *f*

peasant ['peznt] *n* campesino *m*, -na *f*

pebble ['pebl] *n* guijarro *m*

pecan pie ['pi:kæn-] *n* tartaleta de pacanas

peck [pek] *vi* picotear

peculiar [pɪ'kju:lɪə'] *adj* (strange) peculiar ● **to be peculiar to** ser propio(pia) de

peculiarity [pɪˌkju:lɪ'ærətɪ] *n* (special feature) peculiaridad *f*

pedal ['pedl] ◇ *n* pedal *m* ◇ *vi* pedalear

pedalo ['pedaləʊ] (*pl* **-s**) *n* (*UK*) patín *m* (de agua)

pedestrian [pɪ'destrɪən] *n* peatón *m*

pedestrian crossing *n* (*UK*) paso *m* de peatones

pedestrianized [pɪ'destrɪənaɪzd] *adj* peatonal

pedestrian precinct *n* (*UK*) zona *f* peatonal

pedestrian zone (*US*) = **pedestrian precinct**

pee [pi:] ◇ *vi* (inf) mear ◇ *n* ● **to have a pee** (inf) echar una meada

peel [pi:l] ◇ *n* piel *f* ◇ *vt* pelar ◇ *vi* **1.** (paint) descascarillarse **2.** (skin) pelarse

peep [pi:p] *n* ● **to have a peep** echar una ojeada

peer [pɪə'] *vi* mirar con atención

peg [peg] *n* **1.** (for tent) estaca *f* **2.** (hook) gancho *m* **3.** (*UK*) (for washing) pinza *f*

pelican crossing ['pelɪkən-] *n* (*UK*) paso de peatones con semáforo que el usuario puede accionar apretando un botón

pelvis ['pelvɪs] *n* pelvis *f*

pen [pen] *n* **1.** (ballpoint pen) bolígrafo *m* **2.** (fountain pen) pluma *f* (estilográfica) (*Esp*), pluma *f* fuente (*Amér*) **3.** (for animals) corral *m*

penalty ['penltɪ] *n* **1.** (fine) multa *f* **2.** (in football) penalti *m*

pence [pens] *npl* (*UK*) peniques *mpl*

pencil ['pensl] *n* lápiz *m*

pencil case *n* estuche *m*

pencil sharpener [-'ʃɑ:pnə'] *n* sacapuntas *m inv*

pendant ['pendənt] *n* colgante *m*

pending ['pendɪŋ] *prep* (fml) a la espera de

penetrate ['penɪtreɪt] *vt* (pierce) penetrar en

penfriend ['penfrend] *n* (*UK*) amigo *m*, -ga *f* por correspondencia

penguin ['peŋgwɪn] *n* pingüino *m*

penicillin [,penɪ'sɪlɪn] *n* penicilina *f*

peninsula [pə'nɪnsjʊlə] *n* península *f*

penis ['piːnɪs] *n* pene *m*

penknife ['pennaɪf] (*pl* **-knives**) *n* navaja *f*

penny ['penɪ] (*pl* **pennies**) *n* 1. (*in UK*) penique *m* 2. (*in US*) centavo *m*

pension ['penʃn] *n* pensión *f*

pensioner ['penʃənə'] *n* pensionista *mf*

penthouse ['penthaʊs] *n* ático *m*, penthouse *m* (*Amér*)

penultimate [pe'nʌltɪmət] *adj* penúltimo(ma)

people ['piːpl] ◇ *npl* 1. (*persons*) personas *fpl* 2. (*in general*) gente *f* ◇ *n* (*nation*) pueblo *m* • **the people** (*citizens*) el pueblo

people carrier *n* (*UK*) monovolumen *m*

pepper ['pepə'] *n* 1. (*spice*) pimienta *f* 2. (*vegetable*) pimiento *m*

peppermint ['pepəmɪnt] ◇ *adj* de menta ◇ *n* (*sweet*) caramelo *m* de menta

per [pɜː'] *prep* por • **per person** por persona • **per week** por semana • **£20 per night** 20 libras por noche

perceive [pə'siːv] *vt* percibir

per cent *adv* por ciento

percentage [pə'sentɪdʒ] *n* porcentaje *m*

perch [pɜːtʃ] *n* (*for bird*) percha *f*

percolator ['pɜːkəleɪtə'] *n* percolador *m*

perfect ◇ *adj* ['pɜːfɪkt] perfecto(ta) ◇ *vt* [pə'fekt] perfeccionar ◇ *n* ['pɜːfɪkt] • **the perfect (tense)** el perfecto

perfection [pə'fekʃn] *n* • **to do sthg to perfection** hacer algo a la perfección

perfectly ['pɜːfɪktlɪ] *adv* (*very well*) perfectamente

perform [pə'fɔːm] ◇ *vt* 1. (*task, operation*) realizar 2. (*play*) representar 3. (*concert*) interpretar ◇ *vi* (*actor, singer*) actuar

performance [pə'fɔːməns] *n* 1. (*of play, concert, film*) función *f* 2. (*by actor, musician*) actuación *f* 3. (*of car*) rendimiento *m*

performer [pə'fɔːmə'] *n* intérprete *mf*

perfume ['pɜːfjuːm] *n* perfume *m*

perhaps [pə'hæps] *adv* quizás

perimeter [pə'rɪmɪtə'] *n* perímetro *m*

period ['pɪərɪəd] ◇ *n* 1. periodo *m* 2. SCH hora *f* 3. (*US*) (*full stop*) punto *m* ◇ *adj* de época • **sunny periods** intervalos *mpl* de sol

periodic [,pɪərɪ'ɒdɪk] *adj* periódico(ca)

period pains *npl* dolores *mpl* menstruales

periphery [pə'rɪfərɪ] *n* periferia *f*

perishable ['perɪʃəbl] *adj* perecedero(ra)

perk [pɜːk] *n* beneficio *m* adicional

perm [pɜːm] ◇ *n* permanente *f* ◇ *vt* • **to have one's hair permed** hacerse una permanente

permanent ['pɜːmənənt] *adj* permanente

permanent address *n* domicilio *m* fijo

permanently ['pɜːmənəntlɪ] *adv* permanentemente

permissible [pə'mɪsəbl] *adj* (*fml*) lícito(ta)

permission [pə'mɪʃn] *n* permiso *m*

permit ◇ *vt* [pə'mɪt] permitir ◇

['pɜːmɪt] permiso *m* • **to permit sb to do sthg** permitir a alguien hacer algo ▼ **permit holders only** aparcamiento prohibido a personas no autorizadas

perpendicular [,pɜːpən'dɪkjʊləʳ] *adj* perpendicular

persevere [,pɜːsɪ'vɪəʳ] *vi* perseverar

persist [pə'sɪst] *vi* persistir • **to persist in doing sthg** empeñarse en hacer algo

persistent [pə'sɪstənt] *adj* **1.** persistente **2.** *(person)* tenaz

person ['pɜːsn] *(pl* **people)** *n* persona *f* • **in person** en persona

personal ['pɜːsənl] *adj* **1.** personal **2.** *(life, letter)* privado(da) **3.** *(rude)* ofensivo(va) • **a personal friend** un amigo íntimo

personal assistant *n* asistente *m*, -ta *f* personal

personal belongings *npl* efectos *mpl* personales

personal computer *n* ordenador *m* personal *(Esp)*, computadora *f* personal *(Amér)*

personality [,pɜːsə'nælətɪ] *n* personalidad *f*

personally ['pɜːsnəlɪ] *adv* personalmente

personal property *n* bienes *mpl* muebles

personal stereo *n* walkman ® *m*

personnel [,pɜːsə'nel] *npl* personal *m*

perspective [pə'spektɪv] *n* perspectiva *f*

perspiration [,pɜːspə'reɪʃn] *n* transpiración *f*

persuade [pə'sweɪd] *vt* • **to persuade sb (to do sthg)** persuadir a alguien para que haga algo) • **to persuade sb**

that ... persuadir a alguien de que ...

persuasive [pə'sweɪsɪv] *adj* persuasivo (va)

Peru [pə'ruː] *n* Perú

Peruvian [pə'ruːvjən] ◇ *adj* peruano(na) ◇ *n* peruano *m*, -na *f*

pervert ['pɜːvɜːt] *n* pervertido *m*, -da *f*

pessimist ['pesɪmɪst] *n* pesimista *mf*

pessimistic ['pesɪ'mɪstɪk] *adj* pesimista

pest [pest] *n* **1.** *(insect)* insecto *m* nocivo **2.** *(animal)* animal *m* nocivo **3.** *(inf) (person)* pelma *mf*

pester ['pestəʳ] *vt* incordiar

pesticide ['pestɪsaɪd] *n* pesticida *m*

pet [pet] *n* animal *m* de compañía • **the teacher's pet** el favorito(la favorita) del maestro

petal ['petl] *n* pétalo *m*

pet food *n* alimentos *mpl* para animales de compañía

petition [pɪ'tɪʃn] *n* petición *f*

petrified ['petrɪfaɪd] *adj (frightened)* aterrado(da)

petrol ['petrəl] *n (UK)* gasolina *f*

petrol gauge *n (UK)* indicador *m* del nivel de carburante

petrol pump *n (UK)* surtidor *m* de gasolina

petrol station *n (UK)* gasolinera *f*

petrol tank *n (UK)* depósito *m* de gasolina

pet shop *n* tienda *f* de animales de compañía

petticoat ['petɪkəʊt] *n* combinación *f*

petty ['petɪ] *adj (pej) (person, rule)* mezquino(na)

petty cash *n* dinero *m* para pequeños gastos

pew [pju:] *n* banco *m (de iglesia)*

pewter ['pju:tə'] *n* peltre *m*

PG [pi:'dʒi:] *(UK) (film) (abbr of parental guidance)* con algunas escenas no aptas para menores de 15 años

pharmacist ['fɑ:məsɪst] *n* farmacéutico *m*, -ca *f*

pharmacy ['fɑ:məsɪ] *n (shop)* farmacia *f*

phase [feɪz] *n* fase *f*

PhD *n (degree)* doctorado *m*

pheasant ['feznt] *n* faisán *m*

phenomena [fɪ'nɒmɪnə] *pl* ➢ phenomenon

phenomenal [fɪ'nɒmɪnl] *adj* fenomenal

phenomenon [fɪ'nɒmɪnən] *(pl* -mena*) n* fenómeno *m*

Philippines ['fɪlɪpi:nz] *npl* ● the Philippines (las) Filipinas

philosophy [fɪ'lɒsəfɪ] *n* filosofía *f*

phlegm [flem] *n (in throat)* flema *f*

phone [fəʊn] *n* teléfono *m* ◇ *vt* & *vi* telefonear ● on the phone *(talking)* al teléfono ◆ phone up *vt sep* & *vi* llamar (por teléfono)

phone book *n* guía *f* telefónica

phone booth *n* teléfono *m* público

phone box *n (UK)* cabina *f* de teléfono

phone call *n* llamada *f* telefónica

phonecard ['fəʊnkɑ:d] *n* tarjeta *f* telefónica

phone number *n* número *m* de teléfono

photo ['fəʊtəʊ] *n* foto *f* ● to take a photo of *(person)* sacar una foto a; *(thing)* sacar una foto de

photo album *n* álbum *m* de fotos

photocopier [ˌfəʊtəʊ'kɒpɪə'] *n* fotocopiadora *f*

photocopy ['fəʊtəʊˌkɒpɪ] ◇ *n* fotocopia *f* ◇ *vt* fotocopiar

photograph ['fəʊtəgrɑ:f] ◇ *n* fotografía *f* ◇ *vt* fotografiar

photographer [fə'tɒgrəfə'] *n* fotógrafo *m*, -fa *f*

photography [fə'tɒgrəfɪ] *n* fotografía *f*

phrase [freɪz] *n* frase *f*

phrasebook ['freɪzbʊk] *n* libro *m* de frases

physical ['fɪzɪkl] ◇ *adj* físico(ca) ◇ *n* reconocimiento *m* médico

physical education *n* educación *f* física

physics ['fɪzɪks] *n* física *f*

physiotherapy [ˌfɪzɪəʊ'θerəpɪ] *n (UK)* fisioterapia *f*

pianist ['pɪənɪst] *n* pianista *mf*

piano [pɪ'ænəʊ] *(pl* -s*) n* piano *m*

pick [pɪk] ◇ *vt* 1. *(select)* escoger 2. *(fruit, flowers)* coger ◇ *n (pickaxe)* piqueta *f* ● to pick a fight buscar camorra ● to pick one's nose hurgarse la nariz ● to take one's pick escoger lo que uno quiera ◆ pick on *vt insep* meterse con ◆ pick out *vt sep* 1. *(select)* escoger 2. *(see)* distinguir ◆ pick up ◇ *vt sep* 1. recoger 2. *(lift up)* recoger (del suelo) 3. *(bargain, habit)* adquirir 4. *(language, hints)* aprender 5. *(inf) (woman, man)* ligar con ◇ *vi (improve)* mejorar

pickle ['pɪkl] *n* 1. *(UK) (food)* condimento hecho con trozos de frutas y verduras maceradas hasta formar una salsa agridulce 2. *(US) (pickled cucumber)* pepinillo *m* encurtido

pickled onion ['pɪkld-] *n* cebolleta *f* en vinagre

pickpocket ['pɪk.pɒkɪt] n carterista mf

pick-up (truck) n camioneta f

picnic ['pɪknɪk] n comida f campestre

picnic area n ≃ zona f de picnics

picture ['pɪktʃə'] n 1. (painting) cuadro m 2. (drawing) dibujo m 3. (photograph) foto f 4. (on TV) imagen f 5. (film) película f

picture frame n marco m (para fotos)

picturesque [ˌpɪktʃə'resk] adj pintoresco(ca)

pie [paɪ] n 1. (savoury) empanada f 2. (sweet) tarta f (cubierta de hojaldre)

piece [pi:s] n 1. (part, bit) trozo m 2. (component, in chess, of music) pieza f ● a 20p piece una moneda de 20 peniques ● a piece of advice un consejo ● a piece of clothing una prenda de vestir ● a piece of furniture un mueble ● a piece of paper una hoja de papel ● to all to pieces deshacerse ● in one piece (intact) intacto; (unharmed) sano y salvo

pier [pɪə'] n paseo m marítimo (sobre zanlecón)

pierce [pɪəs] vt perforar ● to have one's ears pierced hacerse agujeros en las orejas

pig [pɪg] n 1. (animal) cerdo m 2. (inf) (greedy person) tragón m, -ona f

pigeon ['pɪdʒɪn] n paloma f

pigeonhole ['pɪdʒɪnhəʊl] n casilla f

pigtail ['pɪgteɪl] n trenza f

pike [paɪk] n (fish) lucio m

pilau rice ['pɪlaʊ-] n arroz de distintos colores, condimentado con especias orientales

pilchard ['pɪltʃəd] n sardina f

pile [paɪl] ◇ n 1. (heap) montón m 2. (neat stack) pila f ◇ vt amontonar ● piles of (inf) (a lot) un montón de ◆

pile up ◇ vt sep amontonar ◇ vi (accumulate) acumularse

piles [paɪlz] npl MED almorranas fpl

pileup ['paɪlʌp] n colisión f en cadena

pill [pɪl] n pastilla f ● the pill la píldora

pillar ['pɪlə'] n pilar m

pillar box n (UK) buzón m

pillion ['pɪljən] n ● to ride pillion ir sentado atrás (en moto)

pillow ['pɪləʊ] n 1. (for bed) almohada f 2. (US) (on chair, sofa) cojín m

pillowcase ['pɪləʊkeɪs] n funda f de la almohada

pilot ['paɪlət] n piloto mf

pilot light n piloto m

pimple ['pɪmpl] n grano m

pin [pɪn] n 1. (for sewing) alfiler m 2. (drawing pin) chincheta f 3. (safety pin) imperdible m 4. (US) (brooch) broche m 5. (US) (badge) chapa f, pin m ◇ vt (fasten) prender ● a two-pin plug un enchufe de dos clavijas ● pins and needles hormigueo m

pinafore ['pɪnəfɔː'] n (UK) 1. (apron) delantal m 2. (dress) pichi m (Esp), jumper m (Amér)

pinball ['pɪnbɔːl] n flíper m

pincers ['pɪnsəz] npl (tool) tenazas fpl

pinch [pɪntʃ] ◇ vt 1. (squeeze) pellizcar 2. (UK) (inf) (steal) mangar ◇ n (of salt) pizca f

pine [paɪn] ◇ n pino m ◇ adj de pino

pineapple ['paɪnæpl] n piña f

pink [pɪŋk] ◇ adj rosa (inv) ◇ n (colour) rosa m

pinkie ['pɪŋkɪ] n dedo m meñique

PIN number n número m personal de identificación
pint [paɪnt] n **1.** (in UK) = 0,568 litros pinta f **2.** (in US) = 0,473 litros pinta ● **a pint (of beer)** (UK) (UK) una jarra de cerveza
pip [pɪp] n (UK) (of fruit) pepita f
pipe [paɪp] n **1.** (for smoking) pipa f **2.** (for gas, water) tubería f
pipe cleaner n limpiapipas m inv
pipeline ['paɪplaɪn] n (for oil) oleoducto m
pirate ['paɪrət] n pirata m
Pisces ['paɪsiːz] n Piscis m inv
piss [pɪs] ◇ vi (vulg) mear, hacer pís ◇ n ● **to have a piss** (vulg) echar una meada ● **it's pissing down** (vulg) está lloviendo que te cagas
pissed [pɪst] adj **1.** (UK) (vulg) (drunk) mamado(da) (Esp), tomado(da) (Amér) **2.** (US) (vulg) (angry) cabreado(da)
pissed off adj (vulg) cabreado(da)
pistachio [pɪ'stɑːʃɪəʊ] ◇ n pistacho m ◇ adj de pistacho
pistol ['pɪstl] n pistola f
piston ['pɪstən] n pistón m
pit [pɪt] n **1.** (hole) hoyo m **2.** (coalmine) mina f **3.** (for orchestra) foso m de la orquesta **4.** (US) (in fruit) hueso m
pitch [pɪtʃ] ◇ n (UK) SPORT campo m ◇ vt (throw) lanzar ● **to pitch a tent** montar una tienda de campaña
pitcher ['pɪtʃər] n **1.** (UK) (large jug) cántaro m **2.** (US) (small jug) jarra f
pitfall ['pɪtfɔːl] n escollo m
pith [pɪθ] n (of orange) parte blanca de la corteza

pitta (bread) ['pɪtə-] n fina torta de pan ácimo
pitted ['pɪtɪd] adj (olives) deshuesado (da)
pity ['pɪtɪ] n (compassion) lástima f ● **to have pity on sb** compadecerse de alguien ● **it's a pity (that)** ... es una pena que ... ● **what a pity!** ¡qué pena!
pivot ['pɪvət] n eje m
pizza ['piːtsə] n pizza f
pizzeria [ˌpiːtsə'rɪə] n pizzería f
Pl. (abbr of Place) nombre de ciertas calles en Gran Bretaña
placard ['plækɑːd] n pancarta f
place [pleɪs] ◇ n **1.** (location) sitio m, lugar m **2.** (house, flat) casa f **3.** (seat) asiento m **4.** (proper position) sitio m **5.** (in race, list) lugar m **6.** (at table) cubierto m ◇ vt **1.** (put) colocar **2.** (an order, bet) hacer ● **in the first place** en primer lugar ... ● **to take place** tener lugar ● **to take sb's place** sustituir a alguien ● **all over the place** por todas partes ● **in place of** en lugar de
place mat n mantel m individual
placement ['pleɪsmənt] n (UK) colocación f temporal
place of birth n lugar m de nacimiento
plague [pleɪg] n peste f
plaice [pleɪs] n platija f
plain [pleɪn] ◇ adj **1.** (not decorated) liso(sa) **2.** (simple) sencillo(lla) **3.** (clear) claro(ra) **4.** (paper) sin rayas **5.** (pej) (not attractive) sin ningún atractivo ◇ n llanura f
plain chocolate n (UK) chocolate m amargo

plainly ['pleɪnlɪ] *adv* **1.** *(obviously)* evidentemente **2.** *(distinctly)* claramente

plait [plæt] ◇ *n* (UK) trenza *f* ◇ *vt* (UK) trenzar

plan [plæn] ◇ *n* **1.** *(scheme, project)* plan *m* **2.** *(drawing)* plano *m* ◇ *vt* *(organize)* planear ● **have you any plans for tonight?** ¿tienes algún plan para esta noche? ● **according to plan** según lo previsto ● **to plan to do sthg, to plan on doing sthg** pensar hacer algo

plane [pleɪn] *n* **1.** *(aeroplane)* avión *m* **2.** *(tool)* cepillo *m*

planet ['plænɪt] *n* planeta *m*

plank [plæŋk] *n* tablón *m*

plant [plɑːnt] ◇ *n* planta *f* ◇ *vt* **1.** *(seeds, tree)* plantar **2.** *(land)* sembrar ▼ **heavy plant crossing** cartel que indica peligro por salida de vehículos pesados

plaque [plɑːk] *n* placa *f*

plaster ['plɑːstə^r] *n* **1.** (UK) *(for cut)* tirita *f* (Esp), curita® *f* (Amér) **2.** *(for walls)* escayola *f* (Esp), yeso *m* (Amér) ● **in plaster** escayolado

plaster cast *n* *(for broken bones)* escayola *f* (Esp), yeso *m* (Amér)

plastic ['plæstɪk] ◇ *n* plástico *m* ◇ *adj* de plástico

plastic bag *n* bolsa *f* de plástico

Plasticine® ['plæstɪsiːn] *n* (UK) plastilina® *f*

plate [pleɪt] *n* **1.** *(for food)* plato *m* **2.** *(of metal)* placa *f*

plateau ['plætəʊ] *n* meseta *f*

plate-glass *adj* de vidrio cilindrado

platform ['plætfɔːm] *n* **1.** *(at railway station)* andén *m* **2.** *(raised structure)* plataforma *f* ● **platform 12** la vía 12

platinum ['plætɪnəm] *n* platino *m*

platter ['plætə^r] *n* CULIN combinado, especialmente de mariscos, servido en una fuente alargada

play [pleɪ] ◇ *vt* **1.** *(sport, game)* jugar a **2.** *(music, instrument)* tocar **3.** *(opponent)* jugar contra **4.** *(CD, tape, record)* poner **5.** *(role, character)* representar ◇ *vi* **1.** *(child, in sport, game)* jugar **2.** *(musician)* tocar ◇ *n* **1.** *(in theatre, on TV)* obra *f* (de teatro) **2.** *(button on CD, tape recorder)* botón *m* del "play" ● **play back** *vt sep* volver a poner ● **play up** *vi* dar guerra

player ['pleɪə^r] *n* **1.** *(of sport, game)* jugador *m*, -ra *f* **2.** *(of musical instrument)* intérprete *mf*

playful ['pleɪfʊl] *adj* juguetón(ona)

playground ['pleɪgraʊnd] *n* **1.** *(in school)* patio *m* de recreo **2.** *(in park etc)* zona *f* recreativa

playgroup ['pleɪgruːp] *n* (UK) grupo para niños de edad preescolar

playing card ['pleɪɪŋ-] *n* carta *f*

playing field ['pleɪɪŋ-] *n* campo *m* de deportes

playroom ['pleɪrʊm] *n* cuarto *m* de los juguetes

playschool ['pleɪskuːl] (UK) = **playgroup**

playtime ['pleɪtaɪm] *n* recreo *m*

playwright ['pleɪraɪt] *n* dramaturgo *m*, -ga *f*

plc [piːel'siː] (UK) *(abbr of public limited company)* ≃ S.A. *(sociedad anónima)*

pleasant ['pleznt] *adj* agradable

please [pliːz] ◇ *adv* por favor ◇ *vt* complacer ● **yes please!** ¡sí, gracias! ● **whatever you please** lo que desee

pleased [pli:zd] *adj* contento(ta) ● **to be pleased with** estar contento con ● **pleased to meet you!** ¡encantado(da) de conocerle!

pleasure [ˈpleʒəʳ] *n* placer *m* ● **with pleasure** con mucho gusto ● **it's a pleasure!** ¡es un placer!

pleat [pli:t] *n* pliegue *m*

pleated [ˈpli:tɪd] *adj* plisado(da)

plentiful [ˈplentɪful] *adj* abundante

plenty [ˈplentɪ] *pron* de sobra ● **plenty of money** dinero de sobra ● **plenty of chairs** sillas de sobra

pliers [ˈplaɪəz] *npl* alicates *mpl*

plonk [plɒŋk] *n* (UK) (inf) (wine) vino *m* peleón

plot [plɒt] *n* 1. (scheme) complot *m* 2. (of story, film, play) trama *f* 3. (of land) parcela *f*

plough [plaʊ] ◇ *n* (UK) arado *m* ◇ *vt* (UK) arar

ploughman's (lunch) [ˈplaʊmənz-] *n* (UK) tabla de queso servida con pan, cebolla, ensalada y salsa agridulce

plow [plaʊ] (US) = **plough**

ploy [plɔɪ] *n* estratagema *f*

pluck [plʌk] *vt* 1. (eyebrows) depilar (con pinzas) 2. (chicken) desplumar

plug [plʌg] *n* 1. (electrical) enchufe *m* 2. (for bath, sink) tapón *m* ◆ **plug in** *vt sep* enchufar

plughole [ˈplʌghəʊl] *n* (UK) agujero *m* del desagüe

plum [plʌm] *n* ciruela *f*

plumber [ˈplʌməʳ] *n* fontanero *m*, -ra *f*

plumbing [ˈplʌmɪŋ] *n* (pipes) tuberías *fpl*

plump [plʌmp] *adj* regordete

plunge [plʌndʒ] *vi* 1. (fall, dive) zambu-

llirse 2. (decrease) caer vertiginosamente

plunger [ˈplʌndʒəʳ] *n* (for unblocking pipe) desatascador *m*

pluperfect (tense) [ˌplu:ˈpɜ:fɪkt-] *n* ● **the pluperfect tense** el pluscuamperfecto

plural [ˈplʊərəl] *n* plural *m* ● **in the plural** en plural

plus [plʌs] ◇ *prep* más ◇ *adj* ● **30 plus** treinta o más

plush [plʌʃ] *adj* lujoso(sa)

Pluto [ˈplu:təʊ] *n* Plutón *m*

plywood [ˈplaɪwʊd] *n* contrachapado *m*

p.m. [pi:ˈem] (abbr of post meridiem) ● **at 4 p.m.** a las cuatro de la tarde ● **at 10 p.m.** a las diez de la noche

PMS [pi:emˈes] *n* (UK) (abbr of premenstrual syndrome) SPM *m* (síndrome premenstrual)

PMT [pi:emˈti:] *n* (abbr of premenstrual tension) SPM *m* (síndrome premenstrual)

pneumatic drill [nju:ˈmætɪk-] *n* (UK) taladradora *f* neumática

pneumonia [nju:ˈməʊnjə] *n* pulmonía *f*

poached egg [pəʊtʃt-] *n* huevo *m* escalfado

poached salmon [pəʊtʃt-] *n* salmón *m* hervido

poacher [ˈpəʊtʃəʳ] *n* 1. (hunting) cazador *m* furtivo 2. (fishing) pescador *m* furtivo

PO Box [pi:ˈəʊ-] *n* (abbr of Post Office Box) apdo. *m* (apartado)

pocket [ˈpɒkɪt] ◇ *n* 1. bolsillo *m* 2. (on car door) bolsa *f* ◇ *adj* de bolsillo

pocketbook [ˈpɒkɪtbʊk] *n* 1. (notebook) libreta *f* 2. (US) (handbag) bolso *m*

(*Esp*), cartera *f* (*Amér*)

pocket money *n* (*UK*) propina *f* semanal

podiatrist [pə'daɪətrɪst] *n* (*US*) podólogo *m*, -ga *f*

poem ['pəʊɪm] *n* poema *m*

poet ['pəʊɪt] *n* poeta *m*, -tisa *f*

poetry ['pəʊɪtrɪ] *n* poesía *f*

point [pɔɪnt] ◇ *n* **1.** punto *m* **2.** (*tip*) punta *f* **3.** (*most important thing*) razón *f* **4.** (*UK*) (*electric socket*) enchufe *m* ◇ *vi* ● to point to señalar ● five point seven cinco coma siete ● what's the point? ¿para qué? ● there's no point no vale la pena ● to be on the point of doing sthg estar a punto de hacer algo ◆ to come to the point ir al grano ◆ points *npl* (*UK*) (*on railway*) agujas *fpl* ◆ point out *vt sep* **1.** (*object, person*) señalar **2.** (*fact, mistake*) hacer notar

pointed ['pɔɪntɪd] *adj* (*in shape*) puntiagudo(da)

pointless ['pɔɪntlɪs] *adj* sin sentido

point of view *n* punto *m* de vista

poison ['pɔɪzn] ◇ *n* veneno *m* ◇ *vt* **1.** (*intentionally*) envenenar **2.** (*unintentionally*) intoxicar

poisoning ['pɔɪznɪŋ] *n* **1.** (*intentional*) envenenamiento *m* **2.** (*unintentional*) intoxicación *f*

poisonous ['pɔɪznəs] *adj* **1.** (*food, gas, substance*) tóxico(ca) **2.** (*snake, spider*) venenoso(sa)

poke [pəʊk] *vt* **1.** (*with finger, stick*) dar **2.** (*with elbow*) dar un codazo

poker ['pəʊkə'] *n* (*card game*) póker *m*

Poland ['pəʊlənd] *n* Polonia

polar bear ['pəʊlə-] *n* oso *m* polar

pole [pəʊl] *n* (*of wood*) palo *m*

Pole [pəʊl] *n* (*person*) polaco *m*, -ca *f*

police [pə'liːs] *npl* ● the police la policía

police car *n* coche *m* patrulla

police force *n* cuerpo *m* de policía

policeman [pə'liːsmən] (*pl* -men) *n* policía *m*

police officer *n* agente *mf* de policía

police station *n* comisaría *f* de policía

policewoman [pə'liːsˌwʊmən] (*pl* -women) *n* mujer *f* policía

policy ['pɒləsɪ] *n* **1.** (*approach, attitude*) política *f* **2.** (*for insurance*) póliza *f*

policy-holder *n* asegurado *m*, -da *f*

polio ['pəʊlɪəʊ] *n* polio *f*

polish ['pɒlɪʃ] ◇ *n* (*for cleaning*) abrillantador *m* ◇ *vt* sacar brillo a

Polish ['pəʊlɪʃ] ◇ *adj* polaco(ca) ◇ *n* (*language*) polaco *m* ◇ *npl* ● the Polish los polacos

polite [pə'laɪt] *adj* educado(da)

political [pə'lɪtɪkl] *adj* político(ca)

politician [ˌpɒlɪ'tɪʃn] *n* político *m*, -ca *f*

politics ['pɒlətɪks] *n* política *f*

poll [pəʊl] *n* (*survey*) encuesta *f* ● the polls (*election*) los comicios

pollen ['pɒlən] *n* polen *m*

pollute [pə'luːt] *vt* contaminar

pollution [pə'luːʃn] *n* **1.** (*of sea, air*) contaminación *f* **2.** (*substances*) agentes *mpl* contaminantes

polo neck ['pəʊləʊ-] *n* (*UK*) (*jumper*) jersey *m* de cuello de cisne (*Esp*), suéter *m* de cuello alto

polyester [ˌpɒlɪ'estə'] *n* poliéster *m*

polystyrene [ˌpɒlɪ'staɪriːn] *n* poliestireno *m*

polythene ['pɒlɪθiːn] *n* polietileno *m*

pomegranate ['pɒmɪˌɡrænɪt] *n* granada *f*

pompous ['pɒmpəs] *adj* (person) engreído(da)

pond [pɒnd] *n* estanque *m*

pony ['pəʊnɪ] *n* poni *m*

ponytail ['pəʊnɪteɪl] *n* cola *f* de caballo (peinado)

pony-trekking [-ˌtrekɪŋ] *n* (UK) excursión *f* en poni

poodle ['puːdl] *n* caniche *m*

pool [puːl] *n* **1.** (for swimming) piscina *f* **2.** (of water, blood, milk) charco *m* **3.** (small pond) estanque *m* **4.** (game) billar *m* americano ◆ **pools** *npl* (UK) ● **the pools** las quinielas

poor [pɔːʳ] ◇ *adj* **1.** pobre **2.** (bad) malo(la) ◇ *npl* ● **the poor** los pobres

poorly ['pɔːlɪ] ◇ *adj* (UK) pachucho (cha) (Esp), mal ◇ *adv* mal

pop [pɒp] ◇ *n* (music) música *f* pop ◇ *vt* (inf) (put) meter ◇ *vi* (balloon) reventar ● **my ears popped** me estallaron los oídos ◆ **pop in** *vi* (UK) entrar un momento

popcorn ['pɒpkɔːn] *n* palomitas *fpl* (de maíz)

Pope [pəʊp] *n* ● **the Pope** el Papa

pop group *n* grupo *m* de música pop

poplar (tree) ['pɒpləʳ] *n* álamo *m*

pop music *n* música *f* pop

popper ['pɒpəʳ] *n* (UK) corchete *m*, broche *m* de presión (Amér)

poppy ['pɒpɪ] *n* amapola *f*

Popsicle ® ['pɒpsɪkl] *n* (US) polo *m* (Esp), paleta *f* helada (Amér)

pop socks *npl* calcetines de nylon

pop star *n* estrella *f* del pop

popular ['pɒpjʊləʳ] *adj* **1.** (person, activity) popular **2.** (opinion, ideas) generalizado(da)

popularity [ˌpɒpjʊ'lærətɪ] *n* popularidad *f*

populated ['pɒpjʊleɪtɪd] *adj* poblado (da)

population [ˌpɒpjʊ'leɪʃn] *n* población *f*

porcelain ['pɔːsəlɪn] *n* porcelana *f*

porch [pɔːtʃ] *n* porche *m*

pork [pɔːk] *n* carne *f* de cerdo

pork chop *n* chuleta *f* de cerdo

pornographic [ˌpɔːnə'ɡræfɪk] *adj* pornográfico(ca)

porridge ['pɒrɪdʒ] *n* (UK) papilla *f* de avena

port [pɔːt] *n* **1.** (town, harbour) puerto *m* **2.** (drink) oporto *m*

portable ['pɔːtəbl] *adj* portátil

porter ['pɔːtəʳ] *n* **1.** (at hotel, museum) conserje *mf* **2.** (at station, airport) mozo *m*

portion ['pɔːʃn] *n* **1.** (part) porción *f* **2.** (of food) ración *f*

portrait ['pɔːtreɪt] *n* retrato *m*

Portugal ['pɔːtʃʊɡl] *n* Portugal *m*

Portuguese [ˌpɔːtʃʊ'ɡiːz] ◇ *adj* portugués(esa) ◇ *n* (language) portugués *m* ◇ *npl* ● **the Portuguese** los portugueses

pose [pəʊz] ◇ *vt* **1.** (problem) plantear **2.** (threat) suponer ◇ *vi* (for photo) posar

posh [pɒʃ] *adj* **1.** (inf) (person, accent) de clase alta **2.** (hotel, restaurant) de lujo

position [pə'zɪʃn] *n* **1.** posición *f* **2.** (situation) situación *f* **3.** (rank, importance) rango *m* **4.** (fml) (job) puesto *m* ▼ **position closed** cerrado

positive ['pɒzətɪv] *adj* **1.** positivo(va) **2.** (*certain, sure*) seguro(ra) **3.** (*optimistic*) optimista

possess [pə'zes] *vt* poseer

possession [pə'zeʃn] *n* posesión *f*

possessive [pə'zesɪv] *adj* posesivo(va)

possibility [,pɒsə'bɪlətɪ] *n* posibilidad *f*

possible ['pɒsəbl] *adj* posible ● it's possible that we may be late puede (ser) que lleguemos tarde ● would it be possible for me to use the phone? ¿podría usar el teléfono? ● as much as possible tanto como sea posible ● if possible si es posible

possibly ['pɒsəblɪ] *adv* (*perhaps*) posiblemente

post [pəʊst] ◇ *n* **1.** (*UK*) (*system, letters*) correo *m* **2.** (*UK*) (*delivery*) reparto *m* **3.** (*pole*) poste *m* **4.** (*fml*) (*job*) puesto *m* ◇ *vt* (*UK*) (*letter, parcel*) echar al correo ● by post (*UK*) por correo

postage ['pəʊstɪdʒ] *n* franqueo *m* ● postage and packing (*UK*) gastos *mpl* de envío ● postage paid franqueo pagado

postage stamp *n* (*fml*) sello *m*, estampilla *f* (*Amér*)

postal order ['pəʊstl-] *n* (*UK*) giro *m* postal

postbox ['pəʊstbɒks] *n* (*UK*) buzón *m*

postcard ['pəʊstkɑːd] *n* postal *f*

postcode ['pəʊstkəʊd] *n* (*UK*) código *m* postal

poster ['pəʊstə'] *n* póster *m*

postgraduate [,pəʊst'grædʒʊət] *n* posgraduado *m*, -da *f*

Post-it (note) ® *n* Post-it ® *m*

postman ['pəʊstmən] (*pl* -men) *n* (*UK*) cartero *m*

postmark ['pəʊstmɑːk] *n* matasellos *m inv*

post office *n* (*building*) oficina *f* de correos ● the Post Office ≃ Correos *m inv*

postpone [,pəʊst'pəʊn] *vt* aplazar

posture ['pɒstʃə'] *n* postura *f*

postwoman ['pəʊst,wʊmən] (*pl* -women) *n* (*UK*) cartera *f*

pot [pɒt] *n* **1.** (*for cooking*) olla *f* **2.** (*for jam*) tarro *m* **3.** (*for paint*) bote *m* **4.** (*for tea*) tetera *f* **5.** (*for coffee*) cafetera *f* **6.** (*inf*) (*cannabis*) maría *f* (*Esp*), hierba *f* ● a pot of tea una tetera

potato [pə'teɪtəʊ] (*pl* -es) *n* patata *f*

potato salad *n* ensalada *f* de patatas (*Esp*) OR papas (*Amér*)

potential [pə'tenʃl] ◇ *adj* potencial ◇ *n* potencial *m*

pothole ['pɒthəʊl] *n* (*in road*) bache *m*

pot plant *n* (*UK*) planta *f* de interior

potted ['pɒtɪd] *adj* **1.** (*meat, fish*) en conserva **2.** (*plant*) en maceta

pottery ['pɒtərɪ] *n* cerámica *f*

potty ['pɒtɪ] *adj* chalado(da), chiflado(da)

pouch [paʊtʃ] *n* **1.** (*for money*) monedero *m* de atar **2.** (*for tobacco*) petaca *f*

poultry ['pəʊltrɪ] ◇ *n* (*meat*) carne *f* de pollería ◇ *npl* (*animals*) aves *fpl* de corral

pound [paʊnd] ◇ *n* **1.** (*unit of money*) libra *f* **2.** (*unit of weight*) = 453,6 *g* libra ◇ *vi* (*heart, head*) palpitar

pour [pɔː'] ◇ *vt* **1.** (*liquid etc*) verter **2.** (*drink*) servir ◇ *vi* (*flow*) manar ● it's pouring (with rain) está lloviendo a cántaros ◆ pour out *vt sep* (*drink*) servir

poverty ['pɒvətɪ] *n* pobreza *f*
powder ['paʊdə'] *n* polvo *m*
power ['paʊə'] ◇ *n* **1.** (*control, authority*) poder *m* **2.** (*ability*) capacidad *f* **3.** (*strength, force*) fuerza *f* **4.** (*energy*) energía *f* **5.** (*electricity*) corriente *f* ◇ *vt* impulsar ● **to be in power** estar en el poder
power cut *n* (*UK*) apagón *m*
power failure *n* corte *m* de corriente
powerful ['paʊəfʊl] *adj* **1.** (*having control*) poderoso(sa) **2.** (*physically strong, forceful*) fuerte **3.** (*machine, drug, voice*) potente **4.** (*smell*) intenso(sa)
power point *n* (*UK*) toma *f* de corriente
power station *n* (*UK*) central *f* eléctrica
power steering *n* dirección *f* asistida
practical ['præktɪkl] *adj* práctico(ca)
practically ['præktɪklɪ] *adv* (*almost*) prácticamente
practice ['præktɪs] ◇ *n* **1.** (*training, training session*) práctica *f* **2.** SPORT entrenamiento *m* **3.** (*of doctor*) consulta *f* **4.** (*of lawyer*) bufete *m* **5.** (*regular activity, custom*) costumbre *f* ◇ *vt* (*US*) ● **to be out of practice** tener falta de práctica = **practise**
practise ['præktɪs] ◇ *vt* (*UK*) (*sport, music, technique*) practicar ◇ *vi* **1.** (*train*) practicar **2.** (*doctor, lawyer*) ejercer
praise [preɪz] ◇ *n* elogio *m* ◇ *vt* elogiar
pram [præm] *n* (*UK*) cochecito *m* de niño
prank [præŋk] *n* travesura *f*
prawn [prɔːn] *n* gamba *f* (*Esp*), camarón *m* (*Amér*)

prawn cracker *n* pan *m* de gambas (*Esp*) OR camarones (*Amér*)
pray [preɪ] *vi* rezar ● **to pray for sthg** (*fig*) rogar por algo
prayer [preə'] *n* (*to God*) oración *f*
precarious [prɪ'keərɪəs] *adj* precario(ria)
precaution [prɪ'kɔːʃn] *n* precaución *f*
precede [prɪ'siːd] *vt* (*fml*) preceder
preceding [prɪ'siːdɪŋ] *adj* precedente
precinct ['priːsɪŋkt] *n* **1.** (*UK*) (*for shopping*) zona *f* comercial peatonal **2.** (*US*) (*area of town*) distrito *m*
precious ['preʃəs] *adj* **1.** precioso(sa) **2.** (*memories*) entrañable **3.** (*possession*) de gran valor sentimental
precious stone *n* piedra *f* preciosa
precipice ['presɪpɪs] *n* precipicio *m*
precise [prɪ'saɪs] *adj* preciso(sa), exacto(ta)
precisely [prɪ'saɪslɪ] *adv* **1.** (*accurately*) con precisión **2.** (*exactly*) exactamente
predecessor [prɪːdɪsesə'] *n* predecesor *m*, -ra *f*
predicament [prɪ'dɪkəmənt] *n* apuro *m*
predict [prɪ'dɪkt] *vt* predecir
predictable [prɪ'dɪktəbl] *adj* **1.** (*foreseeable*) previsible **2.** (*pej*) (*unoriginal*) poco original
prediction [prɪ'dɪkʃn] *n* predicción *f*
preface ['prefɪs] *n* prólogo *m*
prefect ['priːfekt] *n* (*UK*) (*at school*) alumno de un curso superior elegido por los profesores para mantener el orden fuera de clase
prefer [prɪ'fɜː'] *vt* ● **to prefer sthg (to)** preferir algo (a) ● **to prefer to do sthg** preferir hacer algo

preferable ['prefrəbl] *adj* preferible

preferably ['prefrəblɪ] *adv* preferiblemente

preference ['prefərəns] *n* preferencia *f*

prefix ['pri:fɪks] *n* prefijo *m*

pregnancy ['pregnənsɪ] *n* embarazo *m*

pregnant ['pregnənt] *adj* embarazada

prejudice ['predʒʊdɪs] *n* prejuicio *m*

prejudiced ['predʒʊdɪst] *adj* parcial

preliminary [prɪ'lɪmɪnərɪ] *adj* preliminar

premature ['premə,tjʊəʳ] *adj* 1. *prematuro(ra)* 2. *(arrival)* anticipado(da)

premier ['premjəʳ] ◇ *adj* primero(ra) ◇ *n (UK)* primer ministro *m*, primera ministra *f*

premiere ['premɪeəʳ] *n* estreno *m*

premises ['premɪsɪz] *npl* local *m*

premium ['pri:mjəm] *n (for insurance)* prima *f*

premium-quality *adj (meat)* de calidad superior

preoccupied [pri:'ɒkjʊpaɪd] *adj* preocupado(da)

prepacked [,pri:'pækt] *adj* preempaquetado(da)

prepaid ['pri:peɪd] *adj (envelope)* con porte pagado

preparation [,prepə'reɪʃn] *n (preparing)* preparación *f* ◆ **preparations** *npl (arrangements)* preparativos *mpl*

preparatory school [prɪ'pærətrɪ-] *n* 1. *(in UK)* colegio privado que prepara a alumnos de 7 a 12 años para la enseñanza secundaria 2. *(in US)* colegio privado de enseñanza media que prepara a sus alumnos para estudios superiores

prepare [prɪ'peəʳ] ◇ *vt* preparar ◇ *vi* prepararse

prepared [prɪ'peəd] *adj (ready)* preparado(da) ● **to be prepared to do sthg** estar dispuesto(ta) a hacer algo

preposition [,prepə'zɪʃn] *n* preposición *f*

prep school [prep-] = **preparatory school**

prescribe [prɪ'skraɪb] *vt* prescribir

prescription [prɪ'skrɪpʃn] *n* receta *f*

presence ['prezns] *n* presencia *f* ● **in sb's presence** en presencia de alguien

present ◇ *adj* ['preznt] 1. *(in attendance)* presente 2. *(current)* actual ◇ *n* ['preznt] *(gift)* regalo *m* ◇ *vt* [prɪ'zent] 1. *(give as present)* obsequiar 2. *(problem, challenge, play)* representar 3. *(portray, on radio or TV)* presentar ● **the present (tense)** el presente ● **at present** actualmente ● **the present** el presente ● **may I present you to the mayor?** ¿te puedo presentar al alcalde?

presentable [prɪ'zentəbl] *adj* presentable

presentation [,prezn'teɪʃn] *n* 1. *(way of presenting)* presentación *f* 2. *(ceremony)* ceremonia *f* de entrega

presenter [prɪ'zentəʳ] *n (UK) (of TV, radio programme)* presentador *m*, -ra *f*

presently ['prezntlɪ] *adv* 1. *(soon)* dentro de poco 2. *(now)* actualmente

preservation [,prezə'veɪʃn] *n* conservación *f*

preservative [prɪ'zɜːvətɪv] *n* conservante *m*

preserve [prɪ'zɜːv] ◇ *n (jam)* confitura *f* ◇ *vt* conservar

president ['prezɪdənt] *n* presidente *m*, -ta *f*

press [pres] ◇ *vt* **1.** *(push)* apretar **2.** *(iron)* planchar ◇ *n* ● **the press** la prensa ● **to press sb to do sthg** presionar a alguien para que haga algo

press conference *n* rueda *f* de prensa

press-up *n* *(UK)* flexión *f*

pressure ['preʃə'] *n* presión *f*

pressure cooker *n* olla *f* exprés

prestigious [pre'stɪdʒəs] *adj* prestigioso(sa)

presumably [prɪ'zju:məblɪ] *adv* probablemente

presume [prɪ'zju:m] *vt* suponer

pretend [prɪ'tend] *vt* ● **to pretend to do sthg** fingir hacer algo

pretentious [prɪ'tenʃəs] *adj* pretencioso(sa)

pretty ['prɪtɪ] ◇ *adj* **1.** *(person)* guapo (pa) **2.** *(thing)* bonito(ta), lindo(da) *(Amér)* ◇ *adv* *(inf)* **1.** *(quite)* bastante **2.** *(very)* muy

prevent [prɪ'vent] *vt* prevenir ● **they prevented him from leaving** le impidieron que se marchara

prevention [prɪ'venʃn] *n* prevención *f*

preview ['pri:vju:] *n* **1.** *(of film)* preestreno *m* **2.** *(short description)* reportaje *m* *(sobre un acontecimiento futuro)*

previous ['pri:vjəs] *adj* **1.** *(earlier)* previo(via) **2.** *(preceding)* anterior

previously ['pri:vjəslɪ] *adv* anteriormente

price [praɪs] ◇ *n* precio *m* ◇ *vt* ● **attractively priced** con un precio atractivo

priceless ['praɪslɪs] *adj* **1.** *(expensive)* de un valor incalculable **2.** *(valuable)* valiosísimo(ma)

price list *n* lista *f* de precios

pricey ['praɪsɪ] *adj* *(inf)* caro(ra)

prick [prɪk] *vt* **1.** *(skin, finger)* pinchar **2.** *(sting)* picar

prickly ['prɪklɪ] *adj* *(plant, bush)* espinoso(sa)

prickly heat *n* sarpullido causado por el calor

pride [praɪd] ◇ *n* orgullo *m* ◇ *vt* ● **to pride o.s. on sthg** estar orgulloso de algo

priest [pri:st] *n* sacerdote *m*

primarily ['praɪmərɪlɪ] *adv* primordialmente

primary school ['praɪmərɪ-] *n* escuela *f* primaria

prime [praɪm] *adj* **1.** *(chief)* primero(ra) **2.** *(quality, beef, cut)* de calidad superior

prime minister *n* primer ministro *m*, primera ministra *f*

primitive ['prɪmɪtɪv] *adj* *(simple)* rudimentario(ria)

primrose ['prɪmrəuz] *n* primavera *f*

prince [prɪns] *n* príncipe *m*

princess [prɪn'ses] *n* princesa *f*

principal ['prɪnsəpl] ◇ *adj* principal ◇ *n* *(of school, university)* director *m*, -ra *f*

principle ['prɪnsəpl] *n* principio *m* ● **in principle** en principio

print [prɪnt] ◇ *n* **1.** *(words)* letras *fpl* (de imprenta) **2.** *(photo)* foto *f* **3.** *(of painting)* reproducción *f* **4.** *(mark)* huella *f* ◇ *vt* **1.** *(book, newspaper, photo)* imprimir **2.** *(publish)* publicar **3.** *(write)* escribir en letra de imprenta ● **out of**

print agotado ◆ **print out** *vt sep* imprimir

printed matter ['prɪntɪd-] *n* impresos *mpl*

printer ['prɪntə^r] *n* **1.** *(machine)* impresora *f* **2.** *(person)* impresor *m*, -ra *f*

printout ['prɪntaʊt] *n* copia *f* de impresora

prior ['praɪə^r] *adj (previous)* anterior ● **prior to** *(fml)* con anterioridad a

priority [praɪ'ɒrətɪ] *n* prioridad *f* ● **to have priority over** tener prioridad sobre

prison ['prɪzn] *n* cárcel *f*

prisoner ['prɪznə^r] *n* preso *m*, -sa *f*

prisoner of war *n* prisionero *m*, -ra *f* de guerra

prison officer *n* funcionario *m*, -ria *f* de prisiones

privacy ['prɪvəsɪ] *n* intimidad *f*

private ['praɪvɪt] ◇ *adj* **1.** privado(da) **2.** *(class, lesson)* particular **3.** *(matter, belongings)* personal **4.** *(quiet)* retirado(da) ◇ *n* MIL soldado *m* raso ● **in private** en privado

private education

Los colegios privados británicos no reciben dinero del gobierno, y son una alternativa para aquellos padres con más recursos financieros para pagar la educación de sus hijos. Aunque el nombre pueda engañar, en Inglaterra a los colegios privados se les suele llamar *public schools*.

private health care *n* asistencia *f* sanitaria privada

private property *n* propiedad *f* privada

private school *n* colegio *m* privado

privilege ['prɪvɪlɪdʒ] *n* privilegio *m* ● **it's a privilege!** ¡es un honor!

prize [praɪz] *n* premio *m*

prize-giving [-ˌgɪvɪŋ] *n* entrega *f* de premios

pro [prəʊ] *(pl* **-s)** *n (inf) (professional)* profesional *mf* ◆ **pros** *npl* ● **the pros and cons** los pros y los contras

probability [ˌprɒbə'bɪlətɪ] *n* probabilidad *f*

probable ['prɒbəbl] *adj* probable

probably ['prɒbəblɪ] *adv* probablemente

probation officer [prə'beɪʃn-] *n oficial encargado de la vigilancia de presos en libertad condicional*

problem ['prɒbləm] *n* problema *m* ● **no problem!** *(inf)* ¡no hay problema!

procedure [prə'siːdʒə^r] *n* procedimiento *m*

proceed [prə'siːd] *vi (fml)* **1.** *(continue)* proseguir **2.** *(act)* proceder **3.** *(advance)* avanzar ▾ **proceed with caution** conduzca con precaución

proceeds ['prəʊsiːdz] *npl* recaudación *f*

process ['prəʊses] *n* proceso *m* ● **to be in the process of doing sthg** estar haciendo algo

processed cheese ['prəʊsest-] *n* queso *m* para sandwiches

procession [prə'seʃn] *n* desfile *m*

prod [prɒd] *vt* empujar repetidamente

produce ◇ *vt* [prə'djuːs] **1.** producir **2.**

(show) mostrar **3.** *(play)* poner en escena ◇ *n* [ˈprɒdjuːs] productos *mpl* agrícolas

producer [prəˈdjuːsə^r] *n* **1.** *(manufacturer)* fabricante *mf* **2.** *(of film)* productor *m*, -ra *f* **3.** *(of play)* director *m*, -ra *f* de escena

product [ˈprɒdʌkt] *n* producto *m*

production [prəˈdʌkʃn] *n* **1.** *(manufacture)* producción *f* **2.** *(of film, play)* realización *f* **3.** *(play)* representación *f*

productivity [ˌprɒdʌkˈtɪvətɪ] *n* productividad *f*

profession [prəˈfeʃn] *n* profesión *f*

professional [prəˈfeʃənl] ◇ *adj* profesional ◇ *n* profesional *mf*

professor [prəˈfesə^r] *n* **1.** *(in UK)* catedrático *m*, -ca *f* **2.** *(in US)* profesor *m*, -ra *f* de universidad

profile [ˈprəʊfaɪl] *n* **1.** *(silhouette, outline)* perfil *m* **2.** *(description)* corta biografía *f*

profit [ˈprɒfɪt] ◇ *n (financial)* beneficio *m* ◇ *vi* ● **to profit (from)** sacar provecho (de)

profitable [ˈprɒfɪtəbl] *adj* rentable

profiteroles [prəˈfɪtərəʊlz] *npl* profiteroles *mpl*

profound [prəˈfaʊnd] *adj* profundo(da)

program [ˈprəʊɡræm] *n* **1.** COMPUT programa *m* **2.** *(US)* = **programme** ◇ *vt* COMPUT programar

programme [ˈprəʊɡræm] *n (UK)* programa *m*

progress ◇ *n* [ˈprəʊɡres] **1.** *(improvement)* progreso *m* **2.** *(forward movement)* avance *m* ◇ *vi* [prəˈɡres] **1.** *(work, talks, student)* progresar **2.** *(day, meeting)* avanzar ● **to make progress** *(improve)*

progresar; *(in journey)* avanzar ● **in progress** en curso

progressive [prəˈɡresɪv] *adj (forward-looking)* progresista

prohibit [prəˈhɪbɪt] *vt* prohibir ▼ **smoking strictly prohibited** está terminantemente prohibido fumar

project [ˈprɒdʒekt] *n* **1.** *(plan)* proyecto *m* **2.** *(at school)* trabajo *m*

projector [prəˈdʒektə^r] *n* proyector *m*

prolong [prəˈlɒŋ] *vt* prolongar

prom [prɒm] *n (US) (dance)* baile *m* de gala *(en colegios)*

promenade [ˌprɒməˈnɑːd] *n (by the sea)* paseo *m* marítimo, malecón *m* *(Amér)*

prominent [ˈprɒmɪnənt] *adj* **1.** *(person)* eminente **2.** *(noticeable)* prominente

promise [ˈprɒmɪs] ◇ *n* promesa *f* ◇ *vt* prometer ◇ *vi* ● **I promise** te lo prometo ● **to show promise** ser prometedor ● **I promise (that) I'll come** te prometo que vendré ● **you promised me a lift home** me prometiste que me llevarías a casa ● **to promise to do sthg** prometer hacer algo

promising [ˈprɒmɪsɪŋ] *adj* prometedor(ra)

promote [prəˈməʊt] *vt (in job)* ascender

promotion [prəˈməʊʃn] *n* **1.** *(in job)* ascenso *m* **2.** *(of product)* promoción *f*

prompt [prɒmpt] ◇ *adj* inmediato(ta) ◇ *adv* ● **at six o'clock prompt** a las seis en punto

prone [prəʊn] *adj* ● **to be prone to sthg** ser propenso(sa) a algo ● **to be prone to do sthg** tender a hacer algo

prong [prɒŋ] *n* diente *m*

pronoun [ˈprəʊnaʊn] *n* pronombre *m*

pronounce [prə'naʊns] *vt (word)* pronunciar

pronunciation [prə,nʌnsɪ'eɪʃn] *n* pronunciación *f*

proof [pru:f] *n (evidence)* prueba *f* ● it's 12% proof *(alcohol)* tiene 12 grados

prop [prɒp] ◆ **prop up** *vt sep (support)* apuntalar

propeller [prə'pelə'] *n* hélice *f*

proper ['prɒpə'] *adj* 1. *(suitable)* adecuado(da) 2. *(correct, socially acceptable)* correcto(ta)

properly ['prɒpəlɪ] *adv* 1. *(suitably)* bien 2. *(correctly)* correctamente

property ['prɒpətɪ] *n* 1. propiedad *f* 2. *(land)* finca *f* 3. *(fml) (building)* inmueble *m*

proportion [prə'pɔ:ʃn] *n* proporción *f*

proposal [prə'pəʊzl] *n (suggestion)* propuesta *f*

propose [prə'pəʊz] ◇ *vt (suggest)* proponer ◇ *vi* ● **to propose to sb** pedir la mano a alguien

proposition [,prɒpə'zɪʃn] *n (offer)* propuesta *f*

proprietor [prə'praɪətə'] *n (fml)* propietario *m*, -ria *f*

prose [prəʊz] *n* 1. *(not poetry)* prosa *f* 2. SCH traducción *f* inversa

prosecution [,prɒsɪ'kju:ʃn] *n* LAW *(charge)* procesamiento *m*

prospect [n 'prɒspekt] *n (possibility)* posibilidad *f* ● I don't relish the prospect no me apasiona la perspectiva ◆ **prospects** *npl (for the future)* perspectivas *fpl*

prospectus [prə'spektəs] *(pl* -es*) n* folleto *m* informativo

prosperous ['prɒspərəs] *adj* próspero(ra)

prostitute ['prɒstɪtju:t] *n* prostituta *f*

protect [prə'tekt] *vt* proteger ● **to protect sb from harm** proteger a alguien de cualquier daño ● **plans to protect the country against attack** planes para proteger al país contra el ataque

protection [prə'tekʃn] *n* protección *f*

protection factor *n* factor *m* de protección solar

protective [prə'tektɪv] *adj* protector(ra)

protein ['prəʊti:n] *n* proteína *f*

protest ◇ *n* ['prəʊtest] 1. *(complaint)* protesta *f* 2. *(demonstration)* manifestación *f* ◇ *vt* [prə'test] *(US) (protest against)* protestar contra ◇ *vi* ● **to protest (against)** protestar (contra)

Protestant ['prɒtɪstənt] *n* protestante *mf*

protester [prə'testə'] *n* manifestante *mf*

protrude [prə'tru:d] *vi* sobresalir

proud [praʊd] *adj* 1. *(pleased)* orgulloso(sa) 2. *(pej) (arrogant)* soberbio(bia) ● **to be proud of** estar orgulloso de

prove [pru:v] *(pp* -d OR **proven***) vt* 1. *(show to be true)* probar 2. *(turn out to be)* resultar

proverb ['prɒvɜ:b] *n* proverbio *m*

provide [prə'vaɪd] *vt* proporcionar ● **to provide sb with information** proporcionar información a alguien ◆ **provide for** *vt insep (person)* mantener

provided (that) [prə'vaɪdɪd-] *conj* con tal de que

providing (that) [prə'vaɪdɪŋ-] = **provided (that)**

province ['prɒvɪns] *n* provincia *f*

provisional [prə'vɪʒənl] *adj* provisional

provisions [prə'vɪʒnz] *npl* provisiones *fpl*

provocative [prə'vɒkətɪv] *adj* provocador(ra)

provoke [prə'vəʊk] *vt* provocar

prowl [praʊl] *vi* merodear

prune [pruːn] ◇ *n* ciruela *f* pasa ◇ *vt* podar

PS [piː'es] (*abbr of* postscript) P.D. (*posdata*)

psychiatrist [saɪ'kaɪətrɪst] *n* psiquiatra *mf*

psychic ['saɪkɪk] *adj* clarividente

psychological [,saɪkə'lɒdʒɪkl] *adj* psicológico(ca)

psychologist [saɪ'kɒlədʒɪst] *n* psicólogo *m*, -ga *f*

psychology [saɪ'kɒlədʒɪ] *n* psicología *f*

psychotherapist [,saɪkəʊ'θerəpɪst] *n* psicoterapeuta *mf*

pt *abbr* = pint

PTO [piːtiː'əʊ] (*abbr of* please turn over) sigue

pub [pʌb] *n* (*UK*) ≃ bar *m*

puberty ['pjuːbətɪ] *n* pubertad *f*

public ['pʌblɪk] ◇ *adj* público(ca) ◇ *n* ● the public el público ● in public en público

publican ['pʌblɪkən] *n* (*UK*) patrón de un pub

publication [,pʌblɪ'keɪʃn] *n* publicación *f*

public bar *n* (*UK*) bar cuya decoración es más sencilla y cuyos precios son más bajos

public convenience *n* (*UK*) aseos *mpl* públicos

public footpath *n* (*UK*) camino *m* público

public holiday *n* fiesta *f* nacional

public house *n* (*fml*) ≃ bar *m*

publicity [pʌb'lɪsɪtɪ] *n* publicidad *f*

public school *n* 1. (*in UK*) colegio *m* privado 2. (*in US*) escuela *f* pública

public telephone *n* teléfono *m* público

public transport *n* (*UK*) transporte *m* público

public transportation (*US*) = public transport

publish ['pʌblɪʃ] *vt* publicar

publisher ['pʌblɪʃə'] *n* 1. (*person*) editor *m*, -ra *f* 2. (*company*) editorial *f*

publishing ['pʌblɪʃɪŋ] *n* (*industry*) industria *f* editorial

pub lunch *n* (*UK*) almuerzo generalmente sencillo en un pub

pudding ['pʊdɪŋ] *n* 1. (*sweet dish*) pudín *m* 2. (*UK*) (*course*) postre *m*

puddle ['pʌdl] *n* charco *m*

puff [pʌf] ◇ *vi* (*breathe heavily*) resollar ◇ *n* 1. (*of air*) soplo *m* 2. (*of smoke*) bocanada *f* ● to puff at dar caladas a

puff pastry n hojaldre m

pull [pʊl] ◇ vt 1. (tow) tirar de, jalar (Amér) 2. (tow) arrastrar 3. (trigger) apretar ◇ vi tirar, jalar (Amér) ◇ n ● **to give sthg a pull** darle un tirón a algo ● **to pull a face** hacer muecas ● **to pull a muscle** dar un tirón en un músculo ▼ **pull (on door)** tirar ◆ **pull apart** vt sep (machine) desmontar ◆ **pull down** vt sep 1. (lower) bajar 2. (demolish) derribar ◆ **pull in** vi pararse ◆ **pull out** ◇ vt sep sacar ◇ vi 1. (train, car) salir 2. (withdraw) retirarse ◆ **pull over** vi (car) hacerse a un lado ◆ **pull up** ◇ vt sep (socks, trousers, sleeve) subirse ◇ vi parar

pulley ['pʊli] (pl **pulleys**) n polea f

pull-out n (US) área f de descanso

pullover ['pʊl,əʊvəʳ] n jersey m (Esp), suéter m (Amér)

pulpit ['pʊlpɪt] n púlpito m

pulse [pʌls] n MED pulso m

pump [pʌmp] n 1. (device, bicycle pump) bomba f 2. (for petrol) surtidor m ◆ **pump up** vt sep inflar

pumpkin ['pʌmpkɪn] n calabaza f

pun [pʌn] n juego m de palabras

punch [pʌntʃ] ◇ n 1. (blow) puñetazo m 2. (drink) ponche m ◇ vt 1. (hit) dar un puñetazo 2. (ticket) picar

punctual ['pʌŋktʃʊəl] adj puntual

punctuation [,pʌŋktʃʊ'eɪʃn] n puntuación f

puncture ['pʌŋktʃəʳ] ◇ n pinchazo m ◇ vt pinchar

punish ['pʌnɪʃ] vt ● **to punish sb for a crime** castigar a alguien por un delito

punishment ['pʌnɪʃmənt] n castigo m

punk [pʌŋk] n 1. (person) punki mf 2.

(music) punk m

punnet ['pʌnɪt] n (UK) canasta f pequeña

pupil ['pjuːpl] n 1. (student) alumno m, -na f 2. (of eye) pupila f

puppet ['pʌpɪt] n títere m

puppy ['pʌpɪ] n cachorro m

purchase ['pɜːtʃəs] ◇ vt (fml) comprar ◇ n (fml) compra f

pure [pjʊəʳ] adj puro(ra)

puree ['pjʊəreɪ] n puré m

purely ['pjʊəlɪ] adv puramente

purity ['pjʊərətɪ] n pureza f

purple ['pɜːpl] adj morado(da)

purpose ['pɜːpəs] n propósito m ● **on purpose** a propósito

purr [pɜːʳ] vi (cat) ronronear

purse [pɜːs] n 1. (UK) (for money) monedero m 2. (US) (handbag) bolso m (Esp), cartera f (Amér)

pursue [pə'sjuː] vt 1. (follow) perseguir 2. (study, inquiry, matter) continuar con

pus [pʌs] n pus m

push [pʊʃ] ◇ vt 1. (shove) empujar 2. (press) apretar 3. (product) promocionar ◇ vi (shove) empujar ◇ n ● **to give a car a push** dar un empujón a un coche ● **to push sb into doing sthg** obligar a alguien a hacer algo ▼ **push (on door)** empujar ◆ **push in** vi (UK) (in queue) colarse ◆ **push off** vi (UK) (inf) (go away) largarse

push-button telephone n teléfono m de botones

pushchair ['pʊʃtʃeəʳ] n (UK) silla f (de paseo)

pushed [pʊʃt] adj (inf) ● **to be pushed (for time)** andar corto(ta) de tiempo

push-ups *npl* flexiones *fpl*
put [pʊt] (*pt & pp inv*) *vt* poner; *(pressure)* ejercer; *(blame)* echar; *(express)* expresar; *(a question)* hacer ● **to put sthg at** *(estimate)* estimarse algo en ● **to put a child to bed** acostar a un niño ● **to put money into an account** depositar dinero en una cuenta
◆ **put aside** *vt sep (money)* apartar
◆ **put away** *vt sep (tidy up)* poner en su sitio
◆ **put back** *vt sep (replace)* volver a poner en su sitio; *(postpone)* aplazar; *(clock, watch)* atrasar
◆ **put down** *vt sep (on floor, table, from vehicle)* dejar; *(animal)* matar; *(deposit)* pagar como depósito
◆ **put forward** *vt sep (clock, watch)* adelantar; *(suggest)* proponer
◆ **put in** *vt sep (insert)* meter; *(install)* instalar
◆ **put off** *vt sep (postpone)* posponer; *(distract)* distraer; *(repel)* repeler; *(passenger)* dejar
◆ **put on** *vt sep (clothes, glasses, make-up)* ponerse; *(weight)* ganar; *(television, light, radio)* encender; *(CD, tape, record)* poner; *(play, show)* representar ● **to put the kettle on** *(UK)* poner la tetera a hervir
◆ **put out** *vt sep (cigarette, fire, light)* apagar; *(publish)* hacer público; *(hand, arm, leg)* extender; *(inconvenience)* causar molestias a ● **to put one's back out** fastidiarse la espalda
◆ **put together** *vt sep (assemble)* montar; *(combine)* juntar
◆ **put up**
◇ *vt sep (tent, statue, building)* construir;

(umbrella) abrir; *(a notice, sign)* pegar; *(price, rate)* subir; *(provide with accommodation)* alojar
◇ *vi (in hotel)* alojarse
◆ **put up with** *vt insep* aguantar
putting green ['pʌtɪŋ-] *n* minigolf *m* *(con césped y sin obstáculos)*
putty ['pʌtɪ] *n* masilla *f*
puzzle ['pʌzl] ◇ *n* **1.** *(game)* rompecabezas *m inv* **2.** *(jigsaw)* puzzle *m* **3.** *(mystery)* misterio *m* ◇ *vt* desconcertar
puzzling ['pʌzlɪŋ] *adj* desconcertante
pyjamas [pə'dʒɑːməz] *npl (UK)* pijama *m*, piyama *f (Amér)*
pylon ['paɪlən] *n* torre *f* de alta tensión
pyramid ['pɪrəmɪd] *n* pirámide *f*
Pyrenees [ˌpɪrə'niːz] *npl* ● **the Pyrenees** los Pirineos
Pyrex® ['paɪreks] *n* pírex® *m*

qQ

quail [kweɪl] *n* codorniz *f*
quail's eggs *npl* huevos *mpl* de codorniz
quaint [kweɪnt] *adj* pintoresco(ca)
qualification [ˌkwɒlɪfɪ'keɪʃn] *n* **1.** *(diploma)* título *m* **2.** *(ability)* aptitud *f*
qualified ['kwɒlɪfaɪd] *adj (having qualifications)* cualificado(da)
qualify ['kwɒlɪfaɪ] *vi* **1.** *(for competition)* clasificarse **2.** *(pass exam)* sacar el título
quality ['kwɒlətɪ] ◇ *n* **1.** *(standard, high standard)* calidad *f* **2.** *(feature)* cualidad *f*

qu

◇ *adj* de calidad

quarantine [ˈkwɒrəntiːn] *n* cuarentena *f*

quarrel [ˈkwɒrəl] ◇ *n* riña *f* ◇ *vi* reñir

quarry [ˈkwɒrɪ] *n (for stone, sand)* cantera *f*

quart [kwɔːrt] *n (in US)* = 0,946 l, ≃ litro

quarter [ˈkwɔːtər] *n* **1.** *(fraction)* cuarto *m* **2.** *(US) (coin)* cuarto de dólar **3.** *(UK) (4 ounces)* cuatro onzas *fpl* **4.** *(three months)* trimestre *m* **5.** *(part of town)* barrio *m* ● **(a) quarter to five** *(UK)* las cinco menos cuarto ● **(a) quarter of five** *(US)* las cinco menos cuarto ● **(a) quarter past five** *(UK)* las cinco y cuarto ● **(a) quarter after five** *(US)* las cinco y cuarto ● **(a) quarter of an hour** un cuarto de hora

quarterpounder [ˌkwɔːtəˈpaʊndər] *n* hamburguesa *f* de un cuarto de libra

quartet [kwɔːˈtet] *n* cuarteto *m*

quartz [kwɔːts] *adj* de cuarzo

quay [kiː] *n* muelle *m*

queasy [ˈkwiːzɪ] *adj (inf)* mareado(a)

queen [kwiːn] *n* **1.** reina *f* **2.** *(in cards)* dama *f*

queer [kwɪər] ◇ *adj* **1.** *(strange)* raro(ra) **2.** *(inf) (ill)* pachucho(cha) *(Esp)*, mal ◇ *n (inf & offens)* marica *m*

quench [kwentʃ] *vt* ● **to quench one's thirst** apagar la sed

query [ˈkwɪərɪ] *n* pregunta *f*

question [ˈkwestʃn] ◇ *n* **1.** *(query, in exam, on questionnaire)* pregunta *f* **2.** *(issue)* cuestión *f* ◇ *vt (person)* interrogar ● **it's out of the question** es imposible

question mark *n* signo *m* de interrogación

questionnaire [ˌkwestʃəˈneər] *n* cuestionario *m*

queue [kjuː] ◇ *n (UK)* cola *f* ◇ *vi (UK)* hacer cola ● **queue up** *vi (UK)* hacer cola

quiche [kiːʃ] *n* quiche *f*

quick [kwɪk] ◇ *adj* rápido(da) ◇ *adv* rápidamente

quickly [ˈkwɪklɪ] *adv* de prisa

quid [kwɪd] *(pl inv) n (UK) (inf)* libra *f*

quiet [ˈkwaɪət] ◇ *adj* **1.** *(silent, not noisy)* silencioso(sa) **2.** *(calm, peaceful)* tranquilo(la) **3.** *(voice)* bajo(ja) ◇ *n* tranquilidad *f* ● **keep quiet!** ¡silencio! ● **to keep quiet** quedarse callado(da) ● **to keep quiet about sthg** callarse algo

quieten [ˈkwaɪətn] ● **quieten down** *vi* tranquilizarse

quietly [ˈkwaɪətlɪ] *adv* **1.** *(silently)* silenciosamente **2.** *(not noisily)* sin hacer ruido **3.** *(calmly)* tranquilamente

quilt [kwɪlt] *n* **1.** *(UK) (duvet)* edredón *m* **2.** *(eiderdown)* colcha *f*

quince [kwɪns] *n* membrillo *m*

quirk [kwɜːk] *n* manía *f*, rareza *f*

quit [kwɪt] *(pt & pp inv)* ◇ *vi* **1.** *(resign)* dimitir **2.** *(give up)* rendirse ◇ *vt (school, job)* abandonar ● **to quit doing sthg** dejar de hacer algo

quite [kwaɪt] *adv* **1.** *(fairly)* bastante **2.** *(completely)* totalmente ● **there's not quite enough** no alcanza por poco ● **quite a lot of (children)** bastantes (niños) ● **quite a lot of money** bastante dinero

quiz [kwɪz] *(pl -zes) n* concurso *m*

quota [ˈkwəʊtə] *n* cuota *f*

quotation [kwəʊˈteɪʃn] *n* **1.** *(phrase)* cita

f 2. (estimate) presupuesto m
quotation marks npl comillas fpl
quote [kwəʊt] ◇ vt **1.** (phrase, writer) citar **2.** (price) dar ◇ n **1.** (phrase) cita f **2.** (estimate) presupuesto m

rR

rabbit ['ræbɪt] n conejo m
rabies ['reɪbiːz] n rabia f
RAC [ɑːreɪ'siː] n (abbr of Royal Automobile Club) asociación británica del automóvil, ≃ RACE m
race [reɪs] ◇ n **1.** (competition) carrera f **2.** (ethnic group) raza f ◇ vi **1.** (compete) competir **2.** (go fast) ir corriendo **3.** (engine) acelerarse ◇ vt (compete against) competir con
racecourse ['reɪskɔːs] n (UK) hipódromo m
racehorse ['reɪshɔːs] n caballo m de carreras
racetrack ['reɪstræk] n (for horses) hipódromo m
racial ['reɪʃl] adj racial
racing ['reɪsɪŋ] n ● (horse) racing carreras fpl de caballos
racing car n coche m de carreras
racism ['reɪsɪzm] n racismo m
racist ['reɪsɪst] n racista mf
rack [ræk] n **1.** (for coats) percha f **2.** (for plates) escurreplatos m inv **3.** (for bottles) botellero m ● **rack of lamb** costillar m de cordero

racket ['rækɪt] n **1.** SPORT raqueta f **2.** (inf) (noise) jaleo m
racquet ['rækɪt] n raqueta f
radar ['reɪdɑː'] n radar m
radiation [,reɪdɪ'eɪʃn] n radiación f
radiator ['reɪdɪeɪtə'] n radiador m
radical ['rædɪkl] adj radical
radii ['reɪdɪaɪ] pl ➤ radius
radio ['reɪdɪəʊ] (pl -s) ◇ n radio f ◇ vt radiar ● **on the radio** (hear, be broadcast) por la radio
radioactive [,reɪdɪəʊ'æktɪv] adj radiactivo(va)
radio alarm n radiodespertador m
radish ['rædɪʃ] n rábano m
radius ['reɪdɪəs] (pl radii) n radio m
raffle ['ræfl] n rifa f
raft [rɑːft] n **1.** (of wood) balsa f **2.** (inflatable) bote m
rafter ['rɑːftə'] n par m
rag [ræg] n (old cloth) trapo m
rage [reɪdʒ] n rabia f
raid [reɪd] ◇ n **1.** (attack) incursión f **2.** (by police) redada f **3.** (robbery) asalto m ◇ vt **1.** (subj: police) hacer una redada en **2.** (subj: thieves) asaltar
rail [reɪl] ◇ n **1.** (bar) barra f **2.** (for curtain, train) carril m **3.** (on stairs) barandilla f ◇ adj ferroviario(ria) ● **by rail** por ferrocarril
railcard ['reɪlkɑːd] n (UK) tarjeta que da derecho a un descuento al viajar en tren
railings ['reɪlɪŋz] npl reja f
railroad ['reɪlrəʊd] (US) = **railway**
railway ['reɪlweɪ] n (UK) **1.** (system) ferrocarril m **2.** (track) vía f (férrea)
railway line n (UK) **1.** (route) línea f de ferrocarril **2.** (track) vía f (férrea)

railway station n (UK) estación f de ferrocarril

rain [reɪn] ◇ n lluvia f ◇ impers vb llover
● **it's raining** está lloviendo

rainbow ['reɪnbəʊ] n arco m iris

raincoat ['reɪnkəʊt] n impermeable m

raindrop ['reɪndrɒp] n gota f de lluvia

rainfall ['reɪnfɔːl] n pluviosidad f

rainy ['reɪnɪ] adj lluvioso(sa)

raise [reɪz] ◇ vt 1. (lift) levantar 2. (increase) aumentar 3. (money) recaudar 4. (child, animals) criar 5. (question, subject) plantear ◇ n (US) (pay increase) aumento m

raisin ['reɪzn] n pasa f

rake [reɪk] n (tool) rastrillo m

rally ['rælɪ] n 1. (public meeting) mitin m 2. (motor race) rally m 3. (in tennis, badminton, squash) peloteo m

ram [ræm] ◇ n carnero m ◇ vt (bang into) chocar con

Ramadan [ˌræməˈdæn] n Ramadán m

ramble ['ræmbl] n paseo m por el campo

ramp [ræmp] n 1. (slope) rampa f 2. (UK) (in roadworks) rompecoches m inv 3. (US) (to freeway) acceso m ▼ **ramp** (UK) rampa

ramparts ['ræmpɑːts] npl murallas fpl

ran [ræn] pt > **run**

ranch [rɑːntʃ] n rancho m

rancid ['rænsɪd] adj rancio(cia)

random ['rændəm] ◇ adj fortuito(ta) ◇ n
● **at random** al azar

rang [ræŋ] pt > **ring**

range [reɪndʒ] ◇ n 1. (of radio, telescope) alcance m 2. (of aircraft) autonomía f 3. (of prices, temperatures, ages) escala f 4.

(of goods, services) variedad f 5. (of hills, mountains) sierra f 6. (for shooting) campo m de tiro 7. (cooker) fogón m ◇ vi (vary) oscilar

ranger ['reɪndʒə'] n guardabosques mf inv

rank [ræŋk] ◇ n (in armed forces, police) grado m ◇ adj (smell, taste) pestilente

ransom ['rænsəm] n rescate m

rap [ræp] n (music) rap m

rape [reɪp] ◇ n (crime) violación f ◇ vt violar

rapid ['ræpɪd] adj rápido(da) ◆ **rapids** npl rápidos mpl

rapidly ['ræpɪdlɪ] adv rápidamente

rapist ['reɪpɪst] n violador m

rare [reə'] adj 1. (not common) raro(ra) 2. (meat) poco hecho(cha)

rarely ['reəlɪ] adv raras veces

rash [ræʃ] ◇ n (on skin) sarpullido m ◇ adj precipitado(da)

raspberry ['rɑːzbərɪ] n frambuesa f

rat [ræt] n rata f

ratatouille [ˌrætəˈtwiː] n guiso de tomate, cebolla, pimiento, calabacín, berenjenas, etc

rate [reɪt] ◇ n 1. (level) índice m 2. (of interest) tipo m (Esp), tasa f 3. (charge) precio m 4. (speed) velocidad f ◇ vt 1. (consider) considerar 2. (deserve) merecer ● **rate of exchange** tipo de cambio ● **at any rate** de todos modos ● **at this rate** a este paso

rather ['rɑːðə'] adv (quite) bastante ● I'd rather have a beer prefiero tomar una cerveza ● I'd rather not mejor que no ● would you rather ...? ¿preferirías ...? ● rather a lot bastante ● rather than antes que

ratio ['reɪʃɪəʊ] (*pl* **-s**) *n* proporción *f*

ration ['ræʃn] *n* ración *f* ◆ **rations** *npl* (*food*) víveres *mpl*

rational ['ræʃnl] *adj* racional

rattle ['rætl] ◇ *n* (*of baby*) sonajero *m* ◇ *vi* golpetear

rave [reɪv] *n* (*UK*) (*party*) rave *f*

raven ['reɪvn] *n* cuervo *m*

ravioli [,rævɪ'əʊlɪ] *n* raviolis *mpl*

raw [rɔː] *adj* **1.** (*uncooked*) crudo(da) **2.** (*sugar*) sin refinar

raw material *n* materia *f* prima

ray [reɪ] *n* rayo *m*

razor ['reɪzə'] *n* **1.** (*with blade*) navaja *f* **2.** (*electric*) maquinilla *f* de afeitar, rasuradora *f* (*Amér*)

razor blade *n* hoja *f* de afeitar

Rd *abbr* = Road

re [riː] *prep* con referencia a

RE [,ɑːr'iː] *n* (*abbr of* religious education) religión *f* (*materia*)

reach [riːtʃ] ◇ *vt* **1.** llegar a **2.** (*manage to touch*) alcanzar **3.** (*contact*) contactar con ◇ *n* ▸ **out of reach** fuera de alcance ▸ **within reach of the beach** a poca distancia de la playa ◆ **reach out** *vi* ▸ **to reach out (for)** alargar la mano (para)

react [rɪ'ækt] *vi* reaccionar

reaction [rɪ'ækʃn] *n* reacción *f*

read [riːd] (*pt & pp inv*) ◇ *vt* **1.** leer **2.** (*subj: sign, note*) decir **3.** (*subj: meter, gauge*) marcar ◇ *vi* leer ▸ **I read about it in the paper** lo leí en el periódico ◆ **read out** *vt sep* leer en voz alta

reader ['riːdə'] *n* (*of newspaper, book*) lector *m*, -ra *f*

readily ['redɪlɪ] *adv* **1.** (*willingly*) de

buena gana **2.** (*easily*) fácilmente

reading ['riːdɪŋ] *n* lectura *f*

reading matter *n* lectura *f*

ready ['redɪ] *adj* (*prepared*) listo(ta) ▸ **to be ready for sthg** (*prepared*) estar listo para algo ● **to be ready to do sthg** (*willing*) estar dispuesto(ta) a hacer algo; (*likely*) estar a punto de hacer algo ▸ **to get sthg ready** prepararse ● **to get sthg ready** preparar algo

ready cash *n* dinero *m* contante

ready-cooked [-kʊkt] *adj* precocinado(da)

ready-to-wear *adj* confeccionado(da)

real ['rɪəl] ◇ *adj* **1.** (*existing*) real **2.** (*genuine*) auténtico(ca) **3.** (*for emphasis*) verdadero(ra) ◇ *adv* (*US*) (*inf*) muy

real ale *n* (*UK*) *cerveza criada en toneles, a la manera tradicional*

real estate *n* (*US*) propiedad *f* inmobiliaria

realistic [,rɪə'lɪstɪk] *adj* realista

reality [rɪ'ælətɪ] *n* realidad *f* ● **in reality** en realidad

reality TV *n* reality shows *mpl*

realize ['rɪəlaɪz] *vt* **1.** (*become aware of, know*) darse cuenta de **2.** (*ambition, goal*) realizar

really ['rɪəlɪ] *adv* realmente ● **not really** en realidad no ● **really?** (*expressing surprise*) ¿de verdad?

realtor ['rɪəltər] *n* (*US*) agente *m* inmobiliario, agente inmobiliaria *f*

rear [rɪə'] ◇ *adj* trasero(ra) ◇ *n* (*back*) parte *f* de atrás

rearrange [,riːə'reɪndʒ] *vt* **1.** (*room, furniture*) colocar de otro modo **2.** (*meeting*) volver a concertar

rearview mirror ['rɪəvjuː-] n espejo m retrovisor

rear-wheel drive n coche m con tracción trasera

reason ['riːzn] n 1. (motive, cause) razón f 2. (justification) razones fpl ● **for some reason** por alguna razón

reasonable ['riːznəbl] adj razonable

reasonably ['riːznəblɪ] adv (quite) razonablemente

reasoning ['riːznɪŋ] n razonamiento m

reassure [ˌriːə'ʃɔː'] vt tranquilizar

reassuring [ˌriːə'ʃɔːrɪŋ] adj tranquilizador(ra)

rebate ['riːbeɪt] n devolución f

rebel ◇ n ['rebl] rebelde mf ◇ vi [rɪ'bel] rebelarse

rebound [rɪ'baʊnd] vi rebotar

rebuild [ˌriː'bɪld] (pt & pp **rebuilt**) vt reconstruir

rebuke [rɪ'bjuːk] vt reprender

recall [rɪ'kɔːl] vt (remember) recordar

receipt [rɪ'siːt] n (for goods, money) recibo m ● **on receipt of** al recibo de

receive [rɪ'siːv] vt recibir

receiver [rɪ'siːvə'] n (of phone) auricular m

recent ['riːsnt] adj reciente

recently ['riːsntlɪ] adv recientemente

receptacle [rɪ'septəkl] n (fml) receptáculo m

reception [rɪ'sepʃn] n recepción f

reception desk n recepción f

receptionist [rɪ'sepʃənɪst] n recepcionista mf

recess ['riːses] n 1. (in wall) hueco m 2. (US) SCH recreo m

recession [rɪ'seʃn] n recesión f

recipe ['resɪpɪ] n receta f

recite [rɪ'saɪt] vt 1. (poem) recitar 2. (list) enumerar

reckless ['rekləs] adj imprudente

reckon ['rekn] vt (inf) (think) pensar ● **reckon on** vt insep contar con ● **reckon with** vt insep (expect) contar con

reclaim [rɪ'kleɪm] vt (baggage) reclamar

reclining seat [rɪ'klaɪnɪŋ-] n asiento m reclinable

recognition [ˌrekəg'nɪʃn] n reconocimiento m

recognize ['rekəgnaɪz] vt reconocer

recollect [ˌrekə'lekt] vt recordar

recommend [ˌrekə'mend] vt recomendar ● **to recommend sb to do sthg** recomendar a alguien hacer algo

recommendation [ˌrekəmen'deɪʃn] n recomendación f

reconsider [ˌriːkən'sɪdə'] vt reconsiderar

reconstruct [ˌriːkən'strʌkt] vt reconstruir

record ◇ n ['rekɔːd] 1. MUS disco m 2.

(best performance, highest level) récord *m* **3.** *(account)* anotación *f* ◇ *vt* [rɪˈkɔːd] **1.** *(keep account of)* anotar **2.** *(on tape)* grabar

recorded delivery [rɪˈkɔːdɪd-] *n* *(UK)* ≃ correo *m* certificado

recorder [rɪˈkɔːdə^r] *n* **1.** *(tape recorder)* magnetófono *m* **2.** *(instrument)* flauta *f*

recording [rɪˈkɔːdɪŋ] *n* grabación *f*

record shop *n* tienda *f* de música

recover [rɪˈkʌvə^r] ◇ *vt* *(stolen goods, lost property)* recuperar ◇ *vi* recobrarse

recovery [rɪˈkʌvərɪ] *n* recuperación *f*

recovery vehicle *n* *(UK)* grúa *f* remolcadora

recreation [ˌrekrɪˈeɪʃn] *n* recreo *m*

recreation ground *n* *(UK)* campo *m* de deportes

recruit [rɪˈkruːt] ◇ *n* *(to army)* recluta *mf* ◇ *vt* *(staff)* contratar

rectangle [ˈrekˌtæŋgl] *n* rectángulo *m*

rectangular [rekˈtæŋgjʊlə^r] *adj* rectangular

recycle [ˌriːˈsaɪkl] *vt* reciclar

recycle bin *n* COMPUT papelera *f* de reciclaje

red [red] ◇ *adj* rojo(ja) ◇ *n* *(colour)* rojo *m* • **she has red hair** es pelirroja • **in the red** en números rojos

red cabbage *n* lombarda *f*

Red Cross *n* Cruz *f* Roja

redcurrant [ˈredkʌrənt] *n* grosella *f*

redecorate [ˌriːˈdekəreɪt] *vt* cambiar la decoración de

redhead [ˈredhed] *n* pelirrojo *m*, -ja *f*

red-hot *adj* al rojo vivo

redial [riːˈdaɪəl] *vi* volver a marcar OR discar *(Amér)*

redirect [ˌriːdɪˈrekt] *vt* **1.** *(letter)* reexpedir **2.** *(traffic, plane)* redirigir

red pepper *n* pimiento *m* rojo

reduce [rɪˈdjuːs] ◇ *vt* **1.** *(make smaller)* reducir **2.** *(make cheaper)* rebajar ◇ *vi* *(US)* *(slim)* adelgazar

reduced price [rɪˈdjuːst-] *n* precio *m* rebajado

reduction [rɪˈdʌkʃn] *n* **1.** *(in size)* reducción *f* **2.** *(in price)* descuento *m*

redundancy [rɪˈdʌndənsɪ] *n* *(UK)* *(job loss)* despido *m*

redundant [rɪˈdʌndənt] *adj* *(UK)* • **to be made redundant** perder el empleo

red wine *n* vino *m* tinto

reed [riːd] *n* carrizo *m*

reef [riːf] *n* arrecife *m*

reek [riːk] *vi* apestar

reel [riːl] *n* carrete *m*

refectory [rɪˈfektərɪ] *n* refectorio *m*

refer [rɪˈfɜː^r] • **refer to** *vt insep* **1.** *(speak about, relate to)* referirse a **2.** *(consult)* consultar

referee [ˌrefəˈriː] *n* SPORT árbitro *m*

reference [ˈrefrəns] *n* **1.** *(mention)* referencia *f* **2.** *(letter for job)* referencias *fpl* ◇ *adj* *(book, library)* de consulta • **with reference to** con referencia a

referendum [ˌrefəˈrendəm] *n* referéndum *m*

refill ◇ *vt* [ˌriːˈfɪl] volver a llenar ◇ *n* [ˈriːfɪl] *(for pen)* cartucho *m* de recambio • **would you like a refill?** *(inf)* *(drink)* ¿quieres tomar otra copa de lo mismo?

refinery [rɪˈfaɪnərɪ] *n* refinería *f*

reflect [rɪˈflekt] ◇ *vt* reflejar ◇ *vi* *(think)* reflexionar

reflection [rɪ'flekʃn] n *(image)* reflejo m

reflector [rɪ'flektə'] n reflector m

reflex ['ri:fleks] n reflejo m

reflexive [rɪ'fleksɪv] adj reflexivo(va)

reform [rɪ'fɔ:m] ◇ n reforma f ◇ vt reformar

refresh [rɪ'freʃ] vt refrescar

refreshing [rɪ'freʃɪŋ] adj refrescante

refreshments [rɪ'freʃmənts] npl refrigerios mpl

refrigerator [rɪ'frɪdʒəreɪtə'] n refrigerador m

refugee [,refju'dʒi:] n refugiado m, -da f

refund ◇ n ['ri:fʌnd] reembolso m ◇ vt [rɪ'fʌnd] reembolsar

refundable [rɪ'fʌndəbl] adj reembolsable

refusal [rɪ'fju:zl] n negativa f

refuse¹ [rɪ'fju:z] ◇ vt 1. *(not accept)* rechazar 2. *(not allow)* denegar ◇ vi negarse ● to refuse to do sthg negarse a hacer algo

refuse² ['refju:s] n *(fml)* basura f

refuse collection ['refju:s-] n *(fml)* recogida f de basuras

regard [rɪ'gɑ:d] ◇ vt *(consider)* considerar ◇ n ● with regard to respecto a ● as regards por lo que se refiere a ● regards npl *(in greetings)* recuerdos mpl ● give them my regards salúdales de mi parte

regarding [rɪ'gɑ:dɪŋ] prep respecto a

regardless [rɪ'gɑ:dlɪs] adv a pesar de todo ● regardless of sin tener en cuenta

reggae ['regeɪ] n reggae m

regiment ['redʒɪmənt] n regimiento m

region ['ri:dʒən] n región f ● in the region of alrededor de

regional ['ri:dʒənl] adj regional

register ['redʒɪstə'] ◇ n *(official list)* registro m ◇ vt registrar ◇ vi 1. *(be officially recorded)* inscribirse 2. *(at hotel)* registrarse

registered ['redʒɪstəd] adj *(letter, parcel)* certificado(da)

registration [,redʒɪ'streɪʃn] n 1. *(for course)* inscripción f 2. *(at conference)* entrega f de documentación

registration (number) n *(of car)* número m de matrícula OR placa *(Amér)*

registry office ['redʒɪstrɪ-] n *(UK)* registro m civil

regret [rɪ'gret] ◇ n pesar m ◇ vt lamentar ● to regret doing sthg lamentar haber hecho algo ● we regret any inconvenience caused lamentamos las molestias ocasionadas

regrettable [rɪ'gretəbl] adj lamentable

regular ['regjʊlə'] ◇ adj 1. regular 2. *(frequent)* habitual 3. *(normal, of normal size)* normal ◇ n cliente mf habitual

regularly ['regjʊləlɪ] adv con regularidad

regulate ['regjʊleɪt] vt regular

regulation [,regjʊ'leɪʃn] n *(rule)* regla f

rehearsal [rɪ'hɜ:sl] n ensayo m

rehearse [rɪ'hɜ:s] vt ensayar

reign [reɪn] ◇ n reinado m ◇ vi reinar

reimburse [,ri:ɪm'bɜ:s] vt *(fml)* reembolsar

reindeer ['reɪn,dɪə'] *(pl inv)* n reno m

reinforce [,ri:ɪn'fɔ:s] vt reforzar

reinforcements [,ri:ɪn'fɔ:smənts] npl refuerzos mpl

reins [reɪnz] npl 1. *(for horse)* riendas fpl

reject [rɪ'dʒekt] *vt* rechazar

rejection [rɪ'dʒekʃn] *n* rechazo *m*

rejoin [ˌriːˈdʒɔɪn] *vt* (motorway) reincorporarse a

relapse [rɪ'læps] *n* recaída *f*

relate [rɪ'leɪt] ◇ *vt* (connect) relacionar ◇ *vi* ● **to relate to** (be connected with) estar relacionado con; (concern) referirse a

related [rɪ'leɪtɪd] *adj* **1.** (of same family) emparentado(da) **2.** (connected) relacionado(da)

relation [rɪ'leɪʃn] *n* **1.** (member of family) pariente *mf* **2.** (connection) relación *f* ● **in relation to** en relación con ● **relations** *npl* (international etc) relaciones *fpl*

relationship [rɪ'leɪʃnʃɪp] *n* relación *f*

relative ['relətɪv] ◇ *adj* relativo(va) ◇ *n* pariente *mf*

relatively ['relətɪvlɪ] *adv* relativamente

relax [rɪ'læks] *vi* relajarse

relaxation [ˌriːlækˈseɪʃn] *n* relajación *f*

relaxed [rɪ'lækst] *adj* **1.** (person) tranquilo(la) **2.** (atmosphere) desenfadado(da)

relaxing [rɪ'læksɪŋ] *adj* relajante

relay ['riːleɪ] *n* (race) carrera *f* de relevos

release [rɪ'liːs] ◇ *vt* **1.** (set free) liberar **2.** (hand, brake, catch) soltar **3.** (film) estrenar **4.** (record) sacar ◇ *n* **1.** (film) estreno *m* **2.** (record) lanzamiento *m*

relegate ['relɪɡeɪt] *vt* ● **to be relegated** SPORT descender

relevant ['relɪvənt] *adj* **1.** (connected, appropriate) pertinente **2.** (important) importante

reliable [rɪ'laɪəbl] *adj* (person, machine) fiable

relic ['relɪk] *n* (vestige) reliquia *f*

relief [rɪ'liːf] *n* **1.** (gladness) alivio *m* **2.** (aid) ayuda *f*

relief road *n* (UK) carretera *f* auxiliar de descongestión

relieve [rɪ'liːv] *vt* (pain, headache) aliviar

relieved [rɪ'liːvd] *adj* aliviado(da)

religion [rɪ'lɪdʒn] *n* religión *f*

religious [rɪ'lɪdʒəs] *adj* religioso(sa)

relish ['relɪʃ] *n* (sauce) salsa *f* picante

reluctant [rɪ'lʌktənt] *adj* reacio(cia)

rely [rɪ'laɪ] ● **rely on** *vt insep* **1.** (trust) contar con **2.** (depend on) depender de

remain [rɪ'meɪn] *vi* **1.** (stay) permanecer **2.** (continue to exist) quedar ● **remains** *npl* restos *mpl*

remainder [rɪ'meɪndə'] *n* resto *m*

remaining [rɪ'meɪnɪŋ] *adj* restante

remark [rɪ'mɑːk] ◇ *n* comentario *m* ◇ *vt* comentar

remarkable [rɪ'mɑːkəbl] *adj* excepcional

remedy ['remədɪ] *n* remedio *m*

remember [rɪ'membə'] ◇ *vt* recordar ◇ *vi* acordarse ● **to remember doing sthg** acordarse de haber hecho algo ● **to remember to do sthg** acordarse de hacer algo

remind [rɪ'maɪnd] *vt* ● **to remind sb of sthg** recordarle a alguien a alguien ● **to remind sb to do sthg** recordar a alguien hacer algo

reminder [rɪ'maɪndə'] *n* (for bill, library book) notificación *f*

remittance [rɪ'mɪtns] *n* (fml) giro *m*

remote [rɪ'məʊt] *adj* remoto(ta)

remote control n (device) mando m (de control remoto)

removal [rɪ'muːvl] n (taking away) extracción f

removal van n (UK) camión m de mudanzas

remove [rɪ'muːv] vt quitar

renew [rɪ'njuː] vt renovar

renovate ['renəveɪt] vt reformar

renowned [rɪ'naʊnd] adj renombrado(da)

rent [rent] ◇ n alquiler m ◇ vt alquilar

rental ['rentl] n alquiler m

repaid [riː'peɪd] pt & pp ➤ **repay**

repair [rɪ'peər] ◇ vt reparar ◇ n - in good repair en buen estado ◆ **repairs** npl reparaciones fpl

repay [riː'peɪ] (pt & pp **repaid**) vt (money, favour) devolver

repayment [riː'peɪmənt] n devolución f

repeat [rɪ'piːt] ◇ vt repetir ◇ n (on TV, radio) reposición f

repetition [,repɪ'tɪʃn] n repetición f

repetitive [rɪ'petɪtɪv] adj repetitivo(va)

replace [rɪ'pleɪs] vt 1. (substitute) sustituir 2. (faulty goods) reemplazar 3. (put back) poner en su sitio

replacement [rɪ'pleɪsmənt] n (substitute) sustituto m, -ta f

replay ['riːpleɪ] n 1. (rematch) partido m de desempate 2. (on TV) repetición f

reply [rɪ'plaɪ] ◇ n respuesta f ◇ vt & vi responder

report [rɪ'pɔːt] ◇ n 1. (account) informe m 2. (in newspaper, on TV, radio) reportaje m 3. (UK) SCH boletín m de evaluación ◇ vt 1. (announce) informar 2. (theft, disappearance, person) denunciar ◇ vi

report to sb (go to) presentarse a alguien

reporter [rɪ'pɔːtər] n reportero m, -ra f

represent [,reprɪ'zent] vt representar

representative [,reprɪ'zentətɪv] n representante mf

repress [rɪ'pres] vt reprimir

reprieve [rɪ'priːv] n (delay) tregua f

reprimand ['reprɪmɑːnd] vt reprender

reproach [rɪ'prəʊtʃ] vt reprochar

reproduction [,riːprə'dʌkʃn] n reproducción f

reptile ['reptaɪl] n reptil m

republic [rɪ'pʌblɪk] n república f

Republican [rɪ'pʌblɪkən] ◇ n (in US) republicano m, -na f ◇ adj (in US) republicano(na)

repulsive [rɪ'pʌlsɪv] adj repulsivo(va)

reputable ['repjʊtəbl] adj de buena reputación

reputation [,repjʊ'teɪʃn] n reputación f

request [rɪ'kwest] ◇ n petición f ◇ vt solicitar - to request sb to do sthg rogar a alguien que haga algo - available on request disponible a petición del interesado

require [rɪ'kwaɪər] vt (need) necesitar - passengers are required to show their tickets los pasajeros han de mostrar los billetes

requirement [rɪ'kwaɪəmənt] n requisito m

resat [,riː'sæt] pt & pp ➤ **resit**

rescue ['reskjuː] vt rescatar

research [rɪ'sɜːtʃ] n investigación f

resemblance [rɪ'zembləns] n parecido m

resemble [rɪ'zembl] vt parecerse a

resent [rɪ'zent] *vt* tomarse a mal

reservation [ˌrezə'veɪʃn] *n* **1.** *(booking)* reserva *f* **2.** *(doubt)* duda *f* ● **to make a reservation** hacer una reserva

reserve [rɪ'zɜ:v] ◇ *n* **1.** SPORT suplente *mf* **2.** *(UK) (for wildlife)* reserva *f* ◇ *vt* reservar

reserved [rɪ'zɜ:vd] *adj* reservado(da)

reservoir ['rezəvwɑ:'] *n* pantano *m*

reset [ˌri:'set] *(pt & pp inv) vt (watch, meter, device)* reajustar

residence ['rezɪdəns] *n (fml)* residencia *f* ● **place of residence** *(fml)* domicilio *m*

residence permit *n* permiso *m* de residencia

resident ['rezɪdənt] *n* **1.** *(of country)* residente *mf* **2.** *(of hotel)* huésped *mf* **3.** *(of area, house)* vecino *m*, -na *f* ▼ **residents only** *(for parking)* sólo para residentes

residential [ˌrezɪ'denʃl] *adj (area)* residencial

residue ['rezɪdju:] *n* residuo *m*

resign [rɪ'zaɪn] ◇ *vi* dimitir ◇ *vt* ● **to resign o.s. to sthg** resignarse a algo

resignation [ˌrezɪg'neɪʃn] *n (from job)* dimisión *f*

resilient [rɪ'zɪliənt] *adj* resistente

resist [rɪ'zɪst] *vt* **1.** *(fight against)* resistir a **2.** *(temptation)* resistir ● **I can't resist cream cakes** me encantan los pasteles de nata ● **to resist doing sthg** resistirse a hacer algo

resistance [rɪ'zɪstəns] *n* resistencia *f*

resit [ˌri:'sɪt] *(pt & pp* **resat***) vt (UK)* volver a presentarse a

resolution [ˌrezə'lu:ʃn] *n (promise)* propósito *m*

resolve [rɪ'zɒlv] *vt (solve)* resolver

resort [rɪ'zɔ:t] *n (for holidays)* lugar *m* de vacaciones ● **as a last resort** como último recurso ◆ **resort to** *vt insep* recurrir a ● **to resort to doing sthg** recurrir a hacer algo

resource [rɪ'sɔ:s] *n* recurso *m*

resourceful [rɪ'sɔ:sful] *adj* habilidoso (sa)

respect [rɪ'spekt] ◇ *n* **1.** respeto *m* **2.** *(aspect)* aspecto *m* ◇ *vt* respetar ● **in some respects** en algunos aspectos ● **with respect to** con respecto a

respectable [rɪ'spektəbl] *adj* respetable

respective [rɪ'spektɪv] *adj* respectivo (va)

respond [rɪ'spɒnd] *vi* responder

response [rɪ'spɒns] *n* respuesta *f*

responsibility [rɪˌspɒnsə'bɪlətɪ] *n* responsabilidad *f*

responsible [rɪ'spɒnsəbl] *adj* responsable ● **to be responsible (for)** *(accountable)* ser responsable (de)

rest [rest] ◇ *n* **1.** *(relaxation, for foot)* descanso *m* **2.** *(for head)* respaldo *m* ◇ *vi (relax)* descansar ● **the rest** el resto ● **to have a rest** descansar ● **to rest against** apoyarse contra

restaurant ['restərɒnt] *n* restaurante *m*

restaurant car *n (UK)* vagón *m* restaurante

restful ['restful] *adj* tranquilo(la)

restless ['restlɪs] *adj* **1.** *(bored, impatient)* impaciente **2.** *(fidgety)* inquieto(ta)

restore [rɪ'stɔ:'] *vt* **1.** *(reintroduce)* restablecer **2.** *(renovate)* restaurar

restrain [rɪ'streɪn] *vt* controlar

restrict [rɪ'strɪkt] *vt* restringir

restricted [rɪ'strɪktɪd] *adj* limitado(da)

restriction [rɪ'strɪkʃn] *n* 1. *(rule)* restricción f 2. *(limitation)* limitación f

rest room *n* (US) aseos *mpl*

result [rɪ'zʌlt] ◇ *n* resultado *m* ◇ *vi* ● **to result in** resultar en ● **as a result of** como resultado de ◆ **results** *npl* *(of test, exam)* resultados *mpl*

resume [rɪ'zjuːm] *vi* volver a empezar

résumé ['rezjumeɪ] *n* 1. *(summary)* resumen *m* 2. *(US) (curriculum vitae)* currículum *m*

retail ['riːteɪl] ◇ *n* venta f al por menor ◇ *vt* vender (al por menor) ◇ *vi* ● **to retail at** venderse a

retailer ['riːteɪlə'] *n* minorista *mf*

retail price *n* precio *m* de venta al público

retain [rɪ'teɪn] *vt* (fml) retener

retaliate [rɪ'tælɪeɪt] *vi* desquitarse

retire [rɪ'taɪə'] *vi* *(stop working)* jubilarse

retired [rɪ'taɪəd] *adj* jubilado(da)

retirement [rɪ'taɪəmənt] *n* 1. *(leaving job)* jubilación f 2. *(period after retiring)* retiro *m*

retreat [rɪ'triːt] ◇ *vi* retirarse ◇ *n* *(place)* refugio *m*

retrieve [rɪ'triːv] *vt* recobrar

return [rɪ'tɜːn] ◇ *n* 1. *(arrival back)* vuelta f 2. *(UK) (ticket)* billete *m* (Esp) OR boleto *m* (Amér) de ida y vuelta ◇ *vt* 1. *(put back)* volver a poner 2. *(ball, serve)* restar 3. *(give back)* devolver ◇ *vi* 1. *(go back, come back)* volver 2. *(reappear)* reaparecer ◇ *adj* *(journey)* de vuelta ● **the police returned the wallet to its owner** la policía devolvió la cartera a su dueño ● **by return of post** (UK) a vuelta de correo ● **many happy returns!** ¡y que cumplas muchos más! ● **in return (for)** en recompensa (por)

return flight *n* vuelo *m* de regreso

return ticket *n* (UK) billete *m* (Esp) OR boleto *m* (Amér) de ida y vuelta

reunite [,riːjuː'naɪt] *vt* reunir

reveal [rɪ'viːl] *vt* revelar

revelation [,revə'leɪʃn] *n* revelación f

revenge [rɪ'vendʒ] *n* venganza f

reverse [rɪ'vɜːs] ◇ *adj* inverso(sa) ◇ *n* 1. AUT marcha f atrás, reversa f (Col & Méx) 2. *(of coin)* reverso *m* 3. *(of document)* dorso *m* ◇ *vt* 1. *(car)* dar marcha atrás a, echar en reversa (Col & Méx) 2. *(decision)* revocar ◇ *vi* dar marcha atrás, echar en reversa (Col & Méx) ● **the reverse** *(opposite)* lo contrario ● **in reverse order** al revés ● **to reverse the charges** (UK) llamar a cobro revertido

reverse-charge call *n* (UK) llamada f a cobro revertido, llamada f por cobrar (Chile & Méx)

review [rɪ'vjuː] ◇ *n* 1. *(of book, record, film)* reseña f 2. *(examination)* repaso *m* ◇ *vt* (US) *(for exam)* repasar

revise [rɪ'vaɪz] ◇ *vt* revisar ◇ *vi* (UK) repasar

revision [rɪ'vɪʒn] *n* (UK) repaso *m*

revive [rɪ'vaɪv] *vt* 1. *(person)* reanimar 2. *(economy, custom)* resucitar

revolt [rɪ'vəʊlt] *n* rebelión f

revolting [rɪ'vəʊltɪŋ] *adj* asqueroso(sa)

revolution [,revə'luːʃn] *n* revolución f

revolutionary [,revə'luːʃnərɪ] *adj* revolucionario(ria)

revolver [rɪ'vɒlvə'] *n* revólver *m*

revolving door [rɪ'vɒlvɪŋ-] *n* puerta *f* giratoria

revue [rɪ'vju:] *n* revista *f* teatral

reward [rɪ'wɔ:d] ⋄ *n* recompensa *f* ⋄ *vt* recompensar

rewind [ˌri:'waɪnd] (*pt & pp* **rewound**) *vt* rebobinar

rheumatism ['ru:mətɪzm] *n* reumatismo *m*

rhinoceros [raɪ'nɒsərəs] (*pl inv* OR **-es**) *n* rinoceronte *m*

rhubarb ['ru:bɑ:b] *n* ruibarbo *m*

rhyme [raɪm] ⋄ *n* (*poem*) rima *f* ⋄ *vi* rimar

rhythm ['rɪðm] *n* ritmo *m*

rib [rɪb] *n* costilla *f*

ribbon ['rɪbən] *n* cinta *f*

rice [raɪs] *n* arroz *m*

rice pudding *n* arroz *m* con leche

rich [rɪtʃ] ⋄ *adj* rico(ca) ⋄ *npl* • **the rich** los ricos • **to be rich in sthg** abundar en algo

ricotta cheese [rɪ'kɒtə-] *n* queso *m* de ricotta

rid [rɪd] *vt* • **to get rid of** deshacerse de

ridden ['rɪdn] *pp* ➢ **ride**

riddle ['rɪdl] *n* **1.** (*puzzle*) acertijo *m* **2.** (*mystery*) enigma *m*

ride [raɪd] (*pt* **rode**, *pp* **ridden**) ⋄ *n* **1.** (*on horse, bike*) paseo *m* **2.** (*in vehicle*) vuelta *f* ⋄ *vt* **1.** (*horse*) montar a **2.** (*bike*) montar en ⋄ *vi* **1.** (*on horse*) montar a caballo **2.** (*bike*) ir en bici **3.** (*in car*) ir en coche • **to go for a ride** (*in car*) darse una vuelta en coche

rider ['raɪdə'] *n* **1.** (*on horse*) jinete *m*, amazona *f* **2.** (*on bike*) ciclista *mf*

ridge [rɪdʒ] *n* **1.** (*of mountain*) cresta *f* **2.** (*raised surface*) rugosidad *f*

ridiculous [rɪ'dɪkjʊləs] *adj* ridículo(la)

riding ['raɪdɪŋ] *n* equitación *f*

riding school *n* escuela *f* de equitación

rifle ['raɪfl] *n* fusil *m*

rig [rɪg] ⋄ *n* torre *f* de perforación ⋄ *vt* amañar

right [raɪt] ⋄ *adj* **1.** (*correct*) correcto(ta) • **to be right** tener razón • **have you got the right time?** ¿tienes buena hora? • **to be right to do sthg** hacer bien en hacer algo **2.** (*most suitable*) adecuado(da) • **is this the right way?** ¿así está bien? **3.** (*fair*) justo(ta) • **that's not right!** ¡eso no es justo! **4.** (*on the right*) derecho(cha) • **the right side of the road** la derecha de la carretera ⋄ *n* **1.** (*side*) • **the right** la derecha **2.** (*entitlement*) derecho *m* • **to have the right to do sthg** tener el derecho a hacer algo ⋄ *adv* **1.** (*towards the right*) a la derecha • **turn right** tuerza a la derecha **2.** (*correctly*) bien • **am I pronouncing it right?** ¿lo pronuncio bien? **3.** (*for emphasis*) justo • **right here** aquí mismo • **right the way down the road** por toda la calle abajo **4.** (*immediately*) • **I'll be right back** vuelvo enseguida • **right after** justo después • **right away** enseguida

right angle *n* ángulo *m* recto

right-hand *adj* derecho(cha)

right-hand drive *n* vehículo *m* con el volante a la derecha

right-handed [-'hændɪd] *adj* **1.** *(person)* diestro(tra) **2.** *(implement)* para personas diestras

rightly ['raɪtlɪ] *adv* **1.** *(correctly)* correctamente **2.** *(justly)* debidamente

right of way *n* **1.** AUT prioridad *f* **2.** *(path)* camino *m* público

right-wing *adj* derechista

rigid ['rɪdʒɪd] *adj* rígido(da)

rim [rɪm] *n* borde *m*

rind [raɪnd] *n* corteza *f*

ring [rɪŋ] *(pt* rang, *pp* rung) ◇ *n* **1.** *(for finger)* anillo *m* **2.** *(circle)* círculo *m* **3.** *(sound)* timbrazo *m* **4.** *(on cooker)* quemador *m* **5.** *(for boxing)* cuadrilátero *m* **6.** *(in circus)* pista *f* ◇ *vt* **1.** *(UK) (on phone)* llamar (por teléfono) **2.** *(bell)* tocar ◇ *vi* **1.** *(bell, telephone)* sonar **2.** *(UK) (make phone call)* llamar (por teléfono) ● **to give sb a ring** *(UK)* llamar a alguien (por teléfono) ● **to ring the bell** tocar el timbre ◆**ring back** *vt sep* & *vi (UK)* volver a llamar ◆**ring off** *vi (UK)* colgar ◆**ring up** *vt sep* & *vi (UK)* llamar (por teléfono)

ring road *n (UK)* carretera *f* de circunvalación

ring tone *n (on mobile phone)* melodía *f*

rink [rɪŋk] *n* pista *f*

rinse [rɪns] *vt* aclarar *(Esp)*, enjuagar ◆ **rinse out** *vt sep* enjuagar

riot ['raɪət] *n* disturbio *m*

rip [rɪp] ◇ *n* rasgón *m* ◇ *vt* rasgar ◇ *vi* rasgarse ◆ **rip up** *vt sep* desgarrar

ripe [raɪp] *adj* maduro(ra)

ripen ['raɪpn] *vi* madurar

rip-off *n (inf)* estafa *f*

rise [raɪz] *(pt* rose, *pp* risen) ◇ *vi* **1.** *(move upwards)* elevarse **2.** *(sun, moon)* salir **3.** *(increase)* aumentar **4.** *(stand up)* levantarse ◇ *n* **1.** *(increase)* ascenso *m* **2.** *(UK) (pay increase)* aumento *m* **3.** *(slope)* subida *f*

risk [rɪsk] ◇ *n* **1.** *(danger)* peligro *m* **2.** *(in insurance)* riesgo *m* ◇ *vt* arriesgar ● **to take a risk** arriesgarse ● **at your own risk** bajo su cuenta y riesgo ● **to risk doing sthg** exponerse a hacer algo ● **to risk it** arriesgarse

risky ['rɪskɪ] *adj* peligroso(sa)

risotto [rɪ'zɒtəʊ] *(pl* **-s**) *n* arroz *con carne, marisco o verduras*

ritual ['rɪtʃʊəl] *n* ritual *m*

rival ['raɪvl] ◇ *adj* rival ◇ *n* rival *mf*

river ['rɪvə'] *n* río *m*

river bank *n* orilla *f* del río

riverside ['rɪvəsaɪd] *n* ribera *f* del río

Riviera [,rɪvɪ'eərə] *n* ● **the (French) Riviera** la Riviera (francesa)

roach [rəʊtʃ] *n (US)* cucaracha *f*

road [rəʊd] *n* **1.** *(major, roadway)* carretera *f* **2.** *(minor)* camino *m* **3.** *(street)* calle *f* ● **by road** por carretera

road map *n* mapa *m* de carreteras

road safety *n* seguridad *f* en carretera

roadside ['rəʊdsaɪd] *n* ● **the roadside** el borde de la carretera

road sign *n* señal *f* de tráfico

road tax *n (UK)* impuesto *m* de circulación

roadway ['rəʊdweɪ] *n* calzada *f*

road works *npl* obras *fpl* (en la carretera)

roam [rəʊm] *vi* vagar

roar [rɔː'] ◇ *n* *(of crowd, aeroplane)* estruendo *m* ◇ *vi* rugir

roast [rəʊst] ◇ *n* asado *m* ◇ *vt* asar ◇ *adj* asado(da) • **roast beef** rosbif *m* • **roast chicken** pollo *m* asado • **roast lamb** cordero *m* asado • **roast pork** cerdo *m* asado • **roast potatoes** patatas *fpl* asadas

rob [rɒb] *vt* robar

robber ['rɒbə'] *n* ladrón *m*, -ona *f*

robbery ['rɒbərɪ] *n* robo *m*

robe [rəʊb] *n* (US) (bathrobe) bata *f*

robin ['rɒbɪn] *n* petirrojo *m*

robot ['rəʊbɒt] *n* robot *m*

rock [rɒk] ◇ *n* 1. (boulder) peñasco *m* 2. (US) (stone) guijarro *m* 3. (substance) roca *f* 4. (music) rock *m* 5. (UK) (sweet) palo *m* de caramelo ◇ *vt* (baby, boat) mecer • **on the rocks** (drink) con hielo

rock climbing *n* escalada *f* (de rocas) • **to go rock climbing** ir de escalada

rocket ['rɒkɪt] *n* cohete *m*

rocking chair ['rɒkɪŋ-] *n* mecedora *f*

rock 'n' roll [ˌrɒkən'rəʊl] *n* rock and roll *m*

rocky ['rɒkɪ] *adj* rocoso(sa)

rod [rɒd] *n* 1. (wooden) vara *f* 2. (metal) barra *f* 3. (for fishing) caña *f*

rode [rəʊd] *pt* > **ride**

role [rəʊl] *n* papel *m*

roll [rəʊl] ◇ *n* 1. (of bread) bollo *m*, panecillo *m* 2. (of film, paper) rollo *m* ◇ *vi* 1. (ball, rock) rodar 2. (vehicle) avanzar 3. (ship) balancearse ◇ *vt* 1. (ball, rock) hacer rodar 2. (cigarette) liar 3. (dice) rodar • **roll over** *vi* 1. (person, animal) darse la vuelta 2. (car) volcar • **roll up** *vt sep* 1. (map, carpet) enrollar 2. (sleeves, trousers) remangarse

Rollerblades ® ['rəʊləbleɪdz] *n* patines *mpl* en línea

rollerblading ['rəʊləbleɪdɪŋ] *n* • **to go rollerblading** ir a patinar (con patines en línea)

roller coaster ['rəʊləˌkəʊstə'] *n* montaña *f* rusa

roller skate ['rəʊlə-] *n* patín *m* (de ruedas)

roller-skating ['rəʊlə-] *n* patinaje *m* sobre ruedas

rolling pin ['rəʊlɪŋ-] *n* rodillo *m*

Roman ['rəʊmən] ◇ *adj* romano(na) ◇ *n* romano *m*, -na *f*

Roman Catholic *n* católico (romano-), católica (romana) *f*

romance [rəʊ'mæns] *n* 1. (love) lo romántico 2. (love affair) amorío *m* 3. (novel) novela *f* romántica

Romania [ruː'meɪnjə] *n* Rumanía *f*

romantic [rəʊ'mæntɪk] *adj* romántico (ca)

roof [ruːf] *n* 1. (of building, cave) tejado *m* 2. (of car, caravan, tent) techo *m*

roof rack *n* (UK) baca *f*, parrilla *f* (Amér)

room [ruːm, rʊm] *n* 1. habitación *f* 2. (larger) sala *f* 3. (space) sitio *m*

room number *n* número *m* de habitación

room service *n* servicio *m* de habitación

room temperature *n* temperatura *f* ambiente

roomy ['ruːmɪ] *adj* espacioso(sa)

root [ruːt] *n* raíz *f*

rope [rəʊp] ◇ *n* cuerda *f* ◇ *vt* atar con cuerda

rose [rəʊz] ⋄ pt ➤ **rise** ⋄ n rosa f

rosé [ˈrəʊzeɪ] n rosado m

rosemary [ˈrəʊzmərɪ] n romero m

rot [rɒt] vi pudrirse

rota [ˈrəʊtə] n lista f (de turnos)

rotate [rəʊˈteɪt] vi girar

rotten [ˈrɒtn] adj 1. (food, wood) podrido(da) 2. (inf) (not good) malísimo(ma) ● I feel rotten (ill) me siento fatal

rough [rʌf] ⋄ adj 1. (surface, skin, wine) áspero(ra) 2. (sea, crossing) agitado(da) 3. (person) bruto(ta) 4. (approximate) aproximado(da) 5. (conditions) básico(-ca) 6. (area, town) peligroso(sa) ⋄ n (in golf) rough m ● to have a rough time pasar por un momento difícil

roughly [ˈrʌflɪ] adv 1. (approximately) aproximadamente 2. (push, handle) brutalmente

round¹ [raʊnd] adj redondo(da)

round² [raʊnd]
⋄ n 1. (of drinks) ronda f ● it's my round es mi ronda 2. (of sandwiches) sándwich cortado en cuartos 3. (of toast) tostada f 4. (of competition) vuelta f 5. (in golf) partido m 6. (in boxing) asalto m 7. (of policeman, milkman) recorrido m
⋄ adv (UK) 1. (in a circle) en redondo ● to spin round girar 2. (surrounding) alrededor ● it had a wall all (the way) round estaba todo rodeado por un muro ● all round por todos lados 3. (near) ● round about alrededor 4. (to one's house) ● to ask some friends round invitar a unos amigos a casa 5. (continuously) ● all year round durante todo el año
⋄ prep (UK) 1. (surrounding) alrededor de ● they stood round the car estaban alrededor del coche 2. (circling) alrededor de ● to go round the corner doblar la esquina ● we walked round the lake fuimos andando alrededor del lago 3. (visiting) ● to go round a town recorrer una ciudad 4. (approximately) sobre ● round (about) 100 unos 100 ● round ten o'clock a eso de las diez 5. (near) ● round here por aquí 6. (in phrases) ● it's just round the corner (nearby) está a la vuelta de la esquina ● round the clock las 24 horas

◆ **round off** vt sep (meal, day, visit) terminar

roundabout [ˈraʊndəbaʊt] n (UK) 1. (in road) rotonda f (de tráfico) 2. (in playground) plataforma giratoria donde juegan los niños 3. (at fairground) tiovivo m (Esp), carrusel m

rounders [ˈraʊndəz] n (UK) juego parecido al béisbol

round trip n viaje m de ida y vuelta

route [ruːt] ⋄ n ruta f ⋄ vt dirigir

routine [ruːˈtiːn] ⋄ n rutina f ⋄ adj rutinario(ria)

row¹ [rəʊ] ⋄ n fila f ⋄ vt (boat) remar ⋄ vi remar ● four in a row cuatro seguidos

row² [raʊ] n 1. (argument) pelea f 2. (inf) (noise) estruendo m ● to have a row tener una pelea

rowboat [ˈrəʊbəʊt] (US) = **rowing boat**

rowdy [ˈraʊdɪ] adj ruidoso(sa)

rowing [ˈrəʊɪŋ] n remo m

rowing boat n (UK) bote m de remos

royal [ˈrɔɪəl] adj real

royal family n familia f real

royalty [ˈrɔɪəltɪ] n realeza f

RRP [ˌɑːrɑːrˈpiː] (*abbr of* recommended retail price) P.V.P. (*precio de venta al público*)

rub [rʌb] ◇ *vt* **1.** (*back, eyes*) frotar **2.** (*polish*) sacar brillo a ◇ *vi* **1.** (*with hand, cloth*) frotar **2.** (*shoes*) rozar ◆ **rub in** *vt sep* (*lotion, oil*) frotar ◆ **rub out** *vt sep* borrar

rubber [ˈrʌbəʳ] ◇ *adj* de goma ◇ *n* **1.** (*material*) goma *f* **2.** (*UK*) (*eraser*) goma *f* de borrar **3.** (*US*) (*inf*) (*condom*) goma *f*

rubber band *n* goma *f* elástica, liga *f* (*Amér*)

rubber gloves *npl* guantes *mpl* de goma

rubber ring *n* flotador *m*

rubbish [ˈrʌbɪʃ] *n* (*UK*) **1.** (*refuse*) basura *f* **2.** (*inf*) (*worthless thing*) porquería *f* **3.** (*inf*) (*nonsense*) tonterías *fpl*

rubbish bin *n* (*UK*) cubo *m* de la basura

rubbish dump *n* (*UK*) vertedero *m* de basura, basural *m* (*Amér*)

rubble [ˈrʌbl] *n* escombros *mpl*

ruby [ˈruːbɪ] *n* rubí *m*

rucksack [ˈrʌksæk] *n* mochila *f*

rudder [ˈrʌdəʳ] *n* timón *m*

rude [ruːd] *adj* **1.** (*person*) maleducado (da) **2.** (*behaviour, joke, picture*) grosero (ra)

rug [rʌg] *n* **1.** (*for floor*) alfombra *f* **2.** (*UK*) (*blanket*) manta *f* de viaje

rugby [ˈrʌgbɪ] *n* rugby *m*

ruin [ˈruːɪn] *vt* estropear ◆ **ruins** *npl* ruinas *fpl*

ruined [ˈruːɪnd] *adj* **1.** (*building*) en ruinas **2.** (*clothes, meal, holiday*) estropeado(da)

rule [ruːl] ◇ *n* regla *f* ◇ *vt* gobernar ● **to be the rule** ser la norma ● **against the rules** contra las normas ● **as a rule** por regla general ◆ **rule out** *vt sep* descartar

ruler [ˈruːləʳ] *n* **1.** (*of country*) gobernante *m f* **2.** (*for measuring*) regla *f*

rum [rʌm] *n* ron *m*

rumor [ˈruːmər] (*US*) = **rumour**

rumour [ˈruːməʳ] *n* (*UK*) rumor *m*

rump steak [ˌrʌmp-] *n* filete *m* (grueso) de lomo

run [rʌn] (*pt* ran, *pp inv*) ◇ *vi* **1.** (*on foot*) correr **2.** (*train, bus*) circular ● **the bus runs every hour** hay un autobús cada hora ● **the train is running an hour late** el tren va con una hora de retraso **3.** (*operate*) funcionar ● **the car runs on diesel** el coche funciona con diésel ● **leave the engine running** deja el motor en marcha **4.** (*tears, liquid*) correr **5.** (*road, river, track*) pasar ● **the path runs along the coast** el camino sigue la costa **7.** (*tap*) ● **to leave the tap running** dejar el grifo abierto **8.** (*nose*) moquear; (*eyes*) llorar **9.** (*colour, dye, clothes*) desteñir **10.** (*remain valid*) ser válido

◇ *vt* **1.** (*on foot*) correr ● **to run a race** participar en una carrera **2.** (*manage, organize*) llevar **3.** (*car*) mantener ● **it's cheap to run** es económico **4.** (*bus, train*) ● **we're running a special bus to the airport** hemos puesto un autobús especial al aeropuerto **5.** (*take in car*) llevar en coche **6.** (*bath*) ● **to run a bath** llenar la bañera

◇ *n* **1.** (*on foot*) carrera *f* ● **to go for a run** ir a correr **2.** (*in car*) paseo *m* en coche ● **to go for a run** dar un paseo en coche **3.** *(of play, show)* ● **it had a two-year run** estuvo dos años en cartelera **4.** *(for skiing)* pista *f* **5.** *(of success)* racha *f* **6.** *(US) (in tights)* carrera *f* **7.** *(in phrases)* ● **in the long run** a largo plazo

◆**run away** *vi* huir

◆**run down** ◇ *vt sep (run over)* atropellar; *(criticize)* hablar mal de
◇ *vi (clock)* pararse; *(battery)* acabarse

◆**run into** *vt insep (meet)* tropezarse con; *(hit)* chocar con; *(problem, difficulty)* encontrarse con

◆**run out** *vi (be used up)* acabarse

◆**run out of** *vt insep* quedarse sin

◆**run over** *vt sep* atropellar

runaway ['rʌnəwei] *n* fugitivo *m*, -va *f*

rung [rʌŋ] ◇ *pp* ➤ **ring** ◇ *n* escalón *m*

runner ['rʌnə^r] *n* **1.** *(person)* corredor *m*, -ra *f* **2.** *(for door, drawer)* corredera *f* **3.** *(of sledge)* patín *m*

runner bean *n* judía *f* escarlata *(Esp)*, habichuela *f*

runner-up *(pl* **runners-up)** *n* subcampeón *m*, -ona *f*

running ['rʌnɪŋ] ◇ *n* **1.** SPORT carreras *fpl* **2.** *(management)* dirección *f* ◇ *adj* ● **three days running** durante tres días seguidos ● **to go running** hacer footing

running water *n* agua *f* corriente

runny ['rʌni] *adj* **1.** *(egg, omelette)* poco hecho(cha) **2.** *(sauce)* líquido(da) **3.** *(nose)* que moquea **4.** *(eye)* lloroso(sa)

runway ['rʌnwei] *n* pista *f*

rural ['rʊərəl] *adj* rural

rush [rʌʃ] ◇ *n* **1.** *(hurry)* prisa *f*, apuro *m* *(Amér)* **2.** *(of crowd)* tropel *m* de gente ◇ *vi* **1.** *(move quickly)* ir de prisa, apurarse *(Amér)* **2.** *(hurry)* apresurarse ◇ *vt* **1.** *(work)* hacer de prisa **2.** *(meal)* comer de prisa **3.** *(transport quickly)* llevar urgentemente ● **to be in a rush** tener prisa ● **there's no rush!** ¡no corre prisa! ● **don't rush me!** ¡no me metas prisa!

rush hour *n* hora *f* punta *(Esp)*, hora *f* pico *(Amér)*

Russia ['rʌʃə] *n* Rusia

Russian ['rʌʃn] ◇ *adj* ruso(sa) ◇ *n* **1.** *(person)* ruso *m*, -sa *f* **2.** *(language)* ruso *m*

rust [rʌst] ◇ *n* óxido *m* ◇ *vi* oxidarse

rustic ['rʌstɪk] *adj* rústico(ca)

rustle ['rʌsl] *vi* susurrar

rustproof ['rʌstpruːf] *adj* inoxidable

rusty ['rʌsti] *adj* oxidado(da)

RV [ɑːrˈviː] *n (US)* *(abbr of recreational vehicle)* casa remolque

rye [rai] *n* centeno *m*

rye bread *n* pan *m* de centeno

SS

S *(abbr of south)* S. *(Sur)* *(abbr of small)* P. *(pequeño)*

saccharin ['sækərɪn] *n* sacarina *f*

sachet ['sæʃei] *n* bolsita *f*

sack [sæk] ◇ *n* saco *m* ◇ *vt (UK) (inf)* despedir ● **to get the sack** ser despedido

sacrifice ['sækrɪfaɪs] n (fig) sacrificio m

sad [sæd] adj 1. triste 2. (unfortunate) lamentable

saddle ['sædl] n 1. (on horse) silla f de montar 2. (on bicycle, motorbike) sillín m

saddlebag ['sædlbæg] n 1. (on bicycle, motorbike) cartera f 2. (on horse) alforja f

sadly ['sædlɪ] adv 1. (unfortunately) desgraciadamente 2. (unhappily) tristemente

sadness ['sædnɪs] n tristeza f

s.a.e. [eseɪ'iː] n (UK) (abbr of stamped addressed envelope) sobre con señas y franqueo

safari park [sə'fɑːrɪ-] n safari m (reserva)

safe [seɪf] ◇ adj 1. (not dangerous, risky) seguro(ra) 2. (out of harm) a salvo ◇ n caja f de caudales ● a safe place un lugar seguro ● (have a) safe journey! ¡feliz viaje! ● safe and sound sano y salvo

safe-deposit box n caja f de seguridad

safely ['seɪflɪ] adv 1. (not dangerously) sin peligro 2. (arrive) a salvo 3. (out of harm) seguramente

safety ['seɪftɪ] n seguridad f

safety belt n cinturón m de seguridad

safety pin n imperdible m

sag [sæg] vi combarse

sage [seɪdʒ] n (herb) salvia f

Sagittarius [,sædʒɪ'teərɪəs] n Sagitario m

said [sed] pt & pp > **say**

sail [seɪl] ◇ n vela f ◇ vi 1. (boat, ship) navegar 2. (person) ir en barco 3. (depart) zarpar ◇ vt ● to sail a boat gobernar un barco ● to set sail zarpar

sailboat ['seɪlbəʊt] (US) = **sailing boat**

sailing ['seɪlɪŋ] n 1. (activity) vela f 2. (departure) salida f ● to go sailing ir a practicar la vela

sailing boat n (UK) barco m de vela

sailor ['seɪlə'] n marinero m, -ra f

saint [seɪnt] n santo m, -ta f

sake [seɪk] n ● for my/their sake por mí/ellos ● for God's sake! ¡por el amor de Dios!

salad ['sæləd] n ensalada f

salad bowl n ensaladera f

salad cream n (UK) salsa parecida a la mayonesa, aunque de sabor más dulce, utilizada para aderezar ensaladas

salad dressing n aliño m

salami [sə'lɑːmɪ] n salami m

salary ['sælərɪ] n sueldo m

sale [seɪl] n 1. (selling) venta f 2. (at reduced prices) liquidación f ● on sale en venta ▼ for sale se vende ● sales npl COMM ventas fpl ● the sales las rebajas

sales assistant ['seɪlz-] n (UK) dependiente m, -ta f

salesclerk ['seɪlzklɜːrk] (US) = **sales assistant**

salesman ['seɪlzmən] (pl -men) n 1. (in shop) dependiente m 2. (rep) representante m de ventas

sales rep(resentative) n representante mf de ventas

saleswoman ['seɪlz,wʊmən] (pl -women) n dependienta f

saliva [sə'laɪvə] n saliva f

salmon ['sæmən] (pl inv) n salmón m

salon ['sælɒn] n salón m

saloon [sə'luːn] n 1. (UK) (car) turismo

m **2.** *(US) (bar)* bar *m* ● **saloon (bar)** *(UK)* bar de un hotel o pub, decorado lujosamente, que sirve bebidas a precios más altos que en el public bar

salopettes [ˌsælə'pets] *npl* pantalones *mpl* de peto para esquiar

salt [sɔːlt, sɒlt] *n* sal *f*

saltcellar ['sɔːlt,selə'] *n (UK)* salero *m*

salted peanuts ['sɔːltɪd-] *npl* cacahuetes *mpl* salados, maní *m* salado *(Amér)*

salt shaker [-ˌʃeɪkə'] *(US)* = **saltcellar**

salty ['sɔːltɪ] *adj* salado(da)

salute [sə'luːt] ◇ *n* saludo *m* ◇ *vi* hacer un saludo

Salvadorean [ˌsælvə'dɔːrɪən] ◇ *adj* salvadoreño *m*, -ña *f* ◇ *n* salvadoreño(ña)

same [seɪm] ◇ *adj* mismo(ma) ◇ *pron* ● **the same** *(unchanged)* el mismo(la misma); *(in comparisons)* lo mismo ● **they look the same** parecen iguales ● **I'll have the same as her** yo voy a tomar lo mismo que ella ● **you've got the same book as me** tienes el mismo libro que yo ● **it's all the same to me** me da igual

sample ['sɑːmpl] ◇ *n* muestra *f* ◇ *vt* probar

sanctions ['sæŋkʃnz] *npl* sanciones *fpl*

sanctuary ['sæŋktʃʊərɪ] *n (for birds, animals)* reserva *f*

sand [sænd] ◇ *n* arena *f* ◇ *vt* lijar ● **sands** *npl* playa *f*

sandal ['sændl] *n* sandalia *f*

sandcastle ['sænd,kɑːsl] *n* castillo *m* de arena

sandpaper ['sænd,peɪpə'] *n* papel *m* de lija

sandwich ['sænwɪdʒ] *n* **1.** *(made with roll)*

bocadillo *m (Esp)*, sandwich *m* **2.** *(made with freshly sliced bread)* sándwich *m*

sandy ['sændɪ] *adj* **1.** *(beach)* arenoso(sa) **2.** *(hair)* de color rubio rojizo

sang [sæŋ] *pt* ➤ **sing**

sanitary ['sænɪtrɪ] *adj* **1.** *(conditions, measures)* sanitario(ria) **2.** *(hygienic)* higiénico(ca)

sanitary napkin *(US)* = **sanitary towel**

sanitary towel *n (UK)* compresa *f*, toalla *f* higiénica

sank [sæŋk] *pt* ➤ **sink**

sapphire ['sæfaɪə'] *n* zafiro *m*

sarcastic [sɑː'kæstɪk] *adj* sarcástico(ca)

sardine [sɑː'diːn] *n* sardina *f*

SASE [eseɪesˈiː] *n (US)* (*abbr of* self-addressed stamped envelope) sobre con señas y franqueo

sat [sæt] *pt & pp* ➤ **sit**

Sat. *(abbr of* Saturday) sáb. *(sábado)*

SAT *abbr* = **Scholastic Aptitude Test**

satchel ['sætʃəl] *n* cartera *f (para escolares)*

satellite ['sætəlaɪt] *n* **1.** *(in space)* satélite *m* **2.** *(at airport)* sala *f* de embarque auxiliar

satellite dish *n* antena *f* parabólica

satellite TV *n* televisión *f* por vía satélite

satin ['sætɪn] *n* raso *m*

satisfaction [ˌsætɪs'fækʃn] *n* satisfacción *f*

satisfactory [ˌsætɪs'fæktərɪ] *adj* satisfactorio(ria)

satisfied ['sætɪsfaɪd] *adj* satisfecho(cha)

satisfy ['sætɪsfaɪ] *vt* satisfacer

satsuma [ˌsæt'suːmə] *n* (*UK*) satsuma *f*

saturate ['sætʃəreɪt] *vt* (*with liquid*) empapar

Saturday ['sætədɪ] *n* sábado *m* • it's Saturday es sábado • Saturday morning el sábado por la mañana • on Saturday el sábado • on Saturdays los sábados • last Saturday el sábado pasado • this Saturday este sábado • next Saturday el sábado de la semana que viene • Saturday week, a week on Saturday del sábado en ocho días

sauce [sɔːs] *n* salsa *f*

saucepan ['sɔːspən] *n* 1. (*with one long handle*) cazo *m* 2. (*with two handles*) cacerola *f*

saucer ['sɔːsəʳ] *n* platillo *m*

Saudi Arabia [ˌsaʊdɪə'reɪbjə] *n* Arabia Saudí

sauna ['sɔːnə] *n* sauna *f*

sausage ['sɒsɪdʒ] *n* salchicha *f*

sausage roll *n* (*UK*) salchicha pequeña envuelta en hojaldre y cocida al horno

sauté [(*UK*) 'səʊteɪ, (*US*) səʊ'teɪ] *adj* salteado(da)

savage ['sævɪdʒ] *adj* salvaje

save [seɪv] ◇ *vt* 1. (*rescue*) salvar 2. (*money*) ahorrar 3. (*time, space*) ganar 4. (*reserve*) reservar 5. SPORT parar 6. COMPUT guardar ◇ *n* parada *f* ◆ save up *vi* ahorrar • to save up for a holiday ahorrar para unas vacaciones

savings ['seɪvɪŋz] *npl* ahorros *mpl*

savings bank *n* ≃ caja *f* de ahorros

savory ['seɪvərɪ] (*US*) = savoury

savoury ['seɪvərɪ] *adj* salado(da)

saw [sɔː] ((*UK*) *pt* -ed, *pp* sawn, (*US*) *pt & pp* -ed) ◇ *pt* ➤ see ◇ *n* sierra *f* ◇

vt serrar

sawdust ['sɔːdʌst] *n* serrín *m*

sawn [sɔːn] *pp* ➤ saw

saxophone ['sæksəfəʊn] *n* saxofón *m*

say [seɪ] (*pt & pp* said) ◇ *vt* 1. decir 2. (*subj: clock, meter*) marcar ◇ *n* • to have a say in sthg tener voz y voto en algo • could you say that again? ¿puede repetir? • say we met at nine? ¿pongamos que nos vemos a las nueve? • to say yes decir que sí • what did you say? ¿qué has dicho?

saying ['seɪɪŋ] *n* dicho *m*

scab [skæb] *n* postilla *f*

scaffolding ['skæfəldɪŋ] *n* andamios *mpl*

scald [skɔːld] *vt* escaldar

scale [skeɪl] *n* 1. escala *f* 2. (*extent*) extensión *f* 3. (*of fish, snake*) escama *f* 4. (*in kettle*) costra *f* caliza ◆ scales *npl* 1. (*for weighing person*) báscula *f* 2. (*for weighing food*) balanza *f*

scallion ['skæljən] *n* (*US*) cebolleta *f*

scallop ['skɒləp] *n* vieira *f*

scalp [skælp] *n* cuero *m* cabelludo

scan [skæn] ◇ *vt* 1. (*consult quickly*) echar un vistazo a 2. MED hacer una ecografía de ◇ *n* MED escáner *m*

scandal ['skændl] *n* 1. (*disgrace*) escándalo *m* 2. (*gossip*) habladurías *fpl*

Scandinavia [ˌskændɪ'neɪvjə] *n* Escandinavia

scar [skɑːʳ] *n* cicatriz *f*

scarce ['skeəs] *adj* escaso(sa)

scarcely ['skeəslɪ] *adv* apenas

scare [skeəʳ] *vt* asustar

scarecrow ['skeəkrəʊ] *n* espantapájaros *m inv*

scared ['skeəd] *adj* asustado(da)

scarf ['skɑːf] (*pl* **scarves**) *n* **1.** (*woollen*) bufanda *f* **2.** (*for women*) pañoleta *f*

scarlet ['skɑːlət] *adj* escarlata

scarves [skɑːvz] *pl* ➢ **scarf**

scary ['skeərɪ] *adj* (*inf*) espeluznante

scatter ['skætə'] ◇ *vt* **1.** (*seeds, papers*) esparcir **2.** (*birds*) dispersar ◇ *vi* dispersarse

scene [siːn] *n* **1.** (*in play, film, book*) escena *f* **2.** (*of crime, accident*) lugar *m* **3.** (*view*) panorama *m* ● **the music scene** el mundo de la música ● **to make a scene** armar un escándalo

scenery ['siːnərɪ] *n* **1.** (*countryside*) paisaje *m* **2.** (*in theatre*) decorado *m*

scenic ['siːnɪk] *adj* pintoresco(ca)

scent [sent] *n* **1.** (*smell*) fragancia *f* **2.** (*of animal*) rastro *m* **3.** (*perfume*) perfume *m*

sceptical ['skeptɪkl] *adj* (*UK*) escéptico(ca)

schedule [(*UK*) 'ʃedjuːl, (*US*) 'skedʒʊl] ◇ *n* **1.** (*of work, things to do*) plan *m* **2.** (*US*) (*timetable*) horario *m* **3.** (*list*) lista *f* ◇ *vt* programar ● **according to schedule** según lo previsto ● **behind schedule** con retraso ● **on schedule** a la hora prevista

scheduled flight [(*UK*) 'ʃedjuːld-, (*US*) 'skedʒʊld-] *n* vuelo *m* regular

scheme [skiːm] *n* **1.** (*UK*) (*plan*) proyecto *m* **2.** (*pej*) (*dishonest plan*) estratagema *f*

scholarship ['skɒləʃɪp] *n* (*award*) beca *f*

school [skuːl] ◇ *n* **1.** escuela *f* **2.** (*institute*) academia *f* **3.** (*university department*) facultad *f* **4.** (*US*) (*inf*) (*university*) universidad *f* ◇ *adj* escolar ● **at school** en la escuela

school year

El año escolar británico se divide en tres trimestres. En Estados Unidos hay dos trimestres, que a su vez se subdividen en otros dos periodos cada uno. En los dos lugares, el colegio empieza en septiembre y suele acabar entre junio y julio.

schoolbag ['skuːlbæg] *n* cartera *f*

schoolbook ['skuːlbʊk] *n* libro *m* de texto

schoolboy ['skuːlbɔɪ] *n* alumno *m*

school bus *n* autobús *m* escolar

schoolchild ['skuːltʃaɪld] (*pl* **-children**) *n* alumno *m*, -na *f*

schoolgirl ['skuːlgɜːl] *n* alumna *f*

schoolteacher ['skuːl,tiːtʃə'] *n* **1.** (*primary*) maestro *m*, -tra *f* **2.** (*secondary*) profesor *m*, -ra *f*

school uniform *n* uniforme *m* escolar

science ['saɪəns] *n* **1.** ciencia *f* **2.** SCH ciencias *fpl*

science fiction *n* ciencia *f* ficción

scientific [,saɪən'tɪfɪk] *adj* científico(ca)

scientist ['saɪəntɪst] *n* científico *m*, -ca *f*

scissors ['sɪzəz] *npl* ◀ **(a pair of) scissors** unas tijeras

scone [skɒn] *n* pastelillo redondo hecho con harina, manteca y a veces pasas, que suele tomarse a la hora del té

scoop [skuːp] *n* **1.** (*for ice cream*) pinzas *fpl* de helado **2.** (*for flour*) paleta *f* **3.** (*of ice cream*) bola *f* **4.** (*in media*) exclusiva *f*

scooter ['skuːtə'] *n* (*motor vehicle*) Vespa ® *f*

scope [skəʊp] *n* **1.** (*possibility*) posibilidades *fpl* **2.** *(range)* alcance *m*

scorch [skɔ:tʃ] *vt* chamuscar

score [skɔ:ʳ] ◇ *n* **1.** *(final result)* resultado *m* **2.** *(points total)* puntuación *f* **3.** *(in exam)* calificación *f* ◇ *vt* **1.** SPORT marcar **2.** *(in test)* obtener una puntuación de ◇ *vi* SPORT marcar ● what's the score? ¿cómo van?

scorn [skɔ:n] *n* desprecio *m*

Scorpio ['skɔ:pɪəʊ] *n* Escorpión *m*

scorpion ['skɔ:pjən] *n* escorpión *m*

Scot [skɒt] *n* escocés *m*, -esa *f*

scotch [skɒtʃ] *n* whisky *m* escocés

Scotch broth *n* sopa espesa con caldo de carne, verduras y cebada

Scotch tape ® *n* (US) celo ® *m* (Esp), durex ® *m* (Amér)

Scotland ['skɒtlənd] *n* Escocia

Scotsman ['skɒtsmən] (*pl* **-men**) *n* escocés *m*

Scotswoman ['skɒtswʊmən] (*pl* **-women**) *n* escocesa *f*

Scottish ['skɒtɪʃ] *adj* escocés(esa) ● the Scottish Parliament el Parlamento Escocés

Scottish Parliament

El Parlamento Escocés actual fue establecido en 1998. Está integrado por 129 diputados y tiene competencias sobre asuntos como la educación, la salud o las cárceles. El edificio del parlamento escocés se encuentra en el centro de Edimburgo y es conocido por su diseño vanguardista.

scout [skaʊt] *n (boy scout)* explorador *m*

scowl [skaʊl] *vi* fruncir el ceño

scrambled eggs [ˌskræmbld-] *npl* huevos *mpl* revueltos

scrap [skræp] *n* **1.** *(of paper, cloth)* trozo *m* **2.** *(old metal)* chatarra *f*

scrapbook ['skræpbʊk] *n* álbum *m* de recortes

scrape [skreɪp] *vt* **1.** *(rub)* raspar **2.** *(scratch)* rasguñar

scrap paper *n (UK)* papel *m* usado

scratch [skrætʃ] ◇ *n* **1.** *(cut)* arañazo *m* **2.** *(mark)* rayazo *m* ◇ *vt* **1.** *(cut)* arañar **2.** *(mark)* rayar **3.** *(rub)* rascar ● to be up to scratch tener un nivel aceptable ● to start from scratch empezar desde el principio

scratch paper *(US)* = **scrap paper**

scream [skri:m] ◇ *n* grito *m* ◇ *vi* gritar

screen [skri:n] ◇ *n* **1.** *(of TV, computer, for film)* pantalla *f* **2.** *(hall in cinema)* sala *f* (de proyecciones) **3.** *(panel)* biombo *m* ◇ *vt* **1.** *(film)* proyectar **2.** *(programme)* emitir

screening ['skri:nɪŋ] *n (of film)* proyección *f*

screw [skru:] ◇ *n* tornillo *m* ◇ *vt* **1.** *(fasten)* atornillar **2.** *(twist)* enroscar

screwdriver ['skru:ˌdraɪvəʳ] *n* destornillador *m*

scribble ['skrɪbl] *vi* garabatear

script [skrɪpt] *n (of play, film)* guión *m*

scrub [skrʌb] *vt* restregar

scruffy ['skrʌfɪ] *adj* andrajoso(sa)

scrunchie, scrunchy ['skrʌntʃɪ] *n* coletero *m* de tela

scuba diving ['sku:bə-] *n* buceo *m* (con botellas de oxígeno)

sculptor ['skʌlptə'] *n* escultor *m*, -ra *f*

sculpture ['skʌlptʃə'] *n* (*statue*) escultura *f*

sea [si:] *n* mar *m* o *f* ● **by sea** en barco ● **by the sea** a orillas del mar

seafood ['si:fu:d] *n* mariscos *mpl*

seafront ['si:frʌnt] *n* paseo *m* marítimo, malecón *m* (*Amér*)

seagull ['si:gʌl] *n* gaviota *f*

seal [si:l] ◇ *n* 1. (*animal*) foca *f* 2. (*on bottle, container*) precinto *m* 3. (*official mark*) sello *m* ◇ *vt* (*envelope, container*) cerrar

seam [si:m] *n* (*in clothes*) costura *f*

search [sɜ:tʃ] ◇ *n* búsqueda *f* ◇ *vt* 1. (*place*) registrar 2. (*person*) cachear ◇ *vi* ● **to search for** buscar

search engine *n* COMPUT buscador *m*

seashell ['si:ʃel] *n* concha *f* (*marina*)

seashore ['si:ʃɔ:'] *n* orilla *f* del mar

seasick ['si:sɪk] *adj* mareado(da) (*en barco*)

seaside ['si:saɪd] *n* ● **the seaside** la playa

seaside resort *n* lugar *m* de veraneo (*junto al mar*)

season ['si:zn] ◇ *n* 1. (*division of year*) estación *f* 2. (*period*) temporada *f* ◇ *vt* sazonar ● **in season** (*holiday*) en temporada alta ● **strawberries are in season** ahora es la época de las fresas ● **out of season** (*fruit, vegetables*) fuera de temporada; (*holiday*) en temporada baja

seasoning ['si:znɪŋ] *n* condimento *m*

season ticket *n* abono *m*

seat [si:t] ◇ *n* 1. (*place, chair*) asiento *m* 2. (*for show*) entrada *f* 3. (*in parliament*)

escaño *m* ◇ *vt* (*subj: building, vehicle*) tener cabida para ● **please wait to be seated** *cartel que ruega a los clientes que esperen hasta que les sea asignada una mesa*

seat belt *n* cinturón *m* de seguridad

seaweed ['si:wi:d] *n* alga *f* marina

secluded [sɪ'klu:dɪd] *adj* aislado(da)

second ['sekənd] ◇ *n* segundo *m* ◇ *num adj* segundo(da) ◇ *pron* segundo *m*, -da *f* ● **second gear** segunda marcha *f* ● **the second (of September)** el dos (de septiembre) ● **seconds** *npl* (*goods*) artículos *mpl* defectuosos ● **who wants seconds?** (*inf*) (*food*) ¿quién quiere repetir?

secondary school ['sekəndrɪ-] *n* instituto *m* de enseñanza media

second-class *adj* 1. (*ticket*) de segunda clase 2. (*stamp*) *para el correo nacional ordinario* 3. (*inferior*) de segunda categoría

second-hand *adj* de segunda mano

Second World War *n* ● **the Second World War** la segunda Guerra Mundial

secret ['si:krɪt] ◇ *adj* secreto(ta) ◇ *n* secreto *m*

secretary [(*UK*) 'sekrətrɪ, (*US*) 'sekrə-ˌterɪ] *n* secretario *m*, -ria *f*

Secretary of State *n* 1. (*US*) (*foreign minister*) ministro *m*, -tra *f* de Asuntos Exteriores 2. (*UK*) (*government minister*) ministro *m*, -tra *f*

section ['sekʃn] *n* sección *f*

sector ['sektə'] *n* sector *m*

secure [sɪ'kjuə'] ◇ *adj* seguro(ra) ◇ *vt* 1. (*fix*) fijar 2. (*fml*) (*obtain*) conseguir

security [sɪˈkjʊərətɪ] *n* seguridad *f*

security guard *n* guardia *mf* jurado

sedative [ˈsedətɪv] *n* sedante *m*

seduce [sɪˈdjuːs] *vt* seducir

see [siː] (*pt* **saw**, *pp* **seen**) ◇ *vt* **1.** ver **2.** (*friends*) visitar **3.** (*understand*) entender **4.** (*accompany*) acompañar **5.** (*find out*) ir a ver **6.** (*undergo*) experimentar ◇ *vi* ver ● I see ya veo ● to see if one can do sthg ver si uno puede hacer algo ● to see to sthg (*deal with*) encargarse de algo; (*repair*) arreglar algo ● see you! ¡hasta la vista! ● see you later! ¡hasta luego! ● see you soon! ¡hasta pronto! ● see p 14 véase p. 14 ● **see off** *vt sep* (*say goodbye to*) despedir

seed [siːd] *n* semilla *f*

seeing (as) [ˈsiːɪŋ-] *conj* en vista de que

seek [siːk] (*pt & pp* **sought**) *vt* (*fml*) **1.** (*look for*) buscar **2.** (*request*) solicitar

seem [siːm] ◇ *vi* parecer ◇ *impers vb* ● it seems (that) ... parece que ... ● to seem like parecer

seen [siːn] *pp* ➤ **see**

seesaw [ˈsiːsɔː] *n* balancín *m*

segment [ˈsegmənt] *n* (*of fruit*) gajo *m*

seize [siːz] *vt* **1.** (*grab*) agarrar **2.** (*drugs, arms*) incautarse de ● **seize up** *vi* agarrotarse

seldom [ˈseldəm] *adv* rara vez

select [sɪˈlekt] ◇ *vt* seleccionar ◇ *adj* selecto(ta)

selection [sɪˈlekʃn] *n* **1.** (*selecting*) selección *f* **2.** (*range*) surtido *m*

self-assured [ˌselfəˈʃʊəd] *adj* seguro de sí mismo(segura de sí misma)

self-catering [ˌselfˈkeɪtərɪŋ] *adj* (*UK*) ● ... sólo

self-confident [ˌself-] *adj* seguro de sí mismo(segura de sí misma)

self-conscious [ˌself-] *adj* cohibido(da)

self-contained [ˌselfkənˈteɪnd] *adj* (*flat*) autosuficiente

self-defence [ˌself-] *n* (*UK*) defensa *f* personal

self-defense (*US*) = **self-defence**

self-employed [ˌself-] *adj* autónomo (ma)

selfish [ˈselfɪʃ] *adj* egoísta

self-raising flour [ˌselfˈreɪzɪŋ-] *n* (*UK*) harina *f* con levadura

self-rising flour [ˌselfˈraɪzɪŋ-] (*US*) = **self-raising flour**

self-service [ˌself-] *adj* de autoservicio

sell [sel] (*pt & pp* **sold**) *vt & vi* vender ● to sell for venderse a ● he sold me the car for £2,000 me vendió el coche por 2.000 libras

sell-by date *n* (*UK*) fecha *f* de caducidad

seller [ˈselə] *n* vendedor *m*, -ra *f*

Sellotape® [ˈseləteɪp] *n* (*UK*) celo® *m*, cinta *f* Scotch®, durex *m* (*Amér*)

semester [sɪˈmestə] *n* semestre *m*

semicircle [ˈsemɪˌsɜːkl] *n* semicírculo *m*

semicolon [ˌsemɪˈkəʊlən] *n* punto *m* y coma

semidetached [ˌsemɪdɪˈtætʃt] *adj* adosado(da)

semifinal [ˌsemɪˈfaɪnl] *n* semifinal *f*

seminar [ˈsemɪnɑː] *n* seminario *m*

semi-skimmed milk [ˌsemɪˈskɪmd-] *n* leche *f* semidesnatada (*Esp*) OR semi-descremada (*Amér*)

semolina [ˌseməˈliːnə] *n* sémola *f*

send [send] (*pt & pp* **sent**) *vt* **1.**

mandar 2. *(TV or radio signal)* transmitir • **to send a letter to sb** enviar una carta a alguien ◆ **send back** *vt sep* devolver ◆ **send off** ◇ *vt sep* 1. *(letter, parcel)* mandar (por correo) 2. *(UK)* SPORT expulsar ◇ *vi* • **to send off (for sthg)** solicitar (algo) por escrito

sender ['senda'] *n* remitente *mf*

senile ['si:naɪl] *adj* senil

senior ['si:nja'] ◇ *adj* superior ◇ *n* SCH senior *mf*

senior citizen *n* persona *f* de la tercera edad

sensation [sen'seɪʃn] *n* sensación *f*

sensational [sen'seɪʃənl] *adj* sensacional

sense [sens] ◇ *n* sentido *m* ◇ *vt* sentir • **to make sense** tener sentido • **sense of direction** sentido de la orientación • **sense of humour** sentido del humor

sensible ['sensəbl] *adj* 1. *(person)* sensato(ta) 2. *(clothes, shoes)* práctico(ca)

sensitive ['sensitiv] *adj* 1. *(person, skin, device)* sensible 2. *(easily offended)* susceptible 3. *(emotionally)* comprensivo(va) 4. *(subject, issue)* delicado(da)

sent [sent] *pt* & *pp* > **send**

sentence ['sentəns] ◇ *n* 1. GRAM oración *f* 2. *(for crime)* sentencia *f* ◇ *vt* condenar

sentimental [ˌsentɪ'mentl] *adj* *(pej)* sentimental

Sept. *(abbr of September)* sep. *(septiembre)*

separate ◇ *adj* ['seprət] 1. *(different, individual)* distinto(ta) 2. *(not together)* separado(da) ◇ *vt* ['sepəreɪt] 1. *(divide)* dividir 2. *(detach)* separar ◇ *vi* separarse • **separates** *npl* prendas *de vestir*

femeninas combinables

separately ['seprətlɪ] *adv* 1. *(individually)* independientemente 2. *(alone)* por separado

separation [ˌsepə'reɪʃn] *n* separación *f*

September [sep'tembə'] *n* septiembre *m* • **at the beginning of September** a principios de septiembre • **at the end of September** a finales de septiembre • **during September** en septiembre • **every September** todos los años en septiembre • **in September** en septiembre • **last September** en septiembre del año pasado • **next September** en septiembre del próximo año • **this September** en septiembre de este año • **2 September 2001** *(in letters etc)* 2 de septiembre de 2001

septic ['septɪk] *adj* séptico(ca)

septic tank *n* fosa *f* séptica

sequel ['si:kwəl] *n* continuación *f*

sequence ['si:kwəns] *n* 1. *(series)* sucesión *f* 2. *(order)* orden *m*

sequin ['si:kwɪn] *n* lentejuela *f*

sergeant ['sɑ:dʒənt] *n* 1. *(in police force)* ≃ subinspector *m*, -ra *f* 2. *(in army)* sargento *mf*

serial ['sɪərɪəl] *n* serial *m*

series ['sɪəri:z] *(pl inv)* *n* serie *f*

serious ['sɪərɪəs] *adj* 1. serio(ria) 2. *(very bad)* grave • **I'm serious** hablo en serio

seriously ['sɪərɪəslɪ] *adv* 1. *(really)* en serio 2. *(badly)* gravemente

sermon ['sɜ:mən] *n* sermón *m*

servant ['sɜ:vənt] *n* sirviente *m*, -ta *f*

serve [sɜ:v] ◇ *vt* servir ◇ *vi* 1. SPORT servir ◇ *n* saque *m* • **to**

serve as *(be used for)* servir de ● **the town is served by two airports** la ciudad está provista de dos aeropuertos ● **it serves you right** te está bien empleado ▼ **serves two** para dos personas

service ['sɜːvɪs] ◇ *n* **1.** servicio *m* **2.** *(at church)* oficio *m* **3.** SPORT saque *m* **4.** *(of car)* revisión *f* ◇ *vt (car)* revisar ● **to be of service to sb** *(fml)* ayudar a alguien ▼ **out of service** no funciona ▼ **service included** servicio incluido ▼ **service not included** servicio no incluido ◆

services *npl* **1.** (UK) *(on motorway)* área *f* de servicios **2.** *(of person)* servicios *mpl*

service area *n* (UK) área *f* de servicios

service charge *n* servicio *m*

service provider *n* COMPUT proveedor *m* de servicios

service station *n* estación *f* de servicio

serviette [ˌsɜːvɪ'et] *n* (UK) servilleta *f*

serving ['sɜːvɪŋ] *n* ración *f*

serving spoon *n* cucharón *m*

sesame seeds ['sesəmɪ] *npl* sésamo *m*

session ['seʃn] *n* sesión *f*

set [set] *(pt & pp inv)*
◇ *adj* **1.** *(fixed)* fijo(ja) ● **a set lunch** el menú del día **2.** *(text, book)* obligatorio(ria) **3.** *(situated)* situado(da)
◇ *n* **1.** *(collection)* juego *m*; *(of stamps, stickers)* colección *f* **2.** *(TV)* aparato *m* ● **a TV set** un televisor **3.** *(in tennis)* set *m* **4.** *(of play)* decorado *m* **5.** *(at hairdresser's)* ● **a shampoo and set** lavado *m* y marcado
◇ *vt* **1.** *(put)* colocar, poner **2.** *(cause to be)* ● **to set a machine going** poner una máquina en marcha ● **to set fire to** prender fuego a **3.** *(clock, alarm, controls)* poner ● **set the alarm for 7 a.m.** pon el despertador para las 7 de la mañana **4.** *(fix)* fijar **5.** *(essay, homework, the table)* poner **6.** *(a record)* marcar **7.** *(broken bone)* componer **8.** *(play, film, story)* ● **to be set in** desarrollarse en
◇ *vi* **1.** *(sun)* ponerse **2.** *(glue)* secarse; *(jelly)* cuajar

◆ **set down** *vt sep* (UK) *(passengers)* dejar

◆ **set off**
◇ *vt sep (alarm)* hacer saltar
◇ *vi* ponerse en camino

◆ **set out**
◇ *vt sep (arrange)* disponer
◇ *vi* ponerse en camino

◆ **set up** *vt sep (barrier, cordon)* levantar; *(equipment)* preparar; *(meeting, interview)* organizar; *(committee)* crear

set meal *n* menú *m (plato)*

set menu *n* menú *m* del día

settee [se'tiː] *n* (UK) sofá *m*

setting ['setɪŋ] *n* **1.** *(on machine)* posición *f* **2.** *(surroundings)* escenario *m*

settle ['setl] ◇ *vt* **1.** *(argument)* resolver **2.** *(bill)* saldar **3.** *(stomach)* asentar **4.** *(nerves)* calmar **5.** *(arrange, decide on)* acordar ◇ *vi* **1.** *(start to live)* establecerse **2.** *(come to rest)* posarse **3.** *(sediment, dust)* depositarse ◆ **settle down** *vi* **1.** *(calm down)* calmarse **2.** *(sit comfortably)* acomodarse ◆ **settle up** *vi* saldar las cuentas

settlement ['setlmənt] *n* **1.** *(agreement)* acuerdo *m* **2.** *(place)* asentamiento *m*

set-top box *n* decodificador *m*

seven ['sevn] ◇ *num adj* siete ◇ *num n* siete *m inv* ● **to be seven (years old)**

tener siete años (de edad) ● it's seven (o'clock) son las siete ● a hundred and seven ciento siete ● seven Hill St Hill St, número siete ● it's minus seven (degrees) hay siete grados bajo cero ● seven out of ten siete sobre diez

seventeen [ˌsevn'tiːn] *num* diecisiete

seventeenth [ˌsevn'tiːnθ] *num* decimoséptimo(ma)

seventh ['sevnθ] ◇ *num adj* séptimo (ma) ◇ *pron* séptimo *m*, -ma *f* ◇ *num n* (fraction) séptimo *m* ◇ *num adv* séptimo ● a seventh (of) la séptima parte (de) ● the seventh (of September) el siete (de septiembre)

seventieth ['sevntiəθ] *num* septuagésimo(ma)

seventy ['sevntɪ] *num* setenta

several ['sevrəl] ◇ *adj* varios(rias) ◇ *pron* varios *mpl*, -rias *f*

severe [sɪ'vɪəʳ] *adj* 1. severo(ra) 2. (illness) grave 3. (pain) fuerte

Seville [sə'vɪl] *n* Sevilla

sew [səʊ] (*pp* sewn) *vt & vi* coser

sewage ['suːɪdʒ] *n* aguas *fpl* residuales

sewing ['səʊɪŋ] *n* costura *f*

sewing machine *n* máquina *f* de coser

sewn [səʊn] *pp* ➤ sew

sex [seks] *n* sexo *m* ● to have sex (with) tener relaciones sexuales (con)

sexist ['seksɪst] *n* sexista *mf*

sexual ['seksʊəl] *adj* sexual

sexy ['seksɪ] *adj* sexi (*inv*)

shabby ['ʃæbɪ] *adj* 1. (clothes, room) desastrado(da) 2. (person) desharrapado(da)

shade [ʃeɪd] ◇ *n* 1. (shadow) sombra *f* 2. (lampshade) pantalla *f* 3. (of colour)

tonalidad *f* ◇ *vt* (protect) proteger ● **shades** *npl* (inf) (sunglasses) gafas *fpl* (*Esp*) OR anteojos *mpl* (*Amér*) de sol

shadow ['ʃædəʊ] *n* 1. (dark shape) sombra *f* 2. (darkness) oscuridad *f*

shady ['ʃeɪdɪ] *adj* 1. (place) sombreado (da) 2. (inf) (person) sospechoso(sa) 3. (inf) (deal) turbio(bia)

shaft [ʃɑːft] *n* 1. (of machine) eje *m* 2. (of lift) pozo *m*

shake [ʃeɪk] (*pt* shook, *pp* shaken) ◇ *vt* 1. (tree, rug, packet, etc) sacudir 2. (bottle) agitar 3. (person) zarandear 4. (dice) mover 5. (shock) conmocionar ◇ *vi* temblar ● to shake hands with sb estrechar la mano a alguien ● to shake one's head (saying no) negar con la cabeza

shall (weak form [ʃəl], strong form [, ʃæl]) *aux vb* 1. (expressing future) ● I shall be ready soon estaré listo enseguida 2. (in questions) ● shall I buy some wine? ¿compro vino? ● where shall we go? ¿adónde vamos? 3. (fml) (expressing order) ● payment shall be made within a week debe efectuarse el pago dentro de una semana

shallot [ʃə'lɒt] *n* chalote *m*

shallow ['ʃæləʊ] *adj* poco profundo(da)

shallow end *n* (of swimming pool) parte *f* poco profunda

shambles ['ʃæmblz] *n* desbarajuste *m*

shame [ʃeɪm] *n* 1. (remorse) vergüenza *f* 2. (disgrace) deshonra *f* ● it's a shame es una lástima ● what a shame! ¡qué lástima!

shampoo [ʃæm'puː] (*pl* -s) *n* 1. (liquid) champú *m* 2. (wash) lavado *m*

shandy ['ʃændɪ] *n* cerveza *f* con gaseosa

shape [ʃeɪp] *n* 1. *(form)* forma *f* 2. *(object, person, outline)* figura *f* ♦ **to be in good/bad shape** estar en (buena) forma/baja forma

share [ʃeəʳ] ♦ *n* 1. *(part)* parte *f* 2. *(in company)* acción *f* ♦ *vt* 1. *(room, work, cost)* compartir 2. *(divide)* repartir ♦ **share out** *vt sep* repartir

shark [ʃɑːk] *n* tiburón *m*

sharp [ʃɑːp] ♦ *adj* 1. *(knife, razor, teeth)* afilado(da) 2. *(pin, needle)* puntiagudo(da) 3. *(clear)* nítido(da) 4. *(quick, intelligent)* inteligente 5. *(rise, bend)* marcado(da) 6. *(change)* brusco(ca) 7. *(painful)* agudo(da) 8. *(food, taste)* ácido(da) ♦ *adv (exactly)* en punto

sharpen ['ʃɑːpn] *vt* 1. *(knife)* afilar 2. *(pencil)* sacar punta a

shatter ['ʃætəʳ] ♦ *vt (break)* hacer añicos ♦ *vi* hacerse añicos

shattered ['ʃætəd] *adj (UK) (inf) (tired)* hecho(cha) polvo

shave [ʃeɪv] ♦ *vt* afeitar ♦ *vi* afeitarse ♦ *n* ♦ **to have a shave** afeitarse

shaver ['ʃeɪvəʳ] *n* maquinilla *f* de afeitar

shaving brush ['ʃeɪvɪŋ-] *n* brocha *f* de afeitar

shaving foam ['ʃeɪvɪŋ-] *n* espuma *f* de afeitar

shawl [ʃɔːl] *n* chal *m*

she [ʃiː] *pron* ella *f* ♦ **she's tall** (ella) es alta

sheaf [ʃiːf] *n (pl* **sheaves***) (of paper, notes)* fajo *m*

shears [ʃɪəz] *npl (for gardening)* tijeras *fpl* de podar

sheaves [ʃiːvz] *pl* ➤ **sheaf**

shed [ʃed] *(pt & pp inv)* ♦ *n* cobertizo *m* ♦ *vt (tears, blood)* derramar

she'd *(weak form* [ʃɪd], *strong form* [, ʃiːd]) = **she had, she would**

sheep [ʃiːp] *(pl inv)* *n* oveja *f*

sheepdog ['ʃiːpdɒg] *n* perro *m* pastor

sheepskin ['ʃiːpskɪn] *adj* piel *f* de cordero ♦ **sheepskin jacket** zamarra *f* de piel de cordero

sheer [ʃɪəʳ] *adj* 1. *(pure, utter)* puro(ra) 2. *(cliff)* escarpado(da) 3. *(stockings)* fino(na)

sheet [ʃiːt] *n* 1. *(for bed)* sábana *f* 2. *(of paper)* hoja *f* 3. *(of glass, metal, wood)* lámina *f*

shelf [ʃelf] *(pl* **shelves***) n* estante *m*

shell [ʃel] *n* 1. *(of egg, nut)* cáscara *f* 2. *(on beach)* concha *f* 3. *(of animal)* caparazón *m* 4. *(bomb)* proyectil *m*

she'll [ʃiːl] = **she will, she shall**

shellfish ['ʃelfɪʃ] *n (food)* mariscos *mpl*

shelter ['ʃeltəʳ] ♦ *n* refugio *m* ♦ *vt (protect)* proteger ♦ *vi* resguardarse ♦ **to take shelter** cobijarse

sheltered ['ʃeltəd] *adj* protegido(da)

shelves [ʃelvz] *pl* ➤ **shelf**

shepherd ['ʃepəd] *n* pastor *m*

shepherd's pie ['ʃepədz-] *n* plato consistente en carne picada de vaca, cebolla y especias cubierta con una capa de puré de patata dorada al grill

sheriff ['ʃerɪf] *n* sheriff *m*

sherry ['ʃerɪ] *n* jerez *m*

she's [ʃiːz] = **she is, she has**

shield [ʃiːld] ♦ *n* escudo *m* ♦ *vt* proteger

shift [ʃɪft] ♦ *n* 1. *(change)* cambio *m* 2. *(period of work)* turno *m* ♦ *vt* mover ♦ *vi*

1. *(move)* moverse **2.** *(change)* cambiar

shin [ʃɪn] *n* espinilla *f*

shine [ʃaɪn] *(pt & pp* **shone**) ◇ *vi* brillar ◇ *vt* **1.** *(shoes)* sacar brillo a **2.** *(torch)* enfocar

shiny ['ʃaɪnɪ] *adj* brillante

ship [ʃɪp] *n* barco *m* ● **by ship** en barco

shipwreck ['ʃɪprek] *n* **1.** *(accident)* naufragio *m* **2.** *(wrecked ship)* barco *m* náufrago

shirt [ʃɜːt] *n* camisa *f*

shit [ʃɪt] ◇ *n (vulg)* mierda *f* ◇ *excl (vulg)* ¡mierda!

shiver ['ʃɪvər] *vi* temblar

shock [ʃɒk] ◇ *n* **1.** *(surprise)* susto *m* **2.** *(force)* sacudida *f* ◇ *vt* **1.** *(surprise)* conmocionar **2.** *(horrify)* escandalizar ● **to be in shock** *MED* estar en estado de shock

shocking ['ʃɒkɪŋ] *adj (very bad)* horroroso(sa)

shoe [ʃuː] *n* zapato *m*

shoelace ['ʃuːleɪs] *n* cordón *m (de zapato)*

shoe polish *n* betún *m*

shoe repairer's [-rɪˌpeərəz] *n* zapatero *m (remendón)*

shoe shop *n* zapatería *f*

shone [ʃɒn] *pt & pp* > **shine**

shook [ʃʊk] *pt* > **shake**

shoot [ʃuːt] *(pt & pp* **shot**) ◇ *vt* **1.** *(kill)* matar a tiros **2.** *(injure)* herir *(con arma de fuego)* **3.** *(gun, arrow)* disparar **4.** *(film)* rodar ◇ *vi* **1.** *(with gun)* disparar **2.** *(move quickly)* pasar disparado **3.** *SPORT* chutar ◇ *n (of plant)* brote *m*

shop [ʃɒp] ◇ *n* tienda *f* ◇ *vi* hacer compras

shop assistant *n (UK)* dependiente *m*, -ta *f*

shop floor *n (place)* taller *m*

shopkeeper ['ʃɒpˌkiːpər] *n (UK)* tendero *m*, -ra *f*

shoplifter ['ʃɒpˌlɪftər] *n* ratero *m*, -ra *f* de tiendas

shopper ['ʃɒpər] *n* comprador *m*, -ra *f*

shopping ['ʃɒpɪŋ] *n* compras *fpl* ● **I hate shopping** odio ir de compras ● **to do the shopping** hacer las compras ● **to go shopping** ir de compras

shopping bag *n* bolsa *f* de la compra

shopping basket *n* cesta *f* de la compra

shopping center *(US)* = **shopping centre**

shopping centre *n (UK)* centro *m* comercial

shopping list *n* lista *f* de la compra

shopping mall *n* centro *m* comercial

shop steward *n* enlace *m* sindical

shop window *n (UK)* escaparate *m*

shore [ʃɔːr] *n* orilla *f* ● **on shore** en tierra

short [ʃɔːt] ◇ *adj* **1.** *(not tall)* bajo(ja) **2.** *(in length, time)* corto(ta) ◇ *adv (cut hair)* corto ◇ *n* **1.** *(UK) (drink)* licor *m* **2.** *(film)* cortometraje *m* ● **to be short of time** andar escaso de tiempo ● **Liz is short for Elizabeth** Liz es el diminutivo de Elizabeth ● **I'm short of breath** me falta el aliento ● **in short** en resumen ◆ **shorts** *npl* **1.** *(short trousers)* pantalones *mpl* cortos **2.** *(US) (underpants)* calzoncillos *mpl*

shortage ['ʃɔːtɪdʒ] *n* escasez *f*

shortbread ['ʃɔːtbred] *n* especie de torta

dulce y quebradiza hecha con harina, azúcar y mantequilla

short-circuit *vi* tener un cortocircuito

shortcrust pastry ['ʃɔːtkrʌst-] *n* (UK) pasta *f* quebrada

short cut *n* atajo *m*

shorten ['ʃɔːtn] *vt* acortar

shorthand ['ʃɔːthænd] *n* taquigrafía *f*

shortly ['ʃɔːtlɪ] *adv* (soon) dentro de poco ◆ **shortly before** poco antes de

shortsighted [,ʃɔːt'saɪtɪd] *adj* miope

short-sleeved [-ˌsliːvd] *adj* de manga corta

short story *n* cuento *m*

shot [ʃɒt] ◇ *pt & pp* → shoot ◇ *n* **1.** (of gun, in football) tiro *m* **2.** (in tennis, golf) golpe *m* **3.** (photo) foto *f* **4.** (in film) plano *m* **5.** (inf) (attempt) intento *m* **6.** (drink) trago *m*

shotgun ['ʃɒtgʌn] *n* escopeta *f*

should [ʃʊd] *aux vb* **1.** (expressing desirability) deber ● we should leave now deberíamos irnos ahora **2.** (asking for advice) ● should I go too? ¿yo también voy? **3.** (expressing probability) deber de ● she should arrive soon debe de estar a punto de llegar **4.** (ought to have) deber ● they should have won the match deberían haber ganado el partido **5.** (in clauses with that) ● we decided that you should do it decidimos que lo hicieras tú **6.** (fml) (in conditionals) ● should you need anything, call reception si necesita alguna cosa, llame a recepción **7.** (fml) (expressing wish) ● I should like to come with you me gustaría ir contigo

shoulder ['ʃəʊldə'] *n* **1.** (of person)

hombro *m* **2.** (of meat) espaldilla *f* **3.** (US) (of road) arcén *m*

shoulder pad *n* hombrera *f*

shouldn't ['ʃʊdnt] = should not

should've ['ʃʊdəv] = should have

shout [ʃaʊt] ◇ *n* grito *m* ◇ *vt & vi* gritar ◆ **shout out** *vt sep* gritar

shove [ʃʌv] *vt* **1.** (push) empujar **2.** (put carelessly) poner de cualquier manera

shovel ['ʃʌvl] *n* pala *f*

show [ʃəʊ] (*pp* -ed OR shown) ◇ *n* **1.** (at theatre) función *f* **2.** (on TV, radio) programa *m* **3.** (exhibition) exhibición *f* ◇ *vt* **1.** mostrar **2.** (undergo) registrar **3.** (represent, depict) representar **4.** (accompany) acompañar **5.** (film) proyectar **6.** (TV programme) emitir ◇ *vi* **1.** (be visible) verse **2.** (film) proyectarse ● I showed my ticket to the inspector le enseñé mi billete al revisor ● to show sb how to do sthg enseñar a alguien cómo se hace algo ◆ **show off** *vi* presumir ◆ **show up** *vi* **1.** (come along) aparecer **2.** (be visible) resaltar

shower ['ʃaʊə'] ◇ *n* **1.** (for washing) ducha *f* **2.** (of rain) chubasco *m* ◇ *vi* ducharse ● to have a shower darse una ducha

shower gel *n* gel de baño

shower unit *n* ducha *f* (cubículo)

showing ['ʃəʊɪŋ] *n* (of film) proyección *f*

shown [ʃəʊn] *pp* → show

showroom ['ʃəʊrʊm] *n* sala *f* de exposición

shrank [ʃræŋk] *pt* → shrink

shrimp [ʃrɪmp] *n* camarón *m*

shrine [ʃraɪn] *n* santuario *m*

shrink [ʃrɪŋk] (*pt* shrank, *pp* shrunk)

◇ *n* (*inf*) loquero *m*, -ra *f* ◇ *vi* **1.** (*become smaller*) encoger **2.** (*diminish*) reducirse

shrub [ʃrʌb] *n* arbusto *m*

shrug [ʃrʌg] ◇ *vi* encogerse de hombros ◇ *n* ● **she gave a shrug** se encogió de hombros

shrunk [ʃrʌŋk] *pp* ➤ **shrink**

shuffle [ˈʃʌfl] ◇ *vt* (*cards*) barajar ◇ *vi* andar arrastrando los pies

shut [ʃʌt] (*pt* & *pp inv*) ◇ *adj* cerrado (da) ◇ *vt* cerrar ◇ *vi* **1.** (*door, mouth, eyes*) cerrarse **2.** (*shop, restaurant*) cerrar ●

shut down *vt sep* cerrar ◆ **shut up** *vi* (*inf*) callarse la boca

shutter [ˈʃʌtə] *n* **1.** (*on window*) contraventana *f* **2.** (*on camera*) obturador *m*

shuttle [ˈʃʌtl] *n* **1.** (*plane*) avión *m* de puente aéreo **2.** (*bus*) autobús *m* de servicio regular

shuttlecock [ˈʃʌtlkɒk] *n* (*UK*) volante *m*

shy [ʃaɪ] *adj* tímido(da)

sick [sɪk] *adj* **1.** (*ill*) enfermo(ma) **2.** (*nauseous*) mareado(da) ● **to be sick** (*vomit*) devolver ● **to feel sick** estar mareado ● **to be sick of** estar harto (ta) de

sick bag *n* bolsa *f* para el mareo

sickness [ˈsɪknɪs] *n* enfermedad *f*

sick pay *n* ≃ subsidio *m* de enfermedad

side [saɪd] ◇ *n* **1.** lado *m* **2.** (*of hill, valley*) ladera *f* **3.** (*of river*) orilla *f* **4.** (*of paper, coin, tape, record*) cara *f* **5.** (*UK*) (*team*) equipo *m* **6.** (*TV channel*) canal *m* **7.** (*page of writing*) página *f* ◇ *adj* lateral ● **at the side of** al lado de ● **on the other side** al otro lado ● **on this side** en este

lado ● **side by side** juntos

sideboard [ˈsaɪdbɔːd] *n* aparador *m*

side dish *n* plato *m* de acompañamiento

side effect *n* efecto *m* secundario

side order *n* guarnición *f* (*no incluida en el plato*)

side salad *n* ensalada *f* de acompañamiento

side street *n* travesía *f* (*Esp*), calle *f* lateral

sidewalk [ˈsaɪdwɔːk] *n* (*US*) acera *f*

sideways [ˈsaɪdweɪz] *adv* **1.** (*move*) de lado **2.** (*look*) de reojo

sieve [sɪv] *n* tamiz *m*

sigh [saɪ] ◇ *n* suspiro *m* ◇ *vi* suspirar

sight [saɪt] *n* **1.** (*eyesight*) vista *f* **2.** (*thing seen*) imagen *f* ● **at first sight** a primera vista ● **to catch sight of** divisar ● **in sight** a la vista ● **to lose sight of** perder de vista ● **out of sight** fuera de vista ◆ **sights** *npl* (*of city, country*) lugares *mpl* de interés turístico

sightseeing [ˈsaɪtˌsiːɪŋ] *n* ● **to go sightseeing** ir a visitar los lugares de interés turístico

sign [saɪn] ◇ *n* **1.** señal *f* **2.** (*on shop*) letrero *m* **3.** (*symbol*) signo *m* ◇ *vt* & *vi* firmar ● **there's no sign of her** no hay señales de ella ◆ **sign in** *vi* firmar en el registro de entrada

signal [ˈsɪgnl] ◇ *n* **1.** señal *f* **2.** (*US*) (*traffic lights*) semáforo *m* ◇ *vi* señalizar

signature [ˈsɪgnətʃə] *n* firma *f*

significant [sɪgˈnɪfɪkənt] *adj* significativo(va)

signpost [ˈsaɪnpəʊst] *n* letrero *m* indicador

Sikh [si:k] *n* sij *mf*

silence ['saɪləns] *n* silencio *m*

silencer ['saɪlənsə'] *n* (UK) silenciador *m*

silent ['saɪlənt] *adj* silencioso(sa)

silicon ['sɪlɪkən] *n* silicio *m*

silk [sɪlk] *n* seda *f*

sill [sɪl] *n* alféizar *m*

silly ['sɪlɪ] *adj* tonto(ta)

silver ['sɪlvə'] ◇ *n* 1. *(substance)* plata *f* 2. *(coins)* monedas *fpl* plateadas ◇ *adj* de plata

silver foil *n* (UK) papel *m* de aluminio

silver-plated [-'pleɪtɪd] *adj* chapado(-da) en plata

similar ['sɪmɪlə'] *adj* similar ● **to be similar to** ser parecido(da) a

similarity [ˌsɪmɪ'lærətɪ] *n* 1. *(resemblance)* parecido *m* 2. *(similar point)* similitud *f*

simmer ['sɪmə'] *vi* hervir a fuego lento

simple ['sɪmpl] *adj* sencillo(lla)

simplify ['sɪmplɪfaɪ] *vt* simplificar

simply ['sɪmplɪ] *adv* 1. *(just)* simplemente 2. *(easily, not elaborately)* sencillamente

simulate ['sɪmjʊleɪt] *vt* simular

simultaneous [(UK) ˌsɪməl'teɪnjəs, (US) ˌsaɪməl'teɪnjəs] *adj* simultáneo(a)

simultaneously [(UK) ˌsɪməl'teɪnjəslɪ, (US) ˌsaɪməl'teɪnjəslɪ] *adv* simultáneamente

sin [sɪn] ◇ *n* pecado *m* ◇ *vi* pecar

since [sɪns] ◇ *adv* desde entonces ◇ *prep* desde ◇ *conj* 1. *(in time)* desde que 2. *(as)* ya que ● **ever since** desde, desde que

sincere [sɪn'sɪə'] *adj* sincero(ra)

sincerely [sɪn'sɪəlɪ] *adv* sinceramente ● **Yours sincerely** (le saluda) atentamente

sing [sɪŋ] *(pt* **sang**, *pp* **sung**) *vt & vi* cantar

singer ['sɪŋə'] *n* cantante *mf*

single ['sɪŋgl] ◇ *adj* 1. *(just one)* solo(la) 2. *(not married)* soltero(ra) ◇ *n* 1. (UK) *(ticket)* billete *m* (Esp) OR boleto *m* (Amér) de ida 2. *(record)* disco *m* sencillo ● **every single** cada uno (una) de ◆ **singles** ◇ *n* modalidad *f* individual ◇ *adj* (bar, club) para solteros

single bed *n* cama *f* individual

single cream *n* (UK) nata *f* líquida (Esp), crema *f* líquida (Amér)

single currency *n* moneda *f* única

single parent *n* padre *m* soltero, madre soltera *f*

single room *n* habitación *f* individual

singular ['sɪŋgjʊlə'] *n* singular *m* ● **in the singular** en singular

sinister ['sɪnɪstə'] *adj* siniestro(tra)

sink [sɪŋk] *(pt* **sank**, *pp* **sunk**) ◇ *n* 1. *(in kitchen)* fregadero *m* 2. *(washbasin)* lavabo *m* ◇ *vi* 1. *(in water, mud)* hundirse 2. *(decrease)* descender

sink unit *n* fregadero *m* (con mueble debajo)

sinuses ['saɪnəsɪz] *npl* senos *mpl* frontales

sip [sɪp] ◇ *n* sorbo *m* ◇ *vt* beber a sorbos

siphon ['saɪfn] ◇ *n* sifón *m* ◇ *vt* sacar con sifón

sir [sɜ:'] *n* señor *m* ● **Dear Sir** Muy Señor mío ● **Sir Richard Blair** Sir Richard Blair

siren ['saɪərən] *n* sirena *f*

sirloin steak [ˌsɜ:lɔɪn-] *n* solomillo *m*

sister ['sɪstə'] *n* 1. hermana *f* 2. (UK) *(nurse)* enfermera *f* jefe

sister-in-law *n* cuñada *f*

sit [sɪt] (*pt & pp* **sat**) ◇ *vi* **1.** sentarse **2.** (*be situated*) estar situado ◇ *vt* **1.** (*place*) poner **2.** (*UK*) (*exam*) presentarse ● **to be sitting** estar sentado ◆**sit down** *vi* sentarse ● **to be sitting down** estar sentado ◆ **sit up** *vi* **1.** (*after lying down*) incorporarse **2.** (*stay up late*) quedarse levantado

site [saɪt] *n* **1.** (*place*) sitio *m* **2.** (*building site*) obra *f* de construcción

sitting room [ˈsɪtɪŋ-] *n* (*UK*) sala *f* de estar

situated [ˈsɪtjʊeɪtɪd] *adj* ● **to be situated** estar situado(da)

situation [ˌsɪtjʊˈeɪʃn] *n* situación *f* ▼ **situations vacant** (*UK*) ofertas de empleo

six [sɪks] ◇ *num adj* seis *inv* ◇ *num n* seis *m inv* ● **to be six (years old)** tener seis años (de edad) ● **it's six (o'clock)** son las seis ● **a hundred and six** ciento seis ● **six Hill St** Hill St, número seis ● **it's minus six (degrees)** hay seis grados bajo cero ● **six out of ten** seis sobre diez

sixteen [sɪksˈtiːn] *num* dieciséis

sixteenth [sɪksˈtiːnθ] *num* decimosexto(ta)

sixth [sɪksθ] ◇ *num adj* sexto(ta) ◇ *pron* sexto *m*, -ta *f* ◇ *num n* (*fraction*) sexto *m* ◇ *num adv* sexto ● **a sixth (of)** la sexta parte (de) ● **the sixth (of September)** el seis (de septiembre)

sixth form *n* (*UK*) *curso de enseñanza media que prepara a alumnos de 16 a 18 años para los A-levels*

sixth-form college *n* (*UK*) *centro de enseñanza que prepara a alumnos de 16 a 18 años para los A-levels o exámenes de formación profesional*

sixtieth [ˈsɪkstɪəθ] *num* sexagésimo(-ma)

sixty [ˈsɪkstɪ] *num* sesenta

size [saɪz] *n* **1.** tamaño *m* **2.** (*of clothes, hats*) talla *f* **3.** (*of shoes*) número *m* ● **what size do you take?** ¿qué talla/número usas? ● **what size is this?** ¿de qué talla es esto?

sizeable [ˈsaɪzəbl] *adj* considerable

skate [skeɪt] ◇ *n* **1.** (*ice skate, roller skate*) patín *m* **2.** (*fish*) raya *f* ◇ *vi* patinar

skateboard [ˈskeɪtbɔːd] *n* monopatín *m*, patineta *f* (*Amér*)

skater [ˈskeɪtə*ʳ*] *n* (*ice-skater*) patinador *m*, -ra *f*

skating [ˈskeɪtɪŋ] *n* ● **to go skating** ir a patinar

skeleton [ˈskelɪtn] *n* esqueleto *m*

skeptical [ˈskeptɪkl] (*US*) = **sceptical**

sketch [sketʃ] ◇ *n* **1.** (*drawing*) bosquejo *m* **2.** (*humorous*) sketch *m* ◇ *vt* hacer un bosquejo de

skewer [ˈskjʊə*ʳ*] *n* brocheta *f*

ski [skiː] (*pt & pp* **skied**, *cont* **skiing**) ◇ *n* esquí *m* ◇ *vi* esquiar

ski boots *npl* botas *fpl* de esquí

skid [skɪd] ◇ *n* derrape *m* ◇ *vi* derrapar

skier [ˈskiːə*ʳ*] *n* esquiador *m*, -ra *f*

skiing [ˈskiːɪŋ] *n* esquí *m* ● **to go skiing** ir a esquiar ● **a skiing holiday** unas vacaciones de esquí

skilful [ˈskɪlfʊl] *adj* (*UK*) experto(ta)

ski lift *n* telesilla *m*

skill [skɪl] *n* **1.** (*ability*) habilidad *f* **2.** (*technique*) técnica *f*

skilled [skɪld] *adj* **1.** (worker, job) especializado(da) **2.** (driver, chef) cualificado(da)

skillful ['skɪlful] (US) = **skilful**

skimmed milk ['skɪmd-] *n* leche *f* desnatada (Esp) OR descremada (Amér)

skin [skɪn] *n* **1.** piel *f* **2.** (on milk) nata *f*

skinny ['skɪnɪ] *adj* flaco(ca)

skip [skɪp] ◇ *vi* **1.** (with rope) saltar a la comba (Esp) OR cuerda **2.** (jump) ir dando brincos ◇ *vt* saltarse ◇ *n* (UK) (container) contenedor *m*

ski pants *npl* pantalones *mpl* de esquí

ski pass *n* forfait *m*

ski pole *n* bastón *m* para esquiar

skipping rope ['skɪpɪŋ-] *n* (UK) cuerda *f* de saltar

skirt [skɜːt] *n* falda *f*

ski slope *n* pista *f* de esquí

ski tow *n* remonte *m*

skittles ['skɪtlz] *n* (UK) bolos *mpl*

skull [skʌl] *n* **1.** (of living person) cráneo *m* **2.** (of skeleton) calavera *f*

sky [skaɪ] *n* cielo *m*

skylight ['skaɪlaɪt] *n* tragaluz *m*

skyscraper ['skaɪˌskreɪpə] *n* rascacielos *m inv*

slab [slæb] *n* (of stone, concrete) losa *f*

slack [slæk] *adj* **1.** (rope) flojo(ja) **2.** (careless) descuidado(da) **3.** (not busy) inactivo(va)

slam [slæm] ◇ *vt* cerrar de golpe ◇ *vi* cerrarse de golpe

slander ['slɑːndə] *n* calumnia *f*

slang [slæŋ] *n* argot *m*

slant [slɑːnt] ◇ *n* (slope) inclinación *f* ◇ *vi* inclinarse

slap [slæp] ◇ *n* bofetada *f*, cachetada *f*

(Amér) ◇ *vt* abofetear, cachetear (Amér)

slash [slæʃ] ◇ *vt* **1.** (cut) cortar **2.** (fig) (prices) recortar drásticamente ◇ *n* (written symbol) barra *f* (oblicua)

slate [sleɪt] *n* pizarra *f*

slaughter ['slɔːtə] *vt* **1.** (kill) matar **2.** (fig) (defeat) dar una paliza

slave [sleɪv] *n* esclavo *m*, -va *f*

sled [sled] *n* (US) = **sledge**

sledge [sledʒ] *n* (UK) trineo *m*

sleep [sliːp] (pt & pp **slept**) ◇ *n* **1.** (rest) descanso *m* **2.** (nap) siesta *f* ◇ *vi* dormir ◇ *vt* ● **the house sleeps six** la casa tiene seis plazas ● **did you sleep well?** ¿dormiste bien? ● **I couldn't get to sleep** no pude conciliar el sueño ● **to go to sleep** dormirse ● **to sleep with sb** acostarse con alguien

sleeper ['sliːpə] *n* **1.** (train) tren *m* nocturno (con literas) **2.** (sleeping car) coche-cama *m* **3.** (UK) (on railway track) traviesa *f* **4.** (UK) (earring) aro *m*

sleeping bag ['sliːpɪŋ-] *n* saco *m* de dormir

sleeping car ['sliːpɪŋ-] *n* coche-cama *m*

sleeping pill ['sliːpɪŋ-] *n* pastilla *f* para dormir

sleep mode *n* COMPUT modo *m* inactividad, modo *m* ahorro de energía

sleepy ['sliːpɪ] *adj* soñoliento(ta)

sleet [sliːt] ◇ *n* aguanieve *f* ◇ *impers vb* ● **it's sleeting** cae aguanieve

sleeve [sliːv] *n* **1.** (of garment) manga *f* **2.** (of record) cubierta *f*

sleeveless ['sliːvlɪs] *adj* sin mangas

slept [slept] *pt & pp* ➤ **sleep**

S level ['eslevl] *n* (*UK*) (*abbr of* Special level) examen optativo que realizan los mejores estudiantes antes de entrar en la universidad, con el objeto de estar más preparados para las materias que van a estudiar en la facultad elegida

slice [slaɪs] ◇ *n* **1.** (*of bread*) rebanada *f* **2.** (*of meat*) tajada *f* **3.** (*of cake, pizza*) trozo *m* **4.** (*of lemon, sausage, cucumber*) rodaja *f* **5.** (*of cheese, ham*) loncha *f* (*Esp*), rebanada *f* ◇ *vt* cortar

sliced bread [‚slaɪst-] *n* pan *m* en rebanadas

slide [slaɪd] (*pt & pp* slid) ◇ *n* **1.** (*in playground*) tobogán *m* **2.** (*of photograph*) diapositiva *f* **3.** (*UK*) (*hair slide*) prendedor *m* ◇ *vi* (*slip*) resbalar

sliding door [‚slaɪdɪŋ-] *n* puerta *f* corredera

slight [slaɪt] *adj* (*minor*) leve ● **the slightest** el menor(la menor) ● **not in the slightest** en absoluto

slightly ['slaɪtlɪ] *adv* ligeramente

slim [slɪm] ◇ *adj* delgado(da) ◇ *vi* adelgazar

slimming ['slɪmɪŋ] *n* adelgazamiento *m*

sling [slɪŋ] (*pt & pp* slung) ◇ *n* (*for arm*) cabestrillo *m* ◇ *vt* (*inf*) tirar

slip [slɪp] ◇ *vi* resbalar ◇ *n* **1.** (*mistake*) descuido *m* **2.** (*of paper*) papelito *m* **3.** (*petticoat*) enaguas *fpl* ● **slip up** *vi* (*make a mistake*) cometer un error

slipper ['slɪpəʳ] *n* zapatilla *f*, pantufla *f* (*Amér*)

slippery ['slɪpərɪ] *adj* resbaladizo(za)

slit [slɪt] *n* ranura *f*

slob [slɒb] *n* (*inf*) guarro *m*, -rra *f*

slogan ['sləʊgən] *n* eslogan *m*

slope [sləʊp] ◇ *n* **1.** (*incline*) inclinación *f* **2.** (*hill*) cuesta *f* **3.** (*for skiing*) pista *f* ◇ *vi* inclinarse

sloping ['sləʊpɪŋ] *adj* inclinado(da)

slot [slɒt] *n* **1.** (*for coin*) ranura *f* **2.** (*groove*) muesca *f*

Slovakia [sləˈvækɪə] *n* Eslovaquia

slow [sləʊ] ◇ *adj* **1.** (*not fast*) lento(ta) **2.** (*clock, watch*) atrasado(da) **3.** (*business*) flojo(ja) **4.** (*in understanding*) corto(ta) ◇ *adv* despacio ● **a slow train** ≃ un tren tranvía ▼ **slow** cartel que aconseja a los automovilistas ir despacio ● **slow down** ◇ *vt sep* reducir la velocidad de ◇ *vi* **1.** (*vehicle*) reducir la velocidad **2.** (*person*) reducir el paso

slowly ['sləʊlɪ] *adv* **1.** (*not fast*) despacio **2.** (*gradually*) poco a poco

slug [slʌg] *n* babosa *f*

slum [slʌm] *n* (*building*) cuchitril *m* ● **slums** *npl* (*district*) barrios *mpl* bajos

slung [slʌŋ] *pt & pp* > sling

slush [slʌʃ] *n* nieve *f* medio derretida

sly [slaɪ] *adj* **1.** (*cunning*) astuto(ta) **2.** (*deceitful*) furtivo(va)

smack [smæk] ◇ *n* (*slap*) cachete *m* (*Esp*), cacheteada *m* (*Amér*) ◇ *vt* dar un cachete (*Esp*) o una cacheteada (*Amér*)

small [smɔːl] *adj* pequeño(ña)

small change *n* cambio *m*

smallpox ['smɔːlpɒks] *n* viruela *f*

smart [smɑːt] *adj* **1.** (*UK*) (*elegant, posh*) elegante **2.** (*clever*) inteligente

smart card *n* tarjeta *f* con banda magnética

smash [smæʃ] ◇ *n* **1.** SPORT mate *m* **2.** (*inf*) (*car crash*) choque *m* ◇ *vt* (*plate,* *window)* romper ◇ *vi (plate, vase etc)* romperse

smear test ['smɪə-] *n (UK)* citología *f*

smell [smel] *(pt & pp* **-ed** OR **smelt)** *n* olor *m* ◇ *vt & vi* oler • **to smell of sthg** oler a algo

smelly ['smelɪ] *adj* maloliente

smelt [smelt] *pt & pp* ➤ **smell**

smile [smaɪl] *n* sonrisa *f* ◇ *vi* sonreír

smoke [sməʊk] ◇ *n* humo *m* ◇ *vt & vi* fumar • **to have a smoke** echarse un cigarro

smoked [sməʊkt] *adj* ahumado(da)

smoked salmon *n* salmón *m* ahumado

smoker ['sməʊkə'] *n* fumador *m*, -ra *f*

smoking ['sməʊkɪŋ] *n* el fumar ▼ **no smoking** prohibido fumar

smoking area *n* área *f* de fumadores

smoking compartment *n* compartimento *m* de fumadores

smoky ['sməʊkɪ] *adj (room)* lleno(na) de humo

smooth [smuːð] *adj* **1.** *(surface, road)* liso(sa) **2.** *(skin)* terso(sa) **3.** *(flight, journey)* tranquilo(la) **4.** *(mixture, liquid)* sin grumos **5.** *(wine, beer)* suave **6.** *(pej) (suave)* meloso(sa) • **smooth down** *sep* alisar

smother ['smʌðə'] *vt (cover)* cubrir

SMS [,esem'es] *n (abbr of short message system)* SMS *m*

smudge [smʌdʒ] *n* mancha *f*

smuggle ['smʌgl] *vt* pasar de contrabando

snack [snæk] *n* piscolabis *m inv (Esp)*, tentempie *m*

snack bar *n* cafetería *f*

snail [sneɪl] *n* caracol *m*

snake [sneɪk] *n* **1.** *(smaller)* culebra *f* **2.** *(larger)* serpiente *f*

snap [snæp] ◇ *vt (break)* partir (en dos) ◇ *vi (break)* partirse (en dos) ◇ *n* **1.** *(UK) (inf) (photo)* foto *f* **2.** *(card game)* guerrilla *f*

snatch [snætʃ] *vt* **1.** *(grab)* arrebatar **2.** *(steal)* dar el tirón

sneakers ['sniːkəz] *npl (US)* zapatos *mpl* de lona

sneeze [sniːz] ◇ *n* estornudo *m* ◇ *vi* estornudar

sniff [snɪf] ◇ *vi (from cold, crying)* sorber ◇ *vt* oler

snip [snɪp] *vt* cortar con tijeras

snob [snɒb] *n* esnob *mf*

snog [snɒg] *vi (UK) (inf)* morrearse *(Esp)*, besuquearse

snooker ['snuːkə'] *n* snooker *m juego parecido al billar*

snooze [snuːz] *n* cabezada *f*

snore [snɔː'] *vi* roncar

snorkel ['snɔːkl] *n* tubo *m* respiratorio

snout [snaʊt] *n* hocico *m*

snow [snəʊ] ◇ *n* nieve *f* ◇ *impers vb* • **it's snowing** está nevando

snowball ['snəʊbɔːl] *n* bola *f* de nieve

snowboard ['snəʊ,bɔːd] *n* tabla *f* de snowboard

snowboarding ['snəʊ,bɔːdɪŋ] *n* snowboard *m*

snowdrift ['snəʊdrɪft] *n* montón *m* de nieve

snowflake ['snəʊfleɪk] *n* copo *m* de nieve

snowman ['snəʊmæn] *(pl* **-men)** *n* muñeco *m* de nieve

snowplough ['snəʊplaʊ] *n (UK)* quitanieves *m inv*

snowstorm ['snəʊstɔːm] *n* tormenta *f* de nieve

snug [snʌg] *adj* **1.** *(person)* cómodo y calentito(cómoda y calentita) **2.** *(place)* acogedor(ra)

so [səʊ]
◇ *adv* **1.** *(emphasizing degree)* tan ● it's so difficult (that ...) es tan difícil (que ...) ● so many tantos ● so much tanto **2.** *(referring back)* ● so you knew already así que ya lo sabías ● I don't think so no creo ● I'm afraid so me temo que sí ● if so en ese caso **3.** *(also)* también ● so do I yo también **4.** *(in this way)* así **5.** *(expressing agreement)* ● so I see ya lo veo ● so what have you been up to? entonces ¿qué has estado haciendo? **6.** *(in phrases)* ● or so más o menos ● so as to do sthg para hacer algo ● come here so that I can see you ven acá para que te vea
◇ *conj* **1.** *(therefore)* así que **2.** *(summarizing)* entonces ● so what have you been up to? entonces ¿qué has estado haciendo? **3.** *(in phrases)* ● so what? *(inf)* ¿y qué? ● so there! *(inf)* ¡y si no te gusta te aguantas!

soak [səʊk] ◇ *vt* **1.** *(leave in water)* poner en remojo **2.** *(make very wet)* empapar ◇ *vi* ● to soak through sthg calar algo ◆

soak up *vt sep* absorber

soaked [səʊkt] *adj* empapado(da)

soaking ['səʊkɪŋ] *adj* empapado(da)

soap [səʊp] *n* jabón *m*

soap opera *n* telenovela *f*

soap powder *n* detergente *m* en polvo

sob [sɒb] ◇ *n* sollozo *m* ◇ *vi* sollozar

sober ['səʊbə^r] *adj (not drunk)* sobrio(bria)

soccer ['sɒkə^r] *n* fútbol *m*

sociable ['səʊʃəbl] *adj* sociable

social ['səʊʃl] *adj* social

social club *n* club *m* social

socialist ['səʊʃəlɪst] ◇ *adj* socialista ◇ *n* socialista *mf*

social life *n* vida *f* social

social security *n* seguridad *f* social

social worker *n* asistente *m*, -ta *f* social

society [sə'saɪətɪ] *n* sociedad *f*

sociology [ˌsəʊsɪ'ɒlədʒɪ] *n* sociología *f*

sock [sɒk] *n* calcetín *m*

socket ['sɒkɪt] *n* (for plug, light bulb) enchufe *m*

sod [sɒd] *n* (UK) (vulg) cabrón *m*, -ona *f*

soda ['səʊdə] *n* **1.** (soda water) soda *f* **2.** (US) (fizzy drink) gaseosa *f*

soda water *n* soda *f*

sofa ['səʊfə] *n* sofá *m*

sofa bed *n* sofá-cama *m*

soft [sɒft] *adj* **1.** (not firm, stiff) blando(da) **2.** (not rough, loud) suave **3.** (not forceful) ligero(ra)

soft cheese *n* queso *m* blando

soft drink *n* refresco *m*

software ['sɒftweə^r] *n* software *m*

soil [sɔɪl] *n* tierra *f*

solarium [sə'leərɪəm] *n* solario *m*

solar panel ['səʊlə-] *n* panel *m* solar

sold [səʊld] *pt & pp* ➤ **sell**

soldier ['səʊldʒə^r] *n* soldado *m*

sold out *adj* agotado(da)

sole [səʊl] ◇ *adj* **1.** (only) único(ca) **2.** (exclusive) exclusivo(va) ◇ *n* **1.** (of shoe) suela *f* **2.** (of foot) planta *f* **3.** (fish: pl inv) lenguado *m*

solemn ['sɒləm] *adj* solemne

solicitor [sə'lɪsɪtə^r] *n* (UK) abogado que

actúa en los tribunales de primera instancia y prepara casos para los tribunales superiores

solid ['sɒlɪd] *adj* **1.** sólido(da) **2.** *(table, gold, oak)* macizo(za)

solo ['səʊləʊ] *n* solo *m* (*pl* **-s**)

soluble ['sɒljʊbl] *adj* soluble

solution [sə'luːʃn] *n* solución *f*

solve [sɒlv] *vt* resolver

some [sʌm]
◇ *adj* **1.** *(certain amount of)* ● would you like some coffee? ¿quieres café? ● can I have some cheese? ¿me das un poco de queso? ● some money algo de dinero **2.** *(certain number of)* unos(unas) ● some sweets unos caramelos ● have some grapes coge uvas ● some people alguna gente **3.** *(large amount of)* bastante ● I had some difficulty getting here me resultó bastante difícil llegar aquí **4.** *(large number of)* bastante ● I've known him for some years hace bastantes años que lo conozco **5.** *(not all)* algunos(nas) ● some jobs are better paid than others algunos trabajos están mejor pagados que otros **6.** *(in imprecise statements)* un(una) ● some man phoned llamó un hombre
◇ *pron* **1.** *(certain amount)* un poco ● can I have some? ¿puedo coger un poco? **2.** *(certain number)* algunos *mpl*, -nas *f* ● can I have some? ¿puedo coger algunos? ● some (of them) left early algunos (de ellos) se fueron pronto
◇ *adv* aproximadamente ● there were some 7,000 people there había unas 7.000 personas allí

somebody ['sʌmbədɪ] = someone

somehow ['sʌmhaʊ] *adv* **1.** *(some way or other)* de alguna manera **2.** *(for some reason)* por alguna razón

someone ['sʌmwʌn] *pron* alguien

someplace ['sʌmpleɪs] *(US)* = somewhere

somersault ['sʌməsɔːlt] *n* salto *m* mortal

something ['sʌmθɪŋ] *pron* algo ● it's really something es algo impresionante ● or something *(inf)* o algo así ● something like algo así como

sometime ['sʌmtaɪm] *adv* en algún momento

sometimes ['sʌmtaɪmz] *adv* a veces

somewhere ['sʌmweəʳ] *adv* **1.** *(in or to unspecified place)* en/a alguna parte **2.** *(approximately)* aproximadamente

son [sʌn] *n* hijo *m*

song [sɒŋ] *n* canción *f*

son-in-law *n* yerno *m*

soon [suːn] *adv* pronto ● how soon can you do it? ¿para cuándo estará listo? ● as soon as tan pronto como ● as soon as possible cuanto antes ● soon after poco después ● sooner or later tarde o temprano

soot [sʊt] *n* hollín *m*

soothe [suːð] *vt* **1.** *(pain, sunburn)* aliviar **2.** *(person, anger, nerves)* calmar

sophisticated [sə'fɪstɪkeɪtɪd] *adj* sofisticado(da)

sorbet ['sɔːbeɪ] *n* sorbete *m*

sore [sɔːʳ]
◇ *adj* **1.** *(painful)* dolorido(da) **2.** *(US) (inf) (angry)* enfadado(da)
◇ *n* úlcera *f* ● to have a sore throat tener dolor de garganta

sorry ['sɒrɪ] *adj* ● I'm sorry! ¡lo siento!

● I'm sorry I'm late siento llegar tarde ● I'm sorry you failed lamento que hayas suspendido ● **sorry?** *(pardon?)* ¿perdón? ● **to feel sorry for sb** sentir lástima por alguien ● **to be sorry about sthg** sentir algo

sort [sɔːt] ◇ *n* tipo *m*, clase *f* ◇ *vt* clasificar ● **sort of** más o menos ● **it's sort of difficult** es algo difícil ● **sort out** *vt sep* 1. *(classify)* clasificar 2. *(resolve)* resolver

so-so *adj & adv (inf)* así así

soufflé ['suːfleɪ] *n* suflé *m*

sought [sɔːt] *pt & pp* > **seek**

soul [səʊl] *n* 1. *(spirit)* alma *f* 2. *(soul music)* música *f* soul

sound [saʊnd] ◇ *n* 1. sonido *m* 2. *(individual noise)* ruido *m* ◇ *vt (horn, bell)* hacer sonar ◇ *vi* 1. *(make a noise)* sonar 2. *(seem to be)* parecer ◇ *adj* 1. *(health, person)* bueno(na) 2. *(heart)* sano(na) 3. *(building, structure)* sólido(da) ● **to sound like** *(make a noise like)* sonar como; *(seem to be)* sonar

soundcard ['saʊndkɑːd] *n* COMPUT tarjeta *f* de sonido

soundproof ['saʊndpruːf] *adj* insonorizado(da)

soup [suːp] *n* sopa *f*

soup spoon *n* cuchara *f* sopera

sour ['saʊə^r] *adj* 1. *(taste)* ácido(da) 2. *(milk)* agrio(agria) ● **to go sour** agriarse

source [sɔːs] *n* 1. *(supply, origin)* fuente *f* 2. *(cause)* origen *m* 3. *(of river)* nacimiento *m*

sour cream *n* nata *f (Esp)* OR crema *f (Amér)* agria

south [saʊθ] ◇ *n* sur *m* ◇ *adv* 1. *(fly, walk)* hacia el sur 2. *(be situated)* al sur ● **in the south of England** en el sur de Inglaterra

South Africa *n* Sudáfrica

South America *n* Sudamérica

southbound ['saʊθbaʊnd] *adj* con rumbo al sur

southeast [,saʊθ'iːst] *n* sudeste *m*

southern ['sʌðən] *adj* del sur

South Pole *n* Polo *m* Sur

southwards ['saʊθwədz] *adv* hacia el sur

southwest [,saʊθ'west] *n* suroeste *m*

souvenir [,suːvə'nɪə^r] *n* recuerdo *m*

sow[1] [saʊ] *(pp sown)* *vt* sembrar

sow[2] [saʊ] *n (pig)* cerda *f*

soya ['sɔɪə] *n* soja *f (Esp)*, soya *f (Amér)*

soya bean *n* semilla *f* de soja *(Esp)* OR soya *(Amér)*

soy sauce [,sɔɪ-] *n* salsa *f* de soja *(Esp)* OR soya *(Amér)*

spa [spɑː] *n* balneario *m*

space [speɪs] ◇ *n* espacio *m* ◇ *vt* espaciar

space bar *n (on computer, keyboard)* espaciador *m*

spaceship ['speɪsʃɪp] *n* nave *f* espacial

space shuttle *n* transbordador *m* espacial

spacious ['speɪʃəs] *adj* espacioso(sa)

spade [speɪd] *n (tool)* pala *f* ● **spades** *npl (in cards)* picas *fpl*

spaghetti [spə'getɪ] *n* espaguetis *mpl*

Spain [speɪn] *n* España

spam [spæm] *n* COMPUT spam *m*, correo *m* basura

span [spæn] ◇ *pt* > **spin** ◇ *n* 1. *(length)* duración *f* 2. *(of time)* periodo *m*

Spaniard ['spænjəd] n español m, -la f

spaniel ['spænjəl] n perro m de aguas

Spanish ['spænɪʃ] ◇ adj español(la) ◇ n (language) español m

spank [spæŋk] vt zurrar

spanner ['spænə'] n (UK) llave f (de tuercas)

spare [speə'] ◇ adj 1. (kept in reserve) de sobra 2. (not in use) libre ◇ n 1. (spare part) recambio m 2. (spare wheel) rueda f de recambio ◇ vt ● I can't spare the time no tengo tiempo ● with ten minutes to spare con diez minutos de sobra

spare part n pieza f de recambio

spare ribs npl costillas fpl (sueltas)

spare room n habitación f de invitados

spare time n tiempo m libre

spark [spɑːk] n chispa f

sparkling ['spɑːklɪŋ-] adj (drink) con gas

sparkling wine n vino m espumoso

sparrow ['spærəʊ] n gorrión m

spat [spæt] pt & pp of > spit

speak [spiːk] (pt **spoke**, pp **spoken**) ◇ vt 1. (language) hablar 2. (say) decir ◇ vi hablar ● who's speaking? (on phone) ¿quién es? ● can I speak to Sarah? - speaking! ¿puedo hablar con Sara? - ¡soy yo! ● speak to the boss about the problem hablar con el jefe sobre el problema ◆ speak up vi (more loudly) hablar más alto

speaker ['spiːkə'] n 1. (at conference) conferenciante mf 2. (loudspeaker, of stereo) altavoz m ● a Spanish speaker un hispanohablante

spear [spɪə'] n lanza f

special ['speʃl] ◇ adj 1. (not ordinary) especial 2. (particular) particular ◇ n (dish) plato m del día ▼ today's special plato del día

special delivery n (UK) ≃ correo m urgente

special effects npl efectos mpl especiales

specialist ['speʃəlɪst] n (doctor) especialista mf

speciality [,speʃɪ'ælətɪ] n (UK) especialidad f

specialize ['speʃəlaɪz] vi ● to specialize (in) especializarse (en)

specially ['speʃəlɪ] adv 1. especialmente 2. (particularly) particularmente

special offer n oferta f especial

special school n escuela f especial

specialty ['speʃltɪ] (US) = **speciality**

species ['spiːʃiːz] (pl inv) n especie f

specific [spə'sɪfɪk] adj específico(ca)

specifications [,spesɪfɪ'keɪʃnz] npl (of machine, building etc) datos mpl técnicos

specimen ['spesɪmən] n 1. MED espécimen m 2. (example) muestra f

specs [speks] npl (inf) gafas fpl

spectacle ['spektəkl] n espectáculo m

spectacles ['spektəklz] npl (fml) gafas fpl

spectacular [spek'tækjʊlə'] adj espectacular

spectator [spek'teɪtə'] n espectador m, -ra f

sped [sped] pt & pp > **speed**

speech [spiːtʃ] n 1. (ability to speak) habla f 2. (manner of speaking) manera f de hablar 3. (talk) discurso m

speech impediment [-ɪm,pedɪmənt] n

impedimento *m* al hablar

speed [spi:d] (*pt & pp* **-ed** OR **sped**) ◇ *n* velocidad *f* ◇ *vi* **1.** (*move quickly*) moverse de prisa **2.** (*drive too fast*) conducir con exceso de velocidad ▼ **reduce speed now** reduzca su velocidad
♦ **speed up** *vi* acelerarse

speedboat ['spi:dbəʊt] *n* lancha *f* motora

speed bump *n* banda *f* (sonora), guardia *m* tumbado (*Esp*), lomo *m* de burro (*RP*)

speed dating *n* encuentros organizados normalmente en bares para que personas de diferentes sexos se conozcan rápidamente y decidan si quieren volver a verse

speeding ['spi:dɪŋ] *n* exceso *m* de velocidad

speed limit *n* límite *m* de velocidad

speedometer [spɪ'dɒmɪtə'] *n* velocímetro *m*

spell [spel] ((*UK*) *pt & pp* **-ed** OR **spelt**, (*US*) **-ed**) ◇ *vt* **1.** (*word, name*) deletrear **2.** (*subj: letters*) significar ◇ *n* **1.** (*time spent*) temporada *f* **2.** (*of weather*) racha *f* **3.** (*magic*) hechizo *m*

spell-check *vt* (*text, file, document*) corregir la ortografía de

spell-checker [-tʃekə'] *n* corrector *m* de ortografía

spelling ['spelɪŋ] *n* ortografía *f*

spelt [spelt] *pt & pp* (*UK*) ➤ **spell**

spend [spend] (*pt & pp* **spent**) *vt* **1.** (*money*) gastar **2.** (*time*) pasar

sphere [sfɪə'] *n* esfera *f*

spice [spaɪs] ◇ *n* especia *f* ◇ *vt* condimentar

spicy ['spaɪsɪ] *adj* picante

spider ['spaɪdə'] *n* araña *f*

spider's web *n* telaraña *f*

spike [spaɪk] *n* (*metal*) clavo *m*

spill [spɪl] ((*UK*) *pt & pp* **-ed** OR **spilt**, (*US*) **-ed**) ◇ *vt* derramar ◇ *vi* derramarse

spin [spɪn] (*pt* **span** OR **spun**, *pp* **spun**) ◇ *vt* **1.** (*wheel, coin, chair*) hacer girar **2.** (*washing*) centrifugar ◇ *n* (*on ball*) efecto *m* ● **to go for a spin** (*inf*) ir a dar una vuelta

spinach ['spɪnɪdʒ] *n* espinacas *fpl*

spine [spaɪn] *n* **1.** (*of back*) espina *f* dorsal **2.** (*of book*) lomo *m*

spiral ['spaɪərəl] *n* espiral *f*

spiral staircase *n* escalera *f* de caracol

spire [spaɪə'] *n* aguja *f*

spirit ['spɪrɪt] *n* **1.** (*soul*) espíritu *m* **2.** (*energy*) vigor *m* **3.** (*courage*) valor *m* **4.** (*mood*) humor *m* ♦ **spirits** *npl* (*alcohol*) licores *mpl*

spit [spɪt] ((*UK*) *pt & pp* **spat**, (*US*) *inv*) ◇ *vi* escupir ◇ *n* **1.** (*saliva*) saliva *f* **2.** (*for cooking*) asador *m* ◇ *impers vb* ● **it's spitting** (*UK*) está chispeando

spite [spaɪt] ♦ **in spite of** *prep* a pesar de

spiteful ['spaɪtfʊl] *adj* rencoroso(sa)

splash [splæʃ] ◇ *n* (*sound*) chapoteo *m* ◇ *vi* salpicar

splendid ['splendɪd] *adj* **1.** (*beautiful*) magnífico(ca) **2.** (*very good*) espléndido(da)

splint [splɪnt] *n* tablilla *f*

splinter ['splɪntə'] *n* astilla *f*

split [splɪt] (*pt & pp inv*) ◇ *n* **1.** (*tear*) rasgón *m* **2.** (*crack*) grieta *f* **3.** (*in skirt*)

abertura f ◇ vt **1.** *(wood, stone)* agrietar **2.** *(tear)* rasgar **3.** *(bill, profits, work)* dividir ◇ vi **1.** *(wood, stone)* agrietarse **2.** *(tear)* rasgarse ◆ **split up** vi *(group, couple)* separarse

spoil [spɔɪl] *(pt & pp* **-ed** OR **spoilt)** vt **1.** *(ruin)* estropear **2.** *(child)* mimar

spoke [spəʊk] ◇ pt ➤ **speak** ◇ n radio m

spoken ['spəʊkn] pp ➤ **speak**

spokesman ['spəʊksmən] *(pl* **-men)** n portavoz m

spokeswoman ['spəʊks,wʊmən] *(pl* **-women)** n portavoz f

sponge [spʌndʒ] n *(for cleaning, washing)* esponja f

sponge bag n *(UK)* neceser m

sponge cake n bizcocho m

sponsor ['spɒnsəʳ] n *(of event, TV programme)* patrocinador m, -ra f

sponsored walk [,spɒnsəd-] n marcha f benéfica

spontaneous [spɒn'teɪnjəs] adj espontáneo(nea)

spoon [spuːn] n cuchara f

spoonful ['spuːnfʊl] n cucharada f

sport [spɔːt] n deporte m

sports car [spɔːts-] n coche m deportivo

sports centre [spɔːts-] n *(UK)* centro m deportivo

sportsman ['spɔːtsmən] *(pl* **-men)** n deportista m

sports shop [spɔːts-] n tienda f de deporte

sportswoman ['spɔːts,wʊmən] *(pl* **-women)** n deportista f

spot [spɒt] ◇ n **1.** *(of paint, rain)* gota f **2.** *(on clothes)* lunar m **3.** *(UK) (on skin)*

grano m **4.** *(place)* lugar m ◇ vt notar ● **on the spot** *(at once)* en el acto; *(at the scene)* en el lugar

spotless ['spɒtlɪs] adj inmaculado(da)

spotlight ['spɒtlaɪt] n foco m

spotty ['spɒtɪ] adj *(UK) (skin, person, face)* lleno(na) de granos

spouse [spaʊs] n *(fml)* esposo m, -sa f

spout [spaʊt] n pitorro m *(Esp)*, pico m

sprain [spreɪn] vt torcerse

sprang [spræŋ] pt ➤ **spring**

spray [spreɪ] ◇ n **1.** *(of aerosol, perfume)* espray m **2.** *(droplets)* rociada f **3.** *(of sea)* espuma f ◇ vt rociar

spread [spred] *(pt & pp* inv*)* ◇ vt **1.** *(butter, jam, glue)* untar **2.** *(map, tablecloth, blanket)* extender **3.** *(legs, fingers, arms)* estirar **4.** *(disease)* propagar **5.** *(news, rumour)* difundir ◇ vi **1.** *(disease, fire, stain)* propagarse **2.** *(news, rumour)* difundirse ◇ n *(food)* pasta f para untar ◆ **spread out** vi *(disperse)* dispersarse

spring [sprɪŋ] *(pt* **sprang,** pp **sprung)** ◇ n **1.** *(season)* primavera f **2.** *(coil)* muelle m **3.** *(of water)* manantial m ◇ vi *(leap)* saltar ● **in (the) spring** en (la) primavera

springboard ['sprɪŋbɔːd] n trampolín m

spring-cleaning [-'kliːnɪŋ] n *(UK)* limpieza f general

spring onion n *(UK)* cebolleta f

spring roll n rollito m de primavera

sprinkle ['sprɪŋkl] vt rociar

sprinkler ['sprɪŋkləʳ] n aspersor m

sprint [sprɪnt] ◇ n *(race)* esprint m ◇ vi *(run fast)* correr a toda velocidad

sprout [spraʊt] n (UK) (vegetable) col f de Bruselas

spruce [spruːs] n picea f

sprung [sprʌŋ] ◇ pp ➤ spring ◇ adj (mattress) de muelles

spud [spʌd] n (UK) (inf) patata f

spun [spʌn] pt & pp ➤ spin

spur [spɜːʳ] n (for horse rider) espuela f • on the spur of the moment sin pensarlo dos veces

spurt [spɜːt] vi salir a chorros

spy [spaɪ] n espía mf

squalor ['skwɒləʳ] n miseria f

square [skweəʳ] ◇ adj (in shape) cuadrado(da) ◇ n 1. (shape) cuadrado m 2. (in town) plaza f 3. (of chocolate) onza f 4. (on chessboard) casilla f • 2 square metres 2 metros cuadrados • it's 2 metres square tiene 2 metros cuadrados • we're (all) square now (UK) quedamos en paz

squash [skwɒʃ] ◇ n 1. (game) squash m 2. (UK) (drink) refresco m 3. (US) (vegetable) calabaza f ◇ vt aplastar

squat [skwɒt] ◇ adj achaparrado(da) ◇ vi (crouch) agacharse

squeak [skwiːk] vi chirriar

squeeze [skwiːz] vt 1. (orange) exprimir 2. (hand) apretar 3. (tube) estrujar • squeeze in vi meterse

squid [skwɪd] n (food) calamares mpl

squint [skwɪnt] ◇ n estrabismo m ◇ vi bizquear

squirrel [(UK) 'skwɪrəl, (US) 'skwɜːrəl] n ardilla f

squirt [skwɜːt] vi salir a chorro

St (abbr of Street) c (calle); (abbr of Saint) Sto., Sta. (santo, santa)

St Patrick's Day

San Patricio es el patrono de Irlanda y su festividad, el 17 de marzo, se celebra tanto en Irlanda como en otros lugares del mundo en los que hay comunidades irlandesas, especialmente en los Estados Unidos. Durante ese día hay desfiles en las calles, con música y bailes tradicionales.

stab [stæb] vt (with knife) apuñalar

stable ['steɪbl] ◇ adj 1. (unchanging) estable 2. (firmly fixed) fijo(ja) ◇ n cuadra f

stack [stæk] n (pile) pila f • stacks of (inf) (lots) montones de

stadium ['steɪdjəm] n estadio m

staff [stɑːf] n (workers) empleados mpl

stage [steɪdʒ] n 1. (phase) etapa f 2. (in theatre) escenario m

stagger ['stægəʳ] ◇ vt (arrange in stages) escalonar ◇ vi tambalearse

stagnant ['stægnənt] adj estancado(da)

stain [steɪn] ◇ n mancha f ◇ vt manchar

stained glass window [,steɪnd-] n vidriera f

stainless steel ['steɪnlɪs-] n acero m inoxidable

staircase ['steəkeɪs] n escalera f

stairs [steəz] npl escaleras fpl

stairwell ['steəwel] n hueco m de la escalera

stake [steɪk] n 1. (share) participación f 2. (in gambling) apuesta f 3. (post) estaca f • at stake en juego

stale [steɪl] adj 1. (food) pasado(da) 2. (bread) duro(ra)

stalk [stɔːk] n 1. *(of flower, plant)* tallo m 2. *(of fruit, leaf)* pecíolo m

stall [stɔːl] ◇ n 1. *(in market, at exhibition)* puesto m ◇ vi *(car, plane, engine)* calarse *(Esp)*, pararse ◆ **stalls** npl *(UK) (in theatre)* platea f

stamina ['stæmɪnə] n resistencia f

stammer ['stæməʳ] vi tartamudear

stamp [stæmp] ◇ n sello m ◇ vt *(passport, document)* sellar ◇ vi ● **to stamp on** sthg pisar algo ● **to stamp one's foot** patear

stamp-collecting [-kə‚lektɪŋ] n filatelia f

stamp machine n máquina f expendedora de sellos *(Esp)* OR estampillas *(Amér)*

stand [stænd] *(pt & pp* **stood**) ◇ vi 1. *(be on feet)* estar de pie 2. *(be situated)* estar *(situado)* 3. *(get to one's feet)* ponerse de pie ◇ vt 1. *(place)* colocar 2. *(bear, withstand)* soportar ◇ n 1. *(stall)* puesto m 2. *(for coats)* perchero m 3. *(for umbrellas)* paragüero m 4. *(for bike, motorbike)* patín m de apoyo 5. *(at sports stadium)* tribuna f ● **to be standing** estar de pie ● **to stand sb a drink** invitar a alguien a beber algo ▼ **no standing** *(US)* AUT prohibido aparcar ◆ **stand back** vi echarse para atrás ◆ **stand for** vt insep 1. *(mean)* significar 2. *(tolerate)* tolerar ◆ **stand in** vi ● **to stand in for sb** sustituir a alguien ◆ **stand out** vi 1. *(be conspicuous)* destacar 2. *(be superior)* sobresalir ◆ **stand up** ◇ vi 1. *(be on feet)* estar de pie 2. *(get to one's feet)* levantarse ◇ vt sep *(inf)* *(boyfriend, girlfriend etc)* dejar plantado ◆ **stand up**

for vt insep salir en defensa de

standard ['stændəd] ◇ adj *(normal)* normal ◇ n 1. *(level)* nivel m 2. *(point of comparison)* criterio m ● **up to standard** al nivel estándar ◆ **standards** npl *(principles)* valores mpl morales

standard-class adj *(UK)* de segunda clase

standby ['stændbaɪ] adj sin reserva

stank [stæŋk] pt ➢ **stink**

staple ['steɪpl] n *(for paper)* grapa f

stapler ['steɪpləʳ] n grapadora f

star [stɑːʳ] ◇ n estrella f ◇ vt *(subj: film, play etc)* estar protagonizado por ◆ **stars** npl *(UK) (inf) (horoscope)* horóscopo m

starch ['stɑːtʃ] n 1. *(for clothes)* almidón m 2. *(in food)* fécula f

stare [steəʳ] vi mirar fijamente ● **to stare at** mirar fijamente

starfish ['stɑːfɪʃ] *(pl inv)* n estrella f de mar

starling ['stɑːlɪŋ] n estornino m

Stars and Stripes n ● **the Stars and Stripes** la bandera de las barras y estrellas

Stars and Stripes

Barras y estrellas es el nombre oficial de la bandera de los Estados Unidos. Las estrellas que aparecen en la bandera representan a cada uno de los estados que forman el país. Los estadounidenses están orgullosos de su bandera y es normal verla en coches y casas por todo el país.

start [staːt] ◇ n **1.** (beginning) principio m **2.** (starting place) salida f ◇ vt **1.** (begin) empezar **2.** (car, engine) arrancar **3.** (business, club) montar ◇ vi **1.** (begin) empezar **2.** (car, engine) arrancar **3.** (begin journey) salir ● **at the start of the year** a principios del año ● **prices start at** OR **from £5** precios desde cinco libras ● **to start doing sthg** OR **to do sthg** empezar a hacer algo ● **to start with** (in the first place) para empezar; (when ordering meal) de primero ◆ **start out** vi **1.** (on journey) salir **2.** (be originally) empezar ◆ **start up** vt sep **1.** (car, engine) arrancar **2.** (business, shop) montar

starter ['staːtə'] n **1.** (UK) (of meal) primer plato m **2.** (of car) motor m de arranque ● **for starters** (in meal) de primero

starter motor n motor m de arranque

starting point ['staːtɪŋ-] n punto m de partida

startle ['staːtl] vt asustar

starvation [staː'veɪʃn] n hambre f

starve [staːv] vi (have no food) pasar hambre ● **I'm starving!** ¡me muero de hambre!

state [steɪt] ◇ n estado m ◇ vt **1.** (declare) declarar **2.** (specify) indicar ● **the State** el Estado ● **the States** (inf) los Estados Unidos

state-funded education

Los colegios públicos cambian mucho de una parte a otra del Reino Unido, especialmente desde que Escocia y Gales tienen competencias en materia de educación. La calidad de la enseñanza, que comienza a los cinco años de edad, también difiere mucho de un lugar a otro.

statement ['steɪtmənt] n **1.** (declaration) declaración f **2.** (from bank) extracto m

state school n ≃ instituto m

statesman ['steɪtsmən] (pl -men) n estadista m

static ['stætɪk] n interferencias fpl

station ['steɪʃn] n **1.** estación f **2.** (on radio) emisora f

stationary ['steɪʃnərɪ] adj inmóvil

stationery ['steɪʃnərɪ] n objetos mpl de escritorio

station wagon n (US) furgoneta f familiar, camioneta f (Amér)

statistics [stə'tɪstɪks] npl datos mpl

statue ['stætʃuː] n estatua f

Statue of Liberty n ● **the Statue of Liberty** la Estatua de la Libertad

Statue of Liberty

La Estatua de la Libertad se encuentra a la entrada del puerto de Nueva York. Fue un regalo del gobierno francés en 1886 para conmemorar la alianza entre Francia y los Estados Unidos durante la Guerra de la Independencia. Ha pasado a simbolizar el sueño americano.

status ['steɪtəs] n **1.** (legal position) estado m **2.** (social position) condición f **3.** (prestige) prestigio m

stay [steɪ] ◇ *n* estancia *f* ◇ *vi* **1.** *(remain)* quedarse **2.** *(as guest)* alojarse ● **to stay the night** pasar la noche ◆ **stay away** *vi* **1.** *(not attend)* no asistir **2.** *(not go near)* no acercarse ◆ **stay in** *vi* quedarse en casa ◆ **stay out** *vi (from home)* quedarse fuera ◆ **stay up** *vi* quedarse levantado

STD code [estiː'diː'kəʊd] *n* (*UK*) *(abbr of subscriber trunk dialling) prefijo para llamadas interurbanas*

steady ['stedɪ] ◇ *adj* **1.** *(not shaking, firm)* firme **2.** *(gradual)* gradual **3.** *(stable)* constante **4.** *(job)* estable ◇ *vt (stop from shaking)* mantener firme

steak [steɪk] *n* **1.** *(type of meat)* bistec *m* **2.** *(piece of meat, fish)* filete *m*

steakhouse ['steɪkhaʊs] *n* parrilla *f (restaurante)*

steal [stiːl] *(pt* **stole**, *pp* **stolen)** *vt* robar ● **to steal sthg from sb** robar algo a alguien

steam [stiːm] ◇ *n* vapor *m* ◇ *vt (food)* cocer al vapor

steam engine *n* máquina *f* de vapor

steam iron *n* plancha *f* de vapor

steel [stiːl] ◇ *n* acero *m* ◇ *adj* de acero

steep [stiːp] *adj* **1.** *(hill, path)* empinado(da) **2.** *(increase, drop)* considerable

steeple ['stiːpl] *n* torre *f* coronada con una aguja

steer ['stɪə^r] *vt (car, boat, plane)* conducir, dirigir

steering ['stɪərɪŋ] *n* dirección *f*

steering wheel *n* volante *m*

stem [stem] *n* **1.** *(of plant)* tallo *m* **2.** *(of glass)* pie *m*

step [step] ◇ *n* **1.** *(stair, rung)* peldaño *m* **3.** *(measure)* medida *f* ◇ *vi* ● **to step on sthg** pisar algo ▼ **mind the step** cuidado con el escalón ◆ **steps** *npl (stairs)* escaleras *fpl* ◆ **step aside** *vi (move aside)* apartarse ◆ **step back** *vi (move back)* echarse atrás

step aerobics *n* step *m*

stepbrother ['step,brʌðə^r] *n* hermanastro *m*

stepdaughter ['step,dɔːtə^r] *n* hijastra *f*

stepfather ['step,fɑːðə^r] *n* padrastro *m*

stepladder ['step,lædə^r] *n* escalera *f* de tijera

stepmother ['step,mʌðə^r] *n* madrastra *f*

stepsister ['step,sɪstə^r] *n* hermanastra *f*

stepson ['stepsʌn] *n* hijastro *m*

stereo ['sterɪəʊ] *(pl* **-s**) ◇ *adj* estéreo *(inv)* ◇ *n* **1.** *(hi-fi)* equipo *m* estereofónico **2.** *(stereo sound)* estéreo *m*

sterile ['steraɪl] *adj (germ-free)* esterilizado(da)

sterilize ['sterəlaɪz] *vt* esterilizar

sterling ['stɜːlɪŋ] ◇ *adj (pound)* esterlina ◇ *n* la libra esterlina

sterling silver *n* plata *f* de ley

stern [stɜːn] ◇ *adj* severo(ra) ◇ *n* popa *f*

stew [stjuː] *n* estofado *m*

steward ['stjʊəd] *n* **1.** *(on plane)* auxiliar *m* de vuelo, sobrecargo *m* **2.** *(on ship)* camarero *m* **3.** *(at public event)* ayudante *mf* de organización

stewed [stjuːd] *adj (fruit)* en compota

stick [stɪk] *(pt & pp* **stuck)** ◇ *n* **1.** *(of wood, for sport)* palo *m* **2.** *(thin piece)* barra *f* **3.** *(walking stick)* bastón *m* ◇ *vt* **1.** *(glue)* pegar **2.** *(push, insert)* meter **3.** *(inf) (put)* poner ◇ *vi* **1.** *(become attached)* pegarse **2.** *(jam)* atrancarse ◆**stick**

out vi sobresalir ◆ **stick to** vt insep **1.** (decision) atenerse a **2.** (principles) ser fiel a **3.** (promise) cumplir con ◆ **stick up** ◇ vt sep (poster, notice) pegar ◇ vi salir ◆

stick up for vt insep (inf) defender

sticker ['stɪkə'] n pegatina f

stick shift n (US) (car) coche m con palanca de cambios

sticky ['stɪkɪ] adj **1.** (substance, hands, sweets) pegajoso(sa) **2.** (label, tape) adhesivo(va) **3.** (weather) húmedo(da)

stiff [stɪf] ◇ adj **1.** (firm) rígido(da) **2.** (back, neck) agarrotado(da) **3.** (door, latch, mechanism) atascado(da) ◇ adv

● to be bored stiff (inf) estar muerto de aburrimiento ● to feel stiff tener agujetas

stiletto heels [stɪ'letəʊ-] npl (shoes) tacones mpl de aguja

still [stɪl] ◇ adv **1.** todavía **2.** (despite that) sin embargo **3.** (even) aún ◇ adj **1.** (motionless) inmóvil **2.** (quiet, calm) tranquilo(la) **3.** (UK) (not fizzy) sin gas ● we've still got ten minutes aún nos quedan diez minutos ● still more aún más ● to stand still estarse quieto

stimulate ['stɪmjʊleɪt] vt **1.** (encourage) estimular **2.** (make enthusiastic) excitar

sting [stɪŋ] (pt & pp **stung**) ◇ vt picar ◇ vi ● my eyes are stinging me pican los ojos

stingy ['stɪndʒɪ] adj (inf) roñoso(sa)

stink [stɪŋk] (pt **stank** OR **stunk**, pp **stunk**) vi (smell bad) apestar

stipulate ['stɪpjʊleɪt] vt estipular

stir [stɜ:'] vt (move around, mix) remover

stir-fry n plato que se fríe en aceite muy caliente y removiendo constantemente

stirrup ['stɪrəp] n estribo m

stitch [stɪtʃ] n (in sewing, knitting) punto m ● to have a stitch sentir pinchazos ◆ **stitches** npl (for wound) puntos mpl

stock [stɒk] ◇ n **1.** (of shop, business) existencias fpl **2.** (supply) reserva f **3.** FIN capital m **4.** (in cooking) caldo m ◇ vt (have in stock) tener, vender ● **in stock** en existencia ● **out of stock** agotado

stock cube n pastilla f de caldo

Stock Exchange n bolsa f

stocking ['stɒkɪŋ] n media f

stock market n mercado m de valores

stodgy ['stɒdʒɪ] adj (food) indigesto(ta)

stole [stəʊl] pt > **steal**

stolen ['stəʊln] pp > **steal**

stomach ['stʌmək] n **1.** (organ) estómago m **2.** (belly) vientre m

stomachache ['stʌməkeɪk] n dolor m de estómago

stomach upset [-'ʌpset] n trastorno m gástrico

stone [stəʊn] ◇ n **1.** (substance, pebble) piedra f **2.** (in fruit) hueso m **3.** (measurement) = 6,35 kilos **4.** (gem) piedra f preciosa ◇ adj de piedra

stonewashed ['stəʊnwɒʃt] adj lavado(-da) a la piedra

stood [stʊd] pt & pp > **stand**

stool [stu:l] n taburete m

stop [stɒp] ◇ n parada f ◇ vt **1.** parar **2.** (prevent) impedir ◇ vi **1.** pararse **2.** (cease) parar **3.** (stay) quedarse ● to stop doing sthg dejar de hacer algo ● to stop sthg from happening impedir que ocurra algo ● to put a stop to sthg poner fin a algo ▼ **stop** (road sign) stop ▼ **stopping at ...** (train, bus) con paradas en ... ◆ **stop off** *vi* hacer una parada

stopover ['stɒpˌəʊvəʳ] *n* parada *f*

stopper ['stɒpəʳ] *n* tapón *m*

stopwatch ['stɒpwɒtʃ] *n* cronómetro *m*

storage ['stɔːrɪdʒ] *n* almacenamiento *m*

store [stɔːʳ] ◊ *n* 1. *(shop)* tienda *f* 2. *(supply)* provisión *f* ◊ *vt* almacenar

storehouse ['stɔːhaʊs] *n* almacén *m*

storeroom ['stɔːrʊm] *n* almacén *m*

storey ['stɔːrɪ] *(pl* -s) *n (UK)* planta *f*

stork [stɔːk] *n* cigüeña *f*

storm [stɔːm] *n* tormenta *f*

stormy ['stɔːmɪ] *adj (weather)* tormentoso(sa)

story ['stɔːrɪ] *n* 1. *(account, tale)* cuento *m* 2. *(news item)* artículo *m* 3. *(US)* = storey

stout [staʊt] ◊ *adj (fat)* corpulento(ta) ◊ *n (drink)* cerveza *f* negra

stove [stəʊv] *n* 1. *(for cooking)* cocina *f* 2. *(for heating)* estufa *f*

straight [streɪt] ◊ *adj* 1. *(not curved)* recto(ta) 2. *(upright, level)* derecho(cha) 3. *(hair)* liso(sa) 4. *(consecutive)* consecutivo(va) 5. *(drink)* solo(la) ◊ *adv* 1. *(in a straight line)* en línea recta 2. *(upright)* derecho 3. *(directly)* directamente 4. *(without delay)* inmediatamente ● **straight ahead** todo derecho ● **straight away** enseguida

straightforward [ˌstreɪtˈfɔːwəd] *adj (easy)* sencillo(lla)

strain [streɪn] ◊ *n* 1. *(force)* presión *f* 2. *(nervous stress)* tensión *f* nerviosa 3. *(tension)* tensión *f* 4. *(injury)* torcedura *f* ◊ *vt* 1. *(muscle)* torcerse 2. *(eyes)* cansar 3. *(food, tea)* colar

strainer ['streɪnəʳ] *n* colador *m*

strait [streɪt] *n* estrecho *m*

strange [streɪndʒ] *adj* 1. *(unusual)* raro (ra) 2. *(unfamiliar)* extraño(ña)

stranger ['streɪndʒəʳ] *n* 1. *(unfamiliar person)* desconocido *m*, -da *f* 2. *(person from different place)* forastero *m*, -ra *f*

strangle ['stræŋgl] *vt* estrangular

strap [stræp] *n* 1. *(of bag, camera, watch)* correa *f* 2. *(of dress, bra)* tirante *m*

strapless ['stræplɪs] *adj* sin tirantes

strategy ['strætɪdʒɪ] *n* estrategia *f*

straw [strɔː] *n* paja *f*

strawberry ['strɔːbərɪ] *n* fresa *f*

stray [streɪ] ◊ *adj (ownerless)* callejero (ra) ◊ *vi* vagar

streak [striːk] *n* 1. *(stripe, mark)* raya *f* 2. *(period)* racha *f*

stream [striːm] *n* 1. *(river)* riachuelo *m* 2. *(of traffic, people, blood)* torrente *m*

street [striːt] *n* calle *f*

streetcar ['striːtkɑːʳ] *n (US)* tranvía *m*

street light *n* farola *f*

street plan *n* callejero *m (mapa)*

strength [streŋθ] *n* 1. *(of person, food, drink)* fuerza *f* 2. *(of structure)* solidez *f* 3. *(influence)* poder *m* 4. *(strong point)* punto *m* fuerte 5. *(of feeling, wind, smell)* intensidad *f* 6. *(of drug)* potencia *f*

strengthen ['streŋθn] *vt* reforzar

stress [stres] ◊ *n* 1. *(tension)* estrés *m inv* 2. *(on word, syllable)* acento *m* ◊ *vt* 1. *(emphasize)* recalcar 2. *(word, syllable)* acentuar

stretch [stretʃ] ◊ *n* 1. *(of land, water)* extensión *f* 2. *(of road)* tramo *m* 3. *(of time)* periodo *m* ◊ *vt* 1. *(rope, material, body)* estirar 2. *(elastic, clothes)* estirar (demasiado) ◇ vi **1.** *(land, sea)* extenderse **2.** *(person, animal)* estirarse ◆ **to stretch one's legs** *(fig)* dar un paseo ◆ **stretch out** ◇ vt sep *(hand)* alargar ◇ vi *(lie down)* tumbarse

stretcher ['stretʃər] n camilla f

strict [strikt] adj **1.** estricto(ta) **2.** *(exact)* exacto(ta)

strictly ['striktli] adv **1.** *(absolutely)* terminantemente **2.** *(exclusively)* exclusivamente ● **strictly speaking** realmente

stride [straid] n zancada f

strike [straik] *(pt & pp* **struck)** ◇ n *(of employees)* huelga f ◇ vt **1.** *(fml)* (hit) pegar **2.** *(fml)* *(collide with)* chocar contra **3.** *(a match)* encender ◇ vi **1.** *(refuse to work)* estar en huelga **2.** *(happen suddenly)* sobrevenir ● **the clock struck eight** el reloj dio las ocho

striking ['straikiŋ] adj **1.** *(noticeable)* chocante **2.** *(attractive)* atractivo(va)

string [striŋ] n **1.** cuerda f **2.** *(of pearls, beads)* sarta f **3.** *(series)* serie f ● **a piece of string** una cuerda

strip [strip] ◇ n **1.** *(of paper, cloth etc)* tira f **2.** *(of land, water)* franja f ◇ vt *(paint, wallpaper)* quitar ◇ vi *(undress)* desnudarse

stripe [straip] n *(of colour)* raya f

striped [straipt] adj a rayas

strip-search vt registrar exhaustivamente, haciendo que se quite la ropa

stroke [strəuk] ◇ n **1.** MED derrame m cerebral **2.** *(in tennis, golf)* golpe m **3.** *(swimming style)* estilo m ◇ vt acariciar ● **a stroke of luck** un golpe de suerte

stroll [strəul] n paseo m

stroller ['strəulər] n *(US)* *(pushchair)* sillita f *(de niño)*

strong [strɒŋ] adj **1.** fuerte **2.** *(structure, bridge, chair)* resistente **3.** *(influential)* poderoso(sa) **4.** *(possibility)* serio(ria) **5.** *(drug)* potente **6.** *(accent)* marcado(da) **7.** *(point, subject)* mejor

struck [strʌk] pt & pp ➤ **strike**

structure ['strʌktʃər] n **1.** *(arrangement, organization)* estructura f **2.** *(building)* construcción f

struggle ['strʌgl] ◇ n *(great effort)* lucha f ◇ vi **1.** *(fight)* luchar **2.** *(in order to get free)* forcejear ● **to struggle to do sthg** esforzarse en hacer algo

stub [stʌb] n **1.** *(of cigarette)* colilla f **2.** *(of cheque)* matriz f *(Esp)*, talón m *(Amér)* **3.** *(of ticket)* resguardo m

stubble ['stʌbl] n *(on face)* barba f de tres días

stubborn ['stʌbən] adj terco(ca)

stuck [stʌk] pt & pp ➤ **stick** ◇ adj **1.** *(jammed, unable to continue)* atascado(da) **2.** *(stranded)* colgado(da)

stud [stʌd] n **1.** *(on boots)* taco m **2.** *(fastener)* automático m, botón m de presión *(Amér)* **3.** *(earring)* pendiente m *(Esp)* OR arete m *(Amér)* *(pequeño)*

student ['stju:dnt] n estudiante mf

student card n carné m de estudiante

students' union [ˌstju:dnts-] n *(UK)* *(place)* club m de alumnos

studio ['stju:diəʊ] *(pl* **-s)** n estudio m

studio apartment *(US)* = **studio flat**

studio flat n *(UK)* estudio m

study ['stʌdi] ◇ n estudio m ◇ vt **1.** *(learn about)* estudiar **2.** *(examine)* examinar ◇ vi estudiar

stuff [stʌf] ⋄ n (inf) **1.** (substance) cosa f, sustancia f **2.** (things, possessions) cosas fpl ⋄ vt **1.** (put roughly) meter **2.** (fill) rellenar

stuffed [stʌft] adj **1.** (food) relleno(na) **2.** (inf) (full up) lleno(na) **3.** (dead animal) disecado(da)

stuffing ['stʌfɪŋ] n relleno m

stuffy ['stʌfɪ] adj (room, atmosphere) cargado(da)

stumble ['stʌmbl] vi (when walking) tropezar

stump [stʌmp] n (of tree) tocón m

stun [stʌn] vt aturdir

stung [stʌŋ] pt & pp ➤ sting

stunk [stʌŋk] pt & pp ➤ stink

stunning ['stʌnɪŋ] adj **1.** (very beautiful) imponente **2.** (very surprising) pasmoso(sa)

stupid ['stjuːpɪd] adj **1.** (foolish) estúpido(da) **2.** (inf) (annoying) puñetero(ra)

sturdy ['stɜːdɪ] adj robusto(ta)

stutter ['stʌtə'] vi tartamudear

sty [staɪ] n pocilga f

style [staɪl] ⋄ n **1.** (manner) estilo m **2.** (elegance) clase f **3.** (design) modelo m ⋄ vt (hair) peinar

stylish ['staɪlɪʃ] adj elegante

stylist ['staɪlɪst] n (hairdresser) peluquero m, -ra f

sub [sʌb] n (inf) **1.** (substitute) reserva mf **2.** (UK) (subscription) suscripción f

subdued [səb'djuːd] adj **1.** (person, colour) apagado(da) **2.** (lighting) tenue

subject ⋄ n ['sʌbdʒekt] **1.** (topic) tema m **2.** (at school, university) asignatura f **3.** GRAM sujeto m **4.** (fml) (of country) ciudadano m, -na f ⋄ vt [səb'dʒekt] ● to

subject sb to abuse someter a alguien a malos tratos ● **subject to availability** hasta fin de existencias ● **they are subject to an additional charge** están sujetos a un suplemento

subjunctive [səb'dʒʌŋktɪv] n subjuntivo m

submarine [ˌsʌbmə'riːn] n submarino m

submit [səb'mɪt] ⋄ vt presentar ⋄ vi rendirse

subordinate [sə'bɔːdɪnət] adj GRAM subordinado(da)

subscribe [səb'skraɪb] vi (to magazine, newspaper) suscribirse

subscription [səb'skrɪpʃn] n suscripción f

subsequent ['sʌbsɪkwənt] adj subsiguiente

subside [səb'saɪd] vi **1.** (ground) hundirse **2.** (noise, feeling) apagarse

substance ['sʌbstəns] n sustancia f

substantial [səb'stænʃl] adj (large) sustancial

substitute ['sʌbstɪtjuːt] ⋄ n **1.** (replacement) sustituto m, -ta f **2.** SPORT suplente mf

subtitles ['sʌbˌtaɪtlz] npl subtítulos mpl

subtle ['sʌtl] adj **1.** (difference, change) sutil **2.** (person, plan) ingenioso(sa)

subtract [səb'trækt] vt restar

subtraction [səb'trækʃn] n resta f

suburb ['sʌbɜːb] n barrio m residencial ● **the suburbs** las afueras

subway ['sʌbweɪ] n **1.** (UK) (for pedestrians) paso m subterráneo **2.** (US) (underground railway) metro m

succeed [sək'siːd] ⋄ vi (be successful) tener éxito ⋄ vt suceder a ● **to succeed**

in doing sthg conseguir hacer algo

success [sək'ses] n éxito m

successful [sək'sesful] adj 1. (plan, attempt) afortunado(da) 2. (film, book, person) de éxito 3. (politician, actor) popular

succulent ['sʌkjolənt] adj suculento(ta)

such [sʌtʃ] ◇ adj 1. (of stated kind) tal, semejante 2. (so great) tal ◇ adv ● **such a lot** tanto ● **such a lot of books** tantos libros ● it's **such a lovely day** hace un día tan bonito ● **such a thing should never have happened** tal cosa nunca debería de haber pasado ● **such as** tales como

suck [sʌk] vt chupar

sudden ['sʌdn] adj repentino(na) ● **all of a sudden** de repente

suddenly ['sʌdnlɪ] adv de repente

sue [su:] vt demandar

suede [sweɪd] n ante m

suffer ['sʌfəʳ] ◇ vt sufrir ◇ vi 1. sufrir 2. (experience bad effects) salir perjudicado ● **to suffer from** (illness) padecer

suffering ['sʌfrɪŋ] n 1. (mental) sufrimiento m 2. (physical) dolor m

sufficient [sə'fɪʃnt] adj (fml) suficiente

sufficiently [sə'fɪʃntlɪ] adv (fml) suficientemente

suffix ['sʌfɪks] n sufijo m

suffocate ['sʌfəkeɪt] vi asfixiarse

sugar ['ʃʊgəʳ] n azúcar m

suggest [sə'dʒest] vt (propose) sugerir ● **to suggest doing sthg** sugerir hacer algo

suggestion [sə'dʒestʃn] n 1. (proposal) sugerencia f 2. (hint) asomo m

suicide ['sʊɪsaɪd] n suicidio m ● **to commit suicide** suicidarse

suit [su:t] ◇ n 1. (man's clothes) traje m 2. (woman's clothes) traje de chaqueta 3. (in cards) palo m 4. LAW pleito m ◇ vt 1. (subj: clothes, colour, shoes) favorecer 2. (be convenient for) convenir 3. (be appropriate for) ser adecuado para ● **to be suited to** ser apropiado para

suitable ['su:təbl] adj adecuado(da) ● **to be suitable for** ser adecuado para

suitcase ['su:tkeɪs] n maleta f

suite [swi:t] n 1. (set of rooms) suite f 2. (furniture) juego m

sulk [sʌlk] vi estar de mal humor

sultana [səl'tɑ:nə] n (raisin) pasa f de Esmirna

sum [sʌm] n suma f ● **sum up** vt sep (summarize) resumir

summarize ['sʌməraɪz] vt resumir

summary ['sʌmərɪ] n resumen m

summer ['sʌməʳ] n verano m ● **in (the) summer** en verano ● **summer holidays** vacaciones fpl de verano

summertime ['sʌmətaɪm] n verano m

summit ['sʌmɪt] n 1. (of mountain) cima f 2. (meeting) cumbre f

summon ['sʌmən] vt 1. (send for) llamar 2. LAW citar

sun [sʌn] ◇ n sol m ◇ vt ● **to sun o.s.** tomar el sol ● **to catch the sun** coger color ● **in the sun** al sol ● **out of the sun** a la sombra

Sun. (abbr of Sunday) dom. (domingo)

sunbathe ['sʌnbeɪð] vi tomar el sol

sunbed ['sʌnbed] n camilla f de rayos ultravioletas

sun block n pantalla f solar

sunburn ['sʌnbɜːn] n quemadura f de sol

sunburnt ['sʌnbɜːnt] *adj* quemado(da) (por el sol)

Sunday ['sʌndɪ] *n* domingo *m* ● it's Sunday es domingo ● Sunday morning el domingo por la mañana ● on Sunday el domingo ● on Sundays los domingos ● last Sunday el domingo pasado ● this Sunday este domingo ● next Sunday el domingo de la semana que viene ● Sunday week, a week on Sunday del domingo en ocho días

Sunday school *n* catequesis *f inv*

sundress ['sʌndres] *n* vestido *m* de playa

sundries ['sʌndrɪz] *npl* artículos *mpl* diversos

sunflower ['sʌnˌflaʊə'] *n* girasol *m*

sunflower oil *n* aceite *m* de girasol

sung [sʌŋ] *pt* ➤ sing

sunglasses ['sʌnˌglɑːsɪz] *npl* gafas *fpl* (*Esp*) OR anteojos *mpl* (*Amér*) de sol

sunhat ['sʌnhæt] *n* pamela *f*

sunk [sʌŋk] *pp* ➤ sink

sunlight ['sʌnlaɪt] *n* luz *f* del sol

sun lounger [-ˌlaʊndʒə'] *n* (UK) tumbona *f* (*Esp*), silla *f* de playa

sunny ['sʌnɪ] *adj* soleado(da) ● it's sunny hace sol

sunrise ['sʌnraɪz] *n* amanecer *m*

sunroof ['sʌnruːf] *n* (on car) techo *m* corredizo

sunscreen ['sʌnskriːn] *n* filtro *m* solar

sunset ['sʌnset] *n* anochecer *m*

sunshine ['sʌnʃaɪn] *n* luz *f* del sol ● in the sunshine al sol

sunstroke ['sʌnstrəʊk] *n* insolación *f*

suntan ['sʌntæn] *n* bronceado *m*

suntan cream *n* crema *f* bronceadora

suntan lotion *n* loción *f* bronceadora

super ['suːpə'] ◇ *adj* fenomenal

Super Bowl

La *Super Bowl* es la gran final de la liga de fútbol americano, que disputan a comienzos de febrero los campeones de la *National Football Conference* y de la *American Football Conference*. Millones de personas ven la final por televisión.

superb [suːˈpɜːb] *adj* excelente

superficial [ˌsuːpəˈfɪʃl] *adj* superficial

superfluous [suːˈpɜːfluəs] *adj* superfluo(flua)

superior [suːˈpɪərɪə'] ◇ *adj* superior ◇ *n* superior *mf*

supermarket ['suːpəˌmɑːkɪt] *n* supermercado *m*

supernatural [ˌsuːpəˈnætʃrəl] *adj* sobrenatural

superstitious [ˌsuːpəˈstɪʃəs] *adj* supersticioso(sa)

superstore ['suːpəstɔː'] *n* hipermercado *m*

supervise ['suːpəvaɪz] *vt* supervisar

supervisor ['suːpəvaɪzə'] *n* supervisor *m*, -ra *f*

supper ['sʌpə'] *n* cena *f*

supple ['sʌpl] *adj* flexible

supplement ◇ *n* ['sʌplɪmənt] **1.** suplemento *m* **2.** (of diet) complemento *m* ◇ *vt* ['sʌplɪment] complementar

supplementary [ˌsʌplɪˈmentərɪ] *adj* suplementario(ria)

supply [səˈplaɪ] ◇ *n* suministro *m* ◇ *vt*

suministrar ● **to supply sb with information** proveer a alguien de información ◆ **supplies** *npl* provisiones *fpl*

support [sə'pɔ:t] ◇ *n* **1.** *(backing, encouragement)* apoyo *m* **2.** *(supporting object)* soporte *m* ◇ *vt* **1.** *(cause, campaign, person)* apoyar **2.** SPORT seguir **3.** *(hold up)* soportar **4.** *(financially)* financiar

supporter [sə'pɔ:tə^r] *n* **1.** SPORT hincha *mf* **2.** *(of cause, political party)* partidario *m*, -ria *f*

suppose [sə'pəuz] ◇ *vt* suponer ◇ *conj* ● **I suppose so** supongo que sí ● **it's supposed to be good** se dice que es bueno ● **it was supposed to arrive yesterday** debería haber llegado ayer = **supposing**

supposing [sə'pəuzɪŋ] *conj* si, suponiendo que

supreme [su'pri:m] *adj* supremo(ma)

surcharge ['sɜ:tʃɑ:dʒ] *n* recargo *m*

sure [ʃʊə^r] ◇ *adj* seguro(ra) ◇ *adv (inf)* por supuesto ● **to be sure of o.s.** estar seguro de sí mismo ● **to make sure (that)** asegurarse de que ● **for sure** a ciencia cierta

surely ['ʃʊəlɪ] *adv* sin duda

surf [sɜ:f] ◇ *n* espuma *f* ◇ *vi* hacer surf

surface ['sɜ:fɪs] *n* superficie *f*

surface mail *n* correo *m* por vía terrestre y marítima

surfboard ['sɜ:fbɔ:d] *n* tabla *f* de surf

surfing ['sɜ:fɪŋ] *n* surf *m* ● **to go surfing** hacer surf

surgeon ['sɜ:dʒən] *n* cirujano *m*, -na *f*

surgery ['sɜ:dʒərɪ] *n* **1.** *(treatment)* cirujía *f* **2.** *(UK) (building)* consultorio *m* **3.**

(UK) (period) consulta *f*

surname ['sɜ:neɪm] *n* apellido *m*

surplus ['sɜ:pləs] *n* excedente *m*

surprise [sə'praɪz] ◇ *n* sorpresa *f* ◇ *vt (astonish)* sorprender

surprised [sə'praɪzd] *adj* asombrado (da)

surprising [sə'praɪzɪŋ] *adj* sorprendente

surrender [sə'rendə^r] ◇ *vi* rendirse ◇ *vt (fml) (hand over)* entregar

surround [sə'raʊnd] *vt* rodear

surrounding [sə'raʊndɪŋ] *adj* circundante ● **surroundings** *npl* alrededores *mpl*

survey ['sɜ:veɪ] *(pl* -s*) n* **1.** *(investigation)* investigación *f* **2.** *(poll)* encuesta *f* **3.** *(of land)* medición *f* **4.** *(UK) (of house)* inspección *f*

surveyor [sə'veɪə^r] *n* **1.** *(UK) (of houses)* perito *m* tasador de la propiedad **2.** *(of land)* agrimensor *m*, -ra *f*

survival [sə'vaɪvl] *n* supervivencia *f*

survive [sə'vaɪv] ◇ *vi* sobrevivir ◇ *vt* sobrevivir a

survivor [sə'vaɪvə^r] *n* superviviente *mf*

suspect ◇ *vt* [sə'spekt] **1.** *(believe)* imaginar **2.** *(mistrust)* sospechar ◇ *n* ['sʌspekt] sospechoso *m*, -sa *f* ◇ *adj* ['sʌspekt] sospechoso(sa) ● **to suspect sb of a crime** considerar a alguien sospechoso de un delito

suspend [sə'spend] *vt* **1.** suspender **2.** *(from team, school, work)* expulsar temporalmente

suspenders [sə'spendəz] *npl* **1.** *(UK) (for stockings)* ligas *fpl* **2.** *(US) (for trousers)* tirantes *mpl*

suspense [sə'spens] *n* suspense *m (Esp)*,

suspenso *m* (*Amér*)

suspension [səˈspenʃn] *n* **1.** (*of vehicle*) suspensión *f* **2.** (*from team, school, work*) expulsión *f* temporal

suspicion [səˈspɪʃn] *n* **1.** (*mistrust*) recelo *m* **2.** (*idea*) sospecha *f* **3.** (*trace*) pizca *f*

suspicious [səˈspɪʃəs] *adj* (*behaviour, situation*) sospechoso(sa) • **to be suspicious (of)** ser receloso(sa)(de)

swallow [ˈswɒləʊ] ◇ *n* (*bird*) golondrina *f* ◇ *vt & vi* tragar

swam [swæm] *pt* ➤ **swim**

swamp [swɒmp] *n* pantano *m*

swan [swɒn] *n* cisne *m*

swap [swɒp] *vt* **1.** (*possessions, places*) cambiar **2.** (*ideas, stories*) intercambiar • **I swapped my CD for one of hers** cambié mi CD por uno de ella

swarm [swɔːm] *n* (*of bees*) enjambre *m*

swear [sweəʳ] (*pt* **swore**, *pp* **sworn**) ◇ *vi* jurar ◇ *vt* • **to swear to do sthg** jurar hacer algo

swearword [ˈsweəwɜːd] *n* palabrota *f*

sweat [swet] ◇ *n* sudor *m* ◇ *vi* sudar

sweater [ˈswetəʳ] *n* suéter *m*

sweat pants *n* (*US*) pantalones *mpl* de deporte OR de chándal (*Esp*)

sweatshirt [ˈswetʃɜːt] *n* sudadera *f*

swede [swiːd] *n* (*UK*) nabo *m* sueco

Swede [swiːd] *n* sueco *m*, -ca *f*

Sweden [ˈswiːdn] *n* Suecia

Swedish [ˈswiːdɪʃ] ◇ *adj* sueco(ca) ◇ *n* (*language*) sueco *m* ◇ *npl* • **the Swedish** los suecos

sweep [swiːp] (*pt & pp* **swept**) *vt* (*with brush, broom*) barrer

sweet [swiːt] ◇ *adj* **1.** (*food, drink*) dulce **2.** (*smell*) fragante **3.** (*person, nature*) amable ◇ *n* (*UK*) **1.** (*candy*) caramelo *m*, dulce *m* (*Amér*) **2.** (*dessert*) postre *m*

sweet-and-sour *adj* agridulce

sweet corn *n* maíz *m*

sweetener [ˈswiːtnəʳ] *n* (*for drink*) edulcorante *m*

sweet potato *n* batata *f*

sweet shop *n* (*UK*) confitería *f*, dulcería *f* (*Amér*)

swell [swel] (*pt* **-ed**, *pp* **swollen** OR **-ed**) *vi* (*ankle, arm etc*) hincharse

swelling [ˈswelɪŋ] *n* hinchazón *f*

swept [swept] *pt & pp* ➤ **sweep**

swerve [swɜːv] *vi* virar bruscamente

swig [swɪg] *n* (*inf*) trago *m*

swim [swɪm] (*pt* **swam**, *pp* **swum**) ◇ *n* baño *m* ◇ *vi* nadar • **to go for a swim** ir a nadar

swimmer [ˈswɪməʳ] *n* nadador *m*, -ra *f*

swimming [ˈswɪmɪŋ] *n* natación *f* • **to go swimming** ir a nadar

swimming cap *n* gorro *m* de baño

swimming costume *n* (*UK*) traje *m* de baño

swimming pool *n* piscina *f*

swimming trunks *npl* (*UK*) bañador *m* (*Esp*), traje *m* de baño

swimsuit [ˈswɪmsuːt] *n* traje *m* de baño

swindle [ˈswɪndl] *n* estafa *f*

swing [swɪŋ] (*pt & pp* **swung**) ◇ *n* (*for children*) columpio *m* ◇ *vt* (*move from side to side*) balancear ◇ *vi* (*move from side to side*) balancearse

swipe [swaɪp] *vt* (*credit card etc*) pasar por el datáfono

Swiss [swɪs] ◇ *adj* suizo(za) ◇ *n* (*person*) suizo *m*, -za *f* ◇ *npl* • **the Swiss** los suizos

switch [swɪtʃ] ◇ *n* (*for light, power, television*) interruptor *m* ◇ *vt* **1.** (*change*) cambiar de **2.** (*exchange*) intercambiar ◇ *vi* cambiar ◆ **switch off** *vt sep* apagar ◆ **switch on** *vt sep* encender

switchboard ['swɪtʃbɔːd] *n* centralita *f* (*Esp*), conmutador *m* (*Amér*)

Switzerland ['swɪtsələnd] *n* Suiza

swivel ['swɪvl] *vi* girar

swollen ['swəʊlən] ◇ *pp* ➢ **swell** ◇ *adj* hinchado(da)

sword [sɔːd] *n* espada *f*

swordfish ['sɔːdfɪʃ] (*pl inv*) *n* pez *m* espada

swore [swɔː'] *pt* ➢ **swear**

sworn [swɔːn] *pp* ➢ **swear**

swum [swʌm] *pp* ➢ **swim**

swung [swʌŋ] *pt* & *pp* ➢ **swing**

syllable ['sɪləbl] *n* sílaba *f*

syllabus ['sɪləbəs] (*pl* -buses OR -bi) *n* programa *m* (de estudios)

symbol ['sɪmbl] *n* símbolo *m*

sympathetic [,sɪmpə'θetɪk] *adj* (*understanding*) comprensivo(va)

sympathize ['sɪmpəθaɪz] *vi* ● **to sympathize (with)** (*feel sorry*) compadecerse (de); (*understand*) comprender

sympathy ['sɪmpəθɪ] *n* **1.** (*understanding*) comprensión *f* **2.** (*compassion*) compasión *f*

symphony ['sɪmfənɪ] *n* sinfonía *f*

symptom ['sɪmptəm] *n* síntoma *m*

synagogue ['sɪnəgɒg] *n* sinagoga *f*

synthesizer ['sɪnθəsaɪzə'] *n* sintetizador *m*

synthetic [sɪn'θetɪk] *adj* sintético(ca)

syringe [sɪ'rɪndʒ] *n* jeringa *f*

syrup ['sɪrəp] *n* (*for fruit etc*) almíbar *m*

system ['sɪstəm] *n* **1.** sistema *m* **2.** (*for gas, heating etc*) instalación *f*

ta [tɑː] *excl* (*UK*) (*inf*) ¡gracias!

tab [tæb] *n* **1.** (*of cloth, paper etc*) lengüeta *f* **2.** (*bill*) cuenta *f* ● **put it on my tab** póngalo en mi cuenta

table ['teɪbl] *n* **1.** (*piece of furniture*) mesa *f* **2.** (*of figures etc*) tabla *f*

tablecloth ['teɪblklɒθ] *n* mantel *m*

tablespoon ['teɪblspuːn] *n* **1.** (*spoon*) cuchara *f* grande (para servir) **2.** (*amount*) cucharada *f* grande

tablet ['tæblɪt] *n* pastilla *f*

table tennis *n* tenis *m* de mesa

table wine *n* vino *m* de mesa

tabloid ['tæblɔɪd] *n* (*UK*) periódico *m* sensacionalista

---

tabloid

Los tabloides son los periódicos británicos de pequeño formato, asociados tradicionalmente a la prensa sensacionalista. Son periódicos más preocupados por los escándalos que por la información seria. Son más baratos que los *broadsheets*, los periódicos serios y de un tamaño mayor que los tabloides.

---

tack [tæk] *n* (*nail*) tachuela *f*

tackle ['tækl] ◇ n **1.** SPORT entrada f **2.** (for fishing) aparejos mpl ◇ vt **1.** SPORT entrar **2.** (deal with) abordar

tacky ['tækı] adj (inf) (jewellery, design etc) cutre

taco ['tækəʊ] (pl **-s**) n taco m

tact [tækt] n tacto m

tactful ['tæktful] adj discreto(ta)

tactics ['tæktıks] npl táctica f

tag [tæg] n (label) etiqueta f

tagliatelle [ˌtæglɪə'telɪ] n tallarines mpl

tail [teɪl] n cola f ◆ **tails** n (of coin) cruz f ◇ npl (formal dress) frac m

tailgate ['teɪlgeɪt] n portón m

tailor ['teɪləʳ] n sastre m

Taiwan [ˌtaɪ'wɑːn] n Taiwán

take [teɪk] (pt **took**, pp **taken**) vt **1.** (gen) tomar **2.** (carry, drive) llevar **3.** (hold, grasp) coger, agarrar (Amér) **4.** (do, make) ● **to take a bath** bañarse ● **to take an exam** hacer un examen ● **to take a photo** sacar una foto **5.** (require) requerir ● **how long will it take?** ¿cuánto tiempo tardará? **6.** (steal) quitar **7.** (size in clothes, shoes) usar ● **what size do you take?** ¿qué talla/número usas? **8.** (subtract) restar **9.** (accept) aceptar ● **do you take traveller's cheques?** ¿acepta cheques de viaje? ● **to take sb's advice** seguir los consejos de alguien **10.** (contain) tener cabida para **11.** (react to) tomarse **12.** (tolerate) soportar **13.** (assume) ● **I take it that ...** supongo que ... **14.** (rent) alquilar

◆ **take apart** vt sep desmontar

◆ **take away** vt sep (remove) quitar; (subtract) restar

◆ **take back** vt sep (return) devolver; (accept) aceptar la devolución de; (statement) retirar

◆ **take down** vt sep (picture, curtains) descolgar

◆ **take in** vt sep (include) abarcar; (understand) entender; (deceive) engañar ● **take this dress in** mete un poco en este vestido

◆ **take off** ◇ vt sep (remove) quitar; (clothes) quitarse; (as holiday) tomarse libre ◇ vi (plane) despegar

◆ **take out** vt sep (from container, pocket, library) sacar; (insurance policy) hacerse; (loan) conseguir ● **to take sb out to dinner** invitar a alguien a cenar

◆ **take over** vi tomar el relevo

◆ **take up** vt sep (begin) dedicarse a; (use up) ocupar; (trousers, skirt, dress) acortar

takeaway ['teɪkəˌweɪ] n (UK) **1.** (shop) tienda f de comida para llevar **2.** (food) comida f para llevar

taken ['teɪkn] pp ➤ **take**

takeoff ['teɪkɒf] n (of plane) despegue m

takeout ['teɪkaʊt] (US) = **takeaway**

takings ['teɪkɪŋz] npl recaudación f

talcum powder ['tælkəm-] n talco m

tale [teɪl] n **1.** (story) cuento m **2.** (account) anécdota f

talent ['tælənt] n talento m

talk [tɔːk] ◇ n **1.** (conversation) conversación f **2.** (speech) charla f ◇ vi hablar ● **have you talked to her about the matter?** ¿has hablado con ella del asunto? ● **to talk with sb** hablar con alguien ◆ **talks** npl conversaciones fpl

talkative ['tɔːkətɪv] adj hablador(ra)

ta

tall [tɔ:l] *adj* alto(ta) ● **how tall are you?** ¿cuánto mides? ● **I'm 2 metres tall** mido dos metros

tame [teɪm] *adj (animal)* doméstico(ca)

tampon ['tæmpɒn] *n* tampón *m*

tan [tæn] *n (suntan)* bronceado *m* ◇ *vi* broncearse ◇ *adj (colour)* de color marrón OR café *(Amér)* claro

tangerine [ˌtændʒə'ri:n] *n* mandarina *f*

tank [tæŋk] *n* **1.** *(container)* depósito *m* **2.** *(vehicle)* tanque *m*

tanker ['tæŋkə^r] *n (truck)* camión *m* cisterna

tanned [tænd] *adj (UK) (suntanned)* bronceado(da)

tap [tæp] *n (UK) (for water)* grifo *m* ◇ *vt (hit)* golpear ligeramente

tape [teɪp] *n* **1.** cinta *f* **2.** *(adhesive material)* cinta adhesiva ◇ *vt* **1.** *(record)* grabar **2.** *(stick)* pegar

tape measure *n* cinta *f* métrica

tape recorder *n* magnetófono *m*

tapestry ['tæpɪstrɪ] *n* tapiz *m*

tap water *n* agua *f* del grifo

tar [tɑ:^r] *n* alquitrán *m*

target ['tɑ:gɪt] *n* **1.** *(in archery, shooting)* blanco *m* **2.** MIL objetivo *m*

tariff ['tærɪf] *n* **1.** *(UK) (price list)* tarifa *f*, lista *f* de precios **2.** *(UK) (menu)* menú *m* **3.** *(at customs)* arancel *m*

tarmac ['tɑ:mæk] *n (at airport)* pista *f* ◆ **Tarmac®** *n (on road)* alquitrán *m*

tarpaulin [tɑ:'pɔ:lɪn] *n* lona *f* alquitranada

tart [tɑ:t] *n (sweet)* tarta *f*

tartan ['tɑ:tn] *n* tartán *m*

tartare sauce [ˌtɑ:tə-] *n (UK)* salsa *f* tártara

task [tɑ:sk] *n* tarea *f*

taste [teɪst] *n* **1.** *(flavour)* sabor *m* **2.** *(discernment, sense)* gusto *m* ◇ *vt* **1.** *(sample)* probar **2.** *(detect)* notar un sabor a ◇ *vi* ● **to taste of sthg** saber a algo ● **it tastes bad** sabe mal ● **it tastes good** sabe bien ● **to have a taste of sthg** probar algo ● **bad taste** mal gusto ● **good taste** buen gusto

tasteful ['teɪstful] *adj* de buen gusto

tasteless ['teɪstlɪs] *adj* **1.** *(food)* soso(sa) **2.** *(comment, decoration)* de mal gusto

tasty ['teɪstɪ] *adj* sabroso(sa)

tattoo [tə'tu:] *(pl* **-s)** *n* **1.** *(on skin)* tatuaje *m* **2.** *(military display)* desfile *m* militar

taught [tɔ:t] *pt & pp* ➤ **teach**

Taurus ['tɔ:rəs] *n* Tauro *m*

taut [tɔ:t] *adj* tenso(sa)

tax [tæks] *n* impuesto *m* ◇ *vt (goods, person)* gravar

tax disc *n (UK)* pegatina del impuesto de circulación

tax-free *adj* libre de impuestos

taxi ['tæksɪ] *n* taxi *m* ◇ *vi (plane)* rodar por la pista

taxi driver *n* taxista *mf*

taxi rank *n (UK)* parada *f* de taxis

taxi stand *(US)* = **taxi rank**

tea [ti:] *n* **1.** té *m* **2.** *(herbal)* infusión *f* **3.** *(afternoon meal)* ≃ merienda *f*

tea bag *n* bolsita *f* de té

teacake ['ti:keɪk] *n (UK)* bollo *m* con pasas

teach [ti:tʃ] *(pt & pp* **taught)** ◇ *vt* enseñar ◇ *vi* ser profesor ● **to teach adults English, to teach English to adults** enseñar inglés a adultos ● **to teach sb**

(how) to do sthg enseñar a alguien a hacer algo

teacher ['tiːtʃə'] n 1. (in secondary school) profesor m, -ra f 2. (in primary school) maestro m, -ra f

teaching ['tiːtʃɪŋ] n enseñanza f

teacup ['tiːkʌp] n taza f de té

team [tiːm] n equipo m

teapot ['tiːpɒt] n tetera f

tear¹ [teə'] (pt **tore**, pp **torn**) ◇ vt (rip) rasgar ◇ vi 1. (rip) romperse 2. (move quickly) ir a toda pastilla ◇ n (rip) rasgón m ● **tear up** vt sep hacer pedazos

tear² [tɪə'] n lágrima f

tearoom ['tiːrʊm] n salón m de té

tease [tiːz] vt tomar el pelo

tea set n juego m de té

teaspoon ['tiːspuːn] n 1. (utensil) cucharilla f 2. (amount) = teaspoonful

teaspoonful ['tiːspuːnˌfʊl] n cucharadita f

teat [tiːt] n 1. (of animal) teta f 2. (UK) (of bottle) tetina f

teatime ['tiːtaɪm] n hora f de la merienda cena

tea towel n (UK) paño m de cocina

technical ['teknɪkl] adj técnico(ca)

technician [tek'nɪʃn] n técnico m, -ca f

technique [tek'niːk] n técnica f

technological [ˌteknə'lɒdʒɪkl] adj tecnológico(ca)

technology [tek'nɒlədʒɪ] n tecnología f

teddy (bear) ['tedɪ-] n oso m de peluche

tedious ['tiːdjəs] adj tedioso(sa)

teenager ['tiːnˌeɪdʒə'] n adolescente mf

teeth [tiːθ] pl > tooth

teethe [tiːð] vi ● **to be teething** estar echando los dientes

teetotal [tiː'təʊtl] adj abstemio(mia)

telebanking ['telɪˌbæŋkɪŋ] n telebanca f

teleconference ['telɪˌkɒnfərəns] n teleconferencia f

telegram ['telɪgræm] n telegrama m

telegraph pole n (UK) poste m de telégrafos

telephone ['telɪfəʊn] ◇ n teléfono m ◇ vt & vi telefonear ● **to be on the telephone** (talking) estar al teléfono

on the telephone

When answering the phone in Spain you say *¡Diga!, ¿Dígame?* or *¿Sí?*, while in some Latin American countries you can also say *¡Aló!* In formal contexts, the caller introduces themselves with a phrase like *Buenas tardes, soy Carlos Urrutia. ¿Podría hablar con el Sr. Sáez, por favor?*, whereas in a call to a friend they might say *Victoria, soy Eduardo*. Note that you say *soy Eduardo* (It's Eduardo) or *soy yo* (Speaking).

telephone booth n teléfono m público

telephone box n (UK) cabina f telefónica

telephone call n llamada f telefónica

telephone directory n guía f telefónica

telephone number n número m de teléfono

telephonist [tɪ'lefənɪst] n (UK) telefonista mf

telephoto lens [ˌtelɪˈfəʊtəʊ-] n teleobjetivo m

telescope [ˈtelɪskəʊp] n telescopio m

television [ˈtelɪˌvɪʒn] n televisión f ● **on (the) television** en la televisión f

telex [ˈteleks] n télex m inv

tell [tel] (pt & pp **told**) ◇ vt 1. decir 2. (story, joke) contar ◇ vi ● **I can't tell** no lo sé ● **can you tell me the time?** ¿me puedes decir la hora? ● **you should tell him the truth** deberías contarle la verdad ● **did she tell him about the job offer?** ¿le ha contado lo de la oferta de trabajo? ● **to tell sb how to do sthg** decir a alguien cómo hacer algo ● **to tell sb to do sthg** decir a alguien que haga algo ● **to be able to tell sthg** saber algo ◆**tell off** vt sep reñir

teller [ˈtelə] n (in bank) cajero m, -ra f

telly [ˈtelɪ] n (UK) (inf) tele f

temp [temp] ◇ n secretario m eventual, secretaria eventual f ◇ vi trabajar de eventual

temper [ˈtempə] n (character) temperamento m ● **to be in a temper** estar de mal humor ● **to lose one's temper** perder la paciencia

temperature [ˈtemprətʃər] n 1. (heat, cold) temperatura f 2. MED fiebre f ● **to have a temperature** tener fiebre

temple [ˈtempl] n 1. (building) templo m 2. (of forehead) sien f

temporary [ˈtempərərɪ] adj temporal

tempt [tempt] vt tentar ● **to be tempted to do sthg** sentirse tentado de hacer algo

temptation [tempˈteɪʃn] n tentación f

tempting [ˈtemptɪŋ] adj tentador(ra)

ten [ten] ◇ num adj diez ◇ num n diez m inv ● **to be ten (years old)** tener diez años (de edad) ● **it's ten (o'clock)** son las diez ● **a hundred and ten** ciento diez ● **ten Hill St** Hill St, número diez ● **it's minus ten (degrees)** hay diez grados bajo cero ● **ten out of ten** diez sobre diez

tenant [ˈtenənt] n inquilino m, -na f

tend [tend] vi ● **to tend to do sthg** soler hacer algo

tendency [ˈtendənsɪ] n 1. (trend) tendencia f 2. (inclination) inclinación f

tender [ˈtendə] ◇ adj 1. tierno(na) 2. (sore) dolorido(da) ◇ vt (fml) (pay) pagar

tendon [ˈtendən] n tendón m

tenement [ˈtenəmənt] n bloque de viviendas modestas

tennis [ˈtenɪs] n tenis m

tennis ball n pelota f de tenis

tennis court n pista f (Esp) OR cancha de tenis

tennis racket n raqueta f de tenis

tenpin bowling [ˈtenpɪn-] n (UK) bolos mpl

tenpins [ˈtenpɪnz] (US) = **tenpin bowling**

tense [tens] ◇ adj tenso(sa) ◇ n tiempo m

tension [ˈtenʃn] n tensión f

tent [tent] n tienda f de campaña

tenth [tenθ] ◇ num adj décimo(ma) ◇ pron décimo m, -ma f ◇ num n (fraction) décimo m ◇ num adv décimo ● **a tenth (of)** la décima parte (de) ● **the tenth (of September)** el diez de septiembre m

tent peg n estaca f

tepid ['tepɪd] *adj* tibio(bia)

tequila [tɪ'kiːlə] *n* tequila *m*

term [tɜːm] *n* **1.** *(word, expression)* término *m* **2.** *(at school, university)* trimestre *m* ● **in the long term** a largo plazo ● **in the short term** a corto plazo ● **in terms of** por lo que se refiere a ● **in business terms** en términos de negocios ◆ **terms** *npl* **1.** *(of contract)* condiciones *fpl* **2.** *(price)* precio *m*

terminal ['tɜːmɪnl] ◇ *adj* terminal ◇ *n* **1.** *(for buses, at airport)* terminal *f* **2.** COMPUT terminal *m*

terminate ['tɜːmɪneɪt] *vi (train, bus)* finalizar el trayecto

terminus ['tɜːmɪnəs] *(pl* **-ni** OR **-nuses)** *n* terminal *f*

terrace ['terəs] *n (patio)* terraza *f* ● **the terraces** *(UK) (at football ground)* las gradas

terraced house ['terəst-] *n (UK)* casa *f* adosada

terrible ['terəbl] *adj* **1.** *(very bad, very ill)* fatal **2.** *(very great)* terrible

terribly ['terəblɪ] *adv* **1.** *(extremely)* terriblemente **2.** *(very badly)* fatalmente

terrific [tə'rɪfɪk] *adj* **1.** *(inf) (very good)* estupendo(da) **2.** *(very great)* enorme

terrified ['terɪfaɪd] *adj* aterrorizado(da)

territory ['terɪtrɪ] *n* **1.** *(political area)* territorio *m* **2.** *(terrain)* terreno *m*

terror ['terə] *n (fear)* terror *m*

terrorism ['terərɪzm] *n* terrorismo *m*

terrorist ['terərɪst] *n* terrorista *mf*

terrorize ['terəraɪz] *vt* aterrorizar

test [test] ◇ *n* **1.** *(exam)* examen *m* **2.** *(check)* prueba *f* **3.** *(of blood)* análisis *m inv* **4.** *(of eyes)* revisión *f* ◇ *vt* **1.** *(check,* try out) probar **2.** *(give exam to)* examinar

testicles ['testɪklz] *npl* testículos *mpl*

tetanus ['tetənəs] *n* tétanos *m inv*

text [tekst] *n* **1.** *(written material)* texto *m* **2.** *(textbook)* libro *m* de texto

textbook ['tekstbʊk] *n* libro *m* de texto

textile ['tekstaɪl] *n* textil *m*

texting ['tekstɪŋ] *n* envío *m* de mensajes de texto

text message *n* mensaje *m* de texto

texture ['tekstʃə] *n* textura *f*

Thai [taɪ] *adj* tailandés(esa)

Thailand ['taɪlænd] *n* Tailandia

Thames [temz] *n* ● **the Thames** el Támesis

than *(weak form* [ðən], *strong form* [ðæn]) *prep & conj* que ● **you're better than me** eres mejor que yo ● **I'd rather stay in than go out** prefiero quedarme en casa antes que salir ● **more than ten** más de diez

thank [θæŋk] *vt* ● **I thanked her for her help** le agradecí su ayuda ◆ **thanks** *npl* agradecimiento *m* ◇ *excl* ¡gracias! ● **thanks to** gracias a ● **many thanks** muchas gracias

Thanksgiving ['θæŋks,gɪvɪŋ] *n* Día *m* de Acción de Gracias

Thanksgiving

El Día de Acción de Gracias, celebrado el cuarto jueves de noviembre, es uno de los principales festivos de los Estados Unidos. Lo tradicional ese día es reunirse con la familia y los amigos y comer un pavo relleno acompañado de puré de patatas, salsa de arándanos y pastel de calabaza.

thank you *excl* ¡gracias! ● **thank you very much** muchísimas gracias ● **no thank you** no gracias

that [ðæt] (*pl* **those**)

◇ *adj* (referring to thing, person mentioned) ese(esa), esos(esas); (referring to thing, person further away) aquel(aquella), aquellos(aquellas) ● **I prefer that book** prefiero ese libro ● **that book at the back** aquel libro del fondo ● **that one** ése(ésa), aquél(aquélla)

◇ *pron* **1.** (referring to thing, person mentioned) ése *m*, ésa *f*, ésos *mpl*, ésas *fpl*; (indefinite) eso ● **who's that?** ¿quién es? ● **is that Lucy?** (on the phone) ¿eres Lucy?; (pointing) ¿es ésa Lucy? ● **what's that?** ¿qué es eso? ● **that's interesting** qué interesante **2.** (referring to thing, person further away) aquél *m*, aquélla *f*, aquéllos *mpl*, aquéllas *fpl*; (indefinite) aquello ● **I want those at the back** quiero aquéllos del fondo **3.** (introducing relative clause) que ● **a shop that sells antiques** una tienda que vende antigüedades ● **the film that I saw** la película que vi ● **the room that I sleep in** el cuarto en (el) que duermo

◇ *adv* (inf) tan ● **it wasn't that bad/good** no estuvo tan mal/bien ● **it doesn't cost that much** no cuesta tanto

◇ *conj* que ● **tell him that I'm going to be late** dile que voy a llegar tarde

thatched [θætʃt] *adj* (building) con techo de paja

that's [ðæts] = **that is**

thaw [θɔː] ◇ *vi* (snow, ice) derretir ◇ *vt* (frozen food) descongelar

the (weak form [ðə], before vowel [ðɪ], strong form [diː]) *art* **1.** (gen) el(la), los(las) ● **the book** el libro ● **the woman** la mujer ● **the girls** las chicas ● **the Wilsons** los Wilson ● **to play the piano** tocar el piano ● **give it to the man** dáselo al hombre ● **the cover of the book** la tapa del libro **2.** (with an adjective to form a noun) el(la) ● **the British** los británicos ● **the impossible** lo imposible **3.** (in dates) ● **the twelfth of May** el doce de mayo ● **the forties** los cuarenta **4.** (in titles) ● **Elizabeth the Second** Isabel segunda

theater ['θɪətə'] *n* (US) **1.** (for plays, drama) = **theatre 2.** (for films) cine *m*

theatre ['θɪətə'] *n* (UK) teatro *m*

theft [θeft] *n* robo *m*

their [ðeə'] *adj* su, sus *pl*

theirs [ðeəz] *pron* suyo *m*, -ya *f*, suyos *mpl*, -yas *fpl* ● **a friend of theirs** un amigo suyo

them (weak form [ðəm], strong form [ðem]) *pron* ● **I know them** los conozco ● **it's them** son ellos ● **send it to them** envíaselo ● **tell them to come** diles que vengan ● **he's worse than them** él es peor que ellos

theme [θiːm] *n* **1.** (topic) tema *m* **2.** (tune) sintonía *f*

theme park *n* parque *m* temático

theme park

Hay numerosos parques temáticos en los Estados Unidos. Los más conocidos son los diferentes parques de la Disney y también los de Universal Studios. Estos parques contienen un gran número de atracciones que tienen que ver con un tema específico.

themselves [ðəm'selvz] *pron* 1. *(reflexive)* se 2. *(after prep)* sí ● **they did it themselves** lo hicieron ellos mismos

then [ðen] *adv* 1. entonces 2. *(next, afterwards)* luego ● **from then on** desde entonces ● **until then** hasta entonces

theory ['θɪərɪ] *n* teoría *f* ● **in theory** en teoría

therapist ['θerəpɪst] *n* terapeuta *mf*

therapy ['θerəpɪ] *n* terapia *f*

there [ðeə] ◇ *adv* 1. ahí 2. *(further away)* allí ◇ *pron* ● **there is** hay ● **there are** hay ● **is Bob there, please?** *(on phone)* ¿está Bob? ● **over there** por allí ● **there you are** *(when giving)* aquí lo tienes

thereabouts [,ðeərə'baʊts] *adv* ● **or thereabouts** o por ahí

therefore ['ðeəfɔːʳ] *adv* por lo tanto

there's [ðeəz] = there is

thermal underwear [,θɜːml-] *n* ropa *f* interior térmica

thermometer [θə'mɒmɪtəʳ] *n* termómetro *m*

Thermos (flask) ® ['θɜːməs-] *n* termo *m*

thermostat ['θɜːməstæt] *n* termostato *m*

these [ðiːz] *pl* ➤ **this**

they [ðeɪ] *pron* ellos *mpl*, ellas *f* ● **they're good** son buenos

thick [θɪk] *adj* 1. *(in size)* grueso(sa) 2. *(dense)* espeso(sa) 3. *(inf) (stupid)* necio(cia) ● **it's 3 metres thick** tiene 3 metros de grosor

thicken ['θɪkn] ◇ *vt* espesar ◇ *vi* espesarse

thickness ['θɪknɪs] *n* espesor *m*

thief [θiːf] *(pl* **thieves)** *n* ladrón *m*, -ona *f*

thigh [θaɪ] *n* muslo *m*

thimble ['θɪmbl] *n* dedal *m*

thin [θɪn] *adj* 1. *(in size)* fino(na) 2. *(not fat)* delgado(da) 3. *(soup, sauce)* claro (ra)

thing [θɪŋ] *n* cosa *f* ● **the thing is** el caso es que ● **things** *npl (clothes, possessions)* cosas *fpl* ● **how are things?** *(inf)* ¿qué tal van las cosas?

thingummyjig ['θɪŋəmɪdʒɪg] *n (inf)* chisme *m (Esp)*, cosa *f*

think [θɪŋk] *(pt & pp* **thought)** ◇ *vt* 1. *(believe)* creer, pensar 2. *(have in mind, expect)* pensar ◇ *vi* pensar ● **to think that** creer que ● **to think about** *(have in mind)* pensar en; *(consider)* pensar ● **to think of** *(have in mind, consider)* pensar en; *(invent)* pensar; *(remember)* acordarse de ● **to think of doing sthg** pensar en hacer algo ● **I think so** creo que sí ● **I don't think so** creo que no ● **do you think you could ...?** ¿cree que podría ...? ● **to think highly of sb** apreciar mucho a alguien ◆**think over** *vt sep* pensarse ◆**think up** *vt sep* idear

third [θɜːd] ◇ *num adj* 1. *(after noun, as*

pronoun) tercero(ra) **2.** *(before noun)* tercer(ra) ◇ *pron* tercero *m*, -ra *f* ◇ *num m (fraction)* tercero *m* ◇ *num adv* tercero ● **a third (of)** la tercera parte (de) ● **the third (of September)** el tres (de septiembre)

third party insurance *n* seguro *m* a terceros

Third World *n* ● **the Third World** el Tercer Mundo

thirst [θɜːst] *n* sed *f*

thirsty ['θɜːstɪ] *adj* ● **to be thirsty** tener sed

thirteen [ˌθɜːˈtiːn] *num* trece

thirteenth [ˌθɜːˈtiːnθ] *num* decimotercero(ra)

thirtieth ['θɜːtɪəθ] *num* trigésimo(ma)

thirty ['θɜːtɪ] *num* treinta

this [ðɪs] *(pl* **these***)*
◇ *adj* **1.** *(referring to thing, person)* este(esta), estos(estas) ● **I prefer this book** prefiero este libro ● **these chocolates are delicious** estos bombones son riquísimos ● **this morning/week** esta mañana/semana ● **this one** éste(ésta) **2.** *(inf) (when telling a story)* ● **this big dog appeared** apareció un perro grande
◇ *pron* éste *m*, ésta *f*, éstos *mpl*, éstas *fpl*; *(indefinite)* esto ● **this is for you** esto es para ti ● **what are these?** ¿qué son estas cosas? ● **this is David Gregory** *(introducing someone)* te presento a David Gregory; *(on telephone)* soy David Gregory
◇ *adv (inf)* ● **it was this big** era así de grande ● **I need this much** necesito un tanto así ● **I don't remember it being**

this hard no recordaba que fuera tan difícil

thistle ['θɪsl] *n* cardo *m*

thorn [θɔːn] *n* espina *f*

thorough ['θʌrə] *adj* **1.** *(check, search)* exhaustivo(va) **2.** *(person)* minucioso (sa)

thoroughly ['θʌrəlɪ] *adv (completely)* completamente

those [ðəʊz] *pl* ⮞ **that**

though [ðəʊ] ◇ *conj* aunque ◇ *adv* sin embargo ● **even though** aunque

thought [θɔːt] ◇ *pt & pp* ⮞ **think** ◇ *n (idea)* idea *f* ● **I'll give it some thought** lo pensaré ● **thoughts** *npl (opinion)* opiniones *fpl*

thoughtful ['θɔːtfʊl] *adj* **1.** *(quiet and serious)* pensativo(va) **2.** *(considerate)* considerado(da)

thoughtless ['θɔːtlɪs] *adj* desconsiderado(da)

thousand ['θaʊznd] *num* mil ● **a** OR **one thousand** mil ● **two thousand** dos mil ● **thousands of** miles de, seis

thrash [θræʃ] *vt (defeat heavily)* dar una paliza a

thread [θred] ◇ *n (of cotton etc)* hilo *m* ◇ *vt (needle)* enhebrar

threadbare ['θredbeəʳ] *adj* raído(da)

threat [θret] *n* amenaza *f*

threaten ['θretn] *vt* amenazar ● **to threaten to do sthg** amenazar con hacer algo

threatening ['θretnɪŋ] *adj* amenazador(ra)

three [θriː] ◇ *num adj* tres ◇ *num n* tres *m inv* ● **to be three (years old)** tener tres años (de edad) ● **it's three**

(o'clock) son las tres ● **a hundred and three** ciento tres ● **three Hill St** Hill St, número tres ● **it's minus three** (degrees) hay tres grados bajo cero ● **three out of ten** tres sobre diez

three-D [-'di:] *adj* en tres dimensiones

three-quarters ['-'kwɔːtəz] *n* tres cuartos *mpl* ● **three-quarters of an hour** tres cuartos de hora

threshold ['θreʃhəʊld] *n* (of door) umbral *m*

threw [θruː] *pt* ➤ **throw**

thrift shop *n* tienda de artículos de segunda mano en la que el producto de las ventas se destina a obras benéficas

thrift store *n* (US) = **thrift shop**

thrifty ['θrɪftɪ] *adj* (person) ahorrativo(-va)

thrilled [θrɪld] *adj* encantado(da)

thriller ['θrɪlə'] *n* (film) película *f* de suspense (*Esp*) OR suspenso (*Amér*)

thrive [θraɪv] *vi* **1.** (plant, animal) crecer mucho **2.** (person, business, place) prosperar

throat [θrəʊt] *n* garganta *f*

throb [θrɒb] *vi* **1.** (head, pain) palpitar **2.** (noise, engine) vibrar

throne [θrəʊn] *n* trono *m*

through [θruː] ◇ *prep* **1.** (to other side of, by means of) a través de **2.** (because of) a causa de **3.** (from beginning to end of) durante **4.** (across all of) por todo ◇ *adv* (from beginning to end) hasta el final ◇ *adj* ● **to be through (with sth)** (finished) haber terminado (algo) ● **you're through** (on phone) ya puedes hablar ● **Monday through Thursday** (US) de lunes a jueves ● **to let sb through** dejar pasar a alguien ● **to go through (sth)** pasar (por algo) ● **to soak through** penetrar ● **through traffic** tráfico *m* de tránsito ● **a through train** un tren directo ▼ **no through road** (UK) carretera cortada

throughout [θruː'aʊt] ◇ *prep* **1.** (day, morning, year) a lo largo de **2.** (place, country, building) por todo ◇ *adv* **1.** (all the time) todo el tiempo **2.** (everywhere) por todas partes

throw [θrəʊ] (*pt* **threw**, *pp* **thrown**) *vt* **1.** tirar **2.** (ball, javelin, person) lanzar **3.** (a switch) apretar ● **to throw sth in the bin** tirar algo a la basura ◆ **throw away** *vt sep* (get rid of) tirar ◆ **throw out** *vt sep* **1.** (get rid of) tirar **2.** (person) echar ◆ **throw up** *vi* (inf) (vomit) echar la pastilla

thru [θruː] (US) = **through**

thrush [θrʌʃ] *n* tordo *m*

thud [θʌd] *n* golpe *m* seco

thug [θʌg] *n* matón *m*

thumb [θʌm] ◇ *n* pulgar *m* ◇ *vt* ● **to thumb a lift** hacer dedo

thumbtack ['θʌmtæk] *n* (US) chincheta *f*

thump [θʌmp] ◇ *n* **1.** puñetazo *m* **2.** (sound) golpe *m* seco ◇ *vt* dar un puñetazo a

thunder ['θʌndə'] *n* truenos *mpl*

thunderstorm ['θʌndəstɔːm] *n* tormenta *f*

Thurs. (*abbr of* **Thursday**) jue (*jueves*)

Thursday ['θɜːzdɪ] *n* jueves *m inv* ● **it's Thursday** es jueves ● **Thursday morning** el jueves por la mañana ● **on Thursday** el jueves ● **on Thursdays** los jueves ● **last Thursday** el jueves pasado • **this Thursday** este jueves • **next Thursday** el jueves de la semana que viene • **on Thursday** el jueves • **a week on Thursday** del jueves en ocho días

thyme [taɪm] *n* tomillo *m*

tick [tɪk] ◇ *n* **1.** (*UK*) (*written mark*) marca *f* de visto bueno **2.** (*insect*) garrapata *f* ◇ *vt* (*UK*) marcar (con una señal de visto bueno) ◇ *vi* hacer tictac ◆ **tick off** *vt sep* (*UK*) (*mark off*) marcar (con una señal de visto bueno)

ticket ['tɪkɪt] *n* **1.** (*for travel*) billete *m* (*Esp*), boleto *m* (*Amér*) **2.** (*for cinema, theatre, match*) entrada *f* **3.** (*label*) etiqueta *f* **4.** (*speeding ticket, parking ticket*) multa *f*

ticket collector *n* revisor *m*, -ra *f*

ticket inspector *n* revisor *m*, -ra *f*

ticket machine *n* máquina *f* automática de venta de billetes (*Esp*) OR boletos (*Amér*)

ticket office *n* taquilla *f*, boletería *f* (*Amér*)

tickle ['tɪkl] ◇ *vt* (*touch*) hacer cosquillas a ◇ *vi* hacer cosquillas

ticklish ['tɪklɪʃ] *adj* (*person*) cosquilloso(sa)

tick-tack-toe *n* (*US*) tres *fpl* en raya

tide [taɪd] *n* (*of sea*) marea *f*

tidy ['taɪdɪ] *adj* **1.** (*room, desk, person*) ordenado(da) **2.** (*hair, clothes*) arreglado(da) ◆ **tidy up** *vt sep* ordenar

tie [taɪ] (*pt & pp* tied, *cont* tying) ◇ *n* **1.** (*around neck*) corbata *f* **2.** (*draw*) empate *m* **3.** (*US*) (*on railway track*) traviesa *f* ◇ *vt* **1.** (*knot*) hacer ◇ *vi* (*draw*) empatar ◆ **tie up** *vt sep* **1.** (*delay*) retrasar

tier [tɪə'] *n* (*of seats*) hilera *f*

tiger ['taɪgə'] *n* tigre *m*

tight [taɪt] ◇ *adj* **1.** (*difficult to move*) apretado(da) **2.** (*clothes, shoes*) estrecho(cha) **3.** (*rope, material*) tirante **4.** (*bend, turn*) cerrado(da) **5.** (*schedule*) ajustado(da) **6.** (*inf*) (*drunk*) cocido(da) ◇ *adv* (*hold*) con fuerza • **my chest feels tight** tengo el pecho cogido

tighten ['taɪtn] *vt* apretar

tightrope ['taɪtrəʊp] *n* cuerda *f* floja

tights [taɪts] *npl* medias *fpl* • **a pair of tights** unas medias

tile ['taɪl] *n* **1.** (*for roof*) teja *f* **2.** (*for floor*) baldosa *f* **3.** (*for wall*) azulejo *m*

till [tɪl] ◇ *n* caja *f* registradora ◇ *prep* hasta ◇ *conj* hasta que

tilt [tɪlt] ◇ *vt* inclinar ◇ *vi* inclinarse

timber ['tɪmbə'] *n* **1.** (*wood*) madera *f* (para construir) **2.** (*of roof*) viga *f*

time [taɪm] ◇ *n* **1.** tiempo *m* **2.** (*measured by clock*) hora *f* **3.** (*moment*) momento *m* **4.** (*occasion*) vez *f* **5.** (*in history*) época *f* ◇ *vt* **1.** (*measure*) cronometrar **2.** (*arrange*) programar • **I haven't got (the) time** no tengo tiempo • **it's time to go** es hora de irse • **what's the time?** ¿qué hora es? • **do you have the time?** ¿tiene hora? • **two times two** dos por dos • **five times as much** cinco veces más • **in a month's time** dentro de un mes • **to have a good time** pasárselo bien • **all the time** todo el tiempo • **every time** cada vez • **from time to time** de vez en cuando • **for the time being** de momento • **in time** (*arrive*) a tiempo • **in good time** con tiempo de sobra • **last time** la última vez •

most of the time la mayor parte del tiempo • on time puntualmente • some of the time parte del tiempo • this time esta vez • two at a time de dos en dos

time difference n diferencia f horaria

time limit n plazo m

timer ['taɪməʳ] n temporizador m

time share n copropiedad f

timetable ['taɪm,teɪbl] n 1. horario m 2. (of events) programa m

time zone n huso m horario

timid ['tɪmɪd] adj tímido(da)

tin [tɪn] ◇ n 1. (metal) estaño m 2. (container) lata f ◇ adj de hojalata

tinfoil ['tɪnfɔɪl] n papel m de aluminio

tinned food [tɪnd-] n (UK) conservas fpl

tin opener [-,əʊpnəʳ] n (UK) abrelatas m inv

tinsel ['tɪnsl] n oropel m

tint [tɪnt] n tinte m

tinted glass [,tɪntɪd-] n cristal m ahumado

tiny ['taɪnɪ] adj diminuto(ta)

tip [tɪp] ◇ n 1. (point, end) punta f 2. (to waiter, taxi driver etc) propina f 3. (piece of advice) consejo m 4. (UK) (rubbish dump) vertedero m ◇ vt 1. (waiter, taxi driver etc) dar una propina 2. (tilt) inclinar 3. (pour) vaciar • **tip over** ◇ vt sep volcar ◇ vi volcarse

tipping

En el Reino Unido las propinas no son obligatorias y el cliente decide si quiere dejarlas. En los Estados Unidos las propinas son prácticamente obligatorias, variando del 15% al 20% del precio pagado. Los camareros tiene unos salarios muy bajos, y la mayoría de sus ingresos viene de las propinas.

tire ['taɪəʳ] ◇ vi cansarse ◇ n (US) = tyre

tired ['taɪəd] adj (sleepy) cansado(da) • to be tired of estar cansado de

tired out adj agotado(da)

tiring ['taɪərɪŋ] adj cansado(da)

tissue ['tɪʃuː] n (handkerchief) pañuelo m de papel

tissue paper n papel m de seda

tit [tɪt] n (vulg) (breast) teta f

title ['taɪtl] n 1. título m 2. (Dr, Mr, Lord etc) tratamiento m

T-junction ['tiː-] n (UK) cruce m (en forma de T)

to [unstressed before consonant tə, unstressed before vowel tʊ, stressed tuː] ◇ prep 1. (indicating direction, position) a • to go to France ir a Francia • to go to school ir a la escuela • the road to Leeds la carretera de Leeds • to the left/right a la izquierda/derecha 2. (expressing indirect object) a • she gave the letter to her assistant le dio la carta a su ayudante • give it to me dámelo • to listen to the radio escuchar la radio 3. (indicating reaction, effect) • to my surprise para sorpresa mía • it's to your advantage va en beneficio tuyo 4. (until) hasta • to count to ten contar hasta diez • we work from 9 to 5 trabajamos de 9 a 5 5. (in stating opinion) • to me, he's lying para mí que miente **6.** *(indicating change of state)* ● **it could lead to trouble** puede ocasionar problemas **7.** *(UK) (in expressions of time)* menos ● **it's ten to three** son las tres menos diez **8.** *(in ratios, rates)* por ● **40 miles to the gallon** un galón por cada 40 millas **9.** *(of, for)* ● **the key to the car** la llave del coche ● **a letter to my daughter** una carta a mi hija **10.** *(indicating attitude)* con ● **to be rude to sb** tratar a alguien con grosería ◇ *with inf* **1.** *(forming simple infinitive)* ● **to walk** andar ● **2.** *(following another verb)* ● **to begin to do sthg** empezar a hacer algo ● **to try to do sthg** intentar hacer algo **3.** *(following an adjective)* que ● **difficult to do** difícil de hacer ● **ready to go** listo para marchar **4.** *(indicating purpose)* para ● **we came here to look at the castle** vinimos a ver el castillo ● **I'm phoning to ask you something** te llamo para preguntarte algo

toad [təʊd] *n* sapo *m*

toadstool ['təʊdstuːl] *n* seta *f* venenosa

toast [təʊst] ◇ *n* **1.** *(bread)* pan *m* tostado **2.** *(when drinking)* brindis *m* ◇ *vt* *(bread)* tostar ● **a piece** OR **slice of toast** una tostada

toasted sandwich ['təʊstɪd-] *n* sandwich *m* (a la plancha)

toaster ['təʊstər] *n* tostador *m*

tobacco [tə'bækəʊ] *n* tabaco *m*

tobacconist's [tə'bækənɪsts] *n* *(shop)* estanco *m* (Esp), tabaquería *f*

toboggan [tə'bɒgən] *n* tobogán *m* *(de deporte)*

today [tə'deɪ] ◇ *n* hoy *m* ◇ *adv* hoy

toddler ['tɒdlər] *n* niño *m* pequeño,

niña pequeña *f*

toe [təʊ] *n* *(of person)* dedo *m* del pie

toenail ['təʊneɪl] *n* uña *f* del dedo del pie

toffee ['tɒfɪ] *n* tofe *m*

together [tə'geðər] *adv* juntos(tas) ● **together with** junto con

toilet ['tɔɪlɪt] *n* **1.** *(in public place)* servicios *mpl*, baño *m* (Amér) **2.** *(at home)* váter *m* **3.** *(bowl)* retrete *m* ● **to go to the toilet** ir al váter ● **where's the toilet?** ¿dónde está el servicio?

toilet bag *n* neceser *m*

toilet paper *n* papel *m* higiénico

toiletries ['tɔɪlɪtrɪz] *npl* artículos *mpl* de tocador

toilet roll *n* *(UK) (paper)* papel *m* higiénico

toilet water *n* agua *f* de colonia

token ['təʊkn] *n* *(metal disc)* ficha *f*

told [təʊld] *pt & pp* ➤ **tell**

tolerable ['tɒlərəbl] *adj* tolerable

tolerant ['tɒlərənt] *adj* tolerante

tolerate ['tɒləreɪt] *vt* tolerar

toll [təʊl] *n* *(for road, bridge)* peaje *m*

toll-free *adj (US)* gratuito(ta)

tomato [(UK) tə'mɑːtəʊ, (US) tə'meɪtəʊ] *(pl* **-es***) n* tomate *m*

tomato juice *n* zumo *m* (Esp) OR jugo *m* (Amér) de tomate

tomato ketchup *n* ketchup *m*, catsup *m*

tomato puree *n* puré *m* de tomate concentrado

tomato sauce *n* ketchup *m*, catsup *m*

tomb [tuːm] *n* tumba *f*

tomorrow [tə'mɒrəʊ] ◇ *n* mañana *f* ◇ *adv* mañana ● **the day after tomorrow**

pasado mañana ● **tomorrow afternoon** mañana por la tarde ● **tomorrow morning** mañana por la mañana ● **tomorrow night** mañana por la noche

ton [tʌn] *n* 1. *(in Britain)* = 1016 kilos 2. *(in US)* = 907 kilos 3. *(metric tonne)* tonelada *f* ● **tons of** *(inf)* un montón de

tone [təʊn] *n* 1. tono *m* 2. *(on phone)* señal *f*

tongs [tɒŋz] *npl* 1. *(for hair)* tenazas *fpl* 2. *(for sugar)* pinzas *fpl*

tongue [tʌŋ] *n* lengua *f*

tonic ['tɒnɪk] *n* 1. *(tonic water)* tónica *f* 2. *(medicine)* tónico *m*

tonic water *n* agua *f* tónica

tonight [tə'naɪt] ◇ *n* esta noche *f* ◇ *adv* esta noche

tonne [tʌn] *n* tonelada *f* (métrica)

tonsillitis [ˌtɒnsɪ'laɪtɪs] *n* amigdalitis *f inv*

too [tuː] *adv* 1. *(excessively)* demasiado 2. *(also)* también ● **it's not too good** no está muy bien ● **it's too late to go out** es demasiado tarde para salir ● **too many** demasiados(das) ● **too much** demasiado(da)

took [tʊk] *pt* ➤ take

tool [tuːl] *n* herramienta *f*

tool kit *n* juego *m* de herramientas

tooth [tuːθ] *(pl* **teeth***)* *n* diente *m*

toothache ['tuːθeɪk] *n* dolor *m* de muelas

toothbrush ['tuːθbrʌʃ] *n* cepillo *m* de dientes

toothpaste ['tuːθpeɪst] *n* pasta *f* de dientes

toothpick ['tuːθpɪk] *n* palillo *m*

top [tɒp] ◇ *adj* 1. *(highest)* de arriba 2. *(best, most important)* mejor ◇ *n* 1. *(highest part)* parte *f* superior 2. *(best point)* cabeza *f* 3. *(of box, jar)* tapa *f* 4. *(of bottle, tube)* tapón *m* 5. *(of pen)* capuchón *m* 6. *(garment)* camiseta *f* 7. *(of street, road)* final *m* ● **at the top (of)** *(stairway, page)* en lo más alto (de); *(list, page)* al principio (de) ● **on top of** *(on highest part of)* encima de; *(of hill, mountain)* en lo alto de; *(in addition to)* además de ● **at top speed** a toda velocidad ● **top gear** directa *f* ◆ **top up** ◇ *vt sep (glass, drink)* volver a llenar ◇ *vi (with petrol)* repostar

top floor *n* último piso *m*

topic ['tɒpɪk] *n* tema *m*

topical ['tɒpɪkl] *adj* actual

topless ['tɒplɪs] *adj* topless *(inv)*

topped [tɒpt] *adj* ● **topped with** cubierto(ta) con

topping ['tɒpɪŋ] *n* ● **with a topping of** cubierto con ● **the topping of your choice** los ingredientes que Vd. elija

torch [tɔːtʃ] *n (UK) (electric light)* linterna *f*

tore [tɔːʳ] *pt* ➤ tear

torn [tɔːn] ◇ *pp* ➤ tear ◇ *adj (ripped)* desgarrado(da)

tornado [tɔː'neɪdəʊ] *(pl* **-es** OR **-s***)* *n* tornado *m*

torrential rain [təˌrenʃl-] *n* lluvia *f* torrencial

tortoise ['tɔːtəs] *n* tortuga *f* (de tierra)

tortoiseshell ['tɔːtəʃel] *n* carey *m*

torture ['tɔːtʃəʳ] ◇ *n* tortura *f* ◇ *vt* torturar

Tory ['tɔːrɪ] n conservador m, -ra f

toss [tɒs] vt **1.** (throw) tirar **2.** (salad) mezclar ● **to toss a coin** echar a cara o cruz ● **tossed in butter** con mantequilla

total ['təʊtl] ◇ adj total ◇ n total m ● **in total** en total

touch [tʌtʃ] ◇ n **1.** (sense) tacto m **2.** (small amount) pizca f **3.** (detail) toque m ◇ vt **1.** tocar **2.** (move emotionally) conmover ◇ vi tocarse ● **to get in touch (with sb)** ponerse en contacto (con alguien) ● **to keep in touch (with sb)** mantenerse en contacto (con alguien) ● **touch down** vi aterrizar

touching ['tʌtʃɪŋ] adj (moving) conmovedor(ra)

tough [tʌf] adj **1.** (resilient) fuerte **2.** (hard, strong) resistente **3.** (meat, regulations, policies) duro(ra) **4.** (difficult) difícil

tour [tʊəʳ] ◇ n **1.** (journey) viaje m **2.** (of city, exhibition etc) recorrido m **3.** (of pop group, theatre company) gira f ◇ vt recorrer ● **on tour** en gira

tourism ['tʊərɪzm] n turismo m

tourist ['tʊərɪst] n turista mf

tourist class n clase f turista

tourist information office n oficina f de turismo

tournament ['tɔːnəmənt] n torneo m

tour operator n touroperador m, -ra f

tout [taʊt] n (UK) revendedor m, -ra f

tow [təʊ] vt remolcar

toward [təˈwɔːd] (US) = **towards**

towards [təˈwɔːdz] prep **1.** hacia **2.** (to help pay for) para

towel ['taʊəl] n toalla f

toweling ['taʊəlɪŋ] (US) = **towelling**

towelling ['taʊəlɪŋ] n (UK) toalla f (tejido)

towel rail n (UK) toallero m

tower ['taʊəʳ] n torre f

tower block n (UK) bloque m alto de pisos (Esp), edificio m de apartamentos

Tower Bridge n puente londinense

Tower of London n ● **the Tower of London** la Torre de Londres

town [taʊn] n **1.** (smaller) pueblo m **2.** (larger) ciudad f **3.** (town centre) centro m

town centre n (UK) centro m

town hall n ayuntamiento m

towpath ['təʊpɑːθ] n camino m de sirga

towrope ['təʊrəʊp] n cuerda f de remolque

tow truck n (US) grúa f

toxic ['tɒksɪk] adj tóxico(ca)

toy [tɔɪ] n juguete m

toy shop n juguetería f

trace [treɪs] ◇ n **1.** (sign) rastro m **2.** (small amount) pizca f ◇ vt (find) localizar

tracing paper ['treɪsɪŋ-] n papel m de calco

track [træk] *n* **1.** *(path)* sendero *m* **2.** *(of railway)* vía *f* **3.** SPORT pista *f* **4.** *(song)* canción *f* ◆ **track down** *vt sep* localizar

tracksuit ['træksu:t] *n* chándal *m* *(Esp)*, equipo *m* de deportes

tractor ['træktə'] *n* tractor *m*

trade [treɪd] ◇ *n* **1.** COMM comercio *m* **2.** *(job)* oficio *m* ◇ *vt* cambiar ◇ *vi* comerciar

trademark ['treɪdmɑːk] *n* marca *f* (comercial)

trader ['treɪdə'] *n* comerciante *mf*

tradesman ['treɪdzmən] *(pl* **-men)** *n* *(UK)* **1.** *(deliveryman)* repartidor *m* **2.** *(shopkeeper)* tendero *m*

trade union *n* *(UK)* sindicato *m*

tradition [trə'dɪʃn] *n* tradición *f*

traditional [trə'dɪʃənl] *adj* tradicional

traffic ['træfɪk] ◇ *n* tráfico *m* ◇ *vi* ◆ **to traffic in** traficar con

traffic circle *n* *(US)* rotonda *f*

traffic island *n* isla *f* de peatones

traffic jam *n* atasco *m*

traffic lights *npl* semáforos *mpl*

traffic warden *n* *(UK)* ≃ guardia *mf* de tráfico

tragedy ['trædʒədɪ] *n* tragedia *f*

tragic ['trædʒɪk] *adj* trágico(ca)

trail [treɪl] ◇ *n* **1.** *(path)* sendero *m* **2.** *(marks)* rastro *m* ◇ *vi* *(be losing)* ir perdiendo

trailer ['treɪlə'] *n* **1.** *(for boat, luggage)* remolque *m* **2.** *(US)* *(caravan)* caravana *f* **3.** *(for film, programme)* trailer *m*

train [treɪn] ◇ *n* tren *m* ◇ *vt* *(teach)* enseñar ◇ *vi* SPORT entrenar ● **by train** en tren

train driver *n* maquinista *mf (de tren)*

trainee [treɪ'niː] *n* aprendiz *m*, -za *f*

trainer ['treɪnə'] *n* *(of athlete etc)* entrenador *m*, -ra *f* ◆ **trainers** *npl* *(UK)* zapatillas *fpl* de deporte

training ['treɪnɪŋ] *n* **1.** *(instruction)* formación *f* **2.** *(exercises)* entrenamiento *m*

training shoes *npl* *(UK)* zapatillas *fpl* de deporte

tram [træm] *n* *(UK)* tranvía *m*

tramp [træmp] *n* vagabundo *m*, -da *f*

trampoline ['træmpəliːn] *n* cama *f* elástica

trance [trɑːns] *n* trance *m*

tranquilizer ['træŋkwɪlaɪzə'] *(US)* = **tranquillizer**

tranquillizer ['træŋkwɪlaɪzə'] *n* *(UK)* tranquilizante *m*

transaction [træn'zækʃn] *n* transacción *f*

transatlantic [,trænzət'læntɪk] *adj* transatlántico(ca)

transfer ◇ *n* ['trænsfɜː'] **1.** *(of money, power)* transferencia *f* **2.** *(of sportsman)* traspaso *m* **3.** *(picture)* calcomanía *f* **4.** *(US) (ticket)* clase de billete que permite hacer transbordos durante un viaje ◇ *vt* [træns'fɜː'] transferir ◇ *vi* *(change bus, plane etc)* hacer transbordo ▼ **transfers** *(in airport)* transbordos

transform [træns'fɔːm] *vt* transformar

transfusion [træns'fjuːʒn] *n* transfusión *f*

transit ['trænzɪt] ● **in transit** *adv* de tránsito

transitive ['trænzɪtɪv] *adj* transitivo(va)

transit lounge *n* sala *f* de tránsito

translate [træns'leɪt] *vt* traducir

translation [træns'leɪʃn] n traducción f

translator [træns'leɪtə'] n traductor m, -ra f

transmission [trænz'mɪʃn] n transmisión f

transmit [trænz'mɪt] vt transmitir

transparent [træns'pærənt] adj transparente

transplant n ['trænsplɑ:nt] n trasplante m

transport ◇ n ['trænspɔ:t] transporte m ◇ vt [træn'spɔ:t] transportar

transportation [ˌtrænspɔ:'teɪʃn] n (US) transporte m

trap [træp] ◇ n trampa f ◇ vt ● to be trapped estar atrapado

trash [træʃ] n (US) basura f

trashcan ['træʃkæn] n (US) cubo m de la basura

trauma ['trɔ:mə] n trauma m

traumatic [trɔ:'mætɪk] adj traumático (ca)

travel ['trævl] ◇ n viajes mpl ◇ vt (distance) recorrer ◇ vi viajar

travel agency n agencia f de viajes

travel agent n empleado m, -da f de una agencia de viajes ● **travel agent's** (shop) agencia f de viajes

travelcard ['trævlkɑ:d] n billete, normalmente de un día o un mes, para el metro, tren y autobús de Londres

travel centre n (UK) oficina f de información al viajero

traveler ['trævlər] (US) = traveller

travel insurance n seguro m de viaje

traveller ['trævlə'] n (UK) viajero m, -ra f

traveller's cheque ['trævləz-] n (UK) cheque m de viaje

travelsick ['trævəlsɪk] adj mareado(da) por el viaje

tray [treɪ] n bandeja f

treacherous ['tretʃərəs] adj **1.** (person) traidor(ra) **2.** (roads, conditions) peligroso(sa)

treacle ['tri:kl] n (UK) melaza f

tread [tred] (pt trod, pp trodden) ◇ n (of tyre) banda f ◇ vi ● **to tread on sthg** pisar algo

treasure ['treʒə'] n tesoro m

treat [tri:t] ◇ vt tratar ◇ n ● **to treat sb to a meal** invitar a alguien a comer

treatment ['tri:tmənt] n **1.** MED tratamiento m **2.** (of person, subject) trato m

treble ['trebl] adj triple

tree [tri:] n árbol m

trek [trek] n viaje m largo y difícil

tremble ['trembl] vi temblar

tremendous [trɪ'mendəs] adj **1.** (very large) enorme **2.** (inf) (very good) estupendo(da)

trench [trentʃ] n zanja f

trend [trend] n **1.** (tendency) tendencia f **2.** (fashion) moda f

trendy ['trendɪ] adj **1.** (inf) (person) moderno(na) **2.** (clothes, bar) de moda

trespasser ['trespasə'] n intruso m, -sa f ▼ **trespassers will be prosecuted** los intrusos serán sancionados por la ley

trial ['traɪəl] n **1.** LAW juicio m **2.** (test) prueba f ● **a trial period** un periodo de prueba

triangle ['traɪæŋgl] n triángulo m

triangular [traɪ'æŋgjələ'] adj triangular

tribe [traɪb] n tribu f

trick [trɪk] ◇ n **1.** (deception) truco m **2.** (in magic) juego m (de manos) ◇ vt engañar ● **to play a trick on sb** gastarle una broma a alguien

trickle ['trɪkl] vi resbalar (formando un hilo)

tricky ['trɪkɪ] adj difícil

tricycle ['traɪsɪkl] n triciclo m

trifle ['traɪfl] n (UK) (dessert) postre de bizcocho con frutas, nata, natillas y gelatina

trigger ['trɪgə] n gatillo m

trim [trɪm] ◇ n (haircut) recorte m ◇ vt recortar

trio ['triːəʊ] (pl -s) n trío m

trip [trɪp] ◇ n viaje m ◇ vi tropezar ● **trip up** vi tropezar

triple ['trɪpl] adj triple

tripod ['traɪpɒd] n trípode m

triumph ['traɪəmf] n triunfo m

trivial ['trɪvɪəl] adj (pej) trivial

trod [trɒd] pt > tread

trodden ['trɒdn] pp > tread

trolley ['trɒlɪ] (pl -s) n 1. (UK) (in supermarket, at airport, for food etc) carrito m 2. (US) (tram) tranvía m

trombone [trɒm'bəʊn] n trombón m

troops [truːps] npl tropas fpl

trophy ['trəʊfɪ] n trofeo m

tropical ['trɒpɪkl] adj tropical

trot [trɒt] ◇ vi trotar ◇ n ● **three on the trot** (UK) (inf) tres seguidos

trouble ['trʌbl] ◇ n 1. (difficulty, problems, malfunction) problemas mpl 2. (pain) dolor m 3. (illness) enfermedad f ◇ vt 1. (worry) preocupar 2. (bother) molestar ● **to be in trouble** tener problemas ● **to get into trouble** meterse en líos ● **to take the trouble to do sthg** tomarse la molestia de hacer algo ● **it's no**

trouble no es molestia

trousers ['traʊzəz] npl (UK) pantalones mpl ● **a pair of trousers** un pantalón

trout [traʊt] (pl inv) n trucha f

trowel ['traʊəl] n (for gardening) desplantador m

truant ['truːənt] n ● **to play truant** (UK) hacer novillos

truce [truːs] n tregua f

truck [trʌk] n camión m

true [truː] adj 1. verdadero(ra) 2. (genuine, sincere) auténtico(ca) ● **it's true** es verdad

truly ['truːlɪ] adv ● **yours truly** le saluda atentamente

trumpet ['trʌmpɪt] n trompeta f

trumps [trʌmps] npl triunfo m

truncheon ['trʌntʃən] n (UK) porra f

trunk [trʌŋk] n 1. (of tree) tronco m 2. (US) (of car) maletero m 3. (case, box) baúl m 4. (of elephant) trompa f

trunk call n (UK) llamada f interurbana

trunks [trʌŋks] npl bañador m (de hombre) (Esp), traje m de baño

trust [trʌst] ◇ n (confidence) confianza f ◇ vt 1. (believe, have confidence in) confiar en 2. (fml) (hope) confiar

trustworthy ['trʌst,wɜːðɪ] adj digno (na) de confianza

truth [truːθ] n 1. (true facts) verdad f 2. (quality of being true) veracidad f

truthful ['truːθfʊl] adj 1. (statement, account) verídico(ca) 2. (person) sincero(ra)

try [traɪ] ◇ n (attempt) intento m ◇ vt 1. (attempt) intentar 2. (experiment with, test) probar 3. (seek help from) acudir a

4. *LAW* procesar ◇ *vi* intentar ● **to try to do sthg** intentar hacer algo ● **try on** *vt sep* probarse ◆ **try out** *vt sep* poner a prueba

T-shirt [tiː-] *n* camiseta *f*

tub [tʌb] *n* **1.** (*of margarine etc*) tarrina *f* **2.** (*bath*) bañera *f*, tina *f* (*Amér*)

tube [tjuːb] *n* **1.** tubo *m* **2.** (*UK*) (*inf*) (*underground*) metro ● **by tube** en metro

tube station *n* (*UK*) (*inf*) estación *f* de metro

tuck [tʌk] ◆ **tuck in** ◇ *vt sep* **1.** (*shirt*) meterse **2.** (*child, person*) arropar ◇ *vi* (*inf*) comer con apetito

Tues. (*abbr of Tuesday*) mar (*martes*)

Tuesday ['tjuːzdɪ] *n* martes *m inv* ● **it's Tuesday** es martes ● **Tuesday morning** el martes por la mañana ● **on Tuesday** el martes ● **on Tuesdays** los martes ● **last Tuesday** el martes pasado ● **this Tuesday** este martes ● **next Tuesday** el martes de la semana que viene ● **Tuesday week, a week on Tuesday** del martes en ocho días

tuft [tʌft] *n* **1.** (*of grass*) matojo *m* **2.** (*of hair*) mechón *m*

tug [tʌɡ] *vt* tirar de

tuition [tjuːˈɪʃn] *n* clases *fpl*

tulip ['tjuːlɪp] *n* tulipán *m*

tumble-dryer ['tʌmbldraɪə'] *n* (*UK*) secadora *f*

tumbler ['tʌmblə'] *n* (*glass*) vaso *m*

tummy ['tʌmɪ] *n* (*inf*) barriga *f*

tummy upset [-'ʌpset] *n* (*inf*) dolor *m* de barriga

tumor ['tuːmər] (*US*) = tumour

tumour ['tjuːmə'] *n* (*UK*) tumor *m*

tuna (fish) [(*UK*) 'tjuːnə, (*US*) 'tuːnə] *n* atún *m*

tune [tjuːn] ◇ *n* melodía *f* ◇ *vt* **1.** (*radio, TV*) sintonizar **2.** (*engine*) poner a punto **3.** (*instrument*) afinar ● **in tune** afinado ● **out of tune** desafinado

tunic ['tjuːnɪk] *n* túnica *f*

Tunisia [tjuːˈnɪzɪə] *n* Túnez

tunnel ['tʌnl] *n* túnel *m*

turban ['tɜːbən] *n* turbante *m*

turbulence ['tɜːbjʊləns] *n* turbulencia *f*

turf [tɜːf] *n* (*grass*) césped *m*

Turk [tɜːk] *n* turco *m*, -ca *f*

turkey ['tɜːkɪ] (*pl* **-s**) *n* pavo *m*

Turkey ['tɜːkɪ] *n* Turquía

Turkish ['tɜːkɪʃ] ◇ *adj* turco(ca) ◇ *n* (*language*) turco *m* ◇ *npl* ● **the Turkish** los turcos

turn [tɜːn]
◇ *n* **1.** (*in road*) curva *f* **2.** (*of knob, key, switch*) vuelta *f* **3.** (*go, chance*) turno *m*
◇ *vt* **1.** (*car, page, omelette*) dar la vuelta a, voltear (*Amér*) **2.** (*head*) volver, voltear (*Amér*) **3.** (*knob, key, switch*) girar **4.** (*corner, bend*) doblar **5.** (*become*) volverse **6.** (*cause to become*) poner
◇ *vi* **1.** girar **2.** (*milk*) cortarse ● **he's turned into a fine young man** se ha convertido en un estupendo joven ● **they're turning the play into a film** están convirtiendo la obra en película ● **to turn left/right** torcer a la derecha/izquierda ● **it's your turn** te toca (a ti) ● **at the turn of the century** a finales de siglo ● **to take it in turns to do sthg** hacer algo por turnos ● **to turn a jacket inside out** darle la vuelta a una chaqueta (*de dentro para afuera*)

◆ **turn back** ◇ *vt sep* hacer volver ◇ *vi* volver

◆ **turn down** *vt sep* **1.** *(radio, volume, heating)* bajar **2.** *(offer, request)* rechazar

◆ **turn off** ◇ *vt sep* **1.** *(light, TV)* apagar **2.** *(water, gas, tap)* cerrar **3.** *(engine)* parar ◇ *vi (leave road)* salir

◆ **turn on** *vt sep* **1.** *(light, TV, engine)* encender **2.** *(water, gas, tap)* abrir

◆ **turn out** ◇ *vt insep (be in the end)* resultar ◇ *vt sep (light, fire)* apagar ◇ *vi (come, attend)* venir ● **to turn out to be sthg** resultar ser algo

◆ **turn over** ◇ *vi* **1.** *(in bed)* darse la vuelta, voltearse *(Amér)* **2.** *(UK) (change channels)* cambiar ◇ *vt sep (page, card, omelette)* dar la vuelta a, voltear *(Amér)*

◆ **turn round** ◇ *vt sep* dar la vuelta a, voltear *(Amér)* ◇ *vi (person)* darse la vuelta, voltearse *(Amér)*

◆ **turn up** ◇ *vt sep (radio, volume, heating)* subir ◇ *vi* aparecer

turning ['tɜːnɪŋ] *n* bocacalle *f*

turnip ['tɜːnɪp] *n* nabo *m*

turn-up *n (UK) (on trousers)* vuelta *f*

turquoise ['tɜːkwɔɪz] *adj* turquesa *inv*

turtle ['tɜːtl] *n* tortuga *f* (marina)

turtleneck ['tɜːtlnek] *n* jersey *m* de cuello de cisne *(Esp)*, suéter *m* de cuello alto *(Amér)*

tutor ['tjuːtə'] *n (private teacher)* tutor *m*, -ra *f*

tuxedo [tʌk'siːdəʊ] *(pl* **-s**) *n (US)* esmoquin *m*

TV [tiː'viː] *n (abbr of* **television)** televisión *f* ● **on TV** en la televisión

tweed [twiːd] *n* tweed *m*

tweezers ['twiːzəz] *npl* pinzas *fpl*

twelfth [twelfθ] ◇ *num adj* duodécimo(-ma) ◇ *pron* duodécimo *m*, -ma *f* ◇ *num n (fraction)* duodécimo *m* ◇ *num adv* duodécimo ● **a twelfth (of)** la duodécima parte (de) ● **the twelfth (of September)** el doce (de septiembre)

twelve [twelv] ◇ *num adj* doce ◇ *num n* doce *m inv* ● **to be twelve (years old)** tener doce años (de edad) ● **it's twelve (o'clock)** son las doce ● **a hundred and twelve** ciento doce ● **twelve Hill St** Hill St, número doce ● **it's minus twelve (degrees)** hay doce grados bajo cero ● **twelve out of twenty** doce sobre veinte

twentieth ['twentɪəθ] *num* vigésimo(-ma) ● **the twentieth century** el siglo XX

twenty ['twentɪ] *num* veinte

twice [twaɪs] *adj & adv* dos veces ● **it's twice as good** es el doble de bueno ● **twice as much** el doble

twig [twɪg] *n* ramita *f*

twilight ['twaɪlaɪt] *n* crepúsculo *m*

twin [twɪn] *n* gemelo *m*, -la *f*

twin beds *npl* dos camas *fpl*

twin room *n* habitación *f* con dos camas

twist [twɪst] *vt* **1.** *(wire)* torcer **2.** *(thread, rope)* retorcer **3.** *(hair)* enroscar **4.** *(bottle top, lid, knob)* girar ● **to twist one's ankle** torcerse el tobillo

twisting ['twɪstɪŋ] *adj* con muchos recodos

two [tuː] ◇ *num adj* dos ◇ *num n* dos *m inv* ● **to be two (years old)** tener dos años (de edad) ● **it's two (o'clock)** son las dos ● **a hundred and two** ciento dos ● **two Hill St** Hill St, número dos ● **it's minus two (degrees)** hay dos grados bajo cero ● **two out of ten** dos sobre diez

two-piece *adj* de dos piezas

tying ['taɪɪŋ] *cont* ➤ tie

type [taɪp] ◇ *n (kind)* tipo *m* ◇ *vt* teclear ◇ *vi* escribir a máquina

typhoid ['taɪfɔɪd] *n* fiebre *f* tifoidea

typical ['tɪpɪkl] *adj* típico(ca)

tyre ['taɪə] *n (UK)* neumático *m*, llanta *f (Amér)*

u U

U [juː] *adj (UK) (film) (abbr of* universal) para todos los públicos

UCAS ['juːkæs] *n (UK) (abbr of* Universities and Colleges Admissions Service) *organismo que se ocupa en gestionar el proceso de admisión a la Universidad*

UFO [juːɛf'əʊ] *n (abbr of* unidentified flying object) OVNI *m (Objeto Volador No Identificado)*

ugly ['ʌglɪ] *adj* feo(a)

UHT [juːeɪtʃ'tiː] *adj (abbr of* ultra heat treated) uperizado(da) *(Esp)*, UHT *(Amér)*

UK [juː'keɪ] *n (abbr of* United Kingdom) ● **the UK** el Reino Unido

ulcer ['ʌlsə'] *n* úlcera *f*

ultimate ['ʌltɪmət] *adj* **1.** *(final)* final **2.** *(best, greatest)* máximo(ma)

ultraviolet [ˌʌltrə'vaɪələt] *adj* ultravioleta

umbrella [ʌm'brelə] *n* paraguas *m inv*

umpire ['ʌmpaɪə'] *n* árbitro *m*

UN [juː'en] *n (abbr of* United Nations) ● **the UN** la ONU *(Organización de las Naciones Unidas)*

unable [ʌn'eɪbl] *adj* ● **to be unable to do sthg** ser incapaz de hacer algo

unacceptable [ˌʌnək'septəbl] *adj* inaceptable

unaccustomed [ˌʌnə'kʌstəmd] *adj* ● **to be unaccustomed to sthg** no estar acostumbrado(da) a algo

unanimous [juː'nænɪməs] *adj* unánime

unattended [ˌʌnə'tendɪd] *adj* desatendido(da)

unattractive [ˌʌnə'træktɪv] *adj* poco atractivo(va)

unauthorized [ˌʌn'ɔːθəraɪzd] *adj* no autorizado(da)

unavailable [ˌʌnə'veɪləbl] *adj* no disponible

unavoidable [ˌʌnə'vɔɪdəbl] *adj* inevitable

unaware [ˌʌnə'weə'] *adj* inconsciente ● **to be unaware of sthg** no ser consciente de algo

unbearable [ʌn'beərəbl] *adj* insoportable

unbelievable [ˌʌnbɪ'liːvəbl] *adj* increíble

unbutton [ˌʌn'bʌtn] *vt* desabrocharse

uncertain [ʌn'sɜːtn] *adj* **1.** *(not definite)* incierto(ta) **2.** *(not sure)* indeciso(sa)

uncertainty [ʌn'sɜːtntɪ] *n* incertidumbre *f*

uncle ['ʌŋkl] *n* tío *m*

unclean [ʌnˈkliːn] *adj* sucio(cia)

unclear [ʌnˈklɪə°] *adj* **1.** poco claro(ra) **2.** *(not sure)* poco seguro(ra)

uncomfortable [ʌnˈkʌmftəbl] *adj* incómodo(da)

uncommon [ʌnˈkɒmən] *adj* poco común

unconscious [ʌnˈkɒnʃəs] *adj* ● **to be unconscious** *(after accident)* estar inconsciente; *(unaware)* ser inconsciente

unconvincing [ʌnkənˈvɪnsɪŋ] *adj* poco convincente

uncooperative [ʌnkəʊˈɒpərətɪv] *adj* que no quiere cooperar

uncork [ʌnˈkɔːk] *vt* descorchar

uncouth [ʌnˈkuːθ] *adj* grosero(ra)

uncover [ʌnˈkʌvə°] *vt* **1.** *(discover)* descubrir **2.** *(swimming pool etc)* dejar al descubierto **3.** *(car)* descapotar

under [ˈʌndə°] *prep* **1.** *(beneath)* debajo de **2.** *(less than)* menos de **3.** *(according to)* según **4.** *(in classification)* en ● **under the water** bajo el agua ● **children under ten** niños menores de diez años ● **under the circumstances** dadas las circunstancias ● **to be under pressure** *(from a person)* estar presionado; *(stressed)* estar en tensión

underage [ʌndərˈeɪdʒ] *adj* menor de edad

undercarriage [ˈʌndəˌkærɪdʒ] *n* tren *m* de aterrizaje

underdone [ʌndəˈdʌn] *adj* poco hecho(cha)

underestimate [ʌndərˈestɪmeɪt] *vt* subestimar

underexposed [ʌndərɪkˈspəʊzd] *adj* *(photograph)* subexpuesto(ta)

undergo [ʌndəˈgəʊ] *(pt* **-went**, *pp* **-gone)** *vt* **1.** *(change, difficulties)* sufrir **2.** *(operation)* someterse a

undergraduate [ʌndəˈgrædjʊət] *n* estudiante *m* universitario (no licenciado), estudiante universitaria (no licenciada) *f*

underground [ˈʌndəgraʊnd] ◇ *adj* **1.** *(below earth's surface)* subterráneo(a) **2.** *(secret)* clandestino(na) ◇ *n* (UK) *(railway)* metro *m*

Underground

El metro de Londres, también conocido como *the Tube*, tiene 12 líneas, con una longitud total de 408 kilómetros. Cada línea está identificada por un color diferente. Dentro de los vagones no hay aire acondicionado. Dependiendo de la línea, los trenes funcionan desde las 5 de la mañana hasta la medianoche.

undergrowth [ˈʌndəgrəʊθ] *n* maleza *f*

underline [ʌndəˈlaɪn] *vt* subrayar

underneath [ʌndəˈniːθ] ◇ *prep* debajo de ◇ *adv* debajo ◇ *n* superficie *f* inferior

underpants [ˈʌndəpænts] *npl* calzoncillos *mpl*

underpass [ˈʌndəpɑːs] *n* paso *m* subterráneo

undershirt [ˈʌndəʃɜːt] *n* (US) camiseta *f*

underskirt [ˈʌndəskɜːt] *n* enaguas *fpl*

understand [ʌndəˈstænd] *(pt & pp* **-stood)** ◇ *vt* **1.** entender **2.** *(believe)* tener entendido que ◇ *vi* entender ● l

don't understand no entiendo ● **to make o.s. understood** hacerse entender

understanding [ˌʌndəˈstændɪŋ] ◇ *adj* comprensivo(va) ◇ *n* **1.** *(agreement)* acuerdo *m* **2.** *(knowledge)* entendimiento *m* **3.** *(interpretation)* impresión *f* **4.** *(sympathy)* comprensión *f* mutua

understatement [ˌʌndəˈsteɪtmənt] *n* ● **that's an understatement** eso es quedarse corto

understood [ˌʌndəˈstʊd] *pt & pp* ➤ **understand**

undertake [ˌʌndəˈteɪk] *(pt* **-took,** *pp* **-taken)** *vt* emprender ● **to undertake to do sthg** comprometerse a hacer algo

undertaker [ˈʌndəˌteɪkəʳ] *n* director *m*, -ra *f* de funeraria

undertaking [ˌʌndəˈteɪkɪŋ] *n* **1.** *(promise)* promesa *f* **2.** *(task)* empresa *f*

undertook [ˌʌndəˈtʊk] *pt* ➤ **undertake**

underwater [ˌʌndəˈwɔːtəʳ] ◇ *adj* submarino(na) ◇ *adv* bajo el agua

underwear [ˈʌndəweəʳ] *n* ropa *f* interior

underwent [ˌʌndəˈwent] *pt* ➤ **undergo**

undo [ˌʌnˈduː] *(pt* **-did,** *pp* **-done)** *vt* **1.** *(coat, shirt)* desabrochar **2.** *(tie, shoelaces)* desatarse **3.** *(parcel)* abrir

undone [ˌʌnˈdʌn] *adj* **1.** *(coat, shirt)* desabrochado(da) **2.** *(tie, shoelaces)* desatado(da)

undress [ˌʌnˈdres] ◇ *vi* desnudarse ◇ *vt* desnudar

undressed [ˌʌnˈdrest] *adj* desnudo(da) ● **to get undressed** desnudarse

uneasy [ʌnˈiːzɪ] *adj* intranquilo(la)

uneducated [ʌnˈedjʊkeɪtɪd] *adj* inculto(ta)

unemployed [ˌʌnɪmˈplɔɪd] ◇ *adj* desem-

pleado(da) ◇ *npl* ● **the unemployed** los parados

unemployment [ˌʌnɪmˈplɔɪmənt] *n* paro *m* *(Esp)*, desempleo *m*

unemployment benefit *n* *(UK)* subsidio *m* de desempleo

unequal [ʌnˈiːkwəl] *adj* desigual

uneven [ʌnˈiːvn] *adj* **1.** desigual **2.** *(road)* lleno(na) de baches

uneventful [ˌʌnɪˈventfʊl] *adj* sin incidentes destacables

unexpected [ˌʌnɪkˈspektɪd] *adj* inesperado(da)

unexpectedly [ˌʌnɪkˈspektɪdlɪ] *adv* inesperadamente

unfair [ʌnˈfeəʳ] *adj* injusto(ta)

unfairly [ʌnˈfeəlɪ] *adv* injustamente

unfaithful [ʌnˈfeɪθfʊl] *adj* infiel

unfamiliar [ˌʌnfəˈmɪljəʳ] *adj* desconocido(da) ● **to be unfamiliar with** no estar familiarizado(da) con

unfashionable [ʌnˈfæʃnəbl] *adj* pasado(da) de moda

unfasten [ʌnˈfɑːsn] *vt* **1.** *(button, belt)* desabrocharse **2.** *(tie, knot)* desatarse

unfavorable *(US)* = **unfavourable**

unfavourable [ʌnˈfeɪvrəbl] *adj* *(UK)* desfavorable

unfinished [ʌnˈfɪnɪʃt] *adj* incompleto(ta)

unfit [ʌnˈfɪt] *adj* ● **to be unfit** *(not healthy)* no estar en forma ● **to be unfit for sthg** no ser apto(ta) para algo

unfold [ʌnˈfəʊld] *vt* desdoblar

unforgettable [ˌʌnfəˈgetəbl] *adj* inolvidable

unforgivable [ˌʌnfəˈgɪvəbl] *adj* imperdonable

unfortunate [ʌnˈfɔːtʃnət] *adj* **1.** (*unlucky*) desgraciado(da) **2.** (*regrettable*) lamentable

unfortunately [ʌnˈfɔːtʃnətli] *adv* desgraciadamente

unfriendly [ˌʌnˈfrendli] *adj* poco amistoso

unfurnished [ˌʌnˈfɜːnɪʃt] *adj* sin amueblar

ungrateful [ʌnˈɡreɪtful] *adj* desagradecido(da)

unhappy [ʌnˈhæpi] *adj* **1.** (*sad*) triste **2.** (*wretched*) desgraciado(da) **3.** (*not pleased*) descontento(ta) • I'm unhappy about that idea no me gusta esa idea

unharmed [ˌʌnˈhɑːmd] *adj* ileso(sa)

unhealthy [ʌnˈhelθi] *adj* **1.** (*person*) enfermizo(za) **2.** (*food, smoking*) perjudicial para la salud **3.** (*place*) insalubre

unhelpful [ˌʌnˈhelpful] *adj* **1.** (*person*) poco servicial **2.** (*advice*) inútil

unhurt [ˌʌnˈhɜːt] *adj* ileso(sa)

unhygienic [ˌʌnhaɪˈdʒiːnɪk] *adj* antihigiénico(ca)

unification [ˌjuːnɪfɪˈkeɪʃn] *n* unificación *f*

uniform [ˈjuːnɪfɔːm] *n* uniforme *m*

unimportant [ˌʌnɪmˈpɔːtənt] *adj* sin importancia

unintelligent [ˌʌnɪnˈtelɪdʒənt] *adj* poco inteligente

unintentional [ˌʌnɪnˈtenʃənl] *adj* no intencionado(da)

uninterested [ˌʌnˈɪntrəstɪd] *adj* indiferente

uninteresting [ˌʌnˈɪntrestɪŋ] *adj* poco interesante

union [ˈjuːnjən] *n* (*of workers*) sindicato *m*

Union Jack *n* • the Union Jack la bandera del Reino Unido

Union Jack

La *Union Jack* es la bandera oficial del Reino Unido, y fue usada por primera vez en 1801. Es el resultado de la superposición de las banderas de Inglaterra, de Escocia y de Irlanda. También se le suele llamar *Union Flag*.

unique [juːˈniːk] *adj* único(ca) • to be unique to ser peculiar de

unisex [ˈjuːnɪseks] *adj* unisex (*inv*)

unit [ˈjuːnɪt] *n* **1.** unidad *f* **2.** (*department, building*) sección *f* **3.** (*piece of furniture*) módulo *m* **4.** (*group*) equipo *m*

unite [juːˈnaɪt] ◇ *vt* **1.** (*people*) unir **2.** (*country, party*) unificar ◇ *vi* unirse

United Kingdom [juːˈnaɪtɪd-] *n* • the United Kingdom el Reino Unido

United Nations [juːˈnaɪtɪd-] *npl* • the United Nations las Naciones Unidas

United States (of America) [juːˈnaɪtɪd-] *npl* • the United States of America los Estados Unidos (de América)

unity [ˈjuːnəti] *n* unidad *f*

universal [ˌjuːnɪˈvɜːsl] *adj* universal

universe [ˈjuːnɪvɜːs] *n* universo *m*

university [ˌjuːnɪˈvɜːsəti] *n* universidad *f*

unjust [ˌʌnˈdʒʌst] *adj* injusto(ta)

unkind [ʌnˈkaɪnd] *adj* desagradable

unknown [ˌʌnˈnəʊn] *adj* desconocido(da)

unleaded (petrol) [ʌnˈledɪd-] *n* gasolina *f* sin plomo

unless [ənˈles] *conj* a menos que

unlike [ʌnˈlaɪk] *prep* **1.** *(different to)* diferente a **2.** *(in contrast to)* a diferencia de **3.** *(not typical of)* poco característico de

unlikely [ʌnˈlaɪklɪ] *adj (not probable)* poco probable ● **she's unlikely to do it** es poco probable que lo haga

unlimited [ʌnˈlɪmɪtɪd] *adj* ilimitado(da) ● **unlimited mileage** sin límite de recorrido

unlisted [ʌnˈlɪstɪd] *adj (US) (phone number)* que no figura en la guía telefónica

unload [ʌnˈləʊd] *vt* descargar

unlock [ʌnˈlɒk] *vt* abrir (con llave)

unlucky [ʌnˈlʌkɪ] *adj* **1.** *(unfortunate)* desgraciado(da) **2.** *(bringing bad luck)* de la mala suerte

unmarried [ʌnˈmærɪd] *adj* no casado (da)

unnatural [ʌnˈnætʃrəl] *adj* **1.** *(unusual)* poco normal **2.** *(behaviour, person)* afectado(da)

unnecessary [ʌnˈnesəsərɪ] *adj* innecesario(ria)

unobtainable [ʌnəbˈteɪnəbl] *adj* inasequible

unoccupied [ʌnˈɒkjʊpaɪd] *adj (place, seat)* libre

unofficial [ʌnəˈfɪʃl] *adj* extraoficial

unpack [ʌnˈpæk] ◇ *vt* deshacer, desempacar *(Amér)* ◇ *vi* deshacer el equipaje, desempacar *(Amér)*

unpleasant [ʌnˈpleznt] *adj* **1.** *(smell, weather, surprise etc)* desagradable **2.** *(person)* antipático(ca)

unplug [ʌnˈplʌg] *vt* desenchufar

unpopular [ʌnˈpɒpjʊləʳ] *adj* impopular

unpredictable [ʌnprɪˈdɪktəbl] *adj* imprevisible

unprepared [ʌnprɪˈpeəd] *adj* ● **to be unprepared** no estar preparado(da)

unprotected [ʌnprəˈtektɪd] *adj* desprotegido(da)

unqualified [ʌnˈkwɒlɪfaɪd] *adj (person)* no cualificado(da)

unreal [ʌnˈrɪəl] *adj* irreal

unreasonable [ʌnˈriːznəbl] *adj* **1.** *(unfair)* poco razonable **2.** *(excessive)* excesivo (va)

unrecognizable [ʌnrekəgˈnaɪzəbl] *adj* irreconocible

unreliable [ʌnrɪˈlaɪəbl] *adj* poco fiable

unrest [ʌnˈrest] *n* malestar *m*

unroll [ʌnˈrəʊl] *vt* desenrollar

unsafe [ʌnˈseɪf] *adj* **1.** *(dangerous)* peligroso(sa) **2.** *(in danger)* inseguro(ra)

unsatisfactory [ʌnsætɪsˈfæktərɪ] *adj* insatisfactorio(ria)

unscrew [ʌnˈskruː] *vt (lid, top)* desenroscar

unsightly [ʌnˈsaɪtlɪ] *adj* feo(a)

unskilled [ʌnˈskɪld] *adj (worker)* no cualificado(da)

unsociable [ʌnˈsəʊʃəbl] *adj* insociable

unsound [ʌnˈsaʊnd] *adj* **1.** *(building, structure)* inseguro(ra) **2.** *(argument, method)* erróneo(a)

unspoiled [ʌnˈspɔɪlt] *adj* que no ha sido estropeado

unsteady [ʌnˈstedɪ] *adj* **1.** inestable **2.** *(hand)* tembloroso(sa)

unstuck [ʌnˈstʌk] *adj* ● **to come unstuck** despegarse

unsuccessful [ˌʌnsək'sesfʊl] *adj* fracasado(da)

unsuitable [ˌʌn'suːtəbl] *adj* inadecuado(da)

unsure [ˌʌn'ʃɔːʳ] *adj* ● to be unsure (about) no estar muy seguro(ra)(de)

unsweetened [ˌʌn'swiːtnd] *adj* no edulcorado(da)

untidy [ʌn'taɪdɪ] *adj* 1. *(person)* desaliñado(da) 2. *(room, desk)* desordenado(da)

untie [ˌʌn'taɪ] *(cont* **untying)** *vt* desatar

until [ən'tɪl] ◇ *prep* hasta ◇ *conj* hasta que ● don't start until I tell you no empieces hasta que no te lo diga

untrue [ˌʌn'truː] *adj* falso(sa)

untrustworthy [ˌʌn'trʌst,wɜːðɪ] *adj* poco fiable

untying [ˌʌn'taɪɪŋ] *cont* ➤ **untie**

unusual [ʌn'juːʒl] *adj* 1. *(not common)* poco común 2. *(distinctive)* peculiar

unusually [ʌn'juːʒəlɪ] *adv* *(more than usual)* extraordinariamente

unwell [ˌʌn'wel] *adj* indispuesto(ta) ● to feel unwell sentirse mal

unwilling [ˌʌn'wɪlɪŋ] *adj* ● to be unwilling to do sthg no estar dispuesto(ta) a hacer algo

unwind [ˌʌn'waɪnd] *(pt & pp* **unwound)** ◇ *vt* desenrollar ◇ *vi (relax)* relajarse

unwrap [ˌʌn'ræp] *vt* desenvolver

unzip [ˌʌn'zɪp] *vt* abrir la cremallera OR el cierre *(Amér)* de

up [ʌp]
◇ *adv* 1. *(towards higher position, level)* hacia arriba ● we walked up to the top fuimos andando hasta arriba del todo ● to pick sthg up coger algo ● prices are going up los precios están subiendo 2. *(in higher position)* arriba ● she's up in her bedroom está arriba, en su cuarto ● up there allí arriba 3. *(into upright position)* ● to sit up sentarse derecho ● to stand up ponerse de pie 4. *(northwards)* ● we're going up to Dewsbury vamos a subir a Dewsbury 5. *(in phrases)* ● to walk up and down andar de un lado para otro ● to jump up and down dar brincos ● up to six weeks/ten people hasta seis semanas/diez personas ● are you up to travelling? ¿estás en condiciones de viajar? ● what are you up to? ¿qué andas tramando? ● it's up to you depende de ti ● up until ten o'clock hasta las diez
◇ *prep* 1. *(towards higher position)* ● to walk up a hill subir por un monte ● I went up the stairs subí las escaleras 2. *(in higher position)* en lo alto de ● up a hill en lo alto de una colina 3. *(at end of)* ● they live up the road from us viven al final de nuestra calle
◇ *adj* 1. *(out of bed)* levantado(da) ● I was up at six today hoy, me levanté a las seis 2. *(at an end)* terminado(da) ● time's up se acabó el tiempo 3. *(rising)* ● the up escalator el ascensor que sube
◇ *n* ● ups and downs altibajos *mpl*

update [ˌʌp'deɪt] *vt* actualizar

uphill [ˌʌp'hɪl] *adv* cuesta arriba

upholstery [ʌp'həʊlstərɪ] *n* tapicería *f*

upkeep [ˈʌpkiːp] *n* mantenimiento *m*

up-market *adj (UK)* de mucha categoría

upon [ə'pɒn] *prep* (fml) (on) en, sobre ● **upon hearing the news ...** al oír la noticia ...

upper ['ʌpə] ◇ *adj* superior ◇ *n* (of shoe) pala *f*

upper class *n* clase *f* alta

uppermost ['ʌpəməʊst] *adj* (highest) más alto(ta)

upper sixth *n* (UK) SCH segundo año del curso optativo de dos que prepara a los alumnos de 18 años para los A-levels

upright ['ʌpraɪt] ◇ *adj* 1. (person) erguido(da) 2. (object) vertical ◇ *adv* derecho

upset [ʌp'set] (pt & pp inv) ◇ *adj* 1. (distress) disgustado(da) ◇ *vt* 1. (distress) disgustar 2. (cause to go wrong) estropear 3. (knock over) volcar ● **to have an upset stomach** tener el estómago revuelto

upside down [ˌʌpsaɪd-] *adj & adv* al revés

upstairs [ˌʌp'steəz] ◇ *adj* de arriba ◇ *adv* arriba ● **to go upstairs** ir arriba

up-to-date *adj* 1. (modern) moderno(na) 2. (well-informed) al día

upwards ['ʌpwədz] *adv* hacia arriba ● **upwards of 100 people** más de 100 personas

urban ['ɜːbən] *adj* urbano(na)

Urdu ['ʊədu:] *n* urdu *m*

urge [ɜːdʒ] *vt* ● **to urge sb to do sthg** incitar a alguien a hacer algo

urgent ['ɜːdʒənt] *adj* urgente

urgently ['ɜːdʒəntlɪ] *adv* (immediately) urgentemente

urinal [ˌjʊə'raɪnl] *n* 1. (apparatus) orinal *m* 2. (fml) (place) urinario *m*

urinate ['jʊərɪneɪt] *vi* (fml) orinar

urine ['jʊərɪn] *n* orina *f*

URL [ju:a:'rel] *n* COMPUT (abbr of uniform resource locator) URL *m* (uniform resource locator)

Uruguay ['jʊərəgwaɪ] *n* Uruguay

Uruguayan ['jʊərə'gwaɪən] ◇ *adj* uruguayo(ya) ◇ *n* uruguayo *m*, -ya *f*

us [ʌs] *pron* nos ● **they know us** nos conocen ● **it's us** somos nosotros ● **send it to us** envíanoslo ● **tell us** dinos ● **they're worse than us** son peores que nosotros

US [ju:'es] *n* (abbr of United States) ● **the US** los EEUU

US Education

En los Estados Unidos, los niños de 5 años van a la *Elementary School*. A los 12, pasan a la *Junior High School* y dos años más tarde, a la *High School*. La ceremonia de graduación de la *High School*, a los 18 años, es un acontecimiento muy importante.

US Open

Existen dos Abiertos de Estados Unidos, uno de tenis y otro de golf. En los dos casos, se celebran anualmente y son uno de los torneos más importantes del mundo en cada deporte. El Abierto de tenis se celebra en *Flushing Meadows*, en Nueva York.

USA [ju:es'eɪ] *n* (abbr of United States of

America) ● the USA los EEUU
usable ['ju:zəbl] *adj* utilizable
use ◇ *n* [ju:s] uso *m* ◇ *vt* [ju:z] **1.** usar **2.** *(exploit)* utilizar ● **to be of use** ser útil ● **to have the use of sthg** poder hacer uso de algo ● **to make use of sthg** aprovechar algo ▼ **out of use** no funciona ● **to be in use** usarse ● **it's no use** es inútil ● **what's the use?** ¿de qué vale? ● **to use a crate as a table** usar un cajón como mesa ▼ **use before ...** consumir preferentemente antes de ... ● **use up** *vt sep* agotar
used ◇ *adj* [ju:zd] usado(da) ◇ *aux vb* [ju:st] ● **I used to live near here** antes vivía cerca de aquí ● **I used to go there every day** solía ir allí todos los días ● **to be used to sthg** estar acostumbrado(da) a algo ● **to get used to sthg** acostumbrarse a algo
useful ['ju:sful] *adj* útil
useless ['ju:slɪs] *adj* **1.** inútil **2.** *(inf) (very bad)* pésimo(ma)
user ['ju:zəʳ] *n* usuario *m*, -ria *f*
usher ['ʌʃəʳ] *n* *(at cinema, theatre)* acomodador *m*
usual ['ju:ʒəl] *adj* habitual ● **as usual** *(in the normal way)* como de costumbre; *(as often happens)* como siempre
usually ['ju:ʒəlɪ] *adv* normalmente
utensil [ju:'tensl] *n* utensilio *m*
utilize ['ju:təlaɪz] *vt (fml)* utilizar
utmost ['ʌtməʊst] ◇ *adj* mayor ◇ *n* ● **to do one's utmost** hacer todo cuanto sea posible
utter ['ʌtəʳ] ◇ *adj* completo(ta) ◇ *vt* **1.** *(word)* pronunciar **2.** *(sound)* emitir
utterly ['ʌtəlɪ] *adv* completamente

U-turn *n* giro *m* de 180°
UV [ju:'vi:] *adj (abbr of ultra-violet)* ultravioleta ● **UV rays** rayos *mpl* ultravioleta

Vv

vacancy ['veɪkənsɪ] *n (job)* vacante *f* ▼ **vacancies** hay camas ▼ **no vacancies** completo
vacant ['veɪkənt] *adj* libre ▼ **vacant** libre
vacate [və'keɪt] *vt (fml) (room, house)* desocupar
vacation [və'keɪʃn] ◇ *n (US)* vacaciones *fpl* ◇ *vi (US)* estar de vacaciones ● **to go on vacation** *(US)* ir de vacaciones
vaccination [ˌvæksɪ'neɪʃn] *n* vacunación *f*
vaccine [(UK) 'væksi:n, (US) væk'si:n] *n* vacuna *f*
vacuum ['vækjʊəm] *vt* pasar la aspiradora por
vacuum cleaner *n* aspiradora *f*
vague [veɪg] *adj* **1.** *(plan, letter, idea)* vago(ga) **2.** *(memory, outline)* borroso(sa) **3.** *(person)* impreciso(sa)
vain [veɪn] *adj (pej) (conceited)* engreído(da) ● **in vain** en vano
Valentine card ['væləntaɪn-] *n* tarjeta *f* del día de San Valentín
Valentine's Day ['væləntaɪnz-] *n* día *m* de San Valentín
valid ['vælɪd] *adj (ticket, passport)* valedero(ra)

validate ['vælɪdeɪt] *vt* validar

valley ['vælɪ] (*pl* **-s**) *n* valle *m*

valuable ['væljʊəbl] *adj* valioso(sa) ◆

valuables *npl* objetos *mpl* de valor

value ['vælju:] *n* **1.** (*financial*) valor *m* **2.** (*usefulness*) sentido *m* ● **a value pack** un paquete económico ● **to be good value (for money)** estar muy bien de precio ◆ **values** *npl* valores *mpl* morales

valve [vælv] *n* válvula *f*

van [væn] *n* furgoneta *f*

vandal ['vændl] *n* vándalo *m*, -la *f*

vandalize ['vændəlaɪz] *vt* destrozar

vanilla [və'nɪlə] *n* vainilla *f*

vanish ['vænɪʃ] *vi* desaparecer

vapor ['veɪpər] (*US*) = **vapour**

vapour ['veɪpə'] *n* (*UK*) vapor *m*

variable ['veərɪəbl] *adj* variable

varicose veins ['værɪkəʊs-] *npl* varices *fpl*

varied ['veərɪd] *adj* variado(da)

variety [və'raɪətɪ] *n* variedad *f*

various ['veərɪəs] *adj* varios(rias)

varnish ['vɑːnɪʃ] *n* (*for wood*) barniz *m* ◇ *vt* (*wood*) barnizar

vary ['veərɪ] *vt* & *vi* variar ● **regulations vary from country to country** las normas cambian de un país a otro ▼ **prices vary** los precios varían

vase [(*UK*) vɑːz, (*US*) veɪz] *n* florero *m*

vast [vɑːst] *adj* inmenso(sa)

VAT [væt, vi:eɪ'ti:] *n* (*abbr of* value added tax) IVA *m* (*impuesto sobre el valor añadido*)

vault [vɔːlt] *n* **1.** (*in bank*) cámara *f* acorazada **2.** (*in church*) cripta *f* **3.** (*roof*) bóveda *f*

VCR [vi:si:'ɑ:r] *n* (*UK*) (*abbr of* video cassette recorder) vídeo *m* (*Esp*), video *m*

VDU [vi:di:'ju:] *n* (*abbr of* visual display unit) monitor *m*

veal [vi:l] *n* ternera *f*

veg [vedʒ] *n* verdura *f*

vegan ['vi:gən] ◇ *adj* vegano(na) ◇ *n* vegano *m*, -na *f*

vegetable ['vedʒtəbl] *n* vegetal *m* ●

vegetables verduras *fpl*

vegetable oil *n* aceite *m* vegetal

vegetarian [,vedʒɪ'teərɪən] ◇ *adj* vegetariano(na) ◇ *n* vegetariano *m*, -na *f*

vegetation [,vedʒɪ'teɪʃn] *n* vegetación *f*

vehicle ['vi:əkl] *n* vehículo *m*

veil [veɪl] *n* velo *m*

vein [veɪn] *n* vena *f*

Velcro ® ['velkrəʊ] *n* velcro ®

velvet ['velvɪt] *n* terciopelo *m*

vending machine ['vendɪŋ-] *n* máquina *f* de venta automática

venetian blind [vɪˌni:ʃn-] *n* persiana *f* veneciana

Venezuela [,venɪz'weɪlə] *n* Venezuela

Venezuelan [,venɪz'weɪlən] ◇ *adj* venezolano(na) ◇ *n* venezolano *m*, -na *f*

venison ['venɪzn] *n* carne *f* de venado

vent [vent] *n* (*for air, smoke etc*) rejilla *f* de ventilación

ventilation [,ventɪ'leɪʃn] *n* ventilación *f*

ventilator ['ventɪleɪtə'] *n* ventilador *m*

venture ['ventʃə'] ◇ *n* empresa *f* ◇ *vi* (*go*) aventurarse a ir

venue ['venju:] *n* lugar *m* (*de un acontecimiento*)

veranda [və'rændə] *n* porche *m*

verb [vɜ:b] *n* verbo *m*

verdict ['vɜːdɪkt] n 1. *LAW* veredicto m 2. (opinion) juicio m

verge [vɜːdʒ] n (UK) (of road, lawn, path) borde m ▼ soft verges *señal que avisa del peligro de estancarse en los bordes de la carretera*

verify ['verɪfaɪ] vt verificar

vermin ['vɜːmɪn] n bichos mpl

vermouth ['vɜːməθ] n vermut m

versa ➤ vice versa

versatile ['vɜːsətaɪl] adj 1. (person) polifacético(ca) 2. (machine, food) que tiene muchos usos

verse [vɜːs] n 1. (of song, poem) estrofa f 2. (poetry) versos mpl

version ['vɜːʃn] n versión f

versus ['vɜːsəs] prep contra

vertical ['vɜːtɪkl] adj vertical

vertigo ['vɜːtɪɡəʊ] n vértigo m

very ['verɪ] ◇ adv muy ◇ adj mismísimo(ma) ● very much mucho ● not very big no muy grande ● my very own room mi propia habitación ● the very best el mejor de todos ● the very person justo la persona

vessel ['vesl] n (fml) (ship) nave f

vest [vest] n 1. (UK) (underwear) camiseta f 2. (US) (waistcoat) chaleco m

vet [vet] n (UK) veterinario m, -ria f

veteran ['vetrən] n veterano m, -na f

veterinarian [,vetərɪ'neərɪən] (US) = vet

veterinary surgeon ['vetərɪnrɪ-] (UK) = vet

VHS [,viːeɪtʃ'es] n (abbr of video home system) VHS m

via ['vaɪə] prep 1. (place) pasando por 2. (by means of) por medio de

viaduct ['vaɪədʌkt] n viaducto m

vibrate [vaɪ'breɪt] vi vibrar

vibration [vaɪ'breɪʃn] n vibración f

vicar ['vɪkə'] n párroco m, -ca f

vicarage ['vɪkərɪdʒ] n casa f parroquial

vice [vaɪs] n 1. vicio m 2. (UK) (tool) torno m de banco

vice-president n vicepresidente m, -ta f

vice versa [,vaɪsɪ'vɜːsə] adv viceversa

vicinity [vɪ'sɪnɪtɪ] n ● in the vicinity en las proximidades

vicious ['vɪʃəs] adj 1. (attack) brutal 2. (animal) sañoso(sa) 3. (comment) hiriente

victim ['vɪktɪm] n víctima f

Victorian [vɪk'tɔːrɪən] adj victoriano(-na)

victory ['vɪktərɪ] n victoria f

video ['vɪdɪəʊ] (pl -s) ◇ n vídeo m ◇ vt 1. (using video recorder) grabar en vídeo 2. (using camera) hacer un vídeo de ● on video en vídeo

video camera n videocámara f

video game n videojuego m

video recorder n (UK) vídeo m (Esp), video m

video shop n (UK) tienda f de vídeos (Esp) OR videos

videotape ['vɪdɪəʊteɪp] n cinta f de vídeo (Esp) OR video

Vietnam [,vjet'næm] n Vietnam m

view [vjuː] ◇ n 1. (scene, line of sight) vista f 2. (opinion) opinión f 3. (attitude) visión f ◇ vt (look at) observar ● in my view desde mi punto de vista ● in view of (considering) en vista de ● to come into view aparecer ● you're

blocking my view no me dejas ver nada

viewer ['vju:ə'] n (of TV) telespectador m, -ra f

viewfinder ['vju:,faɪndə'] n visor m

viewpoint ['vju:pɔɪnt] n **1.** (opinion) punto m de vista **2.** (place) mirador m

vigilant ['vɪdʒɪlənt] adj (fml) alerta

villa ['vɪlə] n **1.** (in countryside, by sea) casa f de campo **2.** (UK) (in town) chalé m

village ['vɪlɪdʒ] n **1.** (larger) pueblo m **2.** (smaller) aldea f

villager ['vɪlɪdʒə'] n aldeano m, -na f

villain ['vɪlən] n **1.** (of book, film) malo m, -la f **2.** (criminal) criminal mf

vinaigrette [,vɪnɪ'gret] n vinagreta f

vine [vaɪn] n **1.** (grapevine) vid f **2.** (climbing plant) parra f

vinegar ['vɪnɪgə'] n vinagre m

vineyard ['vɪnjəd] n viña f

vintage ['vɪntɪdʒ] ◇ adj (wine) añejo(ja) ◇ n (year) cosecha f (de vino)

vinyl ['vaɪnl] n vinilo m

viola [vɪ'əʊlə] n viola f

violence ['vaɪələns] n violencia f

violent ['vaɪələnt] adj **1.** violento(ta) **2.** (storm) fuerte

violet ['vaɪələt] ◇ adj violeta (inv) ◇ n (flower) violeta f

violin [,vaɪə'lɪn] n violín m

VIP [vi:aɪ'pi:] n (abbr of very important person) gran personalidad f

virgin ['vɜ:dʒɪn] n virgen mf

Virgo ['vɜ:gəʊ] n Virgo m

virtually ['vɜ:tʃʊəlɪ] adv prácticamente

virtual reality ['vɜ:tʃʊəl-] n realidad f virtual

virus ['vaɪrəs] n virus m inv

visa ['vi:zə] n visado m (Esp), visa m (Amér)

viscose ['vɪskəʊs] n viscosa f

visibility [,vɪzɪ'bɪlətɪ] n visibilidad f

visible ['vɪzəbl] adj visible

visit ['vɪzɪt] ◇ vt visitar ◇ n visita f

visiting hours ['vɪzɪtɪŋ-] npl horas fpl de visita

visitor ['vɪzɪtə'] n **1.** (to person) visita f **2.** (to place) visitante mf

visitors' book ['vɪzɪtəz-] n libro m de visitas

visor ['vaɪzə'] n visera f

vital ['vaɪtl] adj esencial

vitamin [(UK) 'vɪtəmɪn, (US) 'vaɪtəmɪn] n vitamina f

vivid ['vɪvɪd] adj vivo(va)

V-neck ['vi:-] n (design) cuello m de pico

vocabulary [və'kæbjʊlərɪ] n vocabulario m

vodka ['vɒdkə] n vodka m

voice [vɔɪs] n voz f

voice mail n buzón m de voz ● **to check one's voice mail** escuchar los mensajes del buzón de voz

volcano [vɒl'keɪnəʊ] (pl **-es** OR **-s**) n volcán m

volleyball ['vɒlɪbɔːl] n voleibol m

volt [vəʊlt] n voltio m

voltage ['vəʊltɪdʒ] n voltaje m

volume ['vɒljuːm] n volumen m

voluntary ['vɒləntrɪ] adj voluntario (ria)

volunteer [,vɒlən'tɪə'] ◇ n voluntario m, -ria f ◇ vt ● **to volunteer to do sthg** ofrecerse voluntariamente a hacer algo

vomit ['vɒmɪt] ◇ n vómito m ◇ vi vomitar

vote [vəʊt] ⋄ n **1.** (*choice*) voto m **2.** (*process*) votación f **3.** (*number of votes*) votos mpl ⋄ vi ● **to vote (for)** votar (a)
voter ['vəʊtə'] n votante mf
voucher ['vaʊtʃə'] n bono m
vowel ['vaʊəl] n vocal f
voyage ['vɔɪdʒ] n viaje m
vulgar ['vʌlgə'] adj **1.** (*rude*) grosero(ra) **2.** (*in bad taste*) chabacano(na)
vulture ['vʌltʃə'] n buitre m

WW

W (*abbr of west*) O (*oeste*)
wad [wɒd] n **1.** (*of paper*) taco m **2.** (*of banknotes*) fajo m **3.** (*of cotton*) bola f
wade [weɪd] vi caminar dentro del agua
wading pool ['weɪdɪŋ-] n (US) piscina f infantil
wafer ['weɪfə'] n barquillo m
waffle ['wɒfl] ⋄ n (*pancake*) gofre m (*Esp*), wafle m (*Amér*) ⋄ vi (UK) (*inf*) enrollarse
wag [wæg] vt menear
wage [weɪdʒ] n (*weekly*) salario m ●
wages npl (*weekly*) salario m
wagon ['wægən] n **1.** (*vehicle*) carro m **2.** (UK) (*of train*) vagón m
waist [weɪst] n cintura f
waistcoat ['weɪskəʊt] n (UK) chaleco m
wait [weɪt] n espera f ⋄ vi esperar ● **to wait for sb to do sthg** esperar a que alguien haga algo ● **I can't wait!** ¡me

muero de impaciencia! ● **wait for** vt insep esperar
waiter ['weɪtə'] n camarero m, mesero m (*Amér*)
waiting room ['weɪtɪŋ-] n sala f de espera
waitress ['weɪtrɪs] n camarera f, mesera f (*Amér*)
wake [weɪk] (pt **woke**, pp **woken**) ⋄ vt despertar ⋄ vi despertarse ● **wake up** vt sep despertar ⋄ vi despertarse
Wales [weɪlz] n (el país de) Gales
walk [wɔːk] ⋄ n **1.** (*journey on foot*) paseo m **2.** (*path*) ruta f paisajística (a pie) ⋄ vi **1.** andar (*Esp*), caminar **2.** (*as hobby*) caminar ⋄ vt **1.** (*distance*) andar (*Esp*), caminar **2.** (*dog*) pasear ● **to go for a walk** ir a dar un paseo ● **it's a short walk** está a poca distancia a pie ● **to take the dog for a walk** pasear el perro ▼ **don't walk** (US) señal que prohíbe cruzar a los peatones ▼ **walk** (US) señal que autoriza a los peatones a cruzar ● **walk away** vi marcharse ● **walk in** vi entrar ● **walk out** vi (*leave angrily*) marcharse enfurecido
walker ['wɔːkə'] n caminante mf
walking boots ['wɔːkɪŋ-] npl botas fpl de montaña
walking stick ['wɔːkɪŋ-] n bastón m
wall [wɔːl] n **1.** (*of building, room*) pared f **2.** (*in garden, countryside, street*) muro m
wallet ['wɒlɪt] n billetero m
wallpaper ['wɔːl,peɪpə'] n papel m de pared
Wall Street n Wall Street

Wall Street

Wall Street es una calle en el extremo sur de Manhattan en la que se concentran las principales instituciones financieras y la Bolsa de Nueva York. El nombre de Wall Street se usa muchas veces como sinónimo de la Bolsa neoyorquina.

wally ['wɒlɪ] *n* (UK) (inf) imbécil *mf*

walnut ['wɔːlnʌt] *n* (nut) nuez *f* (de nogal)

waltz [wɔːls] *n* vals *m*

wander ['wɒndəʳ] *vi* vagar

want [wɒnt] *vt* **1.** (desire) querer **2.** (need) necesitar ● to want to do sthg querer hacer algo ● do you want me to help you? ¿quieres que te ayude?

WAP [wæp] *n* (abbr of wireless application protocol) WAP *m*

war [wɔːʳ] *n* guerra *f*

ward [wɔːd] *n* (in hospital) sala *f*

warden ['wɔːdn] *n* (of park) guarda *mf*

wardrobe ['wɔːdrəʊb] *n* armario *m*, guardarropa *m*, ropero *m* (Amér)

warehouse ['weəhaʊs] *n* almacén *m*

warm [wɔːm] ◇ *adj* **1.** (pleasantly hot) caliente **2.** (lukewarm) templado(da) **3.** (day, weather, welcome) caluroso(sa) **4.** (clothes, blankets) que abriga **5.** (person, smile) afectuoso(sa) ◇ *vt* calentar ● I'm warm tengo calor ● it's warm hace calor ● are you warm enough? no tendrás frío ¿verdad? ◆ **warm up** ◇ *vt sep* calentar ◇ *vi* **1.** (get warmer) entrar en calor **2.** (do exercises) hacer ejercicios

de calentamiento **3.** (machine, engine) calentarse

warmth [wɔːmθ] *n* calor *m*

warn [wɔːn] *vt* advertir ● we warned them about the risks les previnimos de los riesgos ● I warned you not to do that te advertí que no lo hicieras

warning ['wɔːnɪŋ] *n* aviso *m*

warranty ['wɒrəntɪ] *n* (fml) garantía *f*

warship ['wɔːʃɪp] *n* buque *m* de guerra

wart [wɔːt] *n* verruga *f*

was [wɒz] *pt* ➤ be

wash [wɒʃ] ◇ *vt* lavar ◇ *vi* lavarse ◇ *n* ● to give sthg a wash lavar algo ● to have a wash lavarse ● to wash one's hands/face lavarse las manos/la cara

wash up *vi* **1.** (UK) (do washing-up) fregar los platos **2.** (US) (clean o.s.) lavarse

washable ['wɒʃəbl] *adj* lavable

washbasin ['wɒʃ,beɪsn] *n* lavabo *m*

washbowl ['wɒʃbəʊl] *n* (US) lavabo *m*

washer ['wɒʃəʳ] *n* (ring) arandela *f*

washing ['wɒʃɪŋ] *n* (UK) **1.** (activity, clean clothes) colada *f* (Esp), ropa *f* lavada **2.** (dirty clothes) ropa *f* sucia

washing line *n* (UK) tendedero *m*

washing machine *n* lavadora *f*

washing powder *n* (UK) detergente *m* (en polvo)

washing-up *n* (UK) ● to do the washing-up fregar los platos

washing-up bowl *n* (UK) barreño *m*

washing-up liquid *n* (UK) lavavajillas *m inv*

washroom ['wɒʃrʊm] *n* (US) aseos *mpl*, baños *mpl* (Amér)

wasn't [wɒznt] = was not

wasp [wɒsp] *n* avispa *f*

waste [weɪst] ◇ *n* 1. *(rubbish)* desperdicios *mpl* 2. *(toxic, nuclear)* residuos *mpl* ◇ *vt* 1. *(energy, opportunity)* desperdiciar 2. *(money)* malgastar 3. *(time)* perder ● **a waste of money** un derroche de dinero ● **a waste of time** una pérdida de tiempo

wastepaper basket [ˌweɪst'peɪpə'] *n* papelera *f*

watch [wɒtʃ] ◇ *n* *(wristwatch)* reloj *m* (de pulsera) ◇ *vt* 1. *(observe)* ver 2. *(spy on)* vigilar 3. *(be careful with)* tener cuidado con ● **watch out** *vi* *(be careful)* tener cuidado ● **watch out for a big hotel estate** al tanto de un hotel grande

watchstrap [wɒtʃstræp] *n* correa *f* de reloj

water [ˈwɔːtə'] ◇ *n* agua *f* ◇ *vt* regar ◇ *vi* ● **my eyes are watering** me lloran los ojos ● **my mouth is watering** se me está haciendo la boca agua

water bottle *n* cantimplora *f*

watercolor *(US)* = **watercolour**

watercolour [ˈwɔːtəˌkʌlə'] *n* *(UK)* acuarela *f*

watercress [ˈwɔːtəkres] *n* berro *m*

waterfall [ˈwɔːtəfɔːl] *n* 1. *(small)* cascada *f* 2. *(large)* catarata *f*

watering can [ˈwɔːtərɪŋ-] *n* regadera *f*

watermelon [ˈwɔːtəˌmelən] *n* sandía *f*

waterproof [ˈwɔːtəpruːf] *adj* impermeable

water skiing *n* esquí *m* acuático

watersports [ˈwɔːtəspɔːts] *npl* deportes *mpl* acuáticos

water tank *n* depósito *m* del agua

watertight [ˈwɔːtətaɪt] *adj* hermético(-ca)

watt [wɒt] *n* vatio *m* ● **a 60-watt bulb** una bombilla de 60 vatios

wave [weɪv] ◇ *n* 1. *(in sea, of crime)* ola *f* 2. *(in hair, of light, sound)* onda *f* ◇ *vt* 1. *(hand)* saludar con 2. *(flag)* agitar ◇ *vi* 1. *(when greeting)* saludar con la mano 2. *(when saying goodbye)* decir adiós con la mano

wavelength [ˈweɪvleŋθ] *n* longitud *f* de onda

wavy [ˈweɪvɪ] *adj* ondulado(da)

wax [wæks] *n* cera *f*

way [weɪ] *n* 1. *(manner, means)* modo *m*, manera *f* 2. *(route, distance travelled)* camino *m* 3. *(direction)* dirección *f* ● **it's the wrong way round** es al revés ● **which way is the station?** ¿por dónde se va a la estación? ● **the town is out of our way** la ciudad no nos queda de camino ● **to be in the way** estar en medio ● **to be on the way** *(coming)* estar de camino ● **to get out of the way** quitarse de en medio ● **to get under way** dar comienzo ● **there's a long way to go** nos queda mucho camino ● **a long way away** muy lejos ● **to lose one's way** perderse ● **on the way back** a la vuelta ● **on the way there** a la ida ● **that way** *(like that)* así; *(in that direction)* por allí ● **this way** *(like this)* así; *(in this direction)* por aquí ▼ **give way** ceda el paso ● **no way!** *(inf)* ¡ni hablar! ▼ **way in** entrada ▼ **way out** salida

WC [dʌbljuːˈsiː] *n* *(UK)* *(abbr of water closet)* aseos *mpl*, baños *mpl* *(Amér)*

we [wiː] *pron* nosotros *mpl*, -tras *f*
we're young (nosotros) somos jóvenes
weak [wiːk] *adj* **1.** *(débil* **2.** *(not solid)* frágil **3.** *(drink)* poco cargado(da) **4.** *(soup)* líquido(da) **5.** *(poor, not good)* mediocre
weaken ['wiːkn] *vt* debilitar
weakness ['wiːknɪs] *n* **1.** *(weak point)* defecto *m* **2.** *(fondness)* debilidad *f*
wealth [welθ] *n* riqueza *f*
wealthy ['welθɪ] *adj* rico(ca)
weapon ['wepən] *n* arma *f*
weapons of mass destruction *n* armas *fpl* de destrucción masiva
wear [weəʳ] *(pt* **wore**, *pp* **worn)** ◇ *vt* llevar ◇ *n (clothes)* ropa *f* ◆ **wear and tear** desgaste *m* ◆ **wear off** *vi* desaparecer ◆ **wear out** *vi* gastarse
weary ['wɪərɪ] *adj* fatigado(da)
weather ['weðəʳ] *n* tiempo *m* ● **what's the weather like?** ¿qué tiempo hace? ● **to be under the weather** *(inf)* no encontrarse muy bien
weather forecast *n* pronóstico *m* del tiempo
weather forecaster [-fɔːkɑːstəʳ] *n* hombre *m* del tiempo, mujer *f* del tiempo *f*
weather report *n* parte *m* meteorológico
weather vane [-veɪn] *n* veleta *f*
weave [wiːv] *(pt* **wove**, *pp* **woven)** *vt* tejer
web [web] *n* **1.** telaraña *f* **2.** COMPUT ● **the web** o **the Web** ● **on the web** en el o **la Web**
webcam ['webkæm] *n* webcam *f*
web site *n* COMPUT sitio *m* web, web *m*

Wed. *(abbr of* Wednesday) miér. *(miércoles)*
wedding ['wedɪŋ] *n* boda *f*
wedding anniversary *n* aniversario *m* de boda
wedding dress *n* vestido *m* de novia
wedding ring *n* anillo *m* de boda
wedge [wedʒ] *n* **1.** *(of cake)* trozo *m* **2.** *(of wood etc)* cuña *f*
Wednesday ['wenzdɪ] *n* miércoles *m inv* ● **it's Wednesday** es miércoles ● **Wednesday morning** el miércoles por la mañana ● **on Wednesday** el miércoles ● **on Wednesdays** los miércoles ● **last Wednesday** el miércoles pasado ● **this Wednesday** este miércoles ● **next Wednesday** el miércoles de la semana que viene ● **Wednesday week, a week on Wednesday** del miércoles en ocho días
wee [wiː] *n (inf)* pipí *m*
weed [wiːd] *n* mala hierba *f*
week [wiːk] *n* **1.** semana *f* **2.** *(weekdays)* días *mpl* laborables ● **a week today** de hoy en ocho días ● **in a week's time** dentro de una semana
weekday ['wiːkdeɪ] *n* día *m* laborable
weekend [ˌwiːk'end] *n* fin *m* de semana
weekly ['wiːklɪ] ◇ *adj* semanal ◇ *adv* cada semana o *n* semanario *m*
weep [wiːp] *(pt & pp* **wept)** *vi* llorar
weigh [weɪ] *vt* pesar ● **how much does it weigh?** ¿cuánto pesa?
weight [weɪt] *n* peso *m* ● **to lose weight** adelgazar ● **to put on weight** engordar ◆ **weights** *npl (for weight training)* pesas *fpl*
weightlifting ['weɪtˌlɪftɪŋ] *n* halterofilia *f*

weight training n ejercicios mpl de pesas

weird [wɪəd] adj raro(ra)

welcome ['welkəm] ◇ adj 1. (guest) bienvenido(da) 2. (freely allowed) muy libre 3. (appreciated) grato(ta) ◇ n bienvenida f ◇ vt 1. (greet) dar la bienvenida a 2. (be grateful for) agradecer ◇ excl ¡bienvenido! ● to make sb feel welcome recibir bien a alguien ● you're welcome! de nada

weld [weld] vt soldar

welfare ['welfeər] n 1. (happiness, comfort) bienestar m 2. (US) (money) subsidio m de la Seguridad Social

well [wel] (compar **better**, superl **best**) ◇ adj & adv bien ◇ n pozo m ● to get well reponerse ● to go well ir bien ● well before the start mucho antes del comienzo ● well done! ¡muy bien! ● it may well happen es muy probable que ocurra ● it's well worth it sí que merece la pena ● as well también ● as well as además de

we'll [wi:l] = we shall, we will

well-behaved [-bɪ'heɪvd] adj bien educado(da)

well-built adj fornido(da)

well-done adj muy hecho(cha)

well-dressed [-'drest] adj bien vestido(da)

wellington (boot) ['welɪŋtən-] n (UK) bota f de agua

well-known adj conocido(da)

well-off adj (rich) adinerado(da)

well-paid adj bien remunerado(da)

welly ['welɪ] n (UK) (inf) bota f de agua

Welsh [welʃ] ◇ adj galés(esa) ◇ n (language) galés m ◇ npl ● the Welsh los galeses ● Welsh National Assembly la Asamblea Nacional de Gales

Welsh National Assembly

La Asamblea Nacional de Gales fue instituida en 1998, cuando Gales consiguió un grado limitado de autonomía con respecto a Londres. Tiene competencias en materia de agricultura, educación, salud y turismo, entre otros asuntos. Su sede está en Cardiff, la capital de Gales.

Welshman ['welʃmən] (pl **-men**) n galés m

Welshwoman ['welʃ,wʊmən] (pl **-women**) n galesa f

went [went] pt ➤ go

wept [wept] pt & pp ➤ weep

were [wɜ:ʳ] pt ➤ be

we're [wɪəʳ] = we are

weren't [wɜ:nt] = were not

west [west] ◇ n oeste m ◇ adv 1. (fly, walk) hacia el oeste 2. (be situated) al oeste ● in the west of England en el oeste de Inglaterra

westbound ['westbaund] adj con dirección oeste

West Country n ● the West Country el sudoeste de Inglaterra, especialmente los condados de Somerset, Devon y Cornualles

western ['westən] ◇ adj occidental ◇ n película f del oeste

West Indies [-'ɪndi:z] npl ● the West Indies las Antillas

Westminster ['westmɪnstə'] *n* Westminster

Westminster Abbey *n* la abadía de Westminster

Westminster/ Westminster Abbey

Westminster es un barrio del centro de Londres en el que se encuentra el parlamento británico y la abadía del mismo nombre (*Westminster Abbey*). Durante muchos siglos los monarcas británicos fueron enterrados en la abadía. Con frecuencia, *Westminster* se usa como sinónimo de "el gobierno británico".

westwards ['westwədz] *adv* hacia el oeste

wet [wet] (*pt & pp inv* OR **-ted**) ◇ *adj* **1.** (*soaked*) mojado(da) **2.** (*damp*) húmedo(da) **3.** (*rainy*) lluvioso(sa) ◇ *vt* **1.** (*soak*) mojar **2.** (*dampen*) humedecer ▼ **to get wet** mojarse ▼ **wet paint** recién pintado

wet suit *n* traje *m* de submarinista

we've [wiːv] = **we have**

whale [weɪl] *n* ballena *f*

wharf [wɔːf] (*pl* **-s** OR **wharves**) *n* muelle *m*

what [wɒt]
◇ *adj* **1.** (*in questions*) qué ● **what colour is it?** ¿de qué color es? ● **what shape is it?** ¿qué forma tiene? ● **he asked me what colour it was** me preguntó de qué color era **2.** (*in exclamations*) qué ● **what a surprise!** ¡qué sorpresa! ● **what a beautiful day!** ¡qué día más bonito!
◇ *pron* **1.** (*in questions*) qué ● **what is going on?** ¿qué pasa? ● **what are they doing?** ¿qué hacen? ● **what is it called?** ¿cómo se llama? ● **what are they talking about?** ¿de qué están hablando? ● **she asked me what happened** me preguntó qué había pasado **2.** (*introducing relative clause*) lo que ● **I didn't see what happened** no vi lo que pasó ● **take what you want** coge lo que quieras **3.** (*in phrases*) **what for?** ¿para qué? ● **what about going out for a meal?** ¿qué tal si salimos a cenar?
◇ *excl* ¡qué!

whatever [wɒt'evə'] *pron* ● **take whatever you want** coge lo que quieras ● **whatever I do, I'll lose** haga lo que haga, saldré perdiendo ● **whatever that may be** sea lo que sea eso

wheat [wiːt] *n* trigo *m*

wheel [wiːl] *n* **1.** rueda *f* **2.** (*steering wheel*) volante *m*

wheelbarrow ['wiːl,bærəʊ] *n* carretilla *f*

wheelchair ['wiːl,tʃeə'] *n* silla *f* de ruedas

wheelclamp [,wiːl'klæmp] *n* (*UK*) cepo *m*

wheezy ['wiːzɪ] *adj* ● **to be wheezy** resollar

when [wen] ◇ *adv* cuándo ◇ *conj* cuando

whenever [wen'evə'] *conj* siempre que ● **whenever you like** cuando quieras

where [weə'] ◇ *adv* dónde ◇ *conj* donde

whereabouts ['weərəbaʊts] ◇ *adv* (por) dónde ◇ *npl* paradero *m*

whereas [weər'æz] *conj* mientras que

wherever [weər'evə'] *conj* dondequiera

que ● **wherever** that may be dondequiera que esté eso ● **wherever** you like donde quieras

whether ['weðə^r] *conj* si ● **whether** you like it or not tanto si te gusta como si no

which [wɪtʃ]
◇ *adj* qué ● **which** room do you want? ¿qué habitación quieres? ● she asked me **which** room I wanted me preguntó qué habitación quería ● **which** one? ¿cuál?
◇ *pron* **1.** (in questions) cuál ● **which** is the cheapest? ¿cuál es el más barato? ● he asked me **which** was the best me preguntó cuál era el mejor **2.** (introducing relative clause) que ● the house **which** is on the corner la casa que está en la esquina ● the television **which** I bought la televisión que compré ● the settee on **which** I'm sitting el sofá en el que estoy sentado **3.** (referring back) lo cual ● she denied it, **which** surprised me lo negó, lo cual me sorprendió

whichever [wɪtʃ'evə^r] ◇ *pron* el que m, la que f ◇ *adj* ● take **whichever** chocolate you like best coge el bombón que prefieras ● **whichever** way you do it lo hagas como lo hagas

while [waɪl] ◇ *conj* **1.** (during the time that) mientras **2.** (although) aunque **3.** (whereas) mientras que ◇ *n* ● a **while** un rato ● a **while** ago hace tiempo ● for a **while** un rato ● in a **while** dentro de un rato

whim [wɪm] *n* capricho *m*

whine [waɪn] *vi* **1.** (make noise) gimotear

2. (complain) quejarse

whip [wɪp] ◇ *n* látigo *m* ◇ *vt* azotar

whipped cream [wɪpt-] *n* nata f montada (Esp), crema f batida (Amér)

whisk [wɪsk] ◇ *n* batidor *m* (de varillas) ◇ *vt* (eggs, cream) batir

whiskers ['wɪskəz] *npl* **1.** (of person) patillas *fpl* **2.** (of animal) bigotes *mpl*

whiskey ['wɪskɪ] (pl **-s**) *n* whisky *m* (de Irlanda o EEUU)

whisky ['wɪskɪ] *n* (UK) whisky *m* (de Escocia)

whisper ['wɪspə^r] ◇ *vt* susurrar ◇ *vi* cuchichear

whistle ['wɪsl] ◇ *n* **1.** (instrument) silbato *m* **2.** (sound) silbido *m* ◇ *vi* silbar

white [waɪt] ◇ *adj* **1.** blanco(ca) **2.** (coffee, tea) con leche ◇ *n* **1.** (colour) blanco *m* **2.** (of egg) clara f **3.** (person) blanco *m*, -ca f

white bread *n* pan *m* blanco

White House *n* ● the **White House** la Casa Blanca

White House

La Casa Blanca, en Washington, es la residencia oficial del presidente de los Estados Unidos. En ella se encuentra el famoso Despacho Oval, que se ha convertido en símbolo de la presidencia. Con frecuencia, Casa Blanca se usa como sinónimo de "el gobierno estadounidense".

white sauce *n* salsa f bechamel

whitewash ['waɪtwɒʃ] *vt* blanquear

white wine *n* vino *m* blanco

whiting ['waɪtɪŋ] (*pl inv*) *n* pescadilla *f*

Whitsun ['wɪtsn] *n* Pentecostés *m*

who [hu:] *pron* **1.** (*in questions*) quién, quiénes *pl* **2.** (*in relative clauses*) que

whoever [hu:'evə'] *pron* quienquiera que ● **whoever it is** quienquiera que sea ● **whoever you like** quien quieras

whole [həʊl] ◇ *adj* entero(ra) ◇ *n* ● **the whole of the journey** todo el viaje ● **on the whole** en general

wholefoods ['həʊlfu:dz] *npl* (*UK*) alimentos *mpl* integrales

wholemeal bread ['həʊlmi:l-] *n* (*UK*) pan *m* integral

wholesale ['həʊlseɪl] *adv* al por mayor

wholewheat bread ['həʊl,wi:t-] (*US*) = wholemeal bread

whom [hu:m] *pron* **1.** (*fml*) (*in questions*) quién, quiénes *pl* **2.** (*in relative clauses*) que

whooping cough ['hu:pɪŋ-] *n* tos *f* ferina

whose [hu:z] ◇ *adj* **1.** (*in questions*) de quién **2.** (*in relative clauses*) cuyo(ya) ◇ *pron* de quién ● **whose book is this?** ¿de quién es este libro?

why [waɪ] *adv* & *conj* por qué ● **this is why we can't do it** esta es la razón por la que no podemos hacerlo ● **explain the reason why** explícame por qué ● **why not?** (*in suggestions*) ¿por qué no?; (*all right*) por supuesto ¿que sí)

wick [wɪk] *n* mecha *f*

wicked ['wɪkɪd] *adj* **1.** (*evil*) perverso(sa) **2.** (*mischievous*) travieso(sa)

wicker ['wɪkə'] *adj* de mimbre

wide [waɪd] ◇ *adj* **1.** (*in distance*) an-

cho(cha) **2.** (*range, variety*) amplio(plia) **3.** (*difference, gap*) grande ◇ *adv* ● **open your mouth wide** abre bien la boca ● **how wide is the road?** ¿cómo es de ancha la carretera? ● **it's 12 metres wide** tiene 12 metros de ancho ● **wide open** (*door, window*) abierto de par en par

widely ['waɪdlɪ] *adv* **1.** (*known, found*) generalmente **2.** (*travel*) extensamente

widen ['waɪdn] ◇ *vt* (*make broader*) ensanchar ◇ *vi* (*gap, difference*) aumentar

wide screen *n* (*television, cinema*) pantalla *f* ancha, pantalla *f* panorámica ●

wide-screen *adj* **1.** (*television*) de pantalla ancha OR panorámica **2.** (*film*) para pantalla ancha OR panorámica

wide-screen TV ['waɪdskri:n] *n* televisor *m* panorámico

widespread ['waɪdspred] *adj* general

widow ['wɪdəʊ] *n* viuda *f*

widower ['wɪdəʊə'] *n* viudo *m*

width [wɪdθ] *n* **1.** anchura *f* **2.** (*of swimming pool*) ancho *m*

wife [waɪf] (*pl* wives) *n* mujer *f*

wig [wɪg] *n* peluca *f*

wild [waɪld] *adj* **1.** (*plant*) silvestre **2.** (*animal*) salvaje **3.** (*land, area*) agreste **4.** (*uncontrolled*) frenético(ca) **5.** (*crazy*) alocado(da) ● **to be wild about** (*inf*) estar loco(ca) por

wild flower *n* flor *f* silvestre

wildlife ['waɪldlaɪf] *n* fauna *f*

will[1] [wɪl] *aux vb* **1.** (*expressing future tense*) ● **I will see you next week** te veré la semana que viene ● **will you be here next Friday?** ¿vas a venir el próximo viernes? ● **yes I will** sí ● **no I won't** no 2. *(expressing willingness)* ● **I won't do it** no lo haré ● **no one will do it** nadie quiere hacerlo 3. *(expressing polite question)* ● **will you have some more tea?** ¿le apetece más té? 4. *(in commands, requests)* ● **will you please be quiet!** ¿queréis hacer el favor de callaros? ● **close the window, will you?** cierra la ventana, por favor

will² [wɪl] *n (document)* testamento *m* ● **against one's will** contra la voluntad de uno

willing ['wɪlɪŋ] *adj* ● **to be willing (to do sthg)** estar dispuesto(ta) (a hacer algo)

willingly ['wɪlɪŋlɪ] *adv* de buena gana

willow ['wɪləʊ] *n* sauce *m*

Wimbledon ['wɪmbldən] *n torneo de tenis*

Wimbledon

El torneo de tenis de Wimbledon es uno de los más conocidos del mundo. Se celebra todos los años entre finales de junio y comienzos de julio en el barrio londinense del mismo nombre. Es uno de los cuatro torneos que forman el Gran Slam.

win [wɪn] *(pt & pp* **won**) ◇ *n* victoria *f* ◇ *vt & vi* ganar

wind¹ [wɪnd] *n* 1. viento *m* 2. *(UK) (in stomach)* gases *mpl*

wind² [waɪnd] *(pt & pp* **wound**) ◇ *vi* serpentear ◇ *vt* ● **to wind a rope**

around a post enrollar una cuerda alrededor de un poste ● **wind up** *vt sep* 1. *(inf) (annoy)* vacilar 2. *(car window)* subir 3. *(clock, watch)* dar cuerda a

windbreak ['wɪndbreɪk] *n* lona *f* de protección contra el viento

windmill ['wɪndmɪl] *n* molino *m* de viento

window ['wɪndəʊ] *n* 1. ventana *f* 2. *(of car, plane)* ventanilla *f* 3. *(of shop)* escaparate *m*

window box *n* jardinera *f* (de ventana)

window cleaner *n* limpiacristales *mf inv (Esp)*, limpiavidrios *mf inv (Amér)*

windowpane ['wɪndəʊˌpeɪn] *n* cristal *m (Esp)*, vidrio *m (Amér)*

window seat *n* asiento *m* junto a la ventanilla

window-shopping *n* ● **to go window-shopping** mirar los escaparates

windowsill ['wɪndəʊsɪl] *n* alféizar *m*

windscreen ['wɪndskriːn] *n (UK)* parabrisas *m inv*

windscreen wipers *npl (UK)* limpiaparabrisas *m inv*

windshield ['wɪndʃiːld] *n (US)* parabrisas *m inv*

Windsor Castle ['wɪnzə-] *n* el castillo de Windsor

windsurfing ['wɪndˌsɜːfɪŋ] *n* windsurf *m* ● **to go windsurfing** ir a hacer windsurf

windy ['wɪndɪ] *adj (day, weather)* de mucho viento ● **it's windy** hace viento

wine [waɪn] *n* vino *m*

wine bar *n* bar *de cierta distinción,*

wi

especializado en la venta de vinos y que suele servir comidas

wineglass ['waɪnglɑːs] *n* copa *f* (de vino)

wine list *n* lista *f* de vinos

wine tasting [-'teɪstɪŋ] *n* cata *f* de vinos

wine waiter *n* sommelier *m*

wing [wɪŋ] *n* **1.** ala *f* **2.** (UK) (of car) guardabarros *m inv* ◆ **wings** *npl* ● the wings los bastidores

wink [wɪŋk] *vi* guiñar el ojo

winner ['wɪnə^r] *n* ganador *m*, -ra *f*

winning ['wɪnɪŋ] *adj* **1.** (person, team) vencedor(ra) **2.** (ticket, number) premiado(da)

winter ['wɪntə^r] *n* invierno *m* ● in (the) winter en invierno

wintertime ['wɪntətaɪm] *n* invierno *m*

wipe [waɪp] *vt* limpiar ● to wipe one's feet limpiarse los zapatos (en el felpudo) ● to wipe one's hands limpiarse las manos ◆ **wipe up** ◇ *vt sep* **1.** (liquid) secar **2.** (dirt) limpiar

wiper ['waɪpə^r] *n* (windscreen wiper) limpiaparabrisas *m inv*

wire ['waɪə^r] ◇ *n* **1.** alambre *m* **2.** (electrical wire) cable *m* ◇ *vt* (plug) conectar el cable a

wireless ['waɪəlɪs] *adj* inalámbrico(ca)

wiring ['waɪərɪŋ] *n* instalación *f* eléctrica

wisdom tooth ['wɪzdəm-] *n* muela *f* del juicio

wise [waɪz] *adj* **1.** (person) sabio(bia) **2.** (decision, idea) sensato(ta)

wish [wɪʃ] ◇ *n* deseo *m* ◇ *vt* desear ● I wish I was younger ¡ojalá fuese más joven! ● best wishes un saludo ● to

wish for sthg pedir algo (como deseo) ● to wish to do sthg (fml) desear hacer algo ● to wish sb luck/happy birthday desear a alguien buena suerte/feliz cumpleaños ● if you wish (fml) si usted lo desea

witch [wɪtʃ] *n* bruja *f*

with [wɪð] *prep* **1.** (in company of) con ● I play tennis with her juego al tenis con ella ● with me conmigo ● with you contigo ● with himself/herself consigo ● we stayed with friends estuvimos en casa de unos amigos **2.** (in descriptions) con ● the man with the beard el hombre de la barba ● a room with a bathroom una habitación con baño **3.** (indicating means, manner) con ● I washed it with detergent lo lavé con detergente ● they won with ease ganaron con facilidad ● topped with cream cubierto de nata ● to tremble with fear temblar de miedo **4.** (regarding) con ● be careful with that! ¡ten cuidado con eso! **5.** (indicating opposition) contra ● to argue with sb discutir con alguien

withdraw [wɪð'drɔː] (*pt* **-drew**, *pp* **-drawn**) ◇ *vt* **1.** (take out) retirar **2.** (money) sacar ◇ *vi* retirarse

withdrawal [wɪð'drɔːəl] *n* (from bank account) reintegro *m*

withdrawn [wɪð'drɔːn] *pp* ➤ withdraw

withdrew [wɪð'druː] *pt* ➤ withdraw

wither ['wɪðə^r] *vi* marchitarse

within [wɪ'ðɪn] ◇ *prep* **1.** (inside) dentro de **2.** (certain distance) a menos de **3.** (certain time) en menos de ◇ *adv* dentro ● it's within ten miles of ... está a menos de diez millas de ... ● it's **within walking distance** se puede ir andando ● it **arrived within a week** llegó en menos de una semana ● **within the next week** durante la próxima semana

without [wɪð'aut] *prep* sin ● **without me knowing** sin que lo supiera

withstand [wɪð'stænd] (*pt & pp* **-stood**) *vt* resistir

witness ['wɪtnɪs] ◇ *n* testigo *mf* ◇ *vt* (*see*) presenciar

witty ['wɪtɪ] *adj* ocurrente

wives [waɪvz] *pl* ➤ **wife**

WMD [dʌbljuːem'diː] *n* (*abbr of* **weapons of mass destruction**) armas *fpl* de destrucción masiva

wobbly ['wɒblɪ] *adj* (*table, chair*) cojo(ja)

wok [wɒk] *n* wok *m*

woke [wəʊk] *pt* ➤ **wake**

woken ['wəʊkn] *pp* ➤ **wake**

wolf [wʊlf] (*pl* **wolves**) *n* lobo *m*

woman ['wʊmən] (*pl* **women**) *n* mujer *f*

womb [wuːm] *n* matriz *f*

women ['wɪmɪn] *pl* ➤ **woman**

won [wʌn] *pt & pp* ➤ **win**

wonder ['wʌndə'] ◇ *vi* (*ask o.s.*) preguntarse ◇ *n* (*amazement*) asombro *m* ● **to wonder if** preguntarse si ● **I wonder if I could ask you a favour?** ¿le importaría hacerme un favor?

wonderful ['wʌndəful] *adj* maravilloso(sa)

won't [wəʊnt] = **will not**

wood [wʊd] *n* **1.** (*substance*) madera *f* **2.** (*small forest*) bosque *m* **3.** (*golf club*) palo *m* de madera

wooden ['wʊdn] *adj* de madera

woodland ['wʊdlənd] *n* bosque *m*

woodpecker ['wʊd,pekə'] *n* pájaro *m* carpintero

woodwork ['wʊdwɜːk] *n* **1.** (*doors, window frames etc*) carpintería *f* **2.** SCH carpintería *f*

wool [wʊl] *n* lana *f*

woolen ['wʊlən] (*US*) = **woollen**

woollen ['wʊlən] *adj* (*UK*) de lana

woolly ['wʊlɪ] *adj* (*UK*) de lana

wooly ['wʊlɪ] (*US*) = **woolly**

word [wɜːd] *n* palabra *f* ● **in other words** es decir ● **to have a word with sb** hablar con alguien

wording ['wɜːdɪŋ] *n* formulación *f*

word processing [-'prəʊsesɪŋ] *n* procesamiento *m* de textos

word processor [-'prəʊsesə'] *n* procesador *m* de textos

wore [wɔː'] *pt* ➤ **wear**

work [wɜːk] ◇ *n* **1.** trabajo *m* **2.** (*painting, novel etc*) obra *f* ◇ *vi* **1.** trabajar **2.** (*operate, have desired effect*) funcionar **3.** (*take effect*) hacer efecto ◇ *vt* (*machine, controls*) hacer funcionar ● **out of work** desempleado ● **to be at work** (*at workplace*) estar en el trabajo; (*working*) estar trabajando ● **to be off work** estar ausente del trabajo ● **the works** (*inf*) (*everything*) todo ● **how does it work?** ¿cómo funciona? ● **it's not working** no funciona ● **to work as** trabajar de ◆ **work out** ◇ *vt sep* **1.** (*price, total*) calcular **2.** (*solution, reason*) deducir **3.** (*method, plan*) dar con **4.** (*understand*) entender ◇ *vi* **1.** (*result, turn out*) salir **2.** (*be successful*) funcionar **3.** (*do* *exercise)* hacer ejercicio ● **it works out at £20 each** sale a 20 libras cada uno

worker ['wɜːkə] *n* trabajador *m*, -ra *f*

working class ['wɜːkɪŋ] *n* ● **the working class** la clase obrera

working hours ['wɜːkɪŋ-] *npl* horario *m* de trabajo

working hours

En el Reino Unido, se trabaja de 35 a 40 horas semanales. El horario va de 9 a 5, con una hora para comer. En los Estados Unidos, se trabaja de 40 a 45 horas semanales. El horario va de las 8 a las 5, también con una hora para comer.

workman ['wɜːkmən] (*pl* **-men**) *n* obrero *m*

work of art *n* obra *f* de arte

workout ['wɜːkaʊt] *n* sesión *f* de ejercicios

work permit *n* permiso *m* de trabajo

workplace ['wɜːkpleɪs] *n* lugar *m* de trabajo

workshop ['wɜːkʃɒp] *n* taller *m*

world [wɜːld] ◇ *n* mundo *m* ◇ *adj* mundial ● **the best in the world** el mejor del mundo

worldwide [ˌwɜːld'waɪd] *adv* a escala mundial

World Wide Web *n* COMPUT ● **the World Wide Web** el OR la World Wide Web

worm [wɜːm] *n* gusano *m*

worn [wɔːn] ◇ *pp* → **wear** ◇ *adj* gastado(da)

worn-out *adj (tired)* agotado(da) ● **to be worn-out** *(clothes, shoes etc)* ya estar para tirar

worried ['wʌrɪd] *adj* preocupado(da)

worry ['wʌrɪ] ◇ *n* preocupación *f* ◇ *vt* preocupar ◇ *vi* ● **to worry (about)** preocuparse (por)

worrying ['wʌrɪɪŋ] *adj* preocupante

worse [wɜːs] *adj & adv* peor ◇ *n* ● **to get worse** empeorar ● **worse off** *(in worse position)* en peor situación; *(poorer)* peor de dinero

worsen ['wɜːsn] *vt* empeorar

worship ['wɜːʃɪp] ◇ *n (church service)* oficio *m* ◇ *vt* adorar

worst [wɜːst] ◇ *adj & adv* peor ◇ *n* ● **the worst** *(person)* el peor(la peor); *(thing)* lo peor

worth [wɜːθ] *prep* ● **how much is it worth?** ¿cuánto vale? ● **it's worth £50** vale 50 libras ● **it's worth seeing** merece la pena verlo ● **it's not worth it** no vale la pena ● **£50 worth of traveller's cheques** cheques de viaje por valor de 50 libras

worthless ['wɜːθlɪs] *adj* sin valor

worthwhile [ˌwɜːθ'waɪl] *adj* que vale la pena

worthy ['wɜːðɪ] *adj* digno(na) ● **to be worthy of sthg** merecer algo

would [wʊd] *aux vb* **1.** *(in reported speech)* ● **she said she would come** dijo que vendría **2.** *(indicating condition)* ● **what would you do?** ¿qué harías? ● **what would you have done?** ¿qué habrías hecho? ● **I would be most grateful** le estaría muy agradecido **3.** *(indicating willingness)* ● **she wouldn't go** no quería irse ● he would do anything for her haría cualquier cosa por ella **4.** (in polite questions) ● would you like a drink? ¿quieres tomar algo? ● would you mind closing the window? ¿te importaría cerrar la ventana? **5.** (indicating inevitability) ● he would say that y él ¿qué va a decir? **6.** (giving advice) ● I would report it if I were you yo en tu lugar lo denunciaría **7.** (expressing opinions) ● I would prefer yo preferiría ● I would have thought (that) ... hubiera pensado que ...

wound¹ [wuːnd] ◇ n herida f ◇ vt herir

wound² [waʊnd] pt & pp ➢ wind²

wove [wəʊv] pt ➢ weave

woven ['wəʊvn] pp ➢ weave

wrap [ræp] vt (package) envolver ● to wrap a towel around your waist enrollar una toalla a la cintura ◆ wrap up vt sep (package) envolver ◇ vi abrigarse

wrapper ['ræpəʳ] n envoltorio m

wrapping ['ræpɪŋ] n envoltorio m

wrapping paper n papel m de envolver

wreath [riːθ] n corona f (de flores)

wreck [rek] ◇ n **1.** (of plane, car) restos mpl del siniestro **2.** (of ship) restos mpl del naufragio ◇ vt **1.** (destroy) destrozar **2.** (spoil) echar por tierra ● to be wrecked (ship) naufragar

wreckage ['rekɪdʒ] n **1.** (of plane, car) restos mpl **2.** (of building) escombros mpl

wrench [rentʃ] n **1.** (UK) (monkey wrench) llave f inglesa **2.** (US) (spanner) llave f de tuercas

wrestler ['resləʳ] n luchador m, -ra f

wrestling ['reslɪŋ] n lucha f libre

wretched ['retʃɪd] adj **1.** (miserable) desgraciado(da) **2.** (very bad) pésimo(-ma)

wring [rɪŋ] (pt & pp wrung) vt retorcer

wrinkle ['rɪŋkl] n arruga f

wrist [rɪst] n muñeca f

wristwatch ['rɪstwɒtʃ] n reloj m de pulsera

write [raɪt] (pt wrote, pp written) ◇ vt **1.** escribir **2.** (cheque) extender **3.** (prescription) hacer **4.** (US) (send letter to) escribir a ◇ vi escribir ● to write (to sb) (UK) escribir a (alguien) ◆ write back vi contestar ◆ write down vt sep apuntar ◆ write off ◇ vt sep (UK) (inf) (car) cargarse ◇ vi to write off for sthg hacer un pedido de algo (por escrito) ◆ write out vt sep **1.** (list, essay) escribir **2.** (cheque, receipt) extender

write-off n ● the car was a write-off (UK) el coche quedó hecho un estropicio

writer ['raɪtəʳ] n (author) escritor m, -ra f

writing ['raɪtɪŋ] n **1.** (handwriting) letra f **2.** (written words) escrito m **3.** (activity) escritura f

writing desk n escritorio m

writing pad n bloc m

writing paper n papel m de escribir

written ['rɪtn] ◇ pp ➢ write ◇ adj **1.** (exam) escrito(ta) **2.** (notice, confirmation) por escrito

wrong [rɒŋ] ◇ adj **1.** (incorrect) equivocado(da) **2.** (unsatisfactory) malo(la) **3.** (moment) inoportuno(na) **4.** (person) inapropiado(da) ◇ adv mal ● to be wrong (person) estar equivocado; (immoral) estar mal ● what's wrong? ¿qué pasa? ● **something's wrong with the car** el coche no marcha bien ● **to be in the wrong** haber hecho mal ● **to get sthg wrong** confundirse con algo ● **to go wrong** *(machine)* estropearse ▼ **wrong way** señal que indica a los conductores que existe el peligro de ir en la dirección contraria

wrongly ['rɒŋlɪ] *adv* equivocadamente

wrong number *n* ● **sorry, I've got the wrong number** perdone, me he equivocado de número

wrote [rəʊt] *pt* ➤ **write**

wrought iron [rɔːt-] *n* hierro *m* forjado

wrung [rʌŋ] *pt & pp* ➤ **wring**

WTO [dʌbljuːtiːˈəʊ] *n* *(abbr of* World Trade Organization) OMC *f (Organización Mundial del Comercio)*

WWW [dʌbljuːdʌbljuːˈdʌbljuː] *n* COMPUT *(abbr of* World Wide Web) WWW *m (World Wide Web)*

XL [eksˈel] *(abbr of* extra-large) XL

Xmas ['eksmas] *n* *(inf)* Navidad *f*

X-ray [eks-] ◇ *n* *(picture)* radiografía *f* ◇ *vt* hacer una radiografía a ● **to have an X-ray** hacerse una radiografía

yacht [jɒt] *n* **1.** *(for pleasure)* yate *m* **2.** *(for racing)* balandro *m*

Yankee [jæŋkɪ] *n* yanqui *m*

yard [jɑːd] *n* **1.** *(unit of measurement)* = 91,44 cm yarda *f* **2.** *(enclosed area)* patio *m* **3.** *(US) (behind house)* jardín *m*

yard sale *n* *(US)* venta de objetos de segunda mano organizada por una sola persona frente a su casa

yarn [jɑːn] *n* hilo *m*

yawn [jɔːn] *vi* bostezar

yd *abbr* = **yard**

yeah [jeə] *adv* *(inf)* sí

year [jɪəˈ] *n* **1.** año *m* **2.** *(at school)* curso *m* ● **next year** el año que viene ● **this year** este año ● **I'm 15 years old** tengo 15 años ● **I haven't seen her for years** *(inf)* hace siglos que no la veo

yearly ['jɪəlɪ] *adj* anual

yeast [jiːst] *n* levadura *f*

yell [jel] *vi* chillar

yellow ['jeləʊ] ◇ *adj* amarillo(lla) ◇ *n* amarillo *m*

yellow lines *npl* líneas *fpl* amarillas (de tráfico)

yes [jes] *adv* sí ● **to say yes** decir que sí

yesterday ['jestədɪ] ◇ *n* ayer *m* ◇ *adv* ayer ● **the day before yesterday** anteayer ● **yesterday afternoon** ayer por la tarde ● **yesterday evening** anoche ● **yesterday morning** ayer por la mañana

yet [jet] ◇ *adv* aún, todavía ◇ *conj* sin embargo ● **have they arrived yet?** ¿ya han llegado? ● **the best one yet** el mejor hasta ahora ● **not yet** todavía no ● **I've yet to do it** aún no lo he hecho ● **yet again** otra vez más ● **yet another delay** otro retraso más

yew [juː] *n* tejo *m*

yield [jiːld] ◇ *vt (profit, interest)* producir ◇ *vi (break, give way)* ceder ▼ **yield (US)** *AUT* ceda el paso

YMCA [waɪemsiːˈeɪ] *n (abbr of Young Men's Christian Association)* asociación internacional de jóvenes cristianos

yob [jɒb] *n (UK) (inf)* gamberro *m*, -rra *f (Esp)*, patán *m*

yoga [ˈjəʊɡə] *n* yoga *m*

yoghurt [ˈjɒɡət] *n* yogur *m*

yolk [jəʊk] *n* yema *f*

you [juː] *pron* **1.** *(subject: singular)* tú, vos *(Amér)*; *(subject: plural)* vosotros *mpl*, -tras *fpl*, ustedes *mf pl (Amér)*; *(subject: polite form)* usted, ustedes *pl* ● **you French** vosotros los franceses **2.** *(direct object: singular)* te; *(direct object: plural)* os, les *(Amér)*; *(direct object: polite form)* lo *m*, la *f* ● **I hate you!** te odio **3.** *(indirect object: singular)* te; *(indirect object: plural)* os, les *(Amér)*; *(indirect object: polite form)* le, les *pl* ● **I told you to** te lo dije **4.** *(after prep: singular)* ti; *(after prep: plural)* vosotros *mpl*, -tras *fpl*, ustedes *mf pl (Amér)*; *(after prep: polite form)* usted, ustedes *pl* ● **we'll go without you** iremos sin ti **5.** *(indefinite use)* uno *m*, una

f ● **you never know** nunca se sabe

young [jʌŋ] ◇ *adj* joven ◇ *npl* ● **the young** los jóvenes

youngster [ˈjʌŋstəʳ] *n* joven *mf*

your [jɔːʳ] *adj* **1.** *(singular subject)* tu; *(plural subject)* vuestro *m*, -tra *f*; *(polite form)* su ● **your dog** tu perro ● **your children** tus hijos **2.** *(indefinite subject)* ● **it's good for your teeth** es bueno para los dientes

yours [jɔːz] *pron* **1.** *(singular subject)* tuyo *m*, -ya *f* **2.** *(plural subject)* vuestro *m*, -tra *f* **3.** *(polite form)* suyo *m*, -ya *f* ● **a friend of yours** un amigo tuyo

yourself [jɔːˈself] *(pl* **-selves)** *pron* **1.** *(reflexive: singular)* te; *(reflexive: plural)* os; *(reflexive: polite form)* se **2.** *(after prep: singular)* ti mismo(ma); *(after prep: plural)* vosotros mismos(vosotras mismas); *(after prep: polite form)* usted mismo(ma), ustedes mismos(mas) *f pl* ● **did you do it yourself?** *(singular)* ¿lo hiciste tú mismo?; *(polite form)* ¿lo hizo usted mismo? ● **did you do it yourselves?** ¿lo hicisteis vosotros/ustedes mismos?

youth [juːθ] *n* **1.** juventud *f* **2.** *(young man)* joven *m*

youth club *n* club *m* juvenil

youth hostel *n* albergue *m* juvenil

yuppie [ˈjʌpɪ] *n* yuppy *mf*

YWCA [waɪdʌbljuːsiːˈeɪ] *n (abbr of Young Women's Christian Association)* asociación internacional de jóvenes cristianas

zZ

zebra [(UK) 'zebrə, (US) 'zi:brə] *n* cebra *f*

zebra crossing *n* (UK) paso *m* de cebra

zero ['zɪərəʊ] (*pl* **-es**) *n* cero *m* • **five degrees below zero** cinco grados bajo cero

zest [zest] *n* (*of lemon, orange*) ralladura *f*

zigzag ['zɪgzæg] *vi* zigzag *m*

zinc [zɪŋk] *n* zinc *m*

zip [zɪp] ◇ *n* (UK) cremallera *f*, cierre *m* (*Amér*) ◇ *vt* cerrar la cremallera OR el cierre de • **zip up** *vt sep* subir la cremallera OR el cierre de

zip code *n* (US) código *m* postal

zipper ['zɪpər] *n* (US) cremallera *f*, cierre *m* (*Amér*)

zit [zɪt] *n* (*inf*) grano *m*

zodiac ['zəʊdɪæk] *n* zodiaco *m*

zone [zəʊn] *n* zona *f*

zoo [zu:] (*pl* **-s**) *n* zoo *m*

zoom (lens) [zuːm-] *n* zoom *m*

zucchini [zuːˈkiːnɪ] (*pl inv*) *n* (US) calabacín *m*

GUÍA
DE
CONVERSACIÓN

Guía práctica

CONVERSATION
GUIDE

Numbers, weights and measures, currency, time

Índice

Contents

saludar a alguien	*greeting someone*
Buenos días. Buen día. (Amér)	Good morning.
Buenas tardes.	Good afternoon.
Buenas noches.	Good evening.
¡Hola!	Hello!
¿Cómo estás? ¿Cómo está? [polite form]	How are you?
Muy bien, gracias.	Very well, thank you.
Bien, gracias.	Fine, thank you.
¿Y tú? [to a friend] ¿Y vos? (RP) [to a friend] ¿Y usted? [polite form]	And you?

presentarse	*introducing yourself*
Me llamo Fernando.	My name is Fernando.
Soy español(a).	I am Spanish.
Soy de Madrid.	I come from Madrid.
Hola, soy Eduardo.	Hello, I'm Eduardo
Deja que me presente, soy Ana.	Allow me to introduce myself, I'm Ana.
Me parece que no nos conocemos.	I don't think we've met.

presentar a alguien	*making introductions*
Éste es el Sr. Ortega.	This is Mr. Ortega.
Me gustaría presentarle al Sr. Ortega.	I'd like to introduce Mr. Ortega.
Encantado de conocerlo. [polite form]	Pleased to meet you.
Encantado de conocerte.	Pleased to meet you.
¿Cómo está? [polite form]	How are you?
Espero que hayas tenido un buen viaje.	I hope you had a good trip.
Bienvenido/a.	Welcome.
Dejadme que os presente.	Shall I do the introductions?

despedirse	*saying goodbye*
Hasta luego. Adiós. Chao. Chau. (Amér)	Bye.
Hasta luego.	See you OR so long.
Hasta pronto.	See you soon.
Hasta más tarde.	See you later.
Nos veremos.	See you again sometime.

Que tenga un buen viaje. Que disfrute del viaje. (RP)	Enjoy your trip.
Encantado de conocerlo.	It was nice to meet you.
Me temo que me tengo que ir.	I'm afraid I have to go now.
Dale recuerdos a...	Give my best regards to...
Te deseo lo mejor.	All the best.

agradecer	*saying thank you*
(Muchas) gracias.	Thank you (very much).
Gracias. Igualmente.	Thank you. The same to you.
Gracias por su ayuda.	Thank you for your help.
Gracias por todo.	Thanks a lot for everything.
No sé cómo darte las gracias.	I can't thank you enough.
Te agradezco mucho...	I'm very grateful for...

deseos y saludos	*wishes and greetings*
¡Buena suerte!	Good luck!
¡Que vaya bien!/ ¡Que disfrute!	Have fun!/Enjoy yourself!
¡Que aproveche!/ ¡Buen provecho!	Enjoy your meal!
¡Feliz cumpleaños!	Happy Birthday!

¡Que pases una buena Semana Santa!	Happy Easter!
¡Feliz Navidad! ¡Felices Fiestas! (Esp)	Merry Christmas!
¡Feliz Año Nuevo!	Happy New Year!
¡Que pases un buen fin de semana!	Have a good weekend!
¡Felices vacaciones!	Enjoy your holiday! (UK) Enjoy your vacation! (US)
Un saludo cordial.	Best wishes.
¡Que pases un buen día!	Have a nice day!
¡Salud!	Cheers!
¡A tu salud!	To your health!
¡Te deseo lo mejor!	All the best!
¡Enhorabuena!	Congratulations!
¿qué tiempo hace?	*what's the weather like?*
Hace un día precioso.	It's a beautiful day.
Hace un día agradable. Hace un día lindo. (Amér)	It's nice.
Hace sol.	It's sunny.
Está lloviendo.	It's raining.
Está nublado.	It's cloudy.

Se espera lluvia para mañana.	It's supposed to rain tomorrow.
¡Qué tiempo más horrible!	What horrible weather!
Hace (mucho) calor/frío.	It's (very) hot/cold.
¿Qué tiempo hace?	What's the weather like?
Hay humedad.	It's humid.
Hace bochorno.	It's very oppressive/sultry. It's very close. (UK)
¡Espero que el tiempo mejore!	I hope the weather's going to get better!
al expresar preferencias	*expressing likes and dislikes*
Me gusta.	I like it.
No me gusta.	I don't like it.
¿Quieres tomar/comer algo? ¿Le apetece beber/comer algo? (Esp) ¿Te provoca tomar/comer algo? (Carib) ¿Querés tomar/comer algo? (RP)	Would you like something to drink/eat?
Sí, por favor.	Yes, please.
No, gracias.	No, thanks.
Sí, me encantaría.	Yes, I'd love to.

¿Quieres ir al parque con nosotros? ¿Te apetecería ir al parque con nosotros? (Esp) ¿Te provoca ir al parque con nosotros? (Carib) ¿Querés ir al parque con nosotros? (RP)	Would you like to come to the park with us?
No estoy de acuerdo.	I don't agree.
Estoy completamente de acuerdo contigo.	I totally agree with you.
Es muy tentador.	That sounds very tempting.
Preferiría otra cosa.	I'd prefer something else.
Me encanta la vela.	I have a passion for sailing.
Por lo que a mí respecta...	As far as I'm concerned...

al teléfono	*on the phone*
¿Sí?/¿Dígame? ¿Aló? (Andes, Carib & Méx) ¿Hola? (RP) [person answering] ¿Oiga? (Esp) ¡Hola! (Amér) [person phoning]	Hello.
Soy Ana Francino.	Ana Francino speaking.

9

Quería hablar con el Sr. López.	I'd like to speak to Sr. López.
Llamo en nombre de la Sra. Blasco.	I'm calling on behalf of Sra. Blasco.
Le vuelvo a llamar dentro de diez minutos.	I'll call back in ten minutes.
Prefiero esperar.	I'd rather hold the line.
¿Podría dejar un recado? ¿Puedo dejarle razón? (Carib) ¿Puedo dejarle un mensaje? (RP)	Can I leave a message for him?
Perdone, me he equivocado de número.	Sorry, I must have dialled the wrong number. (UK) Sorry, I must have dialed the wrong number. (US)
¿Con quién hablo?	Who's calling?
No cuelgue, ahora le paso.	Hold the line, I'll put you through.
¿Podría volver a llamar dentro de una hora?	Could you call back in an hour?
Ha salido/no volverá hasta mañana.	She's out/won't be back until tomorrow.
Se ha equivocado de número.	I think you've got the wrong number.

en el coche	in the car
¿Cómo se llega al centro de la ciudad/a la autopista?	How do we get to the city centre/motorway?
¿Hay un parking cerca de aquí?	Is there a car park nearby? (UK) Is there a parking lot nearby? (US)
¿Puedo aparcar aquí?/¿Se puede aparcar aquí?	Can I park here?
Estoy buscando una gasolinera.	I'm looking for a petrol station. (UK) I'm looking for a gas station. (US)
¿Donde está el taller más cercano?	Where's the nearest garage?
¿Por aquí se va la estación de tren?	Is this the way to the train station?
¿En coche está muy lejos?	Is it very far by car?

al alquilar un coche	hiring a car (UK) renting a car (US)
Quería alquilar un coche con aire acondicionado. Quería alquilar un carro con aire acondicionado. (Amér)	I'd like to hire a car with air-conditioning. (UK) I'd like to rent a car with air-conditioning. (US)

11

¿Cuánto cuesta por día?	What's the cost for one day?
¿Incluye kilometraje ilimitado?	Is the mileage unlimited?
¿Cuánto cuesta el seguro a todo riesgo? (Esp) ¿Cuánto cuesta el seguro contra todo riesgo? (Amér)	How much does it cost for comprehensive insurance?
¿Puedo devolver el coche en el aeropuerto? ¿Puedo devolver el carro en el aeropuerto? (Amér)	Can I leave the car at the airport?
Este es mi carnet de conducir.	Here's my driving license. (UK) Here's my driver's license. (US)
en la gasolinera	*at the petrol station (UK)* *at the gas station (US)*
Me he quedado sin gasolina.	I've run out of petrol. (UK) I've run out of gas. (US)
Lléneme el depósito, por favor.	Fill it up, please.
El surtidor número tres.	Pump number three.
Quiero comprobar el aire de las ruedas.	I'd like to check the tyre pressure. (UK) I'd like to check the tire pressure. (US)

en el garaje	*at the garage*
Mi coche tiene una avería.	I've broken down.
Se me ha caído el tubo de escape.	The exhaust pipe has fallen off.
Mi coche pierde aceite.	My car has an oil leak.
El motor se calienta mucho.	The engine is overheating.
El motor hace un ruido muy raro.	The engine is making strange noises.
¿Puede comprobar los frenos?	Could you check the brakes?
¿Podría comprobar el nivel del agua?	Could you check the water level?
El coche se ha quedado sin batería./Se me ha agotado la batería.	The battery is flat.
No me funciona el aire acondicionado.	The air-conditioning doesn't work.
Se me ha pinchado una rueda. Me la tendrían que arreglar. Se me ponchó una llanta. Me la tendrían que reparar. (Méx)	I've got a puncture. The tyre needs to be repaired. (UK) I've got a puncture. The tire needs to be repaired. (US)

al tomar un taxi	*taking a taxi (UK)* *taking a cab*
¿Me podría pedir un taxi?	Could you call me a taxi? (UK) Could you call me a cab? (US)
Querría reservar un taxi para las 8 de la mañana.	I'd like to book a cab for 8 a.m.
¿Cuánto cuesta un taxi hasta el centro?	How much does a cab to the city centre cost?
¿Cuánto se tarda hasta el aeropuerto?	How long does it take to get to the airport?
¿Puedo ir delante?	Can I ride up front? (US) Can I travel in the front seat?
A la estación de autobuses/la estación de tren/el aeropuerto, por favor.	To the bus station/train station/airport, please.
Pare aquí/en la señal/ en la esquina, por favor.	Stop here/at the lights/ at the corner, please.
¿Me podría esperar?	Can you wait for me?
¿Cuánto es?	How much is it?
Querría un recibo, por favor?	Can I have a receipt, please?
Quédese el cambio.	Keep the change.

al coger el autobús (Esp) al tomar el bus (Amér)	*taking the bus*
¿A qué hora sale el próximo autobús para Salamanca? (Esp) ¿A qué hora sale el próximo bus para Salamanca? (Amér)	What time is the next bus to Salamanca?
¿Desde qué andén sale el autobús? (Esp) ¿Desde qué plataforma sale el bus? (Amér)	Which platform does the bus go from?
¿Cuánto tarda el autobús hasta Brighton?	How long does the coach take to get to Brighton? (UK) How long does the bus take to get to Brighton? (US)
¿Hay algún descuento?	Do you have any reduced fares? (UK) Do you have any discounts? (US)
¿Cuánto cuesta un billete de ida y vuelta a Chicago? (Esp) ¿Cuánto cuesta un pasaje de ida y vuelta a Chicago? (Amér)	How much is a return ticket to Chicago? (UK) How much is a round-trip ticket to Chicago? (US)

15

¿El autobús tiene baño?	Is there a toilet on the coach? (UK) Is there a bathroom on the bus? (US)
¿El autobús tiene aire acondicionado?	Is the coach air-conditioned? (UK) Is the bus air-conditioned? (US)
Perdone, ¿está ocupado este asiento?	Excuse me, is this seat taken?
¿Le importa si bajo la persiana?	Would it bother you if I lowered the blind? (UK) Would it bother you if I lowered the shade? (US)
¿Tiene un horario?	Do you have a timetable?
¿Puede avisarme de cuándo tengo que bajar?	Can you tell me when to get off?
Próxima parada.	Next stop.

al tomar el tren	*taking the train*
¿Dónde está la taquilla? (Esp) ¿Dónde está el mostrador de venta de boletos? (Amér)	Where is the ticket office?
¿De dónde sale el próximo tren para París?	When does the next train for Paris leave?

¿De qué andén sale?	Which platform does it leave from?
¿Cuánto cuesta un billete de ida y vuelta para Oporto? (Esp)	How much is a return ticket to Porto? (UK)
¿Cuánto cuesta un boleto de ida y vuelta para Oporto? (Amér)	How much is a round-trip ticket to Porto? (US)
¿Hay consigna?	Is there a left-luggage office? (UK)
	Is there a baggage room? (US)
Un billete de ventanilla en un vagón de no fumadores, por favor.	A window seat in a non-smoking coach please.
Un boleto de ventanilla en un vagón de no fumadores, por favor. (Amér)	
Quiero reservar una litera en el tren de las 21.00 horas para París.	I'd like to reserve a sleeper on the 9 p.m. train to Paris.
¿Dónde tengo que validar el billete?	Where do I validate my ticket?
Perdone, ¿está libre este asiento?	Excuse me, is this seat free?
¿Dónde está el vagón restaurante?	Where is the dining car?

en el aeropuerto	*at the airport*
¿Dónde está la terminal 1/ la puerta 2?	Where is terminal 1/gate number 2?
¿Dónde está el mostrador de facturación? ¿Dónde es el check-in? (Amér)	Where is the check-in desk?
Quería asiento de pasillo/ventana.	I'd like an aisle/window seat.
¿A qué hora es el embarque?	What time is boarding?
Perdí la tarjeta de embarque.	I've lost my boarding card.
¿Dónde está la recogida de equipajes? ¿Dónde se retira el equipaje?	Where is the baggage reclaim? (UK) Where is the baggage claim? (US)
He perdido mi conexión. ¿Cuándo sale el próximo vuelo para Seattle?	I've missed my connection. When's the next flight to Seattle?
¿Dónde está el autobús de enlace con el centro de la ciudad? ¿Dónde está el bus de enlace con el centro de la ciudad? (Amér)	Where's the shuttle bus to the city centre? (UK) Where's the shuttle bus downtown? (US)

¿dónde queda?	*asking the way*
¿Me podría indicar en el mapa dónde estamos?	Could you show me where we are on the map?
¿Dónde está la estación de autobús/correos? (Esp) ¿Dónde está la estación de buses/correos? (Amér)	Where is the bus station/post office?
Por favor, ¿cómo se va a la Avenida Paulista?	Excuse me, how do I get to Avenida Paulista?
Para ir al museo de arte moderno, ¿sigo adelante?	To get to the museum of modern art, should I continue straight ahead?
¿Está lejos?	Is it far?
¿Se puede ir caminando?	Is it within walking distance?
¿Tengo/tenemos que coger el autobús/metro? (Esp) ¿Tengo/tenemos que tomar el autobús/metro? (Amér)	Will I/we have to take the bus/underground? (UK) Will I/we have to take the bus/subway? (US)
¿Me podría ayudar? Creo que me he perdido.	Can you please help me? I think I'm lost.

al circular por la ciudad	*getting around town*
¿Qué autobús va al aeropuerto? (Esp) ¿Qué bus va al aeropuerto? (Amér)	Which bus goes to the airport?
¿Dónde se coge el autobús a la estación? (Esp) ¿Dónde se toma el bus a la estación? (Amér)	Where do I catch the bus for the station?
Quiero un billete de ida/ida y vuelta a Boston. Quiero un pasaje de ida/ida y vuelta a Boston. (Amér)	I'd like a single/return ticket to Boston. (UK) I'd like a one-way/round-trip ticket to Boston. (US)
¿Me podría decir dónde me tengo que bajar?	Could you tell me when we get there?
Parada de autobús. (Esp) Parada de bus. (Amér)	Bus Stop.
¿Este autobús va a la estación de tren?	Does this bus go to the train station?
¿A qué hora es el último tren/tranvía?	What time is the last train/tram?

deportes	sports
Queremos ver un partido fútbol. ¿Hay uno ésta noche?	We'd like to see a football match. Is there one on tonight?
¿Dónde está el estadio de fútbol?	Where's the stadium?
¿Dónde podemos alquilar bicicletas?	Where can we hire bicycles? (UK) Where can we rent bicycles? (US)
Quisiéramos reservar una cancha de tenis para las 7 de la tarde. Quisiéramos reservar una pista de tenis para las 7 de la tarde. (Esp)	I'd like to book a tennis court for 7 p.m.
¿Cuánto cuesta una clase de una hora?	How much does a one-hour lesson cost?
¿La piscina abre todos los días?	Is the pool open every day?
¿Dónde podemos cambiarnos?	Where can we change?
¿Hay una estación de esquí por aquí cerca?	Is there a ski resort nearby?
¿Podemos alquilar el equipo?	Can we hire equipment?

¿Alquilan barcos?	Do you rent boats?
¿Dónde podemos ir a jugar a los bolos por aquí?	Where can we go bowling around here?
Me encantaría dar una vuelta en bici.	I'd like to go on a bike ride.

en el hotel	*at the hotel*
Queremos una habitación doble/dos habitaciones individuales.	We'd like a double room/ two single rooms.
Quiero una habitación para dos noches, por favor.	I'd like a room for two nights, please.
Tengo una reserva a nombre de Jones.	I have a reservation in the name of Jones.
He reservado una habitación con ducha/baño.	I reserved a room with a shower/bathroom.
¿Me da la llave de la habitación 121, por favor?	Could I have the key for room 121, please?
Quería una almohada/manta más, por favor.	Could I have an extra pillow/blanket, please?
¿Hay algún mensaje para mí?	Are there any messages for me?
¿A qué hora se sirve el desayuno?	What time is breakfast served?

Quiero tomar el desayuno en la habitación.	I'd like breakfast in my room.
¿Me podría despertar a las 7 de la mañana?	I'd like a wake-up call at 7 a.m., please.
¿Hay un parking para clientes del hotel?	Is there a car park for hotel guests?
Me voy ya. ¿Me prepara la factura?	I'd like to check out now.
en las tiendas	*at the shops*
¿Cuánto es?	How much is this?
Quería comprar gafas de sol/un traje de baño.	I'd like to buy sunglasses/ a swimsuit. (UK) I'd like to buy sunglasses/ a bathing suit (US).
Mi talla es la 38. Mi talle es el 38. (RP)	I'm a size 10.
Calzo el 40.	I take a size 7 shoe.
¿Puedo probármelo?	Can I try this on?
¿Puedo cambiarlo?	Can I exchange it?
¿Dónde están los probadores?	Where are the fitting rooms?

¿Tiene una talla mayor/más pequeña? ¿Tiene un talle más grande/chico? (RP)	Do you have this in a bigger/smaller size?
¿Tiene esto en azul?	Do you have this in blue?
¿Tiene sobres/guías de la ciudad?	Do you sell envelopes/street maps?
Quería comprar una película para mi cámara, por favor. Quería comprar un carrete para mi cámara, por favor. (Esp)	I'd like to buy a film for my camera please.
¿A qué hora cierran?	What time do you close?
al pedir información	*out and about*
¿A qué hora cierra el museo?	What time does the museum close?
¿Dónde está la piscina pública más cercana?	Where is the nearest public swimming pool?
¿Me podría decir dónde está la iglesia (católica/baptista) más cercana?	Could you tell me where the nearest (Catholic/Baptist) church is?
¿Sabe cuál es el horario de misas/cultos?	Do you know what time mass/the next service is?

¿Hay algún cine cerca de aquí?	Is there a cinema nearby? (UK) Is there a movie theater (US) nearby?
¿Qué distancia hay de aquí a la playa?	How far is it to the beach?
¿Me podría recomendar un hotel cerca del centro?	Could you recommend a hotel near the centre? (UK) Could you recommend a hotel near downtown? (US)

en el café	*at the café*
¿Está libre esta mesa/silla?	Is this table/seat free?
¡Por favor!	Excuse me!
¿Nos podría traer la lista de bebidas?	Could you please bring us the drinks list?
Dos cafés/cafés con leche, por favor.	Two cups of black coffee/white coffee, please. (UK) Two cups of coffee with cream, please. (US)
Quiero un café con leche.	I'd like a coffee with cream/milk. (US) I'd like a white coffee. (UK)
Un té/té con limón/té con leche.	A tea/lemon tea/tea with milk.
¿Me podría traer hielo?	Could I have some ice?

Un zumo de naranja/un agua mineral. Un jugo de naranja/un agua mineral. (Amér)	An orange juice/a mineral water.
¿Me podría traer una cerveza, por favor?	Can I have another beer, please?
¿Dónde están los servicios? ¿Dónde es el baño? (Amér)	Where is the toilet? (UK) Where is the restroom? (US)
¿Hay zona de fumadores?	Is there a smoking section?
en el restaurante	*at the restaurant*
Quisiera reservar una mesa para las 8 de la tarde.	I'd like to reserve a table for 8 p.m.
Una mesa para dos, por favor.	A table for two, please.
¿Nos podría dar una mesa en la zona de no fumadores?	Can we have a table in the non-smoking section?
¿Podría traer la carta/la carta de vinos?	Can we see the menu/wine list?
¿Tiene menú infantil/para vegetarianos?	Do you have a children's/vegetarian menu?
Una botella de vino tinto/blanco de la casa, por favor.	A bottle of house white/red, please.
Quisiéramos un aperitivo.	We'd like an aperitif.

¿Cuál es la especialidad de la casa?	What is the house speciality?
Muy poco hecho/al punto/muy hecho.	Rare/medium/well-done.
¿Qué hay de postre?	What desserts do you have?
¿Me trae la cuenta, por favor?	Can I have the bill, please? (UK) Can I have the check, please? (US)

en el banco	*at the bank*
Quería cambiar 100 libras en euros, por favor.	I'd like to change £100 into euros please.
En billetes pequeños, por favor. En billetes chicos, por favor. (RP)	In small denominations, please.
¿Cuál es el cambio del dólar?	What is the exchange rate for dollars?
¿Cuánto es la comisión?	How much is the commission?
¿Cuánto es en euros?	How much is that in euros?
Quería transferir dinero.	I'd like to transfer some money.
¿Dónde hay un cajero automático?	Where is the cash dispenser? (UK) Where is the ATM? (US)

en la oficina de correos	*at the post office*
¿Puedo enviar un fax?	Can I send a fax?
¿Cuánto cuesta enviar una carta/una postal a México?	How much is it to send a letter/postcard to Mexico?
Quiero diez sellos para Chile. Quiero diez timbres para Chile. (Méx) Quiero diez estampillas para Chile. (RP)	I'd like ten stamps for Chile.
Quería enviar este paquete por correo certificado. Quería enviar este paquete por correo registrado. (Amér)	I'd like to send this parcel by registered post. (UK) I'd like to send this parcel by registered mail. (US)
¿Cuánto tiempo tardará en llegar? ¿Cuánto tiempo demora en llegar? (Amér)	How long will it take to get there?
Quiero una tarjeta de teléfono de 50 unidades.	I'd like a 50-unit phone card.

Quiero enviar un mensaje por correo electrónico. ¿Dónde puedo encontrar un cibercafé?	I'd like to send an e-mail. Can you tell me where I can find an Internet cafe?
los negocios	*business*
Buenos días. Soy de Biotech Ltd.	Hello. I'm from Biotech Ltd.
Tengo una cita con el Sr. Santiago a las 2.30 de la tarde.	I have an appointment with Sr. Santiago at 2.30 p.m.
Aquí tiene mi tarjeta de empresa.	Here's my business card.
Quisiera ver al director general.	I'd like to see the managing director.
Mi dirección de correo electrónico es paul@easyconnect.com	My e-mail address is paul@easyconnect.com
¿Podría enviarme información/las cifras de ventas por fax, por favor?	Could you fax me some information/the sales figures, please?

en el consultorio médico	*at the doctor's*
Tengo vómitos y diarrea.	I've been vomiting and I have diarrhoea.
Me duele aquí/ahí.	It hurts here/there.
Me duele la cabeza.	I have a headache.
Tengo dolor de garganta.	I have a sore throat.
Tengo dolor de estómago.	My stomach hurts.
Mi hijo tiene tos y fiebre.	My son has a cough and a fever.
Soy alérgico a la penicilina.	I'm allergic to penicillin.
Soy alérgico a los antibióticos.	Antibiotics don't agree with me.
Creo que tengo otitis.	I think I have an ear infection.
Tengo la tensión alta.	I've got high blood pressure.
Soy diabético.	I'm diabetic.
Creo que me he roto la muñeca.	I think I may have broken my wrist.
¿Por cuánto tiempo debo seguir el tratamiento?	How long should I follow the treatment for?

en el dentista	*at the dentist's*
Tengo dolor de muelas.	I have toothache.
Me duele una muela.	One of my molars hurts.
Se me ha caído un empaste. Se me ha caído una tapadura. (Méx) Se me ha caído una emplomadura (RP).	I've lost a filling.
Me he partido un incisivo.	I've broken an incisor.
Las muelas del juicio me están molestando mucho.	My wisdom teeth are really bothering me.
Necesito/necesitas un puente nuevo.	I/you need a bridge.
He perdido la dentadura postiza.	I've lost my dentures.
¿Me puede poner anestesia local?	Could you give me a local anaesthetic?

en la farmacia	*at the chemist's (UK)* *at the drugstore (US)*
¿Tiene algo para el dolor de cabeza/el dolor de garganta/la diarrea?	Can you give me something for a headache/sore throat/diarrhoea?
¿Tiene un analgésico/tiritas ®, por favor? ¿Tiene un analgésico/curitas, por favor? (Amér)	Can I have some aspirin/Band-Aids ®, please?
Necesito una crema solar de un alto grado de protección.	I need some high protection suntan lotion.
¿Tiene un repelente para insectos?	Do you have any insect repellent?
Tengo una receta de mi médico en el Reino Unido.	I have a prescription from my doctor in the UK.
¿Me podría recomendar un médico?	Could you recommend a doctor?

Índice	Contents	

Cardinales/Cardinal numbers

cero	0	zero
uno	1	one
dos	2	two
tres	3	three
cuatro	4	four
cinco	5	five
seis	6	six
siete	7	seven
ocho	8	eight
nueve	9	nine
diez	10	ten
once	11	eleven
doce	12	twelve
trece	13	thirteen
catorce	14	fourteen
quince	15	fifteen
dieciséis	16	sixteen
diecisiete	17	seventeen
dieciocho	18	eighteen
diecinueve	19	nineteen
veinte	20	twenty
veintiuno	21	twenty-one
veintidós	22	twenty-two
veintitrés	23	twenty-three
veinticuatro	24	twenty-four
veinticinco	25	twenty-five
veintiséis	26	twenty-six
veintisiete	27	twenty-seven
veintiocho	28	twenty-eight
veintinueve	29	twenty-nine

treinta	30	thirty
treinta y uno	31	thirty-one
cuarenta	40	forty
cincuenta	50	fifty
sesenta	60	sixty
setenta	70	seventy
ochenta	80	eighty
noventa	90	ninety
cien	100	one hundred
quinientos	500	five hundred
mil	1000	one thousand
un millón	1.000.000	one million

Ordinales/Ordinal numbers

primero	1º/1st	first
segundo	2º/2nd	second
tercero	3º/3rd	third
cuarto	4º/4th	fourth
quinto	5º/5th	fifth
sexto	6º/6th	sixth
séptimo	7º/7th	seventh
octavo	8º/8th	eighth
noveno	9º/9th	ninth
décimo	10º/10th	tenth
undécimo	11º/11th	eleventh
decimosegundo	12º/12th	twelfth
decimotercero	13º/13th	thirteenth
decimocuarto	14º/14th	fourteenth
decimoquinto	15º/15th	fifteenth
decimosexto	16º/16th	sixteenth
decimoséptimo	17º/17th	seventeenth

decimoctavo	18°/18th	eighteenth
decimonoveno	19°/19th	nineteenth
vigésimo	20°/20th	twentieth
vigésimo primer(o)	21°/21st	twenty-first
vigésimo segundo	22°/22nd	twenty-second
vigésimo tercero	23°/23rd	twenty-third
trigésimo	30°/30th	thirtieth
centésimo	100°/100th	one hundredth
milésimo	1000°/1000th	one thousandth

Las operaciones/Mathematical operations

menos uno	-1	minus one
ocho más dos igual a diez	8+2=10	eight plus two equals five
nueve menos tres igual a seis	9-3=6	nine minus three equals six
siete por tres veintiuno	7x3=21	seven times three equals twenty-one/ seven multiplied by three equals twenty-one
veinte entre cuatro igual a cinco	20:4=5	twenty divided by four equals five.
la raíz cuadrada de nueve es tres	$\sqrt{9}=3$	the square root of nine is three
cinco al cuadrado igual a veinticinco	$5^2=25$	five squared equals twenty-five

La moneda británica/British currency

un penique	1p	a penny
dos peniques	2p	two pence
cinco peniques	5p	five pence
diez peniques	10p	ten pence

veinte peniques	20p	twenty pence
cincuenta peniques	50p	fifty pence
una libra	£1	a pound
dos libras	£2	two pounds
cinco libras	£5	five pounds
diez libras	£10	ten pounds
veinte libras	£20	twenty pounds
cincuenta libras	£50	fifty pounds

La moneda estadounidense/American currency

un centavo	1¢	one cent/a penny
cinco centavos	5¢	five cents/a nickel
diez centavos	10¢	ten cents/a dime
veinticinco centavos	25¢	twenty-five cents/a quarter
cincuenta centavos	50¢	fifty cents/a half dollar
un dólar	$1	one dollar
cinco dólares	$5	five dollars
diez dólares	$10	ten dollars
veinte dólares	$20	twenty dollars
cincuenta dólares	$50	fifty dollars
cien dólares	$100	a hundred dollars

La moneda europea/European currency

un céntimo	0,01 €	a cent
dos céntimos	0,02 €	two cents
cinco céntimos	0,05 €	five cents
diez céntimos	0,10 €	ten cents
veinte céntimos	0,20 €	twenty cents
cincuenta céntimos	0,50 €	fifty cents
un euro	1 €	one euro
dos euros	2 €	two euros

cinco euros	5 €	five euros
diez euros	10 €	ten euros
veinte euros	20 €	twenty euros
cincuenta euros	50 €	fifty euros
cien euros	100 €	a hundred euros
doscientos euros	200 €	two hundred euros
quinientos euros	500 €	five hundred euros

Longitud/Length

milímetro	mm	millimetre*
centímetro	cm	centimetre*
metro	m	metre*
kilómetro	km	kilometre*

(* US millimeter, centimeter, meter, kilometer)

pulgada	in	inch
pie	ft	foot
yarda	yd	yard
milla	mi	mile

Superficie/Area

centímetro cuadrado	cm²	square centimetre*
metro cuadrado	m²	square metre*
kilómetro cuadrado	km²	square kilometre*
hectárea (=10.000m²)	ha	hectare

(* US square centimeter, square meter, square kilometer)

pulgada cuadrada	in²	square inch
pie cuadrado	ft²	square foot
yarda cuadrada	yd²	square yard
milla cuadrada	mi²	square mile

Capacidad/Capacity

decilitro	dl	decilitre*
litro	l	litre*
(*US deciliter, liter)		
onza	oz	ounce
pinta	pt	pint
galón	gal	gallon

Volumen/Volume

centímetro cúbico	cm³	cubic centimetre*
metro cúbico	m³	cubic metre*
(* US cubic centimeter, cubic meter)		
yarda cúbica	yd³	cubic yard
pie cúbico	ft³	cubic feet

Peso/Weight

miligramo	mg	milligram
gramo	g	gram
hectogramo	hg	hectogram
kilo(gramo)	kg	kilogram(me)/kilo
tonelada	t	(metric) ton
onza	oz	ounce
libra	lb	pound

La hora/The time

las cinco		five o'clock
las siete y cinco		five past seven UK/ five after seven US
las ocho y diez		ten past eight UK/ ten after eight US
las nueve y cuarto		a quarter past nine UK/ a quarter after nine US
las diez y veinte		twenty past ten UK/ twenty after ten US
las once y media		half past eleven
las doce del mediodía		noon/twelve a.m./midday
las doce y media		half past twelve/ twelve thirty
la una		one p.m.
las dos		two o'clock
las cuatro menos cuarto		a quarter to four UK/ a quarter of four US/ fifteen forty-five
las cinco y veintitrés		five twenty-three
las nueve menos veinticinco		eight thirty-five
las doce de la noche		twelve p.m./midnight
la una de la madrugada/ de la mañana		one a.m.